»LA GAJA SCIENZA«

VOLUME 523

UCCELLI DA PREDA

Romanzo
di WILBUR
SMITH

TRADUZIONE DI
LIDIA PERRIA

LONGANESI & C.
MILANO

PROPRIETÀ LETTERARIA RISERVATA
Longanesi & C. © *1997 - 20122 Milano, corso Italia, 13*

ISBN 88-304-1409-3

Traduzione dall'originale inglese
Birds of Prey
di Lidia Perria

UCCELLI DA PREDA

Questo romanzo è dedicato a Danielle Antoinette.
Per trent'anni il tuo amore è stato il mio scudo,
la tua forza e il tuo coraggio sono stati la mia spada.

LA brusca inclinazione dell'albero costrinse il ragazzo ad aggrapparsi al bordo della coffa dov'era accovacciato, sessanta piedi sopra il ponte, mentre la nave virava di bordo e prendeva l'abbrivio col vento in poppa. Era una caravella e si chiamava *Lady Edwina*, dal nome della madre del ragazzo: una donna che lui ricordava a stento.

Nell'oscurità che precedeva l'alba, sentiva le grandi colubrine di bronzo sbatacchiare e sollevarsi con un tonfo, tendendo i cavi che le collegavano all'affusto. Lo scafo vibrava in risposta al nuovo impulso che gli era stato impresso, virando per puntare a occidente. Con il vento di sud-est a favore, sembrava trasformato, leggero e più agile, nonostante le vele, ridotte o terzarolate, e le sentine allagate da tre piedi d'acqua.

Tutto questo appariva ormai familiare a Hal Courteney: erano già sessantacinque le albe che salutava così, dalla cima dell'albero. Era stato messo di vedetta lassù proprio perché i suoi giovani occhi, i più acuti che vi fossero a bordo, avvistassero anche il minimo lembo di vela che poteva apparire in lontananza, nel roseo chiarore del nuovo giorno.

Gli era familiare anche il freddo, che lo indusse a calcarsi bene sulle orecchie il pesante berretto in lana di Monmouth. Il vento penetrava attraverso il farsetto di cuoio, ma Hal era abituato a quel lieve disagio. Non ci badava neppure, mentre aguzzava gli occhi nell'oscurità. «Oggi arriveranno gli olandesi», esclamò a voce alta, avvertendo nel petto il pulsare dell'eccitazione e della paura.

In alto, lo sfavillio delle stelle cominciò a impallidire, appannandosi, e nel firmamento dilagò la promessa perlacea del nuovo giorno. Ora riusciva a scorgere le figure umane sul ponte. Riconobbe Ned Tyler, il timoniere, chino sulla barra del timone, tutto assorto nel compito di governare la nave; e suo padre, curvo sulla chiesuola della bussola per il rilevamento della nuova rotta, con il volto bruno e scavato illuminato dalla lanterna e le lunghe ciocche di capelli aggrovigliate dal vento.

Con un sussulto colpevole, Hal tornò a puntare lo sguardo verso l'oscurità che lo circondava; non doveva perdersi nella contemplazione trasognata del ponte ai suoi piedi proprio nei minuti cruciali in cui, da un momento all'altro, il nemico poteva sbucare dal buio lì, alla loro portata.

Ormai la luce era sufficiente a distinguere la superficie del mare che correva lungo la chiglia, una superficie che pareva avere la dura lucentezza iridescente del carbone appena estratto. Ormai conosceva così bene quel mare dell'emisfero meridionale, quella vasta arteria oceanica che scorreva perennemente lungo la costa orientale dell'Africa, azzurra, calda e brulicante di vita. Sotto la guida del padre, l'aveva studiata al punto di conoscerne il colore, il sapore e la direzione, tutto, insomma, fino all'ultimo gorgo e maroso.

Un giorno si sarebbe fregiato anche lui del titolo di cavaliere Nautonnier dell'ordine del Tempio di San Giorgio e del Santo Graal. Suo padre era deciso quanto lui a far sì che questo si avverasse, e ora che Hal aveva diciassette anni la sua meta non era più soltanto un sogno.

Quella corrente era l'arteria che gli olandesi dovevano seguire per puntare a occidente e approdare su quella costa misteriosa ancora avvolta nell'oscurità. Era la porta attraverso la quale dovevano passare tutti coloro che cercavano di doppiare il promontorio tempestoso che divideva l'oceano Indiano dall'Atlantico meridionale.

Per questo Sir Francis Courteney, il padre di Hal, il Navigatore, aveva scelto per aspettarli proprio quella posizione, a 34 gradi e 25 primi di latitudine sud. E li aspettavano ormai da sessantacinque tediosi giorni, impegnati in un monotono andirivieni; ma forse, quel giorno, gli olandesi sarebbero venuti. Con le labbra aperte e gli occhi verdi socchiusi, Hal scrutò il chiarore del giorno che si andava addensando.

A dritta, distanti un centinaio di braccia, vide balenare alcune ali, tanto alte in cielo da catturare i primi raggi del sole: un lungo stormo di sule partite da terra, con il petto candido come la neve e la testa gialla e nera. Osservò il capo della formazione tuffarsi in basso e virare, rompendo lo schema, poi torcere il capo per sbirciare in fondo ai flutti scuri. Allora Hal scorse il fremito sotto il pelo dell'acqua, lo scintillio delle squame e il ribollire della superficie, mentre un banco di pesci saliva verso la luce. Osservò la sula stringere le ali per lanciarsi in picchiata, e tutte quelle che la seguivano ripetere la manovra nello stesso punto del cielo, piombando nell'acqua cupa con un ribollire di schiuma leggera come trina candida.

Ben presto la superficie si ricoprì di spuma bianca, agitata dai tuffi degli uccelli e dal guizzare delle acciughe argentee che venivano divorate. Hal distolse lo sguardo, per farlo scorrere sull'orizzonte che si stava schiudendo.

Il suo cuore mancò un battito quando scorse la luminosità di una vela, una nave alta con le vele quadre, distante appena due leghe a est, e si era già riempito i polmoni d'aria, aprendo la bocca per lanciare l'allarme al cassero, quando la riconobbe. Era la *Gull of Moray*, una fregata, e non uno degli *Indiamen*, i grossi galeoni usati dagli olandesi per la navigazione nelle Indie Orientali; a ingannarlo, per un attimo, era stata la sua lontananza dalla posizione che avrebbe dovuto occupare.

La *Gull of Moray* era infatti l'altro dei due velieri al comando della squadra che operava il blocco navale. Il suo comandante, soprannominato l'Avvoltoio, avrebbe dovuto trovarsi ben più lontano, a est, oltre l'orizzonte. Hal si sporse dalla coffa per guardare in giù verso il ponte, mentre il padre lo fissava dal basso, con i pugni piantati sui fianchi.

Hal segnalò al cassero l'avvistamento. «La *Gull* in avvicinamento sopravvento!» gridò, e subito suo padre si girò di scatto per guardare a est. Scorgendo la sagoma della nave dell'Avvoltoio, nera contro il cielo ancora semibuio, Sir Francis accostò all'occhio il sottile tubo di ottone del cannocchiale. Hal intuì la collera nella linea tesa delle spalle e nel modo in cui richiudeva di scatto lo strumento, respingendo all'indietro la folta capigliatura nera; prima di giorno fra i due comandanti sarebbero volate parole dure. Hal sogghignò fra sé. Dotato di una volontà ferrea e di una lingua sferzante, Sir Francis incuteva terrore a tutti coloro sui quali riversava la sua collera: persino i confratelli dell'ordine avevano soggezione di lui. Hal era ben contento che quel giorno la sua ira fosse rivolta altrove, anziché contro il figlio.

Guardò oltre la *Gull of Moray*, perlustrando l'orizzonte che si allargava in fretta, man mano che albeggiava. La vista acuta del giovane Hal non aveva bisogno dell'aiuto del cannocchiale; inoltre a bordo c'era uno solo di quei preziosi strumenti. Scorse le altre vele, esattamente nel punto in cui dovevano trovarsi, infinitesimali pagliuzze bianche sul mare buio. Le due pinacce, piccole imbarcazioni che completavano la formazione, simili a perle di una collana, navigavano ai lati della *Lady Edwina*, a quindici leghe di distanza, altrettante maglie della rete che suo padre aveva teso per intrappolare gli olandesi.

Le pinacce erano imbarcazioni aperte, cioè senza ponte, ciascuna con una dozzina di uomini armati fino ai denti. Quando non c'era necessità di utilizzarle, il loro albero veniva rimosso per facilitarne il caricamento sulla coperta delle unità maggiori. Sir Francis cambiava regolarmente gli equipaggi, a rotazione, perché neppure i rudi uomini degli altipiani dell'ovest, o i gallesi, o gli ex schiavi ancor più robusti che costituivano il nerbo del suo equipaggio, potevano resistere a lungo alle condizioni che regnavano a bordo di quelle imbarcazioni minuscole ed essere ancora in grado di combattere.

Alla fine la luce d'acciaio del giorno pieno li investì mentre il sole sorgeva dall'oceano a oriente. Fissando dall'alto il sentiero infuocato che tracciava sulle acque, Hal si sentì avvilito dal fatto che sull'oceano non si scorgevano vele straniere. Proprio come nelle sessantacinque albe precedenti, non c'era neanche un olandese in vista.

Poi guardò in direzione nord, verso la massa di terra che incombeva all'orizzonte, rannicchiata come una grande sfinge di roccia, cupa e imperscrutabile. Era capo Agulhas, l'estremità meridionale del continente africano.

«Africa!» Il suono di quel nome misterioso gli fece venire la pelle d'oca sulle braccia e drizzare i folti capelli scuri sulla nuca.

«Africa!» Quella terra che non era segnata sulle carte, popolata di draghi e altre creature spaventose che si nutrivano di carne umana, e di selvaggi dalla pelle scura che si nutrivano anch'essi delle carni degli uomini, sfoggiando le loro ossa come ornamento.

«Africa!» La terra dell'oro, dell'avorio e degli schiavi, ricca di altri tesori ancora, in attesa di un uomo abbastanza audace da cercarli, a costo, forse, di perire nell'impresa. Hal si sentiva intimorito e al tempo stesso affascinato dal suono e dalla promessa di quel nome, dalla minaccia e dalla sfida che racchiudeva in sé.

Per lunghe ore aveva meditato, chino sulle carte nella cabina del padre, mentre avrebbe dovuto imparare a memoria le tavole dei transiti celesti, oppure coniugare i verbi latini. Aveva studiato i grandi spazi dell'interno, fitti d'immagini di elefanti, leoni e mostri, dov'erano tracciati i contorni dei monti della Luna, oltre che di laghi e fiumi impetuosi, battezzati baldanzosamente con nomi come «Khoikhoi», «Camdeboo», «Sofala» e «regno di Prete Gianni». Hal aveva appreso dal padre che nessun uomo civile si era mai spinto all'interno di quel territorio, che incuteva un sacro terrore, e si domandò, come già aveva fatto tante altre volte, che cosa si doveva provare a essere il primo uomo che si avventurava laggiù. Lo incuriosiva soprattutto Prete Gianni: quel leggendario sovrano di un potente impero cristiano, isolato nel cuore del continente africano, viveva nella mitologia europea da centinaia di anni. Era un uomo solo, si chiedeva Hal, o piuttosto un'intera dinastia di imperatori?

La sua fantasticheria fu interrotta dal suono di ordini gridati da poppa, deboli a causa del vento, e dalla sensazione che la nave cambiasse rotta. Guardando in basso, si accorse che il padre aveva virato di bordo per intercettare la *Gull of Moray*. Ora i due vascelli, navigando con le sole vele di gabbia e con tutte le altre vele terzarolate, stavano convergendo, dirette entrambe a ovest verso il capo di Buona Speranza e l'Atlantico.

I velieri avanzavano pigramente. Da troppo tempo navigavano in quelle calde acque meridionali, e il fasciame era infestato dai vermi. A quelle latitudini, nessun vascello poteva resistere a lungo: le micidiali teredini raggiungevano il diametro di un dito e la lunghezza di un braccio, scavando le loro gallerie nel fasciame, così vicine l'una all'altra da ridurlo infine a un alveare. Persino dal suo posto di vedetta, in cima all'albero maestro, Hal sentiva le pompe in azione su entrambe le navi per svuotare le sentine: quel suono incessante era come il battito di un cuore che tenesse a galla il veliero. Era un altro dei motivi per cui dovevano trovare gli olandesi: avevano bisogno di cambiare nave. La *Lady Edwina* si stava sbriciolando sotto i loro piedi.

Quando le due navi giunsero a portata di voce, gli equipaggi si affollarono sul sartiame e lungo le battagliole per lanciarsi reciprocamente spavalde vanterie.

Il numero di uomini stipati in ogni vascello non cessava di stupire Hal, ogni volta che li vedeva ammassati così. La *Lady Edwina* stazzava centosettanta tonnellate ed era lunga poco più di settanta piedi, eppure imbarcava un equipaggio di centotrenta uomini, senza contare quelli addetti alle due pinacce. La *Gull* non era molto più grande, ma ne accoglieva a bordo addirittura la metà in più.

D'altronde, se volevano sopraffare uno degli enormi galeoni della Compagnia olandese delle Indie Orientali avrebbero avuto bisogno di tutti quegli uomini, dal primo all'ultimo. In base alle più recenti informazioni raccolte in tutti gli angoli dell'oceano meridionale da altri cavalieri dell'ordine, Sir Francis sapeva che erano ancora in mare almeno cinque di quelle grosse navi. Finora, in quella stagione, già ventuno galeoni della Compagnia avevano doppiato il capo per fare scalo presso la minuscola base di rifornimento che sorgeva sotto l'imponente Tafelberg, come la chiamavano gli olandesi, ossia la montagna della Tavola, nell'estremo lembo meridionale del continente, prima di puntare a nord per risalire l'Atlantico verso Amsterdam.

Quei cinque galeoni ritardatari, che ancora si sforzavano di attraversare l'oceano Indiano, dovevano doppiare il capo prima che gli alisei di sud-est cadessero e il vento volgesse a nord-ovest, portando burrasca. E questo sarebbe accaduto presto.

Quando la *Gull of Moray* non incrociava nei mari, impegnata nella *guerre de course*, Angus Cochran, conte di Cumbrae, rimpinguava la borsa commerciando in schiavi nei mercati di Zanzibar. Una volta che erano stati incatenati agli anelli fissati al ponte della lunga e stretta stiva degli schiavi, era impossibile liberarli fino alla fine del viaggio, quando la nave attraccava nei porti dell'Oriente. Ciò significava che anche i poveri diavoli che soccombevano durante il temibile passaggio tropicale attraverso l'oceano Indiano dovevano restare a marcire, insieme con i vivi, nello spazio angusto dei ponti sotto coperta. Gli effluvi dei loro corpi in decomposizione, mescolandosi al fetore degli escrementi dei vivi, conferivano alle navi negriere un odore caratteristico che consentiva di identificarle a molte leghe di distanza. Nessun lavaggio, anche con la lisciva più potente, avrebbe mai potuto liberare una nave negriera di quell'odore tipico.

Quando la *Gull* accostò sopravvento alla loro nave, dai marinai della *Lady Edwina* si levarono ululati di disgusto. « Perdio, puzza come un mucchio di letame. »

« Non vi siete puliti il culo, vermi sifilitici? Si sente l'odore perfino da qui! » gridò uno di loro in direzione della piccola fregata dalle linee aggraziate. Il tenore delle risposte rilanciate dalla *Gull* fece sorridere Hal. Naturalmente le viscere degli uomini non avevano segreti per lui, ma per il resto non riusciva a capire granché, dato che non aveva mai visto quelle parti del corpo femminile alle quali i marinai delle due navi si riferivano con tanta ricchezza di dettagli, e non conosceva neppure gli usi ai quali potevano servire, ma sentirle descrivere a quel modo stimolava la sua immaginazione. Il divertimento aumentò nell'immaginare la collera del padre al solo sentire quelle parole.

Sir Francis era un uomo devoto, convinto che le sorti del combattimento potevano essere influenzate dal comportamento timorato di Dio tenuto da tutti gli uomini a bordo. Per questo proibiva il gioco d'azzardo, la bestemmia e gli alcolici forti; due volte al giorno guidava le preghiere comuni e, quando entravano in porto, esortava i marinai a tenere un comportamento corretto e dignitoso, anche se Hal sapeva che quel consiglio veniva seguito di rado. Sir Francis s'incupì, ascoltando i suoi uomini che scambiavano insulti con quelli dell'Avvoltoio, ma, non potendo far frustare metà dell'equipaggio per manifestare la sua disapprovazione, tenne la lingua a freno finché non fu possibile il colloquio con la fregata.

Nel frattempo aveva mandato il suo valletto in cabina a prendere il mantello. Quel che doveva dire all'Avvoltoio aveva un tono ufficiale, e intendeva farlo indossando le insegne ufficiali dell'ordine. Quando il servitore tornò, Sir Francis si mise sulle spalle lo splendido mantello di velluto, prima di portarsi alle labbra il megafono. «Buon giorno, milord!»

L'Avvoltoio si accostò alla battagliola, alzando una mano in segno di saluto. Sopra il tartan indossava la mezza armatura, che scintillava alla luce tersa del mattino, ma era a capo scoperto, con i capelli e la barba rossa che si univano a formare quasi un covone di fieno, e i ricci che danzavano al vento come se avesse la testa in fiamme. «Che Gesù vi benedica, Franky!» gridò di rimando, sopraffacendo facilmente il vento con la sua voce possente.

«Il vostro vostro settore di pattugliamento è sul lato orientale!» Il vento e la collera resero brusco Sir Francis. «Come mai l'avete abbandonato?»

L'Avvoltoio allargò le braccia in un gesto espressivo di scusa. «Ho quasi finito l'acqua e completamente esaurito la pazienza. Sessantacinque giorni sono più che sufficienti per me e per i miei valorosi compagni. Lungo la costa di Sofala ci sono schiavi e oro che aspettano solo di essere conquistati.» Il suo accento aveva l'intensità di una burrasca scozzese.

«La commissione che avete ricevuto non vi consente di attaccare le navi portoghesi.»

«Olandesi, portoghesi o spagnole che siano», gridò di rimando Cumbrae, «il loro oro scintilla sempre allo stesso modo. Sapete benissimo che non c'è pace oltre la linea di demarcazione. »

« Meritate davvero il soprannome di Avvoltoio », rispose Sir Francis con un ruggito di frustrazione, « perché avete lo stesso appetito di quel divoratore di carogne! » Eppure ciò che diceva Cumbrae era vero: oltre la linea di demarcazione non c'era pace.

Più di centosettant'anni prima, con la bolla papale *Inter caetera* del 25 settembre 1493, il papa Alessandro VI aveva tracciato al centro dell'Atlantico, da nord a sud, la linea di demarcazione che divideva il mondo fra Portogallo e Spagna. Come si poteva sperare che le nazioni cristiane escluse, in preda all'invidia e al rancore, rispettassero quella decisione? Era nata spontaneamente un'altra dottrina: « Non c'è pace oltre la linea », che era diventata la parola d'ordine dei corsari e si estendeva, nella loro interpretazione, fino a comprendere tutte le regioni inesplorate dell'oceano.

Nelle acque dell'emisfero settentrionale si commettevano atti di pirateria, di rapina e di omicidio, i cui responsabili in passato sarebbero stati braccati dalle flotte alleate dell'Europa cristiana e impiccati alla cima di un pennone, mentre adesso erano condonati e persino esaltati, se compiuti oltre la linea. Ciascuno dei sovrani impegnati nel conflitto firmava lettere di marca, o di corsa, che, con un solo tratto di penna, trasformavano navi mercantili in navi corsare, da guerra, autorizzandole a compiere misfatti sugli oceani appena scoperti nel globo terrestre in continua espansione.

La lettera di Sir Francis Courteney era stata firmata da Edward Hyde, primo conte di Clarendon e Lord Cancelliere d'Inghilterra, a nome di sua maestà Carlo II. Gli concedeva l'autorizzazione a dare la caccia alle navi della Repubblica olandese, con la quale l'Inghilterra era in guerra.

« Abbandonando la vostra posizione, rinunciate al diritto di rivendicare una quota di qualunque bottino... » Sir Francis gridava ancora, per farsi sentire oltre la stretta striscia di mare che separava le due navi, ma l'Avvoltoio si era voltato per lanciare un ordine al suo timoniere.

Rivolto al suonatore di cornamusa che si teneva pronto al suo fianco, ordinò: « Suona a Sir Francis una melodia che lo aiuti a ricordarsi di noi! » Le note inebrianti di *Farewell to the Isles* giunsero sull'acqua fino alla *Lady Edwina*, mentre i gabbieri dell'Avvoltoio si arrampicavano come scimmie in cima al sartiame per sciogliere i terzaroli. La velatura della *Gull* si gonfiò. Le vele maestre si riempirono con un boato simile a un colpo di cannone, e la nave filò impetuosa, sospinta dal vento di sud-est, affrontando la prima onda azzurra e fendendola come la lama di un coltello.

Mentre si allontanava veloce, l'Avvoltoio tornò verso poppa, alzando la voce per sopraffare il suono della cornamusa e l'ululato del vento. «Possa la pace del Signore nostro Gesù Cristo proteggervi, mio riverito confratello.» Ma sulle sue labbra quell'augurio suonava come una bestemmia.

Avvolto nel mantello che svolazzava sulle spalle ampie, diviso in quattro dalla *croix pattée* scarlatta del suo ordine, Sir Francis lo guardò allontanarsi.

A poco a poco gli applausi ironici e le battute pesanti degli uomini si spensero, e una nuova atmosfera, più cupa, cominciò a contagiare la nave, mentre l'equipaggio si rendeva conto che le loro forze, già scarse, erano state più che dimezzate in un colpo solo. Erano rimasti soli ad affrontare gli olandesi, con tutti gli uomini che avrebbero potuto mettere in campo. Ora i marinai che affollavano il ponte e il sartiame della *Lady Edwina* tacevano, incapaci di affrontare lo sguardo dei compagni.

Allora Sir Francis rovesciò la testa all'indietro, scoppiando a ridere. «Tanto meglio, ci toccherà una parte maggiore del bottino!» gridò, e gli uomini risero con lui, acclamandolo, mentre si dirigeva verso la sua cabina, sotto il cassero.

Hal rimase sulla coffa per un'altra ora. Si chiedeva fino a quando sarebbe durato l'umore spavaldo degli uomini, perché erano ridotti a un solo boccale d'acqua al giorno. Anche se la terra e i suoi fiumi ricchi di acqua dolce si trovavano a meno di mezza giornata di navigazione, Sir Francis non aveva ancora osato inviare neanche una delle pinacce a riempire le botti. Gli olandesi potevano arrivare in qualsiasi momento, e allora avrebbe avuto bisogno di tutti gli uomini.

Alla fine un uomo salì a dare il cambio a Hal di vedetta. «Che c'è da vedere, ragazzo?» gli domandò.

«Ben poco», ammise lui, indicando le minuscole vele delle pinacce, lontane all'orizzonte. «Nessuna delle due lancia segnali», aggiunse. «Fa' attenzione se espongono la bandierina rossa. Significa che hanno avvistato la preda.»

Il marinaio grugnì. «Ancora un po', e vorrai insegnarmi a

scorreggiare.» Ma sorrise a Hal con l'espressione di uno zio be- nevolo, perché il ragazzo era il beniamino della nave.

Hal ricambiò il sorriso. «Quant'è vero Iddio, mastro Simon, voi non avete bisogno d'insegnamenti. Vi ho sentito sul secchio, nelle latrine, e preferirei affrontare una bordata degli olandesi. Per poco non avete incrinato tutte le assi della chiglia.»

Simon si lasciò sfuggire una risata esplosiva, battendo sulla spalla di Hal. «Scendi, ragazzo, prima che ti insegni a volare come un albatro.»

Lui cominciò a scendere a precipizio lungo le sartie. Da prin- cipio si muoveva in modo rigido, con i muscoli anchilosati dai crampi e raggelati dalla lunga veglia, ma ben presto si scaldò e scese agilmente.

Per guardarlo, alcuni degli uomini sul ponte interruppero il lavoro alle pompe, oppure con l'ago e il ditale, per rammendare le vele lacerate dal vento. Era robusto, con le spalle larghe come un ragazzo più grande di almeno tre anni, e aveva braccia e gambe così lunghe da apparire già alto come il padre. Eppure aveva ancora la pelle fresca e levigata, il viso liscio e l'espressio- ne solare della fanciullezza. I capelli, legati dietro la nuca con un laccio di cuoio, spuntavano dal berretto, scintillando corvini al sole dell'alba. A quell'età la sua bellezza era ancora quasi femminea, e dopo oltre quattro mesi di navigazione (e sei in tut- to senza posare gli occhi su una donna) alcuni di quelli che ave- vano tendenze del genere lo seguivano con occhiate lascive.

Hal lasciò la sicurezza dell'albero per muoversi verso l'estre- mità del pennone, camminando in equilibrio con l'agilità di un acrobata, quaranta piedi più in alto dello spumeggiare dell'onda di prua e delle tavole del ponte di coperta. Ora gli occhi di tutti erano fissi su di lui: era un'impresa che pochi a bordo avrebbe- ro potuto emulare.

«Perché bisogna essere giovani e stupidi?», brontolò Ned Tyler, scuotendo la testa con affetto mentre si appoggiava al ti- mone per alzare la testa a guardarlo. «Meglio che quel piccolo idiota non si lasci sorprendere dal padre a fare quel giochetto.»

Raggiunta l'estremità del pennone, senza fermarsi Hal passò sul picco, scivolando in basso finché non giunse tre metri al di sopra del ponte. Di lì, si lasciò cadere, atterrando leggero sui piedi nudi ricoperti di calli, con le ginocchia piegate per assor- bire l'impatto sul tavolato bianco, sfregato con cura.

Si rialzò con un balzo elastico, dirigendosi a poppa, ma rimase paralizzato da un grido disumano: era un ruggito primordiale, la sfida minacciosa di un grande predatore.

Hal restò inchiodato al ponte solo un attimo, poi si allontanò di scatto, per istinto, mentre una figura alta gli piombava addosso. Udì il sibilo nell'aria prima ancora di vedere la lama, che schivò tuffandosi. L'acciaio argenteo balenò sopra la sua testa e l'aggressore lanciò un altro ruggito, un grido stridulo di furore.

Scorse appena il volto dell'aggressore, nero e lucente, la bocca ampia come una caverna orlata da enormi denti bianchi e squadrati, la lingua rosea arrotolata come quella di un leopardo per lanciare il grido.

Continuò a schivare danzando, mentre la lama argentea calava ancora su di lui, descrivendo un arco, ma sentì uno strappo alla manica del farsetto quando la punta della spada incise il cuoio, e ricadde all'indietro.

« Ned, una lama! » gridò disperato al timoniere alle sue spalle, senza mai distogliere lo sguardo dagli occhi dell'assalitore. Quelle pupille erano nere e lucenti come ossidiana, con le iridi opache per la furia e il bianco iniettato di sangue.

Hal evitò la carica successiva con un balzo laterale, sentendo sulla guancia lo spostamento d'aria del colpo. Dietro di sé, udì il suono raschiante della corta sciabola che il nostromo aveva estratto dal fodero, e l'arma che scivolava sul ponte verso di lui. Chinandosi con un movimento fluido, la raccolse, stringendo la mano sull'elsa con un gesto naturale mentre si metteva in posizione di guardia, mirando con la punta agli occhi dell'aggressore.

Di fronte alla lama minacciosa di Hal, l'avversario frenò l'attacco successivo, e quando il ragazzo estrasse con la sinistra dalla cintura il pugnale da marinaio, lungo quasi un palmo, puntandogli contro anche quella lama, la luce di follia nei suoi occhi si fece fredda e calcolatrice. Girarono l'uno intorno all'altro in coperta sotto l'albero maestro, incrociando le lame, toccandosi e sfiorandosi appena, mentre ciascuno dei due cercava un varco nella difesa dell'avversario.

I marinai abbandonarono il lavoro al quale erano intenti, persino quelli addetti ad azionare le pompe, e accorsero a formare un cerchio intorno ai duellanti come se assistessero a un combattimento di galli, col volto illuminato dalla prospettiva di vedere scorrere il sangue. Ringhiavano e ululavano a ogni assalto e parata, incoraggiando il loro favorito.

« Spiccategli quelle grosse palle nere, giovane Hal! »

« Spenna la coda a quel galletto, Aboli! »

Aboli era alto cinque pollici più di Hal, e sul suo corpo snello e agile non c'era un filo di grasso. Proveniva dalla costa orientale dell'Africa, da una tribù di guerrieri molto apprezzata dai trafficanti di schiavi. Aveva la testa depilata con cura, al punto da risplendere come marmo nero levigato, e le guance adorne di tatuaggi rituali, spirali di cicatrici in rilievo che gli conferivano un aspetto spaventoso. Si muoveva su quelle lunghe gambe muscolose con una grazia tutta sua, oscillando dalla cintola in su come un enorme cobra nero. Indossava solo un paio di brache corte e larghe di tela sbrindellata, ed era a torso nudo: ciascuno dei muscoli del torace e delle braccia sembrava dotato di vita propria, come un groviglio di serpenti che guizzavano e si attorcigliavano sotto la pelle unta d'olio.

Si slanciò di scatto in avanti, e Hal con uno sforzo disperato deviò la lama, ma quasi nello stesso istante Aboli cambiò la traiettoria, mirando ancora una volta alla testa. Nel suo colpo c'era una potenza tale che Hal capì che non avrebbe potuto bloccarlo di nuovo con la sola sciabola. Sollevò entrambe le lame, incrociandole per intrappolare quella del negro in alto, sopra la testa. Acciaio contro acciaio: ne scaturì un tintinnio, e gli spettatori lanciarono un grido di ammirazione di fronte all'abilità e alla grazia di quella parata.

Ma di fronte alla furia dell'attacco Hal indietreggiò di un passo, e poi di un altro, e di un altro ancora, mentre Aboli continuava a incalzarlo, senza dargli tregua, sfruttando il vantaggio della statura e la forza superiore per contrastare l'istintiva abilità del ragazzo.

Il viso di Hal rispecchiava la sua disperazione. Ormai cedeva più facilmente e i movimenti cominciavano a perdere coordinazione: era stanco, e la paura rallentava le sue reazioni. Ora gli spettatori crudeli si rivoltarono contro di lui, incitando a gran voce l'avversario implacabile, ansiosi di veder scorrere il sangue.

« Marchia quel bel visetto, Aboli! »

« Facci dare un'occhiata alle sue budella! »

Il sudore colava sulle guance di Hal, e la sua compostezza si sgretolò mentre Aboli lo spingeva contro l'albero. Tutt'a un tratto sembrava molto più giovane, sull'orlo del terrore, con le labbra frementi di paura e di sfinimento. Non contrattaccava più; ormai badava soltanto a difendersi. Si batteva per la vita.

Inesorabile, Aboli lanciò un nuovo attacco, mirando al bersaglio grosso, cambiando poi angolazione per colpirlo alle gambe. Hal era quasi al limite delle forze, che gli consentivano solo di parare colpo su colpo.

Poi, inaspettatamente, Aboli cambiò tattica ancora una volta: costrinse Hal a esporsi con una finta bassa sul fianco sinistro, dopodiché spostò il peso del corpo per saettare un colpo con il braccio destro. La lama lucente entrò nella guardia di Hal e i marinai lanciarono un ruggito, vedendo finalmente il sangue che tanto desideravano.

Hal si staccò dall'albero, girando su se stesso, poi rimase fermo ad ansimare al sole, accecato dal suo stesso sudore. Il sangue colava lentamente sul farsetto, ma era solo un piccolo taglio, fatto con precisione chirurgica.

«Un'altra cicatrice per te, ogni volta che ti batti come una donnicciola!» lo rimproverò Aboli.

Con un'espressione di sollievo esausto, Hal alzò la sinistra, ancora stretta sul pugnale, per asciugarsi il sangue dal mento con il dorso della mano. La punta del lobo dell'orecchio era tagliata di netto, e la quantità di sangue accentuava la gravità della ferita.

Gli astanti lanciarono grida di derisione.

«Per le zanne di Satana!» rise uno dei timonieri. «Il ragazzino ha più sangue che fegato!»

A quella battuta di scherno, Hal ebbe una trasformazione improvvisa. Abbassando il pugnale, lo puntò in avanti in posizione di guardia, indifferente al sangue che continuava a colargli sul petto. Il suo volto inespressivo sembrava quello di una statua, con le labbra rigide e sbiancate, come di ghiaccio. Mentre dalla gola gli scaturiva un ringhio sommesso, si lanciò sul negro.

Si proiettò attraverso il ponte a una velocità tale che Aboli fu colto di sorpresa e respinto all'indietro. Quando incrociarono le lame, avvertì la nuova potenza nel braccio del ragazzo e socchiuse gli occhi neri. Poi Hal gli fu addosso, come un gatto selvatico ferito che si libera di scatto da una trappola.

Dolore e ira gli mettevano le ali ai piedi. Gli occhi erano implacabili e le mascelle serrate irrigidivano i muscoli del viso in una maschera che non conservava alcuna traccia di fanciullezza. Eppure l'ira non aveva intaccato intelligenza e astuzia: tutta l'abilità accumulata in centinaia di giorni di allenamento sul ponte si coagulò all'improvviso.

Gli uomini dell'equipaggio lanciarono grida scomposte, mentre il prodigio si compiva sotto i loro occhi. Parve loro che, in quell'istante, il ragazzo fosse diventato uomo, crescendo di statura al punto da poter affrontare l'avversario scuro di pelle guardandolo negli occhi.

«Non può durare», si disse Aboli, sostenendo l'attacco. «La sua forza non può resistere a lungo.» Ma quello che aveva di fronte era un uomo nuovo, e lui non lo aveva ancora riconosciuto.

Di colpo si accorse di perdere terreno. «Si stancherà presto.» Ma le lame gemelle che danzavano davanti ai suoi occhi sembravano abbaglianti ed eteree, come i temibili spiriti delle cupe foreste che un tempo erano state la sua casa.

Guardò il volto pallido e gli occhi ardenti senza riconoscerli, e si sentì assalire da un terrore superstizioso, che gli rallentava il braccio destro. Quello era un demone, con la forza innaturale di un demone. Capì che la sua vita era in pericolo.

Il colpo successivo lo raggiunse al petto, penetrando nella sua guardia come un raggio di sole. Torse di lato la parte superiore del corpo, ma la lama della sciabola lo prese di striscio sotto il braccio sinistro sollevato: non sentì alcun dolore, ma udì il raschio del taglio affilato come un rasoio contro le costole, e il fiotto caldo di sangue che gli colava sul fianco. E aveva trascurato il pugnale nella sinistra di Hal, che sapeva usare entrambe le mani con uguale abilità.

Con la coda dell'occhio, vide la lama più corta e rigida mirare al cuore, e si gettò all'indietro per schivarla, ma rimase impigliato con il tallone nell'estremità libera di una cima addugliata sul ponte, e finì lungo disteso. Il gomito destro urtò contro la falchetta, lasciando intorpidito fino alla punta delle dita il braccio col quale impugnava la spada, e la lama gli sfuggì.

Riverso sul ponte, Aboli alzò gli occhi, inerme, e vide la morte incombere su di lui in quegli occhi verdi e terrificanti. Quello non era il viso del ragazzo che era stato il suo pupillo e allievo speciale nell'ultimo decennio, il ragazzo che aveva vezzeggiato, addestrato e amato per dieci lunghi anni. Quello era un uomo, ed era deciso a ucciderlo. La punta lucente della sciabola puntò verso il basso, mirando alla sua gola, sospinta dalla forza di tutto quel corpo giovane e agile.

«Henry!» Una voce severa e autoritaria risuonò sul ponte, fendendo il brusio degli spettatori assetati di sangue.

Hal sussultò, restando immobile, con la punta della spada alla gola di Aboli. Sul suo volto comparve un'espressione perplessa, simile a quella di un sognatore che si sveglia, e alzò gli occhi verso il padre, apparso in cima alla scaletta del cassero.

« Basta con queste sciocchezze. Scendi subito nella mia cabina. »

Hal lanciò un'occhiata al ponte, intorno a sé, osservando i volti congestionati ed eccitati che lo circondavano. Scrollando il capo, sconcertato, abbassò gli occhi sulla spada che impugnava, poi dischiuse le dita, lasciandola cadere sul ponte. Con le gambe molli, si gettò sul corpo di Aboli, abbracciandolo come un bambino abbraccia suo padre.

« Aboli », bisbigliò, nel linguaggio delle foreste che il negro gli aveva insegnato, un segreto che nessun altro condivideva con loro a bordo della nave, « ti ho ferito gravemente. Quanto sangue! Per la mia vita, avrei potuto ucciderti. »

Aboli ridacchiò piano, rispondendo nello stesso linguaggio: « Era ora. Finalmente hai attinto al pozzo del sangue guerriero. Pensavo che non lo avresti mai trovato. Ho dovuto provocarti perché lo facessi ».

Si drizzò a sedere, respingendo Hal, ma nei suoi occhi brillava una luce nuova mentre guardava il ragazzo, che non era più un ragazzo. « Ora va', obbedisci a tuo padre! »

Hal si alzò in piedi, tremante, guardandosi di nuovo attorno e lasciando scorrere lo sguardo su quel circolo di volti, sui quali vide un'espressione che non riconosceva: era rispetto, mescolato a qualcosa di più che un'ombra di paura.

« Che avete da guardare a bocca aperta? » ruggì Ned Tyler. « Lo spettacolo è finito. Non avete niente da fare? Azionate quelle pompe. Lassù ci sono velacci e velaccini da serrare. Posso trovare una testa d'albero a tutti quelli che hanno le mani in mano. » Si udì subito il tonfo dei piedi nudi che correvano sul ponte, mentre gli uomini dell'equipaggio si precipitavano al loro posto con aria colpevole.

Hal si chinò a raccogliere la spada e il nostromo gliela restituì con l'elsa in avanti.

« Grazie, Ned. Ne avevo bisogno. »

« E l'avete messa a buon frutto. Non ho mai visto quel pagano sconfitto, prima d'ora, se non da vostro padre. »

Hal strappò un lembo cencioso dall'orlo sbrindellato dei

pantaloni di tela che portava, usandolo per arrestare l'emorragia dall'orecchio prima di scendere nella cabina di poppa.

Sir Francis alzò la testa dal giornale di bordo, con la penna d'oca sospesa sulla pagina. «Non fare quella faccia compiaciuta, cucciolo», grugnì rivolto a Hal. «Aboli ha giocato con te, come fa sempre. Avrebbe potuto infilzarti una dozzina di volte prima che tu rovesciassi la situazione con quell'ultimo colpo fortunato.»

Quando Sir Francis stava in piedi, c'era spazio appena sufficiente per tutti e due nella minuscola cabina. Le paratie erano rivestite di libri, e altri erano accumulati ai loro piedi, mentre volumi rilegati in cuoio erano stipati nell'angusta rientranza che serviva da cuccetta al padre. Hal si chiedeva dove trovasse il posto per dormire.

Il padre gli rivolse la parola in latino; quando erano soli, insisteva per parlare la lingua degli uomini di cultura. «Morirai prima di poter mai diventare uno spadaccino, se non trovi l'acciaio nel tuo cuore, oltre che nelle tue mani. Il primo marcantonio olandese che incontri ti squarterà al primo scontro.» Sir Francis fissò il figlio con aria corrucciata. «Recita la legge della spada.»

«Un occhio agli occhi dell'avversario», mormorò Hal in latino.

«Alza la voce, ragazzo!» L'udito di Sir Francis era rimasto danneggiato dalle migliaia di colpi di colubrina e di esplosioni uditi nel corso degli anni. Alla fine di un combattimento si vedeva colare il sangue dalle orecchie dei marinai in servizio ai cannoni, e persino gli ufficiali a poppa continuavano a sentire nella testa rintocchi di campane celesti per giorni e giorni.

«Un occhio agli occhi», ripeté Hal con voce sonora, mentre il padre annuiva.

«Gli occhi sono la finestra dell'anima. Impara a leggervi le intenzioni dell'avversario prima che agisca, e vedrai il colpo prima che venga messo in atto. E poi?»

«L'altro occhio ai piedi», recitò Hal.

«Bene.» Sir Francis assentì. «I piedi si muoveranno prima della mano. Che altro?»

«Tenere la punta alta.»

«Questa è la regola principe: non abbassare mai la punta, tienila mirata agli occhi.»

Sir Francis gli fece ripetere tutto il catechismo, come aveva fatto già innumerevoli volte in passato, e alla fine disse: «E ora ecco un'altra regola per te: devi batterti fin dal primo colpo, non soltanto quando sei ferito o in collera, altrimenti potresti non sopravvivere alla prima ferita».

Alzò la testa verso la clessidra sospesa al ponte sopra la sua testa. «C'è ancora tempo per leggere, prima della preghiera per la nave.» Parlava ancora in latino. «Prendi il tuo Livio e traduci dall'inizio della pagina ventisei.»

Per un'ora, Hal lesse a voce alta la storia di Roma nella lingua originale, traducendo in inglese riga per riga. Poi, alla fine, Sir Francis chiuse il libro di Livio con un colpo secco. «Stai migliorando. Ora, coniuga il verbo *durare*.»

Che il padre scegliesse proprio quel verbo era un segno della sua approvazione: Hal recitò le forme verbali in un rapido mormorio, rallentando solo quando arrivò all'indicativo futuro. «*Durabo*. Resisterò.» Era il motto sullo stemma dei Courteney, e Sir Francis si lasciò sfuggire un sorriso glaciale mentre Hal lo pronunciava.

«Possa il Signore concederti questa grazia.» Si alzò. «Ora puoi andare, ma non fare tardi per la preghiera.»

Rallegrandosi di essere libero, Hal fuggì dalla cabina risalendo in un balzo la scaletta.

Aboli era accovacciato al riparo di una delle colubrine di bronzo sistemate vicino alla prua, e Hal andò a inginocchiarsi accanto a lui. «Ti ho ferito.»

Aboli fece un gesto eloquente, liquidando l'accaduto. «Una gallina che razzola nella polvere ferisce la terra in modo più serio.»

Hal scostò dalle spalle di Aboli il mantello di tela cerata, afferrò per il gomito l'amico e gli sollevò il braccio muscoloso per dare un'occhiata al taglio profondo sulle costole. «Comunque, questo pulcino ti ha dato una bella beccata», osservò in tono asciutto, sogghignando mentre Aboli apriva la mano e gli mostrava l'ago già infilato con una gugliata di filo da velaio. Tese la mano, ma Aboli lo bloccò.

«Prima lava il taglio, come ti ho insegnato io.»

«Con quel lungo pitone nero che hai, potresti arrivarci da solo», suggerì Hal, e Aboli si lasciò sfuggire una lunga risata, morbida e sommessa come il brontolio di un tuono lontano.

«Dovremo accontentarci di un piccolo verme bianco.»

Hal si alzò, sciogliendo il cordone che teneva su i pantaloni, li lasciò ricadere intorno alle ginocchia e con la mano destra scostò il prepuzio.

«Io ti battezzo Aboli, signore dei pulcini!» Imitando alla perfezione il tono da predicatore del padre, diresse sulla ferita aperta un getto di urina gialla.

Benché Hal sapesse che bruciava, perché Aboli aveva fatto molte volte lo stesso per lui, il viso nero rimase impassibile. Hal irrigò la ferita con l'ultima goccia che gli restava, poi si tirò su le brache. Sapeva per esperienza quanto fosse efficace il rimedio tribale di Aboli. La prima volta che lo aveva usato su di lui era rimasto inorridito, ma in tutti quegli anni non aveva mai visto infettarsi una ferita trattata in quel modo.

Prese ago e filo e, mentre Aboli teneva accostati i labbri della ferita con la mano sinistra, Hal la chiuse con una serie di piccoli punti ordinati da mastro velaio, affondando la punta dell'ago nella pelle elastica e serrando i nodi. Quando ebbe finito, allungò la mano verso il vasetto di pece bollente che Aboli teneva già pronto e, dopo averne spalmato uno strato abbondante sulla ferita appena ricucita, annuì soddisfatto contemplando la sua opera.

Aboli si alzò, scostando le corte brache di tela. «E ora provvederemo al tuo orecchio», disse a Hal, mentre il grosso pene fuoriusciva dal pugno per metà.

Hal si ritrasse. «È solo un graffietto», protestò, ma Aboli lo afferrò implacabile per il codino, sollevandogli il viso verso l'alto.

Al rintocco della campana, gli uomini dell'equipaggio si riunirono al centro della nave, restando in silenzio sotto il sole a capo scoperto, compresi i negri, che non adoravano solo Cristo in croce ma anche altri dèi, la cui dimora si annidava nel cuore delle cupe foreste della loro terra di origine.

Quando Sir Francis, tenendo fra le mani la grande Bibbia rilegata in cuoio, intonò con voce sonora: «Noi ti preghiamo, Dio onnipotente, di consegnarci fra le mani il nemico di Cristo, affinché non trionfi...» i suoi occhi erano i soli ancora rivolti al cielo, mentre tutti gli altri erano puntati a est, dove sarebbe apparso il nemico carico di argento e di spezie.

A metà della lunga funzione si scatenò una burrasca proveniente da est, con i venti che sospingevano le nubi a formare una massa scura e turbolenta sulla loro testa, riversando sul ponte cortine di pioggia argentea. La furia degli elementi non riuscì a distogliere Sir Francis dal colloquio con l'Onnipotente, così, mentre gli uomini dell'equipaggio se ne stavano rannicchiati sotto i mantelli di tela spalmata di pece, con i copricapi dello stesso materiale assicurati dal sottogola, e l'acqua scivolava su di loro come sul manto di un branco di trichechi addormentati sulla spiaggia, Sir Francis non omise neppure una virgola del suo sermone. «Signore delle tempeste e dei venti», pregava, «soccorrici. Signore della battaglia, facci da scudo e da usbergo...»

Il fortunale passò in fretta e il sole tornò a risplendere, scintillando sulle onde azzurre e facendo fumigare i ponti. Sir Francis respinse all'indietro il cappello da cavaliere a tesa larga, e le piume bianche, ormai inzuppate, che lo sovrastavano, annuirono in segno di approvazione. «Mastro Ned, scaricate i cannoni.»

Era la mossa giusta da fare, si rese conto Hal. La burrasca doveva aver inzuppato l'innesco e inumidito la polvere già caricata. Anziché affrontare la lunga e tediosa procedura di estrarre la palla e ricaricare, suo padre preferiva far esercitare l'equipaggio.

«Tutti ai posti di combattimento.»

Il rullo di tamburo che chiamava i marinai echeggiò per tutto lo scafo, e gli uomini corsero alle postazioni ridendo e lanciando alte grida. Hal immerse la punta di una miccia nel braciere di carbone ai piedi dell'albero; quando cominciò a bruciare in modo regolare, balzò sulle sartie e, tenendo fra i denti la miccia accesa, si arrampicò fino al suo posto di combattimento a riva, ossia in cima all'albero.

Di lassù vide quattro uomini sul ponte issare in coperta dalla stiva una botte per l'acqua ormai vuota, trasportandola fino alla battagliola della nave. A un ordine lanciato da poppa, la gettarono fuori bordo, in modo che galleggiasse sulla scia oleosa della nave. Nel frattempo, gli artiglieri toglievano i cunei e, facendo forza sugli orecchioni, spingevano in fuori le colubrine. Su entrambi i lati del ponte inferiore ne erano disposte otto, ciascuna caricata con un secchio di polvere e una palla del peso di diciotto libbre. Sul ponte superiore erano schierate dieci mezze colubrine, cinque per fiancata, con la canna tozza stipata di nove libbre di mitraglia.

Dopo due anni di navigazione, la *Lady Edwina* era ormai a corto di palle di ferro: le mezze colubrine erano caricate con ghiaia di fiume levigata dalla corrente, raccolta a mano sulle rive della foce dei fiumi raggiunti dalle spedizioni inviate a terra per fare rifornimento d'acqua. La nave virò con lentezza ponderosa, disponendosi sulla nuova rotta e tornando a navigare col vento in poppa. La botte galleggiante distava ancora duecento braccia, ma il campo di tiro si restringeva lentamente. Gli artiglieri passavano da un pezzo all'altro, modificando l'angolo di elevazione per mezzo degli orecchioni e regolando i cunei di mira. Quello era un compito riservato agli specialisti: solo cinque uomini a bordo avevano l'abilità di caricare un cannone e prepararlo al fuoco.

Sulla coffa, Hal fece ruotare sul perno il falconetto a canna lunga, puntandolo verso un'isola galleggiante di alghe che passava sul filo della corrente. Poi, con la punta del pugnale, grattò via la polvere umida incrostata sullo scodellino dell'arma, sostituendola scrupolosamente con la polvere fresca presa dalla fiasca. Dopo dieci anni d'istruzioni impartitegli dal padre, era esperto in quella difficile arte quanto Ned Tyler, il capo artigliere della nave. Il suo posto di combattimento sarebbe dovuto essere sul ponte di batteria, e aveva implorato il padre di assegnarlo lì, ma si era sentito rispondere con severità: «Tu starai dove ti mando io», e così doveva restare lassù, fuori della mischia, mentre il suo giovane cuore impetuoso ardeva dal desiderio di parteciparvi.

D'improvviso si sentì scuotere dallo schianto di un'esplosione proveniente dal ponte sottostante. Un lungo pennacchio di fumo denso si levò in alto, mentre la nave rischiava di inclinarsi per il contraccolpo. Un attimo dopo, un alto zampillo di spuma s'innalzò vistoso dalla superficie del mare, cinquanta iarde sulla destra e venti più in là della botte galleggiante. Non era un tiro mal riuscito, tenuto conto della distanza, ma il ponte esplose in un coro di lazzi e di fischi.

Ned Tyler si precipitò verso la seconda colubrina, controllando in fretta se era pronta a far fuoco. Accennò agli uomini addetti agli orecchioni di spostare la mira di un punto a sinistra, poi fece un passo avanti accostando la miccia al focone. Si sprigionò uno sbuffo sfrigolante di fumo, poi dall'imboccatura scaturì un getto di scintille, polvere semibruciata e grumi di una sostanza umida e impastata. La palla fu sparata dalla canna di bronzo senza molta potenza, cadendo in mare a meno di metà della distanza dal bersaglio, e l'equipaggio ululò in segno di derisione.

I due cannoni seguenti fecero cilecca. Imprecando furiosamente, Ned ordinò all'equipaggio di pulire le canne con i lunghi scovoli di ferro, mentre lui si precipitava più avanti lungo la batteria.

«Un grande spreco di polvere e di proiettili», osservò fra sé Hal, ripetendo le parole del grande Sir Francis Drake, dal quale il padre aveva preso il nome di battesimo, pronunciate dopo il primo giorno dell'epica battaglia contro l'Invencible Armada di Filippo II, re di Spagna, comandata dal duca di Medina Sidonia. Per tutta la giornata, sotto una cappa giallognola di fumo di polvere da sparo, le due grandi flotte si erano scagliate a vicenda possenti bordate, ma quell'intenso cannoneggiamento non aveva affondato una sola nave dell'una o dell'altra flotta.

«Spaventali col cannone», aveva insegnato il padre a Hal, «ma spazza il ponte con la spada», e nella sua voce era condensato tutto il suo disprezzo per l'arte chiassosa ma imprecisa dell'artiglieria navale. Era impossibile mirare dal ponte beccheggiante di una nave verso un punto prestabilito sullo scafo di un'altra: la precisione del tiro era nelle mani dell'Onnipotente, anziché in quelle del capo artigliere.

Come per illustrare quell'assioma, dopo che Ned ebbe sparato un colpo con tutti i cannoni pesanti a bordo, il risultato finale fu che sei avevano fatto addirittura cilecca, mentre la palla che si era avvicinata di più alla botte galleggiante era arrivata a venti iarde di distanza dal bersaglio. Hal scosse mesto la testa, riflettendo che ciascuno di quei colpi era stato preparato e mirato con cura. Nella concitazione del combattimento, con il campo di tiro oscurato da nuvole di fumo, la polvere e i proiettili ficcati in fretta nella bocca dei cannoni, le canne che si surriscaldavano in modo irregolare e le micce applicate al bacinetto da artiglieri eccitati e spaventati, l'esito sarebbe stato ancor meno soddisfacente.

Infine il padre alzò la testa verso Hal. «Lassù in coffa!» gridò.

Hal aveva temuto di essere dimenticato, ma ora, con un fremito di sollievo, soffiò sulla punta della miccia a lenta combustione che teneva in mano, ravvivandola e facendola brillare.

Dal ponte, Sir Francis lo osservava con un'espressione seria, che incuteva soggezione. Non doveva mai concedersi di lasciar trasparire l'amore che provava per il ragazzo; doveva essere sempre critico e severo, per fargli da sprone. Per il bene del ragazzo, anzi, per la sua stessa sopravvivenza, doveva costringerlo a studiare, a fare del suo meglio, a resistere, a percorrere ogni tappa della vita che lo aspettava con tutta la sua forza e con tutto il suo cuore. Eppure nello stesso tempo doveva anche aiutarlo, incoraggiarlo e assisterlo, senza che questo apparisse evidente; doveva fargli saggiamente da pastore, avviandolo con astuzia al suo destino. Aveva tardato a chiamare Hal fino a quel momento, quando la botte galleggiava a poca distanza.

Se il ragazzo fosse riuscito a frantumarla con la sua piccola arma laddove Ned aveva fallito con i grandi cannoni, il suo prestigio fra l'equipaggio sarebbe aumentato. Gli uomini erano per lo più furfanti vanagloriosi, semplici analfabeti, ma un giorno Hal sarebbe stato chiamato a comandarli, o a comandare altri come loro. Quel giorno aveva compiuto un passo da gigante sconfiggendo Aboli davanti a tutti, e ora ecco un'occasione per consolidare quel vantaggio acquisito. «Dio della battaglia, guida la sua mano e la traiettoria del proiettile!» pregò Sir Francis dentro di sé, mentre l'equipaggio allungava il collo per osservare il ragazzo in cima all'albero.

Hal canticchiava piano fra sé, concentrandosi sul compito che lo attendeva, consapevole degli occhi che lo osservavano. Eppure non intuiva l'importanza di quel colpo, e ignorava le preghiere del padre: per lui era solo un gioco, un'altra occasione per eccellere. Gli piaceva vincere, e ogni volta che ci riusciva ne godeva di più; l'aquilotto cominciava ad assaporare la potenza delle sue ali.

Afferrando l'estremità della lunga e sottile impugnatura di bronzo, fece ruotare il falconetto verso il basso, puntando verso il bersaglio la canna, che misurava più di tre piedi in lunghezza, e allineando la tacca sopra lo scodellino con la sporgenza a V all'estremità della bocca da fuoco.

Aveva imparato che era inutile tentare di mirare direttamente al bersaglio. Fra il momento in cui applicava la miccia e quello dell'esplosione ci sarebbe sempre stato un ritardo di qualche secondo, e nel frattempo la nave e la botte si sarebbero mosse in direzioni opposte; poi occorreva tener conto degli istanti in cui i proiettili appena lanciati sarebbero rimasti in aria prima di colpire il bersaglio. Doveva valutare il punto in cui la botte si sarebbe trovata quando il colpo la raggiungeva, e non mirare al punto in cui era quando accostava la miccia allo scodellino.

Allineò con cura la sporgenza che fungeva da mirino col bersaglio, prima di accostare allo scodellino la punta ardente della miccia. S'impose di non battere ciglio di fronte alla fiammata della polvere ardente e di non ritrarsi in previsione dello scoppio, ma di mantenere la canna nella direzione che aveva scelto.

Con un rombo che gli ferì i timpani, il falconetto rinculò con violenza sul perno, e tutto scomparve dietro una nube di fumo grigio. Allungò disperatamente il collo a destra e a sinistra, tentando di vedere oltre il fumo, ma furono le grida di esultanza provenienti dal ponte sottostante a fargli balzare il cuore in gola, raggiungendolo nonostante il ronzio alle orecchie. Quando il vento dissolse il fumo, vide le doghe di legno della botte infranta roteare e turbinare a poppa, nella scia della nave. Lanciando un ululato di gioia, sventolò il berretto rivolto alle facce sul ponte sottostante.

Aboli era a prua, al posto che gli competeva come timoniere e artigliere del primo turno. Ricambiò il sorriso estasiato di Hal battendosi un pugno sul petto, mentre con l'altra mano brandiva la spada sopra la testa rasata.

Il tamburo rullò per segnalare la fine dell'esercitazione, consentendo agli uomini di lasciare i posti di combattimento. Prima di calarsi lungo le sartie, Hal ricaricò il falconetto, legando una striscia di tela incatramata intorno allo scodellino per proteggerlo dall'umidità, dalla pioggia e dalla salsedine.

Quando i suoi piedi toccarono il ponte, guardò verso poppa, cercando di incrociare lo sguardo del padre per ottenere la sua approvazione. Sir Francis era immerso nella conversazione con uno dei sottufficiali, e passò un istante prima che lanciasse un'occhiata gelida a Hal, senza voltarsi. «Che cos'hai da guardare, ragazzo? Ci sono i cannoni da ricaricare.»

Allontanandosi, Hal provò il morso della delusione, ma le chiassose congratulazioni della ciurma e le rudi pacche assestategli sulla schiena e sulle spalle mentre passava sul ponte di batteria gli restituirono il sorriso.

Quando lo vide arrivare, Ned Tyler si staccò dalla culatta della colubrina che stava caricando, per porgergli il calcatoio. «Qualunque idiota può sparare, ma ci vuole un esperto per caricarlo», borbottò, tirandosi indietro con aria critica per osservare Hal mentre misurava una carica versandola nel misurino dal sacchetto di cuoio che conteneva la polvere. «Che peso deve avere la polvere?» domandò, e Hal gli fornì la stessa risposta che aveva dato già centinaia di volte.

«Un peso equivalente a quello del proietto.»

La polvere nera era composta di granuli irregolari. C'era stato un tempo in cui, scossi e agitati dal moto della nave o da qualche altro movimento ripetitivo, i tre componenti essenziali della polvere, zolfo, carbone e salnitro, potevano separarsi, rendendola inutilizzabile. In seguito era stato perfezionato il procedimento di «granulazione», mediante il quale si trattava la fine polvere grezza con urina o alcol per stabilizzarla in un panetto, che poi veniva triturato in un macinino per ottenere la misura di granuli richiesta. Tuttavia il processo non era ancora del tutto a punto e l'artigliere doveva sempre tenere d'occhio lo stato della polvere, perché l'umidità e il trascorrere del tempo potevano danneggiarla. Hal fece scorrere i granuli fra le dita assaggiandone un pizzico sulla punta della lingua, perché Ned gli aveva insegnato a distinguere in quel modo fra la polvere in buone condizioni e quella deteriorata; poi versò nella canna il contenuto del misurino, facendolo seguire dallo stoppaccio.

Infine lo calcò usando il calcatoio, una lunga bacchetta dall'impugnatura di legno. Quella era un'altra fase cruciale del procedimento: se la polvere veniva pressata con eccessiva energia, la fiamma non passava attraverso la carica e il fallimento era inevitabile, ma se non era calcata con sufficiente fermezza la polvere bruciava senza avere la potenza adeguata a scagliare il pesante proiettile fuori della canna. Premere bene la polvere era un'arte che si poteva apprendere solo con un lungo addestramento, ma Ned assentì osservando Hal all'opera.

Quando risalì alla luce del sole, era passato molto tempo. Tutte le colubrine erano state ormai caricate e ben assicurate dietro i portelli, mentre il torso di Hal luccicava di sudore per il caldo che regnava nell'angusto ponte di batteria e per il faticoso lavoro con il calcatoio. Mentre si soffermava ad asciugarsi il viso grondante, tirava il fiato e si stirava per sgranchirsi la schiena, dopo le lunghe ore trascorse rannicchiato sotto il tavolato basso del ponte inferiore, il padre gli gridò con pesante ironia: «La posizione della nave non v'interessa, mastro Henry?»

Con un sussulto, Hal alzò gli occhi verso il sole. Era alto in cielo sopra di loro: la mattinata era volata via in un baleno. Si precipitò verso la scaletta, calandosi sul ponte inferiore, e irrompendo nella cabina del padre prese il massiccio quadrante dall'astuccio fissato alla paratia. Poi si volse per tornare di corsa sul cassero.

«Prego Dio di non essere troppo in ritardo», mormorò fra sé, alzando lo sguardo verso il sole, che era alto sul pennone di dritta. Si mise in posizione con il sole alle spalle, in modo tale che l'ombra proiettata dalla vela maestra non gli facesse schermo e tuttavia gli consentisse una visuale chiara dell'orizzonte a sud.

Ora concentrò tutta la sua attenzione per mantenere stabile il pesante strumento, contrastando il movimento della nave, per poter leggere l'angolo formato dai raggi del sole alle sue spalle sul quadrante, angolo che indicava l'inclinazione del sole rispetto all'orizzonte. Era un procedimento delicato, che richiedeva forza e destrezza.

Infine riuscì a osservare il passaggio del sole a mezzogiorno, leggendo l'angolazione formata dall'astro con l'orizzonte nel preciso istante in cui raggiungeva lo zenit. Abbassò lo strumento con le braccia e le spalle indolenzite, affrettandosi ad annotare la lettura sulla lavagnetta trasversale.

Poi scese di nuovo la scaletta di corsa fino alla cabina di poppa, ma le tavole che indicavano gli angoli formati dai corpi celesti non erano al loro posto nello scaffale. Voltandosi in preda all'agitazione, vide che il padre lo aveva seguito sotto coperta e lo fissava attentamente. Non si scambiarono neanche una parola, ma Hal capì che lo sfidava a ricordare i valori a memoria. Hal sedette davanti al baule del padre, che gli serviva da scrivania, chiudendo gli occhi per rivedere le tavole con la memoria. Doveva ricordare i valori del giorno precedente ed estrapolare da quelli. Si massaggiò il lobo dell'orecchio gonfio, mentre le sue labbra si muovevano in silenzio.

Di colpo s'illuminò in volto e aprendo gli occhi scarabocchiò un altro numero sulla lavagnetta. Continuò a lavorare per un minuto ancora, traducendo l'angolazione del sole a mezzogiorno nei gradi di latitudine, poi alzò la testa trionfante. «34 gradi e 42 primi di latitudine sud.»

Il padre gli tolse di mano la lavagnetta per controllare i dati, poi gliela restituì, chinando leggermente la testa in segno di assenso. «Abbastanza precisa, se il rilevamento del sole era esatto. E ora, la longitudine?»

La determinazione della longitudine esatta era un enigma rimasto ancora insoluto. Non esistevano tabelle orarie, clessidre oppure orologi che fossero utilizzabili a bordo di una nave e al tempo stesso abbastanza precisi da consentire di tener conto del maestoso movimento di rivoluzione terrestre. A guidare i calcoli di Hal c'era solo la tavola fissata proprio accanto alla chiesuola della bussola. A quel punto esaminò i pioli che il timoniere del turno precedente aveva conficcato nei buchi al di sopra del quadrante della bussola, ogni volta che cambiava direzione. Hal sommò quei valori, calcolando la media, poi li riportò sulla carta nella cabina del padre. Era solo una rozza approssimazione della longitudine, e il padre sollevò obiezioni, com'era prevedibile. «Io l'avrei stimata un po' più a est, perché le alghe sul fondo e l'acqua nelle sentine fanno scarrocciare la nave, comunque puoi registrarla sul giornale di bordo.»

Hal alzò la testa, sbalordito: quello era davvero un giorno memorabile. Nessun'altra mano, salvo quella del padre, aveva mai potuto scrivere su quel registro rilegato in cuoio, posato accanto alla Bibbia sul coperchio del baule.

Sotto gli occhi del padre, aprì il giornale di bordo e rimase per un minuto intero a fissare le pagine riempite dalla scrittura fluida ed elegante del padre, con i margini adorni di bei disegni a penna di uomini, navi e approdi. Suo padre era un artista di talento. Con trepidazione, Hal intinse il pennino nel calamaio d'oro che un tempo era appartenuto al comandante della *Heerlige Nacht*, uno dei galeoni della Compagnia olandese delle Indie Orientali catturati dal padre. Dopo avere pulito il pennino dalle gocce superflue, per evitare che macchiassero quelle pagine sacre, serrò fra i denti la punta della lingua, scrivendo con infinita cura: «Un tocco del turno di guardia del pomeriggio, addì terzo giorno di settembre dell'anno del Signore nostro Gesù Cristo 1667. Posizione 34 gradi e 42 primi sud, 20 gradi e 5 primi est. Costa africana in vista dall'albero maestro in direzione nord.» Non osando aggiungere altro, sollevato per non aver imbrattato la pagina con sgorbi o schizzi d'inchiostro, posò la penna d'oca e cosparse di sabbia con orgoglio le lettere tracciate con cura. Sapeva di avere una buona calligrafia, anche se forse non altrettanto bella come quella del padre, ammise mentre le confrontava.

Sir Francis raccolse la penna che lui aveva deposto per aggiungere, chinandosi sulla sua spalla: «Questo pomeriggio l'aspirante guardiamarina Henry Courteney è rimasto gravemente ferito in una rissa sconveniente». Poi, accanto all'annotazione, schizzò in fretta una caricatura molto somigliante di Hal, con l'orecchio gonfio che sporgeva in modo asimmetrico e il nodo della sutura legato a fiocco, come un nastro nei capelli di una fanciulla.

Hal soffocò la risata che gli era venuta spontanea, rischiando di strozzarsi, ma quando alzò gli occhi vide uno scintillio malizioso negli occhi verdi del padre. Sir Francis posò una mano sulla spalla del ragazzo, quanto di più vicino a un abbraccio potesse mai concedersi, e gliela strinse dicendo: «Ned Tyler dev'essere impaziente di addestrarti al compito di mollare le vele e serrarle. Non farlo aspettare».

Anche se era tardi quando Hal avanzò lungo il ponte superiore, c'era luce sufficiente per vedere dove metteva i piedi, evitando così di calpestare i corpi addormentati dei marinai che non erano di guardia. Il cielo notturno era tempestato di stelle, un'esibizione di gioielli tale da abbagliare la vista di qualsiasi abitante dell'emisfero settentrionale. Quella notte, però, Hal non aveva occhi per loro; era sfinito al punto di non reggersi in piedi.

Aboli gli aveva tenuto un posto a prua sotto il cannone principale, al riparo dal vento; aveva steso sul ponte un pagliericcio, e Hal vi si lasciò cadere con gratitudine. Non c'erano alloggi veri e propri per l'equipaggio, quindi gli uomini dormivano dovunque riuscissero a trovare un posto. In quelle calde notti meridionali, preferivano tutti il ponte di coperta a quello inferiore, dove l'aria era viziata. Erano stesi in fila, spalla a spalla, ma la vicinanza di tanta umanità maleodorante era naturale per Hal, così come il loro russare e farfugliare nel sonno non poteva impedirgli a lungo di dormire. Si avvicinò ancora un po' ad Aboli. Era così che dormiva tutte le notti, da dieci anni a quella parte, e ricavava conforto dalla presenza di quella figura gigantesca accanto a sé.

«Tuo padre è un grande capo in mezzo a tanti comandanti mediocri», mormorò Aboli. «È un guerriero e conosce i segreti del mare e dei cieli. Gli astri sono suoi figli.»

«So che tutto questo è vero», rispose Hal nella stessa lingua.

«È stato lui a dirmi di disarmarti, oggi», confessò Aboli.

Hal si sollevò appoggiandosi a un gomito per fissare la figura in ombra accanto a lui. «Mio padre voleva che tu mi ferissi?» domandò incredulo.

« Tu non sei come gli altri ragazzi. Se adesso la tua vita è difficile, in futuro lo sarà ancora di più. Tu sei predestinato. Un giorno dovrai prendere dalle sue spalle il grande mantello con la croce, e devi esserne degno. »

Hal si lasciò ricadere sul pagliericcio, fissando le stelle in alto. « E se non lo volessi? »

« È tuo. Non hai scelta. Solo il cavaliere Nautonnier può designare il cavaliere che deve succedergli. È così da quasi quattrocento anni. Puoi sfuggire al tuo destino soltanto con la morte. »

Hal rimase in silenzio così a lungo che Aboli lo credette sopraffatto dal sonno, ma poi bisbigliò: « Come fai a sapere queste cose? »

« Da tuo padre. »

« Sei anche tu un cavaliere dell'ordine? »

Aboli rise piano. « Ho la pelle troppo scura, e i miei dèi sono estranei. Non potrei mai essere prescelto. »

« Aboli, ho paura. »

« Tutti gli uomini hanno paura. Sta a quelli di noi che hanno sangue guerriero nelle vene domare la paura. »

« Tu non mi lascerai mai, vero, Aboli? »

« Resterò al tuo fianco finché avrai bisogno di me. »

« Allora non ho tanta paura. »

Qualche ora dopo, Aboli lo svegliò da un sonno profondo e senza sogni sfiorandogli la spalla. « Otto tocchi di campana, Gundwane. » Usava il soprannome di Hal, che nella sua lingua significava « ratto della foresta »; non aveva un valore dispregiativo, anzi era il vezzeggiativo che lui aveva dato al bambino di quattro anni appena affidato alle sue cure, oltre dieci anni prima.

Le quattro del mattino: avrebbe fatto giorno fra un'ora. Hal si alzò a fatica dal pagliericcio e, stropicciandosi gli occhi, si diresse barcollando verso il secchio puzzolente nelle latrine per vuotare la vescica. Poi, finalmente sveglio, si affrettò a percorrere il ponte beccheggiante, evitando le figure addormentate che lo ingombravano.

Il cuoco aveva già acceso il fuoco, nella cambusa rivestita di mattoni, e gli consegnò un boccale di peltro pieno di zuppa e una galletta. Hal aveva una fame da lupi, tanto che mandò giù il liquido tutto d'un fiato, anche se era bollente e gli scottava la lingua; sgranocchiando la galletta, sentì scoppiare sotto i denti le larve che la infestavano.

Mentre si dirigeva in fretta verso i piedi dell'albero maestro, vide il bagliore della pipa di suo padre nell'ombra della poppa e fiutò l'odore del suo tabacco, rancido nell'aria pura della notte. Senza soffermarsi, Hal si arrampicò sulle sartie, notando il cambiamento di rotta e la nuova velatura decisi mentre lui dormiva.

Quando giunse in cima all'albero, dando il cambio alla vedetta, si sistemò in coffa per guardarsi attorno. Non c'era la luna e tutto era buio, fatta eccezione per le stelle. Lui le conosceva tutte per nome, dalla possente Sirio alla minuscola Mintaka, nella cintura sfavillante di Orione: erano le cifre del navigatore, i segnaposti del cielo, e Hal aveva imparato i loro nomi insieme con le lettere dell'alfabeto. Istintivamente i suoi occhi corsero verso Regolo, nella costellazione del Leone; non era la stella più luminosa dello zodiaco, ma era la sua stella personale, e Hal provava un tranquillo piacere nel sapere che splendeva per lui soltanto. Quella era l'ora più felice della sua lunga giornata, l'unico momento in cui poteva stare solo su quel veliero affollato, in cui poteva lasciare che la sua mente danzasse fra le stelle e concedere briglia sciolta all'immaginazione.

Tutti i suoi sensi sembravano acuiti. Anche al di sopra del gemito del vento e del cigolio del sartiame, poteva udire la voce del padre e riconoscerne il tono, se non le parole, mentre parlava sottovoce al timoniere, sul ponte. Gli sembrava di vedere il naso aquilino del padre e la linea decisa delle sopracciglia nel chiarore fioco del fornello della pipa, quando aspirava il fumo del tabacco. Aveva l'impressione che il padre non dormisse mai.

Sentiva l'odore di iodio del mare, l'aroma fresco delle alghe marine e della salsedine. Aveva l'olfatto così sensibile, a tal punto affinato da mesi e mesi di aria pura di mare, da riuscire persino a percepire il lieve odore della terra, la calda fragranza dell'Africa, simile a quello di un biscotto appena sfornato.

Poi avvertì un altro odore, così lieve che ebbe l'impressione che le narici gli avessero giocato uno scherzo. Un minuto dopo lo sentì di nuovo, appena una traccia, dolce come il miele nel vento. Non riconoscendolo, girò la testa, in attesa di una nuova fievole zaffata, annusando eccitato.

Di colpo l'odore gli arrivò di nuovo alle narici, così fragrante e inebriante che si sentì girare la testa come un ubriacone che fiuta la caraffa del brandy, e dovette impedirsi di lanciare un grido per l'eccitazione. A fatica tenne la bocca chiusa e, con la testa piena di quell'aroma, scese a precipizio dalla coffa, scivolando giù lungo le sartie per raggiungere il ponte di coperta. Corse a piedi nudi, così silenzioso che il padre trasalì quando lui gli sfiorò il braccio.

« Come mai hai lasciato il tuo posto? »

« Non potevo gridare dall'albero. Sono troppo vicini, e avrebbero potuto sentirmi. »

« Che vai cianciando, ragazzo? » Il padre si alzò in piedi, furioso. « Spiegati chiaramente. »

« Voi non lo sentite, padre? » Scrollò con impazienza il braccio di Sir Francis.

« Che cosa? » Suo padre si tolse di bocca il cannello della pipa. « Che cosa hai fiutato? »

« Spezie! » disse Hal. « L'aria è satura del profumo di spezie. »

Si spostarono lungo il ponte, Ned Tyler, Aboli e Hal, svegliando il turno che non era di guardia e raccomandando agli uomini di tacere mentre li avviavano ai loro posti. Non ci furono rulli di tamburo per segnalare l'imminente combattimento. La loro eccitazione era contagiosa. L'attesa era finita: il galeone olandese era laggiù da qualche parte, sopravvento nell'oscurità. Ora tutti potevano fiutare il suo carico favoloso.

Sir Francis spense la candela accanto alla chiesuola della bussola, in modo che la nave fosse del tutto buia, poi consegnò ai nostromi le chiavi delle armerie, che restavano chiuse finché la preda non era in vista. Il timore di un ammutinamento si annidava sempre nella mente di ogni comandante, e di solito soltanto i sottufficiali erano armati di spada.

Le armerie furono aperte in fretta e le armi passate di mano in mano. Le spade erano fatte di solido acciaio Sheffield, con una semplice elsa in legno e la guardia a paniere. Le picche avevano l'asta lunga sei piedi, di quercia inglese, con massicce punte esagonali in ferro. Gli uomini che non avevano pratica con la spada potevano scegliere quelle robuste lance oppure le asce d'abbordaggio, in grado di spiccare la testa di un uomo dal busto con un colpo solo.

I moschetti, custoditi nella polveriera della nave, furono portati sul ponte, e Hal aiutò gli artiglieri a caricarli con un centinaio di pallini di piombo ciascuno, sopra una manciata di polvere. Erano armi ingombranti e imprecise, con una portata effettiva di venti o trenta iarde. Una volta armato il cane e applicato meccanicamente l'acciarino al bacinetto, l'arma sparava, emettendo una nube di fumo, ma poi era necessario ricaricare, e l'operazione richiedeva due o tre minuti cruciali, durante i quali il moschettiere era alla mercé del nemico.

Hal preferiva l'arco, il famoso arco lungo inglese che aveva decimato i cavalieri francesi ad Agincourt. Era in grado di lanciare una dozzina di frecce nello stesso tempo che occorreva a ricaricare un moschetto. L'arco lungo aveva una gittata di cinquanta passi, con una precisione tale da colpire un nemico al centro del petto e con una potenza tale da trafiggerlo fino alla spina dorsale, anche se portava una corazza. Lui aveva già preparato due fasci di frecce a portata di mano, fissati ai lati della coffa.

Sir Francis e alcuni sottufficiali indossarono l'armatura leggera, composta da corazze di cuoio da cavalleria ed elmi d'acciaio. La salsedine aveva arrugginito le armature, già ammaccate e malridotte in seguito agli scontri precedenti.

In breve la nave fu pronta al combattimento, mentre l'equipaggio veniva armato e munito di corazza; tuttavia i portelli dei cannoni rimasero chiusi e le mezze colubrine non furono portate in posizione di tiro. La maggior parte degli uomini fu sospinta sotto coperta da Ned e dagli altri nostromi, mentre i rimanenti ricevettero l'ordine di stendersi sul ponte, nascosti sotto i parapetti. Non si accese nessuna miccia, perché l'odore del fumo avrebbe potuto segnalare il pericolo alla preda, comunque ai piedi di ogni albero ardevano i bracieri di carbone, e si tolsero i cunei dai portelli dei cannoni con magli di legno avvolti in un panno, in modo che il suono dei colpi non si propagasse sull'acqua.

Aboli si fece largo tra le figure dirette frettolosamente verso il punto in cui si trovava Hal, ai piedi dell'albero; portava una fascia di stoffa scarlatta legata intorno alla testa calva, con il lembo che ricadeva sul dorso, e aveva una spada infilata nella fusciacca. Sotto il braccio stringeva un involto di seta colorata. «Da parte di tuo padre», disse ficcandolo fra le braccia di Hal. «Dice che devi restare sull'albero comunque vadano le sorti del combattimento, mi hai sentito?»

Si voltò e scomparve a prua. Hal fece una smorfia ribelle all'indirizzo della sua schiena nera, ma salì obbediente sulle sartie. Una volta giunto in cima all'albero, scrutò in fretta l'oscurità, ma non si vedeva ancora niente; persino l'aroma delle spezie era evaporato. Si sentì assalire dall'ansia al pensiero che poteva essere stato tutto uno scherzo dell'immaginazione. «È solo che la preda non è più sopravvento », si disse per rassicurarsi. « Ora probabilmente si trova al traverso rispetto a noi. »

Fissò alla drizza di segnalazione la bandiera che Aboli gli aveva consegnato, pronto ad alzarla all'ordine di suo padre, poi tolse la copertura dallo scodellino del falconetto. Controllò la tensione della corda prima di disporre l'arco sulle parasartie accanto ai fasci di frecce, lunghe una iarda ciascuna. Ora non gli restava altro da fare che aspettare. Sotto di lui, la nave era immersa in un silenzio innaturale, senza neanche la campana a segnare il trascorrere delle ore, ma solo il canto sommesso delle vele e l'accompagnamento in sordina del sartiame.

Il giorno sopraggiunse con la repentinità che Hal aveva imparato a conoscere così bene su quei mari africani. Dalla notte morente emerse una torre alta e luminosa, traslucida come una montagna ricoperta di ghiaccio: una nave maestosa, sormontata da una velatura imponente, con gli alberi così alti che parevano rastrellare dal cielo le ultime, pallide stelle rimaste.

« Nave in vista! » annunciò, modulando la voce in modo che arrivasse solo al ponte sottostante, ma non alla nave sconosciuta che s'innalzava sulle acque a una buona lega di distanza. « Proprio al traverso a sinistra! »

Gli giunse dal basso la voce del padre: « Lassù di vedetta, alza la bandiera! »

Hal avvolse la drizza di segnalazione, e l'involto di seta salì svettando in cima all'albero maestro. Lassù si spiegò, esponendo al vento di sud-est il tricolore della Repubblica olandese, arancio, bianco e azzurro. Entro pochi istanti anche dalla cima degli alberi di mezzana e di trinchetto garrirono al vento le altre bandiere e bandierine di segnalazione, una delle quali si fregiava della sigla della voc, la Verenigde Oostendische Compagnie, la Compagnia unita delle Indie Orientali. Tutte quelle insegne erano autentiche, catturate solo quattro mesi prima alla *Heerlige Nacht*. Persino lo stendardo del « Consiglio dei Diciassette » era autentico: il comandante del galeone non aveva avuto il tempo di apprendere della cattura della nave gemella, e quindi non avrebbe potuto mettere in dubbio le credenziali di quella caravella sconosciuta.

Ora le due navi procedevano su rotte convergenti; nonostante l'oscurità, Sir Francis aveva fatto bene i suoi calcoli per intercettare l'altra. Non aveva bisogno di cambiare rotta, mettendo così in allarme il comandante olandese. Ma nel giro di pochi minuti fu evidente che la *Lady Edwina*, malgrado lo scafo divorato dalle teredini, era più veloce del galeone. Fra poco avrebbe finito per superare l'altra nave, cosa che si doveva evitare a ogni costo.

Sir Francis guardò il vascello avversario attraverso il cannocchiale, e capì subito per quale motivo era così lento e goffo: l'albero maestro era puntellato con una riparazione provvisoria, e c'erano molti altri segni di danni agli altri alberi e al sartiame. Comprese che il galeone doveva essere incappato in qualche terribile tempesta sugli oceani orientali, e questo spiegava anche il suo arrivo in ritardo a capo Agulhas. Sapeva di non poter modificare la velatura senza allarmare il comandante olandese, ma doveva farlo passare di poppa. Si era preparato anche a quella eventualità, e fece un segnale al carpentiere, pronto al parapetto, che insieme al suo compagno sollevò l'enorme ancora galleggiante di tela, lasciandola cadere fuori bordo a poppa. Svolgendo la stessa funzione del morso nei confronti di uno stallone ostinato, l'ancora galleggiante affondò nell'acqua in profondità, rallentando bruscamente la *Lady Edwina*. Dopo aver confrontato di nuovo la velocità relativa dei due velieri, Sir Francis annuì soddisfatto.

Poi abbassò gli occhi sul ponte della propria nave. La maggior parte dei suoi uomini era appostata sotto coperta, oppure distesa al di sotto dei parapetti, invisibile anche alle vedette sulla coffa del galeone. Non c'erano armi in vista, tutti i cannoni erano nascosti dietro i portelli. Quando Sir Francis l'aveva catturata, quella caravella era una nave negriera olandese, che operava al largo della costa occidentale dell'Africa. Convertendola in una nave corsara, lui si era preoccupato di conservarne l'aria innocua e le linee caratteristiche. C'era appena una dozzina di uomini in vista sui ponti e sul sartiame, com'era normale per una pigra nave mercantile.

Quando alzò di nuovo gli occhi, sugli alberi del galeone olandese salivano le bandiere della Repubblica e della Compagnia: l'altra nave ricambiava il saluto, con un lieve ritardo.

« Ci accetta », grugnì Ned, continuando a tenere saldamente sulla rotta la *Lady Edwina*. « Gli piace il nostro travestimento da pecore. »

«Può darsi», ribatté Sir Francis, «eppure sta issando altre vele.» Sotto i suoi occhi, nel cielo mattutino si gonfiarono il velaccio e il controvelaccio del galeone.

«Ecco!» esclamò un attimo dopo. «Cambia rotta, allontanandosi da noi. L'olandese è prudente.»

«Per le grinfie di Belzebù, ma sentitela», sussurrò Ned, quasi fra sé, mentre l'aroma delle spezie si spandeva nell'aria. «Dolce come una vergine, e bella il doppio.»

«È l'odore più ricco che si sia mai sentito.» Sir Francis parlò a voce abbastanza alta da farsi udire dagli uomini sul ponte inferiore. «Ci sono cinquanta sterline di ricompensa a testa, se avete voglia di battervi per conquistarle.» Cinquanta sterline corrispondevano a dieci anni di salario di un operaio inglese, e gli uomini si riscossero, ringhiando come cani da caccia tenuti al guinzaglio.

Avanzando fino alla battagliola di poppa, Sir Francis alzò la testa per lanciare un richiamo sommesso agli uomini sul sartiame. «Fate credere a quelle teste di formaggio laggiù che siete fratelli. Lanciate loro un richiamo e un valoroso benvenuto.»

Gli uomini in alto lanciarono grida entusiaste, sventolando i berretti in direzione del vascello mentre la *Lady Edwina* accostava a poppa.

Katinka van de Velde si mise a sedere sul letto, fissando corrucciata Zelda, la sua vecchia balia. «Perché mi hai svegliato così presto?» chiese in tono petulante, gettando all'indietro la cascata di riccioli d'oro per scostarli dal viso. Persino in quel momento, appena destata dal sonno, aveva il viso roseo e luminoso come quello di un angelo, mentre gli occhi erano di un viola incredibile, come le ali lucenti di una farfalla tropicale.

«C'è un'altra nave vicino a noi. Un'altra nave della Compagnia, la prima che vediamo in tutte queste terribili settimane di tempesta. Cominciavo a credere che oltre a noi non ci fosse rimasto un solo cristiano in tutto il mondo», rispose Zelda in tono piagnucoloso. «Non fate che lamentarvi della noia. Questo potrebbe distrarvi un poco.»

Zelda era pallida e smunta. Le sue guance, un tempo tonde, lisce e lucide come una mela grazie alla vita comoda che conduceva, erano infossate. L'enorme pancia era scomparsa, sostituita da pieghe di pelle flaccida che le arrivavano fin quasi alle ginocchia, come un grembiule; Katinka poteva vederle attraverso la stoffa sottile della camicia da notte.

Ha vomitato fino a perdere tutto il grasso e metà della ciccia, pensò con un fremito di disgusto. Zelda era rimasta prostrata dai cicloni che avevano investito la *Standvastigheid*, squassandola senza pietà da quando avevano lasciato la costa di Trincomalee.

Katinka gettò all'indietro le lenzuola di raso, facendo scivolare le lunghe gambe oltre l'orlo della cuccetta dorata. La cabina era stata ammobiliata e tappezzata a nuovo espressamente per lei, che era figlia di uno degli onnipotenti *Zeventien*, i diciassette direttori della Compagnia. L'arredamento era tutto un tripudio di ori e velluti, cuscini di seta e argenterie. Sulla paratia di fronte al letto era appeso il ritratto di Katinka dipinto dal pittore alla moda di Amsterdam, Pieter de Hooch; un dono di nozze del padre, che la viziava. L'artista era riuscito a cogliere perfettamente l'inclinazione invitante della sua testa; doveva aver impiegato tutta la sua maestria per riprodurre con tanta fedeltà il colore magico degli occhi e la loro espressione, innocente e corrotta al tempo stesso.

«Non svegliare mio marito», ammonì rivolta alla vecchia, mentre si gettava sulle spalle una vestaglia di broccato d'oro, annodando la cintura ingioiellata intorno alla vita sottile, racchiusa tra due curve da clessidra. Zelda le strizzò l'occhio con espressione complice. Dietro insistenza di Katinka, il governatore dormiva nella cabina più piccola e meno sontuosa, oltre una porta che lei teneva chiusa a chiave dalla sua parte. Il pretesto era che lui russava in modo abominevole, mentre Katinka era afflitta dal *mal de mer*. In realtà, dopo tutte quelle settimane di clausura nel suo alloggio, era irrequieta e annoiata, piena di energia giovanile pronta a traboccare e accesa da desideri che il vecchio grassone non avrebbe mai potuto spegnere.

Presa per mano Zelda, uscì sulla stretta galleria di poppa. Era come un balcone privato, ornato da elaborate sculture di cherubini e angeli, che si affacciava sul mare, sopra la scia della nave, nascosto agli occhi dei volgari marinai della ciurma.

Era una mattina abbagliante di magia solare e Katinka, respirando a pieni polmoni l'aria salmastra del mare, sentì tutti i nervi e i muscoli del corpo fremere di energia vitale. Il vento investiva i pennacchi color crema che spuntavano dalla sommità delle onde azzurre, giocando con i riccioli d'oro di Katinka e sfiorando la seta tesa sui seni e sul ventre con una carezza lieve, degna delle dita di un amante. Stirandosi, lei inarcò il dorso con la sensualità di una snella gatta dorata.

Poi vide l'altra nave: era molto più piccola del galeone, ma aveva linee eleganti. Le vivaci bandiere e i pennoni che sventolavano sugli alberi contrastavano con la massa imponente delle vele bianche. Era abbastanza vicina perché Katinka potesse distinguere le figure dei pochi uomini arrampicati sul sartiame. Agitavano la mano in segno di saluto, e lei si accorse che alcuni erano giovani e coperti solo da corte brache.

Si protese oltre la battagliola per osservare la nave. Suo marito aveva ordinato all'equipaggio del galeone di rispettare un severo codice di abbigliamento mentre lei era a bordo, quindi rimase affascinata dalle figure a bordo di quella nave sconosciuta. Incrociò le braccia sul petto, serrando i seni, e sentì i capezzoli inturgidirsi. Voleva un uomo. Ardeva di desiderio per un uomo, uno qualsiasi, purché fosse giovane e focoso e la desiderasse in modo appassionato. Un uomo come quelli che aveva conosciuto ad Amsterdam, prima che il padre scoprisse la sua passione per il gioco pesante e la spedisse nelle Indie, insieme a un marito vecchio e grasso che aveva una posizione elevata nella Compagnia e prospettive ancor più elevate. La sua scelta era caduta su Petrus Jacobus van de Velde, al quale, ora che era sposato con Katinka, era destinato il prossimo seggio vacante nel consiglio direttivo della Compagnia, dove sarebbe entrato nel pantheon dei *Zeventien*.

«Vieni dentro, *liefling*», le disse Zelda, tirandola per la manica. «Quei mascalzoni laggiù ti stanno fissando.»

Lei si liberò dalla stretta di Zelda con una scrollata di spalle, ma era vero. Avevano riconosciuto una donna e la loro eccitazione era palpabile, persino a quella distanza. Le loro pantomime divennero frenetiche e una figura a cavalcioni della prua si portò le mani all'inguine, protendendo i fianchi verso di lei in un movimento ritmico e osceno.

«Disgustoso! Vieni dentro, cara», insistette Zelda. «Il governatore andrà su tutte le furie, se vedrà che cosa sta facendo quell'animale.»

«Dovrebbe infuriarsi perché non riesce a muoversi con altrettanta agilità», replicò Katinka con voce angelica. Serrò strettamente le cosce per assaporare meglio il fiotto improvviso di umore caldo che le sgorgava dall'inguine. Ormai la caravella era molto più vicina; poté notare che quanto il marinaio le offriva era abbastanza voluminoso da traboccare dalle sue mani strette a coppa, e si umettò le labbra imbronciate con la punta della lingua rosea.

« Vi prego, padrona. »

« Fra poco », rispose Katinka prendendo tempo. « Avevi ragione, Zelda, tutto questo mi diverte. » Sollevò una mano candida per rispondere al saluto dell'altra nave, e subito gli uomini raddoppiarono gli sforzi per attirare la sua attenzione.

« È così poco dignitoso », gemette Zelda.

« Ma così divertente. Non rivedremo mai più quegli uomini, ed essere sempre dignitosi è tanto noioso! » Si protese ancor più dalla battagliola, lasciando che il vento s'insinuasse nell'apertura della vestaglia.

In quel momento si udì bussare con violenza alla porta di comunicazione con la cabina di suo marito. Senza ulteriori sollecitazioni, Katinka abbandonò di corsa la galleria, precipitandosi verso la cuccetta e infilandosi sotto le coltri. Tirò su le lenzuola di seta fino al mento prima di far cenno a Zelda, che sollevò il paletto, facendo una sgraziata riverenza mentre il governatore irrompeva nella cabina. Lui la ignorò e, allacciandosi la vestaglia sul ventre sporgente, ciabattò verso il letto sul quale era distesa Katinka. Senza parrucca, aveva la testa ricoperta da una rada peluria argentea.

« Mia cara, ti senti abbastanza bene da alzarti? Il comandante mi ha fatto avere un messaggio. Desidera che ci vestiamo e ci teniamo pronti. C'è in vista un veliero sconosciuto che si comporta in modo sospetto. »

Katinka represse un sorriso al pensiero del comportamento sospetto degli sconosciuti marinai, ma atteggiò il viso a un'espressione coraggiosa e degna di pietà. « Ho la testa che mi scoppia, e lo stomaco... »

« Mia povera cara. » Petrus van de Velde, governatore designato del capo di Buona Speranza, si chinò su di lei. Persino in quella mattinata fredda, aveva la pappagorgia punteggiata di goccioline di sudore, e l'alito puzzava della cena della sera prima, a base di pesce al curry giavanese, aglio e rum rancido.

Stavolta Katinka si sentì davvero rovesciare lo stomaco, ma gli porse doverosamente la guancia da baciare. « Forse avrò la forza di alzarmi », sussurrò, « se è un ordine del comandante. »

Zelda si precipitò accanto al letto per aiutarla ad alzarsi, poi la sostenne e, cingendole la vita con un braccio, la guidò verso il piccolo paravento cinese nell'angolo della cabina. Al marito, seduto sulla panca di fronte, fu concesso appena qualche squarcio di pelle candida e luminosa dietro i pannelli di seta dipinta, per quanto allungasse il collo per vedere di più.

« Quanto tempo ancora dovrà durare questo viaggio spaventoso? » si lamentò Katinka.

« Il comandante mi assicura che, se il vento terrà, dovremmo gettare l'ancora nella baia della Tavola fra meno di dieci giorni. »

« Spero che il Signore mi dia la forza di sopravvivere tanto a lungo. »

« Ci ha invitati a cena per questa sera insieme agli ufficiali », disse il governatore. « È un peccato, ma gli manderò un messaggio dicendo che sei indisposta. »

Katinka emerse dal paravento con la testa e le spalle. « Tu non farai niente di simile! » scattò. I seni tondi, bianchi e levigati, fremevano di agitazione.

C'era uno degli ufficiali che le interessava non poco. Era il colonnello Cornelius Schreuder, *en route* come suo marito per andare a occupare un posto al capo di Buona Speranza. Era stato nominato comandante militare dell'insediamento del quale Petrus van de Velde sarebbe diventato governatore. Portava i baffi a punta e il pizzo alla van Dyck, secondo i dettami della moda, e ogni volta che lei saliva sul ponte le rivolgeva un inchino pieno di eleganza. Aveva i polpacci ben torniti, gli occhi scuri e penetranti come quelli di un'aquila, e quando la guardava le faceva venire la pelle d'oca. In quegli occhi Katinka leggeva qualcosa di più del semplice rispetto per la sua posizione, e l'ufficiale aveva reagito in modo estremamente gratificante alla discreta occhiata di apprezzamento che lei gli aveva scoccato sotto le lunghe ciglia.

Una volta raggiunto il Capo, il colonnello sarebbe stato uno dei subordinati di suo marito, quindi soggetto anche ai suoi ordini, e lei era certa che avrebbe potuto alleviare la monotonia del suo esilio in quell'insediamento sperduto in capo al mondo che sarebbe diventato la sua casa per i prossimi tre anni.

« Voglio dire », si affrettò ad aggiungere cambiando tono, « che sarebbe villano da parte nostra rifiutare l'ospitalità del comandante, non ti pare? »

« Ma la tua salute è più importante », protestò lui.

« Troverò la forza. » Zelda le infilò dalla testa le sottovesti, una sopra l'altra; in tutto erano cinque, ciascuna grondante di nastri svolazzanti.

Katinka emerse dal paravento, sollevando le braccia, e Zelda le fece scivolare addosso dall'alto l'abito di seta azzurra, abbassandolo sulle sottovesti. Poi s'inginocchiò per sollevare con cura le gonne di lato, scoprendo le sottovesti e le caviglie sottili ricoperte di calze di seta bianca, secondo l'ultima moda. Il governatore la fissò, come in trance. Se solo le altre parti del corpo fossero grandi e attive come le tue pupille, pensò Katinka con derisione, avvicinandosi allo specchio a figura intera e piroettando davanti alla propria immagine.

Poi lanciò un urlo selvaggio stringendosi le mani al petto mentre, dal ponte sovrastante, proveniva il rombo improvviso e assordante di un colpo di cannone. Il governatore lanciò un urlo altrettanto acuto e si lanciò dalla panca sui tappeti orientali che ricoprivano il pavimento di assi della cabina.

« *De Standvastigheid*! » Attraverso la lente del cannocchiale, Sir Francis Courteney lesse il nome del galeone sull'alto specchio di poppa dorato. « Risolutezza. » Abbassando lo strumento, grugnì: « Un nome che metteremo subito alla prova! » Mentre parlava, un lungo pennacchio luminoso di fumo scaturì dal ponte superiore della nave, e qualche istante dopo il vento portò fino a loro il boato del cannone. Cinquanta braccia più avanti della prua, la pesante palla piombò in mare, sollevando un alto zampillo bianco. Si udirono i tamburi del galeone olandese rullare a un ritmo incalzante, e i portelli dei cannoni sui ponti inferiori si spalancarono, lasciando sbucare le lunghe canne.

« Mi meraviglio che abbia atteso così tanto prima di sparare un colpo di avvertimento », borbottò Sir Francis. Chiudendo il cannocchiale, alzò la testa verso le vele. « Prendete il timone, mastro Ned, e portateci a ridosso della sua poppa. » L'esibizione di false insegne aveva consentito loro di guadagnare tempo sufficiente per avvicinarsi abbastanza da sfuggire alle bordate devastanti del galeone.

Sir Francis si rivolse al carpentiere, pronto presso la battagliola di poppa, con un'ascia da abbordaggio fra le mani. « Tagliate! » ordinò.

L'uomo sollevò l'ascia sopra la testa, vibrando un colpo in

basso. Con uno schianto, la lama spaccò in due il legno del parapetto di poppa; la cima dell'ancora galleggiante fu recisa con uno schiocco di frusta e la *Lady Edwina*, libera da ogni restrizione, si slanciò in avanti prima di poggiare appena Ned prese il timone.

Il servitore di Sir Francis, Oliver, arrivò di corsa con il mantello ornato dalla croce scarlatta e il cappello piumato da cavaliere. Sir Francis li indossò in fretta, prima di ruggire, rivolto alla vedetta: «Ammaina i colori della Repubblica! Facciamogli vedere quelli dell'Inghilterra!» L'equipaggio lanciò urla selvagge quando la bandiera inglese cominciò a garrire al vento. Gli uomini sbucarono fremendo dai ponti inferiori, come formiche uscite da un formicaio distrutto, allineandosi lungo la battagliola per lanciare urla di sfida all'enorme vascello che troneggiava sopra di loro. I ponti e il sartiame del galeone olandese fervevano di un'attività frenetica.

Stavano mettendo in posizione di tiro i cannoni dietro i portelli del galeone, ma pochi erano in grado di prendere di mira la caravella, che stava per piombargli addosso col vento in poppa, protetta dalla mole stessa del galeone.

Una bordata irregolare tuonò oltre il varco sempre più stretto che divideva le due navi, ma la maggior parte dei colpi andò a vuoto di centinaia di iarde o sibilò in alto senza infliggere danni. Hal si abbassò al passaggio di una palla di cannone che gli strappò il berretto dalla testa con lo spostamento d'aria, facendolo volteggiare nel vento, prima di aprire un bel foro rotondo nella vela, sei piedi al di sopra della sua testa, pur lasciandolo miracolosamente illeso. Lui si scostò dal viso i lunghi capelli, sbirciando il galeone dall'alto.

Il gruppetto di ufficiali olandesi sul cassero appariva in disordine: alcuni erano in maniche di camicia, e uno sbucò addirittura dalla scaletta ficcandosi nei calzoni la camicia da notte.

In mezzo al gruppo, uno degli ufficiali attirò la sua attenzione: era un uomo alto con l'elmo d'acciaio e il pizzo alla van Dyck; stava radunando una compagnia di moschettieri nel settore di prua della nave. Portava a tracolla la fascia dorata da colonnello, e il modo in cui impartiva gli ordini, insieme allo zelo col quale gli uomini obbedivano, denotava un uomo da tenere d'occhio, che poteva rivelarsi un nemico pericoloso.

Ora, al suo comando, i marinai corsero a poppa, ciascuno di loro munito di uno dei cosiddetti «assassini», una delle piccole armi usate per respingere un arrembaggio. Nella poppa del galeone c'erano alcune feritoie in cui si inseriva la forcella di ferro dell'«assassino», consentendo ai difensori di brandeggiare quell'arma, piccola ma micidiale, puntandola sui ponti della nave nemica che accostava. Quando avevano abbordato la *Heerlige Nacht*, Hal aveva visto quali perdite potevano infliggere i moschettieri a distanza ravvicinata: era una minaccia ancor più temibile della batteria del galeone.

Fece ruotare il falconetto sul perno, soffiando sulla miccia a lenta combustione che teneva in mano. Per raggiungere la poppa, la fila di moschettieri olandesi doveva superare la scaletta che saliva dal cassero. Lui puntò il falconetto sulla sommità della scaletta, mentre lo spazio che separava le due navi si riduceva rapidamente. Il colonnello olandese fu il primo a salire in cima, con la spada in mano e l'elmo dorato che scintillava spavaldo al sole. Hal gli lasciò attraversare il ponte di corsa, aspettando che gli uomini lo raggiungessero.

Il primo moschettiere inciampò in cima alla scala e cadde lungo disteso sul ponte, lasciando finire a terra l'«assassino». Quelli che lo seguivano rimasero bloccati alle sue spalle, non potendo passare finché il compagno non si riprendeva e si rimetteva in piedi. Attraverso il rudimentale mirino del falconetto, Hal guardò il gruppo di uomini, accostando allo scodellino la punta ardente della miccia e prendendo con cura la mira mentre la polvere divampava. Il falconetto sussultò, lanciando un ruggito, e quando il fumo si disperse Hal vide che cinque moschettieri erano caduti, di cui tre dilaniati dal colpo, mentre gli altri gridavano, insanguinando il tavolato bianco del ponte.

Hal rimase senza fiato per lo shock, guardando dall'alto la carneficina. Prima di allora non aveva mai ucciso un uomo, e si sentì assalire da una nausea improvvisa. Non era la stessa cosa che mandare in pezzi una botte dell'acqua; per un attimo ebbe l'impressione di dover vomitare.

Poi il colonnello olandese presso la battagliola di poppa alzò lo sguardo su di lui, levando la spada per puntargliela contro il viso. Gridò qualcosa, ma il vento e il rombo incessante dei cannoni coprirono le sue parole; comunque Hal capì di essersi fatto un nemico mortale.

Quella consapevolezza lo calmò. Non c'era il tempo di ricaricare il falconetto: aveva assolto il suo compito. Hal sapeva che quel colpo aveva salvato la vita a molti dei suoi uomini, bloccando i moschettieri olandesi prima che potessero montare gli «assassini» per falciare gli uomini lanciati all'abbordaggio. Sapeva che avrebbe dovuto esserne fiero, ma non lo era: si sentiva intimorito dal colonnello olandese.

Tese la mano verso l'arco. Per usarlo doveva stare in piedi. Puntò la prima freccia verso il colonnello, tendendo al massimo la corda, ma l'olandese non lo guardava più: stava ordinando ai superstiti della sua compagnia di prendere posto lungo la battagliola di poppa del galeone, e voltava le spalle a Hal.

Questi esitò per una frazione di secondo, valutando il vento e il movimento della nave. Scoccata la freccia, la guardò volare nell'aria, portata dal vento; per un attimo pensò che avrebbe centrato l'ampia schiena del colonnello, com'era nelle sue intenzioni, ma il vento la deviò e la freccia fallì il bersaglio di un soffio, ricadendo sulle assi del ponte, dove rimase infissa vibrando. L'olandese lanciò un'occhiata verso di lui, con i baffi appuntiti che fremevano di disprezzo, e senza neppure tentare di mettersi al riparo si voltò di nuovo verso i suoi uomini.

Hal afferrò freneticamente un'altra freccia, ma in quel momento le due navi entrarono in contatto, e lui fu quasi catapultato giù dalla coffa.

Si sentì un boato spaventoso, scricchiolante: le assi si spezzarono e le finestre delle gallerie di poppa del galeone s'infransero nell'urto. Abbassando gli occhi, Hal vide a prua Aboli, un colosso nero che faceva roteare sopra la testa un grappino da abbordaggio descrivendo lunghi cerchi, prima di lanciarlo in alto, seguito dalla cima che si srotolava fulminea come un serpente.

Il gancio di ferro slittò sul ponte di poppa, ma quando Aboli tese di scatto la cima, l'uncino si conficcò saldamente nella battagliola di poppa del galeone. Uno degli olandesi corse in quella direzione, brandendo l'ascia per tagliare la cima, ma Hal tese di nuovo l'arco lungo, fino ad accostare alle labbra l'impennaggio di un'altra freccia: stavolta il calcolo del vento fu perfetto e la punta trafisse l'uomo alla gola. L'olandese lasciò cadere l'ascia, portando le mani all'asta della freccia mentre barcollava all'indietro e si accasciava.

Aboli afferrò un altro grappino, lanciandolo sulla poppa del galeone, poi fu la volta di altri venti, lanciati dagli altri nostromi. In pochi istanti i due vascelli furono uniti da una ragnatela di cime, troppo numerose perché i difensori del galeone potessero reciderle, per quanto si affannassero a correre lungo il parapetto armati di asce e spade.

La *Lady Edwina* non aveva sparato neanche un colpo di colubrina. Per lanciare una bordata, Sir Francis aveva aspettato che il momento fosse propizio: i colpi potevano infliggere altri danni al massiccio fasciame del galeone, e non rientrava nei suoi piani ferire a morte la preda.

Ora, con le due navi avvinte in un abbraccio mortale, il momento era venuto.

«Artiglieri!» Sir Francis brandì la spada sopra la testa per attirare l'attenzione degli uomini, curvi sui pezzi con la miccia accesa in mano e gli occhi fissi su di lui. «Adesso!» gridò, abbassando di scatto la spada.

La batteria di colubrine tuonò all'unisono, in un coro infernale. Le bocche da fuoco erano a diretto contatto con la poppa del galeone, e gli elaborati intagli in legno dorato si disintegrarono in una nube di fumo, proiettando schegge bianche e frammenti di vetro colorato delle finestre infrante.

Era il segnale. Era impossibile udire gli ordini in quel frastuono o vedere dei gesti nella densa nebbia che si gonfiava al di sopra dei velieri uniti, ma un coro selvaggio di urla di guerra si levò dal fumo, mentre l'equipaggio della *Lady Edwina* sciamava sul galeone.

Attaccarono in branco attraverso le gallerie di poppa, come furetti nel labirinto di tane del coniglio, arrampicandosi sulla falchetta con l'agilità di scimmie, protetti dagli artiglieri olandesi grazie alla nube di fumo che li avvolgeva. Altri corsero lungo i pennoni della *Lady Edwina* prima di lasciarsi cadere sui ponti del galeone.

«Per Franky e per san Giorgio!» Il loro grido di guerra salì fino a Hal, in cima all'albero. Ne vide solo tre o quattro abbattuti dagli «assassini» a poppa, prima che i moschettieri olandesi fossero a loro volta travolti e sopraffatti. Gli uomini che li seguivano salirono fino alla poppa del galeone senza incontrare resistenza. Vide suo padre passare da una nave all'altra, muovendosi con la rapidità e l'agilità di un uomo molto più giovane.

Aboli si chinò per spingerlo oltre il parapetto del galeone e i due saltarono sul ponte fianco a fianco, il negro alto con il turbante scarlatto e il cavaliere con il cappello piumato e il mantello che sventolava intorno all'acciaio della corazza.

«Per Franky e per san Giorgio!» gridarono gli uomini, vedendo il loro comandante lanciarsi nel folto della mischia e seguendolo per spazzare via tutto ciò che si trovava sul cassero con un'ondata di acciaio fragoroso e tintinnante.

Il colonnello olandese tentò di radunare i pochi uomini che gli restavano, ma questi furono respinti inesorabilmente, precipitando all'indietro dalle scalette sul ponte. Aboli e Sir Francis li incalzarono, scendendo a loro volta sul ponte, seguiti dagli uomini che ululavano come un branco di cani che hanno fiutato la volpe.

A quel punto si scontrarono con un'opposizione più decisa. Il comandante del galeone aveva schierato gli uomini sul ponte ai piedi dell'albero maestro, e ora i moschettieri spararono una raffica a distanza ravvicinata per far fronte ai marinai della *Lady Edwina* armati di spade. I ponti del galeone erano coperti da una massa confusa di uomini che combattevano.

Pur avendo ricaricato il falconetto, Hal non trovava un bersaglio adatto. Amici e nemici erano così intrecciati che poteva solo assistere impotente mentre il combattimento infuriava sotto di lui in coperta.

Nel giro di pochi minuti apparve evidente che l'equipaggio della *Lady Edwina* era nettamente inferiore di numero. Non c'erano riserve, perché Sir Francis aveva lasciato a bordo della caravella soltanto Hal; aveva impegnato nell'arrembaggio le sue forze fino all'ultimo uomo, puntando tutto sull'effetto della sorpresa e di quel primo attacco scatenato. Ventiquattro dei suoi uomini si trovavano a qualche lega di distanza, a bordo delle due pinacce, e non potevano partecipare al combattimento. Ora ce ne sarebbe stato un gran bisogno, ma quando Hal scrutò le acque in cerca delle due minuscole imbarcazioni da ricognizione, vide che erano lontane ancora qualche miglio. Entrambe avevano issato la randa, ma facevano ben pochi progressi, navigando con il vento di sud-est contrario, fra grosse ondate turbolente. L'esito della lotta si sarebbe deciso prima che potessero raggiungere le due navi impegnate nel combattimento per intervenire.

Guardando di nuovo il ponte del galeone, si accorse costernato che la lotta si era decisa a loro svantaggio. Suo padre e Aboli venivano respinti verso poppa, mentre il colonnello olandese comandava il contrattacco, lanciando urla possenti come i muggiti di un toro ferito e trascinando gli uomini con l'esempio.

In fondo ai ranghi del gruppo di assalitori, si staccò un piccolo gruppo della *Lady Edwina* che si era tenuto in disparte dal combattimento. Era guidato da Sam Bowles, un ometto subdolo con un certo seguito negli alloggi dei marinai, le cui doti principali erano la parlantina sciolta, l'abilità nel contestare la spartizione del bottino e la capacità di seminare zizzania fra i compagni.

Sam Bowles si lanciò verso la poppa del galeone, scavalcando la battagliola per lanciarsi sul ponte della *Lady Edwina*, seguito da altri quattro uomini.

Le navi unite dal groviglio di cime si erano allontanate per effetto del vento, cosicché ora la *Lady Edwina* tendeva le cime fissate ai grappini che le tenevano legate. In preda al panico e al terrore, i cinque disertori si lanciarono sulle cime con le asce e le spade. Ciascuna cedette con uno schiocco che giunse nitido alle orecchie di Hal, in cima all'albero.

«Smettetela!» gridò dall'alto, ma nessuno sospese quel lavoro infame per alzare la testa.

«Padre!» gridò Hal in direzione del ponte dell'altra nave. «Resterete isolati! Tornate indietro! Tornate indietro!»

La sua voce non poteva sopraffare il vento o il clamore della battaglia. Suo padre stava lottando contro tre marinai olandesi, e tutta la sua attenzione era rivolta a loro. Hal lo vide parare un colpo con la sua lama e poi rispondere con un lampo d'acciaio, mentre uno degli avversari indietreggiava barcollando e stringendosi la manica insanguinata.

In quel momento la cima dell'ultimo grappino fu recisa con un colpo secco e la *Lady Edwina* fu libera. La prua si sollevò in fretta, mentre le vele si gonfiavano.

La caravella si allontanò lasciando libero il galeone che rollò, con le vele improvvisamente vuote, prendendo l'abbrivio all'indietro.

Hal si lanciò giù per le sartie, scottandosi il palmo per la velocità con cui le cime gli sibilavano fra le mani, e atterrò sul ponte con violenza tale da sentire i denti che gli scricchiolavano nelle mascelle, mentre rotolava via sulle assi. Un attimo dopo era già in piedi e si guardava attorno disperatamente. Il galeone era a un centinaio di braccia di distanza, oltre i flutti azzurri, e il fragore del combattimento era affievolito dal vento. Poi guardò a poppa della sua nave e vide Sam Bowles che si affrettava a prendere il timone.

C'era un marinaio che giaceva a terra, abbattuto da uno degli

« assassini » olandesi. Il moschetto era abbandonato accanto a lui, ancora carico, con la miccia che sputacchiava e fumava sul bacinetto. Hal lo raccolse prima di correre indietro lungo il ponte per tagliare la strada a Sam Bowles.

Raggiunto il timone con una dozzina di passi di anticipo sull'altro, si girò a fronteggiarlo, ficcandogli nella pancia la canna dell'arma. « Indietro, porco vigliacco, o ti faccio rovesciare sul ponte quelle budella da traditore. »

Sam indietreggiò, e gli altri quattro lo raggiunsero, fissando Hal col viso ancora pallido e terrorizzato dal combattimento.

« Non potete lasciare i vostri compagni. Tornate indietro! » gridò Hal, con gli occhi verdi infiammati da un'ira selvaggia e dal timore che provava per il padre e Aboli. Agitò il moschetto contro di loro, con il fumo della miccia che gli turbinava intorno alla testa. Teneva l'indice piegato sul grilletto: guardandolo negli occhi, i disertori non poterono dubitare della sua fermezza e indietreggiarono lungo il ponte.

Hal afferrò la barra del timone, impugnandola saldamente. La nave tremò sotto i suoi piedi, obbedendo ai suoi ordini, ma guardando all'indietro verso il galeone lui si sentì gelare il sangue nelle vene. Sapeva che non avrebbe mai potuto portare controvento la *Lady Edwina* con quella velatura: si stavano allontanando dal punto in cui suo padre e Aboli lottavano per la vita.

Sam e la sua banda si resero conto della situazione nello stesso istante. « Nessuno tornerà indietro, e non c'è niente che voi possiate fare, giovane Henry. » Sam lanciò una risatina trionfante. « Dovrete invertire la rotta, per tornare dal paparino, e nessuno di noi è disposto a issare le vele per voi. Non è vero, ragazzi? Vi abbiamo preso in trappola! »

Hal si guardò attorno, disperato, e poi, d'improvviso, serrò la mascella con fermezza. Notando il cambiamento, Sam si voltò per guardare nella stessa direzione del ragazzo, e il suo viso rifletté la costernazione quando vide la pinaccia a mezza lega appena di distanza, carica di marinai armati.

« Saltategli addosso, ragazzi! » esortò i compagni. « Ha un solo colpo nel moschetto, e poi sarà nostro! »

« Un colpo e la mia spada! » gridò Hal di rimando, battendo sull'elsa dell'arma che portava al fianco. « Per la barba di Noè, mi porterò via la metà di voi, e con onore. »

« Tutti insieme! » strillò Sam. « Non estrarrà mai la spada dal fodero! »

« Sì, sì! » gridò Hal. « Fatevi sotto, vi prego, non vedo l'ora di poter dare un'occhiata alle vostre viscere da codardi. »

Avevano visto tutti quel giovane gatto selvatico esercitarsi, lo avevano visto lottare con Aboli, e nessuno di loro voleva guidare quella carica. Borbottarono, stropicciando i piedi sul ponte, tastando la spada e distogliendo lo sguardo.

« Avanti, fatti sotto, Sam Bowles! » lo sfidò Hal. « Sei stato abbastanza svelto a scappare dal ponte dell'olandese. Vediamo quanto sei svelto adesso ad attaccarmi. »

Sam si fece forza e poi, pieno di grinta e di decisione, avanzò, ma non appena Hal spinse avanti di un pollice la canna del moschetto, puntando al suo ventre, si affrettò a indietreggiare, tentando di spingere avanti un altro della banda.

« Prenditela con lui, ragazzo! » gracchiò Sam. Hal cambiò mira, puntando al viso del secondo uomo, ma quello sfuggì alla presa di Sam, rifugiandosi dietro il vicino.

La pinaccia ormai era vicina e si udivano persino le grida ansiose dei marinai a bordo. L'espressione di Sam divenne disperata, e d'improvviso si diede alla fuga. Come un coniglio spaventato, scese di corsa la scaletta fino al ponte inferiore, e gli altri lo seguirono in un baleno, con le ali ai piedi per il panico.

Hal lasciò cadere il moschetto, usando entrambe le mani per reggere il timone. Guardò in avanti verso la prua, bassa sull'acqua, valutando con cura il momento, poi esercitò tutto il suo peso sulla barra, risollevando la prua al vento.

La caravella si mise in panna. La pinaccia era pronta ad accostare e Hal vide a prua Big Daniel Fisher, uno dei migliori sottufficiali della *Lady Edwina*. Big Daniel colse l'occasione al volo, accostando con la barca, e i marinai fecero leva sui grappini che Sam e la sua banda avevano reciso per sciamare sul ponte della caravella.

« Daniel! » gridò Hal. « Ho intenzione di invertire la rotta. Preparati a issare le vele! Ci lanceremo nel combattimento! »

Big Daniel gli rivolse un gran sorriso, con i denti aguzzi e irregolari come quelli di uno squalo, guidando i suoi uomini verso le scotte: dodici uomini freschi e impazienti di agire. Hal esultò, preparandosi alla pericolosa manovra necessaria per portare la nave con il vento in poppa anziché con la prua al vento. Se avesse commesso un errore di valutazione, l'avrebbe disalberata, ma se fosse riuscito a invertire la rotta, avrebbe guadagnato alcuni minuti cruciali nel tornare verso il galeone impegnato in combattimento.

Hal spostò la barra, ma mentre la nave lottava per poggiare e minacciava di perdere l'assetto, Daniel mollò le scotte per allentare la tensione. Le vele si gonfiarono di colpo e d'improvviso la nave invertì la rotta, ritrovando il vento e filando via di slancio per unirsi al combattimento.

Daniel lanciò un urlo di gioia, togliendosi il berretto, e tutti lo applaudirono, perché la manovra era stata eseguita con coraggio e abilità. Hal lanciò appena un'occhiata a loro, ma si concentrò sul compito di condurre la *Lady Edwina* a bolina stretta, tornando verso il galeone olandese alla deriva. La lotta a bordo doveva infuriare ancora, perché udiva grida fioche e ogni tanto lo sparo di un moschetto. Poi, d'improvviso, ci fu un lampo bianco sottovento, e vide davanti a sé la randa della seconda pinaccia, con l'equipaggio che lanciava urla selvagge per attirare la sua attenzione. Un'altra dozzina di combattenti pronti a unirsi allo scontro, pensò. Valeva la pena di prenderli a bordo? Altre dodici spade ben affilate? Lasciò che la *Lady Edwina* accostasse di un punto per dirigere verso la minuscola imbarcazione.

Daniel teneva pronta la cima da lanciare a bordo, e pochi istanti dopo la seconda pinaccia aveva scaricato i suoi uomini e procedeva al traino dietro la *Lady Edwina*.

«Daniel!» gridò Hal. «Tieni tranquilla quella gente! Non ha senso preavvertire le teste di formaggio del nostro arrivo!»

«Giusto, mastro Hal. Faremo loro una sorpresa.»

«Inchioda con assicelle i boccaporti dei ponti inferiori. Abbiamo un carico di codardi e traditori nascosti nelle stive. Tienili rinchiusi laggiù finché Sir Francis non deciderà cosa fare di loro.»

In silenzio, la *Lady Edwina* virò fin sotto l'imponente murata del galeone, che sporgeva in fuori. Forse gli olandesi erano troppo occupati per vederla arrivare con la velatura ridotta, perché non una sola testa si affacciò a scrutare dalla battagliola sopra di loro quando i due scafi si urtarono con un impatto sonoro e stridente. Daniel e i suoi fecero volare i grappini oltre il parapetto del galeone e si lanciarono subito all'arrembaggio, arrampicandosi a forza di braccia.

Hal perse solo un attimo per assicurare saldamente il timone, poi si precipitò attraverso il ponte, afferrando una delle cime tese. Salì in fretta alle calcagna di Big Daniel, soffermandosi appena raggiunta la battagliola del galeone. Con una mano sulla cima e i piedi ben piantati sulle assi, sguainò la spada, poi, serrando la lama fra i denti, si issò in alto e, con un secondo appena di ritardo su Daniel, ricadde sul ponte.

Si ritrovò alla testa del nuovo gruppo di assalitori. Con Daniel al fianco e la spada nella destra, si fermò un attimo a esaminare la situazione. Il combattimento era agli sgoccioli. Erano arrivati appena in tempo, perché gli uomini di suo padre erano sparpagliati in piccoli gruppi, circondati dai marinai del galeone, e lottavano per la vita. Almeno la metà di loro era a terra, alcuni ormai morti. Una testa, staccata dal torso, sogghignava in direzione di Hal rotolando sul ponte avanti e indietro in una pozza di sangue. Con un brivido di orrore, Hal riconobbe il cuoco della *Lady Edwina*.

Altri erano feriti e si dibattevano, rotolandosi e gemendo. L'assito, coperto del loro sangue, era scivoloso e sdrucciolevole. Altri ancora stavano seduti, esausti, disarmati e avviliti, con le armi gettate da parte, le mani intrecciate sopra la testa, arresi al nemico.

Alcuni combattevano ancora. Sir Francis e Aboli erano ai piedi dell'albero maestro, accerchiati da olandesi urlanti che vibravano colpi di accetta e di spada. A parte un taglio al braccio sinistro, suo padre sembrava illeso; forse l'armatura d'acciaio gli aveva risparmiato ferite gravi, e in ogni caso si batteva con la foga consueta. Al suo fianco Aboli, gigantesco e indistruttibile, lanciò un grido di guerra nella sua lingua appena vide la testa di Hal sbucare oltre la battagliola.

Senza pensare ad altro che ad accorrere in loro aiuto, Hal si precipitò in avanti. «Per Franky e per san Giorgio!» urlò a squarciagola, e Big Daniel riprese il grido, correndo alla sua sinistra. Gli uomini delle pinacce li seguirono, ululando come un'orda di folli invasati appena evasi dal manicomio.

Gli olandesi erano anch'essi quasi sfiniti, con una ventina di caduti, e molti di coloro che combattevano ancora erano feriti. Si guardarono alle spalle, vedendo quella schiera di inglesi assetati di sangue che piombava su di loro. La sorpresa fu assoluta; shock e costernazione si dipinsero su quei volti stanchi e sudati. Quasi tutti lasciarono cadere le armi e, come ogni equipaggio sconfitto, si precipitarono a nascondersi sotto coperta.

Alcuni dei più risoluti si voltarono per fronteggiare l'assalto. Quelli intorno all'albero maestro erano guidati dal colonnello olandese, ma le urla del gruppo di Hal avevano rianimato i compagni esausti e sanguinanti, che scattarono in avanti con rinnovata decisione per unirsi all'attacco. Gli olandesi furono circondati.

Nonostante la confusione e il tumulto, il colonnello Schreuder riconobbe Hal e girò su se stesso per affrontarlo, mirando alla testa con un colpo di rovescio. I baffi fremevano come le vibrisse di un leone e la spada vibrava nella sua mano. Era rimasto miracolosamente illeso, in apparenza fresco e pieno di energie come gli uomini che Hal aveva guidato contro di lui: il ragazzo deviò il colpo con una torsione del polso, lanciandosi al contrattacco.

Per fronteggiare la sua carica, il colonnello aveva voltato le spalle ad Aboli: una mossa avventata. Mentre il colonnello parava l'assalto di Hal e spostava il peso del corpo per balzare in avanti, Aboli lo attaccò alle spalle. Per un attimo Hal pensò che lo avrebbe trafitto alla spina dorsale, ma doveva averci ripensato. Come chiunque altro a bordo, Aboli conosceva il valore del riscatto: un ufficiale nemico morto non era che carne marcia da gettare fuori bordo agli squali che nuotavano nella loro scia, mentre un ufficiale prigioniero valeva dei bei *gulden* d'oro.

Aboli cambiò presa, calando il paniere d'acciaio dell'elsa della sua spada sulla nuca del colonnello. Gli occhi dell'olandese si spalancarono per la sorpresa, poi le gambe gli cedettero e cadde bocconi sul ponte.

Non appena il colonnello crollò, l'ultima resistenza dell'equipaggio del galeone si esaurì con lui. Gettarono a terra le armi, e gli uomini della *Lady Edwina* che si erano arresi balzarono in piedi, dimenticando le ferite e la stanchezza. Raccogliendo le armi abbandonate, le puntarono contro gli olandesi sconfitti, sospingendoli in avanti e costringendoli ad accovacciarsi in file ordinate, con le mani intrecciate dietro la nuca, scarmigliati e abbattuti.

Aboli serrò Hal in un abbraccio caloroso. « Quando tu e Sam Bowles vi siete allontanati, ho pensato che fosse l'ultima volta che ti vedevo », confessò ansimando.

Sir Francis si avvicinò a lunghe falcate per raggiungere Hal, aprendosi un varco nella folla tumultuosa ed esultante dei suoi marinai. « Hai abbandonato il tuo posto sulla coffa! » Fissò accigliato il figlio, mentre si legava una striscia di tessuto intorno al taglio sul braccio, annodandola con i denti.

«Padre», rispose Hal balbettando, «ho pensato...»

«E per una volta hai pensato bene!» L'espressione cupa di Sir Francis si schiarì e i suoi occhi verdi scintillarono. «Faremo di te un guerriero, purché ti ricordi di tenere alta la punta della spada nella replica. Questa gran testa di formaggio», aggiunse, pungolando col piede il colonnello caduto, «stava per infilzarti, se Aboli non avesse bussato alla sua porta.» Sir Francis rinfoderò la spada. «Questa nave non è ancora sicura. I ponti inferiori e le stive brulicano dei loro uomini. Dovremo stanarli. Resta vicino ad Aboli e a me.»

«Padre, siete ferito», protestò Hal.

«E forse sarei stato ferito in modo più grave, se tu fossi arrivato anche solo un minuto più tardi.»

«Fatemi vedere la vostra ferita.»

«Conosco i trucchi che ti ha insegnato Aboli. Vorresti pisciare addosso a tuo padre?» Sir Francis scoppiò a ridere, battendogli sulla spalla. «Forse ti concederò questo piccolo piacere, più tardi.» Voltandosi, lanciò un ordine sul ponte con voce stentorea: «Big Daniel, porta i tuoi uomini sotto coperta per snidare le teste di formaggio che si nascondono là sotto. Mastro John, mettete un uomo di guardia ai boccaporti e badate che non ci siano saccheggi. Parti eque per tutti! Mastro Ned, mettetevi al timone e fatele sentire il vento in poppa, prima che riduca le vele a brandelli.»

Poi rivolse un gesto agli altri. «Sono fiero di voi, furfanti! Una buona giornata di lavoro. Tornerete a casa con cinquanta ghinee d'oro in tasca a testa. Ma le ragazze di Plymouth non vi ameranno mai quanto me!»

Lo acclamarono, isterici per il sollievo di essere scampati a quell'azione disperata e il timore della sconfitta e della morte.

«Avanti!» Sir Francis rivolse un cenno ad Aboli, avviandosi verso la scaletta che scendeva negli alloggi degli ufficiali e dei passeggeri, a poppa.

Hal li rincorse mentre attraversavano il ponte, e Aboli borbottò, senza voltarsi: «In guardia. Là sotto c'è chi sarebbe felice di piantarti un pugnale fra le costole».

Hal sapeva dov'era diretto il padre e quale sarebbe stato il suo primo pensiero: voleva le carte del comandante, il giornale di bordo e le indicazioni sulla rotta, che per lui valevano più di tutte le spezie fragranti, i metalli preziosi e i gioielli scintillanti che il galeone poteva trasportare. Mettendo le mani su quelli, avrebbe avuto la chiave di ogni porto e di ogni fortezza olandese delle Indie, avrebbe potuto leggere gli ordini di navigazione e i manifesti di carico dei convogli che trasportavano spezie. Per lui tutto questo valeva diecimila sterline in oro.

Sir Francis si precipitò giù per la scaletta, tentando di aprire la prima porta in fondo, chiusa dall'interno; fece un passo indietro prima di tornare alla carica, e di fronte al suo calcio il battente si spalancò, staccandosi dai cardini.

Il comandante del galeone era curvo sulla scrivania, senza parrucca sulla testa rasata, con gli abiti fradici di sudore. Alzò la testa, sgomento, col sangue che colava da un taglio sulla guancia macchiando la camicia di seta dalle maniche all'ultima moda, arricchite da inserti verdi.

Alla vista di Sir Francis rimase paralizzato, nell'atto di ficcare i registri della nave in una borsa di tela zavorrata, poi la raccolse di scatto, precipitandosi verso le finestre di poppa. Gli infissi e i vetri erano stati spazzati via dalle colubrine della *Lady Edwina*, quindi restava solo uno spazio vuoto nella poppa alta del galeone, sotto la quale turbinavano i flutti. L'olandese sollevò la borsa per scaraventarla fuori attraverso quel vuoto, ma Sir Francis lo afferrò per il braccio sollevato, scagliandolo all'indietro sulla cuccetta. Aboli afferrò la borsa al volo, e Sir Francis gli rivolse un inchino cortese. «Parlate inglese?» chiese poi allo sconfitto.

«Niente inglese», ringhiò l'altro di rimando, e Sir Francis passò senza problemi all'olandese. In quanto cavaliere Nautonnier dell'ordine, parlava le lingue di quasi tutte le grandi potenze marinare: francese, spagnolo, portoghese e, naturalmente, olandese. «Siete mio prigioniero, *mjnheer*. Come vi chiamate?»

«Limberger, capitano di prima classe, al servizio della VOC. E voi, *mjnheer*, siete un pirata.»

«Siete in errore, signore. Navigo con lettere di corsa di sua maestà re Carlo II, e dichiaro la vostra nave preda di guerra.»

«Avete issato bandiere false», lo accusò l'olandese, ma Sir Francis rispose con un sorriso imperturbabile. «Un legittimo espediente militare.» Proseguì con un gesto noncurante. «Siete un uomo valoroso, *mjnheer*, ma ormai il combattimento è finito.

Non appena mi darete la vostra parola d'onore, sarete trattato come un ospite di riguardo, e sarete libero di andarvene quando verrà pagato il riscatto. »

L'olandese si ripulì il viso dal sangue e dal sudore con la manica di seta, mentre un'espressione rassegnata gli calava sul volto. Alzandosi in piedi, porse la spada a Sir Francis con l'elsa in avanti.

« Vi do la mia parola che non tenterò di fuggire. »

« E non inciterete i vostri uomini alla resistenza? » lo incalzò Sir Francis, ottenendo un cenno di risposta avvilito. « Accetto. »

« Avrò bisogno della vostra cabina, *mjnheer*, ma vi procurerò un altro alloggio confortevole. » Sir Francis era impaziente di dedicare la sua attenzione alla borsa di tela, di cui rovesciò il contenuto sulla scrivania.

Hal sapeva che, da quel momento in poi, sarebbe stato assorto dalla lettura e lanciò un'occhiata ad Aboli, di guardia alla porta. Quando il negro assentì, autorizzandolo ad allontanarsi, lui sgattaiolò dalla cabina, e il padre non se ne accorse neppure.

Brandendo la sciabola, il ragazzo avanzò con cautela lungo il corridoio stretto. Sentiva gli spari e il frastuono che provenivano dagli altri ponti, man mano che l'equipaggio della *Lady Edwina* stanava i marinai olandesi sconfitti, radunandoli in coperta. Laggiù era tutto silenzioso e deserto. La prima porta che tentò era chiusa a chiave. Lui esitò, prima di seguire l'esempio del padre. Il battente resistette al primo assalto, ma Hal indietreggiò, tornando alla carica. Stavolta la porta cedette e si ritrovò catapultato nella cabina, perdendo l'equilibrio e scivolando sui magnifici tappeti orientali che ricoprivano il tavolato, per finire lungo disteso sull'enorme letto che occupava metà della cabina.

Mettendosi a sedere e ammirando lo sfarzo da cui era circondato, percepì un aroma ancor più inebriante di qualunque carico di spezie, l'odore del *boudoir* di una donna viziata: non soltanto le preziose essenze di fiori prodotte dall'arte del profumiere, ma, mescolate a esse, le fragranze più sottili della pelle, dei capelli e del corpo di una donna giovane e sana. Il profumo era così intenso e raffinato che, alzandosi in piedi, Hal si sentì le ginocchia molli e lo annusò in preda a un'estasi dei sensi. Era quanto di più delizioso gli avesse mai solleticato le narici.

Con la spada in pugno, ispezionò la cabina, notando appena le ricche tappezzerie e le coppe d'argento colme di dolciumi, frutta secca e *pot-pourri*. La toeletta sistemata accanto alla paratia di sinistra era ricoperta da un assortimento di vasetti di cristallo pieni di cosmetici e boccette di profumo con il tappo d'argento cesellato. Hal si avvicinò per vederla meglio. Vicino ai flaconi c'era una serie completa di spazzole con il dorso d'argento e un pettine di tartaruga. Fra i denti del pettine era rimasto impigliato un capello, lungo quanto il suo braccio e sottile come un filo di seta.

Hal si accostò il pettine al viso come se fosse una sacra reliquia, ed ecco di nuovo quell'odore affascinante, quel profumo inebriante di donna. Si avvolse il capello attorno al dito, liberandolo dal pettine, poi lo infilò con un gesto reverente nella tasca della camicia sporca e puzzolente di sudore.

In quel momento, sentì un singhiozzo sommesso ma straziante provenire dalla parte opposta del variopinto paravento cinese, all'altro capo della cabina.

«Chi è là?» esclamò Hal, brandendo la sciabola. «Venite fuori, altrimenti sarò costretto a colpirvi.»

Si udì un altro singhiozzo, ancor più penoso del primo. «Per tutti i santi, dico sul serio!» Hal si avvicinò al paravento, menando un fendente che tagliò in due uno dei pannelli dipinti. Per la violenza del colpo il paravento si rovesciò, cadendo sul pavimento. Si levò un urlo terrorizzato, e Hal rimase a bocca aperta di fronte alla splendida creatura che stava inginocchiata, tutta tremante, nell'angolo della cabina.

Aveva il viso nascosto fra le mani, ma la massa di capelli lucenti che ricadeva sul pavimento splendeva come un mucchio di scudi d'oro appena usciti dalla zecca, mentre le gonne allargate attorno a lei erano dello stesso azzurro delle ali di un rondone.

«Vi prego, signora», mormorò Hal, «non ho cattive intenzioni. Non piangete, ve ne prego.» Le sue parole non ebbero effetto. Era chiaro che la donna non le capiva, e Hal, nell'ispirazione del momento, passò al latino. «Non dovete temere. Siete al sicuro, non intendo farvi del male.»

La testa lucente si sollevò: lo aveva capito. Hal guardò quel viso, e fu come se avesse ricevuto in pieno petto una scarica di mitraglia. La sofferenza fu così intensa che si lasciò sfuggire un gemito; non aveva mai pensato che al mondo potesse esistere tanta bellezza.

«Pietà!» implorò lei in latino, con voce sommessa. «Vi prego, non fatemi del male.» La donna aveva le lacrime agli occhi, ma questo non faceva che sottolineare la loro grandezza ed esaltare il viola iridescente delle iridi. Le guance erano pallide, traslucide come alabastro, e le lacrime che vi scorrevano scintillavano come minuscole perle di fiume.

«Siete bellissima», sussurrò Hal in latino. La sua voce sembrava quella di un condannato sul patibolo, fioca e tormentata. Era lacerato da emozioni di cui non aveva mai sospettato l'esistenza: avrebbe voluto proteggere e confortare quella donna, tenerla per sempre con sé, amarla e venerarla. Tutte le formule della cavalleria, che fino a quel momento aveva letto e ripetuto senza mai comprenderle veramente, gli si affollavano sulla punta della lingua, chiedendo udienza, ma lui non sapeva fare altro che restare lì impalato, a bocca aperta.

Poi fu distratto da un altro suono sommesso, stavolta alle sue spalle. Si girò di scatto, brandendo la sciabola: dalle lenzuola di seta che ricadevano dalla sponda del letto enorme sbucò strisciando una figura porcina. Il dorso e il ventre erano così grassi da tremolare come gelatina a ogni movimento compiuto dall'uomo; rotoli di lardo gli appesantivano la nuca, scendendo a formare una pappagorgia pendula. «Arrendetevi», tuonò Hal, pungolandolo con la punta della spada. Era il governatore, che lanciò uno strillo acuto, accasciandosi sul letto, dove continuò a dimenarsi come un cucciolo.

«Non mi uccidete, vi prego. Sono un uomo ricco», disse in latino, fra un singhiozzo e l'altro. «Pagherò qualunque riscatto.»

«In piedi!» Hal lo pungolò nuovamente, ma Petrus van de Velde aveva appena forza e coraggio sufficienti per mettersi in ginocchio, e così rimase, tutto tremante.

«Chi siete?»

«Sono il governatore del capo di Buona Speranza, e questa signora è mia moglie.»

Quelle furono le parole più terribili che Hal avesse mai sentito. Fissò sbigottito il governatore: quella splendida donna che amava già quanto la sua stessa vita era sposata, e per giunta con quella grottesca caricatura d'uomo che aveva davanti.

«Mio suocero è uno dei direttori della Compagnia, uno dei mercanti più ricchi e potenti di Amsterdam. Pagherà... pagherà qualunque somma, pur di riavere sua figlia. Vi prego, non ci uccidete.»

Quelle parole erano quasi prive di senso per Hal, che aveva il cuore spezzato. Nel giro di pochi istanti era passato dall'euforia più sfrenata agli abissi più tetri dello spirito umano, dalle vette dell'amore al baratro della disperazione.

Le parole del governatore, tuttavia, avevano ben altro significato per Sir Francis Courteney, che dominava la soglia della cabina, scortato da Aboli.

«Governatore, potete tranquillizzarvi. Voi e vostra moglie siete in buone mani. Prenderò accordi per il vostro riscatto con la massima sollecitudine.» Si tolse il cappello piumato da cavaliere, piegando un ginocchio a terra di fronte a Katinka; neppure lui era del tutto insensibile al potere della sua bellezza. «Posso presentarmi, signora? Capitano Francis Courteney, per servirvi. Vi prego di prendervi qualche tempo per ricomporvi. Alle quattro, e cioè fra un'ora, sarei lieto se voleste raggiungermi sul cassero. Ho intenzione di tenere un'adunata dei rappresentanti della Compagnia che viaggiano a bordo della nave.»

Entrambe le navi avevano ridotto la velatura: la piccola caravella aveva spiegato soltanto il coltellaccio e le vele di gabbia, mentre il maestoso galeone si era limitato a issare le vele maestre. Navigavano di conserva in direzione nord-ovest, allontanandosi dal capo per puntare verso le propaggini orientali del continente africano. Sir Francis rivolse uno sguardo paterno all'equipaggio, riunito al centro del galeone.

«Vi ho promesso cinquanta ghinee di ricompensa a testa», ricordò ai suoi uomini, che lo acclamarono entusiasti, anche se alcuni di loro erano irrigiditi e menomati dalle ferite. Cinque erano stesi sui paglioricci disposti lungo la battagliola, troppo indeboliti dal sangue perduto per stare in piedi, ma decisi a non perdersi una sola parola della cerimonia. I morti erano stati già cuciti nei sudari di tela allineati a prua, ciascuno con una palla di cannone olandese ai piedi: sedici inglesi e quarantadue olandesi, affratellati nella tregua della morte. Nessuno dei superstiti dedicò loro un pensiero, in quel momento.

Sir Francis alzò una mano, imponendo il silenzio, e i presenti si spinsero in avanti per non perdere le parole che il comandante avrebbe pronunciato.

«Vi ho mentito», disse loro Sir Francis, provocando un attimo di sbigottita incredulità, che fu seguito da un gemito collettivo e da parole oscure di minaccia. «Non c'è un solo uomo fra voi...», e qui Sir Francis fece una pausa a effetto, «... che grazie al lavoro di oggi non sia più ricco di duecento sterline! »

Il silenzio si prolungò, mentre tutti lo fissavano increduli, poi impazzirono di gioia, facendo capriole e lanciando ululati di gioia, piroettando insieme in una frenetica giga. Persino i feriti si misero a sedere per applaudire.

Sir Francis continuò a sorridere benevolo per qualche minuto, lasciandoli dare sfogo alla gioia, poi sbandierò in aria un fascio di fogli manoscritti, imponendo di nuovo il silenzio. «Questo è l'estratto che ho compilato in base al manifesto di carico della nave! »

«Leggetelo! »

La lettura dell'elenco si protrasse per quasi mezz'ora, perché i presenti applaudivano ogni voce del carico che lui traduceva a voce alta dall'olandese: cocciniglia e pepe, vaniglia e zafferano, chiodi di garofano e cardamomo, per un totale di quarantadue tonnellate. Gli uomini sapevano che quelle spezie valevano tanto oro quanto pesavano, fino all'ultima libbra, ed erano arrochiti a furia di gridare. Sir Francis alzò di nuovo la mano. «Non siete stanchi di sentirmi leggere questa lista interminabile? Non ne avete abbastanza? »

«No », risposero con un urlo belluino. «Continuate! »

«Ebbene, allora nelle stive c'è un carico di legname, *balu*, tek ed essenze così strane che non si sono mai viste a nord dell'equatore. Più di trecento tonnellate. » Si pascevano delle sue parole, con gli occhi lucidi per l'eccitazione. «C'è ancora dell'altro, ma vedo che siete stanchi. Non volete più saperne, vero? »

«Leggete! » implorarono gli uomini.

«Porcellane cinesi bianche e blu della qualità più fine, e balle di seta! Questo dovrebbe far piacere alle signore! » A sentir nominare le donne, lanciarono tutti un barrito simile a quello di un branco di elefanti in calore. Con duecento sterline in tasca, appena raggiunto il prossimo porto avrebbero potuto avere tutte le donne che volevano, qualunque fosse la loro classe e la loro avvenenza.

«Ci sono anche oro e argento, ma sono chiusi dentro casse d'acciaio sigillate in fondo alla stiva principale, coperte da trecento tonnellate di legname. Potremo metterci le mani solo quando saremo arrivati in porto e avremo scaricato il grosso della merce. »

« Quanto oro c'è? Diteci quanto è l'argento! »

« L'argento è in monete, per un valore complessivo di cinquantamila *gulden*, cioè oltre ventimila sterline inglesi sonanti, più trecento lingotti d'oro provenienti dalle miniere di Kollur sul fiume Krishna, a Ceylon, e solo Iddio sa quanto ci frutteranno, quando li venderemo a Londra. »

Hal era appollaiato sulle sartie della vela maestra, un osservatorio ideale da cui guardare il padre sul cassero; ma non una parola di quello che lui diceva aveva senso per il ragazzo, anche se si rendeva conto vagamente che quella doveva essere una delle prede più ricche mai catturate dai marinai inglesi nel corso della guerra con gli olandesi. Si sentiva stordito, incapace di concentrarsi su qualunque cosa che non fosse il tesoro più grande che aveva mai conquistato con la spada, e che ora sedeva con aria compunta alle spalle di suo padre, scortata dalla cameriera. Con un gesto cavalleresco, Sir Francis aveva fatto sistemare sul cassero una delle poltrone intagliate e imbottite che si trovavano nella cabina del comandante, mettendola a disposizione della moglie del governatore olandese. Petrus van de Velde era in piedi dietro di lei, ricoperto di abiti sfarzosi, con un paio di stivaloni di morbido cuoio spagnolo che gli arrivavano alla coscia, parrucca e nastri, la corpulenza naturale mascherata dai medaglioni e dalle fusciacche di seta che segnalavano la sua carica.

Hal scoprì di odiarlo e si pentì di non averlo infilzato con la spada mentre usciva strisciando dal letto, facendo così di quell'angelo che era sua moglie una vedova inconsolabile.

Immaginava di dedicare la sua vita a recitare il ruolo di Lancillotto accanto alla sua Ginevra; si vedeva già docile e sottomesso a ogni suo capriccio, ma ispirato dalla purezza dell'amore per lei a compiere gesta di straordinario valore. Per suo ordine avrebbe potuto persino compiere un pellegrinaggio cavalleresco alla ricerca del Santo Graal, spinto dal desiderio di porre quella sacra reliquia fra le sue belle mani candide. A quel pensiero fu scosso da un brivido di piacere, che lo spinse a fissarla dall'alto con struggente malinconia.

Mentre Hal sognava a occhi aperti, appollaiato sul sartiame, la cerimonia sul ponte sottostante volgeva al termine. Alle spalle del governatore erano schierati il comandante olandese e gli altri ufficiali catturati. Il colonnello Cornelius Schreuder era l'unico a capo scoperto, perché aveva la testa fasciata, ma, nonostante il colpo che Aboli gli aveva inferto, aveva ancora gli occhi svegli e limpidi, lo sguardo fiero mentre ascoltava Sir Francis elencare il bottino.

« Ma non è tutto, ragazzi! » assicurò il comandante all'equipaggio. « Siamo tanto fortunati da avere a bordo, come ospiti d'onore, il nuovo governatore della colonia olandese del capo di Buona Speranza. » Con un gesto fiorito pieno d'ironia, s'inchinò a van de Velde, che lo fulminò con lo sguardo. Si sentiva più sicuro di sé, ora che i carcerieri si erano resi conto del suo valore e della sua posizione.

« Abbiamo anche la fortuna di avere con noi la bella moglie del governatore! » S'interruppe, mentre l'equipaggio esprimeva la sua ammirazione per la bellezza della donna.

« Villani rozzi e ignoranti », ringhiò van de Velde, posandole la mano sulla spalla con un gesto protettivo. Lei alzò la testa, fissando gli uomini con i grandi occhi viola e riducendoli a un silenzio imbarazzato con la sua bellezza e innocenza.

« *Mevrou* van de Velde è l'unica figlia del borghese Hendrik Coetzee, *stadholder* della città di Amsterdam e presidente del consiglio direttivo della Compagnia olandese delle Indie Orientali. »

L'equipaggio la fissò in preda a un timore reverenziale. Pochi di loro comprendevano l'importanza di un personaggio così illustre, ma il modo in cui Sir Francis aveva elencato quei titoli li aveva impressionati.

« Il governatore e sua moglie saranno trattenuti a bordo di questa nave finché non sarà pagato il riscatto. Uno degli ufficiali olandesi catturati verrà inviato al capo di Buona Speranza con la richiesta di riscatto, da trasmettere al consiglio di Amsterdam per mezzo della prima nave della Compagnia disponibile. »

Riflettendo su quella prospettiva, gli uomini fissarono la coppia a occhi spalancati, finché Big Daniel non chiese: « Quanto, Sir Francis? Quanto avete deciso di chiedere come riscatto? »

« Ho fissato il riscatto del governatore a duecentomila *gulden* in monete d'oro. »

Rimasero tutti sbalorditi, perché una cifra simile superava le loro capacità di comprensione.

Poi Daniel ruggì di nuovo: « Urrà per il comandante, ragazzi! » e tutti urlarono fino a perdere la voce.

Sir Francis passò lentamente in rassegna le file di marinai olandesi che avevano catturato. Erano quarantasette, di cui diciotto feriti. Camminando, esaminava il viso di ognuno: uomini rozzi, dai lineamenti grossolani e dall'espressione ottusa. Era evidente che nessuno di loro aveva qualche valore dal punto di vista del riscatto; rappresentavano piuttosto un inconveniente, dal momento che dovevano essere sfamati e sorvegliati, e c'era sempre il rischio che trovassero il coraggio di tentare un'insurrezione.

«Prima ci liberiamo di loro, meglio sarà», mormorò fra sé, pronunciando poi un breve discorso nella loro lingua. «Avete fatto bene il vostro dovere. Sarete liberati e rimandati al forte del capo di Buona Speranza. Potete prendere con voi la vostra sacca, e prima della partenza farò in modo che vi paghino il salario dovuto.» Si rischiararono in volto, visto che non se lo aspettavano. Questo dovrebbe tenerli tranquilli e docili, pensò, dirigendosi verso la scaletta per scendere nella cabina appena acquisita, dove lo aspettavano i prigionieri più illustri.

«Signori!» esclamò salutandoli nell'entrare, prima di prendere posto dietro la scrivania di mogano. «Gradireste un bicchiere di vino delle Canarie?»

Il governatore van de Velde annuì con avidità. Aveva la gola arida e, per quanto avesse mangiato appena mezz'ora prima, sentiva lo stomaco gorgogliare come un cane affamato. Oliver, il valletto di Sir Francis, versò il vino bianco nei bicchieri a stelo, servendo i frutti canditi che aveva trovato nella dispensa. Il comandante fece una smorfia acida, riconoscendo i suoi viveri, ma bevve lo stesso un gran sorso di vino.

Sir Francis consultò la pila di fogli manoscritti sui quali aveva preso appunti, poi diede un'occhiata a una delle lettere che aveva trovato nella scrivania di Limberger e che proveniva da una nota banca olandese. Alzando gli occhi verso il comandante, gli disse in tono severo: «Mi domando come mai un ufficiale con il vostro servizio e la vostra anzianità indulga a certi traffici a titolo personale. Sappiamo entrambi che si tratta di una pratica rigorosamente proibita dai Diciassette».

L'olandese diede l'impressione di voler protestare, ma quando Sir Francis tamburellò con le dita sulla lettera si calmò, lanciando un'occhiata colpevole all'indirizzo del governatore, seduto al suo fianco.

«A quanto pare siete un uomo ricco, *mjnheer*. Non dovreste sentire affatto la mancanza dei ventimila *gulden* di riscatto.» Il comandante brontolò, assumendo un cipiglio truce, ma Sir Francis proseguì imperturbabile. «Se vorrete scrivere di vostro pugno una lettera ai vostri banchieri, la questione sarà risolta come si usa tra gentiluomini, non appena riceverò la somma in oro.» Limberger chinò la testa in segno di assenso.

«Ora, per quanto riguarda gli ufficiali della nave», riprese Sir Francis, «ho esaminato il ruolino.» Attirando verso di sé il registro, lo aprì. «Qui risulta che sono tutti uomini privi di contatti nell'alta società o di risorse finanziarie.» Alzò la testa per guardare il comandante. «È così?»

«È vero, mjnheer.»

«Li rimanderò al capo insieme con i marinai semplici. Ora resta da decidere a chi dovremo affidare la richiesta di riscatto indirizzata al direttivo della Compagnia per il governatore van de Velde e sua moglie, oltre che, naturalmente, la vostra lettera per i banchieri.»

Sir Francis scrutò il governatore, e van de Velde si ficcò in bocca un altro frutto candito, rispondendo a bocca piena: «Mandate Schreuder».

«Schreuder?» Sir Francis sfogliò i documenti finché non trovò il brevetto del colonnello. «Il colonnello Cornelius Schreuder, appena nominato comandante militare del forte di Buona Speranza?»

«Ja, proprio lui.» Van de Velde allungò la mano verso un altro dolcetto. «Il suo grado gli conferirà maggior prestigio quando presenterà la domanda di riscatto a mio suocero», fece notare.

Sir Francis notò la sua espressione mentre masticava, chiedendosi per quale motivo il governatore volesse liberarsi del colonnello, che sembrava un uomo in gamba e pieno di risorse; sarebbe stato più sensato tenerlo accanto a sé. D'altra parte quello che van de Velde osservava riguardo alla sua posizione era vero, e Sir Francis intuiva che il colonnello Schreuder avrebbe potuto causare problemi, se fosse rimasto a lungo prigioniero a bordo del galeone. Più problemi di quanto valga, pensò, replicando a voce alta: «Sta bene, manderò lui».

Le labbra inzuccherate del governatore si arricciarono in una smorfia di soddisfazione. Era perfettamente al corrente dell'interesse di sua moglie per il brillante colonnello. Pur essendo sposato con lei solo da qualche anno, sapeva con certezza che in quel breve periodo si era presa almeno diciotto amanti, di cui alcuni soltanto per un'ora o per una sera. La sua cameriera, Zelda, era al soldo di van de Velde, al quale riferiva tutte le scappatelle della padrona, provando un profondo piacere nel raccontare i dettagli piccanti.

Da principio van de Velde, scoprendo gli appetiti carnali di Katinka, si era sentito indignato, ma le sue furiose proteste iniziali non avevano sortito alcun effetto. Aveva scoperto ben presto di non esercitare il minimo ascendente su di lei, ma non poteva protestare troppo, e neppure allontanarla. Da un lato era stregato da Katinka, e dall'altro il padre era troppo ricco e potente. La sua ricchezza e la sua posizione sociale dipendevano quasi interamente da lei. Alla fine aveva compreso che l'unica linea d'azione possibile era tenerla lontana, per quanto possibile, dalle tentazioni e dalle opportunità. Durante quel viaggio era riuscita a farla restare in pratica prigioniera nel suo alloggio, ed era sicuro che, se non avesse fatto così, sua moglie avrebbe già assaggiato la merce del colonnello, messa in mostra con tanta ostentazione. Una volta allontanato il colonnello dalla nave, la sua scelta in fatto di diversivi sarebbe stata fortemente limitata e, dopo un digiuno così prolungato, forse si sarebbe mostrata più disponibile alle sue avances sudaticce.

«Benissimo», concluse Sir Francis, «invierò come vostro emissario il colonnello Schreuder.» Voltò le pagine dell'almanacco che aveva davanti. «Con venti favorevoli, e con la grazia di Dio onnipotente, il viaggio dal capo all'Olanda e ritorno non dovrebbe richiedere più di otto mesi prima del *rendez-vous*. Possiamo sperare che sarete libero di assumere la vostra carica al capo verso Natale.»

«Dove ci terrete, fino all'arrivo del riscatto? Mia moglie è una dama di alto lignaggio e di abitudini raffinate.»

«In un posto sicuro e confortevole, ve lo assicuro, signore.»

«Dove incontreremo la nave di ritorno con il riscatto?»

«A 33 gradi di latitudine sud e 4 gradi e 20 primi di longitudine est.»

«E dove sarebbe, se posso chiederlo?»

«Ebbene, governatore van de Velde, esattamente nel punto in cui ci troviamo adesso, in pieno oceano.» Sir Francis non si sarebbe lasciato indurre così facilmente a rivelare la posizione della sua base.

Era un'alba nebbiosa, quando il galeone gettò l'ancora in acque tranquille, al riparo di un promontorio roccioso sulla costa africana. Il vento era calato e cominciava a cambiare, ora che la stagione estiva volgeva al termine, avvicinandosi all'equinozio autunnale. Al loro fianco procedeva di conserva la *Lady Edwina*, con le pompe ininterrottamente in funzione, accostata al veliero più grande grazie ai parabordi imbottiti fra i due scafi.

Il lavoro di sgombero cominciò subito. Sui pennoni del galeone erano stati già montati bozzello e paranco per provvedere innanzi tutto al trasbordo delle armi dalla *Lady Edwina*, issando in aria i grandi cannoni di bronzo con gli affusti. Trenta marinai azionavano il paranco, calando le colubrine sul ponte del galeone una alla volta. Una volta sistemati quei pezzi d'artiglieria il veliero avrebbe avuto la potenza di fuoco di un vascello di linea, in grado di attaccare qualunque galeone della Compagnia in condizioni di superiorità.

Osservando i cannoni che venivano issati a bordo, Sir Francis comprese di avere ormai la forza di sferrare un attacco a uno qualsiasi dei porti commerciali olandesi nelle Indie. La cattura della *Standvastigheid* era solo l'inizio: ora progettava di diventare il terrore degli olandesi nell'oceano Indiano, proprio come, nel secolo precedente, Sir Francis Drake era stato l'incubo degli spagnoli nell'Atlantico.

Subito dopo furono estratti dalla santabarbara della caravella i barili di polvere. Ne erano rimasti ben pochi pieni, dopo una navigazione così lunga e i numerosi scontri cui la nave aveva partecipato. Viceversa il galeone aveva ancora a bordo quasi due tonnellate di polvere da sparo di qualità eccellente, sufficienti a sostenere una dozzina di combattimenti, o a conquistare un ricco centro commerciale olandese sulla costa di Trincomalee o di Giava.

Dopo aver trasferito materiali e provviste, botti d'acqua e casse di armi, barili di carni in salamoia, sacchetti per il pane e sacchi di farina, vennero caricate a bordo anche le pinacce, che, smontate dai carpentieri, furono riposte nella stiva principale del galeone, sopra le cataste di pregiati legni orientali. Erano tanto voluminose, e il galeone già così carico, che per fare spazio alla loro mole fu necessario smontare le cappe di mastra dai boccaporti delle stive principali, almeno finché il bottino non fosse stato immagazzinato nella base segreta di Sir Francis.

La *Lady Edwina*, spogliata di ogni sovrastruttura, galleggiava alta sull'acqua, quando il colonnello Schreuder e l'equipaggio olandese che era stato liberato furono pronti a salire a bordo. Sir Francis convocò il colonnello sul cassero per restituirgli la spada e consegnargli la lettera indirizzata al consiglio direttivo della Compagnia olandese delle Indie Orientali, ad Amsterdam. La missiva era chiusa in un involucro di tela cucito, sigillato con ceralacca rossa e legato con un nastro; formava un plico di dimensioni impressionanti, che il colonnello Schreuder si ficcò sotto il braccio con un gesto deciso.

«Spero che c'incontreremo ancora, *mjnheer*», disse a Sir Francis in tono minaccioso.

«Fra otto mesi mi troverò nel luogo fissato per l'appuntamento», gli assicurò Sir Francis. «Allora sarò lieto di rivedervi, purché abbiate i duecentomila *gulden* d'oro per me.»

«Non avete capito che cosa intendo», disse Cornelius Schreuder in tono truce.

«Non è così, ve lo assicuro», rispose Sir Francis a bassa voce.

Il colonnello lanciò un'occhiata al castello di poppa, dove si trovava Katinka van de Velde al fianco del marito, e il profondo inchino che rivolse loro, così come lo sguardo intenso, non era rivolto al governatore soltanto. «Tornerò al più presto per porre fine alle vostre sofferenze», promise.

«Che Dio sia con voi», rispose il governatore. «Il nostro destino è nelle vostre mani.»

«Al ritorno, caro colonnello, potrete contare sulla mia più profonda gratitudine», mormorò Katinka con una voce sospirosa da bambina, e il colonnello rabbrividì come se gli avessero versato un secchio di acqua ghiacciata lungo la spina dorsale. Drizzandosi in tutta la sua altezza, la salutò prima di avviarsi a lunghe falcate verso la battagliola del galeone.

Hal era in attesa sul lato sinistro, insieme con Aboli e Big Daniel, e il colonnello socchiuse gli occhi, fermandosi di fronte a lui e torcendosi l'estremità dei baffi. I nastri sulla giubba fluttuavano alla brezza, e la fascia dorata che indicava il grado scintillò, quando lui sfiorò la spada che portava al fianco.

«Siamo stati interrotti, ragazzo», disse a bassa voce, parlando in un buon inglese, privo di accento. «Comunque aspetto il tempo e il luogo adatti per concludere la lezione.»

«Lo spero, signore.» Con Aboli al fianco, Hal si sentiva intrepido. «Sono sempre riconoscente a chi può insegnarmi qualcosa.»

Per un attimo si guardarono negli occhi, poi Schreuder si calò dal galeone sul ponte della caravella. Furono gettate subito le cime e l'equipaggio olandese issò le vele. La *Lady Edwina* sollevò la prua come una puledra ombrosa, recalcitrando alla pressione esercitata dalla velatura mentre si allontanava da terra per prendere il largo.

« Mettiamoci in viaggio anche noi, se non vi dispiace, mastro Ned! » ordinò Sir Francis. « Salpiamo l'ancora. »

Il galeone si staccò dalla costa africana, puntando a sud. Dalla coffa dov'era appollaiato Hal, la *Lady Edwina* era ancora ben visibile: puntava al largo per aggirare le secche insidiose di capo Agulhas, prima di invertire la rotta per dirigere, col vento in poppa, verso la fortezza olandese eretta sotto l'imponente montagna dalla cima piatta che sorvegliava l'estremità sudoccidentale del continente africano.

Sotto gli occhi di Hal, la silhouette delle vele della caravella cambiò nettamente, e lui si protese per gridare in basso: « La *Lady Edwina* sta cambiando rotta ».

« Per dove? » gridò il padre di rimando.

« Va al largo. La nuova rotta punta in direzione ovest. »

Stava facendo esattamente quello che ci si aspettava. Con il vento di sud-est in poppa, dirigeva verso il capo di Buona Speranza.

« Tienila d'occhio. »

Seguita dallo sguardo di Hal, la nave rimpicciolì sempre più, finché le vele bianche non si confusero con la cresta bianca dei marosi sospinti dal vento verso l'orizzonte.

« È scomparsa », gridò rivolto al cassero. « Fuori vista da qui! »

Sir Francis aveva aspettato quel momento per portare il galeone sulla sua vera rotta.

Ora impartì al timoniere gli ordini per dirigere a est, tornando a navigare su una rotta più o meno parallela alla costa africana. « Questo sembra l'assetto migliore », disse a Hal, quando scese sul ponte dopo avere ricevuto il cambio sulla coffa. « Mostra una buona velocità, ma dobbiamo imparare a conoscere i capricci e i ghiribizzi della nostra nuova padrona. Fa' una stima della velocità con il solcometro, per favore. »

Con la clessidra in mano, Hal calcolò la durata dello spostamento lungo lo scafo, da prua a poppa, di un pezzo di legno

che aveva calato in mare e, dopo un rapido calcolo sulla lavagnetta, alzò gli occhi verso il padre. « Sei nodi. »

« Con un nuovo albero maestro, potrà farne anche dieci.
Ned Tyler ha trovato nella stiva una buona riserva di pini nor-
vegesi. Lo monteremo appena arrivati in porto. » Sir Francis
sembrava entusiasta: Dio sorrideva loro. « Riunisci l'equipaggio.
Invocheremo la benedizione del Signore sulla nave, assegnan-
dole un nuovo nome. »

Rimasero a capo scoperto nel vento, stringendosi al petto il
berretto con l'espressione più pia che riuscirono a ostentare,
ansiosi di non attirare su di sé la disapprovazione di Sir Francis.

« Ti ringraziamo, Dio onnipotente, per la vittoria che ci hai
concesso sugli eretici e gli apostati, seguaci ottenebrati del figlio
di Satana, Martin Lutero. »

« Amen! » gridarono a squarciagola. Erano tutti buoni angli-
cani, tranne i negri provenienti dalle tribù africane, eppure anche loro risposero: « Amen! » insieme agli altri. Avevano imparato quella parola il primo giorno trascorso a bordo della nave
di Sir Francis.

« Ti ringraziamo anche per il tuo provvidenziale e misericordioso intervento al culmine della battaglia e per la sicura sconfitta che ci hai risparmiato... »

Hal strascicò i piedi sul ponte, in disaccordo con quella tesi,
ma senza alzare la testa. Una parte del credito per quell'intervento provvidenziale spettava a lui, e il padre non lo aveva riconosciuto apertamente.

« Ti ringraziamo e lodiamo il tuo nome per averci concesso
questa bella nave. Ti giuriamo solennemente che la useremo per
infliggere umiliazione e castigo ai tuoi nemici, e invochiamo su
di essa la tua benedizione. Ti imploriamo di guardarla con occhio benevolo, e di sanzionare il nuovo nome che ora le diamo.
D'ora in poi diventerà la *Resolution*. »

Il padre si era limitato a tradurre il nome olandese del galeone, e Hal fu rattristato dal pensiero che quella nave non avrebbe portato il nome di sua madre. Si domandò se il ricordo che il
padre serbava di lei cominciasse a sbiadire, o se avesse qualche
altro motivo per non perpetuare ancora il suo nome. Sapeva
che non avrebbe mai avuto il coraggio di chiederlo, e avrebbe
dovuto limitarsi ad accettare quella decisione.

« Invochiamo il tuo aiuto e intervento costante nell'interminabile battaglia contro gli empi miscredenti. Ti ringraziamo

umilmente per le ricompense che ci hai prodigato con tanta generosità. E confidiamo che, se ci mostreremo degni, ricompenserai la nostra adorazione con ulteriori prove dell'amore che ci porti.»

Era un sentimento del tutto ragionevole, col quale tutti gli uomini a bordo, cristiani o pagani, potevano trovarsi d'accordo. Tutti coloro che erano devoti a Dio avevano diritto a una ricompensa sulla terra, e non solo nell'aldilà. I tesori che riempivano la stiva della *Resolution* erano una prova tangibile ed evidente della Sua approvazione e considerazione per loro.

«E ora un urrà per la *Resolution* e per tutti coloro che si trovano a bordo.»

Gridarono fino a restare senza voce, e alla fine Sir Francis dovette imporre il silenzio. Rimettendosi in testa il cappello a tesa larga, fece segno agli uomini che potevano coprirsi. La sua espressione divenne severa e imperiosa. «C'è ancora un altro compito che dobbiamo sbrigare adesso», disse loro, guardando Big Daniel. «Portate sul ponte i prigionieri, mastro Daniel.»

Sam Bowles guidava la fila di uomini smarriti che salirono dalla stiva, battendo le palpebre alla luce del sole, per essere condotti a poppa e costretti a inginocchiarsi davanti all'equipaggio della nave.

Sir Francis lesse i loro nomi sul foglio di pergamena che teneva in mano. «Samuel Bowles, Edward Broom, Peter Law, Peter Miller, John Tate: inginocchiatevi davanti ai vostri compagni, voi che siete accusati di codardia e diserzione di fronte al nemico, oltre che di aver abbandonato il posto di combattimento.»

Gli uomini si lasciarono sfuggire brontolii e occhiate cariche di malevolenza.

«Che cosa rispondete a queste accuse? Siete i codardi e traditori che vi accusiamo di essere?»

«Misericordia, vostra grazia. È stato un attimo di follia. Siamo sinceramente pentiti. Perdonateci, vi imploriamo in nome delle nostre mogli e dei piccoli che abbiamo lasciato a casa», pregò Sam Bowles, facendo da portavoce agli altri.

«Le sole mogli che avete mai avuto sono state le sgualdrine dei bordelli di Dock Street», lo schernì Big Daniel, e l'equipaggio si lasciò sfuggire un grido tonante.

«Impiccateli al pennone! Vogliamo vederli ballare la giga col diavolo!»

« Vergogna! » gridò Sir Francis interrompendoli. « Che razza di giustizia è questa? Tutti gli uomini, per quanto infami, hanno diritto a un processo equo. » Si calmarono, e Francis riprese: « Risolveremo questa faccenda come si deve. Chi sostiene l'accusa contro di loro? »

« Noi! » ruggirono gli uomini dell'equipaggio.

« Chi sono i testimoni? »

« Noi! » risposero all'unisono.

« Avete assistito a qualche atto di tradimento o codardia? Avete visto questi esseri schifosi fuggire in pieno combattimento, abbandonando i compagni al loro destino? »

« Sì. »

« Avete sentito le testimonianze contro di voi. Avete nulla da dire in vostra difesa? »

« Misericordia! » piagnucolò Sam Bowles. Gli altri erano muti.

Sir Francis si rivolse di nuovo all'equipaggio. « E allora qual è il vostro verdetto? »

« Colpevoli! »

« Colpevoli come l'inferno! » aggiunse Big Daniel, affinché non restassero dubbi.

« E la vostra sentenza? » chiese Sir Francis, e subito scoppiò un tumulto.

« Impiccateli! » « Impiccarli è troppo poco per quei porci. Trascinateli sotto la chiglia. » « No, no! Squartateli. Costringeteli a mangiarsi le loro stesse palle. » « Friggiamo un po' di carne di porco! Bruciate quei bastardi sul rogo. »

Sir Francis li mise di nuovo a tacere. « Vedo che c'è qualche divergenza di opinioni. » Fece un gesto rivolto a Big Daniel. « Portateli sotto coperta e rinchiudeteli. Lasciamoli cuocere nel loro brodo per un paio di giorni. Ci occuperemo di loro quando entreremo in porto. Fino ad allora, abbiamo questioni più importanti cui pensare. »

Per la prima volta da quando viveva a bordo, Hal aveva una cabina tutta per sé; non era più costretto a trascorrere ogni momento di sonno e di veglia della sua vita in intimità forzata con un branco di altri esseri umani.

Al confronto con la piccola caravella, il galeone era spazioso, e suo padre aveva trovato un posto anche per lui, accanto al suo sontuoso alloggio. Era stato la dispensa del servitore del comandante olandese, ed era poco più che una tana. « Ti serve un posto illuminato per continuare gli studi », così Sir Francis aveva giustificato quel gesto di munificenza. « Ogni notte perdi molte ore a dormire, mentre potresti lavorare. » Aveva persino ordinato a un carpentiere di mettere insieme una cuccetta e uno scrittoio sul quale Hal poteva disporre libri e fogli.

In alto splendeva una lampada a olio che anneriva il soffitto di fuliggine, ma forniva a Hal luce sufficiente per distinguere le righe a stampa e consentirgli di svolgere il compito che il padre gli aveva assegnato. Aveva gli occhi che bruciavano di stanchezza e dovette soffocare gli sbadigli, mentre intingeva il pennino e scrutava il foglio di pergamena sul quale stava copiando un estratto delle istruzioni di navigazione del comandante olandese, sulle quali il padre aveva messo le mani. Ogni navigatore possedeva il suo manuale di navigazione personale, un diario di valore inestimabile, sul quale prendeva nota con tutti i dettagli di oceani e mari, correnti e coste, approdi e porti; tavole delle incostanti e misteriose deviazioni della bussola quando una nave viaggiava in acque sconosciute; e carte del cielo notturno, che cambiava col cambiare della latitudine. Erano tutte conoscenze che ogni navigatore accumulava pazientemente nell'arco di tutta la vita, ricavandole dalle proprie osservazioni o spigolando dall'esperienza e dagli aneddoti altrui. Il padre si aspettava che Hal portasse a termine quel lavoro prima del suo turno di guardia in coffa, che cominciava alle quattro del mattino.

Lo distrasse un lieve rumore dalla parte opposta della paratia, e Hal si alzò con la penna ancora in mano. Era un passo così leggero da risultare quasi impercettibile, e proveniva dalla lussuosa cabina della moglie del governatore. Hal si mise in ascolto con ogni fibra del suo essere, cercando di interpretare ognuno dei suoni che gli giungeva. Il cuore gli diceva che era la bella Katinka, ma non poteva averne la certezza; poteva anche essere la sua vecchia e brutta cameriera, o anche il suo grottesco marito, e a quel pensiero si sentì afflitto e defraudato.

Tuttavia si convinse che era Katinka, e il pensiero della sua vicinanza lo eccitò, anche se erano separati dalla paratia. La desiderava così disperatamente che non riusciva a concentrarsi sul suo compito, e neppure a restare seduto.

Si alzò in piedi, costretto, dal soffitto basso, a restare chino per avvicinarsi in silenzio alla paratia. Appoggiatosi al pannello di legno, in ascolto, udì un lieve suono raschiante, il rumore di qualcosa che veniva trascinato sull'assito, un fruscio di stoffa, altri suoni che non riuscì a identificare, e poi lo scroscio di un liquido che scorreva in una bacinella o in una ciotola. Con l'orecchio incollato al pannello, immaginò ogni movimento dalla parte opposta: la sentì immergere le mani a coppa nell'acqua per spruzzarsela sul viso, la sentì emettere dei piccoli gemiti quando il freddo la colpì sulle guance, poi sentì le gocce ricadere nella bacinella.

Abbassando lo sguardo, vide un lieve raggio di lume di candela che filtrava da una fessura nel pannello, una scheggia sottile di luce gialla che ondeggiava al ritmo del moto della nave. Senza pensare alle conseguenze di quello che faceva, s'inginocchiò per accostare l'occhio a quello spiraglio. Poteva vedere ben poco, perché lo spiraglio era stretto e la luce soffusa della candela gli cadeva direttamente sull'occhio.

Poi qualcosa passò fra lui e la candela, con un turbinio di sete e di pizzi. Rimase con gli occhi sbarrati, poi lanciò involontariamente un ansito scorgendo un lampo di pelle bianca e perfetta. Fu solo un guizzo, così rapido che ebbe appena il tempo di distinguere la linea sinuosa di una schiena nuda, lucente come madreperla alla luce gialla della candela.

Accostò il viso al pannello, cercando disperatamente di scorgere un altro squarcio di tanta bellezza. Oltre al consueto scricchiolio del fasciame della nave in navigazione, gli sembrava di udire un respiro sommesso, leggero come il soffio di uno zefiro tropicale. Trattenne il respiro per ascoltare finché non si sentì bruciare i polmoni, mentre la testa gli girava per il timore reverenziale che lo aveva assalito.

In quel momento la candela nell'altra cabina si spense, e il raggio di luce che filtrava dalla fenditura passò davanti all'occhio di Hal prima di dileguarsi. Udì dei passi leggeri allontanarsi, prima che oltre il pannello di legno calassero il buio e il silenzio.

Rimase in ginocchio a lungo, come uno dei fedeli in adorazione dinanzi a un tempio, poi si alzò lentamente per tornare a sedersi davanti allo scrittoio. Tentò di applicare la mente stanca al compito che il padre gli aveva assegnato, ma quella continuava a sfuggirgli, come una puledra selvaggia si sottrae al cappio dell'uomo che vorrebbe domarla; e le lettere sulla pagina che aveva davanti si dissolvevano in immagini di pelle alabastrina e capelli d'oro. Nelle narici gli aleggiava il ricordo del profumo insinuante che aveva captato la prima volta che aveva fatto irruzione nella sua cabina, e si coprì gli occhi con una mano per difendersi dalle visioni che invadevano il cervello smanioso.

Invano: la mente era sfuggita al suo controllo. Tese la mano verso la Bibbia posata accanto al diario, aprendone la copertina di cuoio. Fra le pagine correva un sottile filo d'oro, quel capello che aveva sottratto dal pettine.

Portandolo alle labbra, si lasciò sfuggire un gemito: gli pareva di trovarvi ancora una traccia del suo profumo, e quella sensazione lo indusse a serrare gli occhi.

Passò qualche istante prima che si rendesse conto delle azioni della sua mano destra, che era sfuggita subdolamente al suo controllo, insinuandosi come una ladra sotto i lembi delle ampie brache di tela, l'unico indumento che portasse nel caldo soffocante di quella cabina angusta. Quando prese coscienza di quello che stava facendo, era troppo tardi per fermarsi, e si arrese inerme al movimento ritmico delle dita. Il sudore che scorreva da ogni poro della pelle coprì di un velo luccicante i muscoli giovani e sodi; la verga che teneva fra le dita era turgida e pulsante, dotata di vita propria.

Aveva in mente soltanto il profumo della donna. La mano si muoveva in fretta, ma non quanto il suo cuore. Sapeva che era peccato, che era una follia; il padre lo aveva messo in guardia, ma non riusciva a smettere, anzi cominciò a dimenarsi sullo sgabello. Sentì l'oceano dell'amore per lei premere contro la diga del suo autocontrollo come una marea alta e irresistibile. Emise un grido sommesso e sentì la marea prorompere, ne avvertì il fiotto caldo sulle cosce tese e irrigidite, lo sentì inondare il tavolato, e poi quell'odore muschioso scacciò dalle sue narici il sacro profumo dei capelli di lei.

Restò seduto a lungo, sudando e ansimando piano, sopraffatto da ondate di colpa e disgusto per se stesso. Aveva tradito la fiducia del padre, la promessa che gli aveva fatto e, con la sua vergognosa lussuria, aveva insozzato l'immagine pura e adorabile di una santa.

Non poteva restare in quella cabina neanche un minuto di più. Si gettò sulle spalle la giubba di tela, risalendo di corsa la scaletta fino al ponte. Affacciato alla battagliola, rimase immobile per qualche minuto, respirando a fondo. L'aria di mare, pulita e salmastra, dissipò pian piano il senso di colpa e di disgusto; sentendosi più saldo sulle gambe, si guardò attorno per fare il punto della situazione.

La nave puntava ancora a sinistra, con il vento al traverso. Gli alberi oscillavano avanti e indietro sullo sfondo dello scintillante baldacchino di stelle. Riusciva appena a intravedere la massa continentale, acquattata sottovento: un dito appena di oscurità separava dal profilo scuro della terraferma l'Orsa Maggiore, un ricordo nostalgico della terra che lo aveva visto nascere e dell'infanzia che si era lasciato alle spalle.

A sud, sfavillava in cielo la costellazione del Centauro, che sorgeva sopra la sua spalla destra, e la possente Croce del Sud dal cuore luminoso: era quello il simbolo del nuovo mondo che si stendeva oltre la linea di demarcazione.

Guardando verso il timone, vide la pipa del padre splendere in un angolo riparato del cassero. Non aveva voglia di affrontarlo in quel momento, perché era certo che colpa e depravazione dovevano trasparire ancora dal suo volto, al punto che il padre le avrebbe riconosciute anche nella penombra. D'altra parte sapeva che il padre lo aveva già visto, e sarebbe parso strano che non andasse a rendergli omaggio. Gli si avvicinò in fretta. «Vi prego di perdonarmi, padre. Sono salito a prendere una boccata d'aria per schiarirmi le idee», mormorò, senza riuscire a guardare negli occhi Sir Francis.

«Non oziare quassù troppo a lungo», lo ammonì il padre. «Voglio vedere completato il tuo lavoro prima che cominci il turno di guardia sulla coffa.»

Hal si affrettò. Quel ponte lussuoso non gli era ancora familiare. La maggior parte del carico e delle merci della *Lady Edwina* non avevano trovato posto nelle stive già piene del galeone, per cui erano stati assicurati in coperta con le cime e lui doveva orientarsi fra barili, casse e colubrine di bronzo.

A tal punto era sopraffatto dal rimorso e dal senso di colpa, che badò ben poco a quello che accadeva intorno a lui, finché non udì un mormorio sommesso poco lontano: ritrovando di colpo la lucidità, guardò verso prua.

C'era un gruppetto di figure nascoste all'ombra del carico accatastato sotto la mole del castello di prua: i loro movimenti furtivi gli fecero intuire che c'era sotto qualcosa di strano.

Dopo il processo celebrato dai compagni, Sam Bowles e i suoi uomini erano stati scaraventati sul ponte inferiore del galeone e rinchiusi in un piccolo vano, che doveva essere servito da riposiglio al carpentiere. Non c'era luce, e scarseggiava anche l'aria, tanto più che l'odore del pepe e delle sentine era soffocante. Lo spazio era così angusto che i cinque uomini non avevano potuto neanche stendersi tutti insieme, ma si erano sistemati in quel buco infernale come meglio potevano, scivolando in un silenzio sbigottito e disperato.

« Dove siamo? Sotto la linea di galleggiamento, secondo voi? » domandò Ed Broom in tono infelice.

« Nessuno di noi sa com'è fatta questa nave olandese », borbottò Sam Bowles.

« Pensi che ci ammazzeranno? » domandò Peter Law.

« Puoi star sicuro che non hanno intenzione di abbracciarci e baciarci », grugnì Sam.

« Probabilmente ci trascineranno sotto la chiglia », mormorò Ed. « Una volta l'ho visto fare. Quando hanno trascinato quel povero bastardo sotto la nave e lo hanno tirato fuori dalla parte opposta, era annegato come un ratto in un barile di birra. Non c'era rimasta molta carne sulla carcassa... era stata tutta dilaniata dai cirripedi sotto lo scafo. Si vedevano le ossa che sporgevano in fuori, tutte bianche. »

Ci pensarono per un po', poi Peter Law disse: « Li ho visti impiccare e squartare i regicidi a Tyburn, nel '59. Avevano ucciso re Carlo, il padre del Principe Nero. Spaccarono i loro ventri come se fossero pesci, poi ci ficcarono dentro un gancio di ferro, torcendolo per strappare tutte le viscere, e gli appesero gli intestini al collo come una corda. Dopodiché staccarono l'uccello e le palle e... »

« Chiudi il becco! » ringhiò Sam. Ricaddero tutti in un silenzio disperato, immersi nel buio.

Un'ora dopo Ed Broom mormorò: « C'è aria che entra qui dentro, chissà da dove. La sento sul collo ».

Un attimo dopo Peter Law disse: « Ha ragione, sapete. La sento anch'io ».

« Che cosa c'è dietro questa paratia? »

« E chi lo sa? Forse la stiva di carico principale. »

Si sentì un lieve suono raschiante e Sam domandò: « Che state facendo? »

«In questo punto c'è un foro fra le assi. È da qui che entra l'aria.»

«Fatemi vedere.» Sam si avvicinò strisciando e, qualche minuto dopo, ammise che era vero. «Avete ragione. Riesco a infilare le dita nel buco.»

«Se solo riuscissimo ad allargarlo!»

«Se Big Daniel ti coglie sul fatto, allora sì che sei nei guai.»

«E cosa potrà farci? Squartarci? Questo ha già intenzione di farlo.»

Sam lavorò al buio per qualche minuto, prima di sbottare: «Se solo avessi qualcosa per fare leva e spaccare quest'asse!»

«Io sono seduto su un'asse allentata.»

«Stacchiamone un pezzo per usarlo qui.»

Ora lavoravano tutti insieme, e finalmente riuscirono a inserire nel foro della paratia l'estremità di una robusta asse di legno. Usandola come leva, fecero forza tutti insieme, e il legno si spezzò con un rumore sonoro. Sam ficcò il braccio nel varco. «Dall'altra parte c'è uno spazio aperto. Potrebbe essere una via d'uscita.»

Si accalcarono tutti in avanti per avere la possibilità di afferrare le estremità dell'apertura, spezzandosi le unghie e conficcandosi le schegge nel palmo delle mani, tanto erano frenetici.

«Indietro! State indietro!» ordinò Sam alla fine, dimenandosi per entrare a testa in avanti nell'apertura. Non appena lo sentirono allontanarsi dalla parte opposta, si affrettarono a imitare il suo esempio, passando attraverso l'apertura.

Avanzando a tentoni, Sam si sentì soffocare dall'odore ardente del pepe che bruciava la gola. Si trovavano nella stiva che conteneva le casse di spezie: là dentro c'era un po' più luce, che filtrava dai portelli non ben chiusi.

Riuscivano a stento a distinguere le enormi botti, ciascuna più alta di un uomo, stivate in file ordinate, ma non c'era spazio per strisciarvi sopra, perché il ponte era troppo basso. Riuscirono a passare solo insinuandosi fra una botte e l'altra, ma era un passaggio rischioso.

Le pesanti botti si spostavano leggermente a ogni movimento della nave, raschiando le assi del fasciame e battendovi contro con un tonfo, mentre le funi che le trattenevano si tendevano al massimo. Se un uomo fosse rimasto intrappolato fra quelle botti, sarebbe stato schiacciato come una blatta.

Sam Bowles, che era il più piccolo, strisciò avanti per primo, seguito dagli altri. A un tratto, però, un urlo penetrante risuonò nella stiva, gelando il sangue a tutti.

«Silenzio, stupido bastardo!» Sam si voltò indietro in preda al furore. «Li farai piombare tutti su di noi.»

«Il braccio!» gridò Peter Law. «Liberatemi!»

Con il rollio della nave, una delle enormi botti si era sollevata e poi, ricadendo in basso, aveva inchiodato sul ponte col suo peso il braccio di Peter. Continuava a scivolare e a premere sul braccio, e i compagni sentirono le ossa dell'avambraccio e del gomito spezzarsi crepitando come spighe secche nella macina. L'uomo urlava in preda all'isterismo, e non c'era verso di farlo tacere: il dolore lo aveva spinto oltre la soglia della ragione.

Sam tornò indietro strisciando verso di lui. «Sta' zitto!» Afferrato Peter per la spalla, lo sollevò, tentando di liberarlo, ma il braccio era incastrato, e l'uomo strillò ancora più forte.

«Non c'è niente da fare», ringhiò Sam, sfilando dalla cintola dei calzoni un tratto di corda che gli faceva da cintura. Formando un cappio con quella corda, lo passò attorno alla testa di Peter prima di serrarlo forte al collo. Poi si protese all'indietro, puntando i piedi fra le scapole della vittima mentre tirava con tutte le sue forze, e le urla selvagge di Peter s'interruppero di colpo. Sam tenne stretto il cappio a lungo, anche dopo che le grida furono cessate, poi lo lasciò andare e si legò di nuovo la corda alla vita. «Ho dovuto farlo», mormorò rivolto agli altri. «Meglio un morto solo che tutti noi.»

Nessuno parlò, e gli altri seguirono Sam mentre riprendeva a strisciare in avanti, lasciando il corpo strangolato sotto la massa di botti che si spostavano, schiacciandolo.

«Datemi una mano qui», disse Sam, e gli altri lo issarono su una delle botti, collocata proprio sotto il boccaporto.

«Ora fra noi e il ponte non c'è altro che un pezzo di tela», bisbigliò in tono trionfante, allungandosi fino a sfiorare il cappuccio di tela teso sul boccaporto.

«Forza, usciamo di qui», bisbigliò Ed Broom.

«Là fuori è ancora giorno pieno.» Sam lo fermò proprio mentre tentava di allentare le funi che tenevano ferma la copertura di tela. «Aspettiamo che faccia buio, ormai non manca molto.»

Pian piano la luce che filtrava dagli spiragli intorno al cappuccio di tela si attenuò e sbiadì. Sentirono la campana della nave che segnalava i turni di guardia.

«È la fine dell'ultimo turno di guardia», disse Ed. «Usciamo adesso.»

«Aspettiamo ancora un po'», suggerì Sam. Un'ora dopo, annuì. «Allentate quella tela.»

«Ma cosa faremo fuori di qui?» Ora che il momento di uscire era venuto, erano pieni di timore. «Non penserai di tentare di impadronirti della nave?»

«No, asino. Ne ho abbastanza del tuo maledetto capitan Franky. Trovami una cosa qualsiasi che galleggi e poi, per quanto mi riguarda, mi butto fuori bordo. La terra non è lontana.»

«E gli squali?»

«Il comandante Franky morde peggio di qualsiasi dannato squalo che tu possa incontrare là fuori.»

A quelle parole nessuno trovò qualcosa da obiettare.

Liberarono un angolo della tela, poi Sam sollevò il lembo per sbirciare fuori. «Via libera. Ai piedi dell'albero maestro ci sono alcune botti dell'acqua vuote. Ci serviranno come galleggianti.»

Uscì strisciando dal cappuccio di tela per affrettarsi ad attraversare il ponte. Gli altri lo seguirono, uno alla volta, aiutandolo a sciogliere il laccio che tratteneva le botti vuote, e in poche secondi ne liberarono due.

«Ora tutti insieme, ragazzi», mormorò Sam, e al suo segnale fecero rotolare la prima attraverso il ponte. In due, la sollevarono per scagliarla fuori bordo, poi corsero indietro a prendere la seconda.

«Ehi, voi! Che cosa state facendo?» L'altolà, giunto da vicino, li lasciò scossi: guardandosi alle spalle, sbiancati in volto, riconobbero Hal.

«È il cucciolo di Franky!» gridò uno di loro, e gli altri lasciarono cadere la botte rifugiandosi verso la murata della nave. Ed Broom fu il primo a lanciarsi; si tuffò a capofitto, imitato da Peter e da John Tate.

Hal impiegò un istante per rendersi conto di quello che stavano facendo, poi balzò in avanti per intercettare Sam Bowles. Era lui il caporione, il più colpevole della banda, e Hal lo bloccò mentre stava per raggiungere la battagliola della nave.

«Padre!» gridò, abbastanza forte perché la sua voce raggiungesse ogni angolo della nave. «Padre, aiutatemi!»

Lottavano corpo a corpo. Hal riuscì ad atterrarlo con una presa alla gola, ma Sam riuscì a rovesciare il capo all'indietro per colpirlo con una testata, tentando di rompergli il naso. Big

Daniel, però, aveva insegnato a Hal la sua tecnica di lotta, e lui fu pronto a reagire, abbassando il mento sul petto in modo che i due crani si scontrarono con un tonfo sonoro. Rimasero entrambi storditi dall'impatto, liberandosi dalla presa.

Subito Sam si slanciò verso la murata, ma Hal, in ginocchio, lo afferrò per le gambe. «Padre!» gridò di nuovo. Sam tentò di liberarsi scalciando, ma Hal tenne duro. Allora Sam, alzando la testa, vide Sir Francis Courteney arrivare caricando dal ponte: aveva estratto la spada, con la lama che scintillava alla luce delle stelle.

«Tieni duro, Hal! Sto arrivando!»

Sam non aveva il tempo di sciogliere la corda che teneva legata alla vita per passare il cappio intorno al collo di Hal, quindi si protese verso il basso, stringendogli le mani intorno alla gola. Era basso di statura, ma aveva le mani irrobustite dal lavoro, dure come arpioni di ferro. Trovò la trachea di Hal e, schiacciandola con violenza, riuscì a bloccare il passaggio dell'aria.

Il dolore soffocò Hal, che allentò la presa sulle gambe di Sam, afferrandogli i polsi nel tentativo di sciogliere la presa, ma l'altro gli piantò un piede sul petto respingendolo indietro con un calcio prima di scattare verso il parapetto della nave. Sir Francis, che si avvicinava di gran carriera, lo prese di mira con la spada, ma Sam schivò il colpo, tuffandosi in mare.

«Quel verme traditore sarà spazzato via!» esclamò Sir Francis. «Nostromo, chiama tutti i marinai a raccolta per virare di bordo. Torneremo indietro per catturarli.»

Sam Bowles fu spinto in profondità dall'impeto del tuffo col quale aveva colpito la superficie dell'acqua, e lo shock lo lasciò senza fiato nei polmoni. Ebbe la sensazione di annegare e lottò, dibattendosi per risalire; poi, sbucando in superficie, risucchiò una boccata d'aria, sentendo svanire le vertigini e la debolezza che lo avevano assalito.

Alzò lo sguardo verso la mole imponente della nave, che gli passava accanto maestosa, poi rimase nella sua scia, che scintillava lucida e oleosa al chiarore delle stelle. Era quella la strada che lo avrebbe guidato verso la botte; doveva seguirla prima che le onde la cancellassero, lasciandolo nell'oscurità senza punti di riferimento. Era scalzo e indossava soltanto una logora camicia di cotone e brache corte di tela, che non bastavano a ostacolargli i movimenti. Protese in avanti l'avambraccio, poiché, a differenza di molti suoi compagni, era un forte nuotatore.

Dopo una dozzina di bracciate sentì una voce nel buio, poco lontano da lui. «Aiutami, Sam Bowles!» Riconobbe le urla disperate di Ed Broom. «Dammi una mano, amico, altrimenti per me è la fine.»

Sam si fermò per qualche istante, tenendosi a galla, e al chiarore delle stelle vide gli spruzzi creati dai movimenti scomposti di Ed. Alle sue spalle vide qualcos'altro alzarsi sulla cresta di un cavallone scuro, qualcosa di nero e rotondo.

La botte!

Ma tra lui e quella promessa di sopravvivenza si frapponeva Ed Broom. Sam riprese a nuotare, tenendosi alla larga da lui. Era pericoloso avvicinarsi troppo a un uomo che stava annegando, perché cercava sempre di afferrarti e ti si aggrappava con una stretta mortale, trascinandoti a fondo con sé.

«Ti prego, Sam, non lasciarmi!» La voce di Ed diventava sempre più fioca.

Sam raggiunse la botte galleggiante, riuscendo ad aggrapparsi allo zipolo che sporgeva. Si era concesso appena un attimo di riposo, quando si riscosse vedendo un'altra testa emergere accanto a lui. «Chi sei?» disse ansimando.

«Sono io, John Tate», rispose il nuotatore, sputando acqua di mare mentre tentava di trovare un appiglio per arrampicarsi sulla botte.

Sam abbassò la mano, sciogliendo la corda che portava alla cintola, e la usò per passarla intorno allo zipolo, dopodiché infilò il braccio nel cappio. John Tate lo imitò, aggrappandosi al cappio anche lui.

Sam tentò di respingerlo. «Molla la presa! È mio.» Ma la stretta di John era disperata per il panico, e un minuto dopo Sam lasciò perdere; non poteva permettersi di sprecare le forze per lottare con un uomo più robusto di lui.

Rimasero aggrappati insieme alla corda, mantenendo una tregua ostile. «Cos'è successo a Peter?» chiese Tate.

«Al diavolo Peter!» ringhiò Sam.

L'acqua era fredda e buia, e non facevano che pensare a quello che poteva esserci sotto i loro piedi. A quella latitudine c'era sempre un branco di mostruosi squali tigre che seguiva la nave per raccogliere i rifiuti e il contenuto dei secchi delle latrine che venivano vuotati fuori bordo. Sam aveva visto una di quelle spaventose creature affiancarsi alla *Lady Edwina*; ora, ripensandoci, sentì la parte inferiore del corpo rattrappirsi e tremare per il freddo e il terrore di quelle file serrate di denti acuminati, al solo pensiero che potessero chiudersi su di lui per tagliarlo in due, così come lui avrebbe potuto addentare una mela matura.

«Guarda!» disse John Tate con voce strozzata, mentre un'onda lo investiva in piena faccia, penetrando nella bocca aperta. Alzando la testa, vide un'enorme sagoma scura che si profilava davanti a loro sbucando dalla notte.

«Quel dannato Franky torna a cercarci», ringhiò battendo i denti. Inorriditi, videro il galeone che puntava verso di loro, diventando sempre più grande a ogni secondo che passava, finché non parve cancellare tutte le stelle: riuscivano persino a udire le voci degli uomini sul ponte.

«Vedete qualcosa laggiù, mastro Daniel?» Quella era la voce di Sir Francis.

«Niente, comandante.» La voce di Big Daniel risuonò da prua. Guardando in basso nell'acqua nera e turbolenta sarebbe stato quasi impossibile distinguere il legno scuro della botte, o le due teste che galleggiavano accanto a essa.

Furono investiti dall'onda di prua che il galeone sollevò passando e rimasero a sussultare e oscillare nella sua scia, mentre la lanterna di poppa si allontanava nel buio.

Videro quel lampo ancora due volte, nel corso della notte, ma ogni volta la nave passava più lontano da loro. Molte ore dopo, mentre la luce dell'alba diventava sempre più intensa, scrutarono trepidanti le acque in cerca della nave, ma senza avvistarla da nessuna parte. Dovevano averli dati per annegati, riprendendo la rotta originaria. Storditi dal freddo e dalla stanchezza, rimasero aggrappati al loro precario sostegno.

«C'è la terra», sussurrò Sam, quando un'onda li sollevò più in alto e riuscirono a distinguere la linea costiera scura dell'Africa. «È così vicina che si potrebbe raggiungerla facilmente a nuoto.»

John Tate non rispose, limitandosi a fissarlo imbronciato con gli occhi gonfi e arrossati.

«È la tua occasione. Un giovane forte come te! Non preoccuparti per la mia sorte.» La voce di Sam era arrochita dalla salsedine.

« Non ti libererai di me così facilmente, Sam Bowles », ribatté John con voce gracchiante, e Sam tacque di nuovo, economizzando saggiamente le forze perché il freddo lo aveva ridotto quasi al limite della resistenza. Il sole si levò più in alto nel cielo e lo sentirono sulla testa, dapprima come un piacevole calore che infondeva loro nuova forza, poi come le fiamme di una fornace aperta, che bruciava la pelle e li accecava con il riverbero sul mare, tutt'intorno a loro.

E il sole continuò a salire nel cielo, ma senza che la terra si avvicinasse: la corrente li trasportava inesorabilmente in direzione parallela ai promontori rocciosi e alle spiagge biancheggianti. Sam notò oziosamente l'ombra di una nube che passava accanto a loro, avanzando scura sul pelo dell'acqua. Poi l'ombra cambiò direzione e tornò indietro, procedendo controvento, e allora Sam si riscosse, alzando la testa. Nel blu accecante della volta celeste non c'era una nuvola che potesse proiettare un'ombra del genere. Sam abbassò di nuovo lo sguardo, concentrando tutta la sua attenzione su quella presenza scura sul mare, e un'ondata sollevò la botte così in alto che poté guardarla.

« Oh, buon Gesù! » gemette, con le labbra screpolate dalla salsedine. L'acqua era limpida come un bicchiere di gin e Sam, vedendo infine la grande ombra screziata che si muoveva al di sotto, con il dorso segnato da striature scure come quelle di una zebra, lanciò un urlo.

John Tate alzò la testa. « Che cosa c'è? Il sole ti ha dato alla testa, Sam Bowles? » Ma dopo aver fissato gli occhi allucinati di Sam voltò lentamente il capo per seguire la direzione del suo sguardo. Videro entrambi l'imponente coda che si agitava poderosa, spingendo in avanti il lungo corpo; stava risalendo verso la superficie e la punta dell'alta pinna dorsale fendeva la superficie dell'acqua solo per la lunghezza del dito di un uomo, mentre il resto del corpo restava ancora nascosto.

« Squalo? » sibilò John Tate. « Squalo tigre! » Scalciò freneticamente, tentando di girare la botte in modo da interporre Sam fra sé e il predatore.

« Sta' fermo », scattò Sam. « È come un gatto, se ti muovi cercherà di saltarti addosso. »

Riuscivano a vederne l'occhio, piccolo per un corpo così ampio e lungo. Li fissava implacabile, cominciando a nuotare in un cerchio più stretto: girava e girava, serrando sempre più il cerchio, che aveva come centro la botte.

« Quel bastardo ci sta dando la caccia come fa l'ermellino con una pernice. »

« Chiudi il becco e non muoverti », gemette Sam, che non riusciva più a controllare il terrore. Perduto il controllo della vescica, avvertì il fiotto caldo che scorreva sotto le brache, e subito dopo le sue viscere si svuotarono involontariamente. Subito i movimenti dello squalo divennero più frenetici e la coda cominciò a battere a un ritmo più veloce, mentre assaggiava gli escrementi dell'uomo. La pinna dorsale s'innalzò al di sopra della superficie in tutta la sua imponenza, lunga e ricurva come la lama della falce di un mietitore.

La coda batté sulla superficie dell'acqua, facendola spumeggiare, finché il muso non urtò contro la botte. Sam rimase a guardare atterrito, mentre la testa snella subiva una trasformazione incredibile: il labbro si protese in fuori, mentre le ampie mascelle si aprivano. Le file di denti vennero allo scoperto, allargandosi e urtando contro il fianco della botte di legno.

I due uomini, assaliti dal panico, cercarono di aggrapparsi alla botte danneggiata, tentando di issare la parte inferiore del corpo sopra l'acqua. Gridavano in modo incoerente, lottando selvaggiamente per trovare un appiglio sui resti della botte e aggrapparsi l'uno all'altro.

Lo squalo si allontanò, riprendendo quel suo implacabile moto circolare; al di sotto dell'occhio fisso, la bocca sembrava una falce sogghignante. Ora le gambe dei due uomini che si dibattevano costituivano un nuovo motivo di interesse, e lo squalo si avventò di nuovo, fendendo le acque col dorso ampio.

L'urlo di John Tate s'interruppe bruscamente, ma l'uomo rimase a bocca spalancata, tanto che Sam gli guardò in fondo alla gola rosea e aperta da cui non sentiva provenire alcun suono, tranne il sibilo sommesso dell'aria che veniva espulsa. Poi l'altro fu risucchiato di scatto sotto la superficie. Il polso sinistro era ancora infilato nel cappio di corda, e quando fu trascinato sott'acqua la botte sussultò, prima di finire sott'acqua come un turacciolo.

« Lasciala andare! » gridò Sam, mentre il moto impresso dallo squalo lo faceva girare come una trottola, con la cima che gli segava il polso in profondità. Di colpo la botte risalì in superficie, con il polso di John Tate ancora impigliato nella cima, mentre una nube di un rosa cupo si allargava intorno a loro sulla superficie del mare.

Poi emerse la testa di John, che si lasciò sfuggire un suono roco, gracchiante, sputando negli occhi di Sam saliva mista a sangue; il suo viso era di un pallore cereo, mentre il sangue vitale gli fluiva dalle vene. Lo squalo tornò all'attacco azzannando sotto il pelo dell'acqua la parte inferiore del corpo di John, scuotendolo e agitandolo, al punto che la botte già danneggiata fu risucchiata di nuovo sott'acqua. Quando riemerse in superficie, Sam inspirò con violenza, afferrando il polso di John. «Vattene!» gridò, rivolto all'uomo e allo squalo insieme. «Via da me!» Con la forza di un indemoniato, riuscì a liberarsi dal cappio per scalciare contro il compagno all'altezza del torace, allontanandolo e continuando a gridare: «Vattene via!»

John Tate non oppose resistenza. Aveva gli occhi ancora spalancati ma, per quanto muovesse le labbra, non ne uscì alcun suono. Sotto la superficie il suo corpo era stato divorato dalla cintola in giù, e il suo sangue tingeva le acque di un rosso cupo. Lo squalo tornò ad afferrarlo, poi si allontanò a nuoto, ingoiando grossi lembi delle carni di John Tate.

La botte danneggiata aveva imbarcato acqua, e ormai era bassa sui flutti, ma questo le conferiva una stabilità che le era mancata prima, quando galleggiava più alta. Al terzo tentativo Sam riuscì a issarvisi sopra, ritraendo braccia e gambe sopra la superficie e sedendosi a cavalcioni. L'equilibrio della botte era precario, e lui non osava neanche alzare la testa per paura di turbarlo, ricadendo in mare. Poco dopo, vide la grande pinna dorsale passargli davanti agli occhi, mentre lo squalo si avvicinava ancora una volta alla botte. Non osava alzare la testa per seguire quei cerchi sempre più stretti, così chiuse gli occhi e decise di escludere dalla sua mente la presenza dello squalo.

Di colpo la botte sussultò sotto di lui, e quella decisione fu dimenticata. Spalancando gli occhi, lanciò un grido, prima di accorgersi che lo squalo, dopo aver addentato il legno, si allontanava. Tornò ancora due volte all'attacco, colpendo ogni volta la botte con il muso grottesco. Comunque ogni tentativo era meno deciso del precedente, forse perché aveva già saziato il suo appetito con la carne di John Tate, e adesso era respinto dal gusto e dall'odore delle schegge di legno della botte. Alla fine Sam lo vide allontanarsi, con l'alta pinna dorsale che oscillava mentre risaliva la corrente.

Rimase immobile, accovacciato sopra la botte, cavalcando il ventre salato dell'oceano, alzandosi e ricadendo ai suoi colpi come un amante sfinito. La notte scese su di lui, e ormai non avrebbe potuto muoversi neanche se avesse voluto. Scivolò nel delirio, assalito a tratti dall'oblio.

Sognò che era di nuovo giorno, che era sopravvissuto alla notte. Sognò di udire voci umane vicine a lui. Sognò, aprendo gli occhi, di vedere una nave alta, che stava per accostare. Sapeva che era una fantasticheria perché, nel corso di dodici mesi, quel remoto promontorio all'estremità del mondo era stato doppiato da meno di due dozzine di navi. Eppure ora, sotto i suoi occhi, una scialuppa fu calata in mare dalla nave e remò verso di lui. Solo quando si sentì afferrare per le gambe da mani rudi comprese, sia pure in modo ottuso, che quello non era un sogno.

La *Resolution* si diresse verso terra con la velatura ridotta al minimo e l'equipaggio pronto ad ammainare le vele restanti.

Sir Francis faceva saettare lo sguardo dalle vele alla terra che si profilava davanti a lui, ascoltando con attenzione la cantilena dello scandagliatore che filava la cima lasciando cadere in acqua la sagola a prua e poi, quando la nave la oltrepassava e la cima si tendeva, annunciava il rilevamento. «Profondità venti!»

«Fra un'ora la marea sarà al massimo.» Hal alzò la testa dalla lavagna. «E fra tre giorni sarà luna piena. Sarà la marea delle sizigie.»

«Grazie, pilota», rispose Sir Francis con una punta di sarcasmo. Hal non faceva che compiere il suo dovere, ma non era l'unico a bordo che avesse meditato per ore sull'almanacco e sulle tavole di marea. Poi Sir Francis si raddolcì. «Sali sull'albero maestro, ragazzo, e tieni gli occhi bene aperti.»

Osservò Hal mentre saliva fulmineo sul sartiame, poi lanciò un'occhiata al timone, ordinando a bassa voce: «Un punto a sinistra, mastro Ned».

«Un punto a sinistra, comandante.» Con i denti, Ned spostò da un angolo all'altro della bocca il cannello della pipa d'argilla vuota. Aveva visto anche lui la schiuma bianca della risacca all'ingresso del canale.

Ormai la terra era così vicina che riuscivano a distinguere persino i singoli rami degli alberi sui promontori rocciosi che sorvegliavano l'entrata della baia. «Alla via così», disse Sir Francis, mentre la *Resolution* continuava ad avanzare fra quelle imponenti pareti di roccia. Mai aveva visto l'ingresso di quell'insenatura segnato su qualcuna delle carte che aveva catturato o acquistato. Quella costa veniva descritta sempre come proibitiva e pericolosa, con pochi ancoraggi sicuri per circa mille miglia, dalla baia della Tavola al capo di Buona Speranza. Eppure, quando la *Resolution* avanzò nel canale di acqua verde, davanti alla prua si schiuse una splendida laguna ampia, circondata tutt'intorno da alte colline ricoperte da fitte foreste.

« La laguna dell'Elefante! » annunciò Hal dalla coffa. Erano passati oltre due mesi dall'ultima volta che erano salpati da quell'approdo segreto. Come per giustificare il nome che Sir Francis aveva dato a quel porto, dalla spiaggia sotto la foresta si levò un barrito sonoro.

Hal rise di piacere, scorgendo sulla spiaggia quattro enormi sagome grigie disposte spalla a spalla in una fila compatta, che fronteggiava la nave con le orecchie dilatate. Tenevano la proboscide sollevata, indagando nell'aria con le narici poste all'estremità, nel tentativo di fiutare quella strana apparizione che vedevano venire verso di sé. Il maschio del branco sollevò le lunghe zanne giallastre, scrollando la testa finché le orecchie non produssero uno schiocco simile a quello della tela grigia e sbrindellata di una vela maestra che si spiegava al vento, poi lanciò un altro barrito.

A prua della *Resolution*, Aboli ricambiò il saluto alzando la mano sopra la testa e pronunciando alcune parole nella lingua che soltanto Hal era in grado di capire: « Ti vedo, vecchio saggio. Va' in pace, perché io sono amico del tuo totem e non intendo farti alcun male ».

Al suono della sua voce gli elefanti indietreggiarono dalla battigia, poi si voltarono con sincronismo perfetto, rientrando nella foresta con un'andatura trotterellante. Hal rise di nuovo, sia per le parole di Aboli sia per lo spettacolo dei bestioni che si allontanavano, facendo tremare la foresta con il peso della loro mole.

Poi si concentrò nuovamente sul compito d'individuare i banchi di sabbia e le acque basse, lanciando segnali al padre rimasto sul ponte. La *Resolution* seguì il tortuoso canale per tutta la lunghezza della laguna, finché non sbucò in un vasto specchio d'acqua verde. Le ultime vele furono ammainate e ripiegate sui pennoni, mentre l'ancora sprofondava nell'acqua con uno scroscio e la nave oscillava dolcemente, tendendo la catena.

Si trovava a cinquanta iarde appena dalla spiaggia, nascosta dietro un'isoletta della laguna, in modo da restare invisibile all'esame casuale di una nave di passaggio che cercasse di sbirciare attraverso il varco fra i due promontori. La via d'accesso era ancora poco lontana, quando Sir Francis cominciò a lanciare ordini. «Carpentiere! Monta le pinacce e falle calare in mare.»

Non era ancora mezzogiorno quando la prima fu calata dal ponte sulla superficie della laguna e dieci uomini s'imbarcarono con la loro sacca. Big Daniel si mise al comando dei rematori, che attraversarono tutta la laguna, approdando ai piedi dei promontori rocciosi. Attraverso il cannocchiale, Sir Francis li guardò mentre salivano il ripido sentiero degli elefanti fino alla cima, dove sarebbero rimasti di guardia, segnalando l'arrivo di qualunque nave sconosciuta.

«Domani trasferiremo le colubrine all'ingresso, montandole su postazioni in pietra perché tengano sotto tiro il canale d'accesso», spiegò a Hal. «Ora festeggeremo l'arrivo con una cena a base di pesce fresco. Tira fuori gli ami e le lenze e porta con te Aboli e quattro uomini, a bordo dell'altra pinaccia. Cattura qualche granchio sulla spiaggia e riportami una buona quantità di pesce per la cambusa della nave.»

Ritto a prua della pinaccia che si spingeva nel canale, Hal scrutò in fondo alle acque, così limpide che riusciva a vedere il fondale sabbioso. La laguna pullulava di pesci che si allontanavano sfrecciando davanti alla barca, un banco dopo l'altro: molti erano lunghi quanto l'apertura delle sue braccia.

Quando gettarono l'ancora nella parte più profonda del canale, Hal calò una lenza oltre la fiancata della barca, usando come esca alcuni granchi che aveva catturato scavando nelle buche sulla spiaggia sabbiosa. Prima ancora di toccare il fondo, l'esca fu afferrata con tanta violenza che la lenza gli bruciò le dita, senza lasciargli il tempo di trattenerla. Tendendola con tutte le sue forze, la recuperò, un tratto dopo l'altro, gettando infine a bordo il corpo scintillante d'argento purissimo che si dibatteva freneticamente.

Mentre ancora sobbalzava sul ponte, e Hal lottava per estrarre l'amo ricurvo dal labbro gommoso, Aboli lanciò un grido di eccitazione ritirando la propria lenza. Prima ancora che riuscisse a tirare in secco il pesce, tutti gli altri marinai ridevano già, tentando di portare a bordo la ricca pesca.

Meno di un'ora dopo, il fondo dell'imbarcazione era ricoperto di pesci morti e tutti erano chiazzati fino agli occhi di scaglie e di sangue vischioso. Persino le mani dure e callose dei marinai sanguinavano per le ferite prodotte dalla lenza e le scalfitture lasciate delle pinne aguzze: tenere testa alla cascata d'argento vivo che si riversava nella barca non era più un divertimento, ma un duro lavoro.

Poco prima del tramonto, Hal diede l'ordine di smettere e tornarono a remi verso il galeone all'ancora. Erano distanti ancora un centinaio di iarde quando, d'impulso, Hal si alzò in piedi a poppa della barca, liberandosi dei vestiti sudici e puzzolenti. Nudo come un verme, si bilanciò sulle punte, lanciando un grido ad Aboli: «Accosta e scarica il pescato. Io verrò a nuoto da qui». Erano più di due mesi che non faceva il bagno, dall'ultima volta che avevano gettato l'ancora nella laguna, e desiderava sentire sulla pelle l'acqua pura e fresca. Si raccolse, tendendo i muscoli, prima di tuffarsi di scatto fuori bordo. Gli uomini schierati lungo la murata del galeone lanciarono grida d'incoraggiamento oscene, e persino Sir Francis si soffermò a osservarlo con indulgenza.

«Lasciatelo fare, comandante. È ancora un ragazzo ingenuo», disse Ned Tyler. «Solo che è così grande e grosso che a volte ce ne scordiamo.» Ned era con Sir Francis da tanti anni che poteva permettersi una simile familiarità.

«Non c'è posto per un ragazzo ingenuo, nella guerra di corsa. Questo è un lavoro da uomo e richiede una testa ben salda anche sulle spalle più giovani, altrimenti sarà un cappio olandese a far rinsavire quella testa matta.» Ma non fece alcuno sforzo per rimproverarlo, osservando il suo corpo bianco scivolare nell'acqua, agile e flessuoso come un delfino.

Sentendo il trambusto sul ponte superiore, Katinka alzò gli occhi dal libro che stava leggendo. Era una copia del *Gargantua e Pantagruel* di François Rabelais, stampato in forma privata a Parigi con l'aggiunta di splendide illustrazioni erotiche colorate a mano, ricche di dettagli realistici. Glielo aveva regalato uno dei giovani che aveva frequentato ad Amsterdam prima del suo matrimonio affrettato, uno che conosceva bene i suoi gusti, per esperienza personale e intima. Katinka lanciò un'occhiata pigra attraverso l'oblò e il suo interesse si ravvivò, al punto che lasciò cadere il libro e si alzò per guardare meglio.

«*Liefling*, vostro marito...» l'ammonì Zelda.

«Al diavolo mio marito», esclamò Katinka, uscendo sulla galleria di poppa e riparandosi gli occhi dai raggi obliqui del sole al tramonto.

Il giovane inglese che l'aveva catturata era ritto su una piccola barca, non lontano sulle acque tranquille della laguna. Sotto i suoi occhi, si tolse gli abiti sporchi e logori, restando nudo senza vergogna e tenendosi in equilibrio con agile grazia sul bordo della barca.

Da adolescente lei aveva accompagnato il padre in Italia e là, mentre il padre era occupato con i soci d'affari italiani, aveva corrotto Zelda per farsi accompagnare a vedere la collezione di sculture di Michelangelo. Nonostante l'afa torrida del pomeriggio, era rimasta quasi un'ora ferma di fronte alla statua del David, che con la sua bellezza aveva suscitato in lei un tumulto di emozioni. Quell'esperienza le aveva cambiato la vita.

Ora stava ammirando un'altra statua di David, ma stavolta non di gelido marmo. Naturalmente, aveva visto spesso il ragazzo, dopo il loro primo incontro nella sua cabina, visto che la seguiva come un cagnolino affezionato e compariva subito, come per incanto, ogni volta che lei usciva dalla cabina; ma la sua trasparente adorazione le aveva ispirato solo un blando divertimento, visto che non si aspettava nulla di meno da tutti gli uomini compresi tra i quattordici e gli ottanta anni. Aveva concesso poco più che un'occhiata a quel grazioso ragazzo vestito di stracci troppo ampi e sporchi. Dopo il loro primo, violento incontro, il suo fetore aveva continuato ad aleggiare nella cabina di Katinka, così pungente che lei aveva ordinato a Zelda di spruzzare del profumo nell'aria per disperderlo. Ma del resto sapeva per amara esperienza che tutti i marinai puzzavano, perché a bordo delle navi non c'era altra acqua se non quella da bere, e anche di quella ben poca.

Ora che il ragazzo si era tolto quei brutti vestiti, però, era diventato una visione di affascinante bellezza. Mentre le braccia e il volto erano abbronzati dal sole, il torace e le gambe sembravano scolpiti in un marmo bianco e privo di difetti. Il sole basso indorava le curve e gli angoli del suo corpo, i lunghi capelli scuri scendevano sulle spalle, i denti spiccavano candidi nel viso abbronzato e la sua risata era così musicale e piena di gioia di vivere da richiamarle sulle labbra un sorriso.

Poi continuò a guardarlo e rimase a bocca aperta, mentre gli occhi viola si restringevano, diventando calcolatori. Le linee dolci del viso erano ingannevoli: quello non era più un ragazzo. Il ventre piatto era solcato da muscoli giovani e sodi, levigati come le onde di sabbia di una duna scolpita dal vento, e alla base dell'inguine spuntava un ciuffo scuro di peli ricci, fra i quali si annidavano genitali rosei, pieni e possenti, che trasudavano una virilità sconosciuta al David di Michelangelo.

Quando si tuffò nella laguna, lei riuscì a seguire tutti i suoi movimenti sotto l'acqua limpida. Poi il ragazzo risalì in superficie e, ridendo, gettò all'indietro i capelli fradici con un gesto del capo; le goccioline che sprizzarono scintillavano come un'aureola di luce intorno alla testa di un angelo.

Si diresse a nuoto verso di lei, ferma sulla galleria di poppa, scivolando nell'acqua con una grazia particolare che a Katinka era sfuggita quando era vestito di stracci. Passò quasi sotto di lei, ma senza alzare la testa, ignaro del suo esame. Lei riuscì a scorgere persino le tacche della spina dorsale, fiancheggiata da fasci di muscoli robusti che scendevano in basso a innervarsi sulla profonda fenditura fra le natiche snelle e rotonde, mentre queste si tendevano con una sinuosità erotica a ogni scatto delle gambe, come se facesse l'amore con l'acqua che fendeva.

Si protese per seguirlo con gli occhi, ma lui nuotò oltre la poppa, scomparendo alla sua vista, e lei mise il broncio per la frustrazione, rassegnandosi a riprendere in mano il libro. Però le illustrazioni avevano perso tutto il loro fascino e apparivano sbiadite, al confronto con la carne vera e la pelle luminosa del giovane.

Restò seduta con il libro aperto sulle ginocchia, immaginando di avere sopra di sé quel corpo giovane, bianco e luminoso, e di sentire quelle natiche giovani serrarsi e tendersi mentre lei vi affondava le unghie aguzze. Aveva capito per istinto che era vergine, e le pareva quasi di sentire sul ragazzo la fragranza di miele della castità. Si sentiva attratta da lui, come una vespa da un frutto più che maturo: sarebbe stata la prima volta con un innocente, e quel pensiero aggiungeva un gusto piccante alla naturale bellezza del ragazzo.

Le sue fantasticherie erotiche erano intensificate dal lungo periodo di forzata astinenza, e lei finì per abbandonarsi all'in-

dietro, serrando strettamente le cosce e cominciando a dondolarsi dolcemente sulla poltrona, mentre le affiorava sulle labbra
un sorriso enigmatico.

Hal trascorse le tre notti successive accampato sulla spiaggia
sotto i promontori. Il padre lo aveva incaricato di trasportare i
cannoni a riva e di costruire le piattaforme in pietra per metterli
in posizione, in modo da battere lo stretto ingresso della laguna.

Naturalmente anche Sir Francis era sceso a terra con la barca
per approvare le postazioni scelte dal figlio, ma neppure lui era
riuscito a trovare qualche pecca nella scelta fatta da Hal nel de-
limitare il campo di tiro che avrebbe spazzato via qualunque nave nemica cercasse di superare i promontori.

Il quarto giorno, quando il lavoro ormai era concluso, Hal fu
riportato in barca attraverso la laguna, e da lontano osservò che i
lavori di riparazione del galeone erano molto avanzati. Il carpentiere e i suoi compagni avevano costruito a poppa delle impalcature in modo da sostituire con nuove assi quelle danneggiate dal
fuoco, creando qualche disagio agli ospiti a bordo. Il goffo albero innalzato dal comandante olandese per sostituire quello maestro danneggiato dalla tempesta era stato smontato e la sua assenza rendeva le linee del galeone goffe e prive di armonia.

Tuttavia, quando Hal salì sul ponte attraverso il boccaporto,
si accorse che Ned Tyler e la sua squadra di operai erano impegnati a issare in coperta la mole massiccia di legno esotico che
formava la parte principale del carico della nave, calandola poi
nella laguna per farla galleggiare fino alla spiaggia.

L'albero maestro di riserva era custodito in fondo alla stiva,
nel compartimento sigillato che conteneva le monete e i lingotti,
e occorreva rimuovere il carico per raggiungerli.

«Tuo padre ti ha mandato a chiamare», disse Aboli salutando Hal, che si precipitò a poppa.

«Restando a terra, hai perso tre giorni di studio», gli disse
Sir Francis senza preamboli.

«Sì, padre.» Hal sapeva che era inutile fargli notare che non
era stato lui a decidere di sottrarsi agli studi. Ma almeno non mi
scuserò per questo, decise in silenzio, sostenendo lo sguardo del
padre senza battere ciglio.

«Stasera dopo cena ti impartirò una lezione sul catechismo

dell'ordine. Vieni nella mia cabina agli otto tocchi del secondo turno di guardia.»

Il catechismo d'iniziazione all'ordine di San Giorgio e del Santo Graal non era mai stato messo per scritto e da quasi quattro secoli le duecento domande e risposte di carattere esoterico si trasmettevano per tradizione orale: il maestro istruiva il novizio sull'osservanza della regola.

Seduto vicino ad Aboli sul ponte di prua, Hal divorò gallette bollenti, fritte nello strutto, e pesce fresco arrosto. Ora che avevano a disposizione una riserva illimitata di legna e di cibo fresco, i pasti sulla nave erano sostanziosi. Hal rimase in silenzio mentre mangiava. Dentro di sé ripeteva il catechismo, perché il padre sarebbe stato severo nel suo giudizio. La campana suonò fin troppo presto e, mentre l'ultimo tocco svaniva, Hal bussò alla porta della cabina del padre.

Mentre Sir Francis restava seduto alla scrivania, Hal si inginocchiò sulle assi lunghe del tavolato. Suo padre indossava il mantello che era l'insegna del suo ufficio e sul petto gli scintillava il magnifico sigillo d'oro, il marchio del cavaliere Nautonnier che aveva superato tutti i gradi dell'ordine. Raffigurava il leone rampante d'Inghilterra che teneva sollevata la *croix pattée* e, più in alto, le stelle e la mezzaluna della dea madre; gli occhi del leone erano di rubini, le stelle di diamanti. Al dito medio della mano destra portava uno stretto anello d'oro, sul quale erano incisi una bussola e un ottante, gli strumenti del navigatore, e sopra di essi un leone con la corona; ma l'anello era piccolo e discreto, non vistoso come il grande sigillo.

Il padre recitava il catechismo in latino. L'uso di quella lingua faceva sì che soltanto gli uomini colti potessero entrare a far parte dell'ordine.

«Chi sei tu?» disse Sir Francis, pronunciando la prima domanda.

«Henry Courteney, figlio di Francis e di Edwina.»

«E cosa fai qui?»

«Vengo a presentarmi come accolito dell'ordine di San Giorgio e del Santo Graal.»

«Da dove vieni?»

«Dall'oceano, perché è il mio principio e alla fine sarà il mio sudario.» Con quella risposta, Hal riconosceva le origini marinare dell'ordine. Le cinquanta domande seguenti riguardavano la conoscenza da parte del novizio della storia dell'ordine.

«Chi è venuto prima di te?»

«I Poveri cavalieri di Cristo e del Tempio di Salomone.» I cavalieri dell'ordine del Tempio di San Giorgio e del Santo Graal erano gli eredi dell'ordine ormai estinto dei Templari.

Dopodiché Sir Francis fece ripetere al figlio la storia dell'ordine: come nell'anno 1312 i Templari fossero stati attaccati e distrutti dal re di Francia, Filippo il Bello, con la complicità del papa Clemente V di Bordeaux, che era un suo fantoccio. La loro immensa fortuna in lingotti d'oro e terre era stata confiscata dalla corona, mentre i cavalieri venivano torturati e arsi vivi sul rogo. Tuttavia, avvertiti dai loro alleati, i Templari navigatori avevano lasciato gli ormeggi nei porti francesi per puntare verso il mare aperto e, dirigendosi in Inghilterra, avevano chiesto protezione al re Edoardo II. Da allora avevano aperto varie logge in Scozia e in Inghilterra sotto nuovi nomi, ma lasciando intatti i princìpi fondamentali dell'ordine.

Subito dopo, Sir Francis fece ripetere al figlio le parole arcane di riconoscimento e la stretta di mani che permetteva ai cavalieri di riconoscersi a vicenda.

«*In Arcadia habito*. Io dimoro in Arcadia», intonò Sir Francis, chinandosi per prendere la mano destra del figlio nella doppia stretta.

«*Flumen sacrum bene cognosco!* Conosco bene il fiume sacro!» rispose Hal in tono reverente, intrecciando l'indice con quello del padre nella risposta.

«Spiega il significato di queste parole», lo invitò il padre.

«È il nostro patto con Dio e con noi stessi. Il tempio è l'Arcadia e noi siamo il fiume.»

La campana della nave suonò due volte il passaggio delle ore prima che le duecento domande fossero formulate e ricevessero risposta, e Hal ottenesse il permesso di alzarsi, tutto anchilosato.

Quando raggiunse la sua minuscola cabina, era troppo esausto persino per accendere la lampada a olio e si lasciò cadere sulla cuccetta completamente vestito, restando disteso in preda al torpore dello sfinimento. Le domande e le risposte del catechismo echeggiarono come un ritornello interminabile nel suo cervello esausto, finché significato e realtà non parvero allontanarsi.

Poi sentì i suoni fiochi del movimento oltre la paratia, e la stanchezza svanì come per incanto. Si drizzò a sedere, con i sensi concentrati sulla cabina attigua. Non accese la lampada, perché il suono dell'acciarino che colpiva la pietra focaia si sarebbe sentito attraverso la parete, ma scese rotolando dalla cuccetta e, al buio, si spostò in silenzio a piedi nudi fino alla paratia.

Inginocchiandosi, fece scorrere leggermente le dita sulla giuntura delle assi finché non trovò il piccolo cuneo di legno che vi aveva lasciato e lo tolse in silenzio, accostando un occhio allo spioncino.

Ogni giorno il padre consentiva a Katinka van de Velde e alla sua cameriera di scendere a riva, sotto la sorveglianza di Aboli, per passeggiare un'oretta sulla spiaggia. Quel pomeriggio, mentre le donne erano lontane dalla nave, Hal aveva approfittato di un attimo di libertà per scendere nella sua cabina e usare la punta del pugnale per allargare la fessura nella paratia. Poi vi aveva inserito un cuneo di legno, in modo da mascherare l'apertura.

Ora, sebbene tormentato dal senso di colpa, non riuscì a resistere e accostò l'occhio all'apertura allargata, da cui poteva guardare nella piccola cabina senza alcun impedimento. Alla parete di fronte a lui era appeso un alto specchio veneziano, e lì poteva vedere riflesse chiaramente anche quelle zone della cabina che altrimenti gli sarebbero rimaste precluse. Era evidente che quella era una parte annessa alla cabina principale, più grande e sontuosa. A quanto pareva, serviva da spogliatoio e gabinetto privato, dove la moglie del governatore poteva fare il bagno e dedicarsi alla toeletta intima. Al centro del locale troneggiava una pesante vasca in ceramica di stile orientale, con le pareti decorate da scene di paesaggi montuosi e foreste di bambù.

Katinka era seduta su un basso sgabello dalla parte opposta della cabina, mentre la cameriera le spazzolava i capelli con una delle spazzole dal dorso d'argento. I capelli sciolti le arrivavano fino alla vita e ogni colpo li faceva scintillare alla luce della lampada. Indossava una vestaglia di broccato, appesantita dai ricami d'oro, ma Hal si stupì del fatto che i suoi capelli fossero più luminosi del prezioso filo di metallo.

La guardò affascinato, cercando di imprimersi nella memoria ogni gesto delle sue mani bianche e ogni movimento delicato della testa bellissima. Il suono di quella voce e la risata sommessa erano come un balsamo per la mente e per il corpo di Hal, svuotati dallo sfinimento. Concluso il proprio compito, la cameriera si allontanò. Katinka si alzò dallo sgabello e Hal si sentì sprofondare, perché si aspettava che lei prendesse la lampada per uscire dalla cabina. Invece venne verso di lui. Per quanto fosse uscita dalla sua linea di osservazione diretta, poteva vederne il riflesso nello specchio. Ormai erano separati soltanto dallo spessore del pannello, e Hal temeva che lei potesse sentire il suo respiro roco.

Fissò la sua immagine allo specchio mentre lei si chinava per sollevare il coperchio della seggetta fissata alla parete opposta della paratia rispetto a Hal. D'improvviso, prima che lui potesse intuire le sue intenzioni, lei sollevò i lembi della vestaglia al di sopra della vita e, con un solo movimento, si appollaiò come un uccellino sul sedile della seggetta.

Mentre il liquido scorreva nel vaso da notte sotto di lei, continuò a scherzare e chiacchierare con la cameriera e, quando si alzò, Hal riuscì nuovamente a intravedere le lunghe gambe candide prima che la vestaglia ricadesse e la donna uscisse con grazia dalla cabina.

Hal si distese al buio sulla cuccetta, con le mani strette sul petto, cercando di dormire, ma le immagini della bellezza di Katinka lo tormentavano. Si sentiva il corpo in fiamme e si rotolava irrequieto da una parte all'altra. «Sarò forte!» sussurrò a se stesso, serrando i pugni fino a far scricchiolare le nocche. Tentò di scacciare dalla mente quella visione, ma continuava a ronzargli nel cervello come uno sciame di api infuriate. Risentì ancora una volta, con la fantasia, la sua risatina mescolarsi allo scroscio allegro del vaso da notte, e non riuscì a resistere. Con un gemito di colpa, si arrese, abbassando le mani verso l'inguine che si tendeva, pulsando dolorosamente.

Una volta scaricato il legname dalla stiva principale, si poté innalzare sul ponte l'albero maestro di riserva. Fu una fatica immane, che richiese lo sforzo di metà dei marinai della nave. L'imponente albero maestro era lungo quasi quanto il galeone e fu necessario manovrarlo con cura per estrarlo dal suo alloggiamento nelle viscere della nave. Lo fecero galleggiare sul canale per tirarlo in secca sulla spiaggia, e lì, in una radura di fronte al fitto baldacchino di alberi della foresta, i carpentieri lo posarono sui cavalletti, cominciando a lavorarlo per conferirgli la sagoma giusta, in modo da poterlo installare nella chiglia per rimpiazzare l'albero spezzato dalla tempesta.

Solo quando la stiva fu vuota Sir Francis chiamò tutti gli uomini a bordo della nave per assistere all'apertura del comparto del tesoro, che le autorità olandesi avevano coperto di proposito con il carico più pesante. Era il sistema usato abitualmente dalla Compagnia olandese delle Indie Orientali per assicurare gli oggetti più preziosi. Alcune centinaia di tonnellate di pesante legname accumulato sull'apertura della cassaforte avrebbero scoraggiato anche il ladro più determinato, inducendolo a rinunciare al tentativo di forzarne il contenuto.

Mentre l'equipaggio si affollava intorno al boccaporto, Sir Francis e i nostromi scesero nella stiva, muniti ciascuno di una lanterna accesa, e s'inginocchiarono in fondo al vano per esaminare i sigilli apposti dal governatore olandese di Trincomalee.

«I sigilli sono intatti!» gridò Sir Francis per rassicurare gli osservatori, che lanciarono grida stridule.

«Infrangete i cardini!» ordinò a Big Daniel, e il nostromo si accinse a eseguire l'ordine con entusiasmo.

Il legno si scheggiò e le viti di ottone stridettero mentre venivano strappate dalla loro sede. L'interno della cassaforte era rivestito da fogli di rame, ma la sbarra di ferro di Big Daniel lacerò il metallo, e un brusio entusiasta si levò tra gli spettatori quando si scoprì il contenuto dello scomparto.

Le monete erano contenute in spessi sacchetti di tela, quindici in tutto. Daniel li tirò fuori, accumulandoli in un mucchio ordinato da trasportare sul ponte. Subito dopo fu la volta dei lingotti d'oro, sistemati dieci alla volta entro casse di legno grezzo, sul quale erano stati impressi a fuoco il numero e il peso delle verghe d'oro.

Quando Sir Francis risalì dalla stiva, ordinò che tutti i sacchi di monete, tranne due, e tutte le casse di lingotti d'oro fossero trasportati nella sua cabina.

«Per ora ci divideremo soltanto questi due sacchi di monete», disse Sir Francis. «Il resto del bottino lo riceverete quando torneremo a casa, nella cara vecchia Inghilterra.» Tenendo in mano un pugnale, si chinò sui due sacchetti di tela rimanenti per tagliarne la cucitura, mentre gli uomini ululavano come un branco di lupi, vedendo il torrente di scintillanti monete d'argento da dieci *gulden* che si rovesciava sulle assi del ponte.

«Non c'è bisogno di contarle. Queste teste di formaggio lo

hanno già fatto per noi.» Sir Francis indicò i numeri impressi sui sacchetti. «Ciascuno di voi si faccia avanti quando viene chiamato per nome», ordinò. Gli uomini si misero in fila con risa eccitate, scambiandosi osservazioni salaci. Man mano che venivano chiamati, ognuno di loro avanzava trascinando i piedi e tenendo proteso il berretto, nel quale veniva riversata la sua parte di *gulden* d'argento.

Hal fu l'unico uomo a bordo a non ricevere una parte del bottino. Anche se aveva diritto alla quota di un marinaio, un duecentesimo della porzione riservata all'equipaggio, cioè quasi duecento *gulden*, fu il padre a occuparsene, ritirandoli per lui. «Non c'è idiota peggiore di un ragazzo che ha in tasca delle monete d'argento o d'oro», spiegò a Hal in tono pacato, aggiungendo: «Un giorno mi ringrazierai per averlo messo da parte per te». Poi si rivolse con collera simulata all'equipaggio. «Solo perché adesso siete ricchi, non vuol dire che non abbia ancora del lavoro per voi», gridò con voce possente. «Il resto del carico pesante deve andare a riva, prima che possiamo portare la nave in secca per ripararla, pulire il fondo della chiglia, montare il nuovo albero e sistemare i cannoni. C'è lavoro sufficiente a tenervi occupati per un mese o anche due.»

Nessuno poteva restare in ozio a lungo a bordo di una delle navi di Sir Francis: la noia era il nemico più pericoloso. Mentre uno dei turni di guardia procedeva al lavoro di scarico, lui teneva occupati gli altri turni. Non si poteva mai permettere loro di dimenticare che quella era una nave da guerra e che dovevano tenersi pronti a fronteggiare in qualsiasi momento un nemico disperato.

Con i portelli aperti e le enormi botti di spezie issate sul ponte, non c'era spazio per fare esercitazione con le armi, e così Big Daniel portò sulla spiaggia gli uomini che non erano in servizio. Schierati spalla a spalla, si divisero in formazioni seguendo il manuale d'istruzioni per esercitarsi nella scherma – stoccata a sinistra, affondo e ripresa, stoccata a destra, affondo e ripresa – finché non furono coperti di sudore e ansimanti.

«Basta così!» disse alla fine Big Daniel, ma senza lasciarli ancora liberi.

«Ora un paio d'incontri di lotta, tanto per scaldarvi il sangue», gridò prima di abbinare gli uomini fra loro, prendendone per la collottola un paio e mettendoli l'uno di fronte all'altro come se fossero dei galli da combattimento nell'arena.

Ben presto la sabbia si ricoprì di uomini che lottavano fra loro gridando, a torso nudo, ansimando e volando in aria, prima di rotolare sulla sabbia bianca.

Katinka van de Velde, nascosta insieme alla cameriera dietro la prima fila di alberi della foresta, li osservava con interesse. Dietro di loro, a qualche passo di distanza, c'era Aboli, appoggiato al tronco di uno degli alberi giganti di legno giallo.

Hal era appaiato con un marinaio che aveva vent'anni più di lui. Erano della stessa statura, ma il più anziano pesava anche una ventina di chili in più. Entrambi lottavano per assicurarsi la presa sul collo e sulle spalle dell'avversario mentre danzavano in cerchio, cercando di far perdere l'equilibrio all'altro o di agganciarlo alla caviglia per sgambettarlo.

« Usa l'anca. Rovescialo col peso dell'anca! » bisbigliò Katinka osservando Hal. Era così assorta nello spettacolo che inconsciamente aveva serrato i pugni e li batteva sulle cosce, eccitata, incoraggiando Hal con le guance più rose di quanto potessero mai renderle il belletto o il caldo.

Katinka amava vedere gli uomini o gli animali lottare fra loro. Suo marito era costretto a cogliere ogni occasione per accompagnarla ai combattimenti tra cani e tori, ai duelli fra i galli o alle gare di terrier alle prese con i ratti.

« Ogni volta che si versa del vino rosso, la mia piccola cara è felice. » Van de Velde era fiero dell'insolita predilezione per gli sport sanguinari mostrata da sua moglie, che non si lasciava sfuggire un solo torneo di scherma e aveva apprezzato molto lo sport inglese del pugilato. La lotta, poi, era uno dei suoi passatempi preferiti, e conosceva tutte le prese e i lanci.

In quel momento era incantata dai movimenti pieni di grazia del ragazzo e impressionata dalla sua tecnica. Si rese conto che era stato ben addestrato, perché, nonostante l'avversario fosse più massiccio, Hal era più rapido e più forte. Sfruttava la forza dell'avversario contro di lui, e l'uomo più anziano era costretto a grugnire e a dibattersi per riprendersi, mentre Hal lo spingeva fino al limite della sua capacità di equilibrio. All'assalto successivo, Hal non oppose resistenza, ma cedette all'impeto dell'avversario e si rovesciò all'indietro, continuando sempre a mantenere la presa. Non appena toccato il suolo, interruppe la caduta inarcando la schiena e al tempo stesso piantando i talloni nel ventre dell'avversario per catapultarlo sopra di sé. Mentre l'uomo più anziano restava a terra stordito, Hal si girò di scatto per salirgli a cavalcioni sul dorso e schiacciargli la faccia a terra. Afferrato il codino dell'uomo, lo spinse con forza sulla sabbia bianca e sottile, finché l'avversario non batté sulla sabbia con le mani per segnalare la resa.

Hal lo lasciò andare, alzandosi di scatto con l'agilità di un felino. Il marinaio si mise in ginocchio ansimando e sputando sabbia, ma poi, inaspettatamente, si lanciò su Hal proprio mentre questi cominciava ad allontanarsi. Con la coda dell'occhio il ragazzo scorse il pugno chiuso che mirava alla sua testa e lo schivò rotolando via, ma non abbastanza in fretta: il colpo lo raggiunse al viso, facendo scaturire un fiotto di sangue da una narice. Hal afferrò il polso dell'uomo fino al limite della flessibilità, sollevandogli il polso in alto fra le scapole. Il marinaio squittì, costretto a sollevarsi sulla punta dei piedi.

« Per il latte di Maria, mastro John, si vede proprio che il sapore della sabbia vi piace. » Hal piantò un piede nudo sul dorso dell'uomo e lo mandò di nuovo lungo disteso sulla spiaggia.

« State diventando troppo abile e arrogante, mastro Hal! » Big Daniel lo raggiunse a lunghe falcate, con un'espressione accigliata e la voce burbera, come sempre quando tentava di mascherare la gioia per le prestazioni del suo allievo. « La prossima volta vi assegnerò un avversario più difficile. E fate sì che il comandante non vi senta bestemmiare, altrimenti quello che assaggerete non sarà una bella manciata di sabbia pulita. »

Continuando a ridere, assaporando la gioia della malcelata approvazione di Daniel e delle urla di incoraggiamento degli altri lottatori, Hal si avviò con andatura tronfia verso la riva della laguna, raccogliendo dell'acqua per ripulirsi dal sangue il labbro superiore.

Gesù, Giuseppe e Maria, come gli piace vincere, pensò Daniel alle sue spalle, con un sogghigno. Per quanto tenti, capitan Franky non riuscirà a domarlo. Il vecchio cane si è allevato un cucciolo dello stesso sangue.

« Quanti anni credi che abbia? » domandò Katinka alla sua cameriera, in tono riflessivo.

« Non so davvero », ribatté lei con sussiego. « È appena un bambino. »

Katinka scosse la testa, sorridendo e ricordando la sua immagine, nudo a poppa della scialuppa. «Chiedilo al nostro cane da guardia moro.»

Zelda, obbediente, si rivolse ad Aboli per chiedergli in inglese: «Quanti anni ha il ragazzo?»

«Più che sufficienti per quello che la donna vuole da lui», grugnì Aboli nella sua lingua con un cipiglio perplesso, fingendo di non capire. In quegli ultimi giorni, mentre la sorvegliava, aveva osservato quella donna dai capelli color del sole, riconoscendo lo scintillio del predatore in fondo agli occhi viola dallo sguardo innocente. Lei guardava un uomo come la mangusta guarda una bella gallina grassa, e l'atteggiamento volutamente innocente del capo era smentito dall'ondulazione lasciva dei fianchi sotto gli strati di seta colorata e di pizzo finissimo. «Una sgualdrina resta pur sempre una sgualdrina, qualunque sia il colore dei capelli, e non importa se vive in una catapecchia o nel palazzo del governatore.» La cadenza profonda della sua voce era punteggiata dagli schiocchi scanditi del suo linguaggio tribale.

Zelda si allontanò da lui con uno scatto spazientito. «Stupido animale, non capisce niente.»

Hal si allontanò dall'acqua per addentrarsi fra gli alberi, raggiungendo il ramo al quale aveva appeso la camicia che si era tolto di dosso. Aveva i capelli umidi; il torace e le spalle erano chiazzati di rosso per il contatto rude della lotta. Una guancia era ancora striata di sangue.

Mentre alzava la mano per prendere la camicia, sollevò la testa e i suoi occhi incontrarono lo sguardo viola di Katinka. Fino a quel momento era del tutto ignaro della sua presenza: la sua baldanza svanì all'istante, mentre faceva un passo indietro come se lei lo avesse schiaffeggiato a bruciapelo. Il suo viso si coprì di un cupo rossore, che cancellò le chiazze più chiare lasciate dai colpi dell'avversario.

Katinka abbassò lo sguardo con freddezza sul suo torso nudo, e lui incrociò le braccia per coprirsi, quasi vergognandosi.

«Avevi ragione, Zelda», esclamò lei con un gesto secco di congedo della mano. «È solo un ragazzetto sudicio», aggiunse in latino, per essere certa che lui capisse. Hal la seguì con lo sguardo, in preda allo sconforto, mentre lei raccoglieva le gonne per avviarsi con andatura regale sulla sabbia verso la scialuppa in attesa, imitata da Aboli e dalla cameriera.

Quella sera, mentre era disteso sul pagliericcio nella cuccetta angusta, sentì dei movimenti e udì voci e risate sommesse provenire dalla cabina adiacente. Si sollevò su un gomito, poi rammentò l'insulto che gli aveva lanciato con tanto disprezzo. «Non voglio più pensare a lei», si ripromise, ricadendo sul pagliericcio e tappandosi le orecchie con le mani per non sentire la cadenza cantilenante della sua voce. Nel tentativo di scacciarla dalla mente, cominciò a ripetere sottovoce a se stesso: «In Arcadia habito». Ma trascorse molto tempo prima che la stanchezza gli concedesse infine di scivolare in un sonno profondo, nero e senza sogni.

Nella parte interna della laguna, a quasi due miglia dal punto in cui era ancorata la Resolution, un ruscello ricco di acqua dolce e pura scorreva lungo una stretta gola rocciosa prima di gettarsi nelle acque salmastre.

Le due scialuppe, procedendo lentamente controcorrente fino allo sbocco della gola, fecero alzare dalle secche stormi interi di uccelli acquatici, che si levarono in volo in mezzo a una cacofonia di strida. Comprendevano almeno venti varietà di anatre e oche selvatiche, diverse da tutte quelle conosciute al nord, e c'erano anche altre specie, con il becco di forma strana o le zampe lunghe in modo sproporzionato, e ancora aironi, chiurli ed egrette che non somigliavano affatto alle loro controparti inglesi, grandi e colorate com'erano. Il cielo fu oscurato da un'immensa nube alata, e gli uomini si appoggiarono ai remi per fissare attoniti quella moltitudine di uccelli.

«Questa è una terra ricca di prodigi», mormorò Sir Francis, ammirando quell'incredibile ricchezza di fauna selvatica. «Eppure ne abbiamo esplorato solo una parte insignificante. Chissà quali altre meraviglie si celano oltre questa soglia, nell'interno, meraviglie sulle quali nessun occhio umano si è mai posato.»

Le parole del padre stimolarono la fantasia di Hal, evocando ancora una volta le immagini di draghi e di mostri disegnate sulle carte che aveva studiato.

«Vogate!» ordinò il padre, e i marinai si chinarono di nuovo sui lunghi remi. Loro due erano soli nella barca di testa, e Sir Francis spingeva il remo di dritta con una lunga vogata potente che eguagliava quella instancabile di Hal. In mezzo ai due c'erano le botti dell'acqua vuote, poiché lo scopo apparente di quella spedizione all'interno della laguna era fare rifornimento di acqua potabile. Il vero motivo, però, giaceva sul fondo della barca, ai piedi di Sir Francis. Durante la notte, Aboli e Big Daniel avevano portato via dalla cabina i sacchi di tela pieni di monete e le casse di lingotti d'oro, nascondendoli sotto l'incerata sul fondo dell'imbarcazione. A prua avevano accatastato cinque barilotti di polvere e un assortimento di armi catturate insieme con il tesoro del galeone: sciabole, pistole e moschetti, oltre ad alcuni sacchetti di cuoio pieni di proiettili di piombo.

Li seguivano da vicino, con la seconda scialuppa, Ned Tyler, Big Daniel e Aboli, i tre uomini dell'equipaggio nei quali Sir Francis riponeva maggiore fiducia. Anche la loro barca era carica di botti per l'acqua.

Una volta risalito per un buon tratto il corso d'acqua, Sir Francis smise di remare per protendersi ad attingere una sorsata d'acqua e assaggiarla, dopodiché annuì soddisfatto. «Pura e dolce.» Lanciò un richiamo a Ned Tyler. «Cominciate pure a riempire qui. Hal e io risaliremo la corrente.»

Mentre Ned virava verso la riva, lungo la gola rocciosa echeggiò rimbombando una sorta di latrato selvaggio, e tutti alzarono la testa di scatto. «Che razza di creature sono queste? Sono forse uomini?» domandò Ned. «Una specie di bizzarri nani ricoperti di peli?» Nella sua voce s'insinuò un timore reverenziale, mentre fissava la schiera di sagome quasi umane che orlavano il precipizio sopra di loro.

«Scimmie», rispose Sir Francis restando immobile sul remo. «Come quelle della costa dei barbari.»

Aboli ridacchiò, prima di rovesciare la testa all'indietro per imitare alla perfezione il grido di sfida del babbuino maschio che guidava il branco. A quel suono, quasi tutti gli animali più giovani fecero un balzo, allontanandosi innervositi lungo il ciglio dell'abisso.

L'enorme maschio, invece, accettò la sfida. Alzandosi in posizione eretta sull'orlo del baratro, spalancò la bocca rivelando una dentatura bianca e spaventosa. Rinfrancati da quell'esibizione, alcuni dei giovani tornarono indietro, cominciando a lanciare su di loro dall'alto sassi e detriti, tanto che gli uomini furono costretti a chinarsi per schivare la pioggia di proiettili.

«Sparate un colpo per scacciarli», ordinò Sir Francis.

«La distanza è lunga.» Daniel prese il moschetto che portava ad armacollo, soffiando sull'estremità ardente della miccia mentre sistemava il calcio dell'arma contro la spalla. La fragorosa esplosione echeggiò nella stretta gola fra le rocce, e tutti scoppiarono a ridere di fronte alla pantomima del branco di babbuini, che si lasciarono prendere dal panico. Il proiettile staccò una scheggia dall'orlo della piattaforma rocciosa, e i più giovani del gruppo fecero una capriola all'indietro per lo shock, mentre le madri afferravano la prole, mettendola al riparo sotto il ventre e rifugiandosi frettolosamente più in alto sulla parete di roccia; persino il maschio coraggioso rinunciò alla propria dignità per unirsi alla fuga per la salvezza. In pochi secondi, la roccia fu deserta, mentre si affievolivano i suoni prodotti dagli animali terrorizzati che si ritiravano.

Aboli balzò oltre il bordo, immergendosi nel fiume fino alla cintola e trascinando la barca a riva, mentre Daniel e Ned toglievano lo zipolo alle botti per riempirle. Sir Francis e Hal, a bordo dell'altra barca, si chinarono sui remi per risalire la corrente. Circa mezzo miglio più avanti, il fiume si restringeva bruscamente e le pareti rocciose ai lati diventavano più ripide. Sir Francis si fermò per fare il punto, poi si diresse sotto la parete che dominava la riva, ormeggiando la prua al ceppo d'albero che sporgeva da una fenditura nella roccia. Lasciando Hal a bordo, saltò sulla stretta cornice rocciosa sotto la parete e cominciò a risalire il pendio. Non si vedeva alcun sentiero, ma Sir Francis si spostava con sicurezza da un appiglio all'altro. Hal lo guardava con orgoglio: ai suoi occhi, il padre era un vecchio, dal momento che doveva aver superato da tempo la venerabile età di quarant'anni, eppure si arrampicava con vigore e agilità. D'improvviso, una cinquantina di piedi più in alto del fiume, raggiunse una cengia invisibile dal basso e procedette cautamente su di essa per alcuni passi. Quindi s'inginocchiò per esaminare la stretta fenditura nella parete rocciosa; l'apertura era ostruita da rocce compatte, e lui sorrise di sollievo nel vedere che erano esattamente come le aveva lasciate, quasi un anno prima. Con cura le estrasse dallo squarcio per ammonticchiarle da parte, finché l'apertura non fu abbastanza larga da consentirgli di passare strisciando.

La caverna che si apriva più avanti era immersa nell'oscurità, ma Sir Francis si alzò in piedi, allungando la mano verso un ripiano di roccia sopra la sua testa, tastandolo in cerca della pietra focaia e dell'acciarino che vi aveva lasciato. Accesa la candela che aveva portato con sé, si guardò attorno.

Non era stato toccato nulla dopo la sua ultima visita. Contro la parete in fondo c'erano cinque casse: si trattava del bottino ricavato dalla *Heerlige Nacht*, per lo più argenteria e centomila *gulden* in monete, destinati al pagamento della guarnigione olandese di Batavia. Accanto all'ingresso era accumulato un mucchio di materiale, e Sir Francis si mise subito al lavoro. Ci volle quasi mezz'ora per sistemare la pesante trave di legno in modo che fungesse da cavalletto, installandola sulla cengia all'esterno dell'entrata della caverna, e poi calare il paranco fino alla scialuppa ormeggiata in basso.

« Assicura la prima cassa! » gridò rivolto a Hal.

Il figlio la legò e il padre la issò in alto, con la carrucola che strideva a ogni tratto di corda. La cassa scomparve, e pochi minuti dopo l'estremità della cima ricadde penzoloni in un punto dove Hal poteva raggiungerla; dopodiché legò la seconda cassa.

Ci volle più di un'ora per trasferire sulla cengia tutti i lingotti e i sacchi di monete e accatastarli in fondo alla caverna, poi attaccarono a lavorare sui barilotti di polvere e i fasci di armi. L'ultimo oggetto che fu issato era anche il più piccolo: una cassetta in cui Sir Francis aveva chiuso una bussola e un ottante, un rotolo di carte prese dalla *Standvastigheid*, pietra focaia e acciarino, un assortimento completo di strumenti da chirurgo avvolti in un rotolo di tela e un corredo di altri arnesi che potevano rappresentare la differenza fra la sopravvivenza o una morte lenta per un gruppo di uomini isolati su quella costa selvaggia e inesplorata.

« Vieni su, Hal », gridò alla fine Sir Francis, e il figlio risalì la parete rocciosa con la velocità e la disinvoltura di un giovane babbuino.

Quando raggiunse il padre, lo trovò comodamente seduto sulla stretta cengia, con i piedi penzoloni nel vuoto; fra le mani teneva la pipa col cannello d'argilla e il sacchetto del tabacco.

« Dammi una mano, ragazzo. » Con la pipa ancora vuota, indicò la fenditura verticale nella parete di roccia. « Richiudila. »

Hal dedicò un'altra mezz'ora ad accumulare di nuovo le rocce all'ingresso, per mascherarlo e scoraggiare gli intrusi. C'erano poche probabilità che qualche uomo trovasse il nascondiglio in quella gola deserta, ma lui e suo padre sapevano che i babbuini sarebbero tornati, e quegli animali erano curiosi e maligni come qualsiasi essere umano.

Quando Hal fece per ridiscendere la parete, Sir Francis lo trattenne, posandogli una mano sulla spalla. « Non c'è fretta. Gli altri non avranno ancora finito di riempire d'acqua le botti. »

Rimasero seduti in silenzio sulla roccia, mentre Sir Francis caricava la pipa, tirando dolcemente una boccata, e poi chiedeva, attraverso una nube di fumo azzurrino: « Che cosa ho fatto, quassù? »

« Avete nascosto la nostra parte del tesoro. »

« Non soltanto la nostra parte, ma anche quella della corona e di tutti gli uomini a bordo », lo corresse Sir Francis. « Ma per quale motivo l'ho fatto? »

« Oro e argento rappresentano una tentazione anche per un uomo onesto. » Hal ripeté la lezione che il padre gli aveva inculcato tante volte.

« Non posso fidarmi del mio equipaggio? » chiese Sir Francis.

« Se non ti fidi di nessuno, nessuno potrà deluderti », rispose Hal ripetendo la lezione.

« E tu lo credi? » Sir Francis si voltò a scrutarlo in viso mentre rispondeva, e Hal esitò. « Hai fiducia in Aboli? »

« Sì, in lui sì », ammise Hal con riluttanza, come se fosse un peccato.

« Aboli è un brav'uomo, non c'è nessuno migliore di lui. Eppure vedi che non porto neppure lui in questo luogo. » Dopo una breve pausa, domandò: « Hai fiducia in me, ragazzo? »

« Naturalmente. »

« E perché? Senza dubbio non sono che un uomo, e ti ho detto di non fidarti di nessun uomo. »

« Perché siete mio padre e io vi amo. »

Gli occhi di Sir Francis si rannuvolarono, mentre abbozzava il gesto di accarezzargli la guancia; poi sospirò, lasciando ricadere la mano e guardando verso il fiume ai loro piedi. Hal si aspettava quasi che il padre criticasse la sua risposta, ma non fu così; poco dopo Sir Francis gli rivolse un'altra domanda. « E gli altri materiali che ho nascosto qui? La polvere, le armi, le carte e così via? Perché li ho lasciati quassù? »

« Per precauzione contro un futuro incerto », rispose con prontezza Hal, che aveva sentito tante volte la risposta. « La volpe astuta prevede molte uscite per la sua tana. »

Sir Francis assentì. « Tutti noi che navighiamo nella guerra di corsa siamo sempre in pericolo. Un giorno, quelle poche casse potrebbero significare la salvezza per noi. »

Tacque di nuovo, fumando gli ultimi residui di tabacco che

aveva nel fornello della pipa, poi disse a bassa voce: «Se Dio sarà misericordioso, verrà il tempo, forse non troppo lontano, in cui questa guerra con gli olandesi finirà. Allora torneremo qui a prendere il bottino prima di tornare a casa, a Plymouth. Da molto tempo sogno di possedere il maniero di Gainesbury, che sorge nella High Weald...» S'interruppe, come se non osasse sfidare il fato con simili fantasticherie. «Se dovesse accadermi qualcosa, è necessario che tu sappia e ricordi dove ho immagazzinato il premio che ci spetta. Sarà la mia eredità per te.»

«Non sia mai!» esclamò agitato Hal. Era una preghiera più che un'affermazione: non poteva immaginare un'esistenza che non fosse dominata da quella figura autoritaria.

«Nessuno è immortale», replicò Sir Francis con dolcezza. «Siamo tutti mortali di fronte a Dio.» Stavolta lasciò per un attimo la mano destra sulla spalla di Hal. «Vieni, ragazzo. Dobbiamo ancora riempire le botti d'acqua caricate sulla barca prima che faccia buio.»

Quando le due scialuppe tornarono indietro attraverso la laguna, che si andava oscurando, Aboli aveva preso il posto di Sir Francis come rematore, e ora il padre di Hal sedeva a poppa con un'espressione seria e distante, avvolto in un mantello di lana scura per proteggersi dal freddo della sera. Rivolto verso di lui mentre manovrava uno dei lunghi remi, Hal studiava di sottecchi il padre: la loro conversazione all'imbocco della caverna lo aveva turbato, ispirandogli un presentimento di sciagura.

Intuì che, dopo aver gettato l'ancora nella laguna, suo padre aveva tracciato il proprio oroscopo. Lui aveva visto aperta sulla scrivania della sua cabina la carta dello zodiaco, ricoperta di annotazioni arcane; questo avrebbe spiegato il suo stato d'animo chiuso e introspettivo. Come aveva detto Aboli, gli astri erano suoi figli, e lui conosceva i loro segreti.

D'improvviso, il padre alzò la testa, come se fiutasse la fresca aria serale. Poi cambiò espressione, osservando l'orlo della foresta; nessun pensiero cupo poteva tenerlo assorto al punto da non prestare attenzione all'ambiente che lo circondava.

«Aboli, portaci a riva, per favore.»

Diressero la scialuppa verso la spiaggia stretta, e la seconda barca li seguì. Quando furono balzati tutti a terra, Sir Francis impartì un ordine sommesso. «Prendete le armi e seguitemi, ma in silenzio. »

Li guidò nella foresta, insinuandosi furtivamente attraverso la vegetazione del sottobosco, finché non sbucarono di colpo su un sentiero battuto. Dopo aver lanciato un'occhiata indietro, per accertarsi che lo seguissero, si affrettò ad avanzare.

Hal era sconcertato dal comportamento del padre finché non fiutò nell'aria una traccia di fumo di legna e notò per la prima volta la nebbia azzurrina che aleggiava intorno alla cima degli alberi della foresta. Doveva essere stata quella ad allarmare il padre.

D'improvviso Sir Francis sbucò in una piccola radura nella foresta, fermandosi di colpo. I quattro uomini che erano già lì non lo avevano notato: due erano stesi a terra, inerti come cadaveri su un campo di battaglia, uno con le dita immobili ancora strette intorno a una tozza bottiglia marrone lavorata a mano, l'altro con un filo di saliva che gli colava dall'angolo della bocca mentre russava.

Gli altri due erano del tutto assorti nella contemplazione dei mucchietti di *gulden* d'argento e dei dadi d'avorio in mezzo a loro. Uno raccolse i dadi, scuotendoli accanto all'orecchio, prima di lanciarli sul tratto di terreno scoperto. «Madre di un porco! » ringhiò. «Questo non è il mio giorno fortunato. »

«Non dovresti parlare male della scrofa che ti ha messo al mondo », replicò Sir Francis con voce sommessa. «Ma per il resto hai detto la verità: questo non è il tuo giorno fortunato. »

I due alzarono la testa verso il loro comandante con un'espressione di incredulità inorridita, ma non fecero il minimo tentativo di fuggire o di resistere, mentre Daniel e Aboli li trascinavano in piedi, legandoli fra loro con una fune intorno al collo, alla maniera dei negrieri.

Sir Francis si avvicinò per ispezionare la distilleria clandestina all'estremità opposta della radura. Avevano usato una pentola nera di ferro per far bollire la poltiglia fermentata di vecchie gallette e bucce di patate, mentre tubi di rame sottratti alle provviste della nave facevano da serpentina. Rovesciò il tutto con un calcio e l'alcol incolore prese fuoco sulle fiamme del braciere di carbone sul quale era posata la pentola. Sotto l'albero di legno giallo era allineata una fila di bottiglie piene, tappate con fasci di foglie. Le raccolse una alla volta, scagliandole contro il tronco dell'albero, e i vapori che si levarono erano tanto

pungenti da fargli lacrimare gli occhi. Poi tornò verso il punto
in cui Daniel e Ned avevano riscosso gli ubriachi dal loro torpore a forza di calci, trascinandoli attraverso la radura per legarli
agli altri prigionieri.

« Concederemo loro un giorno di tempo per smaltire la sbor-
nia, mastro Ned. Poi, domani, all'inizio del turno del pomeriggio, farete riunire l'equipaggio per assistere alla loro punizione. » Lanciò un'occhiata a Big Daniel. « Conto su di voi per far
cantare il gatto a nove code, mastro Daniel. »

« Per favore, comandante, non volevamo fare niente di male.
Solo concederci un piccolo spasso. » Tentarono di strisciare
verso di lui, ma Aboli li trattenne come cani al guinzaglio.

« Non vi negherò il vostro spasso », ribatté Sir Francis, « se
voi non mi negherete il mio. »

Il carpentiere aveva rovesciato sul cassero una fila di cavalletti,
legando su di essi gli ubriachi e giocatori d'azzardo per i polsi e
per le caviglie. Big Daniel camminò lungo la fila strappando le
camicie dal collo alla cintola, in modo da mettere allo scoperto
il dorso. Erano legati come maiali sul retro di un carretto del
mercato.

« Tutti gli uomini a bordo sanno perfettamente che non ammetto ubriachezza e gioco d'azzardo, perché sono entrambi
un'offesa e un abominio agli occhi del Signore. » Sir Francis si
rivolse alla compagnia adunata, schierata solennemente a mezza
nave. « Tutti gli uomini a bordo sanno qual è la pena: cinquanta
colpi di gatto a nove code. » S'interruppe, osservando i loro volti. Cinquanta colpi della frusta di cuoio annodata potevano rendere un uomo invalido per tutta la vita; cento colpi erano una
sentenza di morte, tanto certa quanto orribile. « Si sono guadagnati tutti i cinquanta colpi. Tuttavia, ricordo che questi quattro
furfanti si sono battuti bene su questo stesso ponte, quando abbiamo catturato il vascello. Ci aspettano ancora duri combattimenti, e gli invalidi non mi servono a niente quando fumano le
colubrine e viene il momento di sguainare le sciabole. »

Fece una pausa per osservarli, vedendo il terrore della frusta
nei loro occhi, mescolato al sollievo di non essere loro quelli legati ai cavalletti. A differenza dei comandanti di molte navi corsare, e persino di alcuni cavalieri dell'ordine, Sir Francis non ricavava alcun piacere da quella punizione; ma al tempo stesso

non si sottraeva alla necessità. Comandava una nave piena di uomini rudi e ribelli, che aveva scelto uno a uno per la loro ferocia, e che potevano interpretare ogni manifestazione di indulgenza come una debolezza.

«Sono un uomo misericordioso», aggiunse rivolto agli uomini, e qualcuno sul fondo ridacchiò in tono di derisione. Sir Francis s'interruppe, fulminando il responsabile con un'occhiata truce. Quando il colpevole abbassò la testa, strascicando i piedi sulle assi, riprese a parlare: «Ma questi furfanti mettono a dura prova la mia misericordia».

Si rivolse a Big Daniel, fermo accanto al primo cavalletto. Era a torso nudo, e i grossi muscoli gonfi sulle braccia e sulle spalle spiccavano in tutta la loro potenza. Si era legato i lunghi capelli brizzolati dietro la nuca con una striscia di tessuto, e dal pugno segnato di cicatrici le cinghie di cuoio del gatto a nove code pendevano fino alle assi del ponte.

«Quindici a testa, mastro Daniel», ordinò Sir Francis, «ma pettinate bene il gatto a nove code fra un colpo e l'altro.»

Se le dita di Daniel non avessero separato le code della frusta dopo ogni colpo, il sangue le avrebbe saldate insieme e indurite, trasformandole in uno scudiscio capace di tagliare la pelle umana come la lama di una spada. Anche quindici colpi soltanto, con un gatto a nove code non pettinato, avrebbero staccato le carni dal dorso dei condannati fino a mettere a nudo le vertebre della spina dorsale.

«E quindici siano, comandante», replicò Daniel che, scuotendo la frusta per separare la cinghie annodate, si accostò alla prima vittima, che torse la testa all'indietro per guardarlo di sopra la spalla, col viso sbiancato dalla paura.

Daniel levò il braccio in alto, lasciando ricadere la frusta dietro la spalla, poi, con una grazia insolita in un uomo tanto massiccio, si piegò in avanti e la frusta sibilò come il vento tra le foglie di un albero alto, prima di abbattersi con violenza sulla pelle nuda.

«Uno!» intonò l'equipaggio all'unisono, e la vittima gridò, lanciando una nota acuta di shock e sofferenza. Il gatto a nove code lasciò impresso sul suo dorso un disegno grottesco, in cui ogni linea rossa era punteggiata da una fila di stelle di un color cremisi più intenso, nei punti in cui i nodi avevano spaccato la pelle. Somigliava al segno lasciato dai tentacoli velenosi della medusa di fuoco.

Daniel pettinò la frusta, e le dita della mano sinistra si macchiarono di sangue fresco.

«Due!» Gli spettatori contavano, e l'uomo strillò di nuovo, dibattendosi fino a tendere i legacci, eseguendo una danza di dolore con le dita dei piedi che tamburellavano sulle assi del ponte.

«Si interrompa il castigo!» gridò Sir Francis, notando una certa agitazione in cima alla scaletta che scendeva verso le cabine di poppa. Daniel abbassò obbediente la frusta, aspettando mentre Sir Francis si dirigeva verso la scaletta.

Dalla mastra del boccaporto emerse il cappello piumato del governatore van de Velde, seguito dal suo faccione grasso e congestionato. L'olandese si fermò al sole, ansimando e tamponandosi la pappagorgia con un fazzoletto di seta prima di guardarsi attorno. Il suo viso si ravvivò nel vedere gli uomini legati alla fila di cavalletti. «*Ja! Goed!* Vedo che non siamo arrivati troppo tardi», commentò soddisfatto.

A breve distanza da lui, Katinka emerse dal boccaporto a passi leggeri e impazienti, sollevando le gonne appena quanto bastava per scoprire le scarpette di raso ricamate con perline di fiume.

«Buon giorno, *mjnheer*», disse Sir Francis, accogliendo il governatore con un inchino formale. «Siamo riuniti qui per impartire una punizione. Non è uno spettacolo adatto agli occhi di una signora di rango come vostra moglie.»

«Insomma, comandante», ribatté Katinka, intervenendo in tono leggero, «non sono una bambina. Sa il cielo se a bordo di questa nave scarseggiano le distrazioni. Vi basti sapere che non ricevereste alcun riscatto, se io dovessi morire di noia.» Batté un colpetto col ventaglio sul braccio di Sir Francis, ma lui si sottrasse a quel contatto condiscendente, rivolgendosi di nuovo al marito.

«*Mjnheer*, penso che dovreste riportare vostra moglie nella sua cabina.»

Katinka s'interpose fra loro come se il comandante non avesse parlato, ordinando a Zelda, che la seguiva: «Sistema lo sgabello lì all'ombra». Allargò le gonne, sedendosi sullo sgabello e rivolgendosi a Sir Francis con un broncio grazioso: «Me ne starò qui, così tranquilla che non vi accorgerete nemmeno della mia presenza».

Sir Francis fulminò con lo sguardo il governatore, ma van de

Velde allargò le mani grassocce in un gesto teatrale di impoten-za. « Sapete com'è, *mjnheer*, quando una bella donna s'incapo-nisce a volere qualcosa. » Mettendosi alle spalle di Katinka, le posò sulla spalla una mano fiera e indulgente.

« Non posso ritenermi responsabile per la sensibilità di vo-stra moglie, nel caso dovesse restare urtata dallo spettacolo », lo ammonì Sir Francis in tono truce, sollevato al pensiero che al-meno i suoi uomini non potevano comprendere quello scambio di battute in olandese, e quindi rendersi conto che aveva dovu-to cedere alle pressioni dei prigionieri.

« Penso che non dobbiate preoccuparvi troppo. Mia moglie ha lo stomaco forte », mormorò van de Velde. Durante il loro viaggio ufficiale a Ceylon e Trincomalee, la donna non si era la-sciata sfuggire nessuna delle esecuzioni che si svolgevano rego-larmente sul campo di manovre del forte. A seconda della natu-ra del reato commesso, quelle punizioni variavano dalla morte sul rogo alla marchiatura a fuoco, all'esecuzione capitale per mezzo della garrotta e alla decapitazione. Persino nei giorni in cui aveva sofferto terribili dolori inflitti dalla febbre *dengue*, che spezza le ossa, e secondo le prescrizioni dei medici sarebbe do-vuta restare a letto, la sua carrozza era rimasta sempre parcheg-giata al solito posto, in vista del patibolo.

« Allora la responsabilità sarà vostra, *mjnheer*. » Sir Francis gli rivolse un cenno brusco, facendo segno a Daniel di ricomin-ciare.

« Procedete pure con la punizione », ordinò. Daniel riportò indietro la frusta, sollevandola in alto sopra la spalla, e i tatuaggi colorati che gli decoravano il massiccio bicipite fremettero di vi-ta propria.

« Tre! » intonò in coro l'equipaggio, mentre la frusta cantava e crepitava.

Katinka s'irrigidì, protesa leggermente in avanti sullo sga-bello.

« Quattro! » Sussultò allo schiocco della frusta e all'alto gri-do di dolore che lo seguì, e pian piano il suo viso divenne palli-do come la cera di una candela.

« Cinque! » Sottili rivoletti scarlatti serpeggiarono sul dorso dell'uomo, inzuppando la cintura delle brache di tela. Katinka lasciò che le lunghe ciglia dorate calassero a metà per nasconde-re lo scintillio degli occhi viola.

« Sei! » Sentendosi colpire da una gocciolina di liquido, simile a una goccia di calda pioggia tropicale, Katinka distolse gli occhi dal corpo che si torceva gemendo sul cavalletto, per abbassarli sulla mano aggraziata.

Una goccia di sangue, sprizzata dalla frusta insanguinata, le era finita sull'indice e splendeva sulla pelle candida come un rubino incastonato in un anello prezioso. Lei la coprì con l'altra mano chiusa a coppa, nascondendola in grembo mentre lanciava un'occhiata furtiva ai volti che la circondavano. Gli occhi di tutti erano fissi sul terribile spettacolo che avevano davanti e da cui erano letteralmente stregati. Nessuno aveva visto la goccia di sangue colpirla, nessuno la guardava in quel momento.

Si portò la mano alle labbra morbide e tumide, come in un gesto involontario di costernazione: la punta rosea della lingua dardeggiò, leccando la gocciolina dal dito, e lei assaporò il gusto metallico e salmastro del sangue. Le ricordò lo sperma di un amante, e sentì l'umida viscosità sgorgarle fra le gambe, cosicché le cosce, quando le sfregò, scivolarono l'una contro l'altra, come anguille che si accoppiassero.

Ci sarebbe stata penuria di alloggi, a terra, mentre la *Resolution* veniva tirata in secco sulla spiaggia per ripulire la chiglia dalle alghe ed esaminarla in cerca delle tracce di teredini.

Sir Francis incaricò Hal di costruire il recinto che doveva accogliere gli ostaggi, e lui dedicò particolare cura alla capanna che avrebbe ospitato la moglie del governatore, rendendola spaziosa e confortevole e collocandola in disparte, al sicuro dagli animali selvaggi. Poi fece innalzare dagli uomini uno steccato di rami spinosi che circondava tutto il recinto dei prigionieri.

Quando l'oscurità della sera pose fine al primo giorno di lavoro, scese alla spiaggia della laguna per immergersi nelle acque calde e salmastre, poi si deterse il corpo con manciate di sabbia umida fino a far formicolare la pelle. Eppure si sentiva ancora insudiciato dal ricordo delle fustigazioni alle quali era stato costretto ad assistere al mattino. Solo quando sentì l'aroma invitante delle gallette calde che fluttuava nell'aria dalla cambusa della nave il suo umore cambiò e, infilandosi le brache, corse lungo la spiaggia per saltare a bordo della scialuppa proprio nel momento in cui si staccava dalla spiaggia.

Mentre lui era a riva, il padre aveva scritto sulla lavagna una serie di problemi di navigazione da fargli risolvere. Hal si ficcò la lavagna sotto il braccio, afferrò un boccale di peltro pieno di birra a bassa gradazione e una scodella di zuppa di pesce, dopodiché, con una galletta calda fra i denti, scese di corsa la scala fino alla sua cabina, l'unico posto a bordo della nave dove poteva restare solo per concentrarsi sul compito da svolgere.

Tutt'a un tratto alzò la testa, sentendo versare del liquido nella cabina accanto. Aveva notato i secchi d'acqua dolce di fiume messi a scaldare sul fuoco di carbone della cambusa, e ne aveva riso quando il cuoco si era lamentato, amareggiato perché il suo focolare veniva usato per scaldare l'acqua del bagno. Ora Hal sapeva per chi erano stati preparati quei secchi fumanti. Attraverso il pannello di legno gli giunse la voce gutturale di Zelda che arringava Oliver, il valletto di suo padre. La risposta di Oliver fu brutale: «Non capisco una parola di quello che dici, vecchia strega maligna, ma, se non ti sta bene così, puoi riempirtela da sola, quella fottuta vasca».

Hal sogghignò fra sé, per metà divertito e per metà pregustando il resto, mentre spegneva la lampada e s'inginocchiava per togliere il cuneo di legno dallo spioncino. Vide che la cabina era inondata di vapore acqueo, che appannava lo specchio sulla parete opposta consentendogli di vedere solo una parte della cabina. Quando applicò l'occhio all'apertura, Zelda stava mettendo alla porta Oliver.

«E va bene, vecchia baldracca!» la stuzzicò Oliver, portando fuori i secchi vuoti. «Di tutto quello che hai da offrire, niente mi tratterrebbe qui dentro un minuto di più.»

Appena uscito Oliver, Zelda passò nella cabina principale e Hal la sentì parlare con la padrona. Un minuto dopo, scortò oltre la porta Katinka, che si soffermò vicino alla vasca fumante per saggiare con le dita la temperatura dell'acqua e, lanciando una brusca esclamazione, ritirò di scatto la mano. Zelda si affrettò ad accorrere, scusandosi, per versare acqua fredda dal secchio posto accanto al bagno. Katinka saggiò di nuovo la temperatura, stavolta con approvazione, prima di andare a sedersi sullo sgabello. Zelda la raggiunse fermandosi alle sue spalle, poi sollevò con le mani la splendida massa scintillante di capelli per raccoglierla in cima alla testa e appuntarla così, come un covone di grano maturo.

Katinka si protese in avanti e, con la punta delle dita, ripulì un piccolo tratto sulla superficie appannata dello specchio per esaminare la propria immagine in quella finestrella limpida. Tirò fuori la lingua in cerca di eventuali tracce di patina bianca, ma era rosea come un petalo di rosa; poi spalancò gli occhi per scrutarli in profondità, sfiorando la pelle con i polpastrelli. «Guarda queste rughe orribili!» si lamentò.

Zelda negò con veemenza. «Ma se non ne avete neanche una!»

«Non voglio diventare vecchia e brutta.» L'espressione di Katinka era tragica.

«Allora fareste bene a morire adesso. È l'unico modo per evitarlo.»

«Che cosa orribile! Sei molto crudele con me», protestò Katinka.

Hal non riusciva a capire che cosa dicessero, ma il tono di quella voce lo toccò nel profondo del suo essere.

«Suvvia, ora», la sgridò Zelda. «Sapete bene che siete bellissima.»

«Davvero, Zelda? Lo pensi davvero?»

«Sì. E anche voi.» Zelda la sollevò in piedi. «Ma se adesso non fate il bagno, avrete anche una bellissima puzza addosso.»

Le slacciò la vestaglia prima di girarle intorno per sfilargliela dalle spalle, mentre Katinka restava in piedi, nuda, davanti allo specchio. Il gemito involontario di Hal fu attutito dallo spessore del pannello e dai rumori naturali della nave.

Dal collo snello alle caviglie minuscole, il corpo della donna disegnava tutta una linea ininterrotta, di una bellezza abbagliante. Le natiche si gonfiavano in due globi perfettamente simmetrici, come un paio di quelle uova di struzzo che Hal aveva visto in vendita nei mercati di Zanzibar, e dietro le ginocchia c'erano due fossette infantili che le conferivano un'aria vulnerabile.

L'immagine nello specchio appannato era indistinta, e non poteva trattenere a lungo la sua attenzione, ma Katinka, voltando le spalle allo specchio, si girò verso di lui, e lo sguardo di Hal corse subito ai seni, grandi per quelle spalle sottili. Erano in grado di riempire le mani chiuse a coppa, anche se non perfettamente rotondi come si era aspettato.

Li fissò finché i suoi occhi non cominciarono a lacrimare e infine fu costretto a battere le palpebre. Allora lasciò scivolare lo sguardo in basso, verso la lieve ma affascinante sporgenza del ventre e la nube leggera di riccioli sottili che si annidavano fra le cosce, investiti dalla luce della lampada che li faceva scintillare come oro zecchino.

Lei rimase così a lungo, più a lungo di quanto Hal avesse osato sperare, fissando l'acqua della vasca dove Zelda versava olio profumato da un flacone di cristallo, inginocchiandosi poi per agitarla con la mano. Katinka restò in piedi, appoggiando tutto il peso su una gamba, cosicché il bacino appariva inclinato con un'angolazione deliziosa, e un lieve sorriso aleggiò sulle sue labbra mentre sollevava lentamente una mano per stringere uno dei capezzoli fra il pollice e l'indice. Per un attimo Hal ebbe l'impressione che lo guardasse negli occhi, e cominciò a ritrarsi dallo spioncino con un senso di colpa. Poi capì che era un'illusione, perché lei abbassò gli occhi per guardare la piccola bacca tumida che sporgeva rosea fra le sue dita.

La soffregò leggermente, spostandola avanti e indietro, e sotto gli occhi sbalorditi di Hal il capezzolo cominciò a cambiare forma e colore, ingrossandosi e diventando duro, di un colore più intenso. Non avrebbe mai immaginato nulla di simile, non avrebbe mai creduto che quel piccolo prodigio potesse colmarlo di rispetto, anziché straziarlo con gli artigli del desiderio.

Zelda alzò la testa dal bagno che stava preparando e, nel vedere quello che faceva la sua padrona, si lasciò sfuggire un severo rimprovero. Katinka scoppiò a ridere, mostrandole la lingua, poi abbassò la mano ed entrò nella vasca, sprofondando con un sospiro soddisfatto nell'acqua calda e profumata, finché rimase visibile solo la massa folta di capelli d'oro raccolti sulla nuca.

Zelda si affaccendava intorno a lei, spalmando il sapone su una pezzuola di flanella, insaponando e risciacquando, mormorando vezzeggiativi e ridacchiando alle risposte della padrona. Tutt'a un tratto si tirò indietro, sedendosi sui talloni, e impartì un altro ordine, in risposta al quale Katinka si alzò in piedi, lasciando scorrere lungo il corpo rivoli di acqua saponosa. Ora voltava le spalle a Hal, e la rotondità del fondo schiena splendeva rosea per il calore dell'acqua. Obbedendo alle istruzioni di Zelda, si mosse docilmente per lasciarsi insaponare le gambe dalla vecchia, una alla volta.

Infine Zelda si alzò in piedi, tutta anchilosata, uscendo dalla cabina. Non appena fu uscita, Katinka, ancora in piedi nella vasca, lanciò un'occhiata all'indietro e Hal ebbe di nuovo l'illusione che lo guardasse direttamente negli occhi. Fu solo un attimo, poi lei si chinò in avanti con un movimento lento e voluttuoso, che modificava la forma delle natiche, e protese le mani all'indietro, posandone una su ciascuna delle natiche rosee e luminose per allargarle appena. Stavolta Hal non riuscì a reprimere il gemito di estasi che gli salì alle labbra quando la profonda fenditura si aprì al suo sguardo febbrile.

Zelda rientrò affaccendata nella cabina, portando una bracciata di asciugamani, e Katinka si raddrizzò, mentre il solco incantato si richiudeva di colpo, tornando a celare i suoi segreti agli occhi di Hal. Lei uscì dalla vasca e Zelda la coprì con un asciugamano che scendeva dalle spalle alle caviglie, poi sciolse il nodo dei capelli raccolti per spazzolarli e riunirli in una grossa treccia dorata. Restando alle spalle di Katinka, le porse la vestaglia in modo che potesse infilare le braccia nelle maniche, ma Katinka scosse la testa, lanciando un ordine perentorio. Zelda protestò, ma Katinka insistette e la cameriera gettò la vestaglia sullo sgabello, lasciando la cabina in preda alla collera.

Quando fu uscita, Katinka lasciò cadere l'asciugamano sul pavimento, dirigendosi verso la porta per inserire il chiavistello; poi tornò indietro, uscendo dalla visuale di Hal.

Lui vide solo confusamente un lampo roseo che si muoveva nello specchio appannato, ma non capì con certezza che cosa facesse finché le labbra di lei non si accostarono al suo spioncino dal lato opposto, in modo improvviso e sconcertante, e Katinka gli sibilò in tono crudele: «Piccolo pirata schifoso!» Parlava in latino, e lui si ritrasse come se gli avesse gettato in faccia una pentola di acqua bollente.

Pur nella confusione, però, l'offesa lo aveva punto sul vivo, e rispose senza riflettere: «Non sono un pirata. Mio padre porta lettere di corsa».

«Non ti azzardare a contraddirmi.» Confusa, lei oscillava fra il latino, l'olandese e l'inglese, ma il suo tono era brusco e tagliente come una staffilata.

Ancora una volta, Hal si sentì spinto a ribattere: «Non intendevo offendervi».

«Quando il mio nobile marito scoprirà che mi stavi spiando, andrà da quel pirata di tuo padre, e ti faranno frustare sul cavalletto proprio come quegli uomini stamattina.»

«Non vi stavo spiando...»

«Bugiardo!» Lei non lo lasciò finire. «Sporco pirata bugiardo.» Per un attimo era rimasta a corto di fiato e di insulti.

«Volevo soltanto...»

La collera di lei si era riaccesa. «Lo so che cosa volevi. Volevi guardare la mia *katjie*...» Hal sapeva che quella era la parola olandese che significava « gattina ». « ... e poi volevi prendere in mano l'uccello e menartelo... »

« No! » Hal gridò quasi. Come aveva fatto a scoprire il suo vergognoso segreto? Era avvilito e mortificato.

« Zitto, altrimenti Zelda ti sentirà », sibilò di nuovo lei. « Se ti sorprendono, per te ci sarà la frusta. »

« Vi prego », rispose lui in un sussurro. « Non avevo cattive intenzioni. Vi prego di perdonarmi. Non volevo farlo. »

« Allora dimostralo. Prova la tua innocenza. Mostrami il tuo uccello... »

« Non posso. » La voce di Hal era incrinata dalla vergogna.

« Alzati in piedi e accostalo allo spioncino, così potrò vedere se menti. »

« No, vi prego, non chiedetemi questo. »

« Presto, altrimenti griderò per chiamare mio marito. »

Lui si alzò lentamente in piedi. Lo spioncino era quasi all'altezza dell'inguine, che sentiva pulsare dolorosamente.

« Ora fammi vedere. Apri le brache », incalzò la voce, incitandolo.

Con gesti lenti, consumato dalla vergogna e dall'imbarazzo, lui obbedì, ma prima ancora che le aprisse del tutto il pene si drizzò, saltando fuori come il ramo elastico di un giovane arbusto. Sapeva che lei, di fronte a uno spettacolo simile, doveva essere nauseata e ammutolita dal disgusto; dopo un minuto di silenzio teso e carico, che gli parve il più lungo della sua vita, fece per coprirsi, ma Katinka glielo proibì subito, con una voce che gli parve tremante di repulsione, al punto che lui riusciva appena a comprendere le parole inglesi.

« No, non cercare di mascherare la tua infamia. Il tuo stesso corpo ti condanna. E sostieni ancora di essere innocente? »

« No », ammise lui afflitto.

« Allora devi essere punito. Dovrò informare tuo padre. »

« No, vi prego. Mi ucciderebbe con le sue stesse mani. »

« Benissimo, allora dovrò punirti io stessa. Avvicinati. »

Lui, obbediente, protese in avanti il bacino.

« Di più, in modo che possa raggiungerlo. Vieni più vicino. »

Lui sentì la punta del pene disteso sfiorare il legno ruvido che circondava lo spioncino, e poi alcune dita incredibilmente fresche e morbide chiudersi sulla punta. Tentò di ritrarsi, ma la stretta di lei si rafforzò e la sua voce assunse un tono brusco. « Sta' fermo! »

Inginocchiata di fronte alla paratia, Katinka massaggiò il glande attraverso lo spioncino, prima di portarlo alla luce: era così tumido che riusciva appena a passare dall'apertura.

«No, non ritrarti», gli disse, in tono severo e collerico, afferrandolo più saldamente. Obbediente, lui si rilassò e cedette alla pressione insistente delle sue dita, consentendole di estrarlo dallo spioncino in tutta la sua lunghezza.

Lei lo guardava affascinata. All'età che aveva il ragazzo, non si era aspettata che fosse così grosso; la testa turgida aveva la lucentezza purpurea di una prugna matura. Prima la coprì con il prepuzio morbido, simile al cappuccio di un monaco, poi tirò indietro il lembo di pelle fino al limite estremo. La testa parve diventare ancora più dura, come sul punto di esplodere, e lei sentì l'asta sussultare fra le sue mani.

Ripetendo quel movimento avanti e indietro, lentamente, lo udì gemere dietro il pannello. Era strano, ma si era quasi dimenticata del ragazzo: il membro che teneva fra le dita aveva una vita e un'esistenza tutta sua.

«Questa è la punizione che meriti, ragazzaccio svergognato.»

Lo sentì grattare con le unghie il legno della parete, quando la sua mano cominciò a spostarsi avanti e indietro per tutta la lunghezza del pene, come se azionasse la navetta di un telaio.

Accadde prima di quanto si aspettasse. Il fiotto caldo e vischioso sul suo seno sensibile fu così possente da coglierla di sorpresa, ma non si tirò indietro.

Poco dopo gli disse: «Non penserai che ti abbia già perdonato per quello che mi hai fatto, vero? La tua penitenza è appena cominciata, lo capisci?»

«Sì.» La voce di Hal era roca e tremante.

«Devi praticare un'apertura segreta in questa parete.» Katinka tamburellò piano con le nocche sulla paratia. «Allenta questo pannello, in modo da poter venire da me, così potrò punirti con maggiore severità. Mi senti?»

«Sì», rispose lui ansimando.

«Devi nascondere l'apertura. Nessun altro deve saperlo.»

«Mi è accaduto di notare», disse Sir Francis rivolto a Hal, «che sporcizia e malattia hanno una peculiare affinità reciproca. Non so per quale motivo, ma è così.»

Rispondeva così alla cauta richiesta del figlio sulla necessità di sottoporsi alla tediosa e spossante procedura di fumigare la nave. Dopo avere svuotato il galeone di tutto il carico e costruito degli alloggi a terra per la maggior parte dell'equipaggio, Sir Francis era ben deciso a tentare di liberare la chiglia dai vermi. A quanto pareva, ogni fessura del fasciame pullulava di pidocchi, mentre le stive erano invase dai topi. La cambusa era costellata delle pallottole nere dei loro escrementi, e Ned Tyler riferiva di aver trovato qualche carcassa gonfia e fetida che imputridiva nelle botti dell'acqua.

Fin dal giorno del loro arrivo nella laguna, un gruppo di uomini era stato spedito a terra per bruciare legna da ardere e trattarne le ceneri in modo da ricavare la lisciva, mentre Sir Francis inviava Aboli nella foresta in cerca di quelle erbe speciali che la sua tribù usava per liberare le capanne dal flagello dei vermi. Ora una corvé di marinai attendeva nella parte prodiera della nave, armata di secchi pieni di sostanza caustica.

« Voglio che lo scafo sia sfregato con cura da cima a fondo, ma fate attenzione », li ammonì Sir Francis, « altrimenti il liquido corrosivo vi scorticherà le mani a sangue... » S'interruppe di colpo. Tutti gli uomini a bordo volsero di scatto la testa verso i lontani promontori rocciosi, e quelli che erano sulla spiaggia interruppero il lavoro per tendere l'orecchio.

Il colpo sordo di un cannone echeggiò sulle rocce all'ingresso della laguna, riverberandosi sulle acque tranquille dell'ampia insenatura.

« È il segnale d'allarme della vedetta sui promontori, comandante », gridò Ned Tyler, indicando un punto oltre le acque dove si vedeva aleggiare una nuvoletta di fumo bianco, sospesa su una delle postazioni di tiro che sorvegliavano l'ingresso. Sotto i loro occhi, una minuscola palla nera salì in testa al pennone improvvisato sulla sommità del promontorio occidentale prima di spiegarsi al vento, rivelandosi un gagliardetto rosso a coda di rondine. Era il segnale d'allarme generale, e poteva significare soltanto che era in vista una vela sconosciuta.

« Segnalate il posto di combattimento, mastro Daniel! » ordinò brusco Sir Francis. « Aprite le casse e armate l'equipaggio. Io raggiungerò l'ingresso della laguna. Quattro uomini ai remi nella barca, mentre gli altri prenderanno il posto di combattimento a terra. »

Sebbene il suo viso restasse inespressivo, dentro di sé era furioso per essersi lasciato cogliere così alla sprovvista, con la nave disalberata e tutti i cannoni a terra. Si rivolse a Ned Tyler. «Voglio che i prigionieri siano portati a riva e posti sotto stretta sorveglianza lontano dalla spiaggia. Se sapessero che c'è una nave sconosciuta al largo, questo potrebbe ispirare loro il desiderio di attirare l'attenzione.»

Oliver salì a precipizio la scaletta, tenendo sul braccio il mantello di Sir Francis, e mentre glielo posava sulle spalle lui finì di impartire gli ordini. Poi si voltò per dirigersi verso il boccaporto d'ingresso, presso il quale era ormeggiata la scialuppa, mentre Hal aspettava in un punto in cui il padre non poteva ignorarlo; era inquieto perché temeva che lui gli dicesse di non accompagnarlo.

«Benissimo, allora», scattò Sir Francis, «vieni pure con me. Potrei avere bisogno della tua vista acuta.» E Hal mollò la cima di ormeggio, allontanando la barca dalla nave proprio mentre il padre saliva a bordo.

«Remate fino a farvi scoppiare il fegato!» ordinò Sir Francis ai marinai, e l'imbarcazione attraversò velocissima la laguna. Il comandante balzò oltre la fiancata per raggiungere a guado la riva sotto la scogliera, con l'acqua che gli arrivava più su degli stivaloni alti. Hal dovette correre per raggiungerlo sul sentiero degli elefanti.

Sbucarono sulla sommità, trecento piedi più in alto della laguna, dove si godeva una visuale completa dell'oceano. Anche se il vento che li sferzava lassù aveva sconvolto il mare, trasformandolo in un vortice di onde che s'infrangevano, gli occhi acuti di Hal scorsero le pagliuzze chiare che resistevano fra le creste di spuma effimere, ancor prima che la vedetta potesse indicargliele.

Sir Francis guardò attraverso il cannocchiale. «Tu che ne pensi?» chiese a Hal.

«Ci sono due navi.»

«Io ne vedo una sola... No, aspetta! Hai ragione, ce n'è un'altra, poco più a est. È una fregata, secondo te?»

«Tre alberi», precisò Hal, facendosi schermo agli occhi con una mano, «e velatura completa. Sì, direi che è una fregata. L'altro veliero è troppo lontano, non saprei dire di che tipo sia.» Gli seccava ammetterlo, e aguzzò lo sguardo per scorgere qualche altro dettaglio. «Tutt'e due le navi puntano direttamente verso di noi.»

« Se hanno intenzione di doppiare il capo di Buona Speranza, fra poco dovranno virare », mormorò Sir Francis, senza mai abbassare il cannocchiale. Rimasero a guardare, in preda all'ansia.

« Potrebbe essere una coppia di galeoni olandesi della Compagnia ancora diretti a ovest », azzardò speranzoso Hal.

« Allora per quale motivo puntano con tanta decisione verso una costa sottovento? » ribatté Sir Francis. « No, si direbbe proprio che siano diretti verso l'ingresso di questa laguna. » Richiuse il cannocchiale con uno scatto. « Su, vieni! » Lo precedette al trotto, scendendo per il sentiero fino al punto in cui li attendeva la scialuppa sulla spiaggia. « Mastro Daniel, raggiungete la batteria sulla riva opposta e assumetene il comando. Non aprite il fuoco finché non lo farò io. »

Seguirono con lo sguardo gli uomini di Daniel che attraversavano in fretta la laguna tirando la barca in secco in una stretta insenatura, dove rimase nascosta alla vista. Poi Sir Francis passò a ispezionare di buon passo le postazioni di tiro sulla scogliera, lanciando una brusca serie di ordini agli uomini accovacciati presso le colubrine con la miccia accesa.

« Al mio ordine, sparate sulla nave di testa. Una salva di palle », comandò. « Mirate alla linea di galleggiamento, poi caricate con palle incatenate per abbattere il sartiame. Non cercheranno davvero di manovrare in questi canali angusti con metà delle vele abbattute. » Balzò sul parapetto di una piazzola di tiro per fissare il mare attraverso lo stretto ingresso della baia, ma i velieri che si avvicinavano erano ancora nascosti alla loro vista dalle scogliere.

Poi d'improvviso, oltre la punta meridionale del promontorio, apparve una nave con tutte le vele spiegate. Distava da terra poco meno di due miglia e proprio sotto i loro occhi attoniti cambiò rotta e orientò le vele, puntando direttamente verso l'entrata della laguna.

« Ha i cannoni allo scoperto, quindi cerca lo scontro », osservò cupo Sir Francis, balzando giù dal muretto. « E noi glielo daremo, ragazzi. »

« No, padre », gridò Hal. « Riconosco quella nave. »

« Chi... » Prima che Sir Francis potesse formulare la domanda, giunse la risposta. In testa all'albero maestro del veliero sventolò un lungo gagliardetto a coda di rondine bianco e rosso, che schioccava e garriva al vento.

« La *croix pattée*! » gridò Hal. « È la *Gull of Moray*, è Lord Cumbrae, padre! »

« Per Giove, è vero. Ma come ha fatto quel macellaio rosso di pelo a sapere che eravamo qui? »

A poppa della *Gull of Moray* apparve anche la nave sconosciuta, che ridusse anch'essa la velatura e subito dopo cambiò rotta per seguire l'Avvoltoio, fermo all'ingresso della laguna.

« Anche quella nave mi è familiare », gridò Hal al vento. « Ecco, ora riconosco persino la polena. È la *Goddess*. Non conosco nessun'altra nave che solchi l'oceano con una Venere nuda sul bompresso. »

« Il comandante Richard Lister, è vero », ammise Sir Francis. « Mi sento più tranquillo, se c'è anche lui. È un brav'uomo, anche se Dio sa che non mi fido di nessuno dei due sino in fondo. »

Mentre l'Avvoltoio seguiva il canale, superando le postazioni dei cannoni, dovette scorgere la macchia vivace del mantello di Sir Francis sullo sfondo delle rocce coperte di licheni, perché ammainò il gagliardetto in segno di saluto.

Sir Francis si tolse il cappello di rimando, ma ringhiò a denti stretti: « Preferirei salutarti con una scarica di mitraglia, bastardo scozzese. Hai fiutato il bottino, eh? Sei venuto a chiedere o a rubare, non è vero? Ma come hai fatto a saperlo? »

« Padre! » gridò di nuovo Hal. « Guardate laggiù, sullo strallo di maestra! Riconoscerei dovunque il sorriso di quel furfante. Ecco in che modo lo hanno saputo: è stato lui a guidarli! »

Sir Francis ruotò di scatto il cannocchiale. « Sam Bowles. A quanto pare neppure gli squali sono riusciti a digerire quella carogna. Avrei dovuto permettere ai compagni di liquidarlo quando ne avevamo la possibilità. »

La *Gull* li superò, riducendo progressivamente la velatura mentre si addentrava nella laguna, e la *Goddess* la seguì a distanza di sicurezza, issando anch'essa in testa d'albero la *croix pattée*, insieme con la croce di San Giorgio e la bandiera inglese. Anche Richard Lister era un cavaliere dell'ordine; scorsero la sua figura minuscola ritta sul cassero, mentre si avvicinava alla battagliola per gridare qualcosa oltre il braccio di mare che li separava.

« Che strana compagnia vi siete scelto, Richard. » Anche se il gallese non poteva sentirlo, Sir Francis sventolò il cappello in segno di risposta. Lister era stato con lui quando avevano catturato la *Heerlige Nacht*; si erano divisi amichevolmente il bottino e lui lo aveva giudicato un amico. Lister sarebbe dovuto essere al fianco di Sir Francis e dell'Avvoltoio nei mesi monotoni del blocco navale di capo Agulhas. Invece era mancato all'appuntamento fissato a Port Louis, nell'isola di Mauritius, e, dopo un mese di attesa inutile, Sir Francis era stato costretto a cedere alle insistenze dell'Avvoltoio, salpando senza di lui.

« Ebbene, sarà meglio fare buon viso a cattivo gioco e andare a salutare questi ospiti indesiderati », disse a Hal, scendendo sulla spiaggia mentre Daniel guidava la scialuppa attraverso il canale che separava i due promontori.

Quando tornarono indietro nella laguna a forza di remi, trovarono i due velieri che avevano appena gettato l'ancora nel canale principale. La *Gull of Moray* era a sole cinquanta braccia dalla *Resolution*, a poppa, ma Sir Francis ordinò a Daniel di puntare direttamente verso la *Goddess*. Quando lui e Hal salirono a bordo, Richard Lister si trovava ad accoglierli all'uscita del boccaporto.

« Per le fiamme dell'inferno, Franky, ho sentito dire che avete strappato un grosso bottino al galeone olandese, e ora lo vedo qui all'ancora. » Richard gli strinse la mano. Non arrivava neanche alla spalla di Sir Francis, ma la sua stretta era possente. Annusò l'aria, con il naso grosso dalle narici dilatate, e proseguì dicendo, con la sua melodiosa cantilena celtica: « E non è odore di spezie, questo che sento nell'aria? Ce l'ho con me stesso per non avervi raggiunto a Port Louis ».

« Ma dov'eravate, Richard? Ho aspettato il vostro arrivo per trentadue giorni. »

« Mi dispiace doverlo ammettere, ma sono incappato in pieno in un uragano appena a sud di Mauritius. Mi ha disalberato, spingendomi verso la costa dell'isola di St Lawrence. »

« Dev'essere la stessa tempesta che ha disalberato l'olandese. » Sir Francis indicò il galeone, dalla parte opposta del canale. « Quando l'abbiamo catturato, aveva l'albero puntellato. Ma come mai vi siete unito all'Avvoltoio? »

« Non appena la *Goddess* è stata in grado di riprendere il mare, ho pensato di cercarvi al largo di capo Agulhas, nell'eventualità che foste ancora appostato lì. È stato allora che mi sono imbattuto in Cumbrae, che mi ha condotto qui. »

« Bene, è bello rivedervi, amico mio. Ma ditemi, avete notizie da casa? » Sir Francis si protese in avanti con ansia. Quella era sempre una delle domande più frequenti che gli uomini si rivolgevano a vicenda quando si incontravano laggiù, oltre la linea di demarcazione. Potevano anche spingersi in capo a mari inesplorati che non figuravano sulle carte nautiche, ma il loro cuore agognava sempre la patria lontana, ed era già passato un anno dall'ultima volta che Sir Francis aveva ricevuto notizie dall'Inghilterra.

A quella domanda, l'espressione di Richard Lister divenne seria. «Cinque giorni dopo che ero salpato da Port Louis, ho incrociato la *Windsong*, una delle fregate di sua maestà. Era in navigazione da sessantacinque giorni dopo la partenza da Plymouth, diretta verso la costa di Coromandel.»

«E quali notizie aveva?» lo interruppe Sir Francis impaziente.

«Nessuna buona, che il Signore mi sia testimone. Dicono che tutta l'Inghilterra sia stata colpita dalla peste, e che uomini, donne e bambini siano morti a migliaia e decine di migliaia, tanto che non si riusciva a seppellirli abbastanza in fretta e i corpi giacevano abbandonati a imputridire per le strade.»

«La peste!» Sir Francis si segnò, inorridito. «Il castigo di Dio.»

«Poi, mentre la peste continuava a infuriare in ogni città e villaggio, Londra è stata distrutta da un furioso incendio. Dicono che le fiamme non abbiano lasciato intatta neanche una casa.»

Sir Francis lo fissò costernato. «Londra in fiamme? Non può essere! E il re è in salvo? Sono stati gli olandesi ad appiccare il fuoco a Londra? Ditemi qualcosa di più, amico mio.»

«Sì, il Principe Nero è sano e salvo. Ma no, stavolta la colpa non è degli olandesi. L'incendio è stato appiccato dal forno di un panettiere in Pudding Lane e ha continuato a divampare per tre giorni senza interruzioni. La cattedrale di San Paolo è stata rasa al suolo, insieme con il palazzo delle corporazioni, la Borsa, un centinaio di chiese e Dio solo sa cos'altro. Dicono che l'ammontare dei danni sia superiore ai dieci milioni di sterline.»

«Dieci milioni!» Sir Francis lo fissò, inorridito. «Neanche il sovrano più ricco del mondo potrebbe mettere insieme una somma del genere. Insomma, Richard, il totale delle rendite della corona è inferiore a un milione! Questo disastro deve avere ridotto all'elemosina il re e la nazione.»

Richard Lister scosse la testa, quasi compiaciuto delle brutte notizie che portava. «C'è di peggio. Gli olandesi ci hanno inflitto una sonora batosta. Quel demonio di de Rujter è arrivato per mare fino al Medway e al Tamigi. Abbiamo perso sedici vascelli di linea contro di lui, che ha catturato la *Royal Charles* ormeggiata al molo di Greenwich, rimorchiandola fino ad Amsterdam. »

« La nave ammiraglia, fiore e vanto della nostra flotta! Come può l'Inghilterra sopravvivere a una simile sconfitta, arrivata a così breve distanza dalla peste e dall'incendio? »

Lister scosse di nuovo la testa. « Si dice che il re stia cercando di concludere la pace con gli olandesi. In questo momento la guerra potrebbe essere già finita. Anzi, forse è finita da mesi, per quel che ne sappiamo. »

« Preghiamo con tutto il cuore che non sia così. » Sir Francis guardò la *Resolution*. « Ho catturato quella preda meno di tre settimane fa. Se la guerra fosse già finita, la commissione che la corona mi ha concesso sarebbe scaduta, e la cattura potrebbe essere considerata un atto di pirateria. »

« Sono gli incerti della guerra, Franky. Non eravate al corrente della pace, e nessuno vi biasimerà per questo, tranne gli olandesi. » Richard Lister puntò il vistoso naso paonazzo oltre il canale, verso la *Gull of Moray*. « A quanto pare, Lord Cumbrae si sente offeso per essere stato escluso dal nostro incontro. Vedete, viene a raggiungerci. »

L'Avvoltoio aveva appena calato in mare una barca, che stava attraversando a remi il canale per raggiungerli, con la figura di Cumbrae ritta a poppa. La barca urtò contro la fiancata della *Goddess* e l'Avvoltoio risalì la scaletta di corda raggiungendo il ponte.

« Franky! » esclamò salutando Sir Francis. « Da quando ci siamo separati, non è passato un solo giorno senza che pregassi per voi. » Attraversò il ponte a lunghi passi, con il gonnellino svolazzante. « E le mie preghiere sono state esaudite. È un gran bel galeone quello che abbiamo qui, pieno fino all'orlo di spezie e argento, a quanto mi dicono. »

« Avreste dovuto aspettare un paio di giorni, prima di abbandonare il vostro posto nello schieramento. A quest'ora potreste averne una parte. »

L'Avvoltoio allargò le braccia, sbalordito. « Ma mio caro Franky, cosa andate dicendo? Non ho mai abbandonato il mio posto. Ho fatto solo una breve deviazione a est, per accertarmi che gli olandesi non tentassero di ingannarci spingendosi più al largo. Mi sono affrettato a tornare indietro appena possibile, ma ormai vi eravate allontanato. »

« Devo rammentarvi le vostre parole, signore: 'Ho completamente esaurito la pazienza. Sessantacinque giorni sono più che sufficienti per me e per i miei valorosi compagni'? »

« Le mie parole, Franky? » L'Avvoltoio scrollò la testa. « L'udito deve avervi giocato un brutto tiro. Il vento vi ha ingannato e non mi avete sentito bene. »

Sir Francis si lasciò sfuggire una lieve risatina. « State sprecando il vostro talento di contafrottole più abile di tutta la Scozia. Qui non impressionate nessuno: Richard e io vi conosciamo troppo bene. »

« Franky, spero che questo non voglia dire che vorreste defraudarmi della mia giusta quota del bottino. » L'Avvoltoio riuscì ad apparire insieme rammaricato e incredulo. « Ammetto di non aver assistito alla cattura, e non mi aspetto la parte intera, cioè la metà. Datemi un terzo, e non starò troppo a cavillare. »

« Tirate un bel respiro profondo, signore. » Sir Francis posò quasi distrattamente la mano sull'elsa della spada. « Quella zaffata di odore di spezie è tutto ciò che riceverete da me. »

Incredibile a dirsi, l'Avvoltoio si rasserenò, scoppiando in una risata fragorosa. « Franky, mio caro e vecchio compagno d'armi. Venite a cena stasera a bordo della mia nave, e potremo discutere dell'iniziazione all'ordine del vostro ragazzo, bevendo un buon bicchierino di whisky inglese. »

« Dunque è l'iniziazione di Hal il motivo che vi ha spinto a rivedermi, non l'argento e le spezie? »

« So quanto conta per voi il ragazzo, Franky... anzi, per tutti noi. Vi fa molto onore, e tutti noi desideriamo che diventi un cavaliere dell'ordine. Ne avete parlato spesso, non è vero? »

Sir Francis lanciò un'occhiata al figlio, assentendo in modo quasi impercettibile.

« Ebbene, allora per molti anni non avrete un'altra possibilità come questa: eccoci qua, tre cavalieri Nautonnier riuniti insieme. È il numero minimo richiesto per ammettere un accolito al primo grado. Quando troverete altri tre cavalieri per formare una loggia, quaggiù oltre la linea di demarcazione? »

« Come siete premuroso, signore. E naturalmente tutto questo non ha niente a che vedere con la quota del bottino che stavate reclamando appena un minuto fa? » Il tono di Sir Francis trasudava ironia.

« Non parliamone più. Voi siete un uomo onesto, Franky, duro ma onesto. Non potreste mai defraudare un confratello, vero? »

Sir Francis tornò dalla cena con Lord Cumbrae a bordo della *Gull of Moray* molto tempo dopo il turno di mezzanotte, e appena rientrato nella sua cabina mandò a chiamare Hal.

« Domenica prossima, fra tre giorni, nella foresta », comunicò al figlio. « È deciso. Apriremo la loggia al sorgere della luna, poco dopo i due tocchi del secondo turno di guardia. »

« Ma... e l'Avvoltoio? » protestò Hal. « Non vi piace e non vi fidate di lui. Ci ha piantati in asso... »

« E tuttavia ha ragione lui, potremmo non trovare più tre cavalieri insieme prima del nostro ritorno in Inghilterra. Devo cogliere questa opportunità di farti accogliere nell'ordine. Dio sa che forse non avremo altre occasioni. »

« Una volta scesi a terra, saremo alla sua mercé », fece presente Hal. « Potrebbe tenderci un tranello... »

Sir Francis scosse la testa. « Non ci troveremo mai alla mercé dell'Avvoltoio, non temere. » Si alzò per avvicinarsi al baule. « Ho fatto dei preparativi per il giorno della tua iniziazione. » Sollevò il coperchio. « Ecco la tua uniforme. » Attraversando la cabina con un involto fra le mani, lo depose sulla cuccetta. « Indossala. Controlleremo che ti stia bene. » Alzò la voce per chiamare: « Oliver! »

Il servitore si presentò subito, tenendo sotto il braccio l'astuccio da lavoro. Hal si tolse di dosso le brache e la vecchia giubba di tela e, con l'aiuto di Oliver, cominciò a indossare l'uniforme da cerimonia dell'ordine. Non aveva mai sognato di possedere un abbigliamento così sontuoso.

Le calze erano di seta bianca, mentre le brache e il farsetto erano di raso blu notte, con le maniche arricchite da sfondi piega d'oro. Le scarpe erano guarnite da fibbie di argento massiccio, mentre il cuoio nero e lucido era uguale a quello del cinturone della spada. Oliver gli pettinò i folti riccioli aggrovigliati prima di posare sul capo il cappello da cavaliere; al mercato di Zanzibar aveva scelto le piume di struzzo più fini per decorare la tesa larga.

Quando fu vestito, Oliver gli girò intorno con aria critica, tenendo la testa inclinata di lato: «È un po' stretto di spalle, Sir Francis. Mastro Hal cresce da un giorno all'altro. Ma basterà un batter d'occhio per sistemarlo».

Sir Francis annuì, poi riprese a frugare nel baule, e Hal si sentì balzare il cuore in petto vedendo il mantello ripiegato fra le mani del padre. Era il simbolo della condizione di cavaliere per cui aveva studiato tanto. Sir Francis si avvicinò per posarglielo sulle spalle prima di allacciare il fermaglio alla gola; le pieghe bianche scendevano fino alle ginocchia e la croce color cremisi cingeva le spalle.

Sir Francis si tirò indietro per scrutarlo con attenzione. «Manca un solo dettaglio», grugnì alla fine, tornando verso il baule. Dall'interno prese una spada, ma non una spada comune, Hal lo sapeva bene. Apparteneva alla tradizione della famiglia Courteney, ma la sua magnificenza lo intimoriva. Tornando verso di lui, il padre ne ricordò per l'ennesima volta la storia e l'origine. «Questa spada appartenne a Charles Courteney, il tuo bisnonno. Gli fu donata ottant'anni fa da Sir Francis Drake in persona, come riconoscimento per la parte avuta nella conquista e nel saccheggio del porto di Rancheria. Questa spada era stata consegnata a Drake dal governatore spagnolo, Don Francisco Manso, al momento della resa.»

Protese il fodero in oro zecchino e argento, in modo che Hal potesse esaminarlo: era decorato con corone, delfini e divinità marine, tutti riuniti intorno alla figura eroica di Nettuno in trono. Sir Francis rovesciò l'arma, porgendola a Hal con l'elsa in avanti: nel pomo era incastonato un grande zaffiro a stella. Hal estrasse la spada, e comprese subito che non era soltanto l'ornamento di un damerino spagnolo. La lama era forgiata nel migliore acciaio di Toledo, intarsiato in oro. La flettè fra le dita, apprezzandone l'elasticità e la tempra.

«Fa' attenzione», lo ammonì il padre. «Con quella lama potresti raderti.»

Hal la rimise nel fodero, e il padre fece scivolare la spada nel fodero di cuoio inserito nella cintura di Hal, poi fece un passo indietro per osservarlo con aria critica. «Che te ne sembra?» chiese a Oliver.

«Solo le spalle.» Oliver fece scorrere le mani sul raso del farsetto. «È tutta colpa della lotta e degli allenamenti con la spada che modificano la figura. Dovrò semplicemente correggere le cuciture.»

«Allora accompagnalo nella sua cabina e provvedi.» Sir Francis li congedò, tornando alla scrivania, si sedette e aprì il giornale di bordo rilegato in pelle.

Hal si fermò sulla soglia. «Grazie, padre. Questa spada...» Sfiorò il pomo con lo zaffiro che portava sul fianco, ma non riuscì a trovare le parole per continuare. Senza alzare la testa, Sir Francis emise un grugnito, intingendo il pennino nell'inchiostro e cominciando a scrivere sulle pagine di pergamena. Hal esitò ancora, fermo sulla soglia, finché il padre non alzò di nuovo la testa, irritato; allora indietreggiò chiudendo dolcemente la porta. Quando uscì nel corridoio, la porta di fronte si aprì, lasciando uscire la moglie del governatore olandese avvolta in un turbine di seta, così in fretta che per poco non si scontrarono.

Hal si scostò di scatto, togliendosi dalla testa il cappello piumato. «Scusatemi, signora.»

Katinka si fermò di fronte a lui studiandolo attentamente, dalle lucenti fibbie d'argento delle scarpe nuove in su. Quando giunse agli occhi, lo fissò con freddezza, osservando con voce sommessa: «Un cucciolo di pirata vestito come un gran nobiluomo». Poi, d'improvviso, si protese verso di lui fino a sfiorargli il viso per sussurrare: «Ho controllato il pannello. Non c'è nessuna apertura. Non hai svolto il compito che ti ho assegnato».

«I miei doveri mi hanno trattenuto a riva. Non ne ho avuto la possibilità.» Hal balbettava per lo sforzo di trovare le parole latine.

«Provvedi stasera stessa», ordinò lei, passando oltre. Il suo profumo continuò ad aleggiare nell'aria, e il farsetto di raso divenne troppo caldo e attillato per lui, che si sentì sgorgare il sudore dalla pelle.

Oliver impiegò il resto della notte, o almeno così parve a Hal, per sistemare il farsetto, disfacendo e rifacendo le cuciture delle spalle ben due volte prima di ritenersi soddisfatto, mentre lui fremeva, spazientito.

Quando finalmente se ne andò, portando via con sé tutto il suo lussuoso guardaroba nuovo, Hal non vedeva l'ora di mettere il chiavistello alla porta per inginocchiarsi presso la paratia. Scoprì che il pannello era fissato all'intelaiatura di quercia per mezzo di tasselli di legno incassati a filo nel legno.

Uno alla volta, con la punta del pugnale, allentò ed estrasse i tasselli dai fori praticati col trapano. Era un lavoro lento, perché non osava fare il minimo rumore, dato che ogni colpo di martello poteva echeggiare nello scafo della nave.

Era quasi l'alba quando riuscì a smontare l'ultimo tassello, insinuando poi la punta del pugnale nella commessura per far leva e aprire il pannello. Il quale venne via di colpo, producendo contro l'intelaiatura di quercia uno scricchiolio che si riverberò in apparenza per tutta la nave, e avrebbe dovuto senz'altro mettere in allarme suo padre e il governatore.

Trattenendo il fiato, attese che gli piombasse sul capo una punizione spaventosa, ma i minuti trascorsero lenti senza conseguenze, e alla fine poté riprendere a respirare normalmente.

Con cautela, si affacciò dall'apertura rettangolare: la toeletta di Katinka era immersa nel buio, ma l'odore del suo profumo gli fece accelerare il respiro. Si mise in ascolto, ma non riuscì a udire il minimo rumore dalla cabina principale. Poi, dal ponte superiore, gli giunse fioco il suono della campana della nave, e si accorse costernato che era quasi l'alba e fra un'ora sarebbe cominciato il suo turno di guardia.

Ritirò la testa dall'apertura, rimontando il pannello e fissandolo con i tasselli di legno, ma in modo così precario che era possibile smontarlo in pochi secondi.

« Ma perché permettere agli uomini dell'Avvoltoio di sbarcare? » chiese Hal a suo padre, in tono rispettoso. « Perdonatemi, padre, ma potete fidarvi di lui fino a questo punto? »

« Come posso impedirglielo senza provocare uno scontro aperto? » ribatté a sua volta Sir Francis. « Dice di aver bisogno di acqua e legna da ardere, e noi non siamo proprietari di questa terra, e neppure della laguna. Come posso proibirglielo? »

Forse Hal avrebbe protestato ancora, ma il padre lo mise a tacere con un brusco cipiglio, voltandosi per accogliere Lord Cumbrae mentre la chiglia della sua scialuppa baciava le sabbie della spiaggia e lui saltava a riva, col gonnellino scozzese che lasciava scoperte le gambe, fitte di irsuti peli color zenzero e simili alle zampe di un orso.

« Che Dio riversi su di voi tutte le sue benedizioni in questa splendida mattinata, Franky! » gridò avvicinandosi. I suoi occhi cilestrini saettavano senza posa sotto le folte sopracciglia rosse, come avannotti in uno stagno.

« Osserva tutto », mormorò Hal. « È venuto a scovare dove abbiamo immagazzinato le spezie. »

« Non possiamo nascondere le spezie, ce n'è una montagna », ribatté Sir Francis. « Possiamo rendergli difficile il compito di rubarle, però. » Poi rivolse un sorriso fiacco a Cumbrae che si avvicinava. « Spero di vedervi in buona salute, e mi auguro che il whisky non abbia turbato il vostro sonno, stanotte. »

« È un elisir di lunga vita, Franky, come il sangue nelle vene. » Aveva gli occhi iniettati di sangue che dardeggiavano qua e là sull'accampamento ai margini della foresta. « Ho bisogno di riempire le mie botti d'acqua. Ci deve pur essere dell'acqua potabile, da queste parti. »

« Un miglio più in alto, nella parte interna della laguna. C'è un ruscello che scende dalle colline. »

« Il pesce non manca. » L'Avvoltoio accennò alle file di pali disposti nella radura, sui quali i pesci sventrati erano stati messi ad affumicare sopra i fuochi di legna verde a lenta combustione. « Ne farò pescare un po' dai ragazzi anche per noi. Ma la carne? Ci sono cervi o altra selvaggina nella foresta? »

« Ci sono elefanti e branchi di bufali selvatici, ma sono tutti feroci, e neppure una palla di moschetto nel petto riesce ad abbatterli. Comunque, non appena la nave sarà in secco, ho intenzione di inviare un gruppo di cacciatori nell'interno, oltre le colline, per vedere se riescono a trovare delle prede più facili. »

Era evidente che Cumbrae aveva posto quella domanda solo per guadagnare tempo, e si curava appena di ascoltare la risposta. Quando i suoi occhi irrequieti scintillarono, Hal seguì la direzione del suo sguardo, e si accorse che l'Avvoltoio aveva scoperto la fila di tettoie di paglia sotto le quali le enormi botti di spezie erano disposte in file serrate, un centinaio di passi più indietro, in mezzo agli alberi.

« E così, avete intenzione di tirare in secco il galeone. » Cumbrae volse le spalle al deposito delle spezie, accennando allo scafo della *Resolution*, oltre il braccio di mare. « Un piano saggio. Se vi serve aiuto, ho tre carpentieri di prim'ordine. »

« Siete molto cortese », replicò Sir Francis. « Può darsi che ricorra al vostro aiuto. »

« Farei qualunque cosa per aiutare un confratello dell'ordine, e so che voi fareste altrettanto per me. » L'Avvoltoio gli batté con calore sulla spalla. «Ora, mentre la mia spedizione scenderà a terra per fare rifornimento d'acqua, voi e io potremo andare in cerca di un posto adatto per installare la nostra loggia. Dobbiamo rendere onore al nostro Hal. Per lui sarà un giorno memorabile. »

Sir Francis lanciò un'occhiata al figlio. «Aboli ti sta aspettando. » Accennò col capo al gigante nero, in paziente attesa a poca distanza, lungo la spiaggia.

Hal seguì con lo sguardo il padre che si allontanava insieme a Cumbrae, scomparendo lungo un sentiero nella foresta, poi corse a raggiungere Aboli. «Finalmente sono pronto. Andiamo. »

Aboli s'incamminò subito, avviandosi al trotto lungo la spiaggia, verso l'interno della laguna, e Hal si mise al passo. «Non hai le lance? »

«Le ricaveremo dalla foresta. » Aboli batté sul manico dell'ascia, che teneva agganciata alla spalla dalla parte della lama d'acciaio, allontanandosi nello stesso tempo dalla spiaggia. Guidò Hal per un miglio circa verso l'interno, finché non raggiunsero un folto boschetto. «Ho già contrassegnato questi alberi in precedenza. La mia tribù li chiama *kweti*. È da questi che ricaviamo i giavellotti migliori. »

Mentre si addentravano nel folto del boschetto, si udì un'esplosione di foglie e rami spezzati che volavano in tutte le direzioni, mentre una bestia enorme si lanciava alla carica, allontanandosi da loro. Scorsero soltanto di sfuggita una pelle nera, ricoperta di scaglie, e grosse corna tozze che lampeggiavano al sole.

«*Nyati!* » spiegò Aboli. «Il bufalo selvatico. »

«Dovremmo dargli la caccia. » Hal si tolse di spalla l'archibugio, tendendo la mano con impazienza per prendere dalla sacca la pietra focaia e l'acciarino necessari per accendere la miccia. «Un bestione del genere ci fornirebbe carne sufficiente per tutto l'equipaggio. »

Aboli sogghignò, scuotendo la testa. «Sarebbe lui a darti la caccia. Non c'è bestia più feroce in tutta la foresta, neanche il leone può tenergli testa. Se la riderà delle tue piccole palle di moschetto, squarciandoti il ventre con quei possenti corni che porta sulla testa. » Si tolse l'ascia dalla spalla. «Lascia in pace il vecchio *nyati*, e troveremo altra carne per sfamare l'equipaggio. »

Aboli inferse alcuni colpi con l'ascia alla base di un alberello di *kweti*, mettendo allo scoperto le radici bulbose con una dozzina di fendenti. Bastò qualche altro colpo per estrarlo dalla terra con tutto il tronco.

«La mia tribù chiama questo bastone *iwisa*», spiegò a Hal mentre lavorava, «e oggi ti insegnerò a usarlo.» Con abili tagli stabilì la lunghezza dell'asta, liberandola dalla corteccia, poi regolò le radici fino a formare una palla dura come il ferro e simile alla testa di una mazza. Quando ebbe finito, sollevò il bastone per saggiarne il peso e l'equilibrio. Poi lo accantonò, cercandone un altro. «Ce ne servono due a testa.»

Hal si sedette sui talloni, osservando le schegge di legno che volavano sotto la lama d'acciaio. «Quanti anni avevi, Aboli, quando ti hanno catturato i negrieri?» chiese Hal, e le agili mani nere interruppero il loro lavoro.

Un'ombra passò dietro gli occhi scuri, ma Aboli riprese a lavorare prima di rispondere: «Non so. So soltanto che ero molto giovane».

«Te ne ricordi, Aboli?»

«Ricordo che era notte quando vennero, uomini vestiti di tuniche bianche e armati di lunghi moschetti. È passato tanto tempo, ma ricordo le fiamme nel buio, quando circondarono il nostro villaggio.»

«Dove viveva la tua gente?»

«Lontano, al nord, sulle rive di un grande fiume. Mio padre era un capo, eppure lo trascinarono fuori della capanna e lo uccisero come una bestia. Uccisero tutti i nostri guerrieri, risparmiando solo i bambini e le donne. Ci incatenarono in fila, con un collare al collo, costringendoci a marciare per giorni e giorni verso oriente, fino alla costa.» Aboli si alzò bruscamente in piedi, afferrando il fascio di bastoni che aveva completato. «Ce ne stiamo qui a parlare come vecchie comari, mentre dovremmo andare a caccia.»

Tornò indietro attraverso gli alberi, nella direzione da cui erano venuti. Quando raggiunsero la laguna, si voltò a guardare Hal. «Lascia qui il moschetto e la fiasca della polvere. In acqua non ti serviranno a niente.»

Mentre Hal nascondeva l'arma nel sottobosco, Aboli scelse un paio di *iwisa*, i più leggeri e diritti, e quando Hal tornò glieli porse. «Guarda me, e fa' quello che faccio io», gli ordinò, spogliandosi e avanzando nelle acque basse della laguna. Hal lo seguì, nudo, nel cuore del canneto.

Immerso fino alla cintola, Aboli si fermò per raccogliere gli steli delle canne più alte e intrecciarli, formando un riparo sopra di sé. Poi s'immerse nell'acqua, lasciando fuori solo la testa. Hal prese posizione non lontano da lui, costruendosi in fretta un tetto di canne simile al suo. Udiva le voci, affievolite dalla distanza, del gruppo di marinai della *Gull* andati a fare rifornimento d'acqua, e il cigolio dei loro remi mentre tornavano dall'interno della laguna, dove avevano riempito le botti con l'acqua dolce del ruscello.

«Bene!» esclamò piano Aboli. «Ora tieniti pronto, Gundwane! Alzeranno gli uccelli in volo per noi.»

D'improvviso si sentì un possente frullo d'ali, e il cielo si riempì di quella stessa enorme nuvola di uccelli che avevano già osservato in precedenza: uno stormo di anatre simili al germano reale inglese, a parte il fatto che avevano il becco di un giallo intenso, si diresse verso il loro nascondiglio in una bassa formazione a V.

«Eccole che arrivano», lo ammonì Aboli, in un sussurro, e Hal s'irrigidì, tenendo il viso rivolto in alto per osservare il vecchio maschio che guidava lo stormo. Aveva le ali a lama di coltello, che fendevano l'aria con colpi rapidi e secchi.

«Ora!» gridò Aboli, ergendosi di scatto in tutta la sua altezza, con il braccio destro già piegato all'indietro e l'*iwisa* stretto nel pugno. Quando lo scagliò in aria, imprimendogli un movimento rotatorio, la fila di anatre selvatiche si sparpagliò in preda al panico.

Aboli aveva previsto quella reazione e la sua lancia roteante colpì il vecchio maschio al petto, arrestandolo di colpo. L'anatra piombò a capofitto in un groviglio di ali e zampe palmate, lasciandosi dietro uno strascico di piume, ma molto prima che finisse in acqua Aboli aveva già scagliato la seconda lancia, che ruotò su se stessa per infilzare un esemplare femmina più giovane, spezzandole il collo teso e facendola cadere accanto alla carcassa galleggiante del vecchio maschio.

Hal lanciò i due giavellotti in rapida successione, ma caddero entrambi lontano dal bersaglio, e lo stormo disperso si rifugiò lontano, sui canneti.

«Presto imparerai, tutt'e due le volte hai mancato il bersaglio di poco», lo incoraggiò Aboli, mentre sguazzava fra le canne, prima per raccogliere gli uccelli morti e poi per recuperare gli *iwisa*. Lasciò galleggiare le due carcasse in uno specchio d'acqua libero davanti a sé, e nel giro di pochi minuti avevano richiamato già un altro stormo sibilante, che si abbassò fin quasi alla cima delle canne prima che lui lanciasse di nuovo la sua arma.

«Bel lancio, Gundwane! » gridò ridendo a Hal, mentre si allontanava a guado per raccogliere altri due uccelli colpiti a morte. «Stavolta sei arrivato più vicino al bersaglio. Presto potrai addirittura colpirne uno. »

Nonostante quella profezia, era già metà mattina quando Hal abbatté la prima anatra, e anche quella aveva solo un'ala spezzata; dovette tuffarsi in acqua e nuotare fin quasi al centro della laguna prima di riuscire a catturarla e a tirarle il collo. Verso mezzogiorno le anatre smisero di volare per posarsi nelle acque più profonde, dove loro non potevano raggiungerle.

«Basta così! » Aboli pose fine alla caccia, raccogliendo le prede colpite. Da un albero che sorgeva in riva alla laguna, tagliò strisce di corteccia che intrecciò fino a ricavarne stringhe per legare a mazzi le zampe delle anatre morte. Formavano un carico quasi eccessivo persino per le sue spalle robuste; Hal portava senza fatica il suo magro bottino, mentre tornavano indietro a passi stanchi, costeggiando la spiaggia.

Quando superarono il promontorio, arrivando in vista della baia dov'erano ancorate le tre navi, Aboli lasciò cadere sulla sabbia il carico, decretando: «Riposeremo qui ». Hal si lasciò cadere a terra accanto a lui e rimasero in silenzio per qualche minuto, finché Aboli non domandò: «Come mai l'Avvoltoio è venuto qui? Che ne dice tuo padre? »

«L'Avvoltoio sostiene di essere venuto a costituire una loggia per la mia iniziazione. »

Aboli assentì. «Nella mia tribù il giovane guerriero deve entrare nella capanna della circoncisione, per diventare uomo. »

Hal rabbrividì, tastandosi l'inguine come per controllare che tutto fosse ancora al suo posto. «Sono lieto di non dovermi consegnare al coltello come hai fatto tu. »

«Ma non è questo il vero motivo per cui l'Avvoltoio ci ha seguiti qui. Pedina tuo padre come fa la iena con il leone, e intorno a lui aleggia la puzza del tradimento. »

«L'ha fiutata anche mio padre », gli assicurò Hal a bassa voce. «Ma siamo alla sua mercé, perché la *Resolution* è priva di albero maestro e senza cannoni. »

Fissarono entrambi la *Gull of Moray*, all'ancora nella laguna ai loro piedi, finché Hal non si agitò, a disagio. «E ora che cos'ha in mente, l'Avvoltoio?»

La scialuppa della *Gull* si allontanava a forza di remi dalla murata per raggiungere il punto in cui il cavo dell'ancora sprofondava sotto la superficie della laguna. Osservarono l'equipaggio della barca agganciare il cavo e lavorare in quel punto per alcuni minuti.

«Sono riparati dalla spiaggia, cosicché mio padre non può vedere quello che stanno combinando.» Hal rifletteva a voce alta. «Hanno un'aria furtiva, e questo non mi piace affatto.»

Nel frattempo gli uomini avevano completato il loro lavoro furtivo e cominciavano a remare di nuovo verso la murata della *Gull*. Allora Hal si accorse che, procedendo, tendevano un secondo cavo fino a poppa. A quella vista scattò in piedi, agitato. «Stanno applicando all'ancora un traversino incrociato!» esclamò.

«Che cosa?» Aboli lo guardò. «Perché mai dovrebbero farlo?»

«Perché in questo modo, con pochi giri di argano, l'Avvoltoio potrà ruotare sull'ancora in qualunque direzione.»

Aboli lo dominava dall'alto della sua statura, con un'espressione grave. «Così potrà sparare una bordata contro la nostra nave indifesa o il nostro accampamento sulla spiaggia, caricando a mitraglia», concluse. «Dobbiamo tornare subito indietro per avvertire il comandante.»

«No, Aboli, niente fretta. Non dobbiamo allarmare l'Avvoltoio, facendogli capire che abbiamo individuato il suo trucco.»

Sir Francis ascoltò con attenzione le parole di Hal, e quando lui ebbe finito si grattò il mento con aria pensierosa prima di dirigersi verso la battagliola della *Resolution*, puntando il cannocchiale con aria distratta. Percorse lentamente tutto l'ampio arco della laguna, soffermandosi appena un attimo quando il suo sguardo si posò sulla *Gull*, in modo che nessuno potesse notare il suo interesse improvviso per la nave dell'Avvoltoio. Poi richiuse il cannocchiale, tornando verso il punto in cui lo attendeva Hal. Dai suoi occhi traspariva un nuovo rispetto quando disse: «Ben fatto, ragazzo mio. L'Avvoltoio ricorre ai soliti trucchi. Avevi ragione, io ero sulla spiaggia e non potevo vederlo sistemare quel traversino incrociato. Forse non lo avrei mai notato ».

« Gli ordinerete di toglierlo, padre? »

Sir Francis scosse la testa sorridendo. « Meglio non fargli capire che abbiamo intuito le sue intenzioni. »

« Ma cosa possiamo fare? »

« Ho già fatto puntare sulla *Gull* le colubrine che abbiamo sistemato sulla spiaggia. Daniel e Ned hanno messo in guardia tutti gli uomini... »

« Ma, padre, non c'è qualche contromisura che possiamo escogitare contro l'Avvoltoio, un espediente per far fronte alla sorpresa che evidentemente sta tramando ai nostri danni? » L'agitazione ispirò a Hal la temerarietà necessaria per interrompere il padre, che si accigliò subito, rispondendo brusco: « Avrete senza dubbio un suggerimento da darmi, mastro Henry ».

Il tono formale scelto dal padre avvertì Henry della sua collera crescente, e il ragazzo si mostrò subito contrito. « Padre, perdonate la mia presunzione. Non intendevo essere impertinente. »

« Sono lieto di sentirtelo dire. » Sir Francis fece per allontanarsi, con le spalle ancora rigide.

« Non è vero forse che il mio bisnonno, Charles Courteney, partecipò con Drake alla battaglia di Gravelines? »

« È vero. » Sir Francis si voltò a guardarlo. « Ma visto che conosci benissimo la risposta, non è una domanda un po' strana da fare in questo momento? »

« Allora potrebbe essere stato proprio il bisnonno a proporre a Drake l'uso delle barche incendiarie contro l'Invencible Armada spagnola ancorata nel passo di Calais, non è vero? »

Sir Francis si girò lentamente a fissare il figlio; cominciò a sorridere, poi a ridacchiare, e infine proruppe in una risata scrosciante. « Oh, buon Dio, è proprio vero che il sangue dei Courteney non si smentisce mai! Scendi subito nella mia cabina e spiegami che cosa hai in mente. »

Sir Francis rimase in piedi alle spalle di Hal, mentre lui abbozzava un disegno sulla lavagna. « Non c'è bisogno che siano costruite in modo troppo solido, perché non dovranno coprire una lunga distanza, o navigare in mari agitati », spiegò il figlio in tono rispettoso.

« Sì, ma una volta calate in mare dovrebbero poter tenere la rotta, e nello stesso tempo trasportare un buon carico », mormorò il padre, prendendogli di mano il gesso per tracciare delle rapide linee sulla lavagna. «Potremmo abbinare insieme due scafi. In questo modo non si capovolgerebbero e non andrebbero distrutte prima di arrivare a destinazione.»

«Da quando siamo qui all'ancora, il vento soffia costante da sud-est», aggiunse Hal, «e non c'è alcun indizio che stia calando. Quindi dobbiamo tenerle sopravvento. Se le sistemeremo sull'isoletta dalla parte opposta del canale, il vento sarà a nostro favore quando le caleremo in mare.»

«Benissimo», disse Sir Francis assentendo. «Quante ce ne occorrono?» Si accorse del piacere che il ragazzo provava nel sentirsi consultare da lui.

«Drake ne utilizzò otto contro gli spagnoli, ma noi non abbiamo il tempo di costruirne tante. Cinque, forse?» Alzò la testa verso il padre, che annuì.

«Sì, cinque dovrebbero bastare. Quanti uomini ti serviranno? Daniel deve restare al comando delle colubrine sulla spiaggia. L'Avvoltoio potrebbe far scattare la trappola prima che noi siamo pronti. Comunque manderò Ned Tyler e il carpentiere per aiutarti a costruirle, più Aboli, naturalmente.»

Hal fissò intimorito il padre. «Affiderete a me la responsabilità della costruzione?»

«Il piano è tuo, quindi se fallirà devo poter riversare tutta la colpa sulle tue spalle», rispose il padre, con un accenno di sorriso sulle labbra. «Prendi gli uomini e va' subito a riva per cominciare il lavoro, ma sii prudente. Non facilitare il compito all'Avvoltoio.»

I taglialegna di Hal disboscarono un piccolo tratto di foresta dalla parte opposta dell'isola boscosa che sorgeva oltre il canale, in un punto invisibile dalla *Gull of Moray*. Compiendo un giro vizioso sulla terraferma, attraverso la foresta, Hal riuscì persino a traghettare uomini e materiale fino all'isola senza farsi scorgere dalle vedette sul vascello dell'Avvoltoio.

La prima sera lavorarono fin dopo mezzanotte, alla luce incerta delle torce impregnate di pece. Erano tutti consapevoli dell'urgenza del compito loro affidato, e quando furono sfiniti si limitarono a gettarsi sul letto soffice di foglie marce sotto gli alberi, dormendo finché l'alba non fornì la luce sufficiente per riprendere il lavoro.

A metà del giorno seguente, tutt'e cinque le imbarcazioni erano pronte per essere trasportate dal nascondiglio nel bosco fino al margine della laguna. Con la bassa marea, Sir Francis raggiunse a guado l'isola dalla terraferma, percorrendo poi il sentiero che attraversava la fitta foresta per ispezionare il loro lavoro. Assentì con aria dubbiosa, osservando: «Spero proprio che galleggino», mentre girava lentamente intorno alle goffe imbarcazioni.

«Lo sapremo soltanto quando le caleremo in mare per la prima volta.» Hal era stanco e irritabile. «Nemmeno per compiacere voi, padre, posso organizzare una dimostrazione a beneficio di Lord Cumbrae.»

Il padre gli lanciò un'occhiata, mascherando la sorpresa. Il cucciolo sta diventando un giovane cane e impara a ringhiare, pensò con un fremito di orgoglio paterno. Esige rispetto, e per la verità se lo è guadagnato.

A voce alta disse: «Te la sei cavata bene, nel poco tempo che hai avuto a disposizione», placando abilmente la collera di Hal. «Ti manderò alcuni uomini freschi per aiutarti a trasportarle e nasconderle nel boschetto.»

Hal era stanco al punto da riuscire a stento a issarsi in cima alla scaletta di corda, sul ponte della *Resolution*, ma anche se aveva portato a termine il suo incarico, il padre non intendeva permettergli di sgattaiolare furtivamente nella sua cabina.

«Siamo ancorati proprio dietro la *Gull*.» Puntò il dito verso la sagoma scura dell'altra nave, oltre il canale illuminato dal chiaro di luna. «Hai pensato a quello che potrebbe succedere se una delle tue imbarcazioni incendiarie oltrepassa il bersaglio e ci piomba addosso? Privi dell'albero come siamo, non potremmo manovrare.»

«Aboli ha già tagliato dei lunghi pali di bambù nella foresta.» Il tono di Hal non riusciva a mascherare lo sfinimento. «Li useremo per allontanare da noi qualunque imbarcazione, spingendola senza danni verso la spiaggia laggiù.» Si voltò per indicare un punto dietro di sé, dove i falò dell'accampamento brillavano a intermittenza dietro gli alberi. «L'Avvoltoio sarà colto di sorpresa, e non sarà equipaggiato di pali.»

Finalmente il padre si dichiarò soddisfatto. «Ora va' a riposare. Domani sera apriremo la loggia, e devi essere in grado di dare le risposte giuste al catechismo. »

Hal riemerse a malincuore dall'abisso del sonno in cui era sprofondato, e sulle prime non capì che cosa lo avesse svegliato. Poi il sommesso raspare che proveniva dalla paratia si ripeté.

Tutt'a un tratto si ritrovò sveglio e libero da ogni traccia di stanchezza e, rotolando sul pagliericcio per alzarsi, s'inginocchiò accanto alla paratia. Il suono raschiante si ripeté, impaziente e imperioso. Lui tamburellò in fretta sul legno in segno di risposta, poi armeggiò nel buio in cerca del cuneo che chiudeva lo spioncino. Non appena lo aprì, vide brillare un raggio di luce gialla, che s'interruppe quando Katinka accostò le labbra all'apertura dalla parte opposta, bisbigliando furiosa: « Dov'eri, la notte scorsa? »

« Avevo da fare a terra », bisbigliò lui di rimando.

« Non ti credo », gli disse. « Stai cercando di sfuggire al castigo. Mi disobbedisci volutamente. »

« No, no, non lo farei mai... »

« Apri subito questo pannello. »

Lui cercò a tentoni il pugnale, appeso alla cintura sul gancio ai piedi della cuccetta, per estrarre i tasselli. Il pannello si staccò, restando fra le sue mani con un lievissimo scricchiolio; lo mise da parte, e dall'apertura entrò un riquadro di luce soffusa.

« Vieni! » ordinò la voce di lei, e Hal s'insinuò nell'apertura. Vi passò a fatica, ritrovandosi poco dopo carponi sul pavimento dell'altra cabina: fece per alzarsi in piedi, ma lei lo fermò.

« Resta così. » Hal la guardò. Lo dominava dall'alto, indossando una vestaglia fluttuante di un tessuto impalpabile come un velo, e aveva i capelli sciolti che le scendevano fino alla vita in tutto il loro splendore. La luce della lampada traspariva dal tessuto della vestaglia, delineando tutto il suo corpo con la lucentezza della pelle che splendeva attraverso le pieghe trasparenti di seta.

« Sei uno svergognato », gli disse, mentre s'inginocchiava davanti a lei come se fosse un'immagine sacra. « Vieni da me nudo, non dimostri il minimo rispetto per me. »

« Mi dispiace! » ansimò lui. Nell'ansia di obbedirle, aveva dimenticato la propria nudità, e ora si coprì i genitali con le mani a coppa. « Non intendevo mancarvi di rispetto. »

«No! Non coprire la tua vergogna.» Lei protese la mano per scostare le sue, e guardarono entrambi l'inguine di Hal, vedendolo inturgidirsi e ingrossarsi pian piano, proteso verso di lei, con il prepuzio che si ritirava spontaneamente.

«C'è qualcosa che posso fare per porre fine a questo comportamento disgustoso, o ti sei spinto troppo oltre sulla strada del Maligno?»

Gli afferrò una ciocca di capelli e, attirandolo in piedi, lo trascinò dietro di sé nella splendida cabina dove lui aveva contemplato per la prima volta la sua bellezza.

Si lasciò cadere sulla trapunta del letto, sedendosi di fronte a lui, mentre i lembi della vestaglia di seta bianca si aprivano, ricadendo ai lati delle lunghe cosce snelle. Si attorcigliò intorno alle dita la ciocca di capelli e, con voce improvvisamente ansimante, gli disse: «Devi obbedirmi in tutto, figlio dell'abisso oscuro».

Dischiuse le cosce, attirando in basso il viso di Hal e premendolo con forza contro il monte di Venere, fitto di riccioli d'oro incredibilmente serici.

Lui fiutò il sentore del mare, della salsedine e delle alghe, l'odore delle creature vive e scintillanti degli oceani, l'aroma caldo e languido delle isole, della risacca salata che s'infrange su una spiaggia assolata. Lo aspirò dalle narici dilatate, poi risalì con la lingua alla fonte di quella fragranza paradisiaca.

Lei scivolò in avanti sulle coltri di seta per andare incontro alla sua bocca, allargando ancor più le cosce e sollevando i fianchi per aprirsi a lui. Tenendo stretta fra le dita una ciocca di capelli ricci, guidò la sua testa, attirandolo verso quel minuscolo bocciolo di carni rosee e turgide che si annidava nella fenditura più nascosta. Quando lo raggiunse con la punta della lingua, lei ansimò e prese a muoversi contro il suo viso come se cavalcasse a pelo uno stallone lanciato al galoppo, lasciandosi sfuggire fioche grida contraddittorie. «Oh, basta! Ti prego, fermati! No, non smettere! Continua così all'infinito!»

Poi, d'improvviso, allontanò di scatto la testa di Hal dalle cosce tese e ricadde all'indietro sul copriletto, attirandolo su di sé. Hal sentì i piccoli talloni duri di lei martellargli le reni mentre lo circondava con le gambe, e le unghie affilate come coltelli tagliare i muscoli tesi delle spalle. Poi, mentre scivolava dentro di lei, il dolore si fuse con la sensazione di calore umido e avvolgente, e soffocò le grida nella massa dorata dei suoi capelli.

I tre cavalieri avevano costituito la loggia alle pendici delle colline che sovrastavano la laguna, ai piedi di una piccola cascata che si gettava in un bacino d'acqua scura, circondato da alberi alti avviluppati da un intrico di licheni e liane.

L'altare era disposto al centro di un cerchio di massi, con un fuoco acceso davanti. La luna era al primo quarto, simbolo di rinascita e resurrezione.

Hal attese da solo nella foresta mentre gli altri cavalieri aprivano la loggia al primo grado, poi il padre, con la spada sguainata in mano, avanzò nelle tenebre per venire a prenderlo e riportarlo indietro lungo il sentiero.

Gli altri due cavalieri aspettavano accanto al fuoco, nel circolo consacrato. Avevano anch'essi la spada sguainata, con la lama che scintillava al riverbero delle fiamme. Sull'altare di pietra vide la sagoma della spada del bisnonno, Nettuno, avvolta in un panno di velluto. Si soffermarono all'esterno del circolo, dove Sir Francis chiese l'ammissione alla loggia.

« In nome del Padre, del Figlio e dello Spirito Santo. »

« Chi desidera entrare nella loggia del Tempio dell'ordine di San Giorgio e del Santo Graal? » chiese Lord Cumbrae con voce tonante che echeggiava fra le colline, stringendo nel pugno ricoperto di peli rossi il lungo spadone scintillante a doppio taglio.

« Un novizio che si presenta per essere iniziato ai misteri del Tempio », rispose Hal.

« Entra, a rischio della vita eterna », lo ammonì Cumbrae, e Hal entrò nel cerchio. D'improvviso l'aria gli parve più fredda e rabbrividì, persino mentre s'inginocchiava nell'alone di calore del fuoco.

« Chi patrocina questo novizio? » chiese di nuovo l'Avvoltoio.

« Io. » Sir Francis fece un passo avanti, e Cumbrae si rivolse di nuovo a Hal.

« Chi sei, tu? »

« Henry Courteney, figlio di Francis e di Edwina. » E cominciò il lungo rosario di domande e risposte, mentre la ruota stellata del firmamento girava lentamente e le fiamme del falò si affievolivano.

Era mezzanotte quando, finalmente, Sir Francis sollevò il velluto che copriva la spada Nettuno. Lo zaffiro incastonato nell'elsa riflesse un pallido raggio di luna negli occhi di Hal, mentre il padre gliela metteva fra le mani.

«Su questa spada confermerai i dogmi della tua fede.»

«In queste cose credo», recitò Hal, «e le difenderò a costo della vita. Credo che esista un solo Dio, in forma di Trinità, eterno il Padre, eterno il Figlio ed eterno lo Spirito Santo.»

«Amen!» dissero in coro i tre cavalieri Nautonnier.

«Credo nella comunione della Chiesa d'Inghilterra, e nel diritto divino del suo rappresentante sulla terra, Carlo, re d'Inghilterra, Scozia e Galles.»

Quando Hal ebbe recitato il suo credo, Cumbrae lo invitò a pronunciare i voti di cavaliere.

«Intendo proteggere la Chiesa d'Inghilterra e combattere i nemici del mio sovrano e signore Carlo.» La voce di Hal era vibrante di convinzione e di sincerità. «Rinuncio a Satana e a tutte le sue opere. Ripudio tutte le false dottrine, le eresie e gli scismi. Abiuro tutti gli altri dèi e i loro falsi profeti.

«Proteggerò i deboli. Difenderò i pellegrini. Soccorrerò i bisognosi e coloro che hanno sete di giustizia. Brandirò la spada contro il tiranno e l'oppressore.

«Difenderò i luoghi santi. Cercherò e proteggerò le preziose reliquie di Cristo Gesù e dei suoi santi. Non desisterò mai dalla ricerca del Santo Graal, che ha contenuto il sacro sangue di Cristo.»

Quando pronunciò quel voto, i cavalieri Nautonnier si fecero il segno della croce, perché la ricerca del Graal era il nucleo centrale del loro credo, la colonna di granito che sosteneva il tetto del loro tempio. «M'impegno alla rigorosa osservanza. Obbedirò al codice della cavalleria. Mi asterrò dalla depravazione e dalla fornicazione...» Hal s'impuntò leggermente su quella parola, ma si riprese in fretta. «...e onorerò i confratelli cavalieri. Sopra ogni altra cosa, terrò segrete tutte le procedure della mia loggia.»

«E che Dio possa avere misericordia della tua anima!» intonarono in coro i tre cavalieri Nautonnier, che poi si fecero avanti per formare un circolo intorno al novizio inginocchiato. Ciascuno di loro posò una mano sulla sua testa china e l'altra sull'elsa della sua spada, sovrapponendola a quella degli altri.

«Henry Courteney, ti accogliamo nella compagnia del Graal, e ti accettiamo come cavaliere del Tempio dell'ordine di San Giorgio e del Santo Graal.»

Richard Lister fu il primo a prendere la parola, con la sua sonora voce gallese, quasi cantando la sua benedizione. « Ti do il benvenuto nel Tempio. Possa tu rispettare sempre la rigorosa osservanza della regola. »

Poi fu la volta di Cumbrae. « Ti do il benvenuto nel Tempio. Possano le acque degli oceani più remoti aprirsi davanti alla prua della tua nave, e possa la forza del vento sospingerti sulla rotta che hai scelto. »

Infine parlò Sir Francis Courteney, con la mano saldamente posata sulla fronte di Hal. « Ti do il benvenuto nel Tempio. Possa tu restare sempre fedele ai tuoi voti, a Dio e a te stesso. »

Quindi i cavalieri Nautonnier lo aiutarono insieme ad alzarsi, abbracciandolo uno dopo l'altro. Le fedine di Lord Cumbrae erano dure e pungenti come la ghirlanda di spine del traditore.

« Ho la stiva piena delle spezie che abbiamo ricavato insieme dalla *Heerlige Nacht*, quanto basta per comprarmi un castello e cinquemila acri della terra migliore che ci sia nel Galles », disse Richard Lister, stringendo la mano destra di Francis nella sua con la stretta segreta dei Nautonnier. « E ho una moglie giovane e due figli robusti, che non vedo da tre anni. Un breve riposo in una terra verdeggiante e piacevole, insieme con le persone che amo, e poi, lo so, sentirò di nuovo il richiamo del vento. Forse c'incontreremo ancora in acque lontane, Francis. »

« Seguite la marea del cuore, Richard. Vi ringrazio della vostra amicizia e di quello che avete fatto per mio figlio. » Sir Francis ricambiò la stretta. « Spero un giorno di accogliere nel Tempio i vostri figli. »

Richard si avviò verso la scialuppa in attesa, poi, dopo un attimo di esitazione, tornò indietro. Passando un braccio intorno alle spalle di Sir Francis, abbassò la voce con espressione grave, dicendo: « Cumbrae mi ha fatto una proposta che vi riguardava, ma non mi è piaciuta affatto e gliel'ho detto in faccia. Guardatevi le spalle, Franky, e dormite con un occhio solo, quando c'è lui nei paraggi ».

« Siete un buon amico », rispose Sir Francis, seguendolo con lo sguardo mentre s'imbarcava per raggiungere la *Goddess*. Appena risalì la scaletta fino al cassero, il suo equipaggio levò l'ancora, caponandola sulla Venere nuda della polena. Tutte le vele si gonfiarono di vento e la nave avanzò lungo il canale, ammainando la bandiera in segno di congedo mentre scompariva oltre i promontori in mare aperto.

«Ora abbiamo solo l'Avvoltoio a tenerci compagnia.» Hal guardò in direzione della *Gull of Moray*, al centro del canale, circondata dalle imbarcazioni che caricavano nelle stive botti d'acqua, fascine di legna da ardere e pesce secco.

«Vi prego, Courteney, fate i preparativi per tirare la nave sulla spiaggia», ribatté Sir Francis, e Hal s'irrigidì. Non era abituato a sentirsi rivolgere la parola in quel modo dal padre: era strano essere trattato come un cavaliere e un ufficiale, anziché come un umile aspirante. Persino il suo abbigliamento era cambiato, insieme con la sua nuova condizione. Il padre gli aveva fornito la camicia di sottile cotone bianco di Madras che portava adesso, oltre alle brache nuove di fustagno che sembrava morbido come seta sulla pelle, dopo gli stracci di ruvida tela che aveva indossato fino a quel giorno.

Rimase ancor più sorpreso quando il padre si degnò di spiegargli l'ordine che aveva impartito. «Dobbiamo dedicarci alle nostre attività come se non sospettassimo affatto il suo tradimento. Inoltre la *Resolution* sarà più al sicuro sulla spiaggia, se dovessimo combattere.»

«Capisco, signore.» Hal alzò gli occhi verso il sole per valutare l'ora. «La marea sarà ideale per tirarla in secco ai due tocchi del turno di guardia di domattina. Saremo pronti.»

Per tutto il resto della mattinata, l'equipaggio della *Gull* si comportò come quello di qualsiasi altra nave che si prepari a prendere il mare, e sebbene Daniel e i suoi artiglieri, con i cannoni caricati e puntati e la miccia accesa, sorvegliassero la *Gull* dalle postazioni nascoste scavate nel terreno sabbioso ai margini della foresta, non si notò alcun segno di attività sospetta.

Poco prima di mezzogiorno, Lord Cumbrae si fece condurre a terra per incontrare Sir Francis, che era in piedi accanto al fuoco sul quale gorgogliava il calderone di pece, pronto per cominciare a calafatare la chiglia della *Resolution* non appena fosse stata tirata in secco.

«Allora questo è un addio», dichiarò, abbracciando Sir Francis e passandogli intorno alle spalle un braccio robusto e fitto di peli rossi. «Richard aveva ragione, non c'è nulla da guadagnare a restare seduti qui sulla spiaggia a grattarci la schiena.»

« Allora siete pronto a salpare? » rispose Sir Francis con calma, senza tradire lo stupore.

« Partirò con la marea di domattina. Ma come detesto l'idea di lasciarvi, Franky! Non volete bere ancora un goccio con me a bordo della *Gull*? Mi piacerebbe molto discutere con voi della mia quota del bottino della *Standvastigheid*. »

« Signore, la vostra quota è pari a zero, e questo pone fine alla discussione. Vi auguro un vento favorevole. »

Cumbrae si lasciò sfuggire una risata sonora. « Mi è sempre piaciuto il vostro senso dell'umorismo, Franky. So che desiderate solo risparmiarmi la fatica di trasportare quel pesante carico di spezie fino al Firth of Forth. » Si voltò per indicare con la barbetta a punta il deposito di spezie sotto gli alberi della foresta. « E quindi lo lascerò fare a voi. Ma nel frattempo vi affido una buona parte della mia quota, con l'intesa che me la consegnerete la prossima volta che ci incontreremo... più i soliti interessi, naturalmente. »

« Io ripongo altrettanta fiducia in voi, signore. » Sir Francis si tolse il cappello, sfiorando la sabbia con la piuma in un profondo inchino.

Cumbrae ricambiò l'inchino e, continuando a ridere, s'imbarcò sulla scialuppa per tornare a bordo della *Gull*.

Nel corso della mattinata gli ostaggi olandesi furono portati a riva e installati nei loro nuovi alloggi, costruiti per loro da Hal e dal suo gruppo di marinai; erano ben distanti dalla laguna e separati dal recinto nel quale era alloggiato l'equipaggio della *Resolution*.

Ormai la nave era vuota e pronta per essere tirata in secco. Quando la marea irruppe nella laguna dai promontori, l'equipaggio, guidato da Ned Tyler e Hal, cominciò a trainare la *Resolution* verso la spiaggia. Avevano assicurato agli alberi più resistenti i bozzelli più solidi, dando volta a robuste gomene a prua e a poppa, cosicché, con cinquanta uomini impegnati a tirare, la nave si spostò in parallelo alla spiaggia.

Quando il fondo toccò la sabbia bianca, l'assicurarono così, e non appena la marea cominciò a ritirarsi la coricarono sul fianco per mezzo di paranchi applicati agli alberi di mezzana e di trinchetto, lasciati al loro posto. La nave s'inclinò finché le teste degli alberi non sfiorarono la foresta. In quel modo restava allo scoperto tutto il lato di dritta dello scafo, fino alla chiglia, e

Sir Francis e Hal si avvicinarono a guado per ispezionarlo, lieti di scoprire ben poche tracce della presenza di teredini.

C'erano solo alcune sezioni di fasciame da sostituire, e il lavoro cominciò subito. Quando scesero le tenebre, si accesero le torce, perché il lavoro sulla chiglia sarebbe continuato finché il ritorno dell'alta marea non lo avesse impedito. Quando questo accadde, Sir Francis andò a cenare nel suo nuovo alloggio, mentre Hal impartiva gli ordini per assicurare la nave durante la notte. Le torce furono spente e Ned condusse via gli uomini per farli cenare, sia pure in ritardo.

Hal non aveva appetito. I suoi desideri erano di altro genere, ma ci sarebbe voluta almeno un'altra ora prima che potesse soddisfarli. Rimasto solo sulla spiaggia, osservò la *Gull*, oltre la stretta striscia di mare. Sembrava che tutto fosse tranquillo per la notte. Le scialuppe erano ancora ormeggiate a fianco della nave, ma non ci sarebbe voluto molto per issarle a bordo e chiudere i boccaporti con i rinforzi.

Si allontanò dalla riva per addentrarsi fra gli alberi, seguendo la linea delle postazioni di artiglieria e parlando sottovoce con gli uomini di sentinella alle colubrine. Controllò di nuovo il puntamento di ogni cannone, verificando che mirassero effettivamente verso la sagoma scura della *Gull*, ancorata sulla superficie immobile e scura della laguna in mezzo a uno spolverio di stelle riflesse sull'acqua.

Per qualche tempo restò seduto accanto a Big Daniel, lasciando penzolare le gambe nella trincea scavata per ospitare la colubrina.

« Non vi preoccupate, Henry. » Persino Daniel, rivolgendosi a lui, usava con sufficiente naturalezza la nuova formula, più rispettosa. « Lo teniamo sotto tiro, quel bastardo barbarossa. Potete pure andarvene a cena. »

« Quando è stata l'ultima volta che hai dormito, Daniel? » gli chiese Hal.

« Non pensate a me. Fra poco cambia il turno di guardia, e passerò le consegne a Timothy. »

Davanti alla sua capanna Hal trovò ad aspettarlo Aboli, seduto in silenzio come un'ombra accanto al fuoco, con una scodella che conteneva dell'anatra arrosto e qualche pezzo di pane, insieme a una brocca di birra poco alcolica.

« Non ho fame, Aboli », protestò Hal.

« Mangia. » Aboli gli ficcò il piatto fra le mani. « Avrai bisogno di tutte le tue forze per il compito che ti attende stanotte. »

Hal accettò il piatto, ma tentò di decifrare l'espressione di Aboli per leggere il significato più profondo della sua ammonizione. La luce del fuoco danzava su quel volto scuro ed enigmatico, simile a quello di un idolo pagano, mettendo in evidenza i tatuaggi tribali sulle guance, ma gli occhi erano imperscrutabili.

Hal si servì del pugnale per dividere in due l'anatra e offrirne una porzione ad Aboli. « E quale sarebbe questo compito che mi attende? » chiese in tono cauto.

Aboli strappò con i denti un boccone di petto d'anatra e alzò le spalle masticando. « Devi stare attento a non sciupare le tue parti più delicate su una spina, mentre passi dal varco nello steccato per compiere il tuo dovere. »

La mascella di Hal s'irrigidì e l'anatra che aveva in bocca divenne insipida. Aboli doveva aver scoperto lo stretto passaggio nel recinto di spine dietro la capanna di Katinka, che Hal aveva lasciato aperto con tanta discrezione.

« Da quanto tempo lo sai? » domandò a bocca piena.

« Come potrei non saperlo? I tuoi occhi diventano come la luna piena quando guardi in una certa direzione, e ho sentito i tuoi ruggiti, simili a quelli di un bufalo ferito, provenire a mezzanotte da poppa. »

« Credi che mio padre lo sappia? » domandò trepidante.

« Sei ancora vivo », gli fece notare Aboli. « Se lo sapesse, non lo saresti. »

« Non lo dirai a nessuno? Soprattutto, non a lui? »

« Soprattutto non a lui », convenne Aboli. « Ma fa' attenzione a non scavarti la fossa con la vanga che hai fra le gambe. »

« Io l'amo, Aboli », sussurrò Hal. « Il suo pensiero non mi fa dormire. »

« Che non dormi l'ho sentito. Temevo che svegliassi tutta la nave con la tua insonnia. »

« Non deridermi, Aboli. Morirei, senza di lei. »

« Allora devo salvarti la vita portandoti da lei. »

« Verresti con me? » Hal rimase scosso dall'offerta.

« Aspetterò vicino al varco nel recinto, per guardarti le spalle. Potresti aver bisogno del mio aiuto, se il marito ti trova in quello che dovrebbe essere il suo posto. »

«Quel grasso animale!» esplose Hal furioso, odiandolo con tutto il cuore.

«Grasso, può darsi. Astuto, quasi certamente. Potente, senza il minimo dubbio. Non sottovalutarlo, Gundwane.» Aboli si alzò. «Andrò io per primo, per assicurarmi che la via sia libera.»

I due sgusciarono in silenzio nel buio, soffermandosi sul retro dello steccato.

«Non devi aspettarmi, Aboli», sussurrò Hal. «Potrei trattenermi a lungo.»

«Se non lo facessi, sarei deluso di te», disse Aboli a Hal nel suo linguaggio. «Ricorda sempre questo consiglio, Gundwane, perché ti sarà utile per tutta la vita. La passione di un uomo è come un incendio che scoppia nell'erba alta e arida: divampa ardente e furioso, ma viene domato ben presto. Una donna è come il calderone di un mago, che deve sobbollire a lungo sui carboni prima di poter sprigionare il suo incantesimo. Sii rapido in tutto, tranne che nell'amore.»

Hal sospirò nel buio. «Perché mai le donne devono essere così diverse da noi, Aboli?»

«Rendi grazie a tutti i tuoi dèi per questo, e anche ai miei.» I denti di Aboli scintillarono nell'oscurità quando sorrise, sospingendo gentilmente Hal verso il varco. «Se mi chiamerai, sarò qui.»

Nella capanna di Katinka la lampada era ancora accesa e schegge di luce gialla filtravano dalle commessure nella copertura di paglia. Hal accostò l'orecchio alla parete senza udire niente, poi si avvicinò di soppiatto alla porta socchiusa per sbirciare all'interno, verso l'enorme letto a baldacchino che i suoi uomini avevano trasportato a terra dalla cabina della *Resolution*. Le cortine erano chiuse per tenere lontani gli insetti, quindi non poteva avere la certezza che dentro ci fosse una persona sola.

Sgusciò in silenzio dalla porta, sgattaiolando verso il letto e, mentre sfiorava le cortine, una mano piccola e bianca si protese fra le pieghe del tendaggio, afferrando la sua e trascinandolo all'interno. «Non parlare!» sibilò lei. «Non dire una sola parola.» Le sue dita volarono agili lungo i bottoni della camicia di Hal, slacciandola fino alla vita, poi le sue unghie gli si conficcarono dolorosamente nel petto.

Nello stesso tempo gli coprì la bocca con la sua. Non lo aveva mai baciato prima di allora, e il calore e la morbidezza delle sue labbra lo lasciarono attonito. Tentò di afferrarle i seni, ma lei lo prese per i polsi, immobilizzandogli le braccia lungo i fianchi mentre gli insinuava la lingua in bocca, intrecciandola alla sua, facendola guizzare e contorcere come un'anguilla viva, stuzzicandolo e provocandolo lentamente, più di quanto fosse mai accaduto.

Poi, sempre tenendogli le mani bloccate lungo i fianchi, lo rovesciò all'indietro. Con le dita svelte aprì l'allacciatura delle brache di fustagno e poi, con un turbinio di seta e di pizzo, gli salì a cavalcioni dei fianchi, inchiodandolo al copriletto di raso. Senza usare le mani, si protese col bacino fino a trovarlo e risucchiarlo nel suo calore segreto.

Molto tempo dopo, Hal scivolò in un sonno così profondo da somigliare a una piccola morte.

Lo destò una mano insistente sul braccio nudo, e si drizzò a sedere, allarmato. «Cosa...» cominciò, ma la mano gli tappò la bocca, soffocando la parola seguente.

«Gundwane! Non fare rumore. Trova i vestiti e vieni con me, presto!»

Hal rotolò dolcemente giù dal letto, attento a non disturbare la donna che giaceva al suo fianco, raccogliendo le brache dal pavimento dove lei le aveva lanciate.

Nessuno dei due pronunciò un'altra parola finché non ebbero superato il varco nello steccato. A quel punto si fermarono, mentre Hal alzava lo sguardo al cielo e vedeva, dall'angolazione della grande Croce del Sud all'orizzonte, che mancava appena un'ora all'alba. Quella era l'ora stregata in cui tutte le risorse umane erano al livello minimo. Si voltò indietro a scrutare la sagoma nera di Aboli. «Cosa c'è? Perché mi hai chiamato?»

«Ascolta.» Aboli gli posò una mano sulla spalla e Hal piegò la testa di lato.

«Non sento niente.»

«Aspetta!» Aboli gli strinse la spalla per farlo tacere.

Allora sentì anche lui, attutito dalla lontananza e soffocato dallo schermo di alberi, uno scroscio di risa sfrenate.

«Cosa...?» Hal era perplesso.

«Sulla spiaggia.»

«Per il sangue di Giuda!» proruppe Hal. «Che diavoleria è questa?» Affiancato da Aboli, si lanciò di corsa verso la laguna, incespicando nel buio sul terreno accidentato della foresta, mentre i rami bassi gli sferzavano il volto.

Raggiunte le prime baracche dell'accampamento, udirono altri schiamazzi, un brano di canzone intonato con voce impastata e uno scroscio di risa stordite.

«Le postazioni dei cannoni», esclamò Hal ansimando, e in quel momento vide davanti a sé, all'ultimo chiarore del falò morente, una sagoma umana.

Poi lo bloccò la voce del padre: «Chi va là?»

«Sono io, Hal, padre.»

«Che succede?» Era evidente che Sir Francis si era appena svegliato, perché era in maniche di camicia e aveva la voce arrochita dal sonno, ma brandiva già la spada.

«Non lo so», rispose Hal, mentre si sentiva scrosciare un'altra risata idiota. «Proviene dalla spiaggia, dalla trincea dei cannoni.»

Senza aggiungere una parola, tutti e tre ripresero a correre, raggiungendo insieme la prima colubrina. Lì, ai margini della laguna, il baldacchino di foglie in alto era più rado e lasciava filtrare gli ultimi raggi di luna, fornendo luce sufficiente per vedere uno degli artiglieri riverso sulla lunga canna di bronzo. Quando Sir Francis gli sferrò un calcio furioso, l'uomo si accasciò sulla sabbia.

Fu allora che Hal scorse il barilotto posato sull'orlo della trincea. Ignaro del loro arrivo, un altro artigliere era lì a quattro zampe, come un cane, intento a leccare il rivolo di liquido che colava dallo zipolo. Hal fiutò l'aroma zuccherino, greve nell'aria notturna come l'effluvio di un fiore velenoso, e balzando giù nel pozzetto afferrò l'artigliere per i capelli.

«Dove hai preso il rum?» ringhiò. L'uomo lo guardò di rimando con aria vacua, e Hal tirò indietro il braccio per sferrargli un pugno che gli fece schioccare i denti. «Che tu sia dannato, ubriacone! Dove lo hai preso?» Hal lo punzecchiò con la punta del pugnale. «Dimmelo, o ti taglio la gola.»

Il dolore e la minaccia fecero rinsavire la sua vittima. «Un regalo di addio di sua signoria», rispose in un soffio. «Ci ha mandato un barilotto dalla *Gull* per bere alla sua salute e augurargli buon viaggio.»

Hal scaraventò lontano da sé l'ubriaco, balzando sul parapetto. «E gli altri artiglieri? L'Avvoltoio ha mandato doni a tutti?»

Corsero lungo la fila di postazioni, e dovunque trovarono barilotti di quercia dall'aroma dolce e corpi inerti. Erano ben pochi gli uomini che si reggevano ancora in piedi, e anche loro barcollavano e farfugliavano in preda all'ebbrezza. Pochi marinai inglesi erano capaci di resistere all'essenza ardente dello zucchero di canna.

Persino Timothy Reilly, uno dei timonieri più fidati di Sir Francis, aveva ceduto alla tentazione e, per quanto cercasse di replicare alle accuse, cominciò a barcollare; colpito alla testa con l'elsa della spada, cadde riverso sulla sabbia.

In quel momento arrivò di corsa Big Daniel dall'accampamento. «Ho sentito il fracasso, comandante. Che cosa è successo?»

«L'Avvoltoio ha messo fuori combattimento gli artiglieri con il rum. Sono tutti privi di sensi.» La voce di Sir Francis tremava per la collera. «Il significato può essere uno solo: non c'è un solo momento da perdere. Svegliate l'accampamento. Chiamate gli uomini alle armi, ma senza fare troppo rumore, mi raccomando!»

Mentre Daniel correva via, Hal sentì un lieve rumore provenire dalla nave abbuiata oltre le acque placide della laguna, un suono lontano di ingranaggi metallici che gli fece correre un brivido lungo la spina dorsale.

«L'argano!» esclamò. «La *Gull* sta alando il traversino dell'ancora.»

Guardarono oltre lo stretto braccio di mare e, al chiaro di luna, videro la sagoma della *Gull* cambiare forma, man mano che la cima tesa dall'ancora all'argano faceva ruotare la poppa della nave, presentando il fianco alla spiaggia.

«Ha messo fuori i cannoni!» esclamò Sir Francis, vedendo il chiaro di luna scintillare sulle canne di bronzo. Dietro ogni cannone si scorgeva ora il lieve bagliore della miccia nelle mani degli artiglieri della nave.

«Per l'alito di Satana, stanno per spararci addosso! Giù!» gridò Sir Francis. «State giù!» Hal scavalcò con un balzo il parapetto della trincea, stendendosi sul fondo sabbioso.

Di colpo la notte fu illuminata a giorno, come da un lampo, e un attimo dopo il tuono colpì i loro timpani e un tornado di colpi spazzò la spiaggia, investendo la foresta che li circondava. La *Gull* aveva aperto il fuoco sull'accampamento con tutti i suoi cannoni, sparando una bordata devastante.

La mitraglia dilaniò il fogliame sopra di loro: rami, fronde e ampi lembi di corteccia piovvero su di loro, mentre l'aria pullulava di uno sciame letale di schegge schizzate via dai tronchi. Le fragili capanne non offrivano alcuna protezione agli occupanti. La bordata le devastò, spezzando i pali di sostegno e abbattendo le fragili strutture come se fossero state investite da un'ondata di piena. Udirono le urla terrorizzate degli uomini che si svegliavano in mezzo a un incubo, i singhiozzi e i gemiti di quelli abbattuti dalla salva di colpi o trafitti dalle schegge aguzze e frastagliate.

La *Gull* era scomparsa dietro la cortina di fumo prodotta dai suoi stessi cannoni, ma Sir Francis balzò in piedi, strappando la miccia fumante dalla mano inerte di un artigliere ubriaco. Lanciando un'occhiata alla colubrina, vide che era ancora puntata verso il turbine di fumo dietro il quale si nascondeva la *Gull*, e accostò la miccia al focone. La colubrina sparò, emettendo un lungo sbuffo argenteo di fumo e rinculando con violenza. Lui non riuscì a vedere dove fosse finita la palla, ma lanciò ruggendo un ordine ai pochi artiglieri ancora abbastanza sobri da poter obbedire. «Fuoco! Aprite il fuoco! Continuate a sparare più in fretta che potete!»

Udì una salva irregolare di colpi, poi vide molti artiglieri alzarsi e allontanarsi barcollando fra gli alberi.

Hal balzò sul terrapieno dell'accampamento, gridando a Daniel e Aboli: «Avanti, prendete una miccia per ciascuno e seguitemi. Dobbiamo raggiungere l'isola!»

Daniel stava già aiutando Sir Francis a ricaricare la colubrina, inserendo lo scovolo nella canna fumante per spegnere le scintille.

«Smettila, Daniel. Lascia fare quel lavoro agli altri. Ho bisogno del tuo aiuto.»

Mentre si dirigevano insieme lungo la spiaggia, la nube di fumo che avvolgeva la *Gull* si dissolse e la nave sparò una nuova bordata. Erano passati appena due minuti dalla prima: gli artiglieri erano veloci e ben addestrati, oltre ad avere il vantaggio della sorpresa. Ancora una volta, una tempesta di colpi spazzò la spiaggia, arando la foresta con effetti micidiali.

Hal vide una delle loro colubrine, colpita in pieno da una palla di piombo, scattare rovesciandosi all'indietro sull'affusto, cosicché la canna puntò in alto verso le stelle.

Le grida dei feriti e dei morenti s'innalzarono al cielo nel caos e nella desolazione, mentre gli uomini abbandonavano i posti e fuggivano tra gli alberi. Il fuoco irregolare di risposta dalle postazioni sulla spiaggia diminuì sempre più, fino a ridursi a un colpo ogni tanto, accompagnato da un lampo. Una volta ridotta al silenzio la batteria, l'Avvoltoio puntò i cannoni verso le capanne ancora in piedi e i gruppi di cespugli fra i quali aveva trovato rifugio l'equipaggio della *Resolution*.

Hal sentì gli uomini della *Gull* lanciare urla selvagge mentre ricaricavano e sparavano. «Per la *Gull* e per Cumbrae!» era il loro grido di battaglia.

Non ci furono altre bordate, ma un rombo di tuono ininterrotto e irregolare, visto che ogni cannone sparava non appena era pronto. I lampi scaturivano a intermittenza dalle canne, divampando come fiamme infernali in mezzo alla nube di fumo bianco e sulfureo.

Correndo, Hal udì alle sue spalle la voce del padre levarsi sempre più fioca in lontananza, mentre tentava di radunare l'equipaggio decimato e demoralizzato. Aboli correva al suo fianco, mentre Big Daniel era rimasto indietro e perdeva sempre più terreno in confronto ai due compagni più veloci.

«Avremo bisogno di altri uomini per mettere in mare le imbarcazioni», osservò Daniel ansimando. «Sono pesanti.»

«Non troveremo nessuno che ci aiuti, adesso. Sono tutti ubriachi fradici o in fuga per salvarsi la vita», grugnì Hal di rimando, ma proprio mentre parlava vide Ned Tyler sbucare di corsa dalla foresta davanti a lui, in testa a un gruppo di cinque marinai. Sembravano tutti abbastanza sobri.

«Bravo Ned!» gridò Hal. «Ma dobbiamo far presto. L'Avvoltoio manderà i suoi uomini sulla spiaggia appena avrà messo a tacere le nostre batterie.»

Caricarono in gruppo, superando lo stretto canale che li separava dall'isola. La marea era bassa, quindi dapprima barcollarono sul fondale ricoperto di fango gelatinoso e vischioso, poi finirono in acqua. Procedendo a guado e a nuoto, si sforzarono di traversare, spronati dal tuono del fuoco di sbarramento della *Gull*.

«C'è appena un alito di vento da sud-ovest», ansimò Big Daniel, mentre avanzavano, grondanti d'acqua, risalendo la spiaggia dell'isola. «Non sarà sufficiente per noi.»

Hal non rispose, ma spezzò un ramo secco, accendendolo con la miccia che teneva in mano e sollevandolo in alto per ottenere luce sufficiente a rischiarare il sentiero e proseguire di corsa nella foresta. Pochi minuti dopo avevano attraversato l'isola, raggiungendo la riva dalla parte opposta. Qui Hal si fermò, guardando verso la *Gull*, ancorata nel canale principale.

L'alba avanzava a grandi passi, mettendo in fuga la notte; la luce diventava di un grigio argenteo e la laguna scintillava dolcemente, come una lastra di peltro lucido.

L'Avvoltoio puntava i cannoni avanti e indietro, sfruttando il congegno applicato all'ancora per manovrare la *Gull* all'ormeggio in modo da poter colpire qualsiasi bersaglio sulla riva.

Solo ogni tanto si scorgeva il bagliore di un colpo di risposta dalle postazioni sulla spiaggia, e l'Avvoltoio reagiva subito, virando e mettendo a segno tutta la potenza della sua bordata, soffocandoli con un turbine di mitraglia, sabbia sollevata dalle esplosioni e dagli alberi abbattuti.

Tutto il gruppo di Hal era senza fiato, dopo la corsa nel fango e il tuffo nel canale. «Non è il momento di riposare.» Hal aveva il respiro sibilante. Le barche incendiarie erano mimetizzate da mucchi di rami tagliati, che dovettero scostare. Poi circondarono la prima imbarcazione, di cui ciascuno afferrò un punto diverso.

«Tutti insieme, adesso!» li esortò Hal, e unendo le forze riuscirono a sollevare dalla sabbia la chiglia dell'imbarcazione, appesantita da un carico composto di fascine di legna secca imbevute di pece per renderle più infiammabili.

Scesero lungo la spiaggia a passi incerti, lasciandola cadere nell'acqua bassa, dove beccheggiò e rollò fra le onde lievi, con il riquadro di tela sporca issata sull'albero tozzo che si agitava pigramente ai lievi sbuffi di vento provenienti dall'imbocco della laguna. Hal si avvolse intorno al polso una barbetta per impedire che il battello si allontanasse alla deriva.

«Il vento non è sufficiente!» si lamentò Big Daniel, alzando gli occhi al cielo. «Per l'amor di Dio, un alito di brezza.»

«Riserva le preghiere per dopo.» Hal assicurò l'imbarcazione, riportando di corsa i compagni fra gli alberi. Insieme sollevarono, spinsero e trascinarono altre due barche fino all'acqua.

«Il vento non basta ancora.» Daniel guardò in direzione della *Gull*. Nel breve tempo necessario per calare in acqua le imbarcazioni la luce del mattino si era intensificata e ora, mentre facevano una pausa per riprendere fiato, videro gli uomini dell'Avvoltoio abbandonare i cannoni e, lanciando urla selvagge, brandire spade e picche prima di calarsi a frotte nelle scialuppe.

«Ma guardate quei porci! Credono che la lotta sia finita», grugnì Ned Tyler. «Si lanciano al saccheggio.»

Hal esitò. Ai margini della foresta c'erano ancora due barche incendiarie, ma calarle in mare avrebbe richiesto troppo tempo. « Allora dobbiamo dar loro motivo di cambiare opinione », replicò in tono truce, serrando fra i denti la miccia. Spingendosi a guado, nell'acqua che gli arrivava fino alle ascelle, verso il punto in cui galleggiava la prima imbarcazione, poco discosta dalla spiaggia, accostò la miccia alla pila alta di legna da ardere. Sputacchiando, la legna si accese, sprigionando un vortice di fumo azzurrino nella pigra brezza, quando i ceppi impregnati di pece presero fuoco.

Hal afferrò la barbetta fissata alla prua per trainare nel canale la barca. Dopo una dozzina di iarde si trovò in acque più profonde, dove non si toccava più. Girò a nuoto intorno per raggiungere la poppa, e dopo aver trovato un appiglio cominciò a scalciare con violenza con entrambe le gambe, e la barca si mosse.

Seguendo il suo esempio, Aboli si tuffò a capofitto nella laguna, affiancandolo con alcune possenti bracciate. Spinta dai due, la barca si mosse più in fretta.

Con una mano sulla poppa, Hal sollevò la testa dall'acqua per orientarsi, e vide la flottiglia di barche della *Gull* puntare verso la spiaggia. Erano affollate di marinai che lanciavano grida selvagge, con le armi scintillanti alla luce del mattino. L'Avvoltoio era a tal punto sicuro della vittoria che doveva aver lasciato solo pochi uomini a bordo per sorvegliare la nave.

Lanciando un'occhiata indietro, Hal notò che Ned e Daniel avevano seguito il suo esempio, guidando nell'acqua il resto del gruppo e aggrappandosi alla poppa delle altre due imbarcazioni, mentre scalciavano nell'acqua per spingerle nel canale. Dalle tre barche si levavano sottili spirali di fumo, mentre le fiamme s'impadronivano del carico di legna impregnata di pece.

Hal s'immerse di nuovo in acqua accanto ad Aboli e riprese ostinatamente a pedalare con le gambe, spingendo in avanti la barca lungo il canale che portava verso la *Gull* all'ancora. Poi la marea in ascesa li prese saldamente nel suo flusso e, come un trio di anatre azzoppate, li sospinse più in fretta.

Quando la barca virò di prua, Hal ebbe una visuale migliore della spiaggia. Riconobbe la testa e la barba rosso fuoco dell'Avvoltoio che guidava l'attacco all'accampamento, e nonostante il frastuono gli parve di udire scrosci di risa portate dal vento.

Poi ebbe altro cui pensare, perché il fuoco nel carico sopra di lui divampò ardente, destandosi con un rombo sonoro. Le fiamme crepitarono balzando in alto e sprigionando colonne di denso fumo nero; ondeggiavano e danzavano, creando con il loro calore una corrente d'aria, e l'unica vela si gonfiò con maggiore decisione.

« Tienila in movimento! » mormorò ansimando Hal ad Aboli, che era al suo fianco. « Dirigi di due punti più a sinistra. »

Una vampata di calore lo investì con tanta intensità da dare l'impressione che gli risucchiasse l'aria dai polmoni. Immerse la testa nell'acqua e la risollevò sbuffando, con l'acqua che gli scorreva a rivoli sul viso dai capelli fradici, sempre continuando a scalciare con tutte le sue forze. La *Gull* era davanti a loro, a meno di cento braccia: Daniel e Ned li seguivano dappresso, con le loro imbarcazioni avvolte in nuvole di fumo nero come la pece e fiamme color arancio vivo. L'aria sopra di loro fremeva e pulsava per il calore come un miraggio nel deserto.

« Falla proseguire così », sbuffò Hal, cui le gambe cominciavano a dolere in modo insopportabile: parlava più a se stesso che ad Aboli. La barbetta legata alla prua della barca incendiaria fluttuava nell'acqua, minacciando di attorcigliarsi intorno alle sue gambe; lui scalciò per liberarsene, perché non c'era il tempo di scioglierla.

Vide la prima delle barche della *Gull* raggiungere la spiaggia e Cumbrae balzare a riva, facendo roteare lo spadone attorno alla testa in cerchi lampeggianti. Atterrando sulla sabbia, lo scozzese rovesciò la testa all'indietro per lanciare un agghiacciante grido di guerra gaelico, poi risalì a lunghi balzi il pendio della spiaggia. Non appena raggiunti gli alberi, si guardò alle spalle per controllare che gli uomini lo seguissero; rimase immobile, con la spada levata in alto, fissando oltre il canale la minuscola flotta di barche che, vomitando fumo e fiamme, puntavano contro la sua nave all'ancora.

« Ci siamo quasi! » esclamò ansimando Hal, mentre le ondate di calore che s'infrangevano sulla sua testa davano l'impressione di poter friggere le pupille nelle orbite. Immerse di nuovo la testa sott'acqua per rinfrescarsela e stavolta, riemergendo, vide che la *Gull* era distante appena una cinquantina di iarde.

Anche al di sopra del rombo crepitante delle fiamme, udì l'urlo selvaggio dell'Avvoltoio: « Indietro! Tornate a bordo della *Gull*. Quei bastardi le stanno appiccando il fuoco! » La fregata aveva a bordo il bottino di una lunga e dura navigazione di corsa, e l'equipaggio lanciò un coro selvaggio di esclamazioni indignate vedendo in pericolo i frutti di tre anni di scorrerie. Tornarono di corsa alle scialuppe, ancor più in fretta di quando avevano assaltato la spiaggia.

L'Avvoltoio era ritto a prua della barca, sbracciandosi e gesticolando con tanta violenza da rischiare di perdere l'equilibrio. «Fate solo che metta le mani su quel porco sfregiato, e gli taglierò la gola, gli spaccherò quel fetido...» In quel momento riconobbe la testa di Hal a poppa della prima barca incendiaria, illuminata in pieno dal bagliore delle fiamme che turbinavano, e la sua voce salì di un'ottava. «Perdio, è il moccioso di Franky! È mio! Voglio arrostirgli il fegato sul suo stesso fuoco!» gridò, prima di cominciare a farfugliare in modo sconnesso, col viso paonazzo di rabbia, fendendo l'aria con lo spadone per incitare l'equipaggio ad aumentare la velocità.

Hal era distante appena una dozzina di iarde dall'alta murata della *Gull*, ma trovò una nuova riserva di energia nelle gambe esauste. Aboli continuava instancabile a nuotare, con un possente movimento a rana delle gambe che lasciava una nitida scia dietro di lui, consentendogli di avanzare rapidamente.

Coprirono le ultime bracciate del percorso con la scialuppa dell'Avvoltoio che puntava su di loro a tutta velocità, e Hal sentì la prua della barca incendiaria urtare con violenza contro il fasciame a poppa della *Gull*. La spinta della marea la tenne inchiodata in quella posizione, facendo ruotare lo scafo di fianco in modo che le fiamme furono propagate dalla brezza mattutina che si stava levando, fino a lambire la fiancata della *Gull*, bruciacchiando e annerendo l'assito.

«Accostate!» tuonò l'Avvoltoio. «Agganciate e trainatela via!» I suoi rematori puntarono direttamente verso la nave, ma si ritrassero appena sentirono il calore che sprigionava. A prua, l'Avvoltoio alzò le mani per ripararsi il viso, e la sua barba rossa s'increspò, strinata dal calore del fuoco. «Indietro!» ruggì. «Altrimenti friggeremo vivi.» Guardando il timoniere, ordinò: «Dammi l'ancora! La getterò sulla barca, e potremo trainarla lontano».

Hal era sul punto di tuffarsi per nuotare sott'acqua, uscendo dal cerchio di calore insostenibile, ma udì l'ordine di Cumbrae. Con la barbetta ancora attorcigliata alle gambe, cercò tentoni sott'acqua l'estremità libera, serrandola con i piedi. Poi s'immerse, nuotando sotto la chiglia della barca incendiaria e riemergendo nello stretto varco che la separava dalla *Gull*.

La pala del timone della *Gull* sporgeva dalla superficie della laguna e Hal, sputando acqua, diede volta alla barbetta attorno all'agugliotto. Aveva la sensazione che il suo viso si stesse coprendo di vesciche, mentre il caldo gli investiva la testa a colpi di maglio, ma agganciò saldamente l'imbarcazione in fiamme al dritto di poppa della *Gull*, poi si tuffò ancora una volta, riemergendo a fianco di Aboli. « A riva, prima che il fuoco raggiunga la polveriera della *Gull*! »

Si allontanarono entrambi con vigorose bracciate, e Hal vide che la scialuppa, ormai vicina, era quasi a portata di mano, ma l'Avvoltoio aveva perso ogni interesse per loro. Stava facendo roteare la piccola ancora attorno alla testa, e sotto gli occhi di Hal la scagliò verso l'imbarcazione in fiamme, agganciandola.

« Fate forza sui remi! » gridò ai suoi uomini. « Rimorchiatela lontano. » I marinai s'impegnarono con tutte le loro forze, ma quasi subito la barbetta legata da Hal si tese, e le pale dei remi batterono l'acqua invano. La barca in fiamme non voleva saperne di spostarsi, e ormai il fasciame della *Gull* fumava in modo sinistro.

Il fuoco era lo spauracchio di tutti. La nave era costruita con materiali infiammabili e carica di esplosivi, legno e pece, tela e canapa, sego, barili di spezie e polvere da sparo. I volti dei marinai della scialuppa erano stravolti dal terrore. Persino l'Avvoltoio, investito dal riverbero dell'incendio, aveva gli occhi sbarrati quando, alzando la testa, vide le altre due imbarcazioni in fiamme avvicinarsi implacabili. « Fermate quelle altre! » gridò puntando lo spadone. « Allontanatele! » Poi rivolse di nuovo tutta la sua attenzione alla barca incendiaria ormeggiata alla *Gull*. Ormai Hal e Aboli erano lontani una cinquantina di iarde, diretti a riva, ma Hal si girò sul dorso per guardare, tenendosi a galla. Vide subito che i tentativi dell'Avvoltoio di rimorchiare lontano la barca incendiaria erano vani.

Allora Cumbrae si spostò a forza di remi verso la prua della *Gull*, arrampicandosi sul ponte seguito dall'equipaggio, e ordinò: « Secchi! Formate una catena di secchi. Alle pompe! Dieci uomini alle pompe. Versate acqua sulle fiamme! » Gli uomini si affrettarono a obbedire, ma il fuoco si propagava in fretta, divorando la poppa e danzando lungo il capo di banda, allungandosi avido verso le vele terzarolate sui pennoni protesi in fuori.

Una delle scialuppe della *Gull* aveva agganciato con un grappino la barca di Ned e, in un frenetico battere di remi, la stava trascinando lontano, mentre un'altra tentava di fissare una cima a quella di Big Daniel, ma le fiamme costringevano i marinai a tenersi a distanza. Ogni volta che riuscivano ad agganciarla, Big Daniel nuotava intorno alla barca, tagliando la cima con un fendente del suo coltello. Gli uomini armati di moschetto e pistola a bordo della scialuppa sparavano all'impazzata contro la sua testa che emergeva dall'acqua, ma, per quanto i proiettili sollevassero schizzi tutt'intorno a lui, Big Daniel sembrava invulnerabile.

Aboli adesso era in testa, e Hal si girò di nuovo sul ventre per seguirlo a nuoto fino alla spiaggia. Insieme risalirono di corsa la sabbia bianca, rifugiandosi nella foresta. Sir Francis era ancora nella trincea dei cannoni, dove lo avevano lasciato, ma aveva radunato attorno a sé uno sparuto gruppo di superstiti della *Resolution*. Stavano ricaricando il grosso cannone, quando Hal lo raggiunse di corsa gridando: «Che cosa volete che faccia?»

«Prendi con te Aboli e andate a cercare qualcun altro degli uomini. Caricate un'altra colubrina. Portate sotto tiro la *Gull*.» Sir Francis aveva risposto senza alzare la testa dal cannone che stava preparando al fuoco, e Hal corse di nuovo fra gli alberi. Radunò una mezza dozzina di uomini, che lui e Aboli stanarono a forza di calci, trascinandoli fuori dai buchi e dai cespugli dove si erano rintanati, guidandoli indietro verso la batteria silenziosa.

Nei pochi minuti necessari per raccogliere il gruppo di artiglieri, la scena nella laguna era cambiata completamente. Daniel era riuscito a dirigere la sua barca incendiaria verso la murata della *Gull*, ormeggiandola saldamente in quella posizione. Le fiamme che si sprigionavano contribuivano alla confusione e al panico a bordo della fregata. Ora Big Daniel tornava a nuoto verso la riva; afferrati due dei suoi uomini, che non sapevano nuotare, li stava trascinando nell'acqua.

L'equipaggio della *Gull* era riuscito invece ad agganciare la barca di Ned, assicurandovi alcune cime, e la stava rimorchiando lontano. Ned e i suoi tre compagni l'avevano abbandonata e si dirigevano anch'essi verso la spiaggia, annaspando, ma proprio sotto gli occhi di Hal uno di loro cedette e finì sott'acqua.

La vista dell'annegato attizzò la collera di Hal, che versò una manciata di polvere nel focone della colubrina, mentre Aboli faceva ruotare la canna. Lo sparo provocò un rombo assordante, e gli uomini di Hal lanciarono grida entusiaste quando una scarica di mitraglia colpì in pieno la scialuppa che trainava la barca abbandonata da Ned. Il colpo la disintegrò e gli uomini a bordo furono scaraventati in acqua, invocando aiuto e cercando di salire a bordo dell'altra scialuppa; ma questa era già sovraffollata e l'equipaggio tentò di respingere con i remi i compagni in preda al terrore. Alcuni di loro, però, riuscirono ad aggrapparsi al capo di banda e, urlando e battendosi fra loro, inclinarono fortemente la scialuppa, che infine si rovesciò. L'acqua intorno agli scafi in fiamme era costellata di relitti e di naufraghi in difficoltà.

Hal era tutto preso dal compito di ricaricare, ma quando alzò di nuovo la testa notò che alcuni degli uomini finiti tra i flutti erano riusciti a raggiungere la *Gull* e risalivano le scalette di corda fino al ponte.

Finalmente l'Avvoltoio era riuscito ad azionare le pompe. Venti uomini si alzavano e si abbassavano come monaci in preghiera, facendo leva sulle manovelle con tutto il loro peso, e getti bianchi d'acqua sprizzavano dalle bocche delle manichette di tela puntate verso la base delle fiamme, che ormai dilagavano a poppa della nave.

Il colpo successivo di Hal frantumò il parapetto di legno della fiancata di sinistra della *Gull*, proseguendo fino a decimare il gruppo che lavorava alla pompa di prua. Quattro uomini furono spazzati via, come investiti da una zampata invisibile, mentre il loro sangue schizzava sui compagni che lavoravano alle pompe accanto a loro e il getto d'acqua che scaturiva dalla manichetta si riduceva.

«Altri uomini qui!» La voce di Cumbrae risuonò fino alla sponda opposta della laguna, quando ordinò ad altri marinai di prendere il posto dei morti. Subito il getto d'acqua riprese a scorrere, ma faceva ben poco effetto sulle fiamme voraci, che ora avvolgevano la poppa della *Gull*.

Big Daniel giunse a riva, lasciando cadere sulla sabbia i due uomini che aveva salvato prima di correre verso gli alberi, e Hal gli gridò: «Prendi il comando di uno dei cannoni. Caricalo a mitraglia e prendi di mira i ponti, per impedire loro di spegnere l'incendio».

Big Daniel sorrise a Hal, mostrandogli una fila di denti marci e battendosi le nocche sulla fronte. «Suoneremo a sua signoria una bella melodia sulla quale danzare», gli assicurò.

L'equipaggio della *Resolution*, profondamente demoralizzato dall'attacco a tradimento della *Gull*, ora cominciò a riprendersi di fronte a quel rapido capovolgimento di sorti. Un paio di uomini emersero dalla foresta dove si erano rifugiati, e poi, man mano che il fuoco delle batterie sulla spiaggia cominciava a infrangersi sullo scafo della *Gull*, anche gli altri ripresero coraggio e tornarono a frotte per fare da serventi ai pezzi.

Ben presto una cortina di fiamme e di fumo si levò dagli alberi oltre il braccio di mare: ormai le fiamme avevano raggiunto i pennoni di mezzana della *Gull*, attaccando le vele serrate.

Alla luce delle fiamme, Hal vide l'Avvoltoio fendere a lunghi passi la cortina di fumo con l'ascia in pugno e, sovrastando la cima dell'ancora nel punto in cui era tesa attraverso la cubia, tagliarla con un solo colpo possente. Subito la nave cominciò ad andare alla deriva, in balia del vento, e lui alzò la testa lanciando un ordine ai marinai che si arrampicavano sulle sartie.

La vela maestra si spiegò e la nave rispose subito. Non appena catturò la brezza sempre più tesa, le fiamme puntarono verso l'esterno, e gli uomini che lottavano contro il fuoco riuscirono ad avanzare per dirigere l'acqua verso la base dell'incendio.

La *Gull* trascinò per un breve tratto le barche incendiarie, ma poi le cime che le tenevano assicurate bruciarono e la nave se le lasciò dietro, avanzando lentamente lungo il canale.

Le colubrine sulla spiaggia continuarono a bersagliarla di colpi, ma quando uscì dalla loro portata la batteria tacque e la *Gull*, sempre avvolta in una nuvola di fumo e fiamme color arancio, puntò verso il mare aperto. Allora, proprio mentre entrava nel canale fra i due promontori e sembrava ormai prossima alla salvezza, aprirono il fuoco le batterie nascoste sulle scogliere. Sbuffi di fumo si levarono fra le rocce grigie, mentre le palle di cannone facevano sprizzare zampilli d'acqua lungo la linea di galleggiamento della *Gull* o foravano le vele.

La nave superò a fatica quelle forche caudine, uscendo infine dal campo di tiro delle batterie.

« Courteney », gridò Sir Francis a Hal, usando l'appellativo formale persino nella concitazione del combattimento, « prendete una scialuppa e dirigetevi verso il promontorio, per tenere sotto osservazione la *Gull*. »

Hal e Aboli raggiunsero l'estremità opposta della baia, arrampicandosi in cima alle scogliere. La *Gull* era già al largo di un miglio e navigava col vento al traverso, spiegando tutta la velatura dei due alberi prodieri. A poppa si trascinava dietro una scia di fumo grigio scuro, e Hal si accorse che la vela di mezzana e la randa erano annerite e fumavano ancora. I ponti brulicavano di figurine minuscole, gli uomini dell'equipaggio ancora intenti a spegnere gli ultimi focolai dell'incendio e a riportare la nave sotto controllo per renderla di nuovo manovrabile.

«Abbiamo dato a sua signoria una lezione che ricorderà a lungo», esclamò Hal trionfante. «Dubito che ci darà altri fastidi per parecchio tempo.»

«Il leone ferito è il più pericoloso di tutti», replicò Aboli con un grugnito. «Gli abbiamo limato i denti, ma ha pur sempre gli artigli.»

Sbarcando dalla scialuppa sulla spiaggia davanti all'accampamento, Hal scoprì che il padre aveva già messo al lavoro un gruppo di uomini per riparare i danni inflitti alla batteria di colubrine disposte sulla riva. I marinai stavano ricostruendo i parapetti e raddrizzando i cannoni rovesciati sugli affusti dalle bordate della *Gull*.

La *Resolution*, in secco sulla spiaggia, era stata investita dai colpi. Le palle di cannone della *Gull* avevano aperto nel fasciame grosse ferite slabbrate, mentre la mitraglia aveva tempestato le fiancate, ma senza riuscire a perforare le solide assi. Il carpentiere, assistito dai suoi aiutanti, era già impegnato ad asportare le sezioni danneggiate e controllare la struttura sottostante, preparandosi a eseguire le riparazioni con nuove assi di quercia attinte alle riserve della nave. I calderoni di pece gorgogliavano e fumavano sui fuochi di carbone, mentre il raspare delle seghe e il sussurro delle pialle risuonavano per tutto il campo.

Hal trovò il padre ancora più indietro, fra gli alberi, dove i feriti erano stati disposti al riparo di una tela che faceva da tetto improvvisato. Hal ne contò diciassette, e comprese al primo sguardo che ben difficilmente tre avrebbero visto l'alba dell'indomani; su di loro aleggiava già l'ombra della morte.

Ned Tyler fungeva anche da medico di bordo. Era stato addestrato a quel ruolo alla rude scuola empirica del ponte di batteria, e impugnava gli strumenti chirurgici con la stessa rude decisione dei carpentieri al lavoro sullo scafo danneggiato della *Resolution*.

Hal vide che era impegnato in un'amputazione: uno dei gabbieri aveva ricevuto una scarica di mitraglia in una gamba, poco sotto il ginocchio, e l'arto pendeva sospeso a un lembo di carne, con i tendini bianchi e filacciosi rimasti allo scoperto, da cui sporgevano le schegge bianche e aguzze della tibia. Due compagni di Ned tentavano di immobilizzare il paziente sul telo insanguinato, mentre lui si dibatteva e si contorceva. Gli avevano ficcato fra i denti una cintura di cuoio, e il marinaio la mordeva con tanta violenza che i tendini del collo erano tesi come canapi, gli occhi sporgevano dal viso violaceo, contratto nello sforzo di resistere, e le labbra erano dischiuse in un ghigno spaventoso. Hal vide uno dei denti neri e marci schizzare via sotto quella pressione.

Distogliendo lo sguardo, cominciò a fare rapporto a Sir Francis. «L'ultima volta che l'ho vista, la *Gull* era diretta a ovest. Pare che l'Avvoltoio tenga sotto controllo l'incendio, anche se la nave emette ancora una nuvola di fumo...»

Fu interrotto dalle urla nel momento in cui Ned posò il coltello, impugnando la sega per pareggiare l'osso frantumato. Poi, di colpo, l'uomo tacque, afflosciandosi fra le braccia di quanti lo tenevano immobilizzato, e Ned fece un passo indietro, scuotendo la testa. «Il povero bastardo si è congedato per sempre. Avanti un altro.» Detergendosi il viso dal sudore e dalla fuliggine con la mano coperta di sangue, lasciò sulla guancia un'impronta rossa.

Pur sentendosi rovesciare lo stomaco, Hal mantenne calma la voce, riprendendo a fare rapporto. «Cumbrae ha spiegato tutte le vele che la *Gull* era in grado di reggere.» Era deciso a non tradire debolezze di fronte agli uomini e al padre, ma la voce gli si affievolì quando, poco lontano, Ned cominciò a estrarre una massiccia scheggia di legno dal dorso di un altro marinaio, e lui non riuscì a distogliere lo sguardo.

I due robusti assistenti di Ned si misero a cavalcioni del corpo del paziente, tenendolo fermo, mentre lui afferrava l'estremità sporgente della scheggia con un paio di tenaglie da maniscalco. Puntando un piede sulla schiena dell'uomo per fare leva, si protese all'indietro, esercitando una trazione con tutto il suo peso. La scheggia, spessa un pollice e frastagliata come una punta di freccia, lasciò a fatica la presa fra le carni del paziente, e le urla dell'uomo risuonarono in tutta la foresta.

In quel momento si avvicinò il governatore van de Velde, avanzando fra gli alberi con la sua andatura ondeggiante; teneva sottobraccio la moglie, che piangeva in modo da spezzare il cuore e sembrava a stento in grado di reggersi in piedi. La seguiva da vicino Zelda, che tentava di accostare al naso della padrona un flacone verde pieno di sali.

« Comandante Courteney! » esclamò van de Velde. « Devo protestare nel modo più energico. Ci avete esposti a gravissimi pericoli. Un proiettile è penetrato attraverso il tetto della mia capanna, e avrei potuto restare ucciso. » Si tamponò la pappagorgia sudata con il fazzoletto da collo.

In quel momento il disgraziato che aveva ricevuto le cure di Ned lanciò un urlo penetrante, mentre uno degli assistenti gli versava della pece bollente sulla profonda ferita alla schiena, per fermare l'emorragia.

« Dovete far tacere questi vostri zotici. » Van de Velde indicò i marinai gravemente feriti con un gesto sprezzante della mano. « I loro versi animaleschi turbano e offendono mia moglie. »

Con un ultimo gemito, il paziente ricadde inerte in silenzio, ucciso dalle premure di Ned. L'espressione di Sir Francis divenne torva mentre si rivolgeva a Katinka, togliendosi il cappello. « *Mevrou*, non potete dubitare della nostra considerazione per la vostra sensibilità. A quanto pare il povero diavolo preferisce morire, piuttosto che continuare a offendervi. » La sua espressione rimase dura e tutt'altro che cortese quando aggiunse: « Invece di piagnucolare e indulgere a malori, non preferireste assistere Ned nel compito di curare i feriti? »

Nell'udire quel suggerimento, Van de Velde si erse in tutta la sua statura, fulminandolo con lo sguardo. « *Mjnheer*, voi insultate mia moglie. Come osate suggerire che potrebbe fare da serva a questi rozzi villani? »

« Chiedo scusa alla signora, ma vi suggerisco, se la sua presenza qui non ha altro scopo che abbellire il paesaggio, di riportarla nel suo alloggio e di tenervela. Vi saranno quasi certamente altri spettacoli e suoni sgradevoli che potranno mettere a dura prova la sua capacità di sopportazione. » Sir Francis fece segno a Hal di seguirlo, voltando le spalle a van de Velde. Fianco a fianco, i due si diressero verso la spiaggia, superando i velai che cucivano i sudari di tela dei morti e un gruppo che stava già scavando le fosse; con quel caldo, occorreva seppellirli quel giorno stesso. Hal contò i sacchi di tela.

« Soltanto dodici sono nostri », spiegò il padre. « Gli altri sette sono della *Gull*, respinti a riva dalla corrente. Abbiamo anche catturato otto prigionieri. È con loro che vado a trattare, adesso. »

I prigionieri erano riuniti sulla spiaggia, seduti in fila con le mani intrecciate dietro la nuca. Quando li raggiunsero, Sir Francis disse, a voce abbastanza alta per farsi sentire da tutti: « Courteney, ordinate ai vostri uomini di sistemare otto cappi su quell'albero ». Indicò la chioma ampia di un enorme fico selvatico. « Vi appenderemo qualche nuovo frutto. » Si lasciò sfuggire una risatina così macabra da far trasalire Hal.

Gli otto prigionieri emisero un gemito di protesta. « Non impiccateci! Erano ordini di sua signoria, noi abbiamo semplicemente obbedito. »

Sir Francis li ignorò. « Fate sistemare quelle corde, Courteney. »

Hal esitò ancora un istante, inorridito alla prospettiva di dover procedere a un'esecuzione così a sangue freddo; ma poi, vedendo l'espressione del padre, si affrettò a obbedire.

Poco dopo le corde furono gettate al di là dei rami robusti, con un cappio ciascuna all'estremità libera. Un gruppo di marinai della *Resolution* era pronto a impiccare le vittime.

Uno alla volta, gli otto prigionieri della *Gull* furono trascinati fino all'estremità di una corda, con le mani legate dietro la schiena, e si videro infilare la testa nel cappio in attesa. Su ordine del padre, Hal passò dall'uno all'altro per stringere il nodo sotto l'orecchio delle vittime. Quindi pallido in volto, in preda alla nausea e detergendosi il sudore dalla fronte, si voltò verso il padre. « Pronti a procedere con l'esecuzione, signore. »

Sir Francis distolse lo sguardo dai condannati, parlando sottovoce in modo da non farsi sentire dagli altri. « Intercedete per le loro vite. »

« Signore? » Hal era sconcertato.

« Dannazione, pregatemi di risparmiarli », mormorò Sir Francis con voce spezzata.

« Chiedo scusa, signore, ma non sareste disposto a risparmiare questi uomini? » disse Hal ad alta voce.

« Questi furfanti non meritano sorte migliore che finire come pendagli da forca », ringhiò Sir Francis. « Voglio vederli danzare una giga col diavolo. »

« Non hanno fatto altro che eseguire gli ordini del loro comandante. » Hal si stava appassionando al ruolo di avvocato. « Non volete concedere loro un'altra possibilità? »

Gli otto uomini spostavano da una parte all'altra la testa infilata nel cappio, seguendo la discussione. Avevano un'espressione avvilita, ma i loro occhi conservavano un vago bagliore di speranza.

Sir Francis si soffregò il mento. «Non so.» Aveva ancora un'espressione truce. «Che cosa faremmo di loro? Dovremmo forse lasciarli liberi nella foresta perché servano da cibo per le belve e i cannibali? Sarebbe più misericordioso impiccarli.»

«Potreste assoldarli come uomini dell'equipaggio per sostituire quelli che abbiamo perduto», implorò Hal.

Sir Francis appariva ancora più incerto. «Non sarebbero disposti a prestare giuramento di fedeltà, vero?» Lanciò un'occhiata di fuoco ai condannati che, se non fossero stati trattenuti dal cappio, si sarebbero gettati in ginocchio.

«Vi serviremo lealmente, signore. Il giovane signore ha ragione, non troverete uomini migliori o più fedeli di noi.»

«Andate a prendere la Bibbia nella mia capanna», ribatté Sir Francis in tono burbero, e gli otto marinai, con il cappio ancora infilato al collo, prestarono giuramento di servirlo fedelmente.

Big Daniel li liberò prima di portarli via, mentre Sir Francis li osservava soddisfatto. «Otto esemplari di prim'ordine per sostituire in parte quelli perduti», osservò sottovoce. «Ci serviranno tutte le braccia che riusciremo a trovare, se vogliamo che la *Resolution* sia pronta a prendere il mare prima della fine di questo mese.» Guardò l'ingresso della laguna, sorvegliato dai due promontori. «Solo Dio sa chi potrebbe essere il nostro prossimo visitatore, se resteremo qui in ozio.»

Si rivolse di nuovo a Hal. «Ora ci sono da sistemare soltanto gli ubriachi che hanno bevuto il rum dell'Avvoltoio. Ti va di assistere a un'altra fustigazione, Hal?»

«È questo il momento di mettere fuori uso metà dell'equipaggio con il gatto a nove code, padre? Se l'Avvoltoio ritorna prima che siamo in grado di prendere il mare, non combatteranno certo meglio con la schiena scarnificata.»

«E così, secondo te, dovrebbero passarla liscia?» chiese gelido Sir Francis, accostando il viso a quello del figlio.

«Perché non limitarsi a multarli, privandoli della loro parte del bottino della *Standvastigheid* e suddividendola fra gli altri che si sono battuti da sobri?»

Sir Francis continuò a fissarlo per un istante, poi si concesse un sorriso a malincuore. «Che giudizio salomonico! La borsa li farà soffrire più della schiena, e aggiungerà due o tre *gulden* alla nostra quota del bottino.»

Angus Cochran, conte di Cumbrae, sbucò sulla sommità del passo, in montagna, almeno mille piedi sopra la spiaggia alla quale era approdato con la *Gull*. Era seguito dal nostromo e da due marinai, tutti armati di spada e moschetto. Uno di loro portava in spalla un barilotto di acqua potabile, perché il sole dell'Africa prosciugava in fretta il corpo umano.

Era stata necessaria mezza mattinata di arrampicata ardua, seguendo le piste degli animali lungo le cenge strette e ripide, per raggiungere quel punto di osservazione che Cumbrae conosceva bene. Lo aveva già sfruttato in passato; la prima volta era stato un ottentotto catturato sulla spiaggia a condurlo lassù. Ora l'Avvoltoio si sedette comodamente su una roccia che aveva la forma di un sedile. Le ossa dell'ottentotto biancheggiavano ai suoi piedi nel sottobosco, col teschio lucente come una perla, poiché giacevano lì da tre anni, durante i quali le formiche e gli altri insetti le avevano ripulite alla perfezione. Sarebbe stato imprudente, da parte di Cumbrae, lasciare che il selvaggio riferisse il suo arrivo alla colonia olandese del Capo.

Dal suo trono di pietra, Cumbrae godeva di un panorama mozzafiato sui due oceani e sull'accidentato paesaggio di montagna che si stendeva tutt'intorno. Guardando indietro nella direzione da cui era venuto, poteva scorgere la *Gull of Moray* ancorata non lontano da un minuscolo lembo di spiaggia, in precario equilibrio ai piedi delle scogliere maestose che sorgevano nel punto in cui la catena montuosa si gettava in mare. Quella catena costiera contava dodici vette distinte, contrassegnate col nome di Dodici Apostoli sulle carte olandesi di cui si era impadronito.

Fissando la *Gull* attraverso il cannocchiale, si notavano ben poche tracce dei danni apportati dall'incendio che aveva subito a poppa. Cumbrae era riuscito a sostituire i pennoni della vela di mezzana e a issare nuove vele. Da quella grande altezza e distanza, la nave appariva bella come sempre, celata a occhi curiosi nella verde insenatura sotto i Dodici Apostoli.

La scialuppa che lo aveva portato a terra, sfidando la risacca, era ancora in secco sulla spiaggia, pronta a una rapida partenza nel caso avesse incontrato qualche difficoltà a terra; comunque non si aspettava guai. Tutt'al più poteva incontrare qualche ottentotto fra i cespugli... ma quelli erano innocui. Gli ottentotti avevano zigomi alti e occhi a mandorla ed erano dediti alla pastorizia. Volendo, si potevano mettere in fuga semplicemente sparando in aria un colpo di moschetto.

Erano molto più pericolose le belve feroci, che abbondavano in quella terra selvaggia e non ancora domata. La notte precedente, dal ponte della *Gull* all'ancora, avevano udito ruggiti spaventosi e agghiaccianti, che si smorzavano poi in una serie di grugniti e gemiti simili a un coro composto da tutti i demoni dell'inferno.

«Leoni!» si erano detti in un sussurro i marinai più anziani che conoscevano la costa, e l'equipaggio della nave era rimasto in ascolto, in reverente silenzio. All'alba avevano visto uno di quei terribili felini gialli, grande come un pony, con una folta criniera nera che gli cingeva la testa scendendo fin sulle spalle, aggirarsi sulle sabbie bianche della spiaggia con regale indolenza. Dopodiché c'era voluta la minaccia della frusta per costringere l'equipaggio della barca a portare a riva Cumbrae e i suoi compagni.

Allungò la mano nel sacchetto di cuoio che penzolava sul davanti del gonnellino per estrarne una fiasca di peltro. Alzandola al cielo, ne bevve due sorsate, lasciandosi poi sfuggire un sospiro di piacere mentre riavvitava il tappo. Il nostromo e i due marinai lo fissavano intenti, ma lui sogghignò scuotendo la testa verso di loro. «Non vi farebbe bene. Badate alle mie parole, il whisky è il piscio caldo del diavolo. Se non avete concluso un patto con lui, come me, non dovreste mai permettergli di passare dalle vostre labbra.»

Riposta la fiasca nel sacchetto, sollevò il cannocchiale. Sulla sinistra sorgeva la vetta a forma di sfinge che i primi navigatori, vedendola dal mare, avevano battezzato Testa di Leone. Sulla destra s'innalzava la liscia parete rocciosa che svettava in su fino alla cima piatta della possente montagna della Tavola, che dominava l'orizzonte e aveva dato il nome all'insenatura sottostante.

Molto più in basso del punto in cui sedeva Cumbrae, si apriva la baia della Tavola, simile a un'armoniosa mezzaluna di acque aperte che cullava fra le braccia un'isoletta. Gli olandesi la chiamavano Robben Eiland, che significa «isola delle foche»: infatti ve n'erano insediate migliaia.

Più in là c'era la sterminata distesa dell'Atlantico meridionale, sferzata dai venti. Cumbrae la scrutò, in cerca di qualunque segno di una vela sconosciuta, ma, non riuscendo ad avvistarne, spostò la sua attenzione in basso, verso la colonia olandese del capo di Buona Speranza.

C'era ben poco che la facesse spiccare in mezzo alla desolazione rocciosa e selvaggia che la circondava: i tetti dei pochi edifici, ricoperti di paglia, si fondevano con l'ambiente circostante. Gli orti della Compagnia, installati per coltivare le provviste destinate alle navi della voc di passaggio verso l'Oriente, erano il segno più evidente dell'intrusione dell'uomo. Quei campi regolari, di forma rettangolare, apparivano o verdi per le colture o color cioccolato per la terra appena dissodata.

Poco più su della spiaggia sorgeva il forte, ma anche a quella distanza si vedeva che non era stato completato. Cumbrae aveva sentito dire da altri comandanti che, dopo lo scoppio della guerra con l'Inghilterra, gli olandesi avevano tentato di accelerarne la costruzione, ma c'erano ancora dei vuoti nelle mura difensive esterne, simili a denti mancanti.

Il fortino, e il suo stato d'incompiutezza, interessava a Cumbrae solo nella misura in cui poteva offrire protezione alle navi che si trovavano all'ancora nella baia, al riparo dei suoi cannoni. In quel momento c'erano tre grandi velieri, e lui concentrò la propria attenzione su di essi.

Uno aveva l'aspetto di una fregata militare, e in testa d'albero ostentava la bandiera della Repubblica, arancio, blu e bianca. Lo scafo era dipinto in nero, ma i portelli dei cannoni erano circondati da un contorno bianco. Cumbrae ne contò sedici, solo sul lato che gli si presentava. In base alla sua valutazione, avrebbe superato la *Gull* per potenza di fuoco, se mai si fosse giunti a uno scontro aperto; ma non era questa la sua intenzione. Preferiva prede più facili, e questo significava uno degli altri due velieri nella baia: erano entrambi navi mercantili, e tutt'e due battevano bandiera della Compagnia.

« A quale toccherà? » si chiese, osservandole attraverso il cannocchiale con la massima attenzione.

Una sembrava familiare. Era alta sull'acqua, e rifletté che probabilmente era zavorrata e stava compiendo il tratto orientale del viaggio, diretta verso i possedimenti olandesi per imbarcare un carico prezioso.

« No, perdio, ora riconosco la linea del fiocco! » esclamò a voce alta. « È la *Lady Edwina*, la vecchia nave di Franky. In effetti mi ha detto che l'aveva mandata al capo con la richiesta di riscatto. » La osservò ancora per qualche istante. « È stata spogliata di tutto, persino dei cannoni. »

Perdendo ogni interesse per la nave come possibile preda, Cumbrae puntò il cannocchiale sul secondo mercantile. Era leggermente più piccolo della *Lady Edwina*, ma appesantito dal carico e così basso sull'acqua che i portelli inferiori parevano quasi sommersi. Evidentemente stava compiendo il viaggio di ritorno, stipato di tutti i tesori dell'Oriente. Quel che lo rendeva ancora più allettante era il fatto che fosse ancorato più lontano dalla spiaggia rispetto all'altro mercantile, almeno a duecento braccia dalle mura del forte. Anche nelle condizioni più favorevoli, sarebbe stato un tiro troppo lungo per i cannoni degli artiglieri olandesi a riva.

« Che magnifico spettacolo », mormorò fra sé l'Avvoltoio, con un sogghigno. « Da far venire l'acquolina in bocca. »

Dedicò un'altra mezz'ora a osservare la baia, notando le linee di spuma e spruzzi che contrassegnavano il fluire della corrente lungo la riva e la direzione del vento, che turbinava allontanandosi dalle cime. Stava progettando il suo ingresso nella baia della Tavola; sapeva che gli olandesi avevano una piccola postazione sulle pendici della Testa di Leone, le cui sentinelle avrebbero avvertito la colonia dell'avvicinarsi di una nave straniera armata di cannoni.

Anche a mezzanotte, con l'attuale fase della luna, sarebbero riusciti a scorgere il bagliore delle sue vele mentre era ancora al largo. Avrebbe dovuto descrivere un ampio circolo, oltre l'orizzonte, e poi avvicinarsi da ovest, sfruttando la massa di Robben Eiland come cavallo di Troia per passare inosservati anche agli occhi della vedetta più acuta.

I suoi marinai erano abili nell'arte di soffiare una preda sotto il naso delle batterie costiere. Era un trucco che costituiva la specialità degli inglesi, uno di quelli prediletti da Hawkins e da Drake. Cumbrae lo aveva perfezionato al punto che ora si considerava superiore a uno qualsiasi di quei grandi pirati dell'epoca elisabettiana. Il piacere d'impadronirsi di una preda sotto gli occhi del nemico lo gratificava molto di più del bottino che gli avrebbe fruttato. « Montare la brava moglie mentre il marito russa a letto accanto a lei è molto più dolce che intrufolarsi sotto le sue gonne mentre lui se ne va a zonzo per i mari, perché in quel caso non c'è rischio.» Ridacchiò, osservando tutto l'arco della baia con il cannocchiale per controllare che nulla fosse cambiato dopo la sua ultima visita, che non ci fossero pericoli in agguato, come per esempio altri cannoni lungo la costa.

Anche se il sole aveva già superato lo zenit e il viaggio di ritorno fino alla scialuppa in attesa era lungo, dedicò ancora qualche minuto a esaminare la velatura della preda attraverso il cannocchiale. Dopo la cattura, i suoi uomini dovevano essere in grado di issare le vele in fretta, per portarla lontano dalla costa sottovento col favore delle tenebre.

Era ormai passata mezzanotte quando l'Avvoltoio, usando come punto di riferimento l'immensa mole della montagna della Tavola che oscurava metà del cielo meridionale, condusse la *Gull* nella baia, da ovest. Confidava che, anche in una notte limpida e stellata come quella, con una mezzaluna che splendeva in cielo, sarebbe rimasto pur sempre invisibile alle vedette sulla Testa di Leone.

La sagoma scura di Robben Eiland, simile a una balena, si levò con repentinità sorprendente dal buio davanti a loro. Sapeva che su quello sterile pezzo di roccia non c'era nessun insediamento permanente, quindi poteva portare la *Gull* sottovento a distanza ravvicinata e gettare l'ancora in sette braccia d'acqua riparata.

La scialuppa sul ponte era pronta per essere messa in mare e, non appena l'ancora sprofondò nelle acque calme, fu issata fuori bordo e calata. L'Avvoltoio aveva già passato in rassegna il gruppo di abbordaggio, armato di pistole, spade e bastoni di quercia, col viso annerito dalla fuliggine al punto da sembrare un branco di selvaggi, gli occhi e i denti scintillanti. Indossavano giacconi da marinaio anneriti con la pece, e due di loro avevano l'ascia per tagliare il cavo dell'ancora della preda.

L'Avvoltoio fu l'ultimo a calarsi dalla scaletta nella scialuppa, e appena fu a bordo si staccarono dalla nave. I remi erano avvolti in stracci, con gli scalmi imbottiti, cosicché l'unico suono era lo sciacquio delle pale, ma anche quello si perdeva nel frangersi delle onde e nel lieve sospiro del vento.

Quasi subito si ritrovarono allo scoperto rispetto all'isola e furono in grado di scorgere le luci sulla terraferma, due o tre puntini luminosi che segnalavano i bivacchi sulle mura del forte e raggi di lanterna provenienti dagli edifici fuori le mura, sparsi lungo la riva.

I tre velieri che aveva avvistato dal passo erano sempre all'ancora nella rada, e ciascuno di essi presentava una lanterna di naviglio all'ancora in testa d'albero e un'altra a poppa. Cumbrae sogghignò nel buio. «Molto gentile da parte delle teste di formaggio darci il benvenuto. Non sanno che c'è una guerra in corso?»

A quella distanza non riusciva ancora a distinguere una nave dall'altra, ma i marinai remavano con zelo, fiutando nell'aria il bottino. Mezz'ora dopo, sebbene fossero ancora al largo della baia, Cumbrae riconobbe la *Lady Edwina*. L'aveva scartata, trasferendo tutto il suo interesse sull'altro veliero, che non aveva cambiato posizione ed era ancor più lontano dalle batterie del forte.

«Virate verso la nave a sinistra», ordinò in un sussurro al nostromo. La scialuppa cambiò rotta di un punto e i remi accelerarono il ritmo. La seconda scialuppa li seguiva da vicino a poppa, come un cane da caccia, e Cumbrae si voltò a guardarne con approvazione la sagoma scura. Tutte le armi erano coperte e il chiaro di luna non traeva da lame sguainate o canne di pistola alcun riflesso che potesse mettere in allarme gli uomini di guardia a bordo della preda. Non c'era neppure un fiammifero acceso che spandesse al vento il sentore del fumo, o uno scintillio che segnalasse il loro arrivo.

Mentre scivolavano verso il galeone all'ancora, Cumbrae lesse il suo nome sullo specchio di poppa: *De Swael*, «la rondine». Rimase all'erta per individuare qualsiasi traccia di una sentinella all'ancora: quella era una costa sottovento, con il vento di sud-est che turbinava in modo imprevedibile intorno alla montagna, ma il comandante olandese era negligente oppure la sentinella era addormentata, perché a bordo della nave buia non c'era segno di vita.

Due marinai si tenevano pronti a respingere la barca dalla fiancata della *Swael* non appena l'avessero toccata, e stuoie di stoppa intrecciata pendevano dal capo di banda della scialuppa per attutire l'impatto, altrimenti il contatto delle assi contro lo scafo si sarebbe ripercosso per tutta la nave come nella cassa armonica di una viola, svegliando tutti gli uomini a bordo.

Toccarono la nave con la delicatezza di un bacio di vergine e uno degli uomini, scelto per la sua abilità scimmiesca nell'arrampicarsi, salì fulmineo lungo la murata e subito assicurò una cima all'affusto di un cannone, facendone ricadere l'estremità libera nella scialuppa sottostante.

Cumbrae attese solo quanto bastava a sollevare lo schermo della lanterna cieca e accostare la miccia alla fiamma per accenderla, poi afferrò la cima, arrampicandosi a piedi nudi, con le piante ispessite dalla caccia al cervo che praticava senza stivali. L'equipaggio delle due scialuppe lo seguì, sempre a piedi nudi, in un assalto silenzioso.

Cumbrae si sfilò dalla cintola una caviglia per impiombare e, affiancato dal nostromo, corse in silenzio a prua della nave. La sentinella dell'ancora era raggomitolata sul ponte, al riparo dal vento, addormentata come un cane davanti al fuoco. L'Avvoltoio si chinò sul marinaio, colpendolo al cranio con la caviglia di ferro, e l'uomo si lasciò sfuggire un sospiro, allungando le membra e ricadendo inerte in uno stato d'incoscienza ancor più profondo.

Gli uomini avevano già raggiunto i boccaporti della *Swael* che davano sui ponti inferiori e, mentre Cumbrae tornava indietro di corsa, verso poppa, li chiudevano silenziosamente con i rinforzi, imprigionando sotto coperta l'equipaggio olandese.

«A bordo non ci saranno più di venti uomini», mormorò fra sé il comandante. «Ed è più che probabile che de Rujter abbia reclutato la maggior parte dei marinai in gamba per la marina militare; ci saranno soltanto ragazzi o vecchi grassi e beoni al loro ultimo imbarco. Dubito che ci daranno molti problemi.»

Alzò la testa verso le figure scure degli uomini, che si stagliavano contro il cielo stellato arrampicandosi sulle sartie e correndo in equilibrio sui pennoni come acrobati che danzassero sul filo. Mentre issavano le vele, udì da prua il colpo in sordina di un'ascia che recideva la cima dell'ancora. Subito la *Swael* si animò sotto i suoi piedi, libera dai ceppi, prendendo il vento al giardinetto; ma il nostromo era già al timone.

«Raddrizzala. Rotta a ovest!» scattò Cumbrae, e l'altro la mise col vento in poppa, per quanto era possibile.

Cumbrae notò subito che la nave, pur essendo carica fino al limite estremo, era maneggevole in modo sorprendente, e con quella bordata avrebbero potuto doppiare Robben Eiland. C'erano dieci uomini armati in attesa, pronti a seguirlo. Due portavano delle lanterne cieche, e tutti avevano la miccia già accesa, pronta per far fuoco con la pistola. Cumbrae afferrò una delle lanterne prima di guidare di corsa gli uomini negli alloggi degli ufficiali, a poppa. Tentò la porta della cabina che doveva aprirsi sulle gallerie di poppa, scoprendo che non era chiusa a chiave. Varcò la soglia rapido, in silenzio, ma quando fece balenare all'interno la luce della lanterna, un uomo in berretto da notte con la nappa si drizzò a sedere sulla cuccetta.

« *Wie's dit?* » esclamò con voce insonnolita. Cumbrae gli gettò le coltri sulla testa per soffocare ogni altro grido e, lasciando ai suoi uomini il compito di domare e legare il comandante, proseguì di corsa nel corridoio, facendo irruzione nella cabina adiacente. Lì c'era un altro ufficiale olandese, già sveglio. Grassoccio e piuttosto anziano, con i capelli grigi che gli scendevano arruffati sugli occhi, cercò tentoni la spada nel fodero appeso ai piedi della cuccetta mentre barcollava ancora, stordito dal sonno. Cumbrae gli proiettò negli occhi la luce della lanterna, puntando alla gola dell'uomo la punta aguzza dello spadone.

« Angus Cumbrae, per servirvi », disse l'Avvoltoio. « Arrendetevi, o vi darò in pasto ai gabbiani in men che non si dica. »

Forse l'olandese non poteva capire l'accento arrotato dello scozzese, ma il significato era inconfondibile; guardandolo a bocca aperta, alzò le mani sopra la testa e il gruppo di marinai all'arrembaggio lo travolse, portandolo sul ponte con la testa avvolta nelle coperte.

Cumbrae corse fino all'ultima cabina, ma, mentre posava la mano sulla porta, il battente si spalancò dall'interno con tanta violenza che lui fu scaraventato contro la paratia dalla parte opposta del corridoio. Dalla cabina immersa nel buio una figura gigantesca si avventò su di lui con un urlo agghiacciante. Il colpo vibrato dall'alto avrebbe dovuto colpire in pieno l'Avvoltoio, ma nei confini angusti del corridoio la lama della spada urtò contro l'architrave della porta, concedendo a Cumbrae un istante per riprendersi. Continuando a ruggire di rabbia, lo sconosciuto colpì ancora, ma stavolta l'Avvoltoio parò il colpo e la lama gli passò sopra la spalla infrangendo il pannello dietro di lui. I due uomini si scatenarono lungo il corridoio, combattendo a distanza ravvicinata, quasi corpo a corpo. L'olandese gridava insulti in un misto di inglese e olandese, mentre Cumbrae rispondeva in toni prettamente scozzesi: « Fottuto stupratore di monache, testa di formaggio! Ti ficcherò le budella nelle orecchie! » I suoi uomini danzavano intorno a loro con la mazza sollevata, in attesa di un'occasione per abbattere l'ufficiale olandese, ma Cumbrae gridò: « Non uccidetelo! È un gentiluomo, e ci frutterà un buon premio come riscatto! »

Anche alla luce incerta della lanterna, aveva riconosciuto le qualità dell'avversario. Appena destato dalla sua cuccetta, l'olandese non portava la parrucca sulla testa rasata, ma i bei baffi a punta rivelavano che era un uomo alla moda. La camicia da notte di lino ricamato e la spada che impugnava con l'abilità ostentata dello schermidore provetto, indicavano che era un gentiluomo, senza possibilità di errore.

In quello spazio ristretto, le dimensioni dello spadone costituivano uno svantaggio, e Cumbrae era costretto a usarne la punta, più che la lama a doppio taglio. L'olandese tentò un affondo, poi una finta bassa, entrando nella sua guardia, e Cumbrae si lasciò sfuggire un sibilo di collera quando l'acciaio saettò sotto il suo braccio destro sollevato, mancandolo di un dito e facendo piovere schegge dal pannello di legno alle sue spalle.

Prima che l'avversario potesse riprendersi, l'Avvoltoio gli passò il braccio sinistro intorno al collo, stringendolo in un abbraccio soffocante. Vicini com'erano l'uno all'altro in quel corridoio angusto, nessuno dei due poteva usare la spada; la lasciarono cadere e lottarono spostandosi da un capo all'altro del passaggio, ringhiando e azzannandosi come una coppia di cani da combattimento, lanciando poi grugniti e ululati di paura e indignazione quando l'uno o l'altro riusciva a mettere a segno un colpo decisivo alla testa, o a piantare il gomito nel ventre dell'altro.

« Spaccategli la testa », ordinò ansimando Cumbrae ai suoi uomini, « abbattete questo bestione. » Non era abituato a essere sconfitto in una prova di forza bruta, ma l'avversario era alla pari con lui, e piantò una ginocchiata all'inguine dell'Avvoltoio, che ululò di nuovo: « Aiutatemi, vigliacchi pustolosi! Stendete questo furfante! »

Riuscendo a liberare una mano, serrò il braccio intorno alla vita dell'olandese e, col viso paonazzo per lo sforzo, lo sollevò, girandolo su se stesso in modo che offrisse le spalle a un marinaio in attesa con il bastone di quercia in pugno. Lo calò sul cranio rasato con un colpo esperto e ben calcolato, non tanto violento da spaccare le ossa, ma abbastanza forte da stordire l'olandese e ridurgli le gambe in gelatina. L'avversario si accasciò inerte fra le braccia di Cumbrae, che lo depose sul ponte, ansimando: tutti e quattro i marinai gli balzarono addosso, inchiodandogli le membra e sedendosi a cavalcioni del dorso. «Legate questo demonio scatenato», sbuffò Cumbrae, «prima che si svegli e ci metta i bastoni fra le ruote, rovinando la nostra preda.»

«Un altro sudicio pirata inglese!» riuscì a biascicare l'ufficiale, scuotendo la testa per snebbiarsela e dibattendosi sul ponte, mentre tentava di disarcionare gli uomini che lo avevano immobilizzato.

«Non tollero i vostri insulti», replicò Cumbrae in tono gioviale, lisciandosi la barba rossa scompigliata e raccogliendo lo spadone. «Datemi pure del pirata, se volete, ma non sono inglese, e vi sarò grato se lo terrete a mente.»

«Pirati! Tutti voi, feccia dei mari, siete pirati.»

«E chi siete voi per chiamarmi pirata, voi che avete quel gran deretano peloso all'aria?» Nella lotta, la camicia da notte dell'olandese era risalita intorno alla cintola, lasciandolo scoperto dalla vita in giù. «Non mi abbasso a discutere con un uomo abbigliato in modo così indecoroso. Ricomponetevi, signore, e poi riprenderemo il discorso.»

Risalendo sul ponte, scoprì che erano già in alto mare. Dai boccaporti bloccati provenivano grida e tonfi soffocati, ma i suoi uomini avevano conquistato il pieno controllo del ponte. «Ben fatto, banda di ratti del porto che non siete altro. Le cinquanta ghinee più facili che vi siano mai entrate in tasca. Un urrà per voi, e fate maramèo al diavolo», gridò con la sua voce stentorea, in modo che anche gli uomini arrampicati sul sartiame potessero udirlo.

Robben Eiland era a prua, a una lega appena di distanza, e quando la baia si aprì davanti ai loro occhi scorsero la *Gull* all'ancora nelle acque illuminate dalla luna.

«Issate una lanterna in testa all'albero», ordinò Cumbrae, «e metteremo un buon tratto di mare fra noi, prima che quelle teste di formaggio del forte si stropiccino gli occhi, non credendo a quello che vedono.»

Quando la lanterna salì in testa all'albero, la *Gull* ripeté il segnale, poi levò l'ancora per seguire la preda in mare aperto.

«In cambusa ci dev'essere una buona colazione», disse Cumbrae ai suoi uomini. «Gli olandesi sono abituati a trattarsi bene. Quando li avrete incatenati come si deve, potrete assaggiate il loro vitto. Nostromo, tienila alla via così. Vado giù a dare un'occhiata al manifesto di carico, per vedere che cosa abbiamo catturato. »

Gli ufficiali olandesi erano legati mani e piedi, disposti in fila sul ponte della cabina principale e sorvegliati ciascuno da un marinaio armato. Cumbrae sollevò la lanterna sui loro volti, osservandoli uno per uno. Il grosso ufficiale battagliero alzò la testa per ruggire a Cumbrae: « Prego Dio di vivere per vedervi penzolare dalla forca, insieme con tutti gli altri pirati inglesi progenie del diavolo che infestano gli oceani ». Era evidente che si era ripreso del tutto dal colpo alla testa.

« Devo farvi i complimenti per la vostra padronanza della lingua inglese », ribatté Cumbrae. « La vostra scelta di termini è addirittura poetica. Come vi chiamate, signore? »

« Sono il colonnello Cornelius Schreuder, al servizio della Compagnia olandese delle Indie Orientali. »

« Lieto di conoscervi, signore. Io sono Angus Cochran, conte di Cumbrae. »

« Voi, signore, non siete altro che un volgare pirata. »

« Colonnello, le vostre ripetizioni cominciano a diventare un tantino noiose. Vi prego di non sciupare così una conoscenza molto promettente. Dopo tutto, sarete mio ospite per qualche tempo, finché non verrà pagato il vostro riscatto. Io sono un corsaro, e navigo su commissione di sua maestà Carlo, re di Scozia. Voi, signori, siete prigionieri di guerra. »

« Ma quale guerra? » replicò il colonnello Schreuder con un ruggito sprezzante. « Abbiamo inflitto una sonora lezione a voi inglesi, e la guerra è finita. La pace è stata firmata più di due mesi fa. »

Cumbrae lo fissò per un attimo, sbigottito, prima di ritrovare la voce. « Non vi credo, signore. » Tutt'a un tratto, sembrava avvilito e scosso. Negava più per guadagnare il tempo necessario a riflettere che per convinzione; le notizie della sconfitta inglese sul Medway e della battaglia del Tamigi erano vecchie di due mesi quando Richard Lister gliele aveva riferite, aggiungendo inoltre che il re intendeva concludere la pace con la Repubblica olandese. Nel frattempo poteva essere accaduto di tutto.

« Ordinate a questi vostri bruti di liberarmi, e ve lo dimostrerò. » Il colonnello Schreuder era ancora in preda a una collera furiosa, e Cumbrae esitò prima di fare un segnale ai suoi uomini.

« Lasciatelo alzare e slegatelo », ordinò.

Il colonnello Schreuder balzò in piedi, lisciandosi i baffi in disordine, mentre si dirigeva furibondo verso la sua cabina. Giunto lì, prese una vestaglia di seta dalla testata della cuccetta e, annodandosi la cintura alla vita, si avvicinò allo scrittoio per aprire il cassetto. Con un atteggiamento di glaciale dignità, tornò da Cumbrae porgendogli un grosso fascio di carte.

L'Avvoltoio vide che per lo più erano proclami ufficiali olandesi, scritti in olandese e in inglese, ma c'era anche una gazzetta inglese. La spiegò trepidante, tenendola a braccio teso. Era datata agosto 1667, con l'intestazione in grassetto, a caratteri alti due pollici.

FIRMATA LA PACE CON LA REPUBBLICA OLANDESE!

Mentre scorreva con gli occhi il foglio, la sua mente cercava di adattarsi a quello sconcertante cambiamento nelle circostanze. Sapeva che con la firma del trattato di pace tutte le lettere di marca concesse da entrambe le parti in conflitto diventavano nulle e prive di significato. Se anche vi fosse stato qualche dubbio in proposito, il terzo paragrafo del foglio lo dissipava:

« Tutti i corsari di entrambe le nazioni in conflitto che navigano con commissioni e lettere di marca hanno ricevuto l'ordine di cessare d'ora in poi le spedizioni militari e di tornare al loro porto d'origine per sottoporsi all'esame delle corti dell'ammiragliato ».

L'Avvoltoio fissò la gazzetta senza proseguire nella lettura, ponderando le varie possibilità che gli si aprivano davanti. La *Swael* era una ricca preda, Dio solo sapeva fino a che punto. Grattandosi la barba, si gingillò con l'idea di infischiarsene degli ordini delle corti dell'ammiragliato e tenersela, costasse quel che costasse. Il bisnonno era stato un famoso fuorilegge, astuto quanto bastava per appoggiare il conte di Moray e gli altri nobili scozzesi contro Maria Stuarda. Dopo la battaglia di Carberry Hill, avevano costretto Maria all'abdicazione, mettendo sul trono il figlio James, ancora bambino. Il primo Angus Cochran aveva ricevuto il titolo di conte per la parte da lui svolta nella campagna.

Prima di lui, tutti i Cochran erano stati ladri di pecore e razziatori di frontiera, che avevano fatto fortuna assassinando e rapinando non solo inglesi, ma anche membri degli altri clan scozzesi. Il sangue dei Cochran che scorreva nelle sue vene non era acqua, quindi la riflessione non costituiva un problema eti-

co, ma solo un calcolo delle probabilità di farla franca tenendosi quella preda.

Cumbrae era fiero del suo lignaggio, ma anche consapevole
che i suoi antenati si erano fatti strada con l'astuzia, evitando la
frequentazione del patibolo e del boia. Durante il secolo precedente, tutte le nazioni marinare del mondo avevano fatto fronte
comune per stroncare il flagello dei corsari e dei pirati che, fin
dai tempi degli antichi faraoni egizi, affliggeva i traffici commerciali sui mari.

«Stavolta non la faremmo franca, ragazzo», decise dentro di
sé, scuotendo la testa con rammarico mentre ficcava il foglio del
gazzettino sotto gli occhi dei marinai, nessuno dei quali sapeva
leggere. «A quanto pare la guerra è finita, purtroppo per noi.
Dovremo liberare questi gentiluomini.»

«Comandante, questo significa che perderemo i soldi del
premio?» chiese il timoniere in tono piagnucoloso.

«Direi proprio di sì, se non vuoi finire impiccato sul molo di
Greenwich per pirateria.»

Poi si voltò, inchinandosi al colonnello Schreuder. «Evidentemente, signore, vi devo le mie scuse», gli disse con un sorriso
accattivante. «Da parte mia è stato un errore in buona fede, che
spero vorrete perdonare. Non ho notizie del mondo esterno già
da alcuni mesi.»

Il colonnello ricambiò l'inchino con un gesto rigido, e Cumbrae aggiunse: «Ho il piacere di restituirvi la spada. Vi siete
battuto come un combattente e un vero gentiluomo». Il colonnello s'inchinò con maggiore buona grazia. «Darò ordine di liberare subito l'equipaggio di questa nave. Naturalmente siete libero di tornare alla baia della Tavola per continuare di lì il vostro viaggio. Dove eravate diretto, signore?» chiese Cumbrae in
tono cortese.

«Prima del vostro intervento, signore, eravamo in procinto
di salpare per Amsterdam. Portavo una richiesta di riscatto al
consiglio della VOC, per conto del governatore designato del capo di Buona Speranza, che, insieme con la sua nobile consorte,
è stato catturato da un altro pirata inglese, o meglio...» si corresse, «da un altro corsaro inglese.»

Cumbrae lo fissò. «Il vostro governatore designato si chiamava per caso Petrus van de Velde, ed è stato catturato a bordo
della nave della Compagnia *Standvastigheid*?» domandò. «E

l'uomo che lo ha catturato era un inglese, Sir Francis Courteney? »

Il colonnello Schreuder parve sbalordito. « Proprio così, signore. Ma voi come fate a conoscere questi dettagli? »

« Risponderò a suo tempo alla vostra domanda, colonnello, ma prima devo sapere. Vi rendete conto che la *Standvastigheid* è stata catturata *dopo* che il trattato di pace era stato firmato dai nostri due paesi? »

« Milord, ero a bordo della *Standvastigheid* come passeggero quando è stata catturata. Certo che sono al corrente del fatto che era una cattura illegale. »

« Ancora una domanda, colonnello. La vostra reputazione e posizione professionale non sarebbe notevolmente avvantaggiata se riusciste a catturare questo pirata Courteney, ottenendo con le armi la liberazione del governatore van de Velde e di sua moglie e la restituzione alla Compagnia olandese delle Indie Orientali del prezioso carico della *Standvastigheid*? »

Il colonnello rimase senza parole di fronte a una prospettiva così allettante. Quell'immagine di occhi viola e capelli dorati, che non si era mai allontanata dalla sua mente fin dall'ultima volta che l'aveva contemplata, ora gli tornava alla memoria con tutti i suoi vividi dettagli. La promessa che gli era stata fatta da quelle dolci labbra rosse gli premeva ancor più del tesoro di spezie e lingotti che era in gioco. Come gli sarebbe stata riconoscente Katinka della liberazione! Per non parlare del padre, che era presidente del consiglio direttivo della voc. Quello poteva essere il colpo di fortuna più incredibile che gli si presentava da quand'era al mondo.

Era turbato al punto che riuscì appena a rispondere con un rigido cenno di assenso alla proposta dell'Avvoltoio.

« Allora, signore, credo proprio che voi e io abbiamo alcune questioni da discutere che potrebbero risultare di reciproco vantaggio », disse l'Avvoltoio con un sorriso accattivante.

La mattina dopo, la *Gull* e la *Swael* rientrarono nella baia della Tavola e, appena gettata l'ancora sotto i cannoni del forte, il colonnello e Cumbrae scesero a terra. Approdarono in mezzo alla risacca, dove un gruppo di schiavi e di forzati si spinse in acqua, immergendosi fino alle spalle per trainare la barca sulla spiaggia prima che l'onda successiva potesse capovolgerla, cosicché poterono raggiungere il terreno asciutto senza bagnarsi gli stivali. Mentre si dirigevano insieme verso il cancello del forte, formavano una coppia insolita e vistosa: Schreuder era in alta uniforme, con tanto di fascia, nastri e piume sul cappello, che ondeggiavano al vento di sud-est. Cumbrae offriva uno spettacolo straordinario, con il gonnellino a quadri nei colori del suo clan, rosso, ruggine, giallo e nero. La popolazione di quella base in capo al mondo non aveva mai visto un uomo abbigliato in quel modo, e si affollò ai margini del campo di manovre per guardarlo a bocca aperta.

Alcune schiave giavanesi che sembravano bambole attirarono l'attenzione di Cumbrae, rimasto in mare per mesi e mesi senza il conforto di una compagnia femminile. Avevano la pelle luminosa come avorio levigato, e occhi scuri dallo sguardo languido. Molte erano state vestite all'europea dai proprietari, e il loro seno piccolo e sodo spiccava impertinente dai corpetti di pizzo.

Passando davanti a loro, Cumbrae accolse la loro ammirazione con la stessa gravità di un membro della famiglia reale, togliendosi il berretto ornato di nastri di fronte alla più giovane e graziosa delle ragazze, oltre a farla ridacchiare e arrossire con lo sguardo audace degli occhi azzurri sopra il cespuglio ardente della barba.

Le sentinelle all'entrata del forte accolsero con il saluto Schreuder, che evidentemente era ben noto, e i due furono introdotti nel cortile interno. Cumbrae si guardò attorno con occhi penetranti, valutando la solidità delle difese. In quel momento poteva anche regnare la pace, ma chi poteva prevedere che cosa sarebbe accaduto di lì a qualche anno? Un giorno forse avrebbe comandato un assedio contro quelle mura.

Vide che le fortificazioni erano disposte a forma di stella a cinque punte. Era chiaro che il modello seguito dai costruttori era la nuova fortezza di Anversa, la prima che avesse adottato quella planimetria innovativa. Ciascuna delle cinque punte era coronata da una ridotta, i cui angoli acuti consentivano ai difensori di lanciare un fuoco di copertura contro le mura maestre del forte, che altrimenti sarebbero state indifendibili, formando un angolo morto. Una volta completate le massicce mura esterne di mattoni, il forte sarebbe stato quasi inespugnabile, se non con un assedio elaborato. Potevano risultare necessari mesi e mesi di tentativi per minare le mura, prima di aprirvi una breccia.

Comunque i lavori di costruzione erano tutt'altro che conclusi. Gruppi di centinaia di prigionieri e forzati lavoravano nel fossato e in cima alle mura, innalzate per metà. Molti dei cannoni erano accatastati nel cortile, e non erano stati ancora installati nelle ridotte che sovrastavano la baia.

Che occasione perduta, gemette dentro di sé l'Avvoltoio. Quell'informazione gli giungeva troppo tardi per risultare di qualche utilità. Avrei potuto conquistare il forte e saccheggiare la città con l'aiuto di qualche altro cavaliere dell'ordine, Richard Lister... e persino Franky Courteney, prima che la discordia ci mettesse l'uno contro l'altro. Se avessimo riunito le forze, noi tre avremmo potuto installarci qui, dominando l'Atlantico meridionale e catturando tutti i galeoni olandesi che si fossero azzardati a doppiare il capo.

Mentre si guardava attorno nel cortile, notò che una parte del forte veniva usata anche come prigione. Una fila di forzati e prigionieri in ceppi, sorvegliati dai soldati, stava uscendo dalle segrete poste sotto il muro meridionale. Su quelle stesse fondamenta era stata costruita la caserma per la guarnigione militare.

Sebbene il cortile fosse ingombro di materiali da costruzione e impalcature, una compagnia di moschettieri in divisa, con il farsetto verde e oro della VOC, si stava esercitando nell'unico spazio libero, di fronte all'armeria.

Carri trainati da buoi, carichi fino all'inverosimile di legname e blocchi di pietra, entravano fragorosamente dal cancello o si affollavano nel cortile, mentre una carrozza era ferma, in splendido isolamento, davanti all'ingresso dell'ala meridionale dell'edificio. Era tirata da un equipaggio di grigi, strigliati al punto che il loro mantello scintillava al sole, mentre il cocchiere e i valletti indossavano la livrea verde e oro della Compagnia.

«Sua eccellenza è arrivato in ufficio presto, stamattina. Di solito non lo vediamo prima di mezzogiorno», brontolò Schreuder. «La notizia del vostro arrivo dev'essere giunta alla residenza.»

Salirono la scalinata dell'ala sud, superando la porta di tek con lo stemma della Compagnia scolpito sopra. Nell'atrio, dal pavimento lucidissimo di legno giallo, un aiutante di campo prese in consegna copricapi e spade prima di condurli nell'anticamera. «Informerò sua eccellenza del vostro arrivo», disse congedandosi per uscire a ritroso dalla stanza. Rientrò pochi minuti dopo. «Sua eccellenza vi riceverà subito.»

La sala delle udienze del governatore si affacciava sulla baia con alcune finestre a feritoia, ed era arredata con uno strano miscuglio di massicci mobili olandesi e manufatti orientali. Vivaci tappeti cinesi ricoprivano i pavimenti lucidati a specchio, e le vetrinette contenevano una collezione di delicate porcellane con i tipici colori e smalti della dinastia Ming.

Il governatore Kleinhans era un uomo alto di mezza età, dall'aria dispeptica, con la pelle ingiallita da un'esistenza trascorsa ai tropici e il viso raggrinzito e segnato dalle preoccupazioni legate alla sua carica. La figura era scheletrica, con il pomo d'Adamo così prominente da apparire deforme, e la folta parrucca troppo giovanile per i lineamenti avvizziti che incorniciava.

« Colonnello Schreuder. » Salutò l'ufficiale con un gesto rigido, senza distogliere dall'Avvoltoio lo sguardo degli occhi slavati, segnati da borse di pelle giallastra. « Stamattina, quando mi sono svegliato e ho visto che la vostra nave era scomparsa, ho pensato che foste salpato per tornare in patria senza il mio permesso. »

« Vi chiedo scusa, signore. Vi darò una spiegazione completa, ma prima consentitemi di presentarvi il conte di Cumbrae, un nobile inglese. »

« Scozzese, prego, non inglese », borbottò l'Avvoltoio.

In ogni caso, il governatore Kleinhans era rimasto impressionato dal titolo e passò a un inglese corretto, anche se sciupato dall'accento gutturale. « Ah, vi do il benvenuto al capo di Buona Speranza, signore. Accomodatevi, prego. Posso offrirvi un leggero rinfresco... un bicchiere di Madera, magari? »

Quando ebbero fra le mani i bicchieri a stelo lungo pieni di vino ambrato, dopo aver preso posto sulle sedie dallo schienale alto riunite in circolo, il colonnello si protese verso Kleinhans, mormorando: « Signore, ciò che devo dirvi è questione della massima delicatezza », e lanciando al tempo stesso un'occhiata ai servitori e all'aiutante che indugiavano nella sala. Il governatore batté le mani, facendoli dileguare come fumo al vento. Incuriosito, chinò la testa verso Schreuder. « Allora, colonnello, qual è il segreto che avete in serbo per me? »

Man mano che Schreuder parlava, il viso tetro del governatore s'illuminò di avidità, pieno d'attesa, ma quando l'altro concluse la presentazione della proposta si mostrò scettico e riluttante: « Come possiamo sapere che questo pirata, Courteney, sarà ancorato dove lo avete visto l'ultima volta? » chiese a Cumbrae.

«Appena dodici giorni fa il galeone rubato, la *Standvastigheid*, era in secco sulla spiaggia con tutto il carico a terra e l'albero maestro smontato. Sono un marinaio, e posso assicurarvi che Courteney non potrebbe rimetterla in mare in meno di trenta giorni. Ciò significa che abbiamo ancora più di due settimane per fare i preparativi e attaccarlo», spiegò l'Avvoltoio.

Kleinhans annuì. «E dove si trova l'approdo in cui si nasconde questo furfante?» Il governatore tentò di formulare la domanda in tono casuale, ma i suoi occhi itterici scintillavano.

«Posso assicurarvi soltanto che è ben nascosto.» L'Avvoltoio eluse la domanda con un sorriso asciutto. «Senza il mio aiuto i vostri uomini non potranno inchiodarlo.»

«Capisco.» Con l'indice ossuto, il governatore si stuzzicò una narice, esaminando poi il grumo di muco rinsecchito che aveva estratto. Senza alzare gli occhi, continuò, sempre in tono casuale: «Naturalmente, non chiedereste una ricompensa per compiere quello che, dopo tutto, è solo il dovere morale di estirpare un covo di pirati?»

«Non chiederei altra ricompensa che una modesta somma per indennizzarmi del tempo e delle spese», convenne Cumbrae.

«Un centesimo di quanto riusciremo a recuperare del carico del galeone», suggerì Kleinhans.

«Non così modesta», obiettò Cumbrae. «Avevo in mente la metà.»

«La metà!» Il governatore Kleinhans si drizzò sulla sedia, mentre la sua carnagione assumeva il colore della pergamena vecchia. «Senza dubbio volete scherzare, signore?»

«Vi assicuro che quando si parla di denaro scherzo ben di rado. Avete pensato a quanto vi sarà grato il direttore generale della Compagnia quando gli restituirete la figlia illesa, e senza dover pagare il riscatto? Questo solo elemento non dovrebbe essere un fattore decisivo per aumentare la pensione che vi è stata assegnata, anche senza tener conto del valore del carico di spezie e lingotti?»

Mentre rifletteva su quella risposta, il governatore riprese l'esplorazione dell'altra narice, restando in silenzio.

Cumbrae proseguì in tono persuasivo: «Senza dubbio, quando van de Velde sarà stato liberato dalle grinfie di questo furfante e arriverà qui, potrete fargli le consegne, e poi sarete libero di tornare a casa in Olanda, dove vi attendono le ricompense del lungo e fedele servizio che avete prestato». Il colonnello Schreuder aveva notato con quanta ansia il governatore attendeva l'imminente collocamento a riposo, dopo trent'anni al servizio della Compagnia.

Kleinhans si dimenò sulla sedia al pensiero di quella prospettiva invitante, ma la sua voce suonò aspra. «Un decimo del valore del carico recuperato, escluso il valore dei pirati catturati e venduti in schiavitù. Un decimo, e questa è la mia ultima offerta.»

Cumbrae assunse un'espressione tragica. «Dovrò dividere la ricompensa con il mio equipaggio. Non potrei prendere in considerazione una cifra inferiore a un quarto.»

«Un quinto», ribatté Kleinhans in tono gracchiante.

«Accetto», disse Cumbrae, soddisfatto. «E naturalmente avrò bisogno dei servigi di quella bella fregata militare ancorata nella baia, e di tre compagnie di moschettieri comandate dal colonnello Schreuder, qui presente. E il mio veliero dovrà essere rifornito di polvere e proiettili, per non parlare di acqua e altre provviste.»

Era stato necessario uno sforzo prodigioso da parte del colonnello Schreuder, ma verso la fine del pomeriggio del giorno seguente le tre compagnie di fanti, ciascuna delle quali contava novanta uomini, erano schierate sul campo di manovra all'esterno delle mura del forte, pronte a imbarcarsi. Gli ufficiali e i sottufficiali erano tutti olandesi, mentre i moschettieri erano un misto di truppe indigene: abitanti della penisola di Malacca, in Malesia, ottentotti reclutati fra le tribù del capo, singalesi e tamil provenienti dalle proprietà della Compagnia a Ceylon. I soldati erano curvi come bestie da soma sotto il peso delle armi e dei pesanti zaini, ma stranamente erano scalzi.

Quando Cumbrae li guardò marciare oltre il cancello, con i berretti piatti di colore nero, le giubbe verdi e le bandoliere bianche, il moschetto a tracolla, osservò in tono acido: «Spero che si battano bene come marciano, ma penso che potrebbero incontrare qualche sorpresa, quando si troveranno di fronte ai lupi di mare di Franky».

La *Gull* poteva accogliere a bordo una sola compagnia con tutto il bagaglio e, anche così, i ponti sarebbero stati affollati in modo preoccupante, soprattutto se durante il viaggio si fossero imbattuti nel maltempo.

Le altre due compagnie di fanteria s'imbarcarono sulla fregata. Avrebbero avuto un viaggio più facile, perché la *Sonnenvogel*, o «uccello del sole», era un veliero comodo e veloce. Appartenente alla flotta di Cromwell, era stata catturata dall'ammiraglio de Rujter durante la battaglia del Kentish Knock, e aveva fatto parte della squadra di de Rujter durante la spedizione che aveva risalito il Tamigi, pochi mesi prima del suo arrivo al largo del capo. Era snella e splendida, con la lucida patina di vernice nera e le finiture candide. Era facile capire che la velatura era stata sostituita prima che la nave salpasse dall'Olanda: tutte le vele e le sartie erano nuove di zecca. L'equipaggio era composto per lo più da veterani delle due recenti guerre contro l'Inghilterra, combattenti di prim'ordine temprati dalle battaglie.

Il comandante Rjker era anch'egli un navigatore oceanico solido e temprato dalle esperienze, con le spalle larghe e il ventre prominente. Non fece il minimo tentativo di mascherare il fastidio che provava nel trovarsi agli ordini di un uomo che, fino a poco tempo prima, era stato suo nemico, un irregolare che considerava poco più di un avido pirata. Il suo contegno verso Cumbrae, freddo e ostile, mascherava a stento il disprezzo.

A bordo della *Sonnenvogel* si era tenuto un consiglio di guerra che non era filato troppo liscio, visto che Cumbrae si rifiutava di comunicare la loro destinazione e Rjker si opponeva a ogni suggerimento e discuteva ogni proposta avanzata dallo scozzese. Soltanto l'arbitrato del colonnello Schreuder aveva impedito che la spedizione fallisse in modo irrimediabile prima ancora di uscire dalla baia della Tavola.

Fu con una profonda sensazione di sollievo che l'Avvoltoio vide infine la fregata levare l'ancora, con quasi duecento moschettieri allineati lungo la battagliola per salutare con calore la folla di donne ottentotte, vestite di colori vivaci o seminude, che si era assiepata sulla spiaggia per seguire la piccola *Gull* verso l'ingresso della baia.

Il ponte era affollato di soldati di fanteria che agitavano la mano e parlavano animatamente, indicandosi a vicenda i punti di riferimento sulla montagna e sulla spiaggia e ostacolando il lavoro dei marinai che dovevano portare la nave al largo della costa di sottovento.

Quando la *Gull* doppiò il promontorio ai piedi della Testa di

Leone, affrontando il primo maestoso assalto dell'Atlantico meridionale, uno strano silenzio scese sui passeggeri chiassosi, e non appena bordeggiò, puntando a ovest, il primo dei moschettieri si precipitò verso il capo di banda, proiettando un lungo getto di vomito direttamente controvento. Uno scroscio di risa si levò allora dall'equipaggio, nel vedere che il vento respingeva tutto in faccia al malcapitato, pallido come uno straccio, imbrattandogli la giubba verde con i resti misti a bile del suo ultimo pasto.

Meno di un'ora dopo, quasi tutti gli altri soldati avevano imitato il suo esempio, e i ponti erano così scivolosi e insidiosi per le loro offerte a Nettuno che l'Avvoltoio ordinò di azionare le pompe, annaffiando i ponti e i passeggeri.

« Saranno interessanti, queste giornate di navigazione », disse al colonnello Schreuder. « Spero che questi bellimbusti avranno la forza di trascinarsi a riva, quando saremo arrivati a destinazione. »

Prima che il viaggio fosse giunto a metà, apparve evidente che quello che aveva detto per scherzo era in effetti una cruda verità. Quasi tutti i soldati a bordo sembravano moribondi, stesi sul ponte come cadaveri senza più nulla nello stomaco da rimettere. Un messaggio inviato dal comandante Rjker indicava che gli uomini a bordo della *Sonnenvogel* non erano in condizioni migliori.

« Se faremo combattere questi uomini appena sbarcati, i ragazzi di Franky se li papperanno in un sol boccone, senza neanche sputare le ossa. Dovremo modificare i nostri piani », disse l'Avvoltoio a Schreuder, che inviò un messaggio alla *Sonnenvogel*. Mentre lui si metteva in panna, Rjker arrivò a bordo della sua lancia per discutere, con evidente malagrazia, il nuovo piano d'attacco.

Cumbrae aveva disegnato una mappa approssimativa della laguna e della linea costiera ai lati dei promontori, sulla quale i tre ufficiali meditarono nella minuscola cabina della *Gull*. L'umore di Rjker era stato risollevato dalla rivelazione della meta finale e dalla prospettiva dell'azione e del denaro del premio, nonché da un bicchierino di whisky che Cumbrae gli aveva versato. Una volta tanto, si disse disposto ad accettare il piano che l'altro gli sottoponeva.

« C'è un altro promontorio, quaggiù, circa otto o nove leghe a ovest dell'ingresso alla laguna. » L'Avvoltoio posò la mano sulla mappa. «Con questo vento le acque in quel punto saranno abbastanza calme per calare le scialuppe e sbarcare sulla spiaggia il colonnello Schreuder con i suoi moschettieri. Di lì comincerà la sua marcia di avvicinamento.» Batté sulla carta con l'indice fitto di peli color zenzero. «L'intermezzo sulla terraferma e l'esercizio fisico offriranno ai suoi uomini la possibilità di riprendersi dal malessere. Quando raggiungeranno il covo di Courteney, dovrebbero avere di nuovo un po' di pepe in corpo.»

«I pirati hanno organizzato difese all'ingresso della laguna?» volle sapere Rjker.

«Hanno delle batterie qui e qui, per coprire il canale.» Cumbrae tracciò una serie di croci ai lati dell'ingresso. «Sono così ben protette da essere invulnerabili alla risposta di una nave che entri nella laguna o che lasci l'ancoraggio.» S'interruppe, ricordando il congedo bruciante che quelle colubrine avevano dato alla *Gull*, mentre fuggiva dalla laguna dopo il fallito attacco all'accampamento.

Rjker ridivenne sobrio alla prospettiva di esporre la sua nave, da breve distanza, al fuoco di batterie fortificate a riva.

«Potrò neutralizzare le batterie avvicinandomi dal lato occidentale», gli assicurò Schreuder. «Manderò un piccolo plotone a scalare le scogliere. Non si aspetteranno un attacco dal retro. Però non potrò attraversare il canale per raggiungere i cannoni sul promontorio orientale.»

«E io manderò un'altra spedizione per mettere fuori gioco quegli altri cannoni», intervenne Rjker. «Purché riusciamo a escogitare un sistema di segnalazioni per coordinare l'attacco.» Dedicarono un'altra ora a elaborare un codice con bandierine e segnali di fumo fra le navi e la riva. A quel punto Rjker e Schreuder si sentivano ribollire il sangue, ed erano pronti a rivaleggiare per avere l'opportunità di conquistarsi gli allori sul campo.

Per quale motivo dovrei mettere a repentaglio i miei marinai, pensava felice l'Avvoltoio, quando questi eroi sono tanto ansiosi di fare il lavoro per me? A voce alta, invece, esclamò: «Mi complimento con voi, signori. È un piano eccellente. Immagino che ritarderete gli attacchi contro le batterie all'entrata della laguna fin quando il colonnello Schreuder non avrà guidato attraverso la foresta il grosso delle sue forze di fanteria e si troverà in posizione tale da poter lanciare l'attacco principale alle spalle dell'accampamento dei pirati. »

« Sì, certo », convenne Schreuder impaziente. « Ma non appena le batterie sui promontori saranno fuori causa, le vostre navi forniranno il diversivo entrando nella laguna e bombardando l'accampamento pirata. Per me sarà il segnale di lanciare da terra l'attacco alla retroguardia. »

« Vi forniremo tutto il nostro appoggio. » Cumbrae annuì, pensando a come il colonnello fosse avido di gloria, e frenando l'impulso paterno di assestargli una pacca sulla spalla. L'idiota può ben accomodarsi a ricevere la mia parte di cannonate, purché mi riesca di mettere le mani sulla mia parte del bottino.

Poi guardò con aria pensierosa il comandante Rjker. Gli restava solo da ottenere che fosse la *Sonnenvogel* a guidare la squadra navale oltre l'imbocco della laguna, attirando su di sé l'attenzione delle colubrine disposte da Franky lungo il margine della foresta. Poteva tornare a suo vantaggio, se fosse stata la nave olandese a riportare seri danni prima che Franky fosse sopraffatto. Se alla fine della battaglia l'Avvoltoio fosse stato al comando dell'unica nave in grado di prendere il mare, avrebbe potuto dettare lui le condizioni, al momento di dividere il bottino di guerra.

« Comandante Rjker », disse con un gesto elaborato carico di arroganza, « rivendico l'onore di guidare la squadra nella laguna con la mia piccola valorosa *Gull*. I miei furfanti non mi perdonerebbero mai, se mi lasciassi precedere da voi. »

Rjker serrò le labbra con aria ostinata. « Signore! » ribatté irrigidendosi. « La *Sonnenvogel* è armata meglio, e in grado di reagire con maggiore efficacia alle cannonate del nemico. Devo insistere perché mi consentiate di guidare l'ingresso nella laguna. »

E anche questa è sistemata, pensò l'Avvoltoio, abbassando la testa in segno di assenso, con apparente riluttanza.

Tre giorni dopo, sbarcarono su una spiaggia deserta il colonnello Schreuder e le sue tre compagnie di moschettieri in preda al mal di mare, e li guardarono allontanarsi marciando verso il selvaggio territorio interno dell'Africa, disposti in una lunga colonna irregolare.

La notte africana era sommessa, mai silenziosa. Quando Hal si fermava sul sentiero stretto, i passi lievi del padre risuonavano smorzati davanti a lui, che udiva i suoni soffocati della miriade di forme di vita che pullulavano nella foresta tutt'intorno: il richiamo melodioso di un uccello notturno, più incantevole di qualunque suono un musicista potesse strappare a uno strumento a corde; il suono insistente prodotto dai roditori e da altri minuscoli mammiferi tra le foglie morte, e l'improvviso grido omicida dei piccoli felini predatori che davano loro la caccia; il canto e il ronzio degli insetti e l'eterno mormorio del vento facevano tutti parte del coro nascosto in quel tempio di Pan.

Il raggio della lanterna cieca scomparve davanti a lui, che si affrettò a riguadagnare il terreno perduto. Al momento di lasciare l'accampamento, il padre aveva ignorato la sua domanda, ma quando infine sbucarono dalla foresta ai piedi delle colline, Hal capì dov'erano diretti. Le pietre che contrassegnavano ancora la loggia entro la quale aveva prestato i voti formavano un cerchio spettrale al chiarore della luna calante. All'ingresso, Sir Francis posò un ginocchio a terra, chinando la testa in preghiera, mentre Hal s'inginocchiava accanto a lui.

«Oh, Signore, rendimi degno», pregò Hal. «Dammi la forza di rispettare i voti che ho pronunciato qui in tuo nome.»

Il padre sollevò finalmente la testa. Alzandosi in piedi, prese la mano di Hal per aiutarlo a rialzarsi e poi, fianco a fianco, entrarono nel circolo, avvicinandosi alla pietra dell'altare. «*In Arcadia habito!*» disse Sir Francis, con la sua voce profonda e cantilenante, e Hal rispose.

«*Flumen sacrum bene cognosco!*»

Sir Francis posò la lanterna sulla pietra alta, poi s'inginocchiò di nuovo insieme al figlio sotto quella luce gialla. Pregarono a lungo, in silenzio, prima che Sir Francis alzasse gli occhi al cielo. «Le stelle sono le cifre del Signore. Illuminano i nostri andirivieni, ci guidano attraverso oceani che non sono segnati sulle carte, racchiudono il nostro destino, misurano il numero dei nostri giorni.»

Gli occhi di Hal corsero subito alla sua stella personale, Regolo, eterna e immutabile, che splendeva nella costellazione del Leone.

«Ieri notte ho tracciato il tuo oroscopo», gli disse il padre. «Ci sono molte cose che non posso rivelarti, ma questo posso dirtelo: gli astri hanno in serbo per te un destino singolare. Non sono riuscito a decifrarne la natura. »

Nel tono del padre c'era una nota struggente, e Hal lo guardò: aveva il viso teso, le ombre sotto gli occhi erano scure e profonde. « Se le stelle sono favorevoli, che cos'è che vi tormenta, padre? »

« Sono stato rude con te, ti ho spronato senza pietà. »

Hal scosse la testa. « Padre... » ma Sir Francis lo fece tacere posandogli una mano sul braccio. « Devi ricordare sempre per quale motivo l'ho fatto. Se ti avessi amato di meno, sarei stato più indulgente con te. » La stretta della sua mano sul braccio di Hal si rafforzò quando sentì che il figlio prendeva fiato per parlare. « Ho tentato di prepararti e di instillarti la conoscenza e la forza necessarie per affrontare il particolare destino che gli astri hanno in serbo per te. Lo capisci? »

« Sì, questo l'ho sempre saputo. Me lo ha spiegato Aboli. »

« Aboli è saggio. Resterà con te quando io non ci sarò più. »

« No, padre. Non parlate così. »

« Figlio mio, guarda le stelle », rispose Sir Francis, e Hal esitò, non sapendo che cosa intendeva. « Tu sai qual è la mia stella personale, te l'ho indicata almeno cento volte. Cercala, adesso, nella costellazione della Vergine. »

Hal alzò il viso al cielo, rivolgendo lo sguardo a est, dove Regolo continuava a brillare, chiara e luminosa. I suoi occhi corsero oltre, verso la costellazione della Vergine, che era vicina al Leone, e ansimò, lasciandosi sfuggire il fiato dalle labbra in un sibilo, assalito da un timore superstizioso.

La stella del padre era attraversata da un capo all'altro da una scimitarra ardente; una piuma rosso fuoco, rosso sangue.

« Una stella cadente », sussurrò.

« Una cometa », lo corresse il padre. « Dio mi invia un monito. Il mio tempo qui volge al termine. Persino i greci e i romani sapevano che il fuoco celeste è il prodigio che annuncia disastri, guerre, carestie e pestilenze, e la morte dei re. »

« Quando? » chiese Hal, con la voce oppressa dal timore.

« Presto », rispose Sir Francis. « Dev'essere presto. Molto probabilmente prima che la cometa abbia completato il transito sul mio segno. Questa potrebbe essere l'ultima volta che tu e io resteremo soli. »

« Non c'è qualcosa che possiamo fare per allontanare questa sciagura? Non possiamo evitarla fuggendo? »

«Non sappiamo da che parte verrà», rispose Sir Francis in tono grave. «Non si può sfuggire al destino. Fuggendo, finiremmo certamente nelle sue fauci.»

«Allora resteremo qui a combatterlo», ribatté Hal in tono deciso.

«Sì, ci batteremo», convenne il padre, «anche se l'esito finale è già deciso. Ma non è per questo che ti ho portato qui. Questa notte voglio passarti le consegne, consegnarti la tua eredità, quei legati materiali e spirituali che spettano a te, in quanto mio unico erede.» Prendendo fra le mani il volto del figlio, lo attirò a sé per guardarlo negli occhi.

«Dopo la mia morte, ti spetterà il rango e il titolo di baronetto accordato al tuo bisnonno, Charles Courteney, dalla buona regina Bess, dopo la distruzione dell'Invencible Armada spagnola. Diventerai Sir Henry Courteney, te ne rendi conto?»

«Sì, padre.»

«La tua ascendenza è stata registrata in Inghilterra presso il collegio araldico.» S'interruppe nel sentire un grido selvaggio che echeggiava nella valle, un leopardo che andava a caccia sulle rocce al chiaro di luna. Quando quegli spaventosi ruggiti rochi si spensero, Sir Francis riprese a parlare a voce bassa: «È mio desiderio che tu progredisca nell'ordine fino a raggiungere il rango di cavaliere Nautonnier».

«Mi sforzerò di raggiungere questo obiettivo, padre.»

Sir Francis alzò la mano destra, facendo brillare alla luce della lanterna la fascia d'oro che portava al medio. Se la tolse, tenendola sollevata perché riflettesse la luce della luna. «Questo anello fa parte delle insegne ufficiali della carica di Nautonnier.» Prese la mano destra di Hal per provargli l'anello sul medio, ma era troppo largo, così lo infilò all'indice del figlio. Quindi si slacciò il collo alto del mantello, scoprendo il grande sigillo del suo ufficio che portava sul petto. I minuscoli rubini negli occhi del leone rampante d'Inghilterra e le stelle di diamanti scintillarono appena alla luce incerta. Sir Francis si sfilò dal collo la catena con il pendente e, passandola sul capo di Hal, gliela sistemò sulle spalle. «E questo pendente completa le insegne. È la tua chiave per entrare nel Tempio.»

«Ne sono onorato, così come sono mortificato dalla fiducia che riponete in me.»

«L'eredità spirituale che ti lascio comprende un altro oggetto», gli disse Sir Francis, infilando la mano fra le pieghe del mantello. «È il ricordo di tua madre.» Aprì la mano, rivelando un medaglione che conteneva la miniatura di Lady Edwina.

La luce non era abbastanza intensa per consentirgli di distinguere i dettagli del ritratto, ma quel viso era impresso nella sua mente e nel suo cuore. Senza parlare, Hal ripose la miniatura nel taschino del farsetto.

«Dovremmo pregare insieme per la pace della sua anima», disse Sir Francis a bassa voce, e chinarono entrambi la testa. Dopo parecchi minuti, Sir Francis alzò di nuovo il capo. «Ora ci resta solo da discutere l'eredità terrena che ti lascio. Innanzi tutto c'è High Weald, il nostro maniero nel Devon. Sai già che tuo zio Thomas amministra la casa e le terre in mia assenza. I documenti di proprietà sono depositati presso il mio avvocato di Plymouth...» Sir Francis continuò a parlare a lungo, elencando con tutti i dettagli le sue proprietà terriere e immobiliari in Inghilterra. «Ho lasciato scritto tutto questo nel mio diario per te, ma quel libro può andare perduto o essere rubato prima che tu possa studiarlo. Ricorda tutto quello che ti ho detto.»

«Non dimenticherò niente», gli assicurò Hal.

«Poi ci sono i premi che ci siamo guadagnati durante questa navigazione. Eri con me quando abbiamo conquistato il bottino della *Heerlige Nacht* e della *Standvastigheid*. Quando tornerai in Inghilterra con quel bottino, ricordati di pagare a ogni uomo dell'equipaggio la parte che gli spetta.»

«Senz'altro.»

«Paga anche fino all'ultimo centesimo i funzionari della dogana del re. Solo un manigoldo cercherebbe di frodare il suo sovrano.»

«Non mancherò di versare il dovuto al mio re.»

«Non potrei mai riposare in pace, se dovessi sapere che tutte le ricchezze che ho conquistato per te e per il mio sovrano sono andate perdute. Ti chiedo di prestare giuramento sul tuo onore di cavaliere dell'ordine», gli disse Sir Francis. «Devi giurarmi che non rivelerai mai a nessuno il luogo in cui si trova il bottino. Nei giorni difficili che ci attendono, quando sarà la cometa rossa a regnare sul mio segno e a decidere le nostre sorti, potranno esserci dei nemici che tenteranno di costringerti a infrangere questo giuramento. Devi sempre tenere a mente il motto della nostra famiglia: *Durabo*, resisterò.»

«Sul mio onore, e nel nome di Dio, resisterò», promise Hal. Quelle parole gli scivolarono leggere sulla lingua; non poteva sapere, in quel momento, che quando gli sarebbero tornate alla mente il loro peso sarebbe stato tanto doloroso e opprimente da schiacciargli il cuore.

Per tutto l'arco della sua carriera militare, il colonnello Cornelius Schreuder aveva combattuto alla testa di truppe indigene, anziché di uomini della sua razza e del suo paese, e le preferiva di gran lunga, perché erano assuefatte alle privazioni e meno sensibili al caldo e al sole, o al freddo e all'umidità. Erano immuni dalle febbri e dalle epidemie che colpivano i bianchi che si avventuravano in quei climi tropicali, e sopravvivevano con razioni inferiori di cibo. Erano in grado di vivere e combattere con il vitto frugale che quella terra selvaggia e terribile poteva fornire, mentre i soldati europei si ammalavano e morivano, se soggetti a privazioni analoghe.

C'era anche un altro motivo a giustificare la sua preferenza. Mentre le vite dei soldati cristiani si dovevano considerare preziose, quei pagani si potevano sacrificare senza patemi d'animo, così come le bestie non avevano lo stesso valore degli uomini e potevano essere mandate al macello senza troppi scrupoli. Certo, era nota la loro reputazione di ladri, e non ci si poteva fidare di lasciare accanto a loro donne o liquori, e quando erano costretti a contare sul proprio spirito di iniziativa si comportavano come bambini, ma sotto la guida di buoni ufficiali olandesi il loro coraggio e spirito combattivo superava di gran lunga le loro debolezze.

Salito su un rialzo del terreno, Schreuder osservava la lunga colonna di fanteria. Era incredibile come si fossero ripresi in fretta dal terribile mal di mare che appena il giorno prima li aveva prostrati quasi tutti. Una buona nottata di riposo sulla terraferma e qualche manciata di pesce secco e focacce di sorgo cotte sui carboni ardenti, e il mattino dopo erano forti e vispi come al momento dell'imbarco. Gli passavano davanti a piedi nudi, seguendo i sottufficiali bianchi, muovendosi senza sforzo sotto il pesante carico, chiacchierando fra loro nelle rispettive lingue.

Schreuder riponeva più fiducia in loro in quel momento che in qualsiasi altro, da quando si erano imbarcati nella baia della Tavola. Si tolse il cappello per asciugare la fronte sudata. Il sole si vedeva appena, oltre le cime degli alberi, ma il caldo era già intenso come davanti alla bocca di un forno. Guardò davanti a sé le colline e la foresta che li attendevano. La mappa che lo scozzese dai capelli rossi gli aveva disegnato era solo uno schizzo rudimentale, che si limitava a suggerire la linea della costa, senza fornire alcuna indicazione, per esempio, sul terreno accidentato che avevano incontrato.

Da principio avevano costeggiato la spiaggia, ma il percorso si era rivelato difficile: a ogni passo, sotto il peso dello zaino, gli uomini sprofondavano nella sabbia fino alla caviglia. Inoltre le spiagge aperte erano inframmezzate da scogliere e promontori rocciosi che causavano ulteriori ritardi. Così Schreuder aveva deviato verso l'interno, mandando avanti alcuni esploratori per trovare un itinerario attraverso le colline e la foresta.

In quel momento si sentì un grido: un corriere tornava indietro risalendo la colonna. Ansimante, l'ottentotto si fermò di fronte a lui, salutandolo con un gesto fiorito. «Colonnello, davanti a noi c'è un fiume largo.» Parlava bene l'olandese, come la maggior parte dei soldati.

«Figlio di un cane!» imprecò Schreuder. «Perderemo tempo, e mancano solo due giorni al momento del *rendez-vous*. Mostrami la strada.» L'esploratore lo guidò verso la sommità della collina.

In cima al pendio, si aprì davanti a lui una ripida valle fluviale. I fianchi erano profondi quasi duecento piedi e tappezzati da una fitta foresta. L'estuario sul fondo, ampio e bruno, si allargava andando incontro al mare con l'onda di marea. Schreuder estrasse il cannocchiale dal fodero di cuoio per esaminare con attenzione la valle nel punto in cui si addentrava in profondità fra le colline dell'interno. «A quanto pare, non c'è un punto più facile per traversare, e non posso permettermi di perdere altro tempo nelle ricerche.» Guardò lo strapiombo che si apriva ai suoi piedi. «Fissate delle funi a quegli alberi in cima, per fornire un appiglio agli uomini lungo la discesa.»

Ci volle metà della mattinata per calare i duecento uomini in fondo alla valle. A un certo punto una fune cedette sotto il peso di cinquanta uomini che vi si aggrappavano per sorreggersi mentre scendevano. Per quanto la maggior parte degli uomini riportasse contusioni, tagli e slogature rotolando giù fino alla riva del fiume, ci fu un solo ferito grave, un giovane fante singalese che, cadendo, rimase impigliato nella radice di un albero con la gamba destra. La tibia si fratturò in una dozzina di punti sotto il ginocchio, con le schegge aguzze di osso che spuntavano dalla pelle.

«Bene, ce la siamo cavata con la perdita di un solo uomo», disse soddisfatto Schreuder al suo tenente. «Poteva costarci molto di più. Avremmo anche potuto perdere giorni e giorni in cerca di un altro guado.»

«Faccio preparare una lettiga per il ferito?» propose il tenente Maatzujker.

«Ma siete impazzito?» scattò Schreuder. «Rallenterebbe la marcia. Lasciate quel povero idiota qui con una pistola carica. Quando verranno a cercarlo le iene, potrà decidere da solo a chi sparare, se a una di loro o a se stesso.»

Dalla riva, Schreuder dominava un tratto di fiume lungo un centinaio di iarde, con la superficie punteggiata da piccoli gorghi mentre la marea in uscita sospingeva le acque fangose nella corsa verso il mare.

«Dovremo costruire delle zattere», azzardò il tenente Maatzujker, ma Schreuder scattò: «Non posso permettermi di perdere tempo neanche per questo. Fate tendere una corda fino all'altra sponda. Devo vedere se questo fiume si può guadare».

«La corrente è molto forte», gli fece notare con tatto il tenente.

«Lo vedrebbe anche un idiota, Maatzujker. Forse è per questo che non avete incontrato difficoltà a fare tale osservazione», ribatté Schreuder in tono minaccioso. «Scegliete il nuotatore migliore!»

Maatzujker salutò, prima di affrettarsi a passare in rassegna la colonna di soldati. Questi intuirono che cosa li aspettava e trovarono tutti qualcosa d'interessante da osservare nel cielo o nella foresta, pur di non guardarlo negli occhi.

«Ahmed!» gridò il tenente a uno dei caporali, afferrandolo per la spalla e allontanandolo dal capannello di uomini fra i quali stava cercando di confondersi.

Ahmed, rassegnato, consegnò il moschetto a un altro soldato, cominciando a spogliarsi. Il suo corpo nudo era glabro e giallastro, ricoperto da fasci di muscoli sodi e allungati.

Maatzujker gli legò la corda sotto le ascelle, facendolo scendere in acqua. Man mano che Ahmed si spingeva più avanti nella corrente, l'acqua gli salì fino alla cintola, e con essa salirono le speranze di Schreuder in una traversata rapida e facile. I compagni di Ahmed, riuniti sulla riva, lanciavano grida di incoraggiamento, mollando la fune.

Poi, quando era quasi a metà della traversata, Ahmed inciampò, perdendo l'equilibrio proprio nel canale principale del fiume, e la sua testa scomparve sotto la superficie.

«Tiratelo indietro!» ordinò Schreuder, e i soldati tirarono Ahmed in acque più basse, dove lottò per rimettersi in piedi, tossendo e sbuffando per liberarsi dell'acqua che aveva bevuto.

Poi, tutt'a un tratto, Schreuder urlò, in tono concitato: «Tirate! Tiratelo fuori dall'acqua!»

Cinquanta iarde a monte, infatti, il colonnello aveva visto un gorgo possente increspare la superficie delle acque opache, e poi una veloce scia a V scendere lungo il canale verso il punto in cui il caporale sguazzava nelle secche. Anche la squadra che manovrava la fune lo vide e, lanciando grida costernate, tirò Ahmed verso la riva con uno strattone tanto energico che il poveretto fu catapultato all'indietro e trascinato di peso, sebbene si dimenasse, scalciando. La cosa sotto la superficie, però, si mosse ancor più veloce, puntando sull'uomo inerme.

Quando fu a poche spanne da lui, emerse: aveva un muso scuro e deforme, rugoso come un tronco nero; poi a distanza di venti piedi dalla testa esplose in aria una coda crestata da rettile. Il mostro orribile coprì in un lampo la distanza che lo separava dall'uomo, sbucando dall'acqua con le mascelle spalancate a scoprire le file irregolari di denti gialli.

Lo vide anche Ahmed, che lanciò un urlo selvaggio. Con uno schianto pari a quello di una saracinesca che precipita a terra, le mascelle si chiusero sulla parte inferiore del suo corpo: uomo e bestia finirono sott'acqua in un vortice di spuma. Gli uomini alla fune si sentirono strattonare e trascinare, cadendo l'uno sopra l'altro e scivolando giù per il pendio della riva.

Schreuder li raggiunse d'un balzo, afferrando l'estremità della fune e avvolgendola con due giri attorno al proprio polso per esercitare una trazione con tutto il suo peso. Laggiù nella marea bruna ci fu un'altra esplosione ribollente di schiuma, quando l'enorme coccodrillo, con le mascelle serrate sul ventre di Ahmed, cominciò a girare su se stesso a velocità incredibile. Gli altri uomini alla fune ritrovarono l'equilibrio e ripresero a tirare la fune con espressione tetra. Nell'acqua scura si allargò d'improvviso una macchia rossa, mentre Ahmed restava diviso a metà, come un tacchino smembrato da un ghiottone.

La macchia di sangue fu dissolta e cancellata dalla velocità della corrente, mentre gli uomini che tendevano la fune caddero all'indietro appena la resistenza dalla parte opposta cessò di colpo. Il torso di Ahmed fu trascinato a riva, con le braccia che si agitavano e la bocca che si apriva e si richiudeva in modo convulso, come quella di un pesce morente.

Al centro del fiume, il coccodrillo emerse di nuovo, stringendo di traverso fra le mascelle le gambe e il bacino di Ahmed. Sollevando la testa al cielo, inghiottì, sforzandosi di deglutire, e quando il corpo dilaniato scivolò giù per le fauci videro gonfiarsi la gola molle e chiara, ricoperta di scaglie.

Schreuder urlava di rabbia. «Questa sudicia bestiaccia ci tratterrà qui per giorni e giorni, se glielo permetteremo.» Girandosi verso i moschettieri scossi che trascinavano a riva il cadavere mutilato di Ahmed, gridò: «Riportate qui quel pezzo di carne!»

Lasciarono cadere il corpo ai suoi piedi, osservandolo intimoriti mentre si spogliava e restava nudo davanti a loro, con i muscoli del ventre piatto duri e guizzanti e il pene che sporgeva imponente dal cespuglio di peli scuri alla base. Obbedendo ai suoi ordini spazientiti, gli legarono una corda sotto le ascelle, poi gli consegnarono un moschetto carico con la miccia già accesa sulla leva. Schreuder imbracciò l'arma, afferrando con l'altra mano il braccio inerte del morto. Un mormorio incredulo e stupito si levò dalla riva quando avanzò nel fiume, trascinando con sé i resti sanguinanti di Ahmed. «Avanti, sporca bestiaccia!» ruggì infuriato, continuando ad avanzare mentre l'acqua gli saliva alle ginocchia. «Vuoi mangiare? Ebbene, ho qualcosa da sgranocchiare per te.»

Un gemito inorridito sfuggì a tutti coloro che erano schierati sulla riva quando, a monte del punto in cui era fermo Schreuder con l'acqua all'altezza dei fianchi, si notò un altro gorgo spaventoso e il coccodrillo sfrecciò a valle verso di lui, lasciando una lunga scia liscia sulla superficie bruna dell'acqua.

Schreuder rinsaldò la presa dei piedi sul fondo e, con un movimento ad arco del braccio, scagliò il corpo dilaniato e sanguinante di Ahmed sulla rotta seguita dal coccodrillo lanciato alla carica. «Mangia questo!» gridò, sollevando il moschetto e puntandolo sull'esca umana che galleggiava a due braccia appena da lui.

La testa mostruosa eruppe in superficie, con la bocca spalancata quanto bastava per ingoiare i resti di Ahmed. Scrutando attraverso il mirino dell'arma, Schreuder guardò in fondo alle sue mascelle spalancate. Vide i denti aguzzi, ancora festonati da brandelli di carne umana, e ancora più in là la mucosa della gola, di un bel giallo ranuncolo. Quando le mascelle si aprivano, una membrana dura chiudeva automaticamente la gola per impedire che l'acqua affluisse nei polmoni della bestia.

Schreuder mirò in fondo alla gola spalancata, facendo scattare la leva col grilletto. La miccia si abbassò, e trascorse un istante prima che la polvere nel bacinetto prendesse fuoco. Poi, mentre Schreuder teneva puntata l'arma senza tentennamenti, si levò un rombo assordante e un lungo pennacchio di fumo blu argento scaturì dalla canna, finendo diritto in fondo alla gola del coccodrillo. Tre once di pallini di piombo rinforzato all'antimonio sfondarono la membrana, lacerando la trachea, l'arteria e la carne, penetrando in profondità nella cavità del torace, dilaniando il gelido cuore del rettile e i suoi polmoni.

Il coccodrillo fu scosso da uno spasmo così violento da innalzare al di sopra dell'acqua un tratto del dorso lungo quindici piedi, tanto che la coda sfiorò la testa grottesca prima di ricadere all'indietro in un geyser di spuma. Poi l'animale roteò su se stesso, sprofondò e riemerse di colpo, torcendosi in convulsioni gigantesche.

Schreuder non perse tempo a osservare quegli orribili spasimi d'agonia, ma lasciò cadere il moschetto fumante per tuffarsi a capofitto nel punto più profondo del canale. Contando sul fatto che la frenesia del micidiale rettile avrebbe confuso e allontanato qualunque suo simile, si diresse verso la riva opposta con la sua bracciata robusta.

« Mollate la corda! » urlò Maatzujker agli uomini rimasti paralizzati per lo shock, e quelli si rianimarono. Sollevando la fune per tenerla al riparo dalla corrente, la mollarono via via che Schreuder avanzava attraverso il canale con la foga delle sue bracciate.

« Attenzione! » gridò Maatzujker, vedendo emergere in superficie prima uno, poi un altro coccodrillo. Avevano gli occhi sporgenti, posti in cima a protuberanze cornee, quindi erano in grado di osservare le convulsioni del compagno morente senza scoprire del tutto la testa.

Gli scrosci più sommessi prodotti da Schreuder non attirarono la loro attenzione finché non giunse a una dozzina di bracciate dalla sponda opposta; allora uno dei mostri percepì la sua presenza e puntò a tutta velocità verso di lui, sollevando nell'acqua piccole increspature a ventaglio ai lati delle sporgenze gemelle della fronte.

«Più veloce!» ruggì Maatzujker. «Vi sta inseguendo!» Schreuder raddoppiò la velocità, mentre il coccodrillo lo raggiungeva in fretta. Tutti gli uomini sulla riva lanciavano grida di incoraggiamento, ma il coccodrillo era ormai a breve distanza da lui quando i piedi di Schreuder toccarono il fondo. L'ultimo tratto fu una gara, in cui Schreuder si proiettò in avanti mentre le possenti mascelle scattavano, chiudendosi a pochi palmi di distanza dai suoi piedi.

Tirandosi dietro la corda come se fosse una coda, il colonnello avanzò barcollando verso la linea degli alberi, ma non era ancora al sicuro, perché la creatura simile a un drago si alzò sulle zampe tozze e arcuate, risalendo la sponda, e lo seguì con un'andatura goffa ma tanto veloce che gli osservatori quasi non credevano ai loro occhi. Schreuder raggiunse il primo albero della foresta con qualche passo appena di vantaggio, slanciandosi verso un ramo basso. Mentre le mascelle irte di denti aguzzi si chiudevano di scatto, lui riuscì appena in tempo a sollevare le gambe e, con l'ultima stilla di energia che gli restava, a issarsi in alto sui rami.

Il rettile rimase in agguato per qualche tempo, girando attorno al tronco dell'albero, poi, lanciando un sibilo poderoso, si ritirò lentamente sulla riva. Teneva alta la lunga coda, sormontata da una serie di protuberanze simile a una gigantesco cresta di gallo, ma quando raggiunse il fiume l'abbassò e s'immerse di nuovo in acqua.

Prima ancora che si dileguasse, Schreuder gridava già agli uomini sulla sponda opposta: «Fate presto, voi laggiù!»

Fissò con un cappio l'estremità della corda al grosso tronco sul quale si era arrampicato, prima di gridare: «Maatzujker! Mettete al lavoro gli uomini per costruire una zattera. Potranno attraversare il fiume controcorrente, tirando la fune».

La chiglia della *Resolution* era stata ripulita dalle alghe e dai cirripedi, e quando l'equipaggio mollò le cime si raddrizzò lentamente, assecondando la pressione della marea che saliva.

Mentre era in secco sulla spiaggia, i carpentieri avevano finito di piallare e armare il nuovo albero maestro, che finalmente era pronto per essere montato. Fu necessaria la collaborazione di tutti gli uomini per calare sulla spiaggia l'albero, che era lungo e pesante, e per issarne l'estremità più massiccia oltre il capo di banda. Il paranco per sollevarlo fu installato accanto agli altri due alberi, e si regolarono le imbracature.

Tesando le cime tirate cautamente da gruppi di uomini diretti da Big Daniel e Ned, il massiccio tronco di pino lucente fu raddrizzato. Sir Francis non si fidava di nessun altro per sovrintendere al compito cruciale di far passare la base dell'albero attraverso la mastra praticata nella coperta e poi farlo scivolare in tutta la sua lunghezza attraverso lo scafo fino alla scassa predisposta nel paramezzale della nave. Era un'operazione estremamente delicata, che richiese la forza di cinquanta uomini e occupò gran parte della giornata.

«Ben fatto, ragazzi!» esclamò Sir Francis, quando finalmente il massiccio albero percorse gli ultimi palmi e il piede s'inserì nella scassa con un tonfo sonoro. «Mollate!» Non più sostenuto dalle cime, l'albero alto cinquanta piedi rimase eretto senza sostegni.

Dal punto in cui si trovava, immerso fino alla cintola nella laguna, Big Daniel gridò all'equipaggio: «E ora, che la peste colga quelle teste di formaggio! Fra dieci giorni a partire da oggi la faremo uscire in mare aperto dal passaggio fra quei promontori, ricordatevi le mie parole!»

Sir Francis gli sorrise dall'alto della battagliola. «Non prima di aver montato le sartie su quell'albero. E questo non accadrà, se ve ne state lì a bocca aperta a dar vento alla lingua.»

Stava per voltare le spalle, quando d'improvviso fissò corrucciato la riva. La moglie del governatore era uscita dal riparo degli alberi, seguita dalla sua cameriera, e ora, ferma sulla sommità della spiaggia, rigirava fra le lunghe dita candide il manico del parasole, facendolo roteare sopra la testa come una ruota dai colori vivaci che attirava gli sguardi di tutti gli uomini dell'equipaggio. Persino Hal, che sovrintendeva al lavoro della squadra sul cassero, si era distratto per guardarla a bocca aperta, come un ebete. Quel giorno lei indossava un nuovo abito che le donava molto, così scollato sul davanti che i seni traboccavano, scoperti fin quasi ai capezzoli.

«Courteney», gridò Sir Francis, abbastanza forte da svergognare il figlio davanti ai suoi uomini, «badate al vostro lavoro. Dove sono i cunei per consolidare quell'albero?»

Hal trasalì, coprendosi di un rossore cupo sotto l'abbronzatura, mentre voltava le spalle alla battagliola per afferrare il pesante maglio. «Avete sentito il comandante?» scattò rivolto alla squadra.

«Quella sgualdrina è come Eva in questo paradiso», disse Sir Francis abbassando la voce e parlando in modo da farsi sentire solo da Aboli, alle sue spalle. «Ho già visto Hal guardarla trasognato e lei, santo cielo, ricambia lo sguardo come una prostituta con le tette al vento. È solo un ragazzo!»

«Voi lo vedete con gli occhi di un padre.» Aboli sorrise, scuotendo la testa. «Non è più un ragazzo, ma un uomo. Non siete stato voi a dirmi, una volta, che il vostro libro sacro parla di un'aquila nel cielo, di un serpente su una roccia e di un uomo con una ragazza?»

Sebbene Hal riuscisse a sottrarre ben poco tempo ai suoi doveri, rispondeva al richiamo di Katinka come un salmone che torna al fiume di origine nella stagione riproduttiva; quando lei lo chiamava, nulla poteva impedirgli di rispondere. Quel pomeriggio, in particolare, risalì il sentiero di corsa, con il cuore che batteva al ritmo dei piedi agili. Era passato quasi un giorno dall'ultima volta che era stato solo con lei, e per i suoi gusti era troppo. A volte riusciva ad allontanarsi furtivamente dal campo per incontrarla anche due o tre volte al giorno. Benché spesso potessero stare insieme solo pochi minuti, a loro bastavano, visto che sprecavano ben poco tempo in convenevoli o conversazioni.

Per i loro convegni erano stati costretti a trovare un luogo che non fosse la capanna di Katinka, perché le visite notturne di Hal al recinto degli ostaggi avevano rischiato di sfociare in un disastro; forse il governatore van de Velde non dormiva così profondamente come lasciava intendere il suo russare e, in ogni caso, i loro giochi d'amore erano diventati turbolenti e sfrenati. Una notte, svegliato dalle grida appassionate della moglie e dalle risposte sonore di Hal, il governatore aveva afferrato la lanterna, avvicinandosi di soppiatto alla capanna. Aboli, di guardia all'esterno, aveva visto il chiarore in tempo per sibilare un avvertimento, concedendo a Hal qualche istante per raccogliere i vestiti e sgattaiolare fuori attraverso il varco nel recinto, proprio mentre van de Velde irrompeva nella capanna con la lanterna in una mano e la spada sguainata nell'altra.

La mattina dopo, il governatore aveva fatto le sue rimostranze a Sir Francis. «Uno dei vostri marinai ladri», aveva accusato.

«Dalla capanna di vostra moglie manca qualche oggetto di valore?» aveva voluto sapere Sir Francis e, quando l'altro aveva scosso la testa, aveva replicato con pesanti allusioni. «Forse vostra moglie non dovrebbe sfoggiare tanto i suoi gioielli, perché eccitano l'avidità altrui. In futuro, signore, sarebbe prudente da parte vostra se vi prendeste maggiore cura di *tutti* i vostri beni.»

Sir Francis aveva interrogato i marinai del turno di riposo, ma la moglie del governatore non aveva saputo fornire una descrizione dell'intruso, visto che era profondamente addormentata. La questione era stata lasciata cadere, ma quella era stata l'ultima visita notturna che Hal si era azzardato a fare al recinto.

Invece avevano trovato un luogo segreto per incontrarsi. Era ben nascosto, ma abbastanza vicino al campo perché Hal fosse in grado di rispondere al suo invito e raggiungerlo in pochi minuti. Si soffermò per un attimo sulla stretta terrazza davanti alla caverna, inspirando a fondo per la fretta e l'eccitazione. L'aveva scoperta insieme ad Aboli, al ritorno da una delle loro spedizioni di caccia sulle colline. Non era una caverna vera e propria, ma piuttosto una sporgenza di roccia dove la tenera arenaria rossa racchiusa fra strati di roccia più dura era stata erosa sino a formare una profonda rientranza.

Non erano i primi uomini che passavano di lì. Nel focolare di pietra addossato alla parete di fondo del rifugio c'erano antiche ceneri, mentre il soffitto basso era macchiato di fuliggine. Il pavimento era cosparso di lische di pesci e ossa di piccoli mammiferi, residui di pasti preparati sul fuoco. Le ossa erano asciutte e levigate, le ceneri fredde e ormai disperse: il focolare era in disuso ormai da tempo.

Quelli, comunque, non erano gli unici segni del passaggio dell'uomo. La parete di fondo era ricoperta, dal pavimento al soffitto, di una selvaggia ed esuberante cavalcata di affreschi rupestri. Antilopi con le corna e gazzelle che Hal non conosceva sfrecciavano in grandi branchi sulla parete di roccia liscia, inseguiti da arcieri con gli arti simili a stecchi, le natiche gonfie e il membro virile assurdamente eretto. I dipinti erano infantili e vivacissimi, la prospettiva e le dimensioni relative di uomini e animali del tutto fantastiche. Alcune delle figure umane facevano apparire un nano l'elefante che inseguivano, e le aquile misuravano il doppio dei branchi di bufali neri che pascolavano sotto le loro ali spiegate; eppure Hal ne era affascinato. Spesso, negli intervalli di silenzio fra un atto d'amore e l'altro, restava disteso a fissare quegli strani ometti che davano la caccia alla selvaggina e combattevano fra loro. In quei momenti provava lo strano desiderio di saperne di più sugli artisti e sui piccoli, eroici cacciatori e guerrieri che avevano raffigurato nei loro dipinti.

Quando aveva chiesto di loro ad Aboli, il gigante nero aveva risposto con una sprezzante scrollata di spalle. «Si tratta dei *san*. Non sono veri e propri uomini, ma piccole scimmie gialle. Se mai sarai tanto sfortunato da imbatterti in uno di loro, destino dal quale i tuoi tre dèi dovrebbero salvarti, scoprirai molto di più sulle loro frecce avvelenate che sui loro vasetti di colore.»

Quel giorno i dipinti attirarono la sua attenzione solo per poco, giacché il giaciglio d'erba che avevano preparato sul pavimento, a ridosso della parete, era vuoto. Non era certo sorprendente, visto che lui era arrivato in anticipo all'appuntamento. Comunque si chiese se Katinka sarebbe venuta, o se il suo invito era stato soltanto un capriccio; poi udì un ramoscello secco spezzarsi poco più in basso sul pendio, alle sue spalle.

Si guardò attorno, in cerca di un nascondiglio. Su un lato dell'ingresso della caverna cresceva una cortina di rampicanti, con il fogliame verde cupo costellato di fiori di un giallo sorprendente, il cui profumo soave s'insinuava nella caverna. Hal scivolò dietro quella cortina, cercando di appiattirsi contro la parete di roccia.

Un attimo dopo, Katinka raggiunse con un balzo agile il ripiano di roccia davanti all'entrata, affacciandosi all'interno con aria di aspettativa. Accorgendosi che era vuota, s'irrigidì tutta per la collera, pronunciando una parola in olandese che Hal aveva imparato a conoscere bene, giacché lei la pronunciava spesso. Era un'oscenità, e lui si sentì fremere tutto per l'eccitazione al pensiero delle gioie che faceva presagire.

Scivolò in silenzio fuori del nascondiglio, raggiungendola di soppiatto alle spalle. Le coprì gli occhi con una mano e, cingendole la vita con l'altra, la sollevò di peso, correndo verso il letto d'erba.

Molto tempo dopo, Hal ricadde all'indietro sul giaciglio verde, con il torace nudo ancora ansimante, coperto da un velo di sudore. Lei gli mordicchiò leggermente uno dei capezzoli, come se fosse un acino d'uva passa, poi giocherellò con il pendente d'oro che lui portava al collo.

«È così grazioso», mormorò. «Mi piacciono gli occhi di rubino del leone. Che cos'è?» Lui non comprese quella frase così complessa pronunciata in olandese, e rispose con una scrollata di spalle; lei allora la ripeté, parlando in modo lento e chiaro.

«Me lo ha dato mio padre, e ha un grande valore per me», le rispose in tono evasivo.

«Lo voglio. Me lo dai?»

Hal sorrise pigramente. «Non potrei mai farlo.»

«Mi ami?» ribatté lei, mettendo il broncio. «Sei pazzo di me?»

«Sì, ti amo alla follia», ammise lui, tergendosi il sudore dalla fronte con l'avambraccio.

«Allora regalami il pendente.»

Lui scosse la testa senza parlare, poi, per stornare la discussione imminente, le domandò: «E tu mi ami come ti amo io?»

Lei rispose con una risatina allegra. «Non essere idiota. Certo che non ti amo. L'unico che amo è Lord Ciclope.» Aveva battezzato così il sesso di Hal, dal nome del gigante della leggenda, che aveva un occhio solo e, quasi a riconfermarlo, allungò la mano verso l'inguine del ragazzo. «Ma non amo neppure lui, quando è così piccolo e floscio.» Le sue dita si diedero da fare per un attimo, poi la donna scoppiò di nuovo in una risata, stavolta gutturale. «Ecco, adesso lo amo già di più. Ah, sì, meglio ancora. Più diventa grosso, più lo amo. Ora voglio baciarlo per dimostrargli quanto lo amo.»

Fece scivolare la punta della lingua sul ventre di Hal, ma proprio mentre affondava il viso nel cespuglio di peli scuri sul pube, rimase paralizzata da un suono che proveniva dalla parte opposta della laguna, rifrangendosi sulle colline in centinaia di echi.

«Il tuono!» gridò Katinka, mettendosi a sedere. «Odio i tuoni, da quando ero piccola.»

«Non è un tuono!» replicò Hal, spingendola da parte tanto rudemente che lei lanciò un altro grido.

«Porco, mi hai fatto male!»

Ma Hal non si curò delle sue proteste, scattando in piedi e precipitandosi all'entrata della caverna per guardare fuori. L'ingresso era situato abbastanza in alto da consentirgli di vedere al di sopra della foresta che circondava la laguna. Gli alberi spogli della *Resolution* svettavano nel cielo azzurro del pomeriggio e l'aria era fitta di uccelli marini che il fragore aveva alzato dalla superficie dell'acqua: il sole splendeva sulle loro ali, cosicché sembravano creature di ghiaccio e di cristallo che volavano in circolo nel cielo.

Un banco di nebbia si avvicinava dolcemente, oscurando metà della laguna e avvolgendo le pareti di roccia dei promontori di volute argentee che d'improvviso furono trafitte da strani lampi: ma non era nebbia.

Il tuono brontolò nuovamente, raggiungendo Hal qualche istante dopo il bagliore, dato che il suono impiegava parecchio tempo a coprire le distanze. Le nubi tumultuose si ispessirono, riversandosi dense e oleose sulle acque della laguna. Su quel banco di nuvole fluttuavano gli alberi e la velatura di due grandi navi, quasi fossero sospesi al di sopra delle acque. Hal le fissò sbigottito mentre avanzavano placide, passando fra i promontori, e la nave di testa sparava un'altra bordata. Vide subito che era una fregata, con lo scafo nero dalle finiture bianche e i portelli dei cannoni spalancati per vomitare fuoco e fumo. In alto, sopra i banchi di fumo, garriva alla brezza lieve del pomeriggio il tricolore della Repubblica olandese. Nella sua scia navigava con grazia la *Gull of Moray*, gli alberi e il sartiame pavesati con i colori di San Giorgio e Sant'Andrea e la grande croce scarlatta dell'ordine del Tempio, mentre le sue colubrine intonavano un canto di guerra.

« Dio misericordioso! » gridò Hal. « Come mai le batterie all'ingresso della laguna non rispondono al fuoco? »

Poi vide a occhio nudo i soldati sconosciuti in divisa verde sopraffare le postazioni dei cannoni ai piedi della scogliera, con le spade e le punte d'acciaio delle picche che lampeggiavano al sole mentre massacravano gli artiglieri, scaraventando i loro corpi in mare oltre il parapetto.

« Hanno colto di sorpresa i nostri uomini nei fortini. L'Avvoltoio deve aver guidato gli olandesi fino a noi, rivelando dove sono piazzati i nostri cannoni. » La voce gli tremava di indignazione. « Pagherà col sangue per questo, lo giuro. »

Katinka si alzò di scatto dal giaciglio d'erba, correndo a raggiungerlo all'ingresso. « Guarda! È una nave olandese, venuta a liberarmi dal covo di quel volgare pirata di tuo padre. Dio sia ringraziato! Presto me ne andrò da questo posto dimenticato da Dio, e sarò al sicuro al capo di Buona Speranza. » Ballava per l'eccitazione. « Quando impiccheranno te e tuo padre sul patibolo del campo di manovra davanti al forte, sarò lì per mandarti un ultimo bacio e dirti addio. » Scoppiò in una risata beffarda.

Hal la ignorò. Rientrato di corsa nella caverna, si rivestì in fretta, allacciandosi la cintura con il fodero della spada Nettuno.

« Ci saranno combattimenti e grandi pericoli, ma tu sarai al sicuro se resterai qui finché non sarà tutto finito », le disse, avviandosi per la discesa.

« Non puoi lasciarmi qui da sola! » gli gridò dietro lei. « Torna subito qui, te lo ordino! »

Hal non badò alle sue suppliche, precipitandosi lungo il sentiero fra gli alberi. Non avrei mai dovuto permetterle di tentarmi, allontanandomi dal fianco di mio padre, si lamentò dentro di sé mentre correva. Lui mi aveva ammonito sul pericolo rappresentato dalla cometa rossa. Ora merito qualunque sorte crudele mi aspetti.

Era stravolto al punto da ignorare tutto, tranne la necessità di tornare ai doveri trascurati, e per poco non finì in pieno contro la colonna di soldati che si battevano fra gli alberi davanti a lui. Fiutò appena in tempo il fumo delle micce, poi scorse il verde delle giubbe e il bianco delle bandoliere mentre gli uomini avanzavano nel folto della foresta. Si gettò a terra, rotolando dietro il tronco di un alto fico selvatico; poi, restando al riparo, sbirciò fuori e vide che le strane schiere vestite di verde si allontanavano da lui per piombare sull'accampamento, con picche e moschetti già in pugno, procedendo in ordine sotto il comando di un ufficiale olandese.

Hal udì l'ufficiale ordinare sottovoce in olandese: « Mantenete le distanze! Non ammucchiatevi! » Non c'era il minimo dubbio, ormai, sull'identità di quelle truppe. L'olandese continuava a voltargli le spalle e Hal ebbe un attimo di tregua per riflettere. « Devo raggiungere l'accampamento per avvertire mio padre, ma non c'è tempo per fare un giro vizioso. Dovrò farmi largo combattendo tra le file nemiche. » Estratta la spada dal fodero, si alzò per metà, restando con un ginocchio a terra, poi esitò, colpito da un'idea improvvisa. « Siamo inferiori di numero in terra e per mare. Stavolta non ci sono barche incendiarie per respingere l'Avvoltoio e la fregata olandese. La battaglia potrebbe volgere al peggio per noi. »

Usando la punta della spada, scavò una buca circolare nel terreno molle e argilloso alla base del fico selvatico. Poi si sfilò l'anello dal dito e prese dalla tasca il medaglione con la miniatura di sua madre, lasciandoli cadere nel buco, dopodiché si tolse dal collo il pendente con il sigillo dei cavalieri Nautonnier, posandolo sopra gli altri suoi tesori e ricoprendo il tutto con il terreno smosso prima di pressarlo con la mano.

Aveva impiegato appena un minuto, ma quando si rimise in piedi l'ufficiale olandese era già scomparso, continuando ad avanzare nella foresta. Hal proseguì furtivo, guidato verso il bersaglio dal fruscio e dal crepitio del sottobosco. Senza ufficiali, questi uomini non combatteranno così bene, pensò. Se riesco a eliminare lui, spegnerò almeno in parte il loro ardore. Rallentò l'andatura, avvicinandosi all'uomo cui dava la caccia, e raggiunse alle spalle l'olandese mentre questi si faceva largo tra la vegetazione, soffocando col frastuono della sua avanzata i suoni più sommessi prodotti dall'avvicinarsi di Hal.

L'olandese sudava, come rivelavano le chiazze scure sul dorso della giacca di sargia. Dalle spalline, Hal si rese conto che era un tenente dell'esercito della Compagnia olandese delle Indie Orientali. Snello e dinoccolato, con la nuca gracile tempestata di pustole rosse e infiammate, brandiva con la destra la spada sguainata; non faceva il bagno da molti giorni e puzzava come un cinghiale selvatico.

« In guardia, *mjnheer*! » lo sfidò Hal, perché non poteva colpirlo alle spalle. Il tenente si girò di scatto ad affrontarlo, sollevando la spada in posizione di guardia.

Aveva gli occhi di un azzurro pallidissimo, dilatati per lo shock e la paura nel trovarsi Hal così vicino. Non aveva molti anni più di lui, e il suo viso avvampò per il terrore, mettendo in evidenza l'eruzione violacea di acne che gli copriva il mento.

Hal eseguì un affondo, e le loro lame s'incrociarono con un suono stridulo. Hal si riprese in fretta, ma intanto, con quel primo lieve tocco, aveva preso le misure all'avversario. L'olandese era lento e al suo polso mancavano lo scatto e la potenza dello schermidore allenato. Gli risuonarono nelle orecchie le parole del padre: « Devi batterti fin dal primo colpo. Non aspettare di andare in collera », e si abbandonò a un freddo e micidiale istinto di uccidere. « Ah! » grugnì, eseguendo una finta verso l'alto, mirando agli occhi dell'olandese ma senza forzare la parata. Il tenente era lento a reagire, e Hal capì che poteva azzardare l'attacco fulmineo che Daniel gli aveva insegnato a usare con un avversario del genere. Poteva puntare direttamente a uccidere.

Con il polso temprato come l'acciaio da ore e ore di allenamento con Aboli sul ponte delle esercitazioni, cercò il contatto con la spada dell'olandese, facendola roteare su se stessa con un guizzo che deviò la punta dalla linea di difesa. Aveva aperto un varco, ma per sfruttarlo con l'attacco volante doveva abbassare la guardia ed esporsi in pieno al rischio della risposta istintiva dell'olandese; una reazione suicida, di fronte a un avversario abile.

S'impegnò spostando di scatto il peso del corpo in avanti, sul piede sinistro, e insinuando fulmineo la punta nella guardia dell'avversario. La risposta fu troppo lenta, e l'acciaio di Hal trafisse il tessuto macchiato di sudore, sfiorando una delle costole prima di trovare il varco fra altre due. Nonostante i giorni interi che aveva trascorso con la spada in mano, era la prima volta che uccideva con una lama di gelido acciaio, e non era preparato alla sensazione della spada che trapassa la carne umana.

Era una sensazione fatta di umidità e inerzia, che smorzava la velocità del colpo. Mentre Maatzujker ansimava, lasciando cadere la spada, la punta di Hal si arrestò finalmente contro la sua spina dorsale. Il tenente olandese afferrò a mani nude la lama tagliente come un rasoio, che affondò nel palmo, recidendo i tendini e facendo sprizzare un fiotto di sangue vivo. Le dita si aprirono, e l'uomo cadde in ginocchio, fissando Hal con gli occhi di un celeste slavato, come se stesse per scoppiare in lacrime.

Hal rimase immobile, sovrastandolo, poi tentò di ritirare il pomo di zaffiro della spada Nettuno, ma la lama di Toledo rimase conficcata nelle carni sanguinanti, e Maatzujker emise un gemito di agonia, sollevando le mani mutilate in un gesto di supplica.

«Mi dispiace», sussurrò Hal inorridito, tirando di nuovo l'elsa della spada. Stavolta Maatzujker aprì la bocca, lasciandosi sfuggire un lamento. La lama gli aveva perforato il polmone destro, e dalle labbra pallide dell'olandese scaturì un getto improvviso di sangue che colò sul davanti della giacca, imbrattando gli stivali di Hal.

«Oh, mio Dio!» mormorò lui, mentre Maatzujker ricadeva

all'indietro, con la lama conficcata fra le costole. Per un attimo rimase impotente, osservando l'altro che soffocava, annegando nel proprio sangue; poi udì un grido selvaggio accanto a lui, fra i cespugli.

Uno dei soldati in divisa verde lo aveva individuato. Echeggiò un colpo di moschetto, e i pallini spazzarono via il fogliame sopra la testa di Hal, crepitando sul tronco dell'albero al suo fianco. Lui si sentì spronato. Sapeva fin dall'inizio che cosa doveva fare, ma fino a quel momento non era riuscito a imporselo. Ora piantò saldamente un piede sul petto sussultante di Maatzujker, tutto proteso all'indietro per neutralizzare la resistenza della lama intrappolata. Diede uno strattone, e poi un altro, con tutto il suo peso, e la spada scivolò fuori, finché non si liberò del tutto e Hal fu proiettato all'indietro.

Ritrovando subito l'equilibrio, scavalcò d'un balzo il corpo esanime di Maatzujker proprio mentre partiva un altro colpo di moschetto; sentì i pallini sibilare sopra la sua testa. Il soldato che aveva sparato stava armeggiando con la fiasca della polvere nel tentativo di ricaricare; Hal corse verso di lui e il moschettiere alzò gli occhi spaventato, lasciando cadere l'arma scarica e voltandogli le spalle per fuggire.

Hal non volle usare di nuovo la punta, e colpì l'uomo di taglio al collo, poco sotto l'orecchio. La lama affilata come un rasoio affondò fino all'osso, e il collo si aprì di lato in una bocca rossa e sogghignante. L'uomo si accasciò senza emettere alcun suono, ma tutt'intorno a lui i cespugli brulicavano di figure in divisa verde. Hal si rese conto che ce n'erano a centinaia: quella non era una semplice incursione, ma un piccolo esercito lanciato all'attacco dell'accampamento.

Udì grida di allarme e di collera, e poi un costante fuoco di sbarramento di moschetti, in gran parte disordinato e mal diretto, sebbene alcuni colpi sventagliassero il sottobosco, sfiorando il ragazzo che correva con tutta la sua velocità e la sua forza. In mezzo al frastuono si levò una voce stentorea che Hal riconobbe grazie al potere e all'autorità che emanava.

«Prendete quell'uomo!» ruggiva in olandese. «Non lasciatelo scappare, lo voglio!» Lanciando un'occhiata nella direzione da cui proveniva il grido, Hal rischiò di inciampare per lo shock nel vedere Cornelius Schreuder che correva fra gli alberi per tagliargli la strada. Aveva perso nella corsa cappello e parrucca, ma portava ancora i nastri e la fascia dorati che indicavano il suo grado. La testa rasata era liscia come un guscio d'uovo, mentre i baffi erano ben marcati sul viso; per essere così massiccio, correva veloce, ma la paura metteva le ali ai piedi di Hal.

« Ti voglio! » urlava Schreuder. « Stavolta non mi sfuggirai. »

Hal scattò in avanti, guadagnando terreno con una trentina di falcate fino a scorgere il recinto dell'accampamento fra gli alberi. Era deserto, e lui si rese conto che il padre e tutti gli altri dovevano essere stati attirati verso la laguna dal pesante bombardamento delle due navi da guerra, e in quel momento facevano da serventi alle colubrine nelle postazioni sulla spiaggia.

« Alle armi! » gridò continuando a correre, inseguito da Schreuder che era arrivato a una decina di passi appena da lui. « A me, uomini della *Resolution*! Alla retroguardia! »

Irrompendo nel campo vide, con enorme sollievo, Big Daniel e una dozzina di marinai che rispondevano al richiamo, tornando indietro dalla spiaggia per dargli manforte. Allora si voltò subito per affrontare l'olandese.

« Su, avanti », lo invitò, mettendosi in guardia, ma Schreuder si fermò di colpo, vedendo convergere su di sé gli uomini della *Resolution*; si rese conto che aveva sopravanzato le sue truppe, lasciandole senza guida, e che ora si trovava in condizioni di netta inferiorità numerica: dodici contro uno.

« Anche stavolta hai avuto fortuna, cucciolo », disse ringhiando a Hal, « ma prima che il giorno finisca, tu e io ci rivedremo. »

Trenta passi più indietro di Hal, Big Daniel si fermò, imbracciando il moschetto che portava con sé per mirare a Schreuder; ma, proprio mentre la molla scattava, il colonnello si abbassò e girò sui tacchi, il colpo andò a vuoto e lui rientrò con un balzo nella foresta, gridando per radunare i suoi moschettieri e guidarli all'attacco.

« Mastro Daniel », disse Hal ansimando, « gli olandesi sono in forze. La foresta pullula di uomini. »

« Quanti sono? »

« Un centinaio e anche più. Laggiù! » Puntò il dito mentre il primo degli assalitori arrivava di corsa, scartando e fermandosi per sparare e ricaricare il moschetto prima di riprendere a correre.

« Il peggio è che ci sono due navi da guerra nella baia », gli disse Daniel. « Una è la *Gull*, ma l'altra è una fregata olandese. »

« Le ho viste dalla collina. » Hal aveva ripreso fiato. « Siamo sotto tiro dalla parte del mare e inferiori di numero dalla parte dell'interno. Non possiamo restare qui, fra un minuto ci piomberanno addosso. Torniamo alla spiaggia. »

Le truppe indigene alle loro spalle rumoreggiavano come un branco di cani mentre Hal si voltava, guidando gli uomini nella frettolosa ritirata verso la spiaggia. Palle di cannone e raffiche di mitraglia sferzavano l'aria tutt'intorno, sollevando zolle di terra umida ai loro piedi e accelerando la corsa.

Attraverso gli alberi, Hal avvistò il terrapieno delle postazioni di cannoni e il banco fluttuante di fumo degli spari, scorgendo le teste dei suoi artiglieri che ricaricavano la colubrina. Là nella laguna l'imponente fregata olandese bombardava la spiaggia, avvolta in una nube di fumo. Sotto gli occhi di Hal, manovrò presentando il fianco alla riva, e i portelli dei cannoni vomitarono di nuovo grandi fiammate. Pochi istanti dopo, furono investiti dal tuono delle cannonate e dalla raffica ululante della mitraglia.

Hal batté le palpebre, frastornato dallo spostamento d'aria, con i timpani che ronzavano. Crollarono alberi interi, mentre piovevano su di loro rami e foglie. Vide una delle colubrine colpita in pieno, proprio di fronte a lui, e saltare via dall'affusto, mentre i corpi di due marinai della *Resolution* venivano proiettati in aria.

« Padre, dove siete? » Hal tentò di farsi sentire in mezzo a quel pandemonio, poi udì la voce di Sir Francis.

« Restate ai cannoni, ragazzi. Mirate dai portelli degli olandesi. Fate assaggiare a quelle teste di formaggio un po' del nostro spirito inglese. »

Hal balzò accanto a lui nella trincea dei cannoni, afferrando il braccio del padre e scrollandolo con urgenza.

« Dove ti eri cacciato, ragazzo? » Sir Francis lo squadrò, ma vedendo gli abiti insanguinati non attese la risposta e grugnì: « Prendi il comando dei cannoni sul fianco sinistro. Dirigi il fuoco... »

Hal lo interruppe con un fiotto di parole ansimanti: « Le navi nemiche stanno solo creando un diversivo, padre. Il vero pericolo è alle nostre spalle. La foresta brulica di soldati olandesi, a centinaia ». Puntò all'indietro la lama chiazzata di sangue. « Fra un minuto ci saranno addosso. »

Sir Francis non ebbe un attimo di esitazione. « Procedi lungo la batteria di cannoni e ordina di girare su se stessa una colubrina su due, caricandola a mitraglia. I cannoni puntati in avanti continueranno a tenere impegnate le navi, mentre tu farai fuoco con quelli rivolti indietro non appena i soldati che ci attaccano alle spalle saranno a distanza ravvicinata. Io darò l'ordine di sparare. Ora va'! » Mentre Hal si arrampicava per uscire dalla trincea, Sir Francis si rivolse a Big Daniel. « Prendete i vostri uomini e tutti gli imboscati che riuscite a trovare, poi tornate indietro e tentate di rallentare l'avanzata nemica sulla retroguardia. »

Hal corse lungo la batteria, soffermandosi accanto a ogni postazione per gridare gli ordini prima di proseguire. Il suono del fuoco di sbarramento e del bombardamento proveniente dalla spiaggia era tanto intenso da assordare e stordire. Barcollò e rischiò di finire lungo disteso a terra quando un'altra bordata sparata dalla fregata nera lo investì come il turbine di un tifone, schiantando gli alberi della foresta e arando il terreno attorno a lui. Hal scosse la testa per schiarirsela e riprese a correre, scavalcando un albero abbattuto.

Man mano che superava ogni postazione avvertendo gli artiglieri, questi cominciavano a voltare le colubrine, puntandole all'indietro verso la foresta. Là dietro si sentiva già il fuoco dei moschetti, misto a grida bellicose, mentre Big Daniel e la sua piccola banda di marinai caricavano le orde di assalitori che sbucavano dalla foresta.

Hal raggiunse la postazione in fondo alla batteria, saltando dentro al fianco di Aboli, che comandava la squadra di artiglieri. Aboli accostò la miccia al focone e la colubrina sussultò, tuonando. Mentre la nube pungente dell'esplosione turbinava verso di loro, sorrise a Hal, col viso scuro reso ancor più scuro dalla fuliggine e gli occhi iniettati di sangue per l'irritazione causata dal fumo e dalla collera. « Ah, credevo che non saresti riuscito a estrarre la radice dal vasetto di miele in tempo per unirti al combattimento. Temevo di dover salire alla caverna per liberarti con una leva di ferro. »

« Sorriderai di meno con una palla di moschetto fra le piume della coda », ribatté Hal in tono truce. « Siamo circondati. I boschi dietro di noi sono pieni di olandesi. Daniel li tiene a bada, ma non per molto ancora. Sono centinaia. Punta questo pezzo all'indietro e caricalo a mitraglia. » Mentre procedevano a ricaricare, Hal continuò a esporre gli ordini. « Avremo il tempo di sparare un solo colpo, poi li attaccheremo in mezzo al fumo », gridò mentre calcava la polvere con la lunga bacchetta di ferro. Quando la ritirò, un marinaio sollevò il pesante sacchetto di tela pieno di mitraglia, inserendolo a forza nella canna, e Hal lo spinse in basso, sopra la carica di polvere. Poi si gettarono a terra dietro il parapetto ai due lati del cannone, lasciando spazio al rinculo dell'affusto, e guardarono in direzione della foresta, oltre il recinto del campo. Udirono un tintinnio d'acciaio e grida selvagge mentre gli uomini di Daniel caricavano e venivano respinti dal contrattacco delle giubbe verdi. La risposta dei moschetti era costante, mentre gli uomini di Schreuder ricaricavano e poi correvano avanti per sparare di nuovo.

A quel punto scorsero attraverso gli alberi i loro marinai che tornavano indietro. Daniel spiccava fra gli altri per la sua statura; portava in spalla un ferito e brandiva la sciabola con una mano, ma le giubbe verdi incalzavano da vicino lui e i suoi.

«Pronti, adesso!» gracchiò Hal rivolto ai marinai attorno a lui, che si rannicchiarono sotto il parapetto impugnando picche e sciabole. «Aboli, non sparare finché Daniel non sarà fuori tiro.»

D'improvviso Daniel lasciò cadere a terra il suo carico per tornare indietro e scagliarsi contro il folto dei nemici, disperdendoli con ampie sciabolate; poi ritornò dal marinaio ferito, se lo caricò di nuovo in spalla e si diresse verso il punto in cui era accovacciato Hal.

Lui guardò lungo la fila di postazioni. Anche se i cannoni puntati in avanti continuavano a bersagliare di colpi le navi nella laguna, una colubrina su due era puntata contro la foresta, aspettando il momento di scaricare una raffica di mitraglia sulle file di fanti all'assalto.

«A così breve distanza la rosa della mitraglia non si allargherà, e loro mantengono gli spazi», brontolò Aboli.

«Schreuder li tiene sotto controllo», ammise Hal in tono cupo. «Non possiamo aspettarci di abbatterne troppi con una sola raffica.»

«Schreuder!» Aboli socchiuse gli occhi. «Non mi avevi detto che era lui.»

«Eccolo là!» Hal indicò la figura alta e senza parrucca che avanzava verso di loro fra gli alberi. La fusciacca dorata scintillava e i baffi erano ben diritti, mentre incitava i moschettieri ad avanzare.

Aboli grugnì. «Quello è un demonio. Ci procurerà dei

guai. » Ficcando una barra di ferro sotto la colubrina, la spostò di alcuni gradi, tentando di prendere di mira il colonnello.

« Sta' fermo », bisbigliò. « Solo quanto basta per farmi mettere a segno un colpo. » Ma Schreuder si spostava avanti e indietro lungo le file di soldati, incoraggiandoli ad avanzare. Ormai era così vicino che la sua voce giunse a Hal mentre ringhiava agli uomini: « Restate in formazione! Continuate ad avanzare! State ben saldi, ora, mantenete costante il fuoco! »

Il controllo che esercitava sugli uomini appariva evidente dalla loro avanzata, decisa benché misurata. Dovevano essere consapevoli della fila di cannoni in attesa, ma continuavano ad andare avanti senza tentennamenti, mantenendo costante il fuoco, senza sprecare neanche un colpo di quelli che avevano nel moschetto.

Ormai erano abbastanza vicini perché Hal potesse distinguere i singoli volti. Sapeva che la Compagnia reclutava la maggior parte delle sue truppe nelle colonie orientali, e questo appariva evidente dai lineamenti asiatici di molti dei soldati che avanzavano, dai loro occhi scuri dal taglio a mandorla e dalla pelle di un intenso colore ambrato.

Di colpo Hal si rese conto che le bordate delle due navi da guerra erano cessate, e si voltò a guardare indietro. Vide che la fregata nera e la *Gull* avevano gettato l'ancora a un centinaio di braccia dalla spiaggia. I loro cannoni tacevano, e Hal comprese che Cumbrae e il comandante della fregata dovevano aver concertato un codice di segnalazioni con Schreuder: avevano cessato il fuoco per timore di colpire i propri uomini.

Questo ci concede un po' di respiro, pensò, guardando di nuovo in avanti.

Notò che la squadra di Daniel era decimata: avevano perso la metà degli uomini e i superstiti erano chiaramente sfiniti dall'incursione subita e dal combattimento accanito. La loro andatura era incerta, e molti riuscivano a stento a trascinarsi, con la camicia inzuppata di sudore e di sangue sgorgato dalle ferite. Uno alla volta, giunsero vacillando alla meta e si lasciarono cadere oltre il parapetto, restando distesi sul fondo della trincea.

Solo Daniel era instancabile. Consegnò il ferito agli artiglieri, al di sopra del parapetto, ma era di umore così bellicoso che sarebbe tornato indietro per lanciarsi di nuovo contro il nemico, se Hal non lo avesse trattenuto. « Torna qui, grosso bue che non sei altro! Lascia che li ammorbidiamo con un po' di mitra-glia, poi potrai sfogarti di nuovo. »

Aboli stava ancora tentando di puntare la canna sulla figura sfuggente di Schreuder. «Lui ne vale cinquanta degli altri », borbottò fra sé nella sua lingua. Hal, invece, non gli prestava più attenzione: tentava ansiosamente di scorgere il padre nella postazione vicina, per ricevere l'imbeccata da lui.

«Perdio, li sta lasciando avvicinare troppo! » rifletté. « Un ti-ro più lungo consentirebbe alla rosa della mitraglia di allargarsi, ma non aprirò il fuoco prima che dia l'ordine. »

Poi sentì di nuovo la voce di Schreuder: «Prima linea, pre-pararsi al fuoco! » Cinquanta uomini piegarono obbedienti un ginocchio a terra, proprio di fronte al parapetto, appoggiando a terra il calcio dei moschetti.

«Tenetevi pronti, adesso! » esclamò piano Hal, rivolto ai marinai affollati intorno a lui. Aveva capito per quale motivo il padre aveva ritardato la salva di colubrine fino a quel momento: aspettava che gli attaccanti scaricassero i moschetti, dopodiché li avrebbe avuti momentaneamente in svantaggio mentre tenta-vano di ricaricare.

«Tenetevi pronti, adesso! » ripeté Hal. «Aspettate la loro salva! »

L'ordine di Schreuder risuonò forte nel silenzio improvviso: « Puntate! » La fila di uomini inginocchiati sollevò i moschetti, mirando al parapetto. Il fumo azzurrino delle micce accese tur-binava intorno alla loro testa, mentre socchiudevano gli occhi per mirare.

« Giù la testa! » gridò Hal.

I marinai nelle postazioni d'artiglieria si abbassarono al di sotto del parapetto proprio mentre Schreuder ruggiva: «Fuo-co! »

La lunga salva irregolare di moschetti partì dalla fila di uomi-ni in ginocchio; le palle di piombo sibilarono sopra la testa degli artiglieri e si conficcarono nella rampa del terrapieno. Hal balzò in piedi, guardando verso l'estremità opposta della batteria. Vi-de il padre saltare sul parapetto con la spada in pugno e, anche se era troppo lontano perché il suo ordine giungesse chiaramen-te, i suoi gesti erano inconfondibili.

«Fuoco! » gridò Hal a squarciagola, e la batteria di cannoni fece partire una salva compatta di fumo, fiamme e colpi di mitraglia sibilante, che investì la sottile linea verde della fanteria olandese quasi a bruciapelo.

Hal vide l'uomo sfigurato dall'acne proprio davanti a lui colpito in pieno dalla raffica, che lo disintegrò in uno scoppio di sargia verde strappata e carne rosea dilaniata. La testa volò alta nell'aria, ricadendo a terra e rotolando come la palla di un bambino. Dopodiché tutto fu oscurato dalla densa nube di fumo, ma, anche se le orecchie gli ronzavano ancora per l'esplosione poderosa, Hal poté udire le urla e i gemiti dei feriti risuonare nella nebbia azzurrina e pungente.

« Tutti insieme! » gridò Hal, quando il fumo cominciò a diradarsi. « Ora passateli tutti a fil di spada, ragazzi! »

Dopo gli spari assordanti, le loro voci risuonavano gracili e fioche, quando sbucarono insieme dalla trincea dei cannoni. « Per Franky e per il re Charley! » gridarono, e l'acciaio delle sciabole e delle picche scintillò ammiccante mentre saltavano dal parapetto per caricare la colonna decimata di giubbe verdi.

Aboli era alla sinistra di Hal e Daniel alla sua destra, quando li guidò nella mischia. Come per un tacito accordo, i due giganti, l'uno bianco e l'altro nero, stesero su di lui la loro ala protettrice, ma dovettero correre al limite delle loro forze per tener testa alla velocità del ragazzo.

Hal vide che i suoi presentimenti infausti erano del tutto giustificati. La raffica di mitraglia non aveva operato nella fanteria olandese la devastazione da lui sperata. La distanza era troppo breve: i cinquecento pallini sparati da ogni colubrina avevano ottenuto lo stesso effetto di una carica isolata di palle di piombo. Gli uomini centrati in pieno erano stati disintegrati, ma per ognuno dei colpiti ce n'erano altri cinque illesi.

I superstiti parevano storditi e sconcertati; per lo più erano in ginocchio e sbattevano le palpebre, scrollando la testa, con gli occhi velati e l'espressione vacua, senza fare alcun tentativo per ricaricare i moschetti vuoti.

« Attaccateli, prima che si riprendano! » gridò Hal, e i marinai che lo seguivano lanciarono grida ancor più esultanti. Di fronte all'assalto, i moschettieri cominciavano a riprendersi: alcuni di loro balzarono in piedi, gettando a terra le armi scariche e sguainando la spada. Un paio di sottufficiali avevano una pistola infilata nella cintura e la estrassero, sparando alla cieca contro i marinai che li assalivano. Alcuni girarono sui tacchi e tentarono di dileguarsi fra gli alberi, ma Schreuder era lì a rintuzzare la loro fuga. «Indietro, cani e figli di cani! Mantenete la posizione!» Allora tornarono indietro, raggruppandosi attorno a lui.

Tutti gli uomini della *Resolution* ancora in grado di reggersi in piedi partecipavano all'attacco; persino i feriti seguivano gli altri, zoppicando e levando grida sonore come i compagni.

Le due schiere si scontrarono, e fu subito il caos. La fila compatta degli assalitori si suddivise in gruppetti di uomini in lotta, mescolati con le giubbe di sargia verde degli olandesi. Tutt'intorno a Hal c'erano combattenti che imprecavano, gridavano e si scambiavano colpi; la sua esistenza si restrinse a un circolo di facce furiose o terrorizzate in mezzo al clangore di lame d'acciaio.

Una giubba verde sferrò un colpo con la lunga picca, mirando al viso di Hal; lui schivò, abbassandosi e afferrando l'asta con la sinistra, poco più giù della testa. Quando il moschettiere la ritrasse, Hal non oppose resistenza, sfruttando invece l'impeto dell'avversario per lanciare il contrattacco, in un affondo con la spada Nettuno che impugnava nella destra. Mirava alla gola giallognola, tesa al di sopra dell'alto colletto verde, e la punta vi penetrò facilmente. Quando l'uomo lasciò cadere la picca, abbattendosi supino, Hal fece in modo che il peso del corpo che ricadeva liberasse la lama. Tornato in posizione di guardia, si guardò attorno in cerca del prossimo avversario, ma l'attacco dei marinai aveva quasi spazzato via la fila di uomini armati di moschetto. Ne restavano in piedi ben pochi, e anche quelli circondati da un nugolo di attaccanti.

Si sentì esultante. Per la prima volta da quando aveva visto quelle due navi entrare nella laguna, pensò che esisteva la possibilità di vincere lo scontro. In quegli ultimi minuti avevano respinto l'attacco principale; ora dovevano solo affrontare i marinai della fregata olandese e della *Gull* che tentavano di sbarcare.

«Bravi, ragazzi. Possiamo farcela! Possiamo farli a pezzi!» gridò, e i marinai che lo udirono lanciarono un altro grido di trionfo. Guardandosi attorno, vide l'entusiasmo sul volto di tutti gli uomini, mentre abbattevano l'ultima delle giubbe verdi. Aboli intonò ridendo uno dei suoi canti di guerra pagani con una voce che sovrastava il frastuono della battaglia, rincuorando chiunque la sentisse. Acclamavano lui e se stessi, esultando per la vittoria riportata con tanta facilità.

La figura alta di Daniel si stagliò alla sua destra, con il viso e le braccia imbrattati di sangue sprizzato dalle ferite che aveva inflitto alle vittime e la bocca spalancata in una risata feroce che scopriva i denti cariati.

« Dov'è Schreuder? » gridò Hal, e Daniel si calmò all'istante. La risata si spense mentre l'altro richiudeva la bocca di scatto e lanciava un'occhiata truce al campo di battaglia, dove tornava a regnare la calma.

Poi la domanda di Hal ricevette una risposta inequivocabile da Schreuder in persona. « Seconda ondata, avanti! » gridò con voce possente. Era fermo ai margini della foresta, a un centinaio di passi appena da loro. Hal, Aboli e Daniel si diressero verso di lui, ma si bloccarono di colpo, vedendo sbucare dalla foresta alle sue spalle un'altra massiccia colonna di giubbe verdi.

« Perdio! » gemette Hal disperato. « Non ne abbiamo visto neanche la metà. Il bastardo ha tenuto di riserva il grosso delle forze. »

« Devono essere almeno duecento! » Daniel scosse la testa, incredulo.

« In colonna! » gridò Schreuder, e la fanteria che avanzava cambiò formazione, disponendosi dietro di lui in file spaziate con cura, ciascuna delle quali contava tre uomini. Procedendo al trotto, l'olandese guidò gli uomini all'assalto, con i ranghi ben serrati e le armi puntate in avanti, poi d'un tratto sollevò la spada in alto per fermarli, gridando: « Prima fila: prepararsi al fuoco! » Gli uomini posarono un ginocchio a terra, mentre le altre due file dietro di loro restavano in piedi.

« Puntate! » Una fila di moschetti si sollevò, mirando ai gruppetti di marinai esterrefatti.

« Fuoco! » ruggì Schreuder.

La salva partì, investendo gli uomini di Hal a distanza di appena cinquanta passi, e quasi tutti i colpi andarono a segno. Gli uomini barcollavano o cadevano, colpiti dai pesanti pallini di piombo. La fila di inglesi ondeggiò, ripiegando fra un coro di urla di dolore, collera e paura.

« Caricate! » gridò Hal. « Non restate immobili, lasciandovi prendere di mira! » Levò in alto la spada Nettuno. « Avanti, ragazzi! Fatevi sotto! »

Aboli e Daniel scattarono in avanti, ma quasi tutti gli altri rimasero indietro. Molti cominciavano a intuire che la battaglia era perduta, e guardavano verso la sicurezza delle postazioni dei cannoni. Quello era un segnale pericoloso: se cominciavano a guardare indietro era finita.

« Seconda fila », gridò Schreuder, « prepararsi al fuoco. » Si fecero avanti altri cinquanta moschettieri, con le armi cariche e la miccia accesa; andando a occupare gli spazi lasciati liberi dalla fila in ginocchio che aveva appena sparato, avanzarono ancora di due passi, con aria tranquilla, prima di inginocchiarsi.

« Puntate! » Persino Hal e i due temerari al suo fianco vacillarono, trovandosi davanti la canna di cinquanta moschetti spianati, mentre gli uomini alle loro spalle si lasciavano sfuggire gemiti di paura e orrore. Non avevano mai affrontato truppe così disciplinate, prima di allora.

« Fuoco! » ordinò Schreuder abbassando di colpo la spada, e la salva successiva si abbatté sui marinai incerti. Hal trasalì quando un proiettile gli passò così vicino che lo spostamento d'aria gli mandò una ciocca di capelli negli occhi.

« Mi hanno colpito! » ansimò Daniel al suo fianco, sussultando come una marionetta e sedendosi a terra di schianto. La salva aveva abbattuto più di una dozzina di uomini della *Resolution*, ferendone altrettanti. Hal si chinò per aiutare Daniel, ma il gigantesco nostromo ringhiò: « Non perdere tempo qui, idiota. Scappa! Siamo sconfitti, e c'è un'altra salva in arrivo ».

Quasi a conferma delle sue parole, risuonarono subito dopo, a pochi passi da loro, gli ordini di Schreuder. « Terza fila, puntate! »

Tutt'intorno a loro, gli uomini della *Resolution* che erano ancora in piedi si separarono, sparpagliandosi di fronte ai moschetti puntati, imprecando e tornando indietro a passi incerti verso la trincea dei cannoni.

« Aiutami, Aboli », gridò Hal, e Aboli afferrò Daniel per l'altro braccio. In due, lo issarono in piedi e si avviarono verso la spiaggia.

« Fuoco! » gridò Schreuder e, nello stesso istante, senza scambiarsi una parola, Hal e Aboli si appiattirono a terra, trascinando con loro Daniel. Il fumo degli spari e i colpi della terza salva passarono sopra la loro testa; subito i due si rialzarono di scatto e, sempre trascinando Daniel, corsero verso il riparo offerto dalle postazioni di artiglieria.

« Sei ferito? » grugnì Aboli rivolto a Hal, che scosse la testa, risparmiando il fiato. Erano pochi i marinai ancora in piedi; appena una manciata di uomini era riuscita a raggiungere le trincee per mettersi al riparo.

Il ragazzo e il gigante nero procedettero barcollando, mentre alle loro spalle si levavano grida di trionfo, e i moschettieri in giubba verde si slanciavano in avanti, brandendo le armi. Insieme raggiunsero il terrapieno, trascinando Daniel all'interno.

Non c'era bisogno di chiedere che tipo di ferita fosse la sua, dato che tutto il lato sinistro del corpo era insanguinato. Aboli si tolse la fascia di tessuto che portava legata intorno alla testa, appallottolandola e affrettandosi a ficcarla sotto la camicia di Daniel.

«Tienila sulla ferita», gli ordinò. «Premi più forte che puoi.» Lo lasciò disteso sul fondo della trincea, alzandosi per parlare con Hal.

«Oh, Maria santissima!» sussurrò il ragazzo, col volto sudato pallido per l'orrore e l'indignazione causati dallo spettacolo che vedeva oltre il parapetto. «Guarda quei dannati macellai!»

Le giubbe verdi, nella loro avanzata inarrestabile, si fermavano solo per pugnalare a morte i marinai feriti che trovavano sulla loro strada. Alcune delle vittime si giravano sul dorso, sollevando le mani nude per tentare di parare il colpo, altre invocavano misericordia a gran voce tentando di strisciare lontano, ma i moschettieri li rincorrevano ridendo e schiamazzando, menando fendenti e colpi all'impazzata. Quel compito sanguinario fu sbrigato in fretta, mentre Schreuder li incitava a serrare le file e continuare l'avanzata.

In quel breve istante di tregua, Sir Francis si avvicinò lungo la batteria, saltando nella trincea accanto al figlio.

«Padre, siamo sconfitti!» esclamò Hal, avvilito, e insieme guardarono i morti e i feriti. «Abbiamo già perso più di metà degli uomini.»

«Hal ha ragione», ammise Aboli. «È finita. Dobbiamo tentare di fuggire.»

«E dove?» chiese Sir Francis, con un sorriso amaro. «In quale direzione?» Indicò la laguna, oltre gli alberi, dove videro le barche puntare a riva, spinte dai remi di marinai nemici ansiosi di unirsi al combattimento.

Tanto la fregata quanto la *Gull* avevano calato in mare le scialuppe, sovraccariche di uomini; avevano la spada già sguainata e il fumo delle micce tingeva il cielo di blu, seguendoli come una scia sulla superficie dell'acqua. Lanciavano grida e ululati selvaggi come le giubbe verdi a riva.

Non appena le prime barche toccarono terra, gli armati si riversarono fuori, attraversando di corsa la stretta striscia di sabbia bianca. Ululando di entusiasmo, piombarono sulla batteria, dove le colubrine vuote tacevano a bocca aperta e i superstiti della *Resolution* si rannicchiavano tremebondi.

«Non possiamo aspettarci clemenza, ragazzi», gridò Sir Francis. «Guardate cosa fanno quei dannati pagani a chi cerca di arrendersi.» Con la spada, indicò i corpi esanimi degli assassinati, che ingombravano il terreno di fronte ai cannoni. «Ancora un urrà per il re Charley, e ci lanceremo nella mischia!»

Le voci della sua esigua squadra di uomini risuonarono fioche e arrochite dalla stanchezza, mentre si trascinavano ancora una volta oltre il parapetto, facendo una sortita per affrontare l'assalto di duecento moschettieri freschi e impazienti di combattere. Aboli, che li precedeva di una dozzina di passi, abbatté la prima giubba verde che gli si parò davanti. La vittima cadde sotto il colpo, ma la lama di Aboli si spezzò all'altezza dell'elsa e lui la gettò da parte, chinandosi a raccogliere una picca dalle mani inerti di uno dei marinai inglesi caduti.

Mentre Hal e Sir Francis correvano al suo fianco, Aboli sollevò la lunga asta di quercia per conficcarla nel ventre di un altro moschettiere che si avventava su di lui con la spada sguainata. La picca lo colpì poco più in basso delle costole, trafiggendolo e spuntando dalla parte opposta, fra le scapole, con un troncone lungo mezzo braccio. L'uomo si dibatteva come un pesce preso alla fiocina, e la pesante asta si spezzò fra le mani di Aboli, che usò il moncone come un randello per abbattere il terzo moschettiere che lo affrontò. Poi, col sorriso minaccioso di un orco, Aboli si guardò attorno, facendo roteare gli occhi nelle orbite.

Sir Francis era impegnato con un sergente olandese che rispondeva colpo su colpo, e le loro spade tintinnavano e stridevano l'una contro l'altra.

Hal uccise un caporale con un solo colpo alla gola, poi lanciò un'occhiata ad Aboli. «Gli uomini delle barche ci saranno addosso fra un attimo.» Udirono grida selvagge alle loro spalle mentre i marinai nemici assaltavano la batteria di cannoni, concedendo ben poco tempo per pentirsi dei loro peccati agli uomini che vi erano nascosti. Hal e Aboli non ebbero bisogno di guardarsi ancora: sapevano entrambi che era finita.

«Addio, vecchio amico», disse ansimando Aboli. «Abbiamo vissuto bei tempi. Peccato che non siano durati di più.»

Hal non ebbe il tempo di replicare, perché in quel momento una voce roca disse in inglese: «Hal Courteney, cucciolo sfrontato, la tua fortuna è finita in questo momento.» Cornelius Schreuder respinse due dei suoi uomini per fronteggiare Hal.

«A noi due!» gridò quindi, prima di attaccare a velocità fulminea, compiendo il rapido passo doppio in avanti dello spadaccino provetto ed effettuando una serie di assalti imprevedibili con i quali costrinse Hal a indietreggiare.

Sconcertato dalla potenza di quegli assalti, Hal subì un nuovo shock, e tutta la sua abilità fu messa a dura prova per affrontarli e pararli. La lama di Toledo della sua spada emetteva un trillo argentino sotto i colpi possenti dell'avversario, ma il giovane cominciò a disperare, rendendosi conto che non poteva illudersi di resistere a una tale combinazione di forza e maestria.

Gli occhi di Schreuder erano azzurri, gelidi e spietati. Prevedeva ogni mossa di Hal, presentandogli un muro di acciaio lucente ogni volta che tentava una risposta, deviando la sua lama e tornando implacabile all'attacco.

A poca distanza da loro, Sir Francis era tutto preso dal suo duello e non vedeva la situazione critica di Hal. Aboli aveva in mano soltanto un moncone di picca, e quella non era certo un'arma con la quale affrontare un uomo come Cornelius Schreuder. Vide Hal cedere visibilmente alla forza soverchiante di quegli attacchi: le sue risorse erano state esaurite dalle fatiche precedenti.

Dall'espressione di Schreuder, Aboli intuì quando gli parve giunto il momento di compiere l'attacco decisivo e letale. Sapeva che Hal non sarebbe mai riuscito a reggere alla folgore che stava per abbattersi su di lui.

Aboli si mosse dunque con la velocità fulminea di un cobra nero all'attacco, ancor più veloce di Schreuder nel mettere a segno il colpo finale. Si drizzò di scatto alle spalle di Hal, sollevando il randello di quercia e abbattendolo con un colpo violento sferrato dietro l'orecchio.

Schreuder rimase sbalordito nel vedere la sua vittima cadere esanime al suolo, proprio mentre stava per vibrare il colpo di grazia. Mentre lui esitava, Aboli lasciò cadere il frammento di picca, restando a guardia del corpo inerte di Hal con aria protettiva.

«Colonnello, non potete uccidere un uomo caduto. Non si addice all'onore di un ufficiale olandese.»

«Demonio nero!» ruggì Schreuder frustrato. «Se non posso uccidere il cucciolo, posso almeno uccidere te.»

Aboli sollevò le palme chiare davanti agli occhi di Schreuder. «Sono disarmato», disse piano.

«Risparmierei un cristiano disarmato», replicò Schreuder, «ma tu sei un animale senza dio.» Trasse indietro la lama, puntandola al centro del petto di Aboli, dove i muscoli scintillavano di sudore al sole, ma Sir Francis Courteney gli si parò davanti con agilità, ignorando la spada del colonnello.

«Viceversa io, colonnello Schreuder, sono un gentiluomo cristiano», disse con perfetta calma, «e mi arrendo insieme con i miei uomini, facendo appello alla vostra clemenza.» Rovesciando la spada, ne porse l'elsa a Schreuder.

Il colonnello lo guardò, restando senza parole per la collera e la frustrazione. Non fece alcun gesto per accettare la spada di Sir Francis, anzi accostò la punta dell'arma alla gola dell'avversario, punzecchiandolo leggermente. «Fatevi da parte o, quant'è vero Iddio, vi ucciderò, cristiano o pagano che siate.» Le nocche della mano destra sbiancarono sull'elsa della spada, mentre si preparava a mettere in atto la minaccia.

Un altro intervento lo fece esitare. «Su, andiamo, colonnello, detesto interferire in una questione d'onore, ma se uccidete il mio confratello Franky Courteney, chi ci guiderà fino al carico del vostro bel galeone *De Standvastigheid*?»

Lo sguardo di Schreuder corse al viso di Cumbrae, mentre l'Avvoltoio si avvicinava a lunghe falcate, brandendo lo spadone insanguinato.

«Il carico?» chiese Schreuder. «Abbiamo conquistato questo covo di pirati. Scopriremo che il tesoro è qui.»

«Se fossi in voi, non ne sarei tanto sicuro.» L'Avvoltoio scosse con aria mesta la folta barba rossa. «Se conosco il mio fratello in Cristo, Franky ne avrà messo in serbo la parte migliore chissà dove.» Sotto il berretto, lo sguardo scintillava di avidità. «No, colonnello, dovrete tenerlo in vita, almeno finché non saremo riusciti a procurarci la nostra ricompensa: una manciata di talleri d'argento per una giornata di lavoro ben fatto.»

Quando riprese i sensi, Hal vide il padre chino su di lui, in ginocchio, e gli chiese in un sussurro: «Cos'è successo, padre? Abbiamo vinto?» Il padre scosse la testa senza guardarlo negli occhi, preoccupandosi di ripulire il viso del figlio dalla fuliggine con una striscia di stoffa sporca strappata dall'orlo della camicia.

«No, Hal, non abbiamo vinto.» Il giovane si guardò alle spalle e di colpo gli tornò tutto alla mente, vedendo che si era salvato solo un pugno di uomini della *Resolution*. Erano rannicchiati l'uno accanto all'altro nel punto in cui giaceva Hal, sorvegliati da giubbe verdi con il moschetto carico. Gli altri erano rimasti dov'erano caduti, sparsi qua e là, davanti alle postazioni dei cannoni o riversi sui parapetti.

Vide che Aboli stava assistendo Daniel, fasciandogli la ferita al petto con la striscia di stoffa rossa. Daniel si era messo a sedere e pareva che si fosse un po' ripreso, anche se era evidente che aveva perso molto sangue; sotto il sudiciume del combattimento il suo viso era bianco come le ceneri del fuoco da campo della sera prima.

Voltando la testa, Hal vide Lord Cumbrae e il colonnello Schreuder vicini, immersi in una fitta conversazione. Infine l'Avvoltoio si allontanò per lanciare un ordine a uno dei suoi uomini. «Geordie, porta le catene degli schiavi dalla *Gull*! Non vogliamo che il comandante Courteney ci lasci di nuovo.» Il marinaio si precipitò verso la spiaggia, mentre l'Avvoltoio e il colonnello tornavano verso il punto in cui erano accovacciati i prigionieri, tenuti sotto tiro dalle guardie armate di moschetto.

«Comandante Courteney», disse Schreuder rivolto a Sir Francis, in tono minaccioso, «metto agli arresti voi e il vostro equipaggio sotto l'accusa di pirateria in alto mare. Sarete condotti al capo di Buona Speranza per essere processati in base a queste accuse.»

«Protesto, signore.» Sir Francis si alzò in piedi con dignità. «Esigo che i miei uomini siano trattati con la considerazione dovuta ai prigionieri di guerra.»

«Non c'è nessuna guerra, comandante», replicò Schreuder in tono glaciale. «Le ostilità fra la Repubblica olandese e la Gran Bretagna sono cessate in seguito alla firma del trattato, alcuni mesi fa.»

Sir Francis lo fissò, attonito, cercando di riprendersi dallo shock della notizia. «Ero all'oscuro del fatto che fosse stata stipulata la pace. Ho agito in buona fede», disse alla fine. «In ogni caso navigavo con una commissione concessa da sua maestà britannica.»

«Avete già parlato di questa lettera di marca durante il nostro precedente incontro. Mi giudicherete arrogante, se insisto per prendere visione del documento?» chiese Schreuder.

«La commissione che mi è stata concessa da sua maestà si trova dentro il baule, nella mia capanna.» Sir Francis puntò il dito verso il recinto del campo, dove molti alloggi erano stati distrutti dal cannoneggiamento. «Se volete concedermi il permesso di portarvela...»

«Vi prego, Franky, non disturbatevi, amico mio.» L'Avvoltoio gli batté sulla spalla. «Andrò a prenderla per voi.» Si allontanò, chinandosi per passare sotto l'architrave bassa della capanna occupata da Sir Francis.

Schreuder tornò alla carica. «Dove tenete gli ostaggi, signore? Il governatore van de Velde e la sua povera moglie, dove sono?»

«Il governatore dev'essere ancora nel recinto con gli altri ostaggi, sua moglie e il comandante del galeone. Non li ho visti dall'inizio del combattimento.»

Hal si alzò in piedi, ancora malfermo sulle gambe, portandosi alla testa il lembo di tessuto. «La moglie del governatore si è rifugiata in una caverna in cima alla collina per sfuggire al combattimento.»

«Come lo sapete?» chiese brusco Schreuder.

«Sono stato io a condurla fin lassù, per metterla al sicuro.» Hal alzò la voce con decisione, evitando lo sguardo severo del padre. «Stavo tornando dalla caverna quando vi ho incontrato nella foresta, colonnello.»

Schreuder guardò in alto verso la collina, diviso fra il dovere e il desiderio di precipitarsi in aiuto della donna la cui liberazione era, almeno per lui, lo scopo principale di quella spedizione; ma in quel momento l'Avvoltoio uscì dalla capanna con la sua andatura tronfia. Teneva in mano un rotolo di pergamena legato con un nastro scarlatto, da cui penzolavano i sigilli reali di ceralacca rossa.

Sir Francis sorrise di soddisfazione e di sollievo. «Eccola, colonnello. Esigo che voi trattiate me e il mio equipaggio come prigionieri degni di rispetto, catturati in leale combattimento.»

Prima di raggiungerli, l'Avvoltoio si fermò a svolgere la pergamena. Reggendo il documento a braccio teso, lo girò in modo che tutti potessero vedere la scrittura elaborata tracciata da qualche scrivano dell'ammiragliato con l'inchiostro di china nero. Alla fine, con uno scatto della testa, chiamò a sé uno dei marinai, gli prese di mano la pistola carica e, dopo aver soffiato sulla miccia accesa nella molla, rivolse un sogghigno a Sir Francis, accostando la fiamma all'estremità inferiore del documento che teneva in mano.

Sir Francis rimase sbigottito vedendo il fuoco lambire la pergamena, che cominciò ad arricciarsi e annerirsi man mano che la fiamma giallo pallido risaliva lungo il foglio. «Perdio, Cumbrae, bastardo traditore!» Fece per slanciarsi in avanti, ma Schreuder gli puntò la spada sul petto.

«Conficcarla sino in fondo sarebbe per me un grande piacere», mormorò. «Per il vostro bene, non mettete ancora a dura prova la mia pazienza, signore.»

«Quel porco sta bruciando la mia commissione.»

«Io non vedo niente», ribatté Schreuder, voltando deliberatamente le spalle all'Avvoltoio. «Niente, tranne un famigerato pirata che se ne sta di fronte a me con le mani ancora lorde del sangue di uomini innocenti.»

Cumbrae guardò bruciare la pergamena con un gran sorriso che tagliava in due la folta massa rosso fuoco della barba. Trasferì il foglio crepitante da una mano all'altra, poi, quando il calore gli scottò i polpastrelli, lo capovolse in modo che le fiamme lo consumassero fino all'ultimo lembo.

«Vi ho sentito cianciare di onore, signore», esplose Sir Francis, rivolto a Schreuder. «A quanto pare, non è che una realtà illusoria.»

«Onore? È mai possibile che senta un pirata parlarmi di onore? No, non può essere. Di certo l'udito mi gioca un brutto tiro.»

Cumbrae lasciò che le fiamme gli lambissero la punta delle dita prima di far cadere a terra l'ultimo frammento carbonizzato del documento, calpestando le ceneri e riducendole in polvere prima di avvicinarsi a Schreuder. «Temo che Franky abbia ricominciato con i suoi trucchi. Non riesco a trovare nessuna lettera di marca con la firma reale.»

«Lo sospettavo.» Schreuder rinfoderò la spada. «Affido i prigionieri alla vostra responsabilità, milord. Devo provvedere al benessere degli ostaggi.» Lanciò un'occhiata a Hal. «Mi porterai subito nel luogo in cui hai lasciato la moglie del governatore.» Guardò il sergente olandese che stava sull'attenti al suo fianco. «Legategli le mani dietro la schiena e passategli una corda al collo. Lo porterete al guinzaglio, da quel cucciolo rognoso che è.»

Il colonnello Schreuder rinviò la spedizione di salvataggio in attesa che si trovasse la sua parrucca perduta, perché la vanità gli impediva di presentarsi a Katinka in disordine. La parrucca fu ritrovata nella foresta attraverso la quale aveva inseguito Hal: era coperta di terriccio umido e foglie morte, ma Schreuder la batté contro la coscia sistemando con cura i riccioli prima di piazzarsela in testa. Poi, restaurate la propria avvenenza e dignità, rivolse un cenno del capo a Hal. «Facci strada!»

Quando sbucarono sulla spianata davanti alla caverna, Hal era piuttosto malconcio. Aveva le mani legate dietro la schiena e il sergente gli aveva passato una corda al collo; il viso era annerito dallo sporco e dal fumo dei cannoni, mentre gli abiti erano strappati e macchiati di sangue diluito dal sudore. Nonostante lo sfinimento e l'angoscia, la sua ansia era tutta per Katinka, e provò un fremito di allarme quando entrò nella caverna senza trovare traccia di lei.

Non posso vivere, se le è successo qualcosa, pensò, ma a voce alta disse a Schreuder: «Ho lasciato qui *mevrou* van de Velde. Non può esserle accaduto niente di male».

«Per il tuo bene, devi augurarti che sia così.» La minaccia era ancor più spaventosa per il fatto che era stata pronunciata in tono così pacato. Poi Schreuder alzò la voce. «*Mevrou* van de Velde! Signora, siete al sicuro. Sono il colonnello Schreuder, venuto a liberarvi.»

I rampicanti che velavano l'ingresso della caverna frusciarono lievemente, e Katinka uscì allo scoperto con un'aria timida e con gli enormi occhi viola traboccanti di lacrime. Aveva il viso pallido atteggiato a un'espressione tragica, che accresceva il suo fascino. «Oh!» sussurrò con voce strozzata dall'emozione, poi, in tono drammatico, tese le mani verso Cornelius Schreuder: «Siete venuto! Avete mantenuto la promessa!» Si slanciò verso di lui, alzandosi in punta di piedi per gettargli le braccia al collo. «Sapevo che sareste venuto. Sapevo che non avreste mai permesso che fossi umiliata e molestata da questi spaventosi criminali.»

Per un attimo Schreuder fu colto alla sprovvista da quell'abbraccio, poi la strinse a sua volta, proteggendola e consolandola mentre lei singhiozzava, aggrappata ai nastri e ai cordoni di cui era tempestato il petto della giubba. «Se avete subito il sia pur minimo affronto, vi giuro che lo vendicherò cento volte.»

«La mia odissea è stata troppo terribile per essere riferita», piagnucolò lei.

«È lui?» domandò Schreuder guardando Hal. «È lui uno di quelli che vi hanno maltrattato?»

Katinka guardò Hal di sottecchi, con la guancia ancora appoggiata al petto di Schreuder, socchiudendo gli occhi con aria crudele, mentre un sorrisetto sadico torceva le labbra tumide. «Lui era il peggiore di tutti.» Scoppiò in singhiozzi. «Non me la sento neppure di riferirvi le cose disgustose che mi diceva, o il modo in cui mi importunava e mi umiliava.» La sua voce si spezzò. «Ringrazio solo Dio per la forza che mi ha dato di resistere alle molestie di quell'uomo.»

Schreuder parve ingigantito dall'intensità del suo furore. Scostando gentilmente Katinka, si rivolse a Hal, serrando il pugno destro e colpendolo con forza alla tempia. Il ragazzo, colto di sorpresa, barcollò all'indietro, ma Schreuder fu lesto a seguirne lo spostamento, e il pugno seguente raggiunse Hal alla bocca dello stomaco, svuotandogli i polmoni e costringendolo a piegarsi in due.

«Come osi insultare e molestare una signora di alto lignaggio?» Schreuder tremava di collera; aveva perso del tutto il controllo.

Hal era piegato in due, con la testa che sfiorava le ginocchia: ansimava e sibilava cercando di riprendere fiato. Schreuder gli sferrò un calcio in faccia, ma il giovane lo vide arrivare e piegò di scatto la testa di lato, per cui lo stivale gli sfiorò la spalla, facendolo vacillare all'indietro. L'ira ribolliva nelle vene di Schreuder. «Non sei degno neanche di leccare la suola delle scarpe a questa signora.» Si preparò a colpire di nuovo, ma Hal era troppo veloce. Pur avendo le mani legate dietro la schiena, scattò in avanti verso l'olandese per sferrargli un calcio all'inguine, anche se gli riuscì fiacco, perché era impacciato dai legacci.

Schreuder restò più sorpreso che indolenzito. «Perdio, cucciolo, ti sei spinto troppo in là!» Hal non aveva ancora ritrovato l'equilibrio, e il colpo successivo di Schreuder gli tolse il terreno sotto i piedi, proiettandolo a terra. A quel punto l'olandese si accanì su di lui, usando tutt'e due i piedi e colpendo con gli stivali il corpo raggomitolato di Hal, che rotolava su se stesso lasciandosi sfuggire dei grugniti e cercando disperatamente di schivare la grandinata di calci che gli pioveva addosso.

« Sì! Oh, sì! » trillava eccitata Katinka. « Punitelo per quello che mi ha fatto. » Incitava Schreuder, spingendo al parossismo la sua ira violenta. « Fatelo soffrire come ho dovuto soffrire io. »

In cuor suo Hal sapeva che lei era costretta a rinnegarlo di fronte a quell'uomo e, nonostante il dolore, la perdonò. Si piegò in due per proteggere le parti più vulnerabili, ricevendo la maggior parte dei calci sulle spalle e sulle cosce, ma non riuscì a schivarli tutti. Uno lo raggiunse all'angolo della bocca, facendogli scorrere il sangue sul mento.

A quella vista, Katinka strillò, battendo le mani. « Lo odio. Sì, fategli del male! Spaccategli quella bella faccia insolente. » Invece la vista del sangue parve restituire la lucidità a Schreuder; con uno sforzo evidente, dominò la collera e fece un passo indietro, sia pure ansimando forte e continuando a tremare di rabbia. « Questo è solo un piccolo assaggio di quello che ho in serbo per te. Credetemi, *mevrou*, riceverà il resto non appena raggiungeremo il capo di Buona Speranza. » Rivolgendosi di nuovo a Katinka, s'inchinò. « Vi prego, consentitemi di riportarvi al sicuro sulla nave in attesa nella baia. »

Katinka si lasciò sfuggire un gridolino patetico, portandosi le dita alle morbide labbra rosee. « Oh, colonnello, temo di svenire. » Vacillò, e Schreuder balzò in avanti per sorreggerla. Lei gli si appoggiò contro. « Non credo che le gambe possano sostenermi. »

Lui la prese fra le braccia e si avviò per la discesa, portandola senza sforzo, mentre lei gli si aggrappava come se fosse una bambina che viene messa a letto.

« Forza, cammina, pendaglio da forca! » Il sergente rimise in piedi Hal con uno strattone della corda che portava al collo per ricondurlo giù al campo. « Per te sarebbe stato meglio se il colonnello ti avesse finito subito. Il boia del capo di Buona Speranza è famoso. È un vero artista. » Assestò un altro strattone alla corda. « Con te si divertirà un mondo, te lo assicuro. »

Una scialuppa portò le catene sulla spiaggia dove i prigionieri della *Resolution*, feriti o no, erano accovacciati sotto il sole ardente e sotto stretta sorveglianza.

I primi ceppi furono per Sir Francis Courteney. «È un piacere rivedervi, comandante.» Il marinaio che teneva fra le mani le catene lo guardò dall'alto. «Ho pensato a voi tutti i giorni, dall'ultima volta che ci siamo incontrati.»

«Io invece non ti ho dedicato neanche un pensiero, Sam Bowles.» Sir Francis lo guardò a malapena, ma la sua voce era venata di disprezzo.

«Ora sono il nostromo Sam Bowles. Sua signoria mi ha promosso», ribatté Sam con un sorriso insolente.

«Allora auguro all'Avvoltoio di godersi il suo nuovo nostromo. È un matrimonio benedetto dal cielo.»

«Tendete le mani in fuori, comandante. Vediamo quanto siete altezzoso e potente, ora che avete i braccialetti di ferro», gongolò Sam Bowles con malignità. «Cristo, non saprete mai quanto mi riempie di gioia tutto questo.» Fece scattare gli anelli di ferro ai polsi e alle caviglie dell'inglese, serrandoli con la chiave al punto che gli segavano le carni. «Spero che vi stiano altrettanto bene del vostro bel mantello.» Indietreggiò prima di sputare in faccia a Sir Francis, poi scoppiò in una risata selvaggia. «Vi prometto solennemente che, il giorno che ammaineranno la vostra vela maestra, sarò al capo di Buona Speranza, sul campo delle parate, per augurarvi buon viaggio. Mi domando a quale fine vi condanneranno. Pensate che vi bruceranno vivo, oppure vi impiccheranno e vi squarteranno?» Sam ridacchiò ancora, passando a Hal. «Buon giorno a voi, signorino Henry. Ecco il vostro umile servitore, nostromo Sam Bowles, venuto a soddisfare i vostri desideri.»

«Durante il combattimento non mi è sembrato di vedere la tua faccia da vigliacco», ribatté Hal in tono pacato. «Dove ti nascondevi, stavolta?» Sam arrossì, rovesciando il mucchio di pesanti catene sulla testa di Hal, che, rialzandosi, lo guardò negli occhi con freddezza. Sam stava per colpirlo ancora, ma una mano nera ed enorme si protese per afferrargli il polso: abbassando la testa, il nostromo si trovò davanti gli occhi color fumo di Aboli, accovacciato a fianco di Hal. Aboli non disse una parola, ma Sam Bowles frenò il colpo. Non riuscendo a sostenere lo sguardo omicida dell'altro, abbassò gli occhi, e li tenne così mentre si inginocchiava in fretta per stringere i ceppi ai polsi e alle caviglie di Hal.

Alzatosi, passò ad Aboli, che continuò a fissarlo con lo stesso sguardo inespressivo mentre lui gli applicava in fretta le manette, prima di avvicinarsi al punto in cui giaceva Big Daniel. Questi fece una smorfia, ma senza lasciarsi sfuggire neanche un lamento, quando Sam Bowles gli strattonò le braccia con crudeltà. La ferita del proiettile aveva smesso di sanguinare, tuttavia, con quel rude trattamento, si riaprì; dallo straccio rosso che Aboli aveva usato per fasciarla cominciò a filtrare un sangue acquoso che gli gocciolò sul petto, colando nella sabbia.

Una volta che furono incatenati tutti insieme, ricevettero l'ordine di alzarsi in piedi. Sostenendolo fra loro, Hal e Aboli riuscirono a trasportare quasi di peso Daniel mentre venivano condotti in fila verso uno degli alberi più grandi. Poi furono costretti di nuovo a sedersi, mentre l'estremità della catena veniva passata attorno al tronco e fissata con due pesanti lucchetti di ferro.

Erano appena ventisei i superstiti dell'effettivo della *Resolution*; fra loro c'erano quattro schiavi, fra cui Aboli. Quasi tutti avevano riportato qualche ferita, sia pure leggera, ma almeno quattro, compreso Daniel, erano feriti in modo grave e si trovavano in pericolo di vita.

Ned Tyler aveva ricevuto una profonda ferita di sciabola alla coscia. Pur essendo ostacolati dalle catene, Hal e Aboli la fasciarono con un'altra striscia di tessuto ricavata dalla camicia di uno dei morti che costellavano il campo di battaglia come relitti su una spiaggia spazzata dal vento.

Gruppi di moschettieri in divisa verde, agli ordini dei sergenti olandesi, erano impegnati a recuperare i cadaveri. Trascinandoli per i talloni fino a una radura fra gli alberi, spogliavano i corpi, frugandoli in cerca di monete d'argento e altri oggetti di valore provenienti dal tesoro della *Standvastigheid*.

Un paio di sottufficiali perquisivano con cura gli abiti scartati, strappando le cuciture e staccando la suola degli stivali. Altri tre uomini, con le maniche arrotolate, sondavano gli orifizi naturali dei cadaveri dopo aver immerso le dita in un vasetto di grasso, alla ricerca di qualche oggetto prezioso che poteva essere custodito in quei nascondigli tradizionali.

Il bottino recuperato veniva gettato in una botte per l'acqua, vuota, sorvegliata da un sergente bianco armato di una pistola carica che custodiva il ricco bottino accumulato lentamente. Quando il macabro terzetto ebbe completato il lavoro sui corpi nudi, un'altra squadra li trascinò via, gettandoli su alte pire funerarie. Le fiamme, alimentate da ceppi secchi, raggiunsero un'altezza tale da far raggrinzire le foglie verdi sugli alberi alti che circondavano la radura. Il fumo della carne carbonizzata aveva un odore dolce e nauseante, simile a quello del grasso di maiale bruciato.

Nel frattempo Schreuder e Cumbrae, assistiti da Limberger, il comandante del galeone, facevano l'inventario dei barili di spezie. Muniti di liste e registri, si comportavano con lo stesso scrupolo di esattori delle tasse, controllando il contenuto e il peso delle merci recuperate con il manifesto di carico originale della nave e contrassegnando le doghe dei barili con il gesso bianco.

Quando ebbero completato i controlli, altre squadre di marinai fecero rotolare i grossi barili fino alla spiaggia per caricarli sulla più grande delle scialuppe, che li avrebbe portati a bordo del galeone, ancorato nel canale con il nuovo albero maestro e le sartie nuove. Il lavoro proseguì per tutta la notte alla luce delle lanterne, dei falò e delle fiamme giallastre delle pire funerarie.

Col passare delle ore, Big Daniel fu assalito dalla febbre. Aveva la pelle che scottava, e a tratti cadeva in delirio. Se non altro la fasciatura aveva fermato l'emorragia e sotto di essa si stava formando una crosta ancora leggera che copriva la terribile ferita, ma la pelle tutt'intorno era gonfia e si stava illividendo.

«La pallottola è rimasta dentro», bisbigliò Hal ad Aboli. «Non c'è il foro di uscita corrispondente sul dorso.»

Aboli grugnì. «Se tentassimo di estrarla, lo uccideremmo. Dall'angolazione con cui è entrata, direi che deve trovarsi vicino al cuore e ai polmoni.»

«Ho paura che faccia infezione.» Hal scosse la testa.

«È forte come un toro.» Aboli scrollò le spalle. «Forse abbastanza forte da sconfiggere i demoni.» Aboli era convinto che ogni malattia fosse causata da demoni che avevano invaso il sangue; era una superstizione infondata, ma il ragazzo lo assecondava.

«Dovremmo cauterizzare tutte le ferite con il catrame bollente.» Quello era il rimedio sovrano dei marinai, e Hal pregò in olandese le guardie ottentotte di portare nel recinto uno dei vasi di pece dall'officina del carpentiere, ma quelle lo ignorarono.

Era già passata mezzanotte quando rividero Schreuder, che sbucò dall'oscurità dirigendosi verso il punto in cui era disteso Sir Francis, incatenato insieme agli altri ai piedi dell'albero. Il comandante inglese era esausto come i suoi uomini, ma riusciva a riposare solo per brevi istanti, scivolando in un dormiveglia irrequieto, disturbato dall'incessante frastuono, dai movimenti delle squadre al lavoro e dai flebili lamenti e gemiti dei feriti.

« Sir Francis », disse Schreuder, chinandosi per scuoterlo e svegliarlo del tutto. « Posso rubarvi qualche minuto di tempo? » Dal tono di voce si sarebbe detto che aveva ritrovato la calma.

Sir Francis si mise a sedere. « Prima, colonnello, posso chiedervi almeno un briciolo di compassione? I miei uomini non ricevono una goccia d'acqua da ieri pomeriggio e quattro di loro, come potete vedere, sono feriti gravemente. »

Schreuder si accigliò e Sir Francis intuì che non aveva dato ordine che i prigionieri fossero in alcun modo maltrattati. Dal canto suo, non aveva mai pensato che Schreuder fosse un uomo brutale o un sadico. Il suo comportamento selvaggio di poco prima era causato quasi certamente da un temperamento eccitabile, oltre che dalla tensione e dalle esigenze della battaglia. Ora Schreuder si rivolse alle guardie per ordinare loro di portare acqua e cibo ai prigionieri, mandando inoltre un sergente in cerca della cassetta dei medicinali che si trovava nella capanna semidistrutta di Sir Francis.

Mentre aspettava che i suoi ordini fossero eseguiti, Schreuder camminava avanti e indietro sulla sabbia, con il mento sul petto e le mani intrecciate dietro la schiena. Tutt'a un tratto, Hal si raddrizzò.

« Aboli », bisbigliò, « la spada. »

Aboli grugnì, accorgendosi che dalla cintura di Schreuder pendeva ora la spada intarsiata e sbalzata che era l'insegna di cavaliere di Hal e un tempo era appartenuta al nonno. Aboli posò la mano sulla spalla del giovane, per calmarlo e impedirgli di affrontare l'olandese, replicando sottovoce: « Bottino di guerra, Gundwane. Per te è perduta, ma almeno la porta ancora un vero guerriero ». Hal si rassegnò, comprendendo la crudele logica delle parole dell'altro.

Infine Schreuder si rivolse di nuovo a Sir Francis: « Il comandante Limberger e io abbiamo fatto l'inventario del carico di spezie e di legname che avete riposto nei magazzini, accertando che per la maggior parte è reperibile, e ancora intatto. Le perdite probabilmente sono dovute ai danni inflitti dall'acqua di mare durante l'assalto al galeone. Mi dicono che una delle vostre colubrine ha centrato in pieno la stiva principale, e parte del carico è finita in acqua».

«Sono lieto», replicò Sir Francis con un cenno del capo, in tono di stanca ironia, «che siate riuscito a recuperare tutte le proprietà della Compagnia.»

«Purtroppo non è così, Sir Francis, come voi ben sapete. C'è ancora una gran parte del carico che manca all'appello.» Vedendo avvicinarsi il sergente, s'interruppe per impartirgli un ordine. «Togliete le catene al negro e al ragazzo e lasciate che siano loro a dare da bere agli altri.» Seguivano altri uomini con una botte d'acqua, che sistemarono ai piedi dell'albero. Hal e Aboli cominciarono subito a distribuire acqua da bere ai feriti, e tutti bevvero, mandando giù il prezioso liquido a occhi chiusi, con il pomo d'Adamo che sussultava.

Il sergente fece rapporto al colonnello Schreuder. «Ho trovato gli strumenti del medico.» Mostrò il rotolo di tela. «Ma, *mjnheer*, ci sono coltelli affilati che potrebbero servire come armi, e il contenuto dei vasetti di pece potrebbe essere usato contro i miei uomini.»

Schreuder abbassò gli occhi verso Sir Francis, accovacciato a terra, scarmigliato e stravolto, presso il tronco dell'albero. «Ho la vostra parola di gentiluomo che non userete queste provviste mediche per fare del male ai miei uomini?»

«Avete la mia parola d'onore», rispose Sir Francis.

L'olandese annuì, rivolto al sergente. «Consegnate tutto a Sir Francis», ordinò, e il sergente porse la cassetta di medicinali, il vasetto di pece e una pezza di tela pulita che si poteva usare per ricavarne bende.

«Dunque, comandante», disse Schreuder, riprendendo la conversazione dal punto in cui era stata interrotta, «abbiamo recuperato le spezie e il legname depredati, però mancano ancora all'appello circa metà delle monete e tutto l'oro in lingotti che erano custoditi nella stiva della *Standvastigheid*.»

«Il bottino è stato distribuito fra gli uomini del mio equipaggio.» Sir Francis sorrise senza umorismo. «Non so che cosa abbiano fatto della loro parte, e quasi tutti sono... troppo morti per poterci chiarire le idee in proposito. »

« Abbiamo già recuperato quello che, secondo i miei calcoli, è la maggior parte della quota che spettava al vostro equipaggio. » Schreuder fece un cenno verso i preziosi raccolti in modo così macabro dalle vittime rimaste sul campo di battaglia; in quel momento venivano trasportati verso una scialuppa da un gruppo di marinai, sorvegliati da ufficiali olandesi con la spada sguainata. « I miei ufficiali hanno perquisito gli alloggi dei vostri uomini nel recinto, ma non c'è traccia dell'altra metà. »

« Per quanto possa desiderare di esservi di aiuto, non sono in grado di rendere conto della parte mancante », rispose Sir Francis in tono pacato. Nel sentire quell'affermazione, Hal alzò la testa dai feriti che stava assistendo, ma il padre non lanciò neanche un'occhiata nella sua direzione.

« Lord Cumbrae ritiene che abbiate nascosto il tesoro scomparso, e io sono d'accordo con lui. »

« Lord Cumbrae è notoriamente un bugiardo e un truffatore », ribatté l'altro. « E voi, signore, siete in errore. »

« Lord Cumbrae è del parere che, se gli fosse concessa l'opportunità di interrogarvi di persona, riuscirebbe a estorcervi indicazioni sulla sorte del tesoro scomparso. È ansioso di tentare di persuadervi a rivelare ciò che sapete, e solo con estrema difficoltà sono riuscito a impedirglielo. »

Sir Francis si strinse nelle spalle. « Voi dovete fare quello che ritenete opportuno, colonnello, ma, a meno che io non sia un povero giudice, la tortura dei prigionieri non è una pratica che un soldato come voi possa condonare. Vi sono grato per la compassione che avete mostrato verso i miei feriti. »

La risposta di Schreuder fu interrotta da un urlo lancinante, sfuggito a Ned Tyler mentre Aboli versava un mestolo pieno di pece fumante sullo squarcio di sciabola nella coscia. Mentre il grido si placava in una serie di singhiozzi, l'olandese riprese a parlare in tono pacato. « Il tribunale che vi processerà per pirateria al forte del capo di Buona Speranza sarà presieduto dal nuovo governatore. Ho seri dubbi che il governatore Petrus Jacobus van de Velde si sentirà in dovere di comportarsi con la mia stessa clemenza. » Schreuder fece una pausa prima di continuare. « A proposito, Sir Francis, so da fonti attendibili che il boia assunto dalla Compagnia al capo di Buona Speranza va molto fiero della sua abilità. »

« Darò al governatore e al suo boia la stessa risposta che ho dato a voi, colonnello. »

L'altro si sedette sui talloni, abbassando la voce in tono cospiratorio, quasi amichevole. « Sir Francis, nella nostra breve conoscenza ho concepito un'alta stima per voi come guerriero, navigatore e gentiluomo. Se dovessi testimoniare davanti al tribunale che la vostra lettera di marca esisteva davvero, e che eravate un corsaro autorizzato, l'esito del processo potrebbe essere diverso. »

« Dovete nutrire nei confronti del governatore van de Velde una fiducia che a me manca », replicò Sir Francis. « Vorrei poter giovare ancora alla vostra carriera esibendo i lingotti mancanti, ma non posso esservi utile, signore. Non so dove si trovino. »

Il viso di Schreuder s'irrigidì mentre si alzava in piedi. « Ho tentato di aiutarvi e mi rammarico che abbiate respinto la mia offerta. Comunque avete ragione, signore. Non ho lo stomaco adatto per farvi interrogare sotto tortura e, quel che più conta, impedirò a Lord Cumbrae di assumersi questo compito. Farò semplicemente il mio dovere, consegnandovi al tribunale di Buona Speranza. Posso pregarvi di ripensarci, signore? »

Sir Francis scosse la testa. « Sono spiacente di non potervi aiutare, signore. »

Schreuder sospirò. « Molto bene. Voi e i vostri uomini sarete imbarcati sulla *Gull of Moray* domattina, non appena sarà pronta a salpare. La fregata *Sonnenvogel* ha altri doveri da compiere nelle Indie e salperà alla stessa ora, ma in un'altra direzione. *De Standvastigheid* resterà qui agli ordini del suo vero comandante, il comandante Limberger, per trasferire a bordo il carico di spezie e di legname prima di riprendere il viaggio interrotto per Amsterdam. »

Girò sui tacchi e scomparve nell'ombra, diretto verso il magazzino delle spezie.

La mattina dopo, quando furono destati dai loro carcerieri, quattro feriti, compresi Daniel e Ned Tyler, non furono in grado di camminare e i loro compagni dovettero sostenerli. Le catene da schiavi concedevano loro scarsa libertà di movimento, e quella che scese sulla spiaggia era una fila di uomini goffi e impacciati. Ogni passo era ostacolato dai ceppi tintinnanti, al punto che non potevano sollevare i piedi quanto bastava per scavalcare il capo di banda della scialuppa, e le guardie dovettero spingerli a bordo.

Quando la scialuppa fu ormeggiata ai piedi della scaletta di corda che pendeva dalla murata della *Gull*, la scalata richiesta agli uomini in catene per salire fino al ponte si rivelò temeraria e pericolosa. In cima, presso il boccaporto, li aspettava Sam Bowles, al quale una delle guardie gridò: «Nostromo, possiamo allentare le catene dei prigionieri?»

«E perché vorresti farlo?»

«I feriti non ce la fanno, e gli altri non saranno in grado di issarli in alto. Incatenati così, non riusciranno a salire la scaletta.»

«Se non ce la fanno, tanto peggio per loro», ribatté Sam. «Ordini di sua signoria. Le manette restano al loro posto.»

Sir Francis guidò la scalata, con i movimenti ostacolati dalla fila di uomini incatenati che aveva alle spalle. I quattro feriti, che gemevano in preda al delirio, erano pesi morti che occorreva trascinare a forza. Big Daniel, in particolare, mise a dura prova la resistenza di tutti. Nel caso che se lo fossero lasciato sfuggire, sarebbe precipitato nella scialuppa, trascinando con sé l'intera fila di ventisei uomini e quasi certamente rovesciando la piccola barca. E, una volta nella laguna, il peso delle massicce catene di ferro li avrebbe trascinati tutti sul fondo, a una profondità di quattro braccia.

Se non fosse stato per la forza taurina di Aboli, non avrebbero mai raggiunto il ponte della *Gull*. Eppure persino lui era sfinito quando, finalmente, issarono il corpo inerte di Daniel oltre la battagliola e si accasciarono accanto a lui sul tavolato bianco del ponte, tirato a lucido. Rimasero tutti lì, ansimando e boccheggiando, riscuotendosi alla fine nel sentire una risata argentina.

Hal sollevò la testa con sforzo. Sul cassero della *Gull*, sotto una tenda, era stato apparecchiato un tavolo per la prima colazione, con i bicchieri di cristallo e l'argenteria che scintillava alla luce del sole. Fiutò l'aroma inebriante del bacon, delle uova fresche e delle gallette bollenti che s'innalzava dallo scaldavivande d'argento.

A capotavola era seduto l'Avvoltoio, che levò il bicchiere in direzione del mucchio di corpi distesi al centro della nave.

«Benvenuti a bordo, signori, brindo alla vostra eccezionale

salute! » Bevve tutto d'un fiato il whisky del brindisi, prima di asciugarsi con un tovagliolo di damasco la barba rosso fuoco. « Sono stati preparati per voi i migliori alloggi che esistano a bordo. Vi auguro buon viaggio. »

Katinka van de Velde rise ancora, con un suono musicale. Era seduta alla sinistra dell'Avvoltoio, a testa scoperta, con i riccioli d'oro raccolti in una pettinatura alta, gli occhi viola grandi e innocenti nell'ovale perfetto del viso incipriato e un neo finto applicato con cura all'angolo della bella bocca dipinta.

Il governatore era seduto di fronte a sua moglie. Si fermò nell'atto di infilarsi in bocca una forchetta d'argento carica di bacon croccante e formaggio, pur continuando a masticare. Una goccia gialla di tuorlo d'uovo gli sfuggì dalle labbra pendule, scorrendo sul mento mentre scoppiava in una risata fragorosa. « Non disperate, Sir Francis, e ricordate il vostro motto di famiglia. Sono certo che resisterete. » Si ficcò in bocca la forchettata di cibo, parlando a bocca piena. « Sono viveri davvero eccellenti, appena caricati a bordo al capo di Buona Speranza. Peccato che non possiate unirvi a noi. »

« Com'è premuroso da parte di vostra signoria fornirci anche uno svago. Questi trovatori canteranno per noi, oppure ci divertiranno con qualche altra acrobazia? » chiese Katinka in olandese, ostentando poi un piccolo broncio adorabile mentre batteva un colpetto sul braccio di Cumbrae con il ventaglio cinese dipinto.

In quel momento Big Daniel girò la testa da una parte all'altra, battendola sull'assito, e lanciò un grido, in preda al delirio. L'Avvoltoio esplose in una risata tonante. « Come vedete, cercano di fare del loro meglio, signora, ma il loro repertorio non è adatto a soddisfare i gusti di tutti. » Rivolse un cenno a Sam Bowles. « Prego, mastro Samuel, accompagnateli nel loro alloggio e accertatevi che siano trattati bene. »

Con l'estremità di una corda annodata, Sam Bowles sferzò i prigionieri per costringerli ad alzarsi, e gli uomini, feriti e ammaccati, si calarono lungo la scaletta del boccaporto. Il ponte degli schiavi si trovava in fondo allo scafo, sotto la stiva di carico principale. Quando Sam Bowles sollevò il portello che immetteva laggiù, il fetore che si levò ad accoglierli fece rinculare persino lui; era il concentrato delle sofferenze di centinaia di anime condannate a languire in quel luogo.

L'altezza di quel ponte non era superiore alla cintola di un uomo, e per entrarvi furono costretti a strisciare, trascinando con sé i feriti. Alla paratia erano fissati numerosi anelli di ferro, avvitati nella pesante trave di quercia che correva per tutta la lunghezza della stiva. Sam e i suoi quattro compagni strisciarono dietro di loro per assicurare le catene agli anelli. Quando ebbero finito, i prigionieri erano disposti come aringhe in un barile, fianco a fianco, incatenati ai polsi e alle caviglie, in grado appena di mettersi a sedere, ma senza la possibilità di voltarsi o spostare le membra oltre i pochi palmi consentiti dalle catene.

Hal era disteso con il padre da una parte e la massa inerte di Big Daniel dall'altra. Aboli si trovava dalla parte opposta di Daniel, e accanto a lui c'era Ned Tyler.

Quando l'ultimo uomo fu assicurato al ponte, Sam tornò strisciando verso il portello, guardandoli con un sogghigno. «Con questo vento, ci vogliono dieci giorni per il capo di Buona Speranza. Una pinta d'acqua al giorno per ciascuno, e tre once di galletta, quando mi ricorderò di portarvele. Avete il permesso di defecare e pisciare dove vi trovate. Ci rivediamo al capo di Buona Speranza, tesorucci miei.»

Chiuse il portello con un tonfo, e lo sentirono inserire a martellate i paletti dalla parte opposta. Quando i colpi di maglio cessarono, il silenzio improvviso fu spaventoso. Da principio l'oscurità era totale, ma poi, quando i loro occhi si furono assuefatti, riuscirono a distinguere vagamente le sagome scure dei compagni stretti intorno a loro.

Hal si guardò attorno in cerca della fonte di luce, e trovò una piccola grata di ferro che si apriva sul ponte proprio al di sopra della sua testa. Anche senza le sbarre, l'apertura non sarebbe stata abbastanza grande da consentire il passaggio della testa di un adulto, e lui la escluse subito come possibile via di fuga. Se non altro, comunque, lasciava passare un filo d'aria.

Il lezzo era quasi insopportabile e ansimavano tutti, in quell'atmosfera soffocante, che puzzava come la tana di un orso. Big Daniel gemette, e quel suono sciolse loro la lingua: cominciarono a parlare tutti insieme.

«Per l'amor del cielo, quaggiù puzza come una latrina nella stagione estiva.»

«Comandante, credete che esista una possibilità di fuggire da qui?»

«Darei la mia parte della preda più ricca che abbia mai sol-

cato i sette mari per passare cinque minuti da solo con Sam
Bowles.»

«E io darei tutta la mia parte per altri cinque minuti con sua
signoria Cumbrae, che sia dannata la sua anima.»

«Oppure quel bastardo testa di formaggio, Schreuder.»

D'improvviso, Daniel farfugliò: «Oh, mamma, vedo il tuo
bel viso. Vieni a dare un bacio al tuo piccolo Danny». Quel grido lamentoso li scoraggiò tutti, e nel ponte degli schiavi, buio e
maleodorante, regnò il silenzio della disperazione. Pian piano
scivolarono tutti in un torpore rassegnato, interrotto ogni tanto
dai gemiti di chi delirava e dal tintinnio delle catene, quando
tentavano di trovare una posizione più comoda.

Lentamente il passare del tempo perse ogni significato, e nessuno di loro era più sicuro se fosse giorno o notte quando il
suono dell'argano dell'ancora, che proveniva dal ponte superiore, si riverberò attraverso lo scafo, e udirono le grida fioche dei
sottufficiali che si trasmettevano gli ordini per far salpare la
Gull.

Hal tentò di valutare la rotta e la direzione della nave dall'assetto dello scafo, ma ben presto perse l'orientamento. Solo
quando la *Gull* beccheggiò all'improvviso, cominciando a rispondere con un movimento leggero e gaio al beccheggio del
mare aperto, comprese che erano usciti dalla laguna superando
i due promontori.

Un'ora dopo l'altra, la *Gull* lottò contro il vento di sud-est
per andare al largo. Il moto della nave li spingeva avanti e indietro sul tavolato nudo, facendoli scivolare di lato, almeno per
quel poco che era consentito dalle catene prima che le manette
li trattenessero, e poi di nuovo dalla parte opposta. Fu un gran
sollievo per loro quando infine la nave raggiunse un assetto più
stabile.

«Ecco, adesso va molto meglio.» Sir Francis parlò per tutti
loro. «L'Avvoltoio ha preso il largo. Ha virato di bordo e ora
corriamo liberi con il vento di sud-est in poppa, puntando a
ovest verso il capo.»

Col passare del tempo, Hal riuscì a tenere il conto dei giorni
trascorsi in base all'intensità della luce che filtrava dalla grata
sopra la sua testa. Durante le lunghe notti, nella stiva degli
schiavi regnava un'oscurità impenetrabile, come in fondo a una
miniera di carbone. Poi, con l'alba, una luce tenuissima giungeva fino a lui, diventando sempre più intensa, finché non riusciva

a intravedere la testa nera e rotonda di Aboli sullo sfondo del viso più chiaro di Big Daniel, dalla parte opposta.

Comunque, anche a mezzogiorno i recessi più remoti del ponte degli schiavi erano immersi nel buio, da cui sospiri e gemiti, e di tanto in tanto sussurri, degli altri uomini echeggiavano in modo irreale fra le paratie di rovere. Poi la luce si stemperava di nuovo in quel buio profondo, segnando il passaggio di un nuovo giorno.

La mattina del terzo giorno, un messaggio fu trasmesso di bocca in bocca, sottovoce: « Timothy Reilly è morto ». Era uno dei feriti; aveva ricevuto un colpo di spada al petto da una delle giubbe verdi.

« Era un brav'uomo », disse Sir Francis, a titolo di epitaffio. « Possa Dio accogliere la sua anima. Vorrei che fosse possibile dargli una sepoltura cristiana. » Al quinto giorno, il cadavere di Timothy aggiunse il suo contributo ai miasmi di marciume e putredine che permeavano il ponte degli schiavi, saturando i loro polmoni a ogni respiro.

Spesso, mentre Hal giaceva immerso nel torpore della disperazione, ratti grigi grossi come conigli scorrazzavano sul suo corpo, producendo graffi dolorosi sulla pelle nuda con gli artigli affilati. Alla fine rinunciò al compito disperato di tentare di scacciarli a furia di calci e pugni, rassegnandosi a subire quel disagio. Solo quando un ratto gli affondò i denti aguzzi e ricurvi nel dorso di una mano lanciò un urlo, tentando di afferrare per la gola la bestiaccia, che lanciava uno stridio acuto, per strangolarla con le mani nude.

Quando Daniel, accanto a lui, lanciò uno strillo, comprese che i ratti avevano trovato anche lui, che non era in grado di difendersi dai loro attacchi; da allora, lui e Aboli rimasero di guardia a turno, stando seduti e cercando di tenere lontani i voraci roditori dall'uomo privo di sensi.

I ceppi impedivano loro di accovacciarsi sopra il canaletto che scorreva lungo la paratia ed era destinato a far defluire i liquami. Ogni tanto Hal udiva il suono liquido e gorgogliante di uno degli uomini che evacuava dove si trovava, e subito dopo si sentiva il fetore degli escrementi freschi nello spazio angusto e già maleodorante.

Quando poi la vescica di Daniel si vuotava, il liquido caldo scorreva sulle tavole sopra le quali era disteso Hal, inzuppando-

gli la camicia e le brache, e lui non poteva fare niente per evitarlo, se non sollevare la testa dal tavolato.

Quasi tutti i giorni, a un'ora che Hal valutava intorno a mezzogiorno, i chiavistelli del boccaporto venivano aperti con poderosi colpi di maglio. Quando il portello veniva sollevato, la
luce fioca che inondava la stiva rischiava quasi di accecarli, e
dovevano sollevare le mani, appesantite dalle catene, per ripararsi gli occhi.

« Oggi ho una bevanda speciale per voi, allegri gentiluomini », intonò la voce di Sam, il primo giorno. « Un boccale d'acqua attinta dai nostri barili più vecchi, con qualche bestiolina
che ci nuota dentro, e una goccia del mio sputo per insaporir-
la. » Lo sentirono sputare di gusto, e poi scoppiare in una risata
scrosciante prima di consegnare il primo boccale di peltro.
Ogni boccale doveva passare lungo il ponte di mano in mano,
con tutto l'impaccio delle catene e, quando se ne rovesciava
uno, non c'era modo di ottenerne la sostituzione.

« Uno per ciascuno dei nostri ospiti, cioè ventisei boccali e
non uno di più », esclamò Sam Bowles tutto allegro.

Big Daniel ormai era troppo indebolito per bere da solo, e
Aboli fu costretto a tenergli sollevata la testa mentre Hal gli faceva scorrere l'acqua fra le labbra. Anche gli altri feriti dovevano essere assistiti allo stesso modo, ma gran parte dell'acqua andava perduta, scorrendo fuori della loro bocca rilassata. Il procedimento era lungo. Sam Bowles perse la pazienza prima che
fossero arrivati a metà. « Non ne volete altra? Allora me ne vado. » E chiuse di schianto il boccaporto, rimettendo a posto i
chiavistelli e lasciando la maggior parte dei prigionieri a suppli-
care invano, con la gola riarsa e le labbra screpolate, invocando
la loro razione d'acqua. Bowles si mostrò inflessibile. Furono
costretti ad aspettare la razione successiva, il giorno dopo.

Dopodiché Aboli imparò a riempirsi la bocca con l'acqua del
boccale, posando le labbra su quelle di Daniel per riversarla
nella bocca dell'uomo esanime, e i compagni imitarono il suo
esempio con gli altri feriti. Quel metodo era abbastanza rapido
per soddisfare anche Bowles e consentiva di perdere una per-
centuale minore del prezioso liquido.

Sam Bowles ridacchiò quando gli uomini gridarono dal fondo della stiva: « Per l'amor di Dio, nostromo, c'è un morto,
quaggiù. Timothy Reilly puzza da gridare vendetta al cielo. Non
sentite? »

« Mi fa piacere saperlo. Questo significa che Timothy non avrà più bisogno della sua razione d'acqua. Da domani saranno solo venticinque i boccali che vi servirò. »

Daniel stava morendo. Non gemeva e non si dibatteva più in preda al delirio, ma giaceva immobile come un cadavere. Persino la vescica gli si era prosciugata e non si vuotava più spontaneamente sulle tavole fetide sopra le quali erano distesi. Hal gli teneva sollevata la testa, parlandogli sottovoce nel tentativo di indurlo a lottare per la vita: « Non puoi cedere proprio adesso. Resisti ancora un po', e arriveremo al capo in men che non si dica. Tutta l'acqua dolce e pura che riuscirai a bere, graziose schiavette che ti assistono... Pensaci, Danny ».

A mezzogiorno di quello che secondo i suoi calcoli era il sesto giorno di navigazione, Hal esclamò rivolto ad Aboli: « Ho qualcosa da farti vedere, qui. Dammi la mano ». Prendendo le dita dell'altro, le guidò sulle costole di Daniel. La pelle ardeva al punto da scottare quasi al contatto, e la carne era così consumata che le costole sporgevano come doghe di un barile.

Poi fece rotolare il corpo fin dove lo permettevano le catene, guidando le dita di Aboli sulle scapole. « Ecco, qui, riesci a sentire quel bernoccolo? »

Aboli grugnì: « Riesco a sentirlo, ma non posso vederlo ». Era ostacolato dalle catene al punto che non poteva sporgersi al di sopra del corpo inerte di Daniel.

« Non ne sono sicuro, ma credo di sapere cos'è. » Hal accostò ancor più il viso, aguzzando gli occhi nella luce fioca. « C'è una protuberanza delle dimensioni di una noce, nera come un livido. » La sfiorò con delicatezza, ma anche quella lieve pressione fece gemere Daniel che si agitò fino a tendere le catene.

« Dev'essere molto sensibile. » Sir Francis si era riscosso dal torpore, avvicinandosi per quanto gli era possibile. « Non riesco a vedere bene. Dov'è? »

« Al centro della scapola », rispose Hal. « Credo sia il proiettile di moschetto. È passato esattamente al centro del torace, restando sotto la pelle. »

« Allora è questo che lo sta uccidendo », replicò Sir Francis. « È la sede e la fonte dell'infezione che lo sta divorando vivo. »

« Se avessimo un coltello », mormorò Hal, « potremmo tentare di estrarlo. Ma Sam Bowles ci ha portato via la cassetta delle medicine.»

«Non prima che io nascondessi uno dei coltelli», ribatté Aboli. Frugando nella cintura delle brache, ne estrasse la lama sottile, che scintillò appena alla luce fioca che proveniva dalla grata sopra la testa di Hal. «Aspettavo un'occasione per tagliare la gola a Sam.»

«Dobbiamo correre il rischio di incidere», disse Sir Francis. «Se gli resterà in corpo, il proiettile lo ucciderà con maggiore certezza del bisturi.»

«Dal punto in cui mi trovo, non riesco a vederci abbastanza per tagliare», disse Aboli. «Dovrete farlo voi, comandante.»

Si sentirono un fruscio e un tintinnio di catene, poi Sir Francis borbottò: «Le mie catene sono troppo corte. Non riesco a raggiungerlo».

Rimasero tutti in silenzio per qualche tempo, poi Sir Francis disse: «Hal».

«Padre, non ho né l'esperienza né l'abilità necessarie», protestò il ragazzo.

«Allora Daniel morirà», disse Aboli con voce atona. «Gli devi la vita, Gundwane. Qua, tieni il coltello.»

Nella mano di Hal, il coltello pesava come una sbarra di piombo. Con la bocca arida per la paura, saggiò il filo della lama contro il polpastrello del pollice, scoprendo che era spuntato dall'uso prolungato.

«Non taglia», protestò.

«Aboli ha ragione, figlio mio.» Sir Francis pose la mano sulla spalla di Hal, stringendo forte. «Sei l'unica speranza di Daniel.»

Lentamente il ragazzo allungò la mano sinistra, tastando la protuberanza dura nelle carni ardenti di Daniel. Si mosse sotto le sue dita, e lui la sentì raschiare leggermente contro l'osso della scapola.

Il dolore ridestò Daniel, che si dibatté per liberarsi dalle catene, gridando: «Gesù, aiutami. Ho peccato contro Dio e contro l'uomo. Il demonio viene a prendermi. È scuro. Tutto diventa buio».

«Tienilo fermo, Aboli», sussurrò Hal. «Tienilo fermo.»

Aboli serrò Daniel fra le braccia, simili alle spire di un grosso pitone nero. «Avanti», lo incoraggiò. «Fa' alla svelta.»

Hal si protese verso Daniel, avvicinandosi per quanto gli

consentivano le catene, col viso a un palmo dal dorso dell'altro. Ora poteva vedere la protuberanza con maggiore chiarezza: in quel punto la pelle era così tesa da apparire lucente e purpurea come la buccia di una prugna troppo matura. Hal pose le dita della mano sinistra ai lati del gonfiore, tendendo ancor più la pelle, poi trasse un respiro profondo, posando la punta del bisturi contro la protuberanza. Si fece forza, contando in silenzio fino a tre, quindi premette con la forza di un braccio addestrato all'arte della scherma. Sentì la lama penetrare a fondo nel dorso di Daniel, e poi urtare qualcosa di duro e non cedevole, metallo su metallo.

Daniel urlò, prima di accasciarsi fra le braccia di Aboli. Dall'incisione del bisturi, scaturì uno spruzzo di pus viola e giallo. Caldo e denso come colla da falegname, finì sulla bocca di Hal, imbrattandogli il mento. L'odore era ancora peggiore di tutti gli altri che aleggiavano nel ponte degli schiavi, e il ragazzo si sentì salire in gola un fiotto di bile calda. Ricacciò indietro il vomito, asciugandosi il viso dal pus con il dorso del braccio, prima di riuscire a guardare di nuovo la ferita, con cautela.

Ne usciva ancora del pus nero e gorgogliante, ma vide un oggetto estraneo emergere dal taglio appena eseguito. Vi scavò dentro con la punta del bisturi, e liberò una pallottola di materiale scuro e fibroso, in cui alcuni frammenti ossei della scapola fratturata erano mescolati a sangue coagulato e pus.

«È un lembo della giubba di Daniel», mormorò stupito. «Il proiettile deve averlo fatto penetrare nella ferita.»

«Hai trovato il proiettile?» domandò Sir Francis.

«No, dev'essere ancora dentro.»

Sondò la ferita più a fondo. «Sì, eccolo qui.»

«Riesci a estrarlo?»

Per alcuni minuti Hal lavorò in silenzio, ringraziando il cielo che Daniel avesse perso i sensi e non soffrisse durante quella rude esplorazione. Il fiotto di pus diminuì e dalla ferita scura cominciò a sgorgare sangue pulito.

«Non posso arrivarci con il coltello. Non fa che sgusciare via.» Messo da parte il bisturi, affondò le dita nella carne viva e rovente di Daniel. Con il respiro arrochito dall'orrore, lavorò sempre più a fondo, finché non riuscì a inserire la punta del dito dietro il pezzo di piombo.

«Eccolo!» esclamò di colpo, mentre il proiettile di moschetto schizzava fuori della ferita, cadendo sulle tavole di legno con un tonfo; era deformato dall'urto violento contro l'osso e nel piombo tenero si notava una chiazza lucente. Lo fissò con immenso sollievo, poi ritirò il dito dalla ferita, seguito da un altro fiotto di pus e materiale estraneo. «Ecco lo stoppaccio del moschetto.» Fu assalito da un conato di vomito. «Penso che ora sia venuto fuori tutto.» Si guardò le mani imbrattate, e il lezzo disgustoso che emanavano lo colpì come un pugno in faccia.

Rimasero tutti in silenzio per qualche minuto, poi Sir Francis mormorò: «Ben fatto, Hal!»

«Penso che sia morto», ribatté lui, con un filo di voce.

Aboli allentò la stretta intorno a Daniel, poi abbassò la mano per tastare il suo torace nudo. «No, è vivo. Gli sento il cuore. E ora, Gundwane, devi ripulirgli la ferita.»

Unendo le forze, spostarono il corpo inerte di Daniel fino al limite consentito dalle catene e Hal s'inginocchiò per metà sopra di lui, aprendo le brache ormai sudicie. Disidratato dalla limitata razione d'acqua, si sforzò di indirizzare sulla ferita un debole fiotto di urina, che fu sufficiente comunque per eliminare gli ultimi residui dello stoppaccio e dell'infezione. Hal si servì delle ultime gocce per ripulirsi almeno in parte le mani dal sudiciume, poi ricadde all'indietro, sfinito dallo sforzo.

«Ti sei comportato da uomo, Gundwane», disse Aboli, offrendogli la fascia rossa per la testa, annerita e irrigidita dal sangue secco e dal pus. «Usa questa per stagnare la ferita. Non abbiamo altro.»

Mentre Hal bendava la ferita, Daniel rimase inerte come un cadavere, senza più gemere né tendere le catene.

Tre giorni dopo, mentre Hal si chinava su di lui per fargli bere l'acqua, di colpo Daniel tese la mano, scostò la testa e gli prese il boccale dalle mani, vuotandolo in tre lunghe sorsate. Poi emise un rutto poderoso e disse, con voce flebile ma chiara: «Perdio, che buona. Ne berrei volentieri un altro goccio».

Hal ne fu così sollevato che gli porse la propria razione. Il giorno dopo, Daniel fu in grado di mettersi a sedere, almeno per quanto glielo consentivano le catene.

«La tua operazione chirurgica avrebbe ucciso una dozzina di esseri umani qualsiasi», mormorò Sir Francis rivolto a Hal, mentre osservava stupito la rapida ripresa di Big Daniel. «Invece per Daniel Fisher è stata un toccasana.»

Al nono giorno di viaggio, Sam Bowles aprì il boccaporto annunciando in tono allegro: «Buone notizie per voi, signori. Il vento ci ha menati per il naso nelle ultime cinquanta leghe. Sua signoria calcola che ci vorranno ancora cinque giorni per doppiare il capo, quindi la vostra crociera di piacere durerà un po' più del previsto».

Pochi avevano forza o interesse sufficienti per angustiarsi a quella terribile notizia, mentre tutti allungarono le mani freneticamente verso il boccale di peltro pieno d'acqua. Appena completata la cerimonia quotidiana della distribuzione dell'acqua, però, Sam Bowles modificò la routine. Invece di richiudere il boccaporto fino al giorno dopo, si affacciò all'interno per gridare: «Comandante Courteney, vi porgo i complimenti di sua signoria. Se non avete altri impegni, vi sarebbe obbligato se voleste cenare con lui». Scese sul ponte degli schiavi e, con l'aiuto di due compagni, aprì le manette che cingevano i polsi e le caviglie di Sir Francis, staccandole dagli anelli infissi nella paratia.

Anche quando fu libero, ci volle l'aiuto di tutti e tre gli uomini per rimettere in piedi Sir Francis. Era così debole e anchilosato che vacillò, barcollando come un ubriaco, mentre lo aiutavano nella penosa ascesa attraverso il portello. «Vi chiedo scusa, comandante Courteney», disse Sam ridendogli in faccia, «ma non profumate davvero come un'aiuola di rose, questo è certo. Ho sentito cessi e porcili molto più profumati di voi, ve lo assicuro, Franky bello.»

Lo trascinarono fino in coperta, spogliando il suo corpo smagrito degli stracci puzzolenti che indossava. Poi quattro marinai si misero al lavoro alla pompa in coperta, mentre Sam puntava su di lui il getto della manichetta di tela. Da qualche tempo la *Gull* aveva incontrato la parte finale della corrente fredda del Bengala, che investe la costa occidentale del continente africano. Il getto di acqua marina ghiacciata che sgorgava dalla manichetta per poco non fece perdere l'equilibrio a Sir Francis, che dovette aggrapparsi alle sartie per reggersi in piedi. Rabbrividendo e tossendo quando Sam gli puntò il getto d'acqua in piena faccia, riuscì comunque a togliersi di dosso la maggior parte del sudiciume di cui erano incrostati i capelli e il corpo, senza badare al fatto che Katinka van de Velde, appoggiata alla battagliola del cassero, esaminava la sua nudità senza il minimo pudore.

Solo quando la manichetta cessò di sprizzare acqua e lo lasciarono in piedi al vento ad asciugarsi, Sir Francis ebbe la possibilità di guardarsi attorno per valutare la posizione e lo stato della *Gull*. Sebbene avesse il corpo emaciato livido di freddo, si sentiva ristorato e rinvigorito dalla doccia. Batteva i denti e tutto il suo corpo rabbrividiva per gli spasmi involontari di freddo mentre guardava fuori bordo, con le braccia incrociate sul petto per tentare di scaldarsi. Il continente africano si trovava a nord, a una decina di leghe di distanza, e lui riconobbe le pareti di roccia e gli scogli del promontorio che sorvegliava l'ingresso alla baia Falsa, la difficile punta che avrebbero dovuto doppiare prima di poter entrare nella baia della Tavola, sul lato opposto della penisola.

Il vento era quasi del tutto calato, e la superficie del mare era liscia come olio, increspata appena da lunghe ondulazioni lente, simili al respiro di un mostro addormentato. Sam Bowles diceva la verità: se non si fosse levato il vento, ci sarebbero voluti ancora parecchi giorni per doppiare il capo e gettare l'ancora nella baia della Tavola. Si domandò quanti altri dei suoi uomini avrebbero fatto la fine di Timothy, prima di essere liberati dalla prigionia nel ponte degli schiavi.

Sam Bowles gettò sul ponte, ai suoi piedi, alcuni capi di vestiario logori ma puliti. «Sua signoria vi attende. Non fatelo aspettare.»

«Franky!» Cumbrae si alzò in piedi per salutarlo, quando lui chinò la testa per entrare nella cabina di poppa della *Gull*. «Mi fa piacere constatare che, a quanto sembra, non avete risentito del breve soggiorno nel ponte inferiore.» Prima che Sir Francis potesse evitarlo, lo strinse in un abbraccio caloroso. «Devo porgervi le mie più sentite scuse per il trattamento che avete ricevuto, ma sono stati il governatore olandese e sua moglie a insistere. Io non avrei mai trattato in modo così spregevole un cavaliere mio confratello.»

Mentre parlava, l'Avvoltoio fece scorrere rapidamente le grosse mani lungo il corpo di Sir Francis, alla ricerca di un coltello o di qualche altra arma nascosta, poi lo spinse verso la sedia più grande e comoda che ci fosse nella cabina.

«Un bicchiere di vino, mio caro vecchio amico?» Glielo riempì con le sue mani, poi fece segno al servitore di mettere davanti a Sir Francis una scodella di stufato. Pur avendo l'acquolina in bocca nel sentire l'aroma del primo pasto caldo che gli fosse stato offerto da quasi due settimane, Sir Francis non accennò neppure a toccare il bicchiere o il cucchiaio posto accanto alla scodella di stufato.

Cumbrae notò il suo rifiuto ma non insistette, limitandosi a inarcare un sopracciglio cespuglioso; preso a sua volta il cucchiaio, inghiottì un boccone dal proprio piatto. Dopo aver masticato con l'accompagnamento di tutti i suoni che potevano esprimere appetito e approvazione, annaffiò il boccone con una generosa sorsata di vino e si deterse i baffi rossi con il dorso della mano. «No, Franky, se fosse stato per me non vi avrei mai trattato in modo così deplorevole. Voi e io abbiamo avuto delle divergenze in passato, ma è sempre stato nello spirito di una competizione sportiva e leale, non è vero?»

«E sarebbe sportivo sparare senza preavviso una bordata contro il mio accampamento?»

«Ora non perdiamo tempo in sterili recriminazioni.» L'Avvoltoio liquidò l'osservazione con un gesto spazientito. «Questo non sarebbe stato necessario, se solo aveste accettato di spartire con me il bottino del galeone. Quello che intendo dire veramente è che voi e io ci comprendiamo. In fondo al cuore siamo fratelli.»

«Credo di capire.» Sir Francis annuì.

«Allora saprete che ciò che addolora voi addolora ancora di più me. Ho sofferto con voi per ogni minuto della vostra prigionia.»

«Detesto vedervi soffrire, milord, quindi perché non liberate me e i miei uomini?»

«Questa era la mia fervida intenzione e il mio desiderio, ve lo assicuro. Tuttavia sussiste un piccolo impedimento che mi vieta di farlo. Ho bisogno di un segnale da parte vostra che i miei calorosi sentimenti verso di voi sono ricambiati. Mi ferisce ancora profondamente il fatto che non abbiate voluto dividere con me, un vecchio amico, ciò che era mio di diritto secondo i termini del nostro accordo.»

«Sono certo che gli olandesi vi hanno assegnato la quota mancante. Anzi, vi ho visto con i miei occhi caricare a bordo di questa nave una parte delle spezie, che mi è sembrata piuttosto generosa. Mi domando che cosa penserà il grand'ammiraglio d'Inghilterra di queste transazioni con il nemico.»

«Qualche misero barile di spezie che non vale neppure la pena di nominare.» Cumbrae sorrise. «Ma non c'è niente che riesca a stimolare i miei istinti fraterni quanto l'oro e l'argento.

Suvvia, Franky, abbiamo sprecato abbastanza tempo in scambi di convenevoli. Voi e io sappiamo che avete nascosto la metà dei lingotti trafugati dal galeone in qualche nascondiglio vicino all'accampamento nella laguna dell'Elefante. So che la troverò, cercando abbastanza a lungo, ma a quel punto voi sarete morto, ucciso con grande spargimento di sangue dal boia del capo di Buona Speranza. »

Sir Francis sorrise, scuotendo la testa. « Non ho nascosto alcun tesoro. Cercate pure, se volete, ma non troverete niente. »

« Pensateci bene, Franky. Sapete che cosa hanno fatto gli olandesi ai mercanti inglesi catturati sull'isola di Bali? Li hanno crocifissi, bruciando loro mani e piedi con torce incendiarie allo zolfo. Voglio risparmiarvi questa sorte. »

« Se non avete altri argomenti da discutere, vorrei tornare dal mio equipaggio. » Sir Francis si alzò in piedi, più saldo sulle gambe.

« Seduto! » scattò l'Avvoltoio. « Ditemi dove avete nascosto il tesoro, amico, e io sbarcherò voi e i vostri uomini illesi, lo giuro sul mio onore. »

Cumbrae continuò a blandirlo e strapazzarlo ancora per un'ora. Alla fine si arrese con un sospiro. « Siete un osso duro, Franky. Vi dirò cosa posso fare per voi. Non lo farei per nessun altro, ma a voi voglio bene come a un fratello. Se mi riporterete indietro e mi guiderete fino al tesoro, lo dividerò con voi. Metà per uno, senza possibilità di equivoci. Non potrei essere più equo di così, non vi pare? »

Sir Francis accolse anche quella proposta con un sorriso calmo e distaccato, e Cumbrae non riuscì più a mascherare la collera, battendo sul tavolo il palmo della mano con tanta violenza da rovesciare i bicchieri e schizzare il vino per tutta la cabina, prima di chiamare a gran voce Sam Bowles. « Portate via questo bastardo arrogante, e incatenatelo di nuovo. » Mentre Sir Francis lasciava la cabina, gli gridò dietro: « Scoprirò dove l'avete nascosto, Franky, lo giuro. Ne so più di quanto credete. Appena vi avrò visto impiccato al forte del capo di Buona Speranza, tornerò nella laguna, e non me ne andrò finché non l'avrò trovato ».

Un altro dei marinai di Sir Francis morì in ceppi prima che la nave gettasse l'ancora al largo della baia della Tavola. Gli altri erano così deboli e anchilosati che furono costretti a strisciare come animali su per la scaletta fino al ponte superiore. Rimasero lì rannicchiati, con i vestiti laceri incrostati dei loro escrementi, a guardarsi attorno, battendo le palpebre e tentando di riparare gli occhi dalla luce accecante del mattino.

Hal non era mai sceso a terra tanto vicino al capo di Buona Speranza, perché nel viaggio di andata, al principio della guerra, si erano tenuti a distanza, osservando la baia da lontano. In ogni caso quella breve occhiata non lo aveva preparato allo splendore di quel paesaggio, dove l'azzurro oltremare dell'Atlantico, screziato di spuma bianca sollevata dal vento, si abbatteva su spiagge così abbacinanti da far dolere i suoi occhi indeboliti dall'oscurità.

La leggendaria montagna dalla cima piatta dava l'impressione di occupare gran parte dell'azzurro cielo africano: una grande parete di roccia gialla solcata da profonde gole fitte di densa foresta verde. La cima della montagna era così perfettamente orizzontale, e le sue proporzioni così belle a vedersi, che sembrava disegnata da un architetto celeste. In cima a quell'immensa tavolato si gonfiava ininterrottamente un'onda di nubi luminescenti, spumose come il latte bollente che trabocca da un bricco. Quella cascata argentea non raggiungeva mai le pendici inferiori della montagna, ma ricadeva evaporando a mezz'aria con una repentinità magica, lasciando la parte inferiore del pendio ricoperta di uno splendido manto di lussureggiante foresta naturale. La grandiosità del paesaggio rendeva insignificanti e privi di importanza gli edifici che si estendevano lungo la riva, come una fastidiosa eruzione cutanea al di sopra della spiaggia candida, da cui una flottiglia di piccole barche salpò per venire incontro alla *Gull* non appena ebbe calato l'ancora.

Il governatore van de Velde si rifiutò di scendere dalla scaletta, e si dovette issarlo al di sopra del ponte e trasportarlo fuori bordo con una teleferica, mentre lanciava per tutto il tempo nervose istruzioni agli uomini alle funi: «Attenti, ora, goffi bestioni! Lasciatemi cadere e vi farò scuoiare vivi».

Fu calato poi nella scialuppa a fianco della murata della *Gull*, dove lo attendeva già sua moglie, il cui trasbordo, compiuto con l'assistenza dal colonnello Cornelius Schreuder, era stato notevolmente più aggraziato.

Furono condotti a riva a forza di remi; poi cinque schiavi robusti sollevarono di peso il nuovo governatore dalla barca, sballottata dal riflusso spumeggiante che lambiva la battigia, e lo depositarono sulla sabbia.

Nell'istante in cui i piedi del governatore van de Velde toccarono il suolo africano risuonò il primo colpo di cannone di una salva di benvenuto che ne contava ben quattordici. Un lungo pennacchio di fumo argenteo si levò dalla cannoniera in cima alla ridotta meridionale, e l'eco poderosa della cannonata scosse a tal punto il nuovo rappresentante della Compagnia da fargli spiccare un salto in aria di almeno un palmo, col rischio di perdere il cappello piumato, lasciandolo alla mercé degli alisei.

Il governatore Kleinhans, felicissimo di apprendere che il suo successore in carica era finalmente arrivato, si fece avanti sul lido per accoglierlo. Il comandante della guarnigione, altrettanto ansioso di passare le consegne al colonnello Schreuder per scuotersi dagli stivali la tenace polvere africana, era ritto sui bastioni della fortezza, con il cannocchiale puntato sui funzionari in arrivo.

La carrozza di gala, trainata da sei splendidi grigi, era in attesa poco più in alto della spiaggia. Il governatore Kleinhans scese per salutare i nuovi arrivati, tenendo ben saldo il cappello per salvarlo dal vento. Una guardia d'onore della guarnigione era schierata intorno alla carrozza. Lungo il fronte del porto erano schierate alcune centinaia di uomini, donne e bambini: tutti i residenti della colonia che erano in grado di camminare o di strisciare erano accorsi per dare il benvenuto al governatore van de Velde mentre risaliva a fatica il pendio sabbioso della spiaggia.

Quando infine raggiunse un terreno solido ed ebbe ritrovato il fiato e la dignità, accolse il saluto del governatore Kleinhans. Si strinsero la mano fra le urla di giubilo e gli applausi degli ufficiali della Compagnia, dei borghesi e degli schiavi riuniti ad assistere. La scorta militare eseguì il presentat'arm e la banda si lanciò in una vivace aria patriottica, che si concluse con un fragore di piatti e un rullo di tamburi. I due governatori si abbracciarono con un gesto spontaneo, Kleinhans per la felicità di tornare finalmente ad Amsterdam, e van de Velde per l'esultanza di essere sfuggito alla morte minacciata dalla tempesta e dai pirati e di sentire di nuovo sotto i piedi il suolo olandese.

Mentre Sam Bowles e i suoi uomini liberavano dalle catene i cadaveri, gettandoli in mare, Hal si accovacciò in mezzo alla schiera di prigionieri, osservando da lontano Katinka che saliva in carrozza, sorretta da un lato dal governatore Kleinhans e dall'altro dal colonnello Schreuder.

Si sentiva straziare il cuore dall'amore per lei, e sussurrò rivolto a Daniel e Aboli: «Non è la donna più bella del mondo? Sfrutterà la sua influenza a nostro favore. Ora che suo marito ha i pieni poteri, lo persuaderà a trattarci con giustizia». Nessuno dei due giganti rispose, ma si scambiarono un'occhiata; Daniel sorrise, scoprendo i denti spezzati, e Aboli roteò gli occhi.

Una volta sistemata Katinka sui sedili di cuoio, anche il marito fu sospinto a bordo, mentre la carrozza oscillava e rollava sotto il suo peso. Non appena fu saldamente installato accanto alla moglie, la banda attaccò una marcetta vivace: subito i soldati della scorta presero in spalla i moschetti mettendosi in marcia e offrendo uno spettacolo entusiasmante, con le loro bandoliere bianche e le giubbe verdi. Il corteo dilagò sulla spianata riservata alle esercitazioni e alle parate, dirigendosi verso il forte con la folla che precedeva di corsa la carrozza e si schierava ai lati del percorso.

«Addio, signori. È stato un piacere e un privilegio avervi a bordo.» L'Avvoltoio si sfiorò la tesa del berretto in un saluto ironico, mentre Sir Francis attraversava il ponte trascinando a fatica le catene e guidando la fila dei suoi uomini giù per la scaletta sino alla barca ormeggiata di fianco alla nave. Un così gran numero di uomini in ceppi era un carico pesante per la scialuppa, con quel mare. Quando si staccarono dalla murata della *Gull*, lo scafo emergeva di poche dita appena sopra la linea di galleggiamento.

Avvicinandosi alla spiaggia, i rematori si sforzarono di procedere in poppa tra i frangenti spumeggianti, ma un'ondata più alta sollevò la barca, che perse l'assetto; straorzando e accostando bruscamente, si capovolse in un punto dove il fondale era profondo quattro piedi. Equipaggio e passeggeri furono scaraventati nell'acqua ribollente di spuma, e la scialuppa fu risucchiata dalla risacca.

Tossendo e sputando acqua di mare, i prigionieri riuscirono a sottrarsi alla risacca sostenendosi a vicenda con le catene. Miracolosamente, nessuno era annegato, ma lo sforzo aveva prosciugato le loro ultime energie. Quando le guardie della fortezza li rimisero in piedi, costringendoli a risalire la spiaggia a suon di colpi col calcio del moschetto e imprecazioni, grondavano acqua ed erano coperti di sabbia bianca.

Dopo aver accompagnato la carrozza di gala oltre il cancello del forte, la folla tornò verso la battigia per svagarsi un po' con lo spettacolo di quei disgraziati, che osservava come se fossero bestie al mercato, ridendo senza freni e facendo osservazioni salaci.

« A me sembrano più zingari e mendicanti che pirati inglesi. »

« Così almeno risparmierò i miei *gulden*. Non farò offerte quando saliranno sul palco all'asta degli schiavi. »

« I pirati non si vendono all'asta, si bruciano sul rogo. »

« Non mi sembrano granché, ma almeno ci offriranno un po' di svago. È dai tempi della rivolta degli schiavi che non si vede più un'esecuzione coi fiocchi. »

« Laggiù c'è Stadige Jan, è venuto a vederli. Scommetto che ha qualche lezioncina da insegnare a questi corsari. »

Volgendo la testa nella direzione indicata da chi parlava, Hal vide un borghese alto, vestito di abiti scuri dal taglio severo, con un cappello da puritano, che sovrastava la folla di una spanna. Ricambiò lo sguardo di Hal con i pallidi occhi gialli, privi di espressione.

« Che ne pensate di queste bellezze, Stadige Jan? Riuscirete a far loro cantare una bella canzoncina per noi? »

Hal avvertì il senso di repulsione e di attrazione che quell'uomo esercitava sugli astanti. Nessuno gli stava troppo vicino, e lo guardavano in modo tale che il ragazzo capì d'istinto che quello era il boia nei confronti del quale erano stati messi in guardia. Fissando quegli occhi gelidi, si sentì accapponare la pelle.

« Per quale motivo pensi che lo chiamino 'Jan il Lento'? » chiese sottovoce ad Aboli.

« Auguriamoci di non doverlo scoprire mai », replicò Aboli, mentre passavano davanti a quella figura alta e cadaverica.

Bambini bianchi e neri danzavano accanto alla colonna di uomini in catene, deridendoli e bersagliandoli di ciottoli e sudiciume presi dalle fogne a cielo aperto che portavano fino al mare i liquami dalla città. Incoraggiati da quell'esempio, un branco di cani randagi cominciarono ad azzannarli alle gambe. Gli adulti che erano tra la folla, vestiti con gli abiti migliori per un'occasione così rara, ridevano delle beffe dei bambini, mentre alcune donne si portavano al naso dei sacchetti di erbe, annusando la fila di prigionieri malconci e rabbrividendo, inorridite e affascinate.

«Oh, che creature orribili!»

«Guarda che facce crudeli e selvagge.»

«Ho sentito dire che quei negri si nutrono di carne umana.»

Aboli fece una smorfia, roteando gli occhi verso di loro. I tatuaggi sulle guance risaltavano fieri, e i grossi denti bianchi erano scoperti in un ghigno pauroso. Al suo passaggio, le donne lanciavano strilli acuti di terrore deliziato, mentre le figliolette nascondevano il viso fra le gonne delle madri.

Nelle ultime file della folla, tenendosi alla larga dai più abbienti, senza partecipare al passatempo di stuzzicare i prigionieri, c'erano uomini e donne che Hal intuì essere gli schiavi domestici dei cittadini. Di colore variabile dal nero antracite dell'Africa all'ambra dorata dell'Oriente, vestivano con semplicità, con i vestiti smessi dei proprietari, anche se alcune delle donne più graziose indossavano vesti sgargianti che le facevano riconoscere come i trastulli dei loro padroni.

Guardavano in silenzio i marinai trascinati per la strada in mezzo al clangore delle catene, e fra loro non si sentivano risate. Anzi, Hal intuiva una certa simpatia dietro quelle espressioni chiuse e impassibili, perché erano prigionieri anche loro. Poco prima che superassero il cancello del forte, Hal notò una ragazza in particolare, in fondo alla folla. Si era arrampicata su un mucchio di blocchi da costruzione per vedere meglio, ed era più in alto delle file di spettatori che li separavano. Non fu quello, comunque, il solo motivo per cui Hal la notò.

Era più bella di qualunque altra donna avesse mai visto. Un fiore di ragazza, con i folti capelli neri e lucenti e occhi scuri che sembravano troppo grandi per l'ovale delicato del suo viso. Per un attimo i loro occhi si incontrarono al di sopra delle teste della folla, e Hal ebbe l'impressione che cercasse di trasmettergli un messaggio che lui non riusciva ad afferrare. Sapeva soltanto che provava compassione per lui, e che condivideva le sue sofferenze; poi la perse di vista mentre venivano sospinti oltre il cancello nel cortile del forte.

L'immagine di quella ragazza gli tenne compagnia nei giorni spaventosi che seguirono, cominciando pian piano a cancellare il ricordo di Katinka; talvolta, di notte, tornò a dargli la forza di cui aveva bisogno per resistere. Sentiva che, se là fuori, oltre le desolate mura di pietra, c'era almeno una persona dotata di una tale capacità di amore e tenerezza da curarsi delle sue condizioni abiette, valeva la pena di lottare per continuare a vivere.

Nel cortile del forte, un armiere li liberò dai ceppi. All'operazione assisteva una corvé a terra, comandata da Sam Bowles, incaricata di ritirare le catene dismesse e di riportarle a bordo della *Gull*. « Mi mancherete tutti, miei cari compagni. » Sam sogghignò. « I ponti inferiori della *Gull* saranno deserti e solitari senza le vostre facce sorridenti e la vostra allegria. » Rivolse loro un saluto dal cancello mentre guidava la corvé all'esterno. « Spero che vi trattino bene come ha fatto il vostro buon amico Sam Bowles. Ma non temete, quando darete la vostra ultima rappresentazione sarò ad assistere sul campo di parata. »

Quando Sam si fu allontanato, Hal si guardò attorno nel cortile. Osservò che la fortezza era stata concepita in modo ambizioso. Nel corso dei suoi studi, il padre gli aveva fatto apprendere anche l'arte della fortificazione, per cui riconobbe il classico schema difensivo delle mura di pietra protette da ridotte. Si rese conto che quelle fortificazioni, una volta completate, avrebbero richiesto un esercito munito di una completa attrezzatura da assedio per indurle alla resa.

Comunque il lavoro era tutt'altro che finito, e dalla parte di terra il forte, o meglio *de kasteel*, il castello, come lo chiamavano i loro nuovi carcerieri, non presentava altro che fondamenta ancora allo scoperto, sulle quali un giorno sarebbero state innalzate imponenti mura di pietra. Era chiaro che si stavano affrettando i lavori, e quasi certamente erano state le due recenti guerre anglo-olandesi a imprimere quello slancio alla costruzione. Tanto Lord Cromwell, Lord Protettore del Commonwealth di Inghilterra, Scozia e Galles, durante l'interregno, quanto re Carlo, figlio dell'uomo da lui decapitato, avrebbero potuto rivendicare una parte di credito per la frenetica attività che si notava attorno a loro. Avevano rammentato con energia agli olandesi la vulnerabilità delle colonie, così lontane dalla madrepatria. Le mura incomplete erano circondate da centinaia di operai, e il cortile nel quale si trovavano era ingombro di legname da costruzione e blocchi di pietra squadrati, cavati dalla montagna che incombeva su di loro.

Essendo pericolosi, furono tenuti separati dai loro compagni di prigionia. Dal cortile li condussero in basso, lungo una breve scala a chiocciola incassata sotto la parete meridionale del forte. I blocchi di pietra che formavano il pavimento, il soffitto a volta e le pareti scintillavano di umidità che trasudava dal suolo circostante, imbevuto d'acqua. Persino in quella serena giornata d'autunno la temperatura in quell'ambiente inospitale metteva i brividi addosso.

Ai piedi della prima rampa di scale, Sir Francis Courteney fu isolato dai carcerieri e spinto in una piccola cella, appena sufficiente a contenere un uomo. Faceva parte di una mezza dozzina di celle identiche, con la porta in legno massiccio tempestato di borchie di ferro e il minuscolo spioncino incassato nel battente chiuso da uno sportello, in modo che i prigionieri non potessero vedere i loro compagni. «Un alloggio speciale per voi, Sir Pirata», disse il corpulento carceriere olandese, facendo sbattere la porta alle spalle di Sir Francis e chiudendo la serratura con un'enorme chiave di ferro scelta dal mazzo che teneva appeso alla cintura. «Vi abbiamo messo nella Fossa della Morte, con tutti i veri criminali, assassini, ribelli e rapinatori. Qui vi sentirete come a casa vostra, ne sono sicuro.»

Gli altri prigionieri furono relegati nel livello inferiore delle segrete. Il sergente aprì la grata in fondo alla galleria e furono sospinti in una cella lunga e stretta. Una volta chiusa a chiave l'inferriata dietro di loro, rimase uno spazio appena sufficiente per consentire a tutti di stendersi sullo strato sottile di paglia umida che copriva il pavimento di pietra. In un angolo c'era un solo secchio che fungeva da latrina per tutti, ma gli uomini levarono un sommesso mormorio di piacere alla vista della grande cisterna d'acqua accanto alla grata. Se non altro questo significava che l'acqua non era più razionata come a bordo della nave.

C'erano quattro finestrelle incassate alla sommità di una parete e, una volta ispezionato l'ambiente, Hal alzò lo sguardo in quella direzione. Aboli se lo issò sulle spalle, consentendogli di raggiungere una di quelle strette aperture: era chiusa da sbarre massicce, come tutte le altre. Hal tentò di scuotere la grata con le mani nude, ma era salda come la roccia, e fu costretto a cancellare dalla mente qualunque folle idea di fuga da quella parte.

Aggrappandosi alle sbarre, riuscì a issarsi per sbirciare dall'apertura. Scoprì che i suoi occhi erano appena un piede sopra il livello del suolo, e di lì poteva vedere una parte de' cortile interno del castello. Poteva vedere anche il cancello d'ingresso e il portone imponente di quella che doveva essere la sede della

Compagnia, con l'ufficio del governatore. Da una parte, oltre il varco dove non erano state ancora innalzate le mura, scorse una sezione delle pareti rocciose della montagna dalla cima piatta, e ancora più in alto il cielo, uno stormo di gabbiani bianchi che volava nell'azzurro limpido, senza una nube.

Hal si calò a terra, attraversando la folla di marinai e scavalcando i corpi dei sofferenti e dei feriti. Quando raggiunse l'inferriata, alzò la testa in direzione della scala, senza riuscire a vedere la porta della cella del padre.

« Padre! » gridò incerto, aspettandosi il rimprovero di un carceriere. Non ottenendo risposta, alzò la voce ripetendo il richiamo.

« Ti sento, Hal », rispose Sir Francis.

« Avete ordini per noi, padre? »

« Immagino che ci lasceranno in pace per un paio di giorni, almeno finché non avranno nominato un tribunale. Dovremo aspettare. Raccomanda agli uomini di tenere alto il morale. »

A quelle parole intervenne una voce estranea, che parlava inglese con un accento insolito. « Siete voi i pirati di cui abbiamo sentito tanto parlare? »

« Siamo onesti marinai, accusati ingiustamente », gridò di rimando Sir Francis. « Chi siete voi, e cosa fate? »

« Sono il vostro vicino nella Fossa della Morte, due celle più avanti, e sono condannato a morte, come voi. »

« Noi non siamo stati ancora condannati », protestò Sir Francis.

« È solo questione di tempo. Sento dire dai carcerieri che lo sarete presto. »

« Come ti chiami? » chiese Hal, intervenendo nel dialogo. In realtà non provava alcun interesse per lo sconosciuto, ma quella conversazione serviva a passare il tempo e a distrarli dalla loro situazione. « Quale delitto hai commesso? »

« Mi chiamo Althuda, e il mio unico delitto è stato tentare di ottenere la libertà e di liberare altri uomini. »

« Allora siamo fratelli, Althuda, tu e io e tutti gli uomini rinchiusi qui. Tutti noi aspiriamo alla libertà. »

Si levò un coro sparso di assenso, e quando tacquero Althuda riprese a parlare. « Ho guidato una rivolta di schiavi della Compagnia. Alcuni sono stati catturati, e Stadige Jan li ha bruciati vivi, ma per la maggior parte abbiamo trovato scampo sulle montagne. Molte volte ci hanno sguinzagliato dietro i soldati, ma abbiamo combattuto, siamo riusciti a respingerli e non ci hanno ridotti in schiavitù.» Era una voce giovane, piena di fierezza e di forza, e prima ancora di vederlo Hal si sentì attratto da questo Althuda.

«Allora, se siete fuggiti, come mai ti ritrovi qui nella Fossa della Morte?» volle sapere uno dei marinai inglesi. Ora ascoltavano tutti, perché la storia di Althuda aveva commosso anche il più incallito fra loro.

«Sono tornato indietro per salvare una persona, un altro schiavo che era rimasto qui», spiegò Althuda. «Ma appena tornato nella colonia sono stato riconosciuto e tradito.»

Rimasero a lungo in silenzio.

«Una donna?» chiese una voce. «Sei tornato per una donna?»

«Sì, una donna.»

«C'è sempre una Eva, nel cuore dell'Eden, che ci tenta, inducendoci alla follia», esclamò uno di loro, e tutti risero.

Poi un altro domandò: «Era la tua bella?»

«No», rispose Althuda, «sono tornato a prendere la mia sorellina.»

Al banchetto organizzato dal governatore Kleinhans per dare il benvenuto al suo successore parteciparono trenta invitati. Intorno al lungo tavolo erano seduti tutti gli uomini più importanti dell'amministrazione della colonia, insieme con le mogli.

Dal posto d'onore che occupava, Petrus van de Velde fissava in ansiosa attesa il tavolo in legno di rosa, sopra il quale erano sospesi massicci lampadari, ciascuno dei quali con cinquanta candele profumate che illuminavano a giorno il salone, mandando barbagli lucenti sull'argenteria e sui bicchieri di cristallo.

Ormai da mesi, sin da quando era salpato dalla costa di Trincomalee, van de Velde era stato costretto ad accontentarsi della sbobba cucinata nella cambusa del galeone, e poi del rozzo vitto che gli avevano fornito i pirati inglesi. Ora gli brillavano gli occhi e aveva l'acquolina in bocca, contemplando le prelibatezze culinarie esposte sotto i suoi occhi. Allungando la mano verso il bicchiere alto che aveva davanti, bevve un sorso del raro vino della Champagne, che gli solleticò il palato con le minuscole bollicine effervescenti, stimolando il suo appetito già insaziabile.

Trovava molto soddisfacente la carica che gli era stata conferita, e della quale doveva ringraziare i contatti della moglie con il consiglio dei Diciassette. In quel luogo, sulla punta meridionale dell'Africa, passava una processione ininterrotta di navi che viaggiavano in entrambe le direzioni, portando i generi di lusso dell'Europa e dell'Oriente nella baia della Tavola. Non mancava niente.

Maledisse in silenzio Kleinhans per il suo verboso discorso di benvenuto, di cui non sentì quasi niente.

Tutta la sua attenzione era rivolta alla parata di vassoi e piatti da portata d'argento disposti di fronte a lui, uno dopo l'altro.

C'erano maialini di latte arrosto dalla crosta croccante di ciccioli dorati; sanguigni lombi di manzo circondati da bastioni fumanti di patate arrosto; montagne di teneri galletti, piccioni, anatre e oche grasse; cinque diverse varietà di pesce fresco dell'Atlantico, cucinati in altrettanti modi, fragranti di curry e spezie provenienti da Giava e Ceylon e dalle regioni interne dell'India; alte piramidi di quelle enormi aragoste color cremisi prive di chele che abbondavano nelle acque meridionali dell'oceano; un vasto assortimento di succulenti frutti e ortaggi provenienti dagli orti della Compagnia; e inoltre sorbetti, budini e ravioli dolci, torte, pasticcini, gelatine di frutta e tutte le dolci delizie che solo gli schiavi delle cucine sapevano preparare. Il tutto era coronato da un solido schieramento di formaggi arrivati dall'Olanda a bordo di navi della Compagnia, orci di aringhe del mare del Nord in salamoia e filetti di cinghiale selvatico e salmone affumicati.

In contrasto con tanta abbondanza, il servizio da portata era a disegni delicati, bianchi e blu. Dietro ogni sedia c'era uno schiavo domestico vestito con l'uniforme verde della Compagnia, pronto a cambiare piatti e bicchieri con le mani agili guantate di bianco. Possibile che quell'uomo non smettesse mai di parlare, lasciandoli liberi di dedicarsi al cibo? si domandò van de Velde, sorridendo e assentendo alle idiozie di Kleinhans.

Infine, con un inchino al governatore e uno molto più profondo a sua moglie, Kleinhans si lasciò cadere sulla sedia e tutti guardarono con aria di aspettativa van de Velde, che, dopo aver fissato una dopo l'altra quelle facce asinine, si alzò in piedi con un sospiro per rispondere. Basteranno due minuti, si ripromise, e dopo aver detto loro quello che si aspettavano di sentire, concluse in tono gioviale: «In conclusione, desidero solo augurare al governatore Kleinhans un tranquillo ritorno in patria, e un lungo e felice riposo».

Sedendosi, afferrò il cucchiaio con voracità. Per la prima volta i borghesi della colonia avevano il privilegio di vedere a tavola il nuovo governatore, e un silenzio stupito e rispettoso si diffuse fra i commensali quando videro il livello della sua terrina di minestra scendere come la bassa marea che defluisce dalle pianure melmose dello Zuider-Zee. Poi, rendendosi conto all'improvviso che, quando l'ospite d'onore finiva una portata si cambiava piatto per servire la successiva, si accinsero a uno sforzo frenetico per tenere il passo. Fra loro c'erano molte buone forchette, ma nessuna all'altezza del governatore, specie quando aveva un simile vantaggio iniziale.

Non appena il suo piatto di minestra fu vuoto, tutti i piatti da minestra furono tolti e sostituiti con uno pieno di spesse fette di porcellino di latte. Le prime due portate furono consumate in un silenzio quasi assoluto, interrotto solo da schiocchi e gorgoglii.

Alla terza portata Kleinhans si riscosse e, quale di padrone di casa, fece un tentativo per rianimare la conversazione, protendendosi in avanti per distogliere l'attenzione di van de Velde dal piatto. «Immagino che vorrete sbrigare prima di tutto la questione dei pirati inglesi», opinò e van de Velde assentì energicamente, avendo la bocca troppo piena di succulenta aragosta per rispondere.

«Avete già deciso in che modo procedere al processo e alla sentenza?» s'informò Kleinhans in tono lugubre. Van de Velde deglutì rumorosamente, prima di rispondere. «Saranno giustiziati, naturalmente, ma non prima che il loro comandante, il famigerato Francis Courteney, abbia rivelato il nascondiglio del carico della Compagnia che risulta scomparso. A questo scopo vorrei convocare subito un tribunale.»

Il colonnello Schreuder emise un garbato colpetto di tosse e van de Velde gli lanciò un'occhiata spazientita. «Sì? Volevate dire qualcosa? Fuori, allora!»

«Signore, oggi ho avuto l'opportunità di ispezionare i lavori alle fortificazioni del *kasteel*. Dio solo sa quando saremo di nuovo in guerra con l'Inghilterra, ma può darsi che accada molto presto. Gli inglesi sono ladri per natura e pirati per vocazione. È per questo motivo, signore, che i Diciassette di Amsterdam hanno assegnato la priorità assoluta al completamento delle fortificazioni. Questo è indicato in modo molto esplicito negli ordini che ho ricevuto e nella lettera di nomina al comando del *kasteel*. »

Tutti i commensali assunsero un'espressione grave e attenta nel sentir nominare i sacri Diciassette, come se fosse stato evocato il nome di una divinità. Schreuder lasciò che il silenzio si prolungasse per sottolineare la validità del suo argomento, poi aggiunse: « I lavori sono molto indietro, rispetto a quanto hanno decretato le loro eccellenze ».

Intervenne il maggiore Loten, comandante uscente della guarnigione. « È vero che i lavori sono alquanto indietro, ma esistono valide ragioni. » La costruzione era affidata soprattutto alla sua responsabilità, e il governatore van de Velde spostò lo sguardo su di lui, ficcandosi in bocca un'altra forchettata di aragosta. La salsa era davvero deliziosa, e lui sospirò di piacere al pensiero di altri cinque anni di pasti a quel livello. Prima della partenza, avrebbe senz'altro acquistato lo chef di Kleinhans. Atteggiò il viso a un'espressione più seria per ascoltare Loten che si giustificava, perorando la propria causa. « Sono stato ostacolato dalla scarsità di manodopera. Questa sfortunata rivolta di schiavi ci ha lasciati a corto di uomini », concluse in tono fiacco, mentre van de Velde si accigliava.

« È proprio questo il punto cui volevo arrivare », disse con tatto Schreuder. « Se siamo così a corto di uomini per esaudire le aspettative dei Diciassette, sarebbe saggio giustiziare ventiquattro pirati inglesi forti e in buone condizioni fisiche, anziché impiegarli nella costruzione? »

Tutti i presenti volsero lo sguardo verso van de Velde per valutare la sua reazione. Il nuovo governatore inghiottì un boccone, usando poi l'indice per rimuovere un frammento di aragosta rimasto incastrato fra i molari, prima di prendere la parola. « È impossibile risparmiare Courteney », disse infine, « sia pure per farlo lavorare alle fortificazioni. Secondo Lord Cumbrae, di cui rispetto l'opinione », aggiunse, chinando il capo all'indirizzo dell'Avvoltoio, « l'inglese sa dov'è nascosto il carico scomparso, e inoltre mia moglie e io... » proseguì con un altro cenno rivolto a Katinka, seduta fra Kleinhans e Schreuder, « siamo stati costretti a subire troppe umiliazioni da lui. »

« Sono perfettamente d'accordo », convenne Schreuder. « Bisogna costringerlo se non altro a rivelare tutto ciò che sa dei lingotti scomparsi. Ma gli altri? È un tale spreco giustiziarli, quando c'è bisogno di loro sugli spalti, non vi pare, signore? Dopo tutto, non sono che bestie da soma ottuse, che comprendono a stento la gravità dei crimini commessi, ma hanno spalle forti per espiarli. »

Van de Velde borbottò, senza impegnarsi: « Vorrei sentire l'opinione del governatore Kleinhans in proposito », prima di riempirsi di nuovo la bocca, con la testa incassata fra le spalle e gli occhi piccoli fissi sul suo predecessore. Aveva saggiamente declinato la responsabilità della decisione; così, in seguito, se ci fossero state ripercussioni, avrebbe sempre potuto dividere il biasimo.

« Certo », rispose il governatore Kleinhans, con un ampio gesto della mano, « gli schiavi di prima qualità costano attualmente quasi mille *gulden* a testa. Un contributo così generoso alle finanze della Compagnia costituirebbe un grande merito agli occhi delle loro eccellenze. I Diciassette sono ben decisi a far sì che la colonia possa finanziarsi da sola, senza gravare sulle casse della Compagnia. »

Tutti i presenti meditarono con aria solenne su quella osservazione, e nel silenzio intervenne Katinka, commentando con voce cristallina: « Io, per esempio, avrò bisogni di schiavi per la casa e gradirei avere l'occasione di acquistare dei buoni lavoratori, sia pure a questi prezzi esorbitanti ».

« In base ad accordi e protocolli internazionali, è proibito vendere in schiavitù dei cristiani », le fece notare Schreuder, vedendo che la prospettiva di procurarsi manodopera per le fortificazioni cominciava a svanire. « Sia pure inglesi. »

« Non tutti i pirati catturati sono cristiani », insistette Kleinhans. « Ho visto fra loro alcune facce nere. Gli schiavi negri sono molto richiesti nella colonia. Sono buoni lavoratori, molto adatti per la riproduzione. Per la Compagnia non sarebbe un compromesso estremamente desiderabile venderli in cambio di *gulden*? Poi condanneremmo i pirati inglesi ai lavori forzati a vita, e potremmo usarli per affrettare il completamento dei lavori, sempre per compiacere i Diciassette. »

Van de Velde grugnì di nuovo, ripulendo il piatto con ostentazione per attirare l'attenzione sul fatto che era pronto ad assaggiare il manzo. Rifletté su quegli argomenti contrastanti mentre gli mettevano davanti un piatto pieno. C'era da tener presente un'altra questione, di cui nessun altro era al corrente, ed era il suo odio per il colonnello Schreuder. Non intendeva affatto facilitargli il compito e, in verità, sarebbe stato felicissimo se il colonnello avesse fallito miseramente nel suo nuovo comando e fosse stato rimandato in patria in disgrazia, purché naturalmente quel fallimento non andasse a scapito della sua carriera.

Fissò intensamente Schreuder, gingillandosi con l'idea di opporgli un rifiuto. Sapeva fin troppo bene che cosa aveva in mente quello, e distolse l'attenzione da lui per trasferirla sulla moglie. Quella sera Katinka appariva radiosa. A pochi giorni dal loro arrivo al capo e dall'insediamento nel loro alloggio provvisorio al castello, si era ripresa del tutto dai disagi del lungo viaggio e della prigionia che Sir Francis Courteney le aveva imposto. A meno di ventiquattro anni era giovane e piena di energia, certo, ma non era soltanto questo a giustificare la sua gaiezza e vivacità, quella sera. Ogni volta che quell'asino presuntuoso di Schreuder parlava, e cioè troppo spesso, lei gli metteva addosso gli enormi occhi innocenti, dedicandogli tutta la sua attenzione. Quando gli rivolgeva la parola direttamente, anche questo troppo spesso, lo toccava, sfiorandogli la manica con una delle delicate mani bianche, e una volta, con intensa mortificazione di van de Velde, addirittura posando le dita sulla mano ossuta del colonnello e lasciandola lì, in modo che tutti gli invitati lo notassero e sogghignassero.

Lo spettacolo di quello sfacciato rito di corteggiamento che si svolgeva sotto il naso dell'intera colonia aveva rischiato di guastargli l'appetito, per fortuna senza riuscirci. Era stato già abbastanza grave che, in privato, fosse costretto ad accettare la dura realtà che fra poco il valoroso colonnello si sarebbe insinuato sotto quelle sottogonne fruscianti, ma era addirittura insopportabile che dovesse condividere la consapevolezza di quella realtà con tutti i suoi subordinati. Come poteva esigere rispetto e obbedienza assoluta da loro, se sua moglie gli metteva le corna in pubblico? Quando l'ho spedito ad Amsterdam per trattare il riscatto, pensavo che non l'avrei più rivisto, pensò immusonito. A quanto pare, in futuro dovrò prendere misure più drastiche. E mentre spazzava via metodicamente tutte le sedici portate, riflettè sulle varie alternative che gli si offrivano.

Alla fine, van de Velde era così sazio che il breve tragitto dal salone del castello alla sala del consiglio fu caratterizzato da frequenti pause, in apparenza per ammirare i quadri e le altre opere d'arte che decoravano le pareti, ma in realtà per riprendere le forze.

Raggiunta la sala, si adagiò con un gran sospiro sui cuscini di una delle sedie di legno a schienale alto, accettando un bicchiere di brandy e una pipa carica di tabacco.

«Convocherò il tribunale per processare i pirati la settimana prossima, vale a dire subito dopo avere assunto ufficialmente la carica di governatore, ricevendo le consegne dalle mani di *mjnheer* Kleinhans», annunciò. «Non ha senso sprecare altro tempo con queste canaglie. Nomino il colonnello Schreuder pubblico ministero, in modo che persegua l'accusa. Io mi assumerò il ruolo di giudice.» Guardò il padrone di casa, dalla parte opposta del tavolo. «Volete incaricare i vostri funzionari di prendere i provvedimenti necessari, *mjnheer* Kleinhans?»

«Ma certo, *mjnheer* van de Velde. Avete pensato a nominare un avvocato che difenda i pirati sotto accusa?»

Dall'espressione di van de Velde era evidente che non era così, ma lui agitò una mano paffuta rispondendo con disinvoltura: «Pensateci voi, per favore. Sono certo che qualcuno dei vostri dipendenti avrà una conoscenza della legge sufficiente per svolgere quel ruolo in modo adeguato. Dopo tutto, che cosa c'è da difendere?» esclamò con una risatina gutturale.

«Ho già in mente un nome», disse Kleinhans assentendo. «Lo nominerò io, concedendogli accesso ai prigionieri per ricevere le loro deposizioni.»

«Buon Dio!» esclamò van de Velde scandalizzato. «Perché mai? Non voglio che quel furfante inglese gli metta in testa ogni sorta di idee. Gli esporrò io i fatti, e lui non dovrà fare altro che riferirli alla corte.»

«Capisco», convenne Kleinhans. «Sarà tutto pronto prima della mia partenza, la settimana prossima.» Lanciò un'occhiata a Katinka. «Mia cara signora, naturalmente sarete impaziente di lasciare il vostro alloggio temporaneo qui al castello per occupare il più presto possibile la residenza del governatore, molto più comoda e spaziosa. Pensavo che potremmo organizzare una visita della vostra nuova casa dopo la funzione religiosa di domenica. Sarei onoratissimo di accompagnarvi personalmente.»

«Siete molto gentile, signore.» Katinka gli sorrise, lieta di essere di nuovo al centro dell'attenzione. Per un attimo Kleinhans si crogiolò nel calore della sua approvazione, poi riprese in tono diffidente: «Come potete ben immaginare, nel corso del

mio servizio nella colonia ho acquisito un considerevole numero di domestici. Fra parentesi, i cuochi che hanno preparato l'u-
mile pasto che abbiamo gustato stasera fanno parte del mio
contingente privato di schiavi ». Lanciò un'occhiata a van de
Velde. « Spero che le loro fatiche abbiano incontrato la vostra
approvazione. » Quando il nuovo governatore assentì con aria
amabile, tornò a rivolgersi a Katinka. « Come sapete, fra poco
dovrò tornare in patria, per ritirarmi in pensione nella mia piccola proprietà. Venti schiavi saranno senz'altro di troppo per le
mie future esigenze. Voi, *mevrou*, avete espresso interesse all'acquisto di schiavi di qualità. Io gradirei cogliere l'occasione della
vostra visita alla residenza per mostrarvi le creature che ho destinato alla vendita. Sono state tutte scelte con cura, e penso che
troverete più conveniente ed economico procedere a un acquisto privato, anziché partecipare a un'asta pubblica. Il guaio,
quando si acquistano degli schiavi, è che quelli che sul palco
dell'asta sembrano di valore possono nascondere gravi difetti. È
sempre consolante sapere che il venditore ha valide ragioni per
disfarsene, non vi pare? »

Hal teneva sempre un uomo di vedetta alla finestra in cima alla
parete esterna della cella, in equilibrio sulle spalle di un altro e
aggrappato alle sbarre, per tenere d'occhio il cortile; la vedetta
segnalava tutti gli avvistamenti a Hal, che a sua volta li riferiva
al padre, in cima alla scala.

Nei primi giorni avevano imparato a conoscere gli orari della
guarnigione e a prendere nota degli avvicendamenti abituali degli ufficiali della guarnigione, oltre che dell'andirivieni di liberi
cittadini che visitavano regolarmente il castello.

Hal gridava una descrizione di ognuno di loro al capo invisibile della rivolta degli schiavi, rinchiuso nella Fossa della Morte.
Althuda conosceva i dati personali di tutti gli abitanti della colonia e trasmetteva loro tutte le esperienze che aveva accumulato, cosicché dopo qualche giorno Hal finì per conoscere non solo l'aspetto, ma anche la personalità e il carattere di ciascuno di
loro.

Cominciò un calendario, contrassegnando il passaggio di
ogni giorno con un solco inciso su una lastra di arenaria in un
angolo della cella e annotandovi accanto i fatti più importanti.
Non era sicuro che quel diario portasse qualche vantaggio, ma

almeno forniva agli uomini un argomento di cui parlare e alimentava l'illusione che lui avesse un piano d'azione per ottenere il loro rilascio o, se non altro, per tentare la fuga.

« La carrozza del governatore davanti ai gradini! » annunciò la vedetta, e Hal balzò in piedi dal posto dov'era seduto, fra Aboli e Daniel, contro la parete opposta.

« Vieni giù », ordinò. « Fammi dare un'occhiata. »

Attraverso le sbarre vide la carrozza di gala parcheggiata ai piedi dell'imponente scalinata che conduceva alla sede della Compagnia e agli uffici del governatore. Il cocchiere si chiamava Fredricus ed era un anziano schiavo giavanese che apparteneva al governatore Kleinhans. Secondo Althuda, non era un amico; da trent'anni era il cane da guardia di Kleinhans, quindi non ci si poteva fidare di lui. Anzi, Althuda sospettava che fosse stato proprio Fredricus a tradirlo, informando il maggiore Loten del suo ritorno dalle montagne. « Probabilmente ci libereremo di lui quando Kleinhans lascerà la colonia. Sicuramente porterà via con sé Fredricus in Olanda », aveva spiegato.

Ci fu un'agitazione improvvisa quando un distaccamento di soldati si precipitò attraverso il cortile, uscendo dall'armeria per schierarsi ai piedi della scala.

« È Kleinhans che esce », esclamò Hal, riconoscendo i preparativi; mentre parlava, il portone si spalancò e un gruppetto di persone uscì alla luce del sole, scendendo verso la carrozza in attesa.

La figura alta e curva di Kleinhans, con il viso acido da dispeptico, formava un netto contrasto con la giovane bellezza che si appoggiava al suo braccio. Il cuore di Hal perse un battito quando riconobbe Katinka, ma i suoi sentimenti per lei non erano più così intensi come un tempo. Invece socchiuse gli occhi notando che la spada Nettuno pendeva ancora al fianco di Schreuder, nel fodero intarsiato d'oro, mentre il colonnello seguiva Katinka giù per le scale. Ogni volta che vedeva l'arma addosso a Schreuder, la sua collera si riaccendeva.

Fredricus scese rigidamente dal sedile alto per spiegare la scaletta e aprire lo sportello della carrozza, poi si scostò lasciando che i due gentiluomini aiutassero Katinka a salire a bordo e a sistemarsi comodamente.

« Che succede laggiù? » esclamò il padre, e Hal si rese conto, con un sussulto colpevole, che non parlava da quando lui aveva posato gli occhi sulla donna. Ormai, però, lei era scomparsa alla sua vista. La carrozza uscì dal cancello del forte, accompagnata dal saluto delle sentinelle, mentre Fredricus spronava i cavalli al trotto sul campo di parata.

Era una splendida giornata d'autunno e una volta tanto il vento di sud-est, che d'estate soffiava senza posa, era caduto. Katinka era seduta accanto al governatore Kleinhans, mentre il colonnello Schreuder era di fronte a lei. Aveva lasciato il marito nel suo ufficio al castello, intento a stilare i rapporti per i Diciassette, e ora si sentiva il diavolo in corpo. Allargò le gonne, facendo in modo che le crinoline fruscianti coprissero gli stivali di cuoio morbido del colonnello.

Continuando a parlare animatamente con Kleinhans, protese un piedino, al riparo delle gonne, fino a sfiorare la punta dello stivale di Schreuder. Esercitando una lieve pressione civettuola, si accorse del suo sussulto; allora premette di nuovo, e lo sentì rispondere goffamente. A quel punto distolse l'attenzione da Kleinhans per rivolgersi direttamente a Schreuder. «Non trovate anche voi, colonnello, che un viale di querce che porti alla residenza sarebbe splendido? Mi pare già di vederli, quei tronchi robusti e vigorosi che si ergono in tutto il loro rigoglio. Sarebbe meraviglioso!» Sgranò gli occhi viola per sottolineare l'osservazione, premendo di nuovo sul piede del colonnello.

«Senza dubbio, *mevrou*.» La voce di Schreuder era roca, greve di doppi sensi. «Sono completamente d'accordo con voi. Anzi, l'immagine che evocate è così vivida che dovreste essere in grado di vedere il fusto che cresce sotto i vostri occhi.»

A quell'invito, lei abbassò gli occhi sul colonnello constatando, divertita, l'effetto che aveva su di lui. Perdiana, pensò, gli stanno lievitando i calzoni, e tutto per me!

La residenza del governatore sorgeva a un miglio circa di distanza dalla mole imponente del castello, dominando la zona degli orti della Compagnia. Era un edificio dalle linee aggraziate, con il tetto scuro ricoperto di paglia e le pareti imbiancate a calce, circondato da ampie verande ombrose. La pianta era a forma di croce, con i timpani che coronavano le estremità decorati da fregi in stucco che rappresentavano le quattro stagioni. I giardini erano lussureggianti, grazie alle cure amorevoli prodigate da una lunga serie di giardinieri della Compagnia.

Già a distanza Katinka fu entusiasta della sua nuova casa.

Aveva temuto di essere confinata in qualche tugurio bucolico, invece quella residenza superava di gran lunga anche le sue previsioni più ottimistiche. Tutto il personale di servizio era radunato sull'ampia terrazza d'ingresso per darle il benvenuto.

La carrozza si fermò dolcemente e i suoi due accompagnatori si affrettarono a farla scendere. A un segnale prestabilito, tutti i domestici in attesa si tolsero il cappello, inchinandosi fino a sfiorare con il copricapo il suolo davanti a lei, mentre le donne sprofondavano in una riverenza. Katinka accolse il loro saluto con un cenno freddo, ma Kleinhans ci teneva a presentarglieli tutti, uno per uno. Erano per lo più facce scure o gialle prive di ogni interesse per lei, che guardava appena nella loro direzione prima di passare oltre, affrettando il più possibile quel piccolo rito noioso.

Comunque uno o due servitori attirarono la sua attenzione più di qualche istante.

«Questo è il giardiniere capo.» Con uno schiocco delle dita, Kleinhans convocò l'uomo, che si fermò davanti a lei a capo scoperto, stringendo al petto il cappello alto da puritano con la fascia ornata da una fibbia d'argento e la tesa larga. «Gode di un certo prestigio nella nostra comunità», spiegò Kleinhans. «Non soltanto è responsabile di questo splendido scenario», aggiunse indicando i vasti prati verdi e le magnifiche aiuole fiorite, «e della fornitura di frutta e verdura fresca a tutte le navi della Compagnia che fanno scalo nella baia della Tavola, ma è anche il boia di Stato.»

Katinka stava per passare oltre, ma a quel punto tornò indietro per studiare con un piccolo fremito di eccitazione l'uomo, che la dominava dall'alto della sua statura: fissando i suoi strani occhi chiari, pensò agli spettacoli spaventosi che avevano visto. Poi abbassò lo sguardo sulle sue mani: erano mani da contadino, larghe, forti e callose, col dorso ricoperto di peli ispidi simili a setole. Le immaginò mentre impugnavano un forcone, il cappio di una garrotta, una vanga o brandivano un ferro rovente per marchiare.

«Siete voi quello che chiamano Stadige Jan?» Aveva sentito pronunciare quel nome con morbosa attrazione e repulsione, così come si parla di un serpente velenoso e letale.

«*Ja, mevrou*. È così che mi chiamano.»

«Uno strano nome. Perché?» Lei trovò inquietante quello

sguardo giallo e impassibile, come se l'uomo guardasse qualcosa che era molto lontano, alle sue spalle.

« Perché parlo lentamente. Perché non ho mai fretta. Perché sono scrupoloso. Perché sotto le mie mani le piante crescono lentamente e danno frutti. Perché sotto queste stesse mani gli uomini muoiono in modo lento e doloroso. » Le tenne sollevate davanti a lei per fargliele vedere. Aveva una voce sonora e melodiosa, e Katinka si accorse di deglutire a fatica, assalita da un'eccitazione strana e perversa.

« Avremo presto l'occasione di vedervi all'opera, Stadige Jan. » Sorrise, ansimando leggermente. « Mi risulta che le segrete del castello siano piene di criminali che aspettano di ricevere le vostre attenzioni. » Le balenò alla mente l'immagine di quelle mani larghe e forti al lavoro sul corpo snello ed eretto di Hal Courteney, e a quel pensiero sentì contrarsi i muscoli delle cosce e dell'inguine. Sarebbe stato il colmo dell'eccitazione, per lei, vedere quel bel giocattolo di cui si era stancata finire mutilato e sfigurato, ma lentamente, molto lentamente.

« Dobbiamo parlare ancora, Stadige Jan », disse con voce roca. « Sono certa che avete molte storie divertenti da raccontarmi, di cavoli e altre cose. » Lui fece un altro inchino, mettendosi di nuovo il cappello sulla testa rasata e indietreggiando di un passo per rientrare nella fila dei domestici. Katinka proseguì.

« E questa è la mia governante », annunciò Kleinhans, ma Katinka era tanto assorta nei suoi pensieri che per alcuni istanti non diede segno di averlo udito. Poi, lanciando un'occhiata indolente alla donna che Kleinhans le presentava, sgranò d'improvviso gli occhi, dedicandole tutta la sua attenzione. « Si chiama Sukeena. » Nel tono di Kleinhans c'era una nota che lei non riuscì a decifrare subito.

« È molto giovane per occupare un posto così importante », osservò Katinka, per avere il tempo di lasciar entrare in gioco i suoi istinti. Trovava quella donna altrettanto affascinante del boia, sia pure in modo del tutto diverso. Era così straordinariamente minuta e delicata da sembrare la creazione di un'artista, anziché una donna fatta di carne e sangue.

« È tipico degli individui della sua razza apparire molto più giovani della loro età reale », le spiegò Kleinhans. « Hanno un corpo così infantile... Osservate la vita esilissima e le mani e i piedi, simili a quelli di una bambola. » S'interruppe di colpo, come accorgendosi di aver commesso una scorrettezza commentando con una donna le parti del corpo di un'altra.

L'espressione di Katinka non tradì il divertimento che provava. La vecchia capra smania per questa bambolina, pensò, studiando le caratteristiche sulle quali lui aveva attirato la sua attenzione. La ragazza indossava una blusa con il colletto alto, ma il tessuto lieve e trasparente come garza lasciava intravedere i seni, minuscoli ma perfetti, come tutto il resto del corpo. Attraverso la seta, Katinka poteva vedere la forma e il colore dei capezzoli, che sembravano due rubini imperiali avvolti in un velo. Quell'abbigliamento, sebbene semplice e di classica foggia orientale, doveva essere costato come minimo cinquanta *gulden*. I sandali erano ricamati in oro, un accessorio prezioso per una schiava domestica, e al collo portava una spilla di giada intagliata, un gioiello degno della favorita di un mandarino. Quella ragazza, pensò, doveva essere certamente il piccolo trastullo segreto di Kleinhans.

Il primo appagamento carnale, Katinka lo aveva provato all'età di tredici anni, alle soglie della pubertà. Nell'isolamento delle sue stanze, la bambinaia l'aveva iniziata a quelle gioie proibite e, di tanto in tanto, quando le veniva l'estro e se ne presentava l'occasione, si concedeva ancora qualche scorribanda nelle lande incantate dell'isola di Lesbo, dove spesso aveva scoperto delizie che nessun uomo era riuscito a offrirle. Ora, spostando lo sguardo dal corpo infantile agli occhi scuri della ragazza, si sentì scorrere fino al ventre un fremito di desiderio che minacciava di liquefarla.

Lo sguardo di Sukeena era ardente come la lava dei vulcani della natia Bali: quelli non erano gli occhi di una schiava bambina sottomessa, ma di una donna fiera, orgogliosa. Katinka si sentì sfidata ed eccitata. Poterla domare e possedere, e poi spezzarla! Sentì il cuore accelerare i battiti e il respiro farsi affannoso di fronte al quadro che si formava nella sua mente.

« Seguimi, Sukeena », ordinò. « Voglio che tu mi faccia vedere la casa. »

Sukeena congiunse i palmi delle mani, portandosi la punta delle dita alle labbra, ma i suoi occhi rimasero fissi in quelli di Katinka con lo stesso sguardo cupo e furioso. Quest'ultima si domandò se fosse odio, e l'idea aumentò la sua eccitazione.

La ragazza l'ha incuriosita, come avevo previsto. Vorrà comprarla, pensò Kleinhans. Mi libererò di quella strega, finalmente. Aveva percepito il gioco di passioni e di emozioni che si era creato fra le due donne. Sebbene non s'illudesse di riuscire a decifrare l'animo delle schiave orientali, Sukeena era il suo trastullo da quasi cinque anni, e lui aveva imparato a riconoscere molte delle sue variazioni di umore. Il pensiero di separarsi da lei lo riempiva di angoscia, ma sapeva di doverlo fare, per la sua stessa pace e salute mentale. Lo stava distruggendo. Lui non riusciva più a ricordare cosa significava essere tranquillo, non sentirsi assalito e tormentato da passioni e desideri inappagati, non essere più soggetto all'incantesimo della strega. Per lei aveva perso la salute: il suo stomaco era divorato dagli acidi della dispepsia, e non riusciva a ricordare di aver goduto di una tranquilla nottata di sonno durante quei cinque lunghi anni.

Si era finalmente liberato del fratello, che era stato per lui una spina nel fianco altrettanto tormentosa. Ora doveva andarsene anche lei; non poteva più sopportare quella maledizione sulla propria esistenza.

Uscendo dalla fila di servitori, Sukeena si accodò obbediente ai tre: l'odioso padrone, il gigantesco soldato brioso e la signora tutta d'oro, bella e crudele, che – lo intuì confusamente – teneva già il suo destino stretto fra quelle mani bianche e affusolate.

Riuscirò a resisterle, giurò a se stessa. Quel vecchiaccio non è riuscito a possedermi, anche se da cinque anni a questa parte non sogna altro. E neppure questa tigre dorata riuscirà mai a possedermi, lo giuro sulla sacra memoria di mio padre.

Passarono in gruppo attraverso i locali ariosi della residenza, con i soffitti alti e le imposte verdi da cui filtrava il sole dorato del capo, che proiettava zebrate ombre scure sulle piastrelle dei pavimenti. In quelle colonie piene di sole Katinka provava una leggerezza di spirito, un'irrequietezza, un'ansia di avventure sconosciute e di emozioni mai sperimentate altrove.

In ogni stanza riconosceva un'influenza femminile, sottile e delicata. Non era solo il profumo persistente dei fiori e dell'incenso, ma una presenza viva che, lo sapeva bene, non poteva emanare dal vecchio triste e stanco che aveva accanto a sé. Non aveva bisogno di voltarsi per sapere che a sprigionare quell'aura era la ragazza alle sue spalle, con il fruscio degli abiti di seta, il lieve scricchiolio dei sandali d'oro, la fragranza dei fiori di gelsomino nei capelli corvini e il dolce odore muschiato della pelle.

In contrappunto, sentiva il rude suono scandito dei tacchi

del colonnello sulle piastrelle, il cigolio del cuoio e il tintinnio del fodero della spada che oscillava al suo fianco. Il suo aroma era più potente di quello della ragazza, acre e maschio, composto di sudore, cuoio e vitalità animalesca, come se fosse stato uno stallone spronato al limite delle forze, che s'insinuava fra le sue cosce. Nello stato di sovreccitazione emotiva in cui si trovava, tutti i suoi sensi erano stimolati al massimo.

Finalmente il governatore Kleinhans li guidò fuori casa, oltre il prato, verso un piccolo gazebo che sorgeva appartato sotto le querce. Era stato preparato per loro un pasto freddo, e Sukeena rimase poco lontano, pronta a ricevere ordini, dirigendo il servizio con un'occhiata o un gesto misurato e pieno di grazia.

Katinka notò che, di ogni piatto o bottiglia che venivano serviti in tavola, Sukeena assaggiava un boccone o prendeva un piccolo sorso, delicata come una farfalla su un'orchidea appena dischiusa. Il suo silenzio non la rendeva meno visibile, anzi i tre commensali erano intensamente consapevoli della sua presenza.

Cornelius Schreuder sedeva così vicino a Katinka da premere la gamba contro la sua ogni volta che si chinava per parlarle. Guardavano in basso, verso la baia, dov'era ancorata la *Standvastigheid*, non lontano dalla *Gull of Moray*. Il galeone era arrivato durante la notte, con il carico completo di spezie e legno pregiato che era stato recuperato. Nel prossimo viaggio avrebbe trasportato a nord Kleinhans, il quale era ansioso di sistemare i suoi affari lì al capo. Katinka sorrise con dolcezza al vecchio sopra l'orlo del suo bicchiere di vino, sapendo di essere in svantaggio nella contrattazione.

«Desidero vendere quindici dei miei schiavi», le disse Kleinhans, «e ho preparato una lista, in cui sono indicati i loro dati personali: capacità e addestramento, età e stato di salute. Cinque delle donne sono incinte, quindi l'acquirente può contare su un incremento del proprio investimento iniziale.»

Katinka diede un'occhiata al documento che lui le porgeva, poi lo lasciò cadere sul piano del tavolo. «Parlatemi di Sukeena», ordinò. «Se non sbaglio, in lei si nota una goccia di sangue nordico. Il padre era olandese, per caso?»

Sebbene Sukeena fosse lì vicino, Katinka ne parlava come se la ragazza fosse un oggetto inanimato, senza udito o sensibilità, come un bel gioiello o una miniatura.

«Siete dotata di un acuto spirito di osservazione, *mevrou*.»

Kleinhans piegò la testa. «Ma no, suo padre non era olandese. Era un mercante inglese, mentre la madre era balinese, ma di alto lignaggio. Quando l'ho vista io, era una donna di mezza età, ma pare che da giovane fosse una gran bellezza. Anche se era soltanto la sua concubina, il mercante inglese la trattava come una moglie.»

Tutti e tre studiavano apertamente i lineamenti di Sukeena. «Sì, il sangue europeo si nota, dalla tonalità della pelle, dalla forma e dal taglio degli occhi», osservò Katinka.

Sukeena restava a occhi bassi, impassibile, continuando a badare ai suoi doveri.

«Che ne pensate del suo aspetto, colonnello?» chiese Katinka rivolgendosi a Schreuder e premendo la gamba contro la sua. «M'interessa sempre sapere che cosa può attrarre un uomo. Non la considerate una piccola, deliziosa creatura?»

Schreuder arrossì leggermente, spostando la sedia in modo da non guardare più direttamente Sukeena.

«*Mevrou*, non ho mai avuto un debole per le ragazze indigene, anche se sono mezzosangue.» Il viso di Sukeena rimase imperscrutabile, sebbene, a pochi passi di distanza da lui, avesse udito chiaramente quella definizione spregiativa. «I miei gusti sono orientati piuttosto verso le nostre adorabili ragazze olandesi. Non scambierei mai l'oro zecchino con il princisbecco.»

«Oh, colonnello, come siete galante. Invidio la ragazza olandese d'oro zecchino che attira la vostra fantasia.» Scoppiando a ridere, gli lanciò un'occhiata più eloquente delle parole che salivano alle labbra di Schreuder, ma dovevano necessariamente restare implicite.

Katinka si rivolse di nuovo a Kleinhans. «Allora, se il padre era inglese, lei parla anche questa lingua? Dev'essere una qualità utile, no?»

«In effetti lo parla correntemente, ma non basta. È abile nell'amministrare i *gulden* e dirige la casa con grande economia ed efficienza. Gli altri schiavi la rispettano e le obbediscono. Conosce a fondo la medicina orientale e ha un rimedio per ogni malattia...»

«Un vero modello di virtù», esclamò Katinka, interrompendolo. «Ma cosa potete dirmi della sua natura? È mite, arrendevole?»

«È esattamente come si presenta», le assicurò Kleinhans, mascherando la risposta evasiva con la prontezza e un'espressione franca. «Vi garantisco, *mevrou*, che la possiedo da cinque anni e l'ho sempre trovata molto docile.»

Il viso di Sukeena rimase assente, come se fosse scolpito nella giada, anche se la sua anima fremeva di ribellione nel sentire quella menzogna. Per cinque anni lo aveva subito, e solo nelle poche occasioni in cui l'aveva percossa fino a farle perdere i sensi era riuscito a invadere il suo corpo, ma quella non era stata una vittoria per lui, lei lo sapeva, e traeva conforto da quella consapevolezza. Per due volte aveva ripreso i sensi mentre il vecchio ancor grugniva e si strofinava su di lei come un animale, forzando le sue carni aride e riluttanti. Non la considerava una sconfitta, non ammetteva neanche con se stessa di essere stata domata perché, appena ripresi i sensi, aveva ricominciato a battersi contro di lui, con la stessa forza e determinazione di prima.

«Non sei una donna», le aveva gridato disperato, mentre Sukeena si dibatteva e scalciava, sfuggendogli, «sei un demonio.» Poi, tutto sanguinante nei punti in cui lo aveva morso e ricoperto di profondi graffi e lacerazioni, si era allontanato avvilito, lasciandola pesta ma trionfante. Alla fine aveva rinunciato a ogni tentativo di costringerla alla sottomissione, tentando invece tutti gli altri metodi per blandirla.

Una volta, piangendo come una vecchia, le aveva offerto addirittura la libertà e il matrimonio, promettendo di consegnarle l'atto di emancipazione il giorno in cui lo avrebbe sposato, ma lei aveva sputato su quella proposta.

Per ben due volte aveva tentato di ucciderlo, una volta con un pugnale, un'altra col veleno. Ora Kleinhans la costringeva ad assaggiare ogni cibo o bevanda che gli serviva, ma lei era sorretta dal pensiero che un giorno sarebbe riuscita a vederlo agonizzare.

«A quanto pare ha una presenza angelica», riconobbe Katinka, sapendo per istinto che la definizione avrebbe fatto infuriare la schiava. «Vieni qui, Sukeena», ordinò, e la ragazza la raggiunse, muovendosi con la flessuosità di una canna al vento.

«Inginocchiati!» le disse, e Sukeena si mise in ginocchio davanti a lei, con gli occhi modestamente abbassati. «Guardami!» E la ragazza alzò la testa.

Katinka studiò il suo viso, parlando a Kleinhans senza guardarlo. «Voi dite che è sana?»

«Giovane e sana, non è mai stata malata in vita sua.»

«È incinta?» chiese Katinka, passando la mano leggera sul ventre della ragazza, che era duro e piatto.

« No, no! » esclamò Kleinhans. « È vergine. »

« Questa è una condizione per la quale non esiste garanzia. Spesso il diavolo penetra anche nella fortezza più inespugnabile. » Katinka sorrise. « Comunque accetterò la vostra parola su questo punto. Voglio vederle i denti. Apri la bocca. » Per un attimo pensò che si sarebbe rifiutata, ma poi Sukeena schiuse le labbra e i denti piccoli brillarono al sole, più bianchi dell'avorio appena intagliato.

Katinka posò la punta del dito sul labbro inferiore della ragazza. Era morbido come un petalo di rosa e Katinka lasciò che quel momento si prolungasse, per protrarre l'umiliazione di Sukeena. Poi fece passare il dito fra le labbra della ragazza, con un gesto lento e voluttuoso, perverso: una parodia della penetrazione maschile della donna. Mentre la guardava, la mano di Kleinhans cominciò a tremare con tanta violenza che il vino dolce di Constantia traboccò dall'orlo del bicchiere che teneva in mano. Cornelius Schreuder si accigliò, a disagio, dimenandosi sulla sedia e accavallando le gambe.

L'interno della bocca di Sukeena era morbido e umido. Le due donne si guardarono negli occhi, poi Katinka cominciò a muovere lentamente il dito avanti e indietro, esplorando e sondando, mentre chiedeva a Kleinhans: « E suo padre, l'inglese? Che ne è stato di lui? Se amava la sua concubina, come dite, come mai ha permesso che i suoi figli fossero venduti come schiavi? »

« Era uno dei banditi inglesi che furono giustiziati mentre ero governatore di Batavia. Sono certo che sarete al corrente dell'episodio, non è vero, *mevrou*? »

« Sì, lo ricordo perfettamente. Gli imputati furono torturati dal boia della Compagnia per accertare le reali dimensioni del loro crimine », rispose Katinka a bassa voce, sempre guardando negli occhi Sukeena. La profondità della sofferenza che vi lesse la stupì e la incuriosì. « Non sapevo che foste voi il governatore, all'epoca. Il padre della ragazza è stato giustiziato per ordine vostro, allora? » domandò Katinka, sentendo subito le labbra di Sukeena fremere, chiudendosi leggermente intorno al dito bianco e affusolato.

« Ho sentito dire che furono crocifissi », mormorò con voce roca, mentre gli occhi di Sukeena si riempivano di lacrime, anche se il suo volto restava sereno. « Ho sentito dire che furono applicati ai loro piedi dei razzi ardenti allo zolfo », aggiunse, e in quel momento sentì la lingua della ragazza scivolare sul suo dito per inghiottire il dolore. «E poi i razzi furono applicati anche alle mani.» I dentini aguzzi di Sukeena si chiusero sul dito, ma non tanto forte da farle male o da segnare la pelle bianca, anche se la minaccia era lì nei suoi occhi, che sprizzavano odio.

«Mi rammarico del fatto che sia stato necessario ricorrere a tanto. L'ostinazione di quell'uomo era incredibile. Dev'essere un tratto tipico del carattere nazionale inglese.» Kleinhans annuì. «Per rendere più severa la punizione, ordinai che la concubina dell'uomo, che si chiamava Ashreth, fosse costretta ad assistere all'esecuzione insieme con i due figli. Naturalmente a quell'epoca non sapevo nulla di Sukeena e di suo fratello. Non era un'oziosa crudeltà da parte mia, ma la politica della Compagnia. Queste persone non reagiscono bene alla gentilezza, che scambiano per debolezza.» Si lasciò sfuggire un sospiro di rammarico per tanta intransigenza.

Le lacrime scivolarono silenziose sulle gote di Sukeena mentre Kleinhans aggiungeva: «Dopo avere reso una piena confessione della loro colpa, i criminali furono arsi vivi. I razzi furono gettati sulle fascine di legna ai loro piedi e tutto finì tra le fiamme. Per tutti noi fu una liberazione misericordiosa.»

Con un lieve brivido, Katinka ritrasse il dito dalle labbra trementi della ragazza. Con la tenerezza di un amante soddisfatto, le accarezzò la guancia vellutata col dito ancora bagnato della sua saliva, lasciando tracce umide sulla pelle color ambra.

«Che ne è stato della donna, la concubina? È stata venduta anche lei in schiavitù con i figli?» chiese Katinka, senza staccare lo sguardo da quegli occhi pieni di dolore di fronte a lei.

«No», rispose Kleinhans. «Questa è la parte strana della storia. Ashreth si gettò tra le fiamme e perì sul rogo del suo amante inglese. Non c'è modo di capire la mente degli indigeni, non è vero?»

Seguì un lungo silenzio, e quando una nuvola oscurò il sole la giornata parve d'improvviso buia e fredda.

«La prendo», disse Katinka, così piano che Kleinhans dovette accostare una mano all'orecchio.

«Vi prego di scusarmi, *mevrou*, ma non ho afferrato quello che avete detto.»

«La prendo», ripeté Katinka. «Questa ragazza, Sukeena, voglio acquistarla da voi.»

« Non abbiamo concordato un prezzo. » Kleinhans pareva
stupito; non si era aspettato che fosse così facile.

« Sono sicura che il prezzo da voi richiesto sarà ragionevole...
se siete disposto a vendermi anche gli altri schiavi della lista, naturalmente. »

« Siete una donna molto caritatevole. » Kleinhans scrollò la
testa con ammirazione. « Vedo che la storia di Sukeena vi ha
toccato il cuore e che volete prenderla sotto la vostra ala protettrice. Vi ringrazio, so che la tratterete con dolcezza. »

Hal si aggrappò alle sbarre della finestra della cella, riferendo
quello che vedeva ad Aboli, che lo teneva sulle spalle.

« Sono tornati con la carrozza del governatore. I tre, Kleinhans, Schreuder e la moglie del governatore van de Velde. Stanno salendo la scala. » Poi s'interruppe per esclamare: « Un momento! C'è qualcun altro che scende dalla carrozza. Una persona che non conosco, una donna ».

Daniel, ritto presso l'inferriata della cella, trasmise il messaggio verso la cima della scala a chiocciola e le celle di isolamento
al piano superiore.

« Descrivi questa sconosciuta », gridò Sir Francis.

In quel momento la donna si voltò per dire qualcosa a Fredricus, il cocchiere, e Hal, con un sussulto, riconobbe in lei la
schiava che aveva notato tra la folla mentre venivano condotti
attraverso il campo di parata.

« È piccola e giovane, quasi una bambina. Originaria di Bali,
forse, o della penisola di Malacca, a giudicare dall'aspetto. »
Esitò. « Probabilmente è di sangue misto, e quasi certamente è
una domestica o una schiava, visto che Kleinhans e Schreuder la
precedono. »

Daniel trasmise il messaggio, e d'improvviso giunse fino a loro dalla scala la voce di Althuda. « È molto graziosa? Lunghi
capelli scuri raccolti in cima alla testa, con dei fiori in mezzo?
Porta al collo una spilla di giada verde? »

« Corrisponde tutto », gridò di rimando Hal. « Solo che non
è graziosa, è bella in modo indescrivibile. La conosci? Chi è? »

« Si chiama Sukeena. È per lei che sono tornato dalle montagne. È la mia sorellina. »

Hal guardò Sukeena che saliva le scale, muovendosi con la
leggerezza e la vivacità di una foglia d'autunno sollevata da una

folata di vento. Strano a dirsi, mentre guardava la ragazza si accorse che il pensiero di Katinka non era più così ossessivo. Quando lei scomparve alla sua vista, la luce che filtrava nella segreta parve più fioca e le mura di pietra divennero più umide e fredde.

Da principio erano rimasti tutti stupiti dal trattamento riservato loro nelle segrete del castello. Avevano il permesso di vuotare il secchio fuori ogni mattina, tirando a sorte per quel privilegio. Alla fine della prima settimana, uno degli schiavi della Compagnia, che guidava un carro trainato da buoi, consegnò un carico di paglia fresca, e i prigionieri ottennero di poter gettare via quella vecchia e verminosa che copriva il pavimento. La cisterna era alimentata di continuo, attraverso un tubo di rame, da uno dei ruscelli che scorrevano giù dalla montagna, quindi non dovevano soffrire la sete. Ogni sera venivano mandate dalla cucina una pagnotta di grano pieno di crusca grande come una ruota di carro e una grossa pentola di ferro, piena di bucce di patate e scarti di verdure, cucinati insieme con la carne delle foche catturate a Robben Eiland. Era uno stufato più ricco e saporito di gran parte dei pasti che avevano consumato a bordo.

Quando li sentì discutere su quell'argomento, Althuda scoppiò a ridere. «Nutrono bene anche i buoi. Gli animali ottusi lavorano meglio quando sono forti.»

«Ora come ora, non lavoriamo granché», osservò Daniel, battendosi la mano sullo stomaco.

Althuda rise di nuovo. «Guardate fuori della finestra: c'è un forte da costruire. Non resterete in ozio ancora a lungo, credetemi.»

«Senti un po', Althuda», gridò di rimando Daniel. «Tua sorella non è inglese, quindi mi pare che non sei inglese neanche tu. Allora com'è che parli la lingua così bene?»

«Mio padre era di Plymouth. Io non ci sono mai stato. La conoscete?»

Gli rispose uno scroscio di risa, commenti e applausi, e Hal spiegò a nome di tutti: «Perdio, a parte Aboli e questi altri furfanti africani, siamo tutti paesani del Devon fatti e finiti. Allora sei uno di noi, Althuda!»

«Non mi avete mai visto. Devo avvertirvi che non sono come voi.»

« Se somigli anche solo un po' alla tua sorellina, non devi essere tanto male », replicò Hal, mentre gli uomini scoppiavano in una risata fragorosa.

Nella prima settimana di prigionia videro il sergente della prigione, che si chiamava Manseer, solo quando veniva portato il pentolone dello stufato o si cambiava la paglia. Poi, tutt'a un tratto, la mattina dell'ottavo giorno, la porta di ferro in cima alle scale si spalancò con un tonfo e Manseer tuonò, rivolto alla cella: « Preparatevi a uscire, due alla volta. Vi portiamo fuori a levarvi di dosso un po' di puzza, altrimenti il giudice soffocherà prima di avere la possibilità di consegnarvi a Stadige Jan. Forza, muovetevi ».

Sorvegliati da una dozzina di guardie, furono condotti fuori a coppie, costretti a spogliarsi e a lavare se stessi e i loro abiti sotto la pompa a mano dietro le scuderie.

La mattina dopo, all'alba, furono condotti di nuovo fuori, e stavolta l'armiere del castello li attendeva con l'incudine e il martello per incatenarli l'uno all'altro, e non in fila indiana, come di consueto, ma a coppie.

Quando si aprì la porta con le borchie in ferro della cella di Sir Francis e ne emerse il padre, con i capelli che ricadevano incolti sulle spalle e il mento coperto da una barba brizzolata, Hal si fece avanti in modo che fossero incatenati insieme.

« Come state, padre? » chiese Hal inquieto: non aveva mai visto il padre in uno stato così pietoso.

Prima di poter rispondere, Sir Francis fu assalito da un accesso di tosse. Quando la crisi finì, disse con voce roca: « Preferisco una bella bufera sulla Manica all'aria che c'è qua sotto, ma sto abbastanza bene per poter fare quello che c'è da fare ».

« Non potevo gridarlo per le scale, ma Aboli e io abbiamo escogitato un piano per fuggire », gli sussurrò Hal. « Siamo riusciti a sollevare una delle lastre del pavimento sul fondo della cella, e abbiamo intenzione di scavare una galleria sotto le mura. »

« Con le mani nude? » replicò Sir Francis con un sorriso.

« Dobbiamo procurarci uno strumento », ammise Hal. « Ma quando ci riusciremo... »

Crollò il capo con cupa determinazione, e Sir Francis ebbe la sensazione che il cuore potesse scoppiargli di amore e di orgoglio. *Gli ho insegnato a lottare e a tenere duro anche quando la* battaglia è perduta, pensò. Oh, buon Gesù, spero che gli olandesi gli risparmino la sorte che hanno in serbo per me.

A metà della mattinata li fecero marciare dal cortile su per la scala, fino al salone principale del castello, che era stato trasformato in un'aula di tribunale. Ammanettati a coppie, furono condotti verso le quattro file di basse panche di legno al centro della sala, dove ricevettero l'ordine di sedersi, con Sir Francis e Hal al centro della prima fila. Le guardie si allinearono lungo la parete alle loro spalle, con la spada sguainata.

Contro la parete di fronte a loro era stata costruita una piattaforma, sulla quale erano disposti un tavolo massiccio e una sedia alta di tek scuro, rivolti verso le panche dei prigionieri: quello era evidentemente il seggio del giudice. A una estremità del tavolo c'era uno sgabello, sul quale stava già seduto il cancelliere, affaccendato a scrivere nel registro dei verbali. Sotto la piattaforma, un altro paio di tavoli e sedie. A uno di questi era seduto un uomo che Hal aveva visto parecchie volte dalla finestra della cella; secondo Althuda, era un impiegato dell'amministrazione della Compagnia. Si chiamava Jacobus Hop e, dopo aver lanciato un'occhiata nervosa ai prigionieri, non li guardò più. Sfogliava con una certa agitazione un fascio di documenti, interrompendosi di tanto in tanto per asciugarsi il viso sudato con un gran fazzoletto bianco da collo.

Al secondo tavolo era seduto il colonnello Cornelius Schreuder, che per un poeta romantico avrebbe rappresentato il ritratto ideale del soldato prode e galante, tutto uno sfavillio di dorature, fra medaglie, stelle e larga fascia a tracolla. Aveva la parrucca lavata di fresco, con i riccioli che gli scendevano sulle spalle, e teneva le gambe allungate in avanti, con i morbidi stivaloni alti fino alla coscia incrociati all'altezza delle caviglie. Sul piano del tavolo davanti a lui erano sparsi libri e documenti, e su di essi erano posati con negligenza il cappello piumato e la spada Nettuno. Facendo oscillare avanti e indietro la sedia, fissava intensamente Hal che, pur tentando di sostenere il suo sguardo, fu costretto infine ad abbassare gli occhi.

Si udì un trambusto improvviso all'ingresso, e appena si spalancarono le porte, la folla fece irruzione nell'aula, affannandosi per trovare posto sulle panche laterali. Non appena l'ultimo posto a sedere fu occupato, le porte furono chiuse di nuovo con violenza in faccia agli sfortunati rimasti indietro. Ora l'aula era tutta un incrociarsi di commenti eccitati e previsioni, mentre i fortunati spettatori osservavano i prigionieri, scambiandosi a gran voce le loro impressioni.

C'era una zona del salone laterale delimitata con un cordone e sorvegliata da due giubbe verdi con la spada sguainata. Dietro il cordone era stata disposta una fila di comode sedie imbottite. Si sentì di nuovo un gran subbuglio, e l'attenzione della folla si trasferì dagli imputati ai personaggi in vista, che uscirono in fila dalla porta della sala delle udienze. Apriva il corteo il governatore Kleinhans, con Katinka van de Velde al braccio, seguito da Lord Cumbrae e dal comandante Limberger, che conversavano amabilmente, ignorando l'agitazione causata dal loro ingresso fra gli spettatori.

Katinka occupò la sedia al centro della fila, e Hal la fissò, quasi imponendole con la forza di volontà di guardare nella sua direzione, per offrirgli un segno di riconoscimento e di rassicurazione. Tentava di alimentare in se stesso la fiducia che lei non lo avrebbe mai abbandonato e che aveva già usato la sua influenza per intercedere presso il marito in suo favore, ma Katinka era immersa nella conversazione con Kleinhans e non degnò di un'occhiata il gruppo di marinai inglesi. Non vuole che gli altri notino la sua sollecitudine nei nostri confronti, si consolò Hal. Ma quando verrà per lei il momento di rendere testimonianza, parlerà certamente a nostro favore.

Il colonnello Schreuder abbassò d'impeto i piedi chiusi negli stivali, alzandosi di scatto per lanciare un'occhiata sprezzante alla sala affollata, mentre le donne presenti si lasciarono sfuggire lievi sospiri e gridolini di ammirazione.

«Questo tribunale è stato convocato in virtù del potere conferitomi dall'onorevole Compagnia olandese delle Indie Orientali in base ai termini del trattato stipulato dalla suddetta Compagnia con il governo della Repubblica d'Olanda e dei Paesi Bassi. Siete pregati di fare silenzio e di alzarvi in piedi per accogliere l'ingresso del presidente del tribunale, sua eccellenza il governatore Petrus van de Velde. »

Gli spettatori si alzarono in piedi con un mormorio sommesso, fissando la porta dietro la pedana. Alcuni prigionieri fecero per alzarsi, facendo sferragliare le catene, ma quando videro Sir Francis Courteney e Hal restare seduti, ricaddero anche loro sulle panche.

Dalla porta sul fondo emerse il presidente della corte, che salì a fatica sulla pedana, lanciando un'occhiata torva alla fila di prigionieri seduti. «Fate alzare quei furfanti!» ruggì all'improvviso, tanto da intimorire la folla con l'espressione omicida che aveva sul volto.

Nel silenzio stupito che seguì quello scoppio d'ira, Sir Francis prese la parola con voce chiara, parlando in olandese. «Né io né i miei uomini siamo disposti a riconoscere l'autorità di questa assemblea, e ad accettare il diritto di colui che si è autonominato presidente di processare e giudicare degli inglesi liberi, soggetti solo alla sovranità di sua maestà Carlo II.»

Van de Velde diede l'impressione di gonfiarsi come un enorme rospo. Il suo viso assunse una sfumatura cupa di cremisi, mentre rispondeva: «Voi siete un pirata e un assassino. In forza della sovranità della Repubblica e dello statuto della Compagnia, in base alle leggi della morale e del diritto internazionale, spetta a me l'autorità di condurre questo processo». S'interruppe, ansimante, per riprendere fiato, prima di concludere, in tono ancor più roboante: «Vi dichiaro colpevole di grossolano e flagrante oltraggio alla corte, e vi condanno a dieci colpi di verga, da infliggersi seduta stante». Rivolto al comandante della guardia, ordinò: «Maestro d'armi, portate il prigioniero in cortile ed eseguite subito la sentenza».

Quattro soldati si precipitarono avanti dal fondo dell'aula, sollevando Sir Francis dalla panca. Hal, ammanettato al padre, fu trascinato con lui fino al portone. Dietro di loro, uomini e donne salirono sulle panche allungando il collo per sbirciare, poi si precipitarono in massa sulla soglia e alle finestre mentre Sir Francis e Hal venivano spinti giù per la scala fino al cortile.

Sir Francis rimase in silenzio, a testa alta e con la schiena eretta, mentre lo sospingevano verso lo steccato che serviva a legare i cavalli degli ufficiali, all'ingresso dell'armeria. Obbedendo agli ordini gridati dal sergente, i soldati disposero padre e figlio ai due lati dello steccato, l'uno di fronte all'altro, con i polsi stretti nelle manette agganciate agli anelli di ferro.

Hal non poteva intervenire. Il sergente infilò l'indice nel colletto della camicia di Sir Francis, tirando verso il basso e spaccando in due il tessuto di cotone fino alla cintola, poi fece un passo indietro, agitando in aria il leggero bastone di malacca.

«Hai prestato giuramento in occasione della tua nomina a cavaliere. Lo rispetterai sul tuo onore?» sussurrò Sir Francis al figlio.

«Sì, padre.»

Il bastone sibilò, abbattendosi con uno schiocco sulle sue carni nude, e Sir Francis si lasciò sfuggire una smorfia. « Questa non è che una bazzecola, un gioco da ragazzi in confronto a quello che verrà dopo, lo capisci? »

« Lo capisco benissimo. »

Il sergente colpì ancora, sovrapponendo le vergate l'una all'altra, in modo che il dolore si moltiplicasse a ogni colpo.

« Qualunque cosa tu dica o faccia, niente e nessuno può cambiare il volo della cometa rossa. Le stelle hanno decretato il mio destino, e tu non puoi intervenire. »

La verga ronzava e schioccava, e il corpo di Sir Francis s'irrigidiva, prima di rilassarsi di nuovo.

« Se sarai forte e costante, resisterai. Quella sarà la mia ricompensa. »

Stavolta si lasciò sfuggire un gemito roco, sentendo la verga affondare nei muscoli tesi del dorso.

« Tu sei il mio corpo e il mio sangue. Resisterò grazie a te. »

La verga ronzava e schioccava, più e più volte.

« Giuramelo ancora, per l'ultima volta. Rafforza il tuo giuramento che non rivelerai mai nulla a questa gente, nel futile tentativo di salvarmi. »

« Te lo giuro, padre », rispose Hal in un sussurro, col viso pallido come un osso sbiancato, mentre la verga continuava a cantare.

« Ripongo in te tutta la mia fede e la mia fiducia », disse ancora Sir Francis, prima che i soldati lo staccassero dal recinto. Quando risalirono la scala, si appoggiò leggermente al braccio di Hal, che lo sostenne quando incespicò, in modo che avesse ancora la testa alta e la schiena eretta quando fecero ingresso mell'aula e raggiunsero i loro posti sulla panca in prima fila.

Ora il governatore van de Velde era seduto sulla pedana. Accanto a sé aveva un vassoio d'argento carico di ciotole di porcellana piene di antipasti e stuzzichini piccanti, che masticava tutto allegro, bevendo da un boccale di peltro pieno di birra poco alcolica, mentre conversava con il colonnello Schreuder, seduto al tavolo in basso. Appena Sir Francis e Hal furono condotti dalle guardie fino alla panca, la sua espressione amabile cambiò di colpo. Alzò lá voce, e subito calò sull'assemblea un silenzio teso. « Mi auguro di avere messo bene in chiaro che non ammetterò ulteriori impedimenti a questa procedura. » Fulminò Sir Francis con un'occhiata collerica, prima di alzare la testa per scrutare l'aula. «Questo vale per tutti i presenti. Chiunque tenti in qualche modo di farsi beffe di questo tribunale riceverà lo stesso trattamento del prigioniero.» Abbassò gli occhi su Schreuder. «Chi sostiene la pubblica accusa?»

Schreuder si alzò. «Il colonnello Cornelius Schreuder, per servirvi, vostra eccellenza.»

«Chi perora la difesa?» Van de Velde fissò con aria corrucciata Jacobus Hop, e il funzionario si alzò di scatto, rovesciando sul pavimento metà dei documenti che aveva davanti a sé.

«Io, eccellenza.»

«Declinate le vostre generalità, signore!» tuonò van de Velde, e Hop si dimenò come un cucciolo, balbettando: «Jacobus Hop, funzionario e scrivano dell'onorevole Compagnia olandese delle Indie Orientali». Impiegò parecchio a pronunciare quella dichiarazione.

«In futuro alzate la voce e parlate chiaro», lo ammonì van de Velde, tornando a rivolgersi a Schreuder. «Potete procedere a esporre la causa, colonnello.»

«Qui si tratta di un caso di pirateria in alto mare, oltre che di assassinio e rapimento. Gli accusati sono ventiquattro in tutto. Con il vostro permesso, ora leggerò i loro nomi. Ogni prigioniero si alzi in piedi quando viene letto il suo nome, in modo che la corte possa riconoscerlo.» Estrasse dalla manica della divisa un rotolo di pergamena, reggendolo a braccio teso: «Il principale imputato è Francis Courteney, comandante della nave pirata *Lady Edwina*. Vostra eccellenza, è lui il capo e l'istigatore di tutti gli atti criminali perpetrati da questo branco di lupi di mare.» Van de Velde assentì e Schreuder riprese. «Henry Courteney, secondo ufficiale. Ned Tyler, nostromo. Daniel Fisher, nostromo...» Elencò poi il nome e il grado di ciascuno degli uomini seduti sulle panche, che uno alla volta si alzarono per qualche istante, alcuni chinando la testa, altri rivolgendo a van de Velde un sorriso accattivante. Gli ultimi quattro nomi della lista di Schreuder erano quelli dei marinai di pelle nera.

«Matesi, schiavo negro.

«Jiri, schiavo negro.

«Kimatti, schiavo negro.

«Aboli, schiavo negro.

«L'accusa dimostrerà che il 4 settembre dell'anno del Signore 1667, Francis Courteney, al comando della caravella *Lady Edwina*, di cui tutti gli altri prigionieri erano membri dell'equipaggio, assalì il galeone *De Standvastigheid*, alla guida del comandante Limberger...» Schreuder parlava senza fare ricorso a note o documenti, e Hal provò una riluttante ammirazione per la precisione e la lucidità della sua requisitoria.

«E ora, se permettete, vostra eccellenza, vorrei chiamare il primo testimone a carico.» Van de Velde annuì, e Schreuder si voltò per guardare attraverso la sala. «Chiamo il comandante Limberger.»

Il comandante del galeone lasciò la comoda sedia nel recinto delimitato da un cordone, si avvicinò alla pedana e vi salì. La sedia riservata ai testimoni si trovava davanti al tavolo del giudice, e Limberger vi prese posto.

«Comprendete la gravità della questione e giurate in nome di Dio onnipotente di dire la verità di fronte a questa corte?» gli chiese van de Velde.

«Lo giuro, vostra eccellenza.»

«Benissimo, colonnello, potete interrogare il testimone.»

Schreuder sollecitò Limberger a enunciare rapidamente nome, grado e posizione nella Compagnia, prima di chiedergli una descrizione della *Standvastigheid*, dei passeggeri e del carico. Limberger lesse le risposte dalla lista che aveva preparato, e alla fine Schreuder gli domandò: «Chi era il proprietario di questa nave e del carico che trasportava?»

«La spettabile Compagnia olandese delle Indie Orientali.»

«Dunque, comandante Limberger, il 4 settembre di quest'anno la vostra nave viaggiava all'incirca a 34 gradi di latitudine sud e 4 gradi di longitudine est, vale a dire approssimativamente cinquanta leghe a sud del capo Agulhas?»

«È esatto.»

«E questo avveniva qualche tempo dopo la cessazione delle ostilità fra Olanda e Inghilterra?»

«Sì, proprio così.»

Schreuder prese dal tavolo di fronte a sé un giornale di bordo rilegato in cuoio, porgendolo a Limberger. «È questo il giornale di bordo che avete compilato sulla vostra nave durante il viaggio?»

Limberger lo esaminò per qualche istante. «Sì, colonnello, è il mio giornale di bordo.»

Schreuder guardò van de Velde. «Vostra eccellenza, ritengo doveroso informarvi che questo giornale di bordo è stato trovato in possesso del pirata Courteney dopo la sua cattura da parte delle truppe della Compagnia.» Van de Velde annuì, e Schreuder guardò Limberger. «Volete leggerci, per favore, l'ultima annotazione sul giornale di bordo?»

Dopo avere sfogliato le pagine, Limberger lesse a voce alta: «Quarto giorno di aprile del 1667. Due tocchi del turno di guardia del mattino. Posizione stimata 4 gradi e 23 primi di longitudine est e 34 gradi e 45 primi di latitudine sud. Avvistata vela sconosciuta direzione sud sud-est. Batte bandiera amica.» Limberger chiuse il registro alzando la testa. «L'annotazione finisce qui.»

«La vela sconosciuta registrata nel giornale di bordo era la *Lady Edwina*, e batteva bandiera della Repubblica e della Compagnia?»

«Sì a entrambe le domande.»

«Volete riferire gli avvenimenti successivi all'avvistamento della *Lady Edwina*, per favore?»

Limberger fornì una descrizione chiara della cattura della sua nave, mentre Schreuder lo induceva a sottolineare l'uso della bandiera falsa da parte di Sir Francis per poter giungere a distanza ravvicinata. Dopo il racconto di Limberger dell'abbordaggio e del combattimento a bordo del galeone, Schreuder gli chiese un resoconto dettagliato del numero dei marinai olandesi feriti e uccisi. Limberger aveva preparato un elenco scritto, che consegnò alla corte.

«Grazie, comandante. Potete illustrarci quello che successe a voi, all'equipaggio e ai passeggeri dopo che i pirati ebbero ottenuto il controllo della nave?»

Limberger passò a descrivere la navigazione a est a fianco della *Lady Edwina*, il trasferimento del carico e dei cannoni dalla caravella al galeone, e la partenza della *Lady Edwina* per il capo, sotto il comando di Schreuder, con le richieste di riscatto, il successivo viaggio a bordo del galeone catturato fino alla laguna dell'Elefante e la prigionia subita da lui e dai suoi illustri passeggeri prima della liberazione da parte della spedizione proveniente dal capo, guidata da Schreuder e da Lord Cumbrae.

Quando Schreuder finì di interrogarlo, van de Velde guardò Hop. «Avete qualche domanda da fare, *mjnheer?*»

Con le mani ingombre di documenti, Hop si alzò in piedi, assalito da un violento rossore, poi prese fiato con un lungo respiro sussultante e cominciò a balbettare a lungo, in modo irrefrenabile. Tutti i presenti assistevano interessati alla sua tortura, e infine van de Velde intervenne. « Il comandante Limberger intende partire per l'Olanda fra due settimane. Pensate che per allora avrà risposto alla vostra domanda? »

Hop scosse la testa. « Nessuna domanda », disse alla fine, sedendosi di schianto.

« Chi è il prossimo testimone, colonnello? » chiese van de Velde appena Limberger lasciò la sedia dei testimoni per tornare nel recinto riservato.

« Vorrei chiamare a deporre la moglie del governatore, *mevrou* Katinka van de Velde. Naturalmente se questo non la turba troppo. »

Quando Katinka prese posto sulla sedia dei testimoni, tra fruscii di sete e di pizzi, nell'aula si levò un mormorio maschile di apprezzamento. Sir Francis sentì Hal irrigidirsi al suo fianco, ma non si voltò a guardarlo. Solo pochi giorni prima della cattura, quando Hal si era assentato dal campo per lunghi periodi, cominciando a trascurare i suoi doveri, aveva capito che il figlio era caduto nella trappola dorata della sgualdrina. Ma ormai era troppo tardi per intervenire, e in ogni caso ricordava ancora che cosa significava essere giovane e innamorato, anche di una donna del tutto inadatta, e aveva compreso la futilità di ogni tentativo volto a impedire ciò che era già accaduto. Quando Schreuder e l'Avvoltoio avevano attaccato il campo, stava aspettando il momento e l'occasione giusti per porre fine alla tresca.

Schreuder condusse con molta deferenza l'interrogatorio di Katinka, invitandola a indicare nome e rango prima di chiederle una descrizione del viaggio a bordo della *Standvastigheid* e della sua cattura. Lei rispose con voce dolce e limpida, vibrante di emozione, e Schreuder continuò: « Vi prego, signora, di dirci come siete stata trattata ».

Katinka cominciò a singhiozzare sommessamente. « Ho tentato di cancellare dalla mente quel ricordo, perché era troppo penoso ripensarci, ma non riuscirò mai a dimenticare. Mi hanno trattata come una bestia in gabbia, insultandomi e sputandomi addosso, rinchiudendomi in una capanna di paglia... » Persino van de Velde rimase stupito da quella testimonianza, ma poi si rese conto che avrebbe fatto un gran bell'effetto nel rapporto destinato ad Amsterdam. Dopo averlo letto, il padre di Katinka e gli altri componenti del consiglio dei Diciassette non avrebbero potuto fare altro che approvare le condanne inflitte ai prigionieri, anche le più severe.

Sir Francis era consapevole della tempesta emotiva che squassava Hal, mentre questi ascoltava la donna in cui aveva riposto tanta fiducia mentire in modo così spudorato. Sentì il figlio accasciarsi, fisicamente distrutto.

«Sta' di buon animo, ragazzo mio», disse a bassa voce, senza voltarsi, e sentì Hal raddrizzarsi sulla panca di legno.

«Mia cara signora, sappiamo che avete subito una prova terribile per colpa di questi mostri disumani.» A quel punto Schreuder tremava di rabbia nel sentirle rievocare quell'odissea. Katinka assentì, asciugandosi con grazia gli occhi con un fazzolettino di pizzo. «Credete che si debba mostrare misericordia verso animali come questi, oppure a vostro parere devono essere assoggettati al massimo rigore della legge?»

«Il buon Gesù sa che sono soltanto una povera donna, con un cuore tenero e pieno di amore per tutte le creature di Dio.» La voce di Katinka si spezzò, con un effetto patetico. «Ma so che tutti i presenti saranno d'accordo con me nel riconoscere che la semplice impiccagione è una pena troppo mite per questi criminali incalliti.» Un mormorio di approvazione corse lungo le panche degli spettatori, trasformandosi poi in un brontolio profondo. Come una gabbia piena di orsi all'ora del pasto, volevano vedere il sangue.

«Bruciateli vivi!» gridò una donna. «Non sono degni di essere definiti uomini.»

Katinka alzò la testa e, per la prima volta da quando era entrata nell'aula, guardò Hal, fissandolo negli occhi attraverso il velo di lacrime.

Hal sollevò il mento, ricambiando lo sguardo: sentiva che tutto l'amore e il rispetto che aveva provato per lei avvizzivano, come un tenero vitigno colpito dalla muffa nera. Lo percepì anche Sir Francis, che si voltò a guardarlo: vide il ghiaccio negli occhi del figlio e gli parve quasi di sentire le fiamme nel suo cuore.

«Non è mai stata degna di te», gli disse piano. «Ora che hai rinunciato a lei, hai fatto un altro decisivo passo avanti verso la maturità.»

Suo padre era davvero in grado di capire, si chiedeva Hal, e sapeva che cosa era accaduto? Conosceva davvero i suoi sentimenti? Se così fosse stato, certamente avrebbe dovuto ripudiarlo da tempo. Si voltò a guardarlo negli occhi, temendo di vederli pieni di disprezzo e repulsione. Invece lo sguardo del padre era intenerito dalla comprensione. Si rese conto che sapeva tutto, e probabilmente aveva sempre saputo. Ben lungi dal ripudiarlo, il padre gli offriva forza e comprensione.

«Ho fornicato e ho disonorato il mio rango di cavaliere», sussurrò Hal.. «Non sono più degno di essere considerato vostro figlio.»

La catena applicata al polso di Sir Francis tintinnò, quando gli posò la mano sul ginocchio, mormorando: «È stata questa sgualdrina a traviarti. La colpa non è tua. Sarai sempre mio figlio e io sarò sempre fiero di te».

Van de Velde lo fissò con aria corrucciata. «Silenzio! Basta con questi bisbigli! O andate cercando qualche altra carezza della verga?» Si rivolse di nuovo alla moglie in tono ufficiale. «*Mevrou*, siete stata molto coraggiosa. Sono certo che *mjnheer* Hop non intende turbarvi oltre.» Spostò lo sguardo sullo sfortunato scrivano, che si alzò tutto confuso.

«*Mevrou*.» Quella sola parola gli uscì di bocca nitida e chiara come un colpo di pistola, sorprendendo tanto lui quanto tutti i presenti. «Vi ringraziamo per la testimonianza, e non abbiamo domande da rivolgervi.» S'inceppò soltanto una volta, sulla parola «testimonianza», e si sedette di nuovo tutto trionfante.

«Ben detto, Hop.» Van de Velde lo guardò con aria raggiante, quasi paterna, prima di rivolgere un sorriso affettuoso alla moglie. «Potete tornare al vostro posto, *mevrou*.» Si levò un mormorio carico di pensieri lascivi e tutti gli uomini presenti in aula abbassarono lo sguardo quando Katinka, scendendo dalla pedana, sollevò le gonne fino a scoprire le caviglie snelle e perfette inguainate nelle calze di seta bianca.

Non appena si fu seduta, Schreuder riprese la parola: «E ora, Lord Cumbrae, possiamo disturbare anche voi?»

L'Avvoltoio salì sulla pedana in tutto il suo apparato solenne, posando una mano sullo scintillante quarzo giallo che abbelliva l'elsa del suo pugnale mentre prestava giuramento. Dopo aver accertato chi era e quale rango occupava, Schreuder domandò all'Avvoltoio: «Conoscete il comandante pirata, Courteney?»

«Come un fratello.» Cumbrae sorrise dall'alto della pedana a Sir Francis. «Un tempo eravamo molto vicini.»

«E ora non più?» chiese Schreuder in tono brusco.

«Ahimè, mi addolora ammetterlo, ma quando il mio vecchio amico ha cominciato a cambiare condotta, le nostre strade si sono separate, anche se provo ancora un grande affetto per lui.»

« In che senso è cambiato? »

« Be', Franky è sempre stato un ragazzo in gamba. Più di una volta abbiamo navigato insieme, superando tempeste e giorni di bonaccia. Non c'era uomo per il quale provassi più affetto, tanto era leale e onesto, valoroso e generoso con gli amici... » Cumbrae s'interruppe, mentre un'espressione di pena profonda gli contraeva la fronte.

« Voi parlate al passato, milord. Che cosa è cambiato? »

« È stato Francis a cambiare. Dapprima solo nelle piccole cose... era crudele con i prigionieri e duro con l'equipaggio, sempre pronto a fustigare e impiccare senza che ce ne fosse alcun bisogno. Poi è cambiato nei confronti degli amici, mentendo e defraudandoli della loro parte del bottino. È diventato un uomo amareggiato e astioso. »

« Grazie della franchezza. Mi rendo conto che non vi fa piacere ammettere queste verità. »

« Nessun piacere », confermò Cumbrae con tristezza. « Detesto vedere in catene un vecchio amico, anche se Dio onnipotente sa bene che non merita misericordia per il suo comportamento criminale verso onesti marinai olandesi e donne innocenti. »

« Quando è stata l'ultima volta che avete navigato in compagnia di Courteney? »

« Non molto tempo fa, nell'aprile di quest'anno. Le nostre due navi erano di pattuglia insieme al largo di capo Agulhas, in attesa di intercettare i galeoni della Compagnia che doppiavano il capo per approdare qui, nella baia della Tavola. » Dagli spettatori si levò un mormorio di patriottica indignazione, che van de Velde decise di ignorare.

« Allora anche voi eravate un pirata? » esclamò Schreuder con un cipiglio minaccioso. « Volevate depredare anche voi una nave olandese? »

« No, colonnello Schreuder, non ero un volgare pirata. Durante la recente guerra fra i nostri due paesi, ero un corsaro autorizzato, munito di una commissione. »

« Vi prego, milord, di illustrare alla corte la differenza fra un pirata e un corsaro. »

« È semplice: consiste nel fatto che un corsaro naviga in base a una lettera di marca emessa dal suo sovrano in tempo di guerra, e quindi è un legittimo combattente. Un pirata, invece, è un rapinatore e un fuorilegge, che compie le sue scorrerie senza alcuna sanzione ufficiale, se non quella del principe delle tenebre, Satana stesso. »

« Capisco. Quindi voi avevate una lettera di marca, quando attaccavate le navi olandesi? »

« Sì, colonnello, proprio così. »

« E siete in grado di esibire questo documento? »

« Ma certo! » Cumbrae infilò la mano nella manica, estraendo un rotolo di pergamena, che porse a Schreuder.

« Grazie. » Schreuder lo svolse, tenendolo sollevato in modo che tutti potessero vederlo, appesantito da nastri scarlatti e sigilli di cera. A voce alta, lesse: « Confermo con la presente che il nostro beneamato Angus Cochran, conte di Cumbrae... »

« Molto bene, colonnello », lo interruppe van de Velde in tono acido. « Non c'è bisogno di leggerlo tutto. Fatemelo vedere, se non vi dispiace. »

Schreuder s'inchinò. « Come vostra eccellenza desidera. » Consegnò il documento, che van de Velde guardò appena, prima di posarlo. « Vi prego di continuare con le domande. »

« Milord, anche Courteney, il prigioniero, aveva una di queste lettere di marca? »

« Be', se l'aveva, io non ne ero al corrente. » L'Avvoltoio sorrise apertamente all'indirizzo di Sir Francis.

« E vi sareste aspettato di saperlo, se la lettera fosse esistita davvero? »

« Sir Francis e io eravamo molto intimi. Fra noi non c'erano segreti. Sì, me l'avrebbe detto. »

« Non ha mai discusso con voi di questa lettera? » Schreuder appariva seccato, come un pedagogo il cui allievo ha dimenticato la lezione. « Mai? »

« Oh, sì, ora ricordo una circostanza in particolare. Gli domandai se aveva una commissione reale. »

« E quale fu la sua risposta? »

« Mi disse: 'Comunque non è altro che un pezzo di carta. Non ho voglia di perdere tempo con sciocchezze del genere!' »

« Dunque sapevate che non aveva la lettera, eppure avete navigato in sua compagnia? »

Cochran si strinse nelle spalle. « Si era in tempo di guerra, e non erano affari miei. »

« Insomma, eravate al largo di capo Agulhas con il prigioniero dopo che la pace era stata firmata, e stavate ancora razziando le navi olandesi. Potete spiegare questo alla corte? »

« È semplice, colonnello. Non sapevamo nulla della pace, almeno finché non incrociai per caso una caravella portoghese diretta da Lisbona a Goa. La salutai, e il comandante mi disse che avevano firmato la pace. »

« Come si chiamava questa nave portoghese? »

« *El Dragao.* »

« Il prigioniero Courteney era presente a questo incontro? »

« No, il suo posto di pattuglia era più a nord del mio. In quel momento era oltre l'orizzonte, fuori vista. »

Schreuder annuì. « E ora dov'è questa nave? »

« Ho qui una copia di una gazzetta di Londra, vecchia di appena tre mesi. È arrivata tre giorni fa, con la nave della Compagnia che in questo momento è all'ancora nella baia. » L'Avvoltoio estrasse la gazzetta dalla manica con un gesto elaborato da prestigiatore. « *L'El Dragao* è andata perduta con tutto l'equipaggio in una tempesta nel golfo di Biscaglia, durante il viaggio di ritorno in patria. »

« Quindi, a quanto pare, non avremo mai la possibilità di smentire il vostro incontro con questa nave al largo di capo Agulhas? »

« Dovrete accettare la mia parola in proposito, colonnello. » Cochran si grattò la folta barba rossa.

« Che cosa avete fatto, quando avete saputo della pace fra Inghilterra e Olanda? »

« Da onest'uomo quale sono, potevo fare una cosa sola. Ho abbandonato il mio posto di pattuglia per andare in cerca della *Lady Edwina.* »

« Per avvertirla che la guerra era finita? »

« Certo, e per informare Franky che la mia commissione non era più valida e quindi me ne tornavo a casa. »

« E avete trovato Courteney? Gli avete comunicato la notizia? »

« L'ho trovato dopo qualche ora di navigazione. Era proprio a nord della mia posizione, a una ventina di leghe di distanza. »

« Che cosa ha detto, quando lo avete informato della fine della guerra? »

« Mi ha detto: 'Forse sarà finita per te, ma non per me. Pioggia o sole, vento o calma, guerra o pace, voglio catturare una bella testa di formaggio'. »

Si sentì un sonoro sferragliare di catene, mentre Big Daniel balzava in piedi, sollevando con sé dalla panca la figura minuta di Ned Tyler. «Non c'è una parola di vero in quello che dite, sporco scozzese falso e bastardo!» tuonò.

Van de Velde si alzò, minacciandolo col dito. «Sedetevi, animale inglese, o vi farò frustare, e non con la verga.»

Sir Francis si girò verso Daniel, afferrandolo per il braccio. «Calmatevi, mastro Daniel», gli disse a bassa voce. «Non date all'Avvoltoio il piacere di vederci soffrire.» Big Daniel ricadde sulla panca; imprecava furiosamente fra sé, ma non avrebbe mai disobbedito al suo comandante.

«Sono certo che il governatore van de Velde terrà conto della natura indisciplinata e disperata di questi criminali», commentò Schreuder, prima di dedicare nuovamente la sua attenzione all'Avvoltoio. «Avete più rivisto Courteney, prima di oggi?»

«Sì. Quando ho saputo che, nonostante il mio avvertimento, aveva catturato un galeone della Compagnia, sono andato a trovarlo per fargli le mie rimostranze, chiedendogli di liberare la nave con tutto il carico e di rilasciare gli ostaggi che teneva prigionieri in attesa del riscatto.»

«E come ha risposto ai vostri inviti?»

«Ha aperto il fuoco con i cannoni sulla mia nave, uccidendo dodici dei miei uomini e attaccandomi con barche incendiarie.» L'Avvoltoio scosse la testa, al ricordo del trattamento sleale ricevuto dal suo vecchio amico e compagno di navigazione. «È stato allora che sono venuto qui alla baia della Tavola per informare il governatore Kleinhans della posizione del galeone e offrirmi di guidare una spedizione per recuperare la nave e il carico, in mano ai pirati.»

«Come soldato, non posso che lodare la vostra condotta esemplare, milord. Non ho altre domande, vostra eccellenza», concluse Schreuder, inchinandosi a van de Velde.

«Hop, avete qualche domanda?»

Il funzionario, confuso, lanciò un'occhiata implorante a Sir Francis. «Chiedo scusa, vostra eccellenza», rispose balbettando, «posso conferire in privato con Sir Francis, anche solo per un minuto?»

Dapprima si ebbe l'impressione che van de Velde avrebbe rifiutato il permesso, ma alla fine aggrottò le sopracciglia con aria stanca. «Se insistete ogni volta per tirare in lungo questo procedimento, staremo qui una settimana intera. E va bene, amico, potete parlare al prigioniero, fate alla svelta.»

Hop si affrettò a raggiungere Sir Francis, chinandosi su di lui per fare una domanda e ascoltare la risposta, con un'espressione sempre più intensa di orrore sul volto pallido. Assentì e continuò ad assentire mentre Sir Francis gli parlava all'orecchio. Poi tornò al suo tavolo.

Rimase in piedi a fissare i documenti che aveva davanti, respirando affannosamente come un pescatore di perle sul punto di tuffarsi dalla canoa a venti braccia di profondità. Infine alzò la testa per gridare a Cumbrae: «Avete appreso per la prima volta la notizia della fine della guerra quando avete tentato di impadronirvi della *Swael* sotto la fortezza, qui nella baia della Tavola, e ne siete stato informato dal colonnello Schreuder!»

Parlò tutto d'un fiato, senza pause o intoppi, ma era un discorso troppo lungo per lui: vacillò all'indietro, ansimando per lo sforzo.

«Siete uscito di senno, Hop?» tuonò van de Velde. «Piccolo imbrattacarte da strapazzo, intendete forse accusare di spergiuro un nobile?»

Hop riprese fiato, chiamando a raccolta il suo fragile coraggio, per gridare di nuovo: «Avete avuto fra le mani la lettera di marca del comandante Courteney, e gliel'avete sventolata in faccia prima di ridurla in cenere». Ancora una volta, la frase gli uscì di bocca correntemente, ma era sfinito e dovette fermarsi per riprendere fiato.

Ora van de Velde era in piedi. «Se desiderate fare carriera nella Compagnia, Hop, avete scelto un metodo molto strano. Ve ne state qui a lanciare folli accuse a un uomo di alto rango. Non sapete stare al vostro posto, piccolo topo di fogna? Come osate comportarvi così? Sedetevi, prima che vi faccia trascinare fuori e frustare.» Hop ricadde sulla sedia come se avesse ricevuto una palla di moschetto nella testa. Col fiato grosso, van de Velde s'inchinò in direzione dell'Avvoltoio. «Devo farvi le mie scuse, milord. Tutti i presenti sanno che avete fornito un contributo prezioso alla liberazione degli ostaggi e al recupero della *Standvastigheid* dalle mani di questi furfanti. Vi prego di ignorare queste dichiarazioni offensive e di tornare al vostro posto. Vi siamo riconoscenti per l'aiuto che avete fornito in questa faccenda.»

Mentre Cumbrae attraversava la sala, van de Velde notò all'improvviso il cancelliere che scriveva affannosamente, al suo fianco. «Non mettete a verbale questo, idiota. Non faceva parte del procedimento ufficiale. Qua, fatemi vedere che cosa avete scritto. » Strappò il verbale dalle mani del cancelliere, e il suo viso s'incupì man mano che leggeva. Si protese in avanti per prendere la penna d'oca dalle mani dello scrivano e, con una serie di ampi tratti d'inchiostro, cancellò le parti del testo che lo turbavano, prima di spingere di nuovo il registro verso il cancelliere. « Usate il cervello. La carta è un bene prezioso. Non dovete sprecarlo scrivendo idiozie inutili. » Poi trasferì la sua attenzione sui rappresentanti delle due parti. « Signori, gradirei vedere questa faccenda sistemata entro oggi. Non intendo imporre spese superflue alla Compagnia sprecando altro tempo. Colonnello Schreuder, ritengo che abbiate fornito una presentazione del tutto convincente della causa contro gli imputati, e spero che non intendiate strafare convocando altri testimoni, vero? »

« Come vostra eccellenza preferisce. Avevo l'intenzione di chiamarne altri dieci. »

« Santo cielo! » Van de Velde appariva inorridito. « Non sarà affatto necessario. »

Schreuder gli rispose con un profondo inchino, mettendosi a sedere. Van de Velde chinò la testa come un toro sul punto di caricare prima di guardare l'avvocato della difesa. « Hop! » ringhiò. « Avete appena visto come si è mostrato ragionevole il colonnello Schreuder, e quale eccellente esempio di economia di parole e di tempo ha offerto a questa corte. Quali sono le vostre intenzioni? »

« Posso chiamare a deporre Sir Francis Courteney? » balbettò Hop.

« Ve lo sconsiglio di cuore », ribatté van de Velde in tono minaccioso. « Certo non gioverà granché alla vostra causa. »

« Voglio dimostrare che era all'oscuro del fatto che la guerra era finita e che navigava su commissione del re d'Inghilterra », insistette Hop ostinato, e il viso di van de Velde assunse un colore violaceo.

« Dannazione, Hop, non avete ascoltato una parola di quello che ho detto? Sappiamo tutto su questa linea di difesa, e la prenderò in considerazione al momento di esprimere il verdetto. Non c'è bisogno di rigurgitare di nuovo tutte quelle menzogne. »

« Vorrei sentirlo dire dal prigioniero, perché sia messo almeno a verbale. » Hop era sull'orlo del pianto, e le parole incespicavano penosamente sulla sua lingua impedita.

« State mettendo a dura prova la mia pazienza. Se continuate così, vi ritroverete a bordo della prima nave per Amsterdam. Non posso ammettere che un servitore sleale della Compagnia semini dissenso e sedizione in tutta la colonia. »

Hop parve allarmato nel sentirsi descrivere in questi termini, e si affrettò a capitolare. « Chiedo scusa per avere ritardato l'attività di questa onorevole corte. La difesa non ha altro da aggiungere. »

« Bravo! Avete fatto un ottimo lavoro, Hop. Aggiungerò una nota in questo senso nel mio rapporto ai Diciassette. » Il viso di van de Velde aveva ripreso il colorito normale, e lui sorrise all'indirizzo dell'aula. « Aggiorniamo la seduta per il pasto di mezzogiorno, in modo che la corte possa meditare sul verdetto. Ci riuniremo di nuovo alle quattro di questo pomeriggio. Riportate i prigionieri in cella. »

Per non sobbarcarsi il fastidio di aprire le manette, Manseer, il carceriere, spinse anche Hal, ancora incatenato al padre, nella cella d'isolamento in cima alla scala a chiocciola, mentre gli altri scendevano nella cella comune.

Hal e suo padre sedettero fianco a fianco sulla lastra di pietra che faceva da letto a Sir Francis, e appena rimasero soli Hal proruppe: « Padre, voglio spiegarvi di Katinka... della moglie del governatore, voglio dire ».

Sir Francis lo abbracciò con un gesto goffo, impacciato dalle catene. « Per quanto possa sembrare strano, sono stato giovane anch'io. Non devi parlare più di quella sgualdrina. Non è degna della tua considerazione. »

« Non amerò più un'altra donna, dovessi campare cent'anni », esclamò Hal con amarezza.

« Quello che provavi per quella donna non era amore, figlio mio. » Sir Francis scrollò la testa. « L'amore è una moneta preziosa. Spendila soltanto in un mercato in cui non possano ingannarti. »

A quel punto si sentì battere sulle sbarre di ferro della cella accanto, e Althuda gridò: « Come va il processo, comandante Courteney? Avete avuto un buon assaggio della giustizia della Compagnia? »

Sir Francis alzò la voce per farsi sentire. « Va come avevate previsto, Althuda. È evidente che anche voi l'avete già sperimentata. »

« In questo piccolo paradiso terrestre chiamato Buona Speranza, l'unico dio è il governatore. Qui, la giustizia s'identifica con ciò che frutta un profitto alla Compagnia olandese delle Indie Orientali, o un tornaconto personale per i suoi funzionari. Il giudice vi ha già dichiarato colpevole? »

«Non ancora. Van de Velde è andato a ingozzarsi al truogolo. »

«Dovete pregare che giudichi il costo della manodopera per le sue mura più importante della vendetta. Solo così potrete scampare alle grinfie di Stadige Jan. C'è qualcosa che tenete nascosto? Qualcosa che vogliono da voi... il tradimento di un compagno, magari? » chiese Althuda. «In caso contrario, potreste ancora risparmiarvi la visita alla stanzetta sotto l'armeria dove Stadige Jan sbriga il suo lavoro. »

«Non abbiamo niente da nascondere », replicò Sir Francis. «Non è vero, Hal? »

«Niente », confermò Hal tenendo fede al giuramento.

«Ma van de Velde è convinto di sì », aggiunse Sir Francis.

«Allora tutto ciò che posso dirvi, amico mio, è che Allah onnipotente abbia pietà di voi. »

Quelle ultime ore insieme passarono troppo in fretta per Hal, che trascorse quel tempo parlando sottovoce con il padre. Ogni tanto, Sir Francis era assalito da una crisi di tosse; alla luce fioca della cella i suoi occhi apparivano lucidi di febbre, e Hal, toccandolo, sentì la pelle calda e viscida di sudore. Sir Francis parlava di High Weald come un uomo cosciente che non rivedrà mai più la sua casa, descrivendo il fiume e la collina che Hal ricordava a stento, i salmoni che risalivano il fiume in primavera e i cervi bramire nella stagione degli amori. Quando parlò della moglie, Hal tentò di ricordare il suo volto, ma vide soltanto la donna nella miniatura che aveva sepolto presso la laguna dell'Elefante, e non una persona in carne e ossa.

«In questi ultimi anni il suo ricordo era sbiadito nella mia mente », ammise Sir Francis. «Ma ora il suo volto mi torna alla memoria con la stessa nitidezza, la stessa giovinezza e dolcezza che aveva da viva. Mi domando se questo accada perché fra poco saremo di nuovo insieme. Mi starà aspettando? »

«Ne sono sicuro, padre. » Hal gli diede la rassicurazione che voleva. «Ma io ho bisogno di te, e so che resteremo insieme ancora molti anni prima che tu raggiunga mia madre. »

Sir Francis sorrise con rammarico, alzando gli occhi verso la minuscola finestrella incassata in cima alla parete. «La notte scorsa mi sono arrampicato lassù per guardare dalle sbarre, e la cometa rossa era ancora nel segno della Vergine. Sembrava ancora più vicina e più ardente, perché la sua coda fiammeggiante ha già eclissato la mia stella.»

Udirono i passi delle guardie avvicinarsi e il rumore delle chiavi nella serratura della porta di ferro. Sir Francis si girò verso Hal. «Lascia che ti dia un bacio per l'ultima volta, figlio mio.»

Le labbra del padre, inaridite e screpolate, erano riarse dalla febbre che gli ardeva nel sangue. Il contatto fu breve, poi la porta della cella si spalancò.

«Non fate aspettare il governatore e Stadige Jan», esclamò il sergente Manseer in tono gioviale. «Fuori, voi due.»

L'atmosfera che regnava fra il pubblico nell'aula somigliava a quella di un'arena per il combattimento dei galli poco prima che i due pennuti muniti di speroni fossero aizzati l'uno contro l'altro in una nube di penne.

Sir Francis e Hal procedevano in testa alla lunga fila di prigionieri e, prima di poterselo impedire, Hal lanciò una rapida occhiata verso l'area recintata all'estremità opposta dell'aula. Katinka era seduta di nuovo al centro della prima fila, con Zelda alle spalle. La cameriera lanciò a Hal un'occhiata di scherno crudele, mentre Katinka aveva sul viso un lieve sorriso soddisfatto e i suoi occhi scintillavano di riflessi viola che sembravano rischiarare gli angoli in ombra della sala.

Hal si affrettò a distogliere lo sguardo, scosso dalla vampata di odio improvviso subentrata all'adorazione che provava per la donna sino a poco tempo prima. Come poteva essere accaduto così in fretta, si domandava, sapendo che, se avesse avuto fra le mani una spada, non avrebbe esitato ad affondarne la punta fra quei seni morbidi e candidi.

Sedendosi sulla panca, provò l'impulso di alzare di nuovo gli occhi sulla folla di spettatori, e stavolta rimase raggelato nel vedere un altro paio di occhi, chiari e vigili come quelli di un leopardo, fissi sul volto del padre.

Nella prima fila della galleria era seduto Stadige Jan. Aveva l'aspetto di un predicatore, con gli abiti neri da puritano e il cappello a tesa larga piantato saldamente sulla testa.

«Non guardarlo», disse sottovoce Sir Francis, e Hal comprese che anche il padre era acutamente consapevole dello sguardo di quegli strani occhi.

Non appena nell'aula fu sceso un silenzio carico di aspettativa, van de Velde entrò dalla porta della sala delle udienze. Quando si calò sul suo seggio, con un sorriso espansivo e la parrucca leggermente di traverso, si lasciò sfuggire un lieve rutto: era chiaro che aveva mangiato bene. Poi abbassò gli occhi sui prigionieri con un'espressione così benevola che Hal provò un ingiustificato impeto di speranza.

« Ho riflettuto sulle prove che sono state presentate dinanzi a questa corte », esordì il governatore senza preamboli. « E devo dire subito che sono rimasto impressionato dal modo in cui entrambe le parti hanno esposto il caso. Il colonnello Schreuder è stato un modello di concisione... » Le parole più lunghe gli uscivano di bocca piuttosto impastate, poi van de Velde si lasciò sfuggire un altro rutto. Hal ebbe l'impressione di sentire un aroma di cumino e di aglio nella zaffata tepida che gli giunse qualche secondo più tardi.

Dopodiché il governatore rivolse un'occhiata paterna a Jacobus Hop. « L'avvocato della difesa si è comportato in modo ammirevole, sostenendo un caso disperato con argomenti magistrali, e allegherò una nota in questo senso al suo fascicolo personale nell'archivio della Compagnia. » Hop chinò la testa, rosso in volto per la soddisfazione.

« Tuttavia », aggiunse il governatore, squadrando con severità le panche dei prigionieri, « nell'esaminare le prove, ho riflettuto molto sull'argomento sollevato da *mjnheer* Hop, e cioè che i pirati agivano in base a una lettera di marca emessa dal re d'Inghilterra e che, al momento in cui hanno attaccato il galeone della Compagnia, la *Standvastigheid*, erano all'oscuro della fine delle ostilità fra le parti in causa nella recente guerra. E sono stato costretto dalle irrefutabili prove in senso contrario a respingere in modo assoluto questa linea di difesa. Quindi ritengo tutti i ventiquattro imputati colpevoli di pirateria in alto mare, rapina, rapimento e omicidio. »

I marinai sulle panche lo fissarono in silenzio, pallidi in volto.

« C'è qualcosa che desiderate dire, prima che emetta la sentenza? » chiese van de Velde, aprendo la tabacchiera d'argento.

Sir Francis prese la parola, con una voce che raggiungeva tutti gli angoli della sala. « Noi siamo prigionieri di guerra. Non avete il diritto di tenerci in catene come schiavi, e neppure di processarci o di giudicarci. »

Van de Velde applicò un pizzico di tabacco da fiuto a ciascuna narice, poi starnutì con grande gusto, spruzzando il cancelliere seduto al suo fianco. Lo scrivano chiuse l'occhio più vicino al governatore, continuando però a far volare la penna sulla pagina nello sforzo di tenere il passo con il procedimento giudiziario.

«Mi sembra che abbiamo già discusso questa posizione.» Van de Velde rivolse a Sir Francis un cenno beffardo. «Ora passerò a pronunciare la sentenza contro questi pirati. Mi occuperò prima di tutto dei quattro negri. Si facciano avanti i seguenti condannati: Aboli, Matesi, Jiri e Kimatti!»

I quattro erano incatenati a coppie e, quando le guardie li sollecitarono ad alzarsi, avanzarono strascicando i piedi per disporsi davanti alla pedana del giudice. Van de Velde li squadrò con severità. «Ho tenuto conto del fatto che siete selvaggi ignoranti, e quindi da voi non ci si può aspettare che vi comportiate come cristiani decenti. Sebbene i vostri delitti gridino vendetta al cielo, sono incline alla misericordia e vi condanno alla schiavitù a vita. Sarete venduti all'asta al miglior offerente dalla Compagnia olandese delle Indie Orientali, e il ricavato della vendita sarà versato nelle casse della Compagnia. Sergente, portateli via!»

Mentre venivano condotti fuori dell'aula, Aboli lanciò un'occhiata a Sir Francis e Hal. Anche se il viso scuro era impenetrabile sotto la maschera di tatuaggi, gli occhi esprimevano il messaggio del suo cuore.

«Pensiamo ora ai pirati bianchi», annunciò van de Velde. «Si facciano avanti i seguenti prigionieri.» Dalla lista che aveva in mano lesse: «Henry Courteney, secondo ufficiale. Ned Tyler, nostromo. Daniel Fisher, nostromo. William Rogers, marinaio semplice...» Van de Velde pronunciò via via tutti i nomi, tranne quello di Sir Francis Courteney, e quando lui si alzò accanto al figlio, lo fermò. «Voi no! Voi siete il comandante e l'istigatore di questa banda di criminali. Per voi ho altri progetti. Armiere, separatelo dall'altro prigioniero.» L'uomo si affrettò ad avanzare dal fondo dell'aula con il sacchetto di cuoio contenente gli attrezzi, e in breve tempo liberò le manette dall'anello che univa Hal al padre.

Sir Francis restò seduto da solo sulla lunga panca, mentre Hal si allontanava, avanzando per prendere posto in testa alla fila di prigionieri di fronte alla pedana. Van de Velde studiò i loro volti, cominciando da un'estremità della fila per arrivare a Hal. «Non ho mai posato gli occhi su una banda di tagliagole più spaventosa di questa. Nessuna persona onesta, uomo o donna che sia, è al sicuro, quando sono in circolazione uomini come voi. Siete buoni solo per il patibolo. »

Mentre fissava Hal, gli venne in mente un'idea improvvisa e lanciò un'occhiata all'Avvoltoio, che era seduto accanto alla bella Katinka su una panca laterale. « Milord », esclamò, « potrei parlarvi un momento in privato? » Lasciando i prigionieri in piedi, van de Velde si alzò in piedi a fatica, rientrando nella sala delle udienze attraverso la porta alle sue spalle. L'Avvoltoio, congedatosi da Katinka con un elaborato inchino, lo seguì.

Entrando nella stanza, trovò van de Velde che sceglieva uno stuzzichino dal vassoio d'argento posto sul tavolo lucidissimo di legno giallo. Il governatore si rivolse all'Avvoltoio con la bocca ancora piena. « Mi è venuta un'idea. Se devo mandare Francis Courteney dal boia perché lo interroghi sulla sorte del carico scomparso, perché non mandarci anche suo figlio? Di certo Courteney lo avrà rivelato al figlio, o addirittura lo avrà preso con sé quando ha nascosto il tesoro. Voi che ne dite, milord? »

L'Avvoltoio assunse un'espressione grave, tirandosi la barba mentre fingeva di riflettere sulla domanda. Si era chiesto quanto tempo ci sarebbe voluto perché quel porco ci arrivasse, e si era preparato da tempo la risposta. Sapeva di poter contare sul fatto che Sir Francis Courteney non avrebbe mai rivelato dov'era nascosto il suo tesoro, neanche al più astuto e tenace dei tormentatori. Era semplicemente troppo ostinato e ottuso per farlo, a meno che – e quello era l'unico caso in cui avrebbe potuto cedere – non lo facesse per salvare il suo unico figlio. « Vostra eccellenza, penso che non dobbiate temere che qualsiasi persona vivente, a parte il pirata stesso, sappia dove si trova il tesoro. È un uomo troppo avaro e diffidente per avere fiducia in un altro essere umano. »

Van de Velde, non troppo convinto, si servì dal vassoio un'altra *samosa* al curry. Mentre lui masticava, l'Avvoltoio rimuginava sull'argomento migliore, nel caso van de Velde decidesse di continuare la discussione. Per Cumbrae non c'era il minimo dubbio che Hal Courteney sapesse dove si trovava il tesoro della *Standvastigheid*; meglio ancora, sapeva quasi certamente dov'era nascosto anche il bottino della *Heerlige Nacht*. A differenza del padre, il giovane non sarebbe stato in grado di resistere all'interrogatorio di Stadige Jan e, anche se si fosse rivelato più forte di quanto l'Avvoltoio riteneva, il padre avrebbe ceduto senz'altro, vedendo suo figlio sulla ruota. In un modo o nell'altro, i due avrebbero condotto gli olandesi al tesoro, e quella era l'ultima cosa al mondo che l'Avvoltoio desiderava.

La sua espressione grave rischiò di tramutarsi in un sorriso quando si rese conto dell'ironia della sorte, che lo costringeva a sottrarre Henry Courteney alle attenzioni di Stadige Jan. Ma se voleva il tesoro per sé, doveva fare in modo che né il padre né il figlio guidassero fin laggiù gli olandesi. Il posto ideale per Sir Francis era il capestro, e per il suo moccioso la segreta sotto le mura del castello.

Stavolta non riuscì a impedire che il sorriso gli sfiorasse le labbra al pensiero che, mentre Stadige Jan sarebbe stato ancora intento a raffreddare i ferri roventi col sangue di Sir Francis, la *Gull* sarebbe stata già in navigazione verso la laguna dell'Elefante per estrarre quei sacchi di *gulden* e quei lingotti d'oro dal nascondiglio in cui li aveva ficcati Sir Francis, qualunque fosse.

Ora rivolse quel sorriso a van de Velde. «No, vostra eccellenza, vi do la mia assicurazione che Francis Courteney è l'unico uomo vivente che sappia dove si trova. Può sembrare forte e parlare da valoroso, ma vi garantisco che, non appena Stadige Jan si metterà al lavoro su di lui, Franky si stenderà supino allargando le cosce come una puttana che si vede offrire una ghinea d'oro. Quello che vi consiglio è di mettere Henry Courteney al lavoro sulle mura del castello, e di puntare sul padre perché vi porti al bottino.»

«*Ja!*» Van de Velde assentì. «È quello che pensavo anch'io. Volevo soltanto avere da voi la conferma di ciò che sapevo.» Si cacciò in bocca l'ultima *samosa*, aggiungendo a bocca piena: «Allora torniamo dentro a concludere la faccenda».

Quando van de Velde tornò a prendere posto sul seggio, i prigionieri aspettavano ancora, in catene sotto la pedana, come buoi aggiogati all'aratro.

«Il patibolo e la forca, ecco la vostra sede naturale! Anzi, sono fin troppo per voi. Vi condanno tutti ai lavori forzati a vita al servizio della Compagnia olandese delle Indie Orientali, che avete tentato di defraudare e rapinare, e di cui avete rapito e maltrattato i rappresentanti. Non crediate che questo sia un segno di gentilezza, o di debolezza, da parte mia. Verrà il momento in cui piangerete e pregherete l'Onnipotente perché vi conceda la morte facile che quest'oggi vi ho negato. Portateli via e metteteli subito al lavoro. La loro vista offende i miei occhi e quelli di tutti gli uomini onesti. »

Mentre venivano condotti fuori dell'aula, Katinka si lasciò sfuggire un sibilo di frustrazione e un gesto irritato. Cumbrae si chinò verso di lei per chiederle: « Che cosa vi turba, signora? »

« Temo che mio marito abbia commesso un errore. Avrebbe dovuto condannarli al rogo sul campo di esercitazione. » Ora si vedeva negare l'emozione di osservare Stadige Jan al lavoro su quel bel moccioso e di ascoltare le sue urla di dolore. Sarebbe stata una conclusione molto soddisfacente per la loro relazione. Il marito glielo aveva promesso, e ora l'aveva defraudata del suo piacere. Gliel'avrebbe fatta pagare, decise.

« Ah, signora, la vendetta si assapora meglio come una pipa di buon tabacco della Virginia, senza esaurirla tutta in una volta. In qualsiasi momento del futuro dovesse prendervi l'estro, vi basterà guardare le mura del castello, e loro saranno lì, condannati a lavorare fino alla morte. »

Hal passò vicino al punto in cui era seduto Sir Francis, sulla lunga panca. Il padre aveva l'aria smarrita e malata, con i capelli e la barba impastati dal sudiciume in lunghe ciocche cadenti e le occhiaie scure che contrastavano in modo orribile con la sua pelle chiara. Hal non poté sopportarlo. D'impulso, gridò: « Padre! » e si sarebbe slanciato verso di lui, ma il sergente Manseer lo aveva prevenuto e gli si parò davanti con la lunga canna nella mano destra. Hal indietreggiò.

Il padre non alzò la testa, e lui comprese che gli aveva già detto addio, ritirandosi nel territorio remoto dove solo Stadige Jan, ormai, poteva raggiungerlo.

Quando la fila di condannati fu uscita dall'aula e le porte si richiusero dietro di loro, calò il silenzio, e tutti puntarono gli occhi sulla figura solitaria seduta sulla panca.

« Francis Courteney », esclamò van de Velde, « fatevi avanti! »

Sir Francis gettò la testa all'indietro, scostando dagli occhi i capelli grigi; scrollatesi di dosso con una spallata le mani delle guardie, si alzò in piedi senza aiuto. Raggiunse la pedana camminando a testa alta, con la camicia strappata che gli svolazzava sulla schiena nuda, dove i segni delle vergate avevano cominciato a cicatrizzarsi in lunghe croste nere.

« Francis Courteney: non è un caso, ne sono certo, se portate lo stesso nome del più famigerato di tutti i pirati, il temibile Francis Drake. »

« Ho l'onore di portare il nome di quel celebre navigatore », ribatté Sir Francis a bassa voce.

« Allora io ho l'onore ancor più grande di pronunciare la sentenza contro di voi, condannandovi a morte. » Van de Velde attese che Sir Francis manifestasse qualche emozione, ma lui rimase impassibile, limitandosi a ricambiare il suo sguardo, e alla fine il governatore fu costretto a continuare. « Ripeto, la condanna è a morte, ma sta a voi scegliere che tipo di morte sarà. » Bruscamente e inaspettatamente, si lasciò sfuggire una risatina sommessa. « Non sono molti i criminali del vostro calibro che si vedono trattare con tanta generosità e condiscendenza. »

« Con il vostro permesso, rimando ogni espressione di gratitudine al momento in cui sentirò il resto della proposta », mormorò Sir Francis, e van de Velde smise di ridere.

« Non tutto il carico della *Standvastigheid* è stato recuperato. Manca tuttora la parte più preziosa, e per me non ci sono dubbi sul fatto che siate riuscito a nasconderla prima di essere catturato dalle truppe di questa onorevole Compagnia. Siete disposto a rivelare ai funzionari della Compagnia il nascondiglio del carico scomparso? In tal caso, sarete giustiziato in modo rapido e pulito, per decapitazione. »

« Non ho niente da dirvi », rispose Sir Francis, in tono privo di interesse.

« Allora temo che la stessa domanda vi sarà rivolta dal boia di Stato in condizioni di estrema costrizione. » Van de Velde fece schioccare leggermente le labbra, come se per lui quelle parole avessero un buon sapore sulla lingua. « Nel caso doveste rispondere in modo esauriente e senza riserve, l'ascia del boia metterà fine alle vostre sofferenze. Ma se doveste mostrarvi ostinato, l'interrogatorio continuerà. La scelta sarà vostra, fino alla fine. »

« Vostra eccellenza è un modello di misericordia », commentò Sir Francis con un inchino, « ma non posso rispondere alla domanda, perché non so niente del carico di cui parlate. »

« Allora che Dio onnipotente abbia misericordia della vostra anima », disse van de Velde, rivolgendosi poi al sergente Manseer. « Portate via il prigioniero e affidatelo al boia di Stato. »

Hal bilanciò il peso per mantenere l'equilibrio in cima all'impalcatura, sul muro ancora in costruzione del bastione orientale del castello. Era solo il secondo giorno di quel lavoro che doveva durare per il resto dei suoi giorni, e aveva già il palmo delle mani e le spalle spellati dal contatto con le corde e con i ruvidi blocchi di pietra più un polpastrello schiacciato, con l'unghia scura come un acino d'uva. Ognuno dei blocchi da costruzione pesava una tonnellata o più, e doveva essere issato a mano in cima alla fragile impalcatura fatta di canne di bambù e tavole di legno.

Nel gruppo di forzati che lavorava con Hal c'erano Big Daniel e Ned Tyler; nessuno dei due si era ripreso completamente dalle ferite riportate nel combattimento, le cui cicatrici erano visibili a tutti, dato che i condannati indossavano soltanto un paio di brache corte di tela logora.

La palla di moschetto aveva lasciato un profondo cratere violaceo nel petto di Daniel e una cicatrice simile al segno di un artiglio di leone sul dorso, dove Hal lo aveva inciso. Le croste sulle ferite si erano riaperte con lo sforzo e trasudavano un siero sanguinolento.

La cicatrice lasciata dal colpo di sciabola si arrampicava intorno alla coscia di Ned come una vite selvatica, costringendolo a zoppicare quando si spostava sull'impalcatura. Dopo le privazioni subite nel ponte degli schiavi della *Gull*, avevano perso fino all'ultimo filo di grasso; erano snelli come cani da caccia, e sotto la pelle scurita dal sole muscoli e ossa spiccavano chiaramente.

Nonostante il sole ancora luminoso, il vento invernale fischiava da nord-ovest, investendo i loro corpi con un'azione corrosiva come la carta vetrata. I marinai tirarono all'unisono l'estremità della robusta abaca, e la carrucola cigolò sul bozzello mentre il grosso masso giallo si sollevava dal pianale del carro, giù nel cortile, per cominciare la pericolosa ascesa fino alla sommità di quell'alta struttura.

Il giorno prima, un'impalcatura sul bastione meridionale era crollata sotto il peso dei massi, scaraventando sul lastricato e uccidendo tre dei forzati che ci lavoravano sopra. Guardando i corpi sfracellati, Hugo Barnard, il sovrintendente, aveva brontolato: «Tre piccioni con una sola fava. Il prossimo bastardo imprudente che si fa ammazzare lo frusto, anche se è in fin di vita», prima di scoppiare in una risata fragorosa, divertito dal proprio macabro umorismo.

Daniel si avvolse la corda intorno alla spalla sana per ancorarla, mentre il resto della squadra si protendeva in fuori per afferrare il blocco di pietra oscillante e issarlo sul ripiano. Poi, unendo le forze, riuscirono a inserirlo nel vuoto in cima al muro, guidati dalle istruzioni che il capomastro olandese in grembiule di cuoio gridava loro.

Dopo averlo sistemato, rimasero fermi ad ansimare, con tutti i muscoli del corpo indolenziti e tremanti, ma non avevano il tempo di riposare. Dal cortile sottostante, Hugo Barnard stava già sbraitando: «Calate giù quel gancio. Presto, altrimenti salgo a farvi assaggiare il 'persuasore'», accompagnando quelle parole con lo schiocco delle cinghie annodate della sua frusta.

Daniel, che sbirciava dall'estremità dell'impalcatura, s'irrigidì improvvisamente, lanciando un'occhiata a Hal senza voltarsi. «Ecco che arrivano Aboli e gli altri.»

Hal si avvicinò per guardare in basso. Dalla porta della prigione sbucava un piccolo corteo, composto dai quattro marinai negri che venivano condotti all'aperto sotto il pallido sole invernale. Portavano di nuovo le catene leggere. «Guarda un po' che bastardi fortunati», borbottò Ned Tyler.

I quattro non erano stati inclusi nelle squadre di lavoro, ma erano rimasti in cella a riposare, consumando un pasto in più al giorno, messi all'ingresso mentre aspettavano di salire sul palco dell'asta. Quella mattina Manseer aveva ordinato che fossero spogliati, poi Saar, il medico della Compagnia, era sceso nella prigione a visitarli, sondando e controllando le orecchie e la bocca per accertarsi del loro stato di salute. Quando il medico se n'era andato, Manseer aveva ordinato loro di ungersi tutto il corpo con l'olio attinto da una giara di pietra, cosicché ora la loro pelle scintillava al sole come ebano levigato. Anche se erano ancora sottopeso, dopo il soggiorno nella stiva della *Gull*, il velo d'olio li faceva apparire snelli esemplari umani di prim'ordine. In quel momento vennero condotti oltre il cancello del castello, sulla spianata aperta riservata alle esercitazioni e alle parate, dove si era già raccolta una gran folla.

Prima di superare il cancello, Aboli alzò la grossa testa rotonda per guardare Hal, in cima all'impalcatura, e per un attimo i loro occhi s'incontrarono. Non avevano bisogno di gridarsi messaggi, rischiando così di assaggiare la canna di malacca delle guardie, quindi Aboli continuò a camminare senza voltarsi.

Il palco dell'asta era una struttura provvisoria che in altre occasioni veniva usata come patibolo sul quale si esponevano alla vista del pubblico i cadaveri dei criminali giustiziati. I quattro uomini erano allineati sulla piattaforma e Saar salì con loro per rivolgersi alla folla. «Ho esaminato tutti e quattro gli schiavi offerti in vendita oggi», dichiarò, abbassando la testa per guardare il pubblico al di sopra delle lenti con la montatura metallica, « e posso garantirvi che sono tutti in buona salute. Gli occhi e i denti sono sani e sono tutti integri di membra e di corpo. »

La folla, di umore festoso, batté le mani a quell'annuncio, tributando al medico un'acclamazione ironica quando scese dal palco per rientrare in fretta nel castello. Jacobus Hop si fece avanti, alzando una mano per imporre il silenzio; poi lesse il proclama della vendita, con la folla che applaudiva e gli faceva il verso ogni volta che lui balbettava. «Per ordine di sua eccellenza il governatore di questa colonia dell'onorevole Compagnia olandese delle Indie Orientali, sono autorizzato a mettere in vendita, *voets toets*, al miglior offerente quattro schiavi negri...» S'interruppe, togliendosi rispettosamente il cappello quando la carrozza aperta del governatore, trainata da sei splendidi grigi lucidissimi, percorse il viale che scendeva dalla residenza, attraversando i giardini e sbucando sulla spianata. Lord Cumbrae e la moglie del governatore erano seduti fianco a fianco sui sedili di cuoio della carrozza scoperta, rivolti in avanti, mentre il colonnello Schreuder sedeva di fronte a loro.

La folla fece ala al passaggio della carrozza, che giunse ai piedi del palco, dove Fredricus, il cocchiere di colore, fermò i cavalli azionando il freno a mano. Nessuno dei passeggeri smontò: Katinka restò seduta con eleganza sul sedile di cuoio, facendo roteare il parasole e conversando gaia con i due accompagnatori.

Sulla pedana, Hop cadde nella confusione più totale, in seguito all'arrivo di quegli illustri visitatori: balbettò, arrossì e batté le palpebre al sole finché Schreuder non gridò spazientito: «Andate avanti, amico! Non siamo venuti qui per vedervi sbarrare gli occhi e farfugliare».

Hop si rimise il cappello, inchinandosi prima a Schreuder, poi a Katinka, dopodiché alzò la voce. «Il primo lotto è lo schiavo Aboli. Ha circa trent'anni e si ritiene appartenga alla tribù qwanda, che vive sulla costa orientale dell'Africa. Come tutti voi sapete, i negri qwanda sono molto apprezzati come schiavi dei campi e pastori. Potrebbe anche essere addestrato come ottimo conducente di carri o cocchiere. » Dopo un attimo di pausa per asciugarsi la faccia sudata e riprendere il controllo della lingua, continuò: « Si dice che Aboli sia un esperto cacciatore e pescatore. Potrebbe fruttare un buon reddito al suo proprietario svolgendo una qualsiasi di queste occupazioni ».

« *Mjnheer* Hop, non ci nascondete qualcosa? » esclamò Katinka, scatenando in Hop un altro attacco di diarrea con quella domanda. Cominciò a balbettare in modo così vistoso da riuscire a stento ad articolare le parole.

« Riverita signora, stimatissima signora », farfugliò, allargando le braccia in un gesto impotente, « vi assicuro... »

« Offrireste forse in vendita un maschio mostrandolo vestito? » insistette Katinka. « E vi aspettate che facciamo un'offerta per qualcosa che non possiamo vedere? »

Il viso di Hop si schiarì quando comprese quel che la donna voleva dire, e si rivolse ad Aboli ordinando: « Spogliati! » a gran voce, per farsi animo di fronte a quel selvaggio gigantesco. Per un attimo Aboli lo fissò restando immobile, poi con un gesto sprezzante sciolse il nodo del perizoma, lasciandolo cadere sulle assi ai suoi piedi.

Magnifico nella sua nudità, volse lo sguardo al di sopra della folla, verso la montagna dalla cima piatta, mentre un sibilo di ammirato stupore correva tra il pubblico. Una donna lanciò uno squittio, un'altra ridacchiò nervosamente, ma nessuna distolse lo sguardo.

« Accidenti! » Cumbrae ruppe quel silenzio significativo con una risatina. « Certo che il compratore riceverà una misura piena. Non c'è trucco né inganno in quel salsicciotto gigante. Aprirò le offerte con cinquecento *gulden*! »

« Più altri cento! » gridò Katinka.

L'Avvoltoio le lanciò un'occhiata in tralice, parlando senza voltarsi. « Non sapevo che voleste partecipare all'asta, signora. »

« Voglio questo a qualsiasi prezzo, milord », lo avvertì in tono soave, « perché mi diverte. »

« Non vorrei mai ostacolare una bella signora », le rispose l'Avvoltoio con un inchino, « ma in cambio voi non rilancerete le offerte contro di me per gli altri, d'accordo? »

« D'accordo, milord. » Katinka sorrise. « Questo è mio, e voi potete tenervi gli altri. »

Cumbrae incrociò le braccia sul petto, scuotendo la testa quando Hop lo guardò in attesa di un rilancio. « Un prezzo troppo alto per la mia digestione», commentò, mentre Hop aspettava invano altre offerte dalla folla. Nessuno era così idiota da mettersi contro la moglie del governatore, tanto più che di recente avevano avuto un assaggio del temperamento di sua eccellenza in aula.

«Lo schiavo Aboli è aggiudicato a *mevrou* van de Velde per la somma di seicento *gulden*!» declamò Hop con voce cantilenante, indirizzando un inchino alla carrozza. «Desiderate che le catene siano tolte, *mevrou*?»

Katinka scoppiò a ridere. «Per lasciarlo fuggire libero verso le montagne? No, *mjnheer*, questi soldati lo scorteranno fino agli alloggi degli schiavi nella residenza.» Lanciò un'occhiata a Schreuder, che diede ordini a un distaccamento di giubbe verdi in attesa sotto il comando di un caporale, ai margini della folla. Facendosi largo a gomitate, i soldati trascinarono giù dal palco Aboli, portandolo lungo il viale che saliva verso la residenza.

Katinka lo guardò allontanarsi, prima di battere un dito sulla spalla dell'Avvoltoio. «Grazie, milord.»

«Il prossimo lotto è lo schiavo Jiri», li informò Hop, leggendo dagli appunti. «Come vedete, anche questo è un bell'esemplare robusto.»

«Cinquecento *gulden*», ringhiò l'Avvoltoio, lanciando occhiate feroci agli altri acquirenti, quasi per sfidarli a fare offerte a loro rischio e pericolo; ma, senza la concorrenza della moglie del governatore, i cittadini della colonia si erano fatti più audaci.

«Seicento», rilanciò un mercante della città.

«Settecento!» gridò un conducente di carri, che indossava una giacca di pelle di leopardo. L'asta salì rapidamente a millecinquecento *gulden*, lasciando in gara solo il conducente di carri e l'Avvoltoio.

«Morte e dannazione!» brontolò Cumbrae, voltando la testa per intercettare lo sguardo del suo nostromo che, insieme a tre marinai, era in attesa dietro la ruota posteriore della carrozza. Sam Bowles annuì, con gli occhi scintillanti, e spalleggiato dai suoi uomini si insinuò tra la folla fino a piazzarsi alle spalle del conducente.

«Milleseicento stramaledetti *gulden*», tuonò l'Avvoltoio.

Il conducente di carri aprì la bocca per rilanciare l'offerta, ma sentì qualcosa pungerlo sotto le costole. Abbassando gli occhi, vide il coltello nel pugno contratto di Sam Bowles e richiuse la bocca, bianco in volto come una stecca di balena.

« L'offerta è superiore alla vostra, *mjnheer* Tromp! » gli gridò Hop, ma il conducente di carri si allontanò in tutta fretta attraverso la spianata, tornando verso la città.

Kimatti e Matesi furono aggiudicati entrambi all'Avvoltoio per meno di mille *gulden* ciascuno. Gli altri possibili acquirenti tra la folla avevano assistito al piccolo dramma che si era svolto fra Sam e il conducente di carri, e nessuno di loro mostrava più alcun interesse a rilanciare le offerte di Cumbrae.

Tutti e tre gli schiavi furono condotti verso la spiaggia dalla corvé di Sam Bowles. Quando Matesi tentò la fuga, un abile colpo sulla testa con la caviglia per impiombare lo ridusse alla calma; anche lui, come i compagni, fu spinto a bordo della scialuppa che raggiunse a remi la *Gull*, ancorata ai margini delle secche.

« Una spedizione riuscita per entrambi, milord », osservò Katinka sorridendo. « Per festeggiare gli acquisti, spero che potrete cenare con noi alla residenza, stasera. »

« Nulla mi farebbe più piacere che accettare l'invito, ma purtroppo, signora, mi sono trattenuto solo per l'asta, attirato dalla possibilità di scegliere dei marinai di prim'ordine. Ora la mia nave è pronta nella baia, e il vento e la marea mi sollecitano a partire. »

« Sentiremo la vostra mancanza, milord. La vostra compagnia è stata estremamente divertente. Spero che verrete a farci visita per trattenervi un po' più a lungo, la prossima volta che doppierete il capo di Buona Speranza. »

« Non c'è potere su questa terra, né tempesta, né vento contrario, né avversario che possa impedirmelo », replicò Cumbrae, baciandole la mano mentre Cornelius Schreuder ribolliva di collera: non poteva sopportare di vedere un altro uomo toccare anche solo con un dito quella donna che era diventata il centro della sua esistenza.

Non appena messo piede sul ponte della *Gull*, l'Avvoltoio gridò al timoniere: « Geordie, ragazzo mio, preparati a salpare l'ancora ».

Poi cercò con gli occhi Sam Bowles. « Voglio i tre negri sul cassero, e alla svelta. » Quando furono schierati davanti a lui, li squadrò con attenzione. « Qualcuno di voi tre pagani parla la lingua di Dio? » domandò, e quando lo fissarono senza capire sbottò: « Allora parlate solo il vostro dannato gergo? » Scrollò la testa, tristemente. « Questo vi renderà la vita molto più dura. »

« Vi chiedo scusa », intervenne Sam Bowles, sfiorandosi il berretto di lana di Monmouth con aria rispettosa, « ma io li conosco bene, tutti e tre. Siamo stati compagni, no? Vi stanno menando per il naso. Parlano bene l'inglese, tutti e tre. »

Cumbrae li squadrò di nuovo, con un sogghigno e uno sguardo omicida negli occhi. « Ora appartenete a me, carini, dalla cima della testa lanosa alla pianta rosea dei piedoni. Se volete che la vostra pellaccia nera resti tutta d'un pezzo, non fate più giochetti con me, chiaro? » E, assestando una sventola con l'enorme pugno peloso, scaraventò Jiri lungo disteso sul ponte. « Quando vi parlerò, mi risponderete in un buon inglese, forte e chiaro. Torneremo alla laguna dell'Elefante e, se avete cara la pelle, mi farete vedere dove il comandante Franky nascondeva il bottino, mi sentite? »

Jiri si rialzò a fatica. « Sì, comandante Lordy, signore! Vi sentiamo. Siete nostro padre. »

« Preferirei mozzarmi lo zipolo con una spada spuntata che diventare padre di gente come voi! » L'Avvoltoio li guardò con un sogghigno. « E ora salite sul pennone di maestra per alzare un po' di vele. » Dopodiché spedì Jiri per la sua strada con un calcio nel didietro.

Katinka era seduta al sole in un angolo della terrazza riparato dal vento, a fianco di Cornelius Schreuder. In piedi accanto al tavolino di servizio, Sukeena versò il vino con le sue mani, portando i due bicchieri al tavolo apparecchiato per il pranzo con decorazioni di frutti e fiori che provenivano dagli orti e dai giardini di Stadige Jan. Quando le mise davanti un bicchiere alto con lo stelo a spirale, Katinka allungò la mano per accarezzarle leggermente il braccio.

« Hai mandato a chiamare il nuovo schiavo? » domandò con voce vellutata.

« Aboli sta facendo il bagno e provando l'uniforme come avete ordinato, padrona », rispose Sukeena sottovoce, come se ignorasse il tocco dell'altra. Comunque Schreuder aveva visto, e Katinka si divertì a vederlo accigliato della gelosia.

Levò il bicchiere verso di lui, sorridendogli al di sopra dell'orlo. « Vogliamo brindare a un buon viaggio per Lord Cumbrae? »

« Ma certo. » Il colonnello brindò. « Un bel viaggio breve, fino in fondo all'oceano per lui e tutti i suoi compatrioti. »

« Mio caro colonnello », ribatté lei sorridendo, « che spirito. Piano, adesso, ecco che arriva il mio ultimo giocattolo. »

Le giubbe verdi del castello scortarono Aboli sulla terrazza. Vestito con un paio di pantaloni neri e aderenti e una camicia di cotone bianco piuttosto ampia per cingere il torace e le braccia massicce, si fermò in silenzio davanti a lei.

Katinka passò all'inglese. « In futuro ti inchinerai quando sarai alla mia presenza, chiamandomi signora. E, se lo scorderai, chiamerò Stadige Jan per ricordartelo. Sai chi è Stadige Jan? »

« Sì, padrona », mormorò Aboli, senza guardarla.

« Oh, bene! Pensavo fossi irrequieto, e che avrei dovuto farti domare. Questo facilita le cose a tutti e due. » Bevve un sorso di vino, esaminandolo lentamente da capo a piedi, con la testa piegata di lato. « Ti ho comprato per capriccio, e non ho ancora deciso che cosa fare di te. Comunque il governatore Kleinhans, partendo, porterà via con sé il suo cocchiere, e dovrò sostituirlo. » Si girò verso il colonnello Schreuder. « Ho sentito dire che questi negri sono abili con gli animali. Risulta anche a voi, colonnello, in base alla vostra esperienza? »

« Senz'altro, *mevrou*. Essendo bestie anch'essi, pare che abbiano un rapporto privilegiato con tutti gli animali selvaggi e domestici. » Schreuder annuì, esaminando con tutta calma Aboli. « Fisicamente è un bell'esemplare, ma certo non bisogna cercare in loro l'intelligenza. Mi congratulo per il vostro acquisto. »

« In futuro potrei farlo accoppiare con Sukeena », rifletté Katinka. Per un attimo la giovane schiava s'irrigidì, ma voltava loro le spalle, quindi non potevano vederla in viso. « Potrebbe essere divertente vedere come si mescola il sangue nero con quello ambrato. »

« Una mescolanza molto interessante », ammise Schreuder. « Ma non vi preoccupa l'idea che possa fuggire? L'ho visto battersi sul ponte della *Standvastigheid*, ed è un selvaggio scatenato. Un gambaletto di ferro potrebbe essere una misura adatta per lui, almeno finché non sarà domato. »

« Non credo di dover ricorrere a certi mezzi », replicò Katinka. « Ho avuto modo di osservarlo a lungo durante la mia prigionia. Come un cane fedele, è devoto al pirata Courteney, e ancor più al figlio di questi. Sono convinta che non tenterebbe mai di fuggire finché uno dei due sarà ancora vivo nella prigione del castello. Naturalmente, di notte sarà rinchiuso con gli altri negli alloggi degli schiavi, ma durante le ore di lavoro potrà muoversi liberamente per assolvere i suoi doveri. »

« Sono certo che sapete quello che fate, *mevrou*, ma io, per esempio, non mi fiderei mai di una creatura del genere. »

Katinka si voltò verso Sukeena. « Mi sono accordata con il governatore Kleinhans perché Fredricus insegni ad Aboli quali sono i suoi doveri di cocchiere e conducente. La *Standvastigheid* non salperà prima di una decina di giorni, quindi dovrebbe esserci tempo in abbondanza. Provvedi subito. »

Sukeena rispose con il consueto cenno di assenso orientale, pieno di grazia: « Come la padrona comanda », facendo segno ad Aboli di seguirla.

Lo precedette lungo il sentiero fino alle scuderie dove Fredricus aveva preparato la carrozza, e Aboli si rammentò dell'atteggiamento e del portamento delle giovani vergini della sua tribù. Fin da bambine erano addestrate dalle madri a portare le zucche per l'acqua in equilibrio sulla testa, così crescevano con la schiena eretta, dando l'impressione di scivolare sul terreno quando camminavano, come quella ragazza.

« Tuo fratello Althuda ti manda il suo affetto. Dice che sei sempre la sua orchidea tigrata. »

Sukeena si fermò di colpo, tanto che Aboli, camminando dietro di lei, rischiò di urtarla. Sembrava un colibrì sorpreso mentre si librava su un fiore di protea, sul punto di allontanarsi in volo, e quando riprese a camminare Aboli si accorse che tremava.

« Hai visto mio fratello? » domandò senza voltarsi.

« Non l'ho mai visto in faccia, ma ci parlavamo attraverso la porta della sua cella. Ci ha detto che tua madre si chiamava Ashreth e che la spilla di giada che porti le era stata regalata da tuo padre il giorno della tua nascita. Ha detto che, se ti avessi riferito queste cose, avresti capito che ero suo amico. »

« Se ha avuto fiducia in te, ne avrò anch'io. Anch'io ti sarò amica, Aboli. »

« E io sarò tuo amico », disse sottovoce Aboli.

« Oh, dimmi, come sta Althuda? Sta bene? Gli hanno fatto molto male? Lo hanno consegnato a Stadige Jan? »

« Althuda è perplesso. Non lo hanno ancora condannato. È rinchiuso in prigione da quattro lunghi mesi, ma ancora non gli hanno fatto niente. »

« Ringrazierò Allah! » Sukeena si volse sorridendo, col viso stupendo come il fiore dell'orchidea tigrata alla quale Althuda l'aveva paragonata. « Ho avuto una certa influenza sul governatore Kleinhans, e sono riuscita a persuaderlo a rinviare il giudizio su mio fratello. Ma ora che se ne va, non so che cosa succederà con il nuovo governatore. Mio povero Althuda, così giovane e coraggioso. Se lo daranno a Stadige Jan il mio cuore morirà con lui, in modo altrettanto lento e doloroso. »

« C'è uno che amo come tu ami tuo fratello », mormorò Aboli. « Sono rinchiusi nella stessa prigione. »

« Penso di conoscere l'uomo di cui parli. L'ho visto quel giorno che vi hanno trasportato a riva in catene per farvi sfilare sul campo di parata. È fiero ed eretto come un giovane principe? »

« Proprio lui. Merita di essere libero, come tuo fratello. »

Ancora una volta i piedi di Sukeena si arrestarono, ma poi riprese a scivolare leggera. « Che cosa vuoi dire, Aboli, amico mio? »

« Tu e io insieme possiamo lavorare per liberarli. »

« Althuda era già libero. Ha spezzato i geti e si è librato in volo come un falcone. » Aboli alzò gli occhi verso il cielo africano, tanto azzurro da far male. « Con il nostro aiuto potrebbe essere di nuovo libero, e con lui Gundwane. »

Erano arrivati alla scuderia, dove Fredricus si riscosse, appisolato a cassetta. Abbassò lo sguardo verso Aboli, arricciando le labbra fino a scoprire i denti chiazzati di marrone dal sugo del tabacco che masticava. « Come può una scimmia nera imparare a guidare la mia carrozza e i miei sei tesori? » domandò rivolto al cielo.

« Fredricus è un nemico, non fidarti di lui. » Sukeena mosse appena le labbra, lanciando quell'avvertimento ad Aboli. « Non fidarti di nessuno in questa casa, finché non potremo parlare di nuovo. »

Oltre agli schiavi domestici e alla maggior parte dei mobili della residenza, Katinka aveva acquistato da Kleinhans tutti i cavalli, nonché il contenuto della selleria, rilasciandogli una lettera di credito per la sua banca di Amsterdam. Era una grossa somma, ma sapeva che il padre avrebbe fatto fronte a qualunque spesa.

Il più bello dei cavalli era una giumenta baia, un superbo animale con le zampe forti e aggraziate e una testa meravigliosamente modellata. Katinka era un'esperta amazzone, ma non aveva un briciolo di sensibilità o di affetto per la creatura che la portava in sella, e le sue mani pallide e affusolate erano forti e crudeli. Cavalcava con un morso spagnolo, che devastava la bocca della giumenta, e usava il frustino in modo capriccioso; sapeva che, quando aveva rovinato una cavalcatura, poteva sempre venderla e acquistarne un'altra.

Nonostante quei difetti, era spericolata e aveva un portamento magnifico. Anche quando la giumenta danzava sotto di lei, torcendo la testa per sfuggire al tormento del frustino e del morso, Katinka restava in sella con agilità e meravigliosa eleganza. Ora stava spingendo la giumenta al limite della sua velocità e resistenza, volando sul sentiero ripido e usando il frustino quando il cavallo incespicava, o quando le sembrava che potesse rifiutarsi di saltare un tronco caduto che le sbarrava la strada.

La giumenta era coperta di schiuma e di sudore come se avesse traversato un fiume a guado. La schiuma che scorreva a fiotti dalla bocca spalancata era screziata di rosa dal sangue che sgorgava dall'acciaio tagliente del morso, imbrattando gli stivali e la gonna di Katinka, che rideva in modo irrefrenabile per l'eccitazione mentre galoppavano verso il passo fra le montagne. Guardò indietro senza voltarsi: Schreuder, che doveva arrivare al loro convegno clandestino seguendo un altro percorso, era ancora indietro di dieci lunghezze e più. Il suo castrone nero ansimava affannosamente sotto il suo peso e, per quanto egli adoperasse generosamente il frustino, la sua cavalcatura non poteva reggere il confronto con la giumenta.

Raggiunto il passo, Katinka non si fermò, ma continuò a spronare la giumenta con il frustino e il minuscolo sprone sottile come un ago che portava sotto l'abito da amazzone, lanciandola a precipizio lungo la discesa. Lì una caduta sarebbe stata disastrosa, perché il terreno era insidioso e la giumenta sfinita, ma il pericolo eccitava Katinka. Godeva della sensazione di quel corpo possente sotto di sé e dello sfregamento della sella di cuoio contro le cosce e le natiche sudate.

Scesero slittando lungo il ghiaione, sbucando sul prato pianeggiante che costeggiava il ruscello; poi Katinka proseguì in direzione parallela al corso d'acqua per mezza lega, ma quando raggiunse un boschetto nascosto di pioppi bianchi frenò la giumenta, passando dal galoppo a un arresto sussultante in una dozzina di falcate.

Liberando la gamba dal pomo della sella da amazzone, scese a terra con agilità, in un turbinio di gonne e sottovesti di pizzo. Atterrò con l'elasticità di una gatta e, mentre la giumenta sbuffava come il mantice di un fabbro, vacillando di stanchezza, lei rimase immobile, con i pugni sui fianchi, osservando Schreuder che seguiva le sue orme sul pendio.

Raggiunse il prato, galoppando fino al punto in cui si era fermata, poi saltò a terra dal suo castrone, col viso incupito dalla collera. «È stata una follia, *mevrou*», le gridò. «E se foste caduta?»

«Ma io non cado mai, colonnello», gli disse ridendogli in faccia. «A meno che non siate voi a farmi cadere.» All'improvviso si protese per gettargli le braccia al collo, aggrappandosi alle sue labbra come una lampreda e succhiando con tanta foga da attirare la lingua di lui nella sua bocca. Quando la strinse fra le labbra, lei gli morse il labbro inferiore tanto forte da far sprizzare il sangue, assaporandone sulla lingua il gusto metallico. Sentendolo ruggire di dolore, si sciolse dall'abbraccio e, sollevando le gonne dell'abito, corse via leggera lungo la riva del torrente.

«Perdio, la pagherete cara per questo, demonietto!» Schreuder si asciugò la bocca e, vedendo la macchia di sangue sul palmo, la rincorse.

In quegli ultimi giorni Katinka si era trastullata con lui, spingendolo al limite della follia, promettendo e poi negando, provocando e respingendo: un momento fredda come il vento del nord, subito dopo ardente come il sole dei tropici a mezzogiorno. Lui era stordito e confuso dalla lussuria e dalla passione, ma il suo desiderio l'aveva contagiata. Tormentando Schreuder, aveva tormentato anche se stessa, e ora lo desiderava almeno quanto lui desiderava lei. Voleva sentirlo affondare nel proprio corpo, doveva spegnere quelle fiamme che aveva acceso lei stessa; era venuto il momento in cui non poteva rimandare oltre.

Schreuder la raggiunse e lei si voltò, con le spalle al muro. Addossata al tronco di un pioppo bianco, lo affrontò come una cerbiatta accerchiata dai cani. Vide la furia cieca tramutare i

suoi occhi in biglie di marmo; lui aveva il viso gonfio e congestionato, le labbra ritratte fino a scoprire i denti.

Con un fremito di autentico terrore, Katinka si rese conto
che il furore al quale lo aveva aizzato era un genere di follia su
cui non aveva il minimo controllo. Capì che rischiava la vita e,
alla luce di quella certezza, il desiderio ruppe gli argini come un
possente fiume in piena.

Si slanciò su di lui, strappandogli con entrambe le mani l'allacciatura dei calzoni. « Vorresti uccidermi, non è vero? »

« Sgualdrina », ansimò lui, soffocato dalla rabbia, tendendo
le mani verso la gola di Katinka. « Puttana. Non resisto più, ti
farò... »

Lei glielo estrasse dai vestiti, duro e congestionato, arrossato
e ardente al punto che ebbe l'impressione di scottarsi le dita.
« Uccidimi con questo, allora. Conficcalo dentro di me così a
fondo da trafiggermi il cuore. » Riversa all'indietro contro la
corteccia ruvida del pioppo bianco, allargò i piedi, piantandoli
saldamente al suolo e sollevando le gonne, poi con entrambe le
mani lo guidò dentro di sé. Quando raggiunse l'orgasmo, Katinka lanciò un grido così acuto che gli echi si rincorsero lungo le
pareti di roccia gialla sopra di loro.

Katinka scese dalla montagna come una furia, cavalcando sulle
ali della burrasca di vento proveniente da nord-ovest che si era
levata all'improvviso nel limpido cielo estivo. I capelli le erano
sfuggiti dal cappellino e svolazzavano sciolti come uno stendardo luminoso, schioccando e aggrovigliandosi, mentre la giumenta correva come se fosse inseguita dai leoni. Quando raggiunse la sommità dei vigneti, Katinka saltò l'alto muro di pietra, librandosi in alto come un falco.

Mentre attraversava al galoppo gli orti e i giardini per raggiungere la scuderia, Stadige Jan si voltò a guardarla. Le piante
che lui aveva allevato con tanta cura venivano sradicate, lacerate
e sparpagliate al vento dagli zoccoli della giumenta. Quando
scomparve, Stadige Jan si chinò a raccogliere uno stelo schiacciato, portandolo alle labbra e addentandolo per sentire il gusto
dolce della linfa. Non provava il minimo risentimento. Le piante che coltivava erano fatte per essere tagliate e distrutte, così
come l'uomo nasce per morire. Per Stadige Jan, ciò che contava
era soltanto il modo in cui si moriva.

Seguendo con gli occhi la giumenta e l'amazzone, provò la stessa sensazione di profonda, quasi mistica reverenza che lo pervadeva sempre nel momento in cui liberava uno dei suoi passerotti dal peso dell'esistenza mortale: giacché per lui tutti gli sventurati che morivano sotto le sue mani erano come loro. Fin dalla prima volta che aveva posato gli occhi su Katinka van de Velde, era rimasto completamente stregato da lei. Aveva l'impressione di aver aspettato quella donna per tutta la vita: aveva riconosciuto in lei le stesse qualità mistiche su cui era regolata la sua esistenza, ma in confronto a lei sapeva di essere soltanto una creatura che strisciava nel limo primordiale.

Era una dea crudele e intoccabile, e lui l'adorava. Era come se quelle piante straziate che teneva fra le mani fossero un'offerta sacrificale a quella dea, come se le avesse deposte sul suo altare e lei le avesse accettate. Si sentiva commosso fin quasi alle lacrime dalla sua degnazione; batté le palpebre su quegli strani occhi gialli che, una volta tanto, rispecchiavano un'emozione.
« Disponete pure di me », sussurrò. « Non c'è nulla che non farei per voi. »

Katinka spronò la giumenta al galoppo lungo il viale di accesso all'ingresso principale della residenza, scendendo di sella prima che il cavallo si fosse fermato del tutto. Non degnò neanche di un'occhiata Aboli, che balzò giù dalla terrazza, raccogliendo le redini e portando la giumenta verso le scuderie.

Nel linguaggio della foresta, Aboli spiegò dolcemente alla giumenta: « Ti ha fatto sanguinare, piccola, ma Aboli ti guarirà ». Appena entrato nelle scuderie, sfibbiò la cinghia della sella e asciugò il manto della giumenta con un panno, facendola camminare lentamente in cerchio e poi abbeverandola, prima di condurla nel suo stallo.

« Guarda come ti hanno ridotta il frustino e gli speroni. È una strega, quella », sussurrò, spalmandole uno strato sottile di unguento sugli angoli della bocca lacerati e contusi. « Ma adesso c'è qui Aboli per proteggerti e coccolarti. »

Katinka attraversò come un turbine le stanze della residenza, cantando a mezza voce fra sé e sé, col viso illuminato dalla luce dell'amore. Arrivata in camera da letto gridò per chiamare Zelda ma, senza aspettare che la vecchia arrivasse, si strappò di dosso i vestiti, gettandoli sul pavimento al centro della stanza. La corrente invernale che filtrava dalle imposte era gelida sul corpo bagnato dal sudore e dai succhi della passione. Vedendo i capezzoli rosa pallido drizzarsi al centro di un alone corrugato, riprese a gridare: «Zelda, dove sei?» Quando la cameriera accorse nella stanza, la investì con violenza: «Oh, buon Gesù, dove sei stata, vecchia carampana pigra? Chiudi quelle imposte! Il bagno è pronto, o sei stata di nuovo a sonnecchiare davanti al fuoco?» Le sue parole, però, mancavano del solito veleno; quando si adagiò nelle acque fumanti e aromatiche della sua vasca di ceramica, che era stata trasportata fino alla residenza a bordo di un carro dalla cabina di poppa del galeone, il suo viso era illuminato da un caldo sorriso enigmatico.

Zelda si affaccendò intorno alla vasca, sollevando dalla schiuma profumata la massa di capelli della sua padrona e appuntandola in alto prima di insaponare le spalle con una pezzuola.

«Non darti tanto da fare! Lasciami un po' in pace!» ordinò Katinka in tono imperioso. Zelda lasciò cadere la pezzuola e uscì indietreggiando dal bagno.

Katinka rimase immersa nella vasca a lungo, canticchiando fra sé e sollevando uno alla volta i piedi dalla schiuma per ispezionare le caviglie delicate e le dita rosee. Poi la sua attenzione fu attirata da un movimento nello specchio appannato dal vapore, e si raddrizzò, incredula. Alzandosi subito per uscire dalla vasca, si avvolse un asciugamano intorno alle spalle per asciugare il velo d'acqua che le imperlava il corpo, prima di avvicinarsi furtiva alla porta della camera da letto.

Quello che aveva visto nello specchio era Zelda che raccoglieva i vestiti sporchi lasciati cadere sul pavimento; ora la vecchia era ferma, in piedi, con la biancheria di Katinka fra le mani, intenta a esaminare le macchie che la costellavano. Sotto gli occhi di Katinka, si portò il tessuto al viso, annusandolo come una vecchia cagna che fiuta l'entrata a una tana di conigli.

«Ti piace l'odore della crema di uomo, non è vero?» le chiese Katinka con voce glaciale.

Al suono della sua voce, Zelda si girò di scatto verso di lei, con gli abiti nascosti dietro la schiena, e divenne cinerea, cominciando a balbettare in modo incoerente.

«Vecchia bagascia rinsecchita, quando è stata l'ultima volta che lo hai sentito?»

Katinka lasciò cadere a terra l'asciugamano avanzando nella stanza, snella e sinuosa come una femmina di cobra pronta a colpire, con uno sguardo altrettanto gelido e velenoso. Il frustino da equitazione era rimasto sul pavimento dove lo aveva lasciato, e lo raccolse passando.

Zelda arretrò davanti a lei, piagnucolando: « Padrona, mi preoccupavo solo del fatto che la vostra bella biancheria fosse sciupata ».

« L'annusavi come una vecchia scrofa grassa che fiuta un tartufo », ribatté Katinka, alzando il braccio armato di frustino. Il colpo raggiunse alla bocca Zelda, che lanciò uno strillo ricadendo all'indietro sul letto.

Katinka, nuda, la dominava dall'alto, sferzandola sul dorso, sulle braccia e sulle gambe, colpendo con tutta la sua forza, cosicché gli strati di grasso sulle membra della cameriera tremolavano e vibravano quando la sferza li mordeva. « È un piacere che mi sono negata per troppo tempo », gridò Katinka, sempre più furiosa man mano che la vecchia si lamentava e si dibatteva sul letto. « Mi sono stancata dei tuoi trucchetti da ladruncola e della tua ghiottoneria. Ora mi disgusti con questa intrusione pruriginosa nelle aree più intime della mia vita. Subdola vecchia spiona piagnucolosa! »

« Padrona, così mi ucciderete. »

« Tanto meglio! Ma se sopravvivrai, la settimana prossima dovrai trovarti a bordo della *Standvastigheid*, quando salperà per l'Olanda. Non posso più vederti. Ti rimanderò indietro nella cabina più schifosa, senza neanche un centesimo di pensione. Potrai tirare avanti per il resto dei tuoi giorni all'ospizio dei poveri. » Ora Katinka ansimava con violenza, continuando a tempestare di colpi la testa e le spalle di Zelda.

« Vi prego, padrona, non dovreste essere tanto crudele con la vostra vecchia Zelda, che vi ha tenuto a balia da bambina. »

« L'idea di aver poppato da quelle grosse tette mi fa venir voglia di vomitare. » Katinka frustò sul seno Zelda, che si protese piagnucolando con le braccia. « Quando partirai, farò perquisire il tuo bagaglio per essere sicura che tu non mi abbia rubato niente. Non avrai un *gulden* nella borsa, ci penserò io, vecchia ladra bugiarda. »

La minaccia trasfigurò Zelda: da vecchia creatura patetica e tremante, si trasformò in un'ossessa, che tese di scatto il braccio, afferrando col pugno grassoccio il polso di Katinka mentre stava per colpirla ancora, e l'attirò a sé con una forza che turbò la padrona e con uno sguardo carico di odio.

« No! » le gridò. « Non mi prenderete tutto quello che ho,

non mi ridurrete a elemosinare. Vi ho servito per venticinque anni, e non mi caccerete via proprio adesso. Me ne andrò a bordo del galeone, sì, e niente mi darà più gioia che non rivedere mai più la vostra bellezza velenosa. Ma quando me ne andrò, porterò con me tutto quello che possiedo, e in più avrò nel borsellino i mille *gulden* che mi darete di pensione. »

Katinka rimase tanto sbalordita che la sua collera si dileguò, e rimase a fissarla con incredulità. « Stai delirando. Mille *gulden*? È più probabile che siano mille frustate. »

Tentò di liberare il braccio, ma Zelda mantenne la presa con una forza incredibile. « Sto delirando, dite? Ma che dirà sua eccellenza, quando gli porterò la prova della vostra tresca col colonnello? »

A quella minaccia, Katinka rimase impietrita, poi abbassò lentamente il braccio armato di frustino. La sua mente galoppava freneticamente, e tanti piccoli misteri si chiarivano, mentre guardava negli occhi Zelda. Si era fidata di quella vecchia strega senza mai dubitare della sua assoluta lealtà, senza metterla in discussione. Ora capì d'improvviso come mai suo marito sembrava sempre bene informato riguardo ai suoi amanti e alle sue scappatelle, che sarebbero dovute restare segrete.

Rifletté in fretta, celando con un'espressione impassibile l'indignazione che provava di fronte a quel tradimento. Per lei non aveva importanza che il marito sapesse di quella nuova avventura con Cornelius Schreuder; sarebbe stata semplicemente una seccatura, perché non si era ancora stancata del colonnello. Le conseguenze, invece, sarebbero state molto più serie per il suo nuovo amante.

Ripensando al passato, comprese solo allora come fosse stato vendicativo Petrus van de Velde. Tutti i suoi amanti avevano subito gravi disgrazie dopo che suo marito era venuto a sapere della loro esistenza. In che modo lo avesse saputo, era sempre stato un mistero per Katinka, fino a quel momento. Doveva essere stata ingenua, ma non le era mai venuto in mente che fosse Zelda il serpente che aveva nutrito in seno.

« Ti ho fatto torto, Zelda », le disse a bassa voce. « Non avrei dovuto trattarti con tanta asprezza. » Allungò la mano a sfiorare il solco arrossato sulla guancia grassoccia della cameriera. « In tutti questi anni sei stata gentile e fedele nei miei confronti, ed è ora che tu goda di una tranquilla pensione. Le mie parole erano dettate dalla collera. Non mi sognerei mai di negarti quello che meriti. Quando salperai con il galeone avrai non mille, ma duemila *gulden* nel borsellino, insieme con il mio affetto e la mia gratitudine. »

Zelda si leccò le labbra gonfie, sorridendo con aria di maligno trionfo. « Siete così buona e gentile con me, cara padrona. »

« Naturalmente non dirai niente a mio marito della mia imprudenza con il colonnello Schreuder, vero? »

« Vi voglio troppo bene per farvi del male, e il giorno che dovrò lasciarvi mi si spezzerà il cuore. »

Stadige Jan era inginocchiato nell'aiuola in fondo alla terrazza, con il falcetto per potare stretto fra le mani possenti. Quando un'ombra cadde sopra di lui, sollevò la testa e si alzò in piedi, togliendosi il cappello per tenerlo davanti al petto in un atteggiamento rispettoso. « Buon giorno, padrona », disse con la sua voce melodiosa.

« Continuate pure. Mi piace vedervi mentre lavorate. »

Lui s'inginocchiò nuovamente, e la lama affilata del falcetto riprese a guizzare fra le sue mani. Katinka si sedette poco lontano, su una panchina, osservandolo per qualche tempo in silenzio.

« Ammiro il vostro talento », disse alla fine, e pur senza alzare la testa, lui capì che non si riferiva soltanto alla sua destrezza con il falcetto. « Ho un gran bisogno di questo talento, Stadige Jan. Come ricompensa ci sarebbe una borsa di cento *gulden*. Volete fare qualcosa per me? »

« *Mevrou*, non c'è niente che non farei per voi. » Finalmente sollevò la testa, fissandola con quei pallidi occhi gialli. « Non esiterei a sacrificare la vita, se me lo chiedeste. Non voglio pagamenti. L'unica ricompensa che posso desiderare è la coscienza di aver obbedito ai vostri ordini. »

Le notti invernali erano diventate fredde e i temporali scendevano rombando dalla montagna per bussare ai vetri delle finestre e ululare come sciacalli intorno ai cornicioni del tetto ricoperto di paglia.

Zelda si strinse la camicia da notte attorno al corpo massiccio; tutto il grasso che aveva perduto nel viaggio dall'Oriente era tornato a depositarsi sulla pancia e sui fianchi. Da quando si erano trasferiti nella residenza mangiava bene nel suo angolino in cucina, divorando i sontuosi resti dei pasti serviti nel salone principale e annaffiandoli con il boccale di vino che aveva riempito con i fondi dei bicchieri degli illustri invitati: vino del Reno e vino rosso mescolati con gin e acquavite.

Con la pancia piena di buon cibo e di alcol, si preparò per andare a letto. Prima di tutto, controllò che i serramenti della finestra nella sua stanzetta fossero ben chiusi, per evitare gli spifferi, ficcando dei salsicciotti di stracci nelle fessure e tirando bene le tende. Messo lo scaldaletto di rame sotto le coltri, ce lo tenne finché non sentì l'odore del lino strinato dal calore; poi spense la candela, infilandosi sotto le spesse coperte di lana.

Tirando su col naso e sospirando, si raggomitolò nel letto, e il suo ultimo pensiero fu per la borsa piena di monete d'oro che aveva nascosto sotto il materasso. Si addormentò sorridendo.

Un'ora dopo mezzanotte, quando tutta la casa era immersa nel silenzio e nel sonno, Stadige Jan origliò alla porta della camera di Zelda. Quando la sentì russare più forte del vento che scuoteva le imposte, aprì silenziosamente la porta per fare scivolare all'interno il braciere di carboni ardenti. Rimase in ascolto per un minuto, ma il ritmo del respiro della vecchia rimase regolare e ininterrotto. Richiusa con cautela la porta, si spostò in silenzio lungo il corridoio fino alla porta in fondo.

All'alba Sukeena andò a svegliare Katinka un'ora prima dell'orario consueto e, dopo averla aiutata a indossare una vestaglia pesante, la guidò fino agli alloggi della servitù, dove un gruppo di schiavi silenziosi e spaventati era riunito davanti alla porta di Zelda. Si fecero in disparte per lasciar passare Katinka, e Sukeena bisbigliò: «So quanto le eravate affezionata, padrona. Mi si spezza il cuore per voi».

«Grazie, Sukeena», rispose Katinka in tono mesto, lanciando una rapida occhiata nella stanzetta minuscola. Il braciere era stato rimosso; Stadige Jan si era rivelato scrupoloso e fidato.

«Ha un aspetto così sereno... e che bel colorito», osservò Sukeena, in piedi accanto al letto. «Come se fosse ancora viva.»

Katinka le si avvicinò. Il fumo letale del braciere aveva tinto di rosso le guance della vecchia, cosicché da morta era più attraente di quanto fosse mai stata in vita. «Lasciami sola per qualche minuto, Sukeena », si affrettò a dire. « Desidero recitare una preghiera per lei. Mi era tanto cara. »

Mentre s'inginocchiava accanto al letto, Sukeena chiuse dolcemente la porta dietro di sé. Katinka insinuò la mano sotto il materasso, estraendo il borsellino; dal peso intuì che non mancava neanche una moneta. Facendolo scivolare nella tasca del vestito, giunse le mani davanti al viso, serrando gli occhi così strettamente che le lunghe ciglia d'oro s'intrecciarono.

« Va' all'inferno, vecchia strega », mormorò.

E finalmente Stadige Jan venne, dopo che lo avevano atteso per tanti lunghi giorni e notti tormentate, così a lungo che Sir Francis Courteney aveva cominciato a credere che non sarebbe mai venuto.

Ogni sera, quando l'oscurità metteva fine alla lunga giornata di lavoro sulle mura del castello, la squadra di prigionieri rientrava trascinando i piedi. L'inverno stava stringendo la sua morsa sul capo di Buona Speranza, e spesso erano fradici di pioggia e gelati fino alle ossa.

Ogni sera, passando davanti alla porta tempestata di borchie di ferro della cella del padre, Hal esclamava: « Come vi sentite, padre? »

La risposta, pronunciata con voce roca e soffocata dal catarro della malattia, era sempre la stessa. « Oggi meglio, Hal. E voi? »

« Il lavoro era facile. Abbiamo tutti il morale alto. »

Poi interveniva Althuda dalla cella vicina. « Stamattina è venuto il medico. Ha detto che Sir Francis sta bene abbastanza per essere interrogato da Stadige Jan. » Oppure, in un'altra occasione: « La febbre è peggiorata, Sir Francis non ha fatto che tossire tutto il giorno ».

Appena rientrati nella cella al piano inferiore, i prigionieri trangugiavano l'unico pasto della giornata, ripulendo i piatti con le dita e poi lasciandosi cadere a corpo morto sulla paglia umida.

All'alba, con il cielo ancora buio, Manseer sarebbe venuto a battere sull'inferriata della cella. « Sveglia! Alzatevi, pigri bastardi, prima che Barnard mandi i cani a svegliarvi. » Si alzavano in piedi a fatica per mettersi in fila e uscire, sotto la pioggia e il vento. Lì nel cortile, Barnard era in attesa di accoglierli, con i due enormi cani per la caccia al cinghiale che ringhiavano, tendendo il guinzaglio. Alcuni marinai avevano trovato pezzi di sacco o di tela da avvolgere intorno ai piedi nudi o da usare per coprirsi la testa, ma anche quegli stracci erano ancora umidi della pioggia del giorno prima. Quasi tutti, quindi, lavoravano scalzi e seminudi sotto le tempeste invernali.

Poi venne Stadige Jan. Arrivò a mezzogiorno. Gli uomini in cima alle impalcature tacquero di colpo, e il lavoro s'interruppe. Persino Hugo Barnard si scostò quando il boia superò l'entrata del castello. Con quell'abbigliamento severo e il cappello a tesa larga calato sugli occhi, sembrava un predicatore che si avviasse al pulpito.

Stadige Jan si fermò all'ingresso della prigione, e il sergente Manseer accorse dalla parte opposta del cortile, facendo tintinnare le chiavi. Aprì la porticina bassa, facendosi da parte per lasciar passare Stadige Jan e seguendolo all'interno. La porta si richiuse alle spalle dei due e gli spettatori si riscossero di colpo, come destati da un incubo, riprendendo il loro lavoro. Ma finché Stadige Jan rimase dentro, sulle mura regnò un silenzio teso. Nessuno parlava o imprecava, e persino Hugo Barnard era più tranquillo del solito, mentre bastava il minimo pretesto perché tutti si voltassero a guardare la porta di ferro chiusa.

Stadige Jan scese la scala, illuminata da Manseer con la lanterna, fermandosi davanti alla porta della cella di Sir Francis. Il sergente aprì lo spioncino e Stadige Jan vi accostò il viso. La finestra alta della cella lasciava entrare un raggio di luce. Sir Francis, seduto sul ripiano di pietra che gli faceva da cuccetta, alzò la testa ricambiando lo sguardo degli occhi gialli di Stadige Jan.

Il viso di Sir Francis sembrava quello di un teschio sbiancato dal sole, così pallido da apparire luminoso nella penombra, con le lunghe ciocche di capelli di un nero spento e gli occhi ridotti a cavità scure. « Vi aspettavo », disse, ma subito fu assalito dalla tosse e la bocca gli si riempì di catarro che lui sputò sulla paglia del pavimento.

Stadige Jan non rispose. I suoi occhi, scintillanti oltre lo spioncino, erano fissi sul volto di Sir Francis. I minuti passarono con lentezza insopportabile. Sir Francis fu sopraffatto da un desiderio folle di gridargli: « Fate quello che dovete fare. Dite quello che dovete dire. Sono pronto per voi», ma s'impose di restare in silenzio, ricambiando lo sguardo di Stadige Jan.

Alla fine, il boia si allontanò dallo spioncino facendo un cenno a Manseer, che richiuse con un tonfo lo sportello, affrettandosi a risalire la scala per aprire la porta di ferro. Stadige Jan attraversò il cortile, con gli occhi di tutti puntati addosso. Solo quando uscì dal cancello gli uomini ripresero a respirare e si udì ancora una volta l'incrociarsi di ordini urlati a squarciagola e il brontolio di risposta, composto di imprecazioni e lamenti, che si levavano dalle mura.

«Quello era Stadige Jan?» chiese a bassa voce Althuda dalla cella accanto a quella di Sir Francis.

«Non ha detto niente. Non ha fatto niente», mormorò Sir Francis con voce rauca.

«È il suo metodo», ribatté Althuda. «Sono rimasto qui abbastanza a lungo per vedergli fare molte volte lo stesso gioco. Vi logorerà al punto che alla fine proverete l'impulso di dirgli tutto quello che vuole sapere prima ancora che vi abbia toccato. È per questo che lo chiamano Stadige Jan.»

«Oh, Gesù, per poco non mi toglie anche la dignità di uomo. È mai venuto a fissarvi, Althuda?»

«Non ancora.»

«Come mai siete così fortunato?»

«Non lo so. So soltanto che un giorno verrà anche per me. So che cosa significa aspettare, proprio come voi.»

Tre giorni prima della prevista partenza per l'Olanda della *Standvastigheid*, Sukeena uscì dalle cucine della residenza con la testa protetta da un cappello a cono di paglia intrecciata e il cestino appeso al braccio. La sua uscita non destò sorpresa fra gli altri servitori della casa, visto che aveva l'abitudine di uscire parecchie volte la settimana per recarsi sulle pendici della montagna a raccogliere erbe e radici. La sua abilità e la sua conoscenza delle piante medicinali erano famose in tutta la colonia.

Dalla veranda della residenza, Kleinhans la guardò allontanarsi, e fu come se un coltello gli straziasse le viscere. Aveva l'impressione che dentro di lui ci fosse una ferita aperta che sanguinava, e spesso trovava il vaso da notte pieno di sangue nero, raggrumato. Comunque non era soltanto la dispepsia a divorarlo: sapeva che, una volta salpato col galeone, non avrebbe più rivisto la bellezza di Sukeena. Ora che il momento della separazione si avvicinava, non riusciva a dormire la notte, e persino il latte e il riso bollito inacidivano nel suo stomaco.

Mevrou van de Velde, ormai padrona di casa da quando aveva preso in mano le redini della residenza, era stata gentile con lui. Quella mattina aveva fatto uscire Sukeena perché raccogliesse le erbe speciali che, macerate e distillate con l'abilità della schiava, erano l'unica medicina che potesse alleviare almeno un po' la sua sofferenza, quanto bastava per godere di qualche ora di sonno irrequieto. Per ordine di Katinka, Sukeena avrebbe preparato una quantità sufficiente di quella pozione per affrontare il lungo viaggio fino al nord. Kleinhans sperava che, una volta raggiunta l'Olanda, i medici sarebbero riusciti a curare quella terribile malattia.

Sukeena avanzava silenziosa fra la boscaglia che copriva le pendici della montagna. Un paio di volte si girò a guardare indietro, ma nessuno l'aveva seguita. Proseguì, fermandosi solo per staccare un ramoscello verde da uno dei cespugli in fiore, e mentre camminava lo ripulì dalle foglie e, con il coltello, ne tagliò l'estremità a forcella.

Tutt'intorno a lei sbocciava una profusione di fiori selvatici; persino in pieno inverno se ne vedevano almeno un centinaio di specie diverse. Alcuni erano grossi come carciofi maturi, altri minuscoli come il suo mignolo, ma tutti bellissimi, più di quanto potesse immaginare la fantasia di un artista o ritrarre l'abilità di un pittore: e lei li conosceva tutti.

Girovagando apparentemente senza meta, in realtà si stava avvicinando lungo un percorso graduale e tortuoso a una profonda gola rocciosa che fendeva la superficie della montagna dalla cima piatta. Gettando attorno a sé un'ultima occhiata furtiva, si lanciò improvvisamente in discesa sul pendio ripido e ricoperto di una fitta sterpaglia. Sul fondo c'era un torrente, che scorreva fino a valle con una serie di allegre cascatelle e languidi stagni. Man mano che si avvicinava a uno di questi ultimi, Sukeena prese a muoversi in modo sempre più lento e pacato. Incuneata in una fenditura della roccia vicino alle acque scure c'era una piccola ciotola di argilla, lasciata da lei in occasione della sua ultima visita. Dal ripiano di roccia sovrastante guardò in basso e vide che il liquido bianco e lattiginoso col quale aveva riempito la ciotola era stato bevuto. Restavano soltanto alcune gocce opalescenti sul fondo.

Con movimenti cauti e attenti, si arrampicò in un punto dal quale avrebbe potuto scrutare più in profondità la fenditura nella roccia, e trattenne il fiato scorgendo nell'ombra il lieve baluginio delle scaglie del serpente. Aperto il coperchio del cestino, impugnò nella destra il bastone a forcella prima di avvicinarsi. Il serpente era acciambellato vicino alla ciotola. Non era grande, dato che aveva un diametro pari a quello dell'indice della sua mano, era di un intenso color bronzo lucente e ogni scaglia del suo corpo era un piccolo prodigio. Quando lei si avvicinò, sollevò la testa di un palmo, osservandola con gli occhietti neri e lucenti, ma non tentò di fuggire, rintanandosi in fondo alla fenditura, come aveva fatto la prima volta, quando era stato scoperto.

Era pigro e sonnolento, intorpidito dalla pozione che lei gli aveva somministrato mescolandola al latte. Un attimo dopo riabbassò la testa, in apparenza mettendosi a dormire. Sukeena non si lasciò indurre a compiere movimenti bruschi o improvvisi: sapeva bene che, grazie agli aghi cornei infissi nella mascella superiore, il piccolo rettile poteva causare una morte tra le più orribili e strazianti. Protese delicatamente il ramoscello, e il serpente sollevò di nuovo la testa. Lei s'irrigidì, con la forcella sospesa appena poche dita più su del corpo del rettile. Pian piano il piccolo animale ricadde a terra e, proprio mentre aveva la testa allungata sul terreno, Sukeena lo inchiodò alla roccia con la forcella. Il serpente sibilò piano, e il suo corpo si avvolse a spirale intorno al bastoncino che lo teneva prigioniero.

Sukeena protese la mano per afferrarlo dietro la testa, con due dita strette contro le ossa dure del cranio, e il serpente le avvolse intorno al polso il lungo corpo sinuoso. Lei afferrò la coda, svolgendolo, poi lasciò cadere il serpente nel cestino e, con lo stesso movimento, richiuse il coperchio.

Il governatore a riposo Kleinhans salì a bordo del galeone la sera precedente la partenza. Prima che la carrozza lo portasse a riva, tutto il personale della casa si riunì sul portico della residenza per dare l'addio al proprio ex padrone. Lui si spostò lungo la fila per dire una parola di congedo a ciascuno. Quando fu il turno di Sukeena, la ragazza gli rivolse quel gesto aggraziato, con le mani giunte insieme fino a sfiorare le labbra, che gli fece dolere il cuore di amore e desiderio.

« Aboli ha portato tutti i vostri bagagli a bordo della nave, si-stemandoli nella cabina », gli disse lei a bassa voce. « La cassetta delle medicine è in fondo al baule più grande, ma nella borsa da viaggio piccola c'è una bottiglietta piena, che dovrebbe durarvi parecchi giorni. »

« Non ti dimenticherò mai, Sukeena. »

« E nemmeno io potrò mai dimenticarvi, padrone. »

Per un istante, Kleinhans rischiò di perdere il controllo delle emozioni. Era sul punto di abbracciare quella schiava; ma poi la ragazza alzò la testa e lui indietreggiò di fronte all'odio inestin-guibile che vide nei suoi occhi.

Il mattino dopo, quando il galeone salpò con la marea del-l'alba, Fredricus venne a svegliarlo, per aiutarlo ad alzarsi dalla cuccetta. Con il pesante mantello di pelliccia sulle spalle, Klein-hans salì sul ponte per affacciarsi alla battagliola di poppa men-tre la nave, investita dal vento di nord-ovest, affrontava le acque dell'Atlantico; rimase lì, con la vista offuscata dalle lacrime, fin-ché la grande montagna piatta non scomparve oltre l'orizzonte.

Nei quattro giorni successivi il dolore allo stomaco fu peg-giore che mai. La quinta sera si svegliò dopo mezzanotte, con gli intestini bruciati dall'acido, e accese la lanterna per allungare la mano verso il flacone scuro che gli avrebbe dato sollievo. Scuotendolo, però, si accorse che era già vuoto.

Piegato in due per il dolore, attraversò la cabina con la lan-terna in mano, inginocchiandosi davanti al baule più grande. Sollevato il coperchio, trovò la cassetta delle medicine, in legno di tek, dove Sukeena gli aveva detto che avrebbe trovato la scorta. La prese per portarla sul tavolo addossato alla paratia di fondo, appoggiandovi la lanterna in modo da poter inserire la chiavetta nella serratura.

Sollevò il coperchio di legno per guardare dentro: steso con cura sopra il contenuto della cassetta, c'era un foglio. Leggen-do, si rese conto che era una vecchia copia della gazzetta della Compagnia; completata la lettura, si sentì assalire dalla nausea. Il proclama era firmato da lui: si trattava di una condanna a morte, il mandato per l'interrogatorio e l'esecuzione capitale di un certo Robert David Renshaw, il padre inglese di Sukeena.

« Che diavoleria è questa? » esplose a voce alta. « La piccola strega l'ha messo qui per ricordarmi una colpa di tanto tempo fa. Non si placherà mai? Credevo che fosse uscita dalla mia vita per sempre, ma riesce ancora a farmi soffrire. »

Tese la mano all'interno della cassetta per afferrare il foglio e farlo a pezzi, ma prima che le sue dita lo sfiorassero ci fu un lieve fruscio sotto il foglio, e poi un movimento fulmineo.

Qualcosa gli inferse un colpo leggero al polso, e poi un corpo lucente e sinuoso strisciò oltre il bordo della cassetta, cadendo sul pavimento di legno. Kleinhans balzò indietro, allarmato, ma la creatura scomparve nell'ombra mentre lui la seguiva con gli occhi, sconcertato. Cominciando ad avvertire un lieve bruciore al polso, lo sollevò alla luce.

Le vene della parte interna del polso spiccavano come cordoni blu sotto la pelle avvizzita e chiazzata di macchie. Guardò meglio il punto da cui scaturiva la sensazione di bruciore, e vide due minuscole gocce di sangue scintillare come gemme alla luce della lanterna, sgorgando da due piccoli fori gemelli. Vacillò all'indietro, sedendosi sull'orlo della cuccetta, con gli occhi fissi sulle goccioline.

Pian piano si formò di fronte ai suoi occhi un'immagine di tanto tempo prima. Rivide due orfanelli dall'aria solenne, in piedi, mano nella mano, davanti alle ceneri fumanti di una pira funeraria. Poi il dolore si gonfiò dentro di lui fino a riempire la mente e tutto il corpo.

Ormai esisteva soltanto il dolore, che gli scorreva nelle vene come un fuoco liquido, insinuandosi nel midollo delle ossa, lacerando tutti i legamenti, i tendini e i nervi. Cominciò a urlare, e urlò ininterrottamente sino alla fine.

Stadige Jan continuò ad andare al castello, a volte anche due volte al giorno, per affacciarsi allo spioncino nella porta della cella di Sir Francis. Non parlava mai, ma restava lì in silenzio, con una immobilità da rettile, a volte per qualche minuto, altre volte per un'ora. Alla fine Sir Francis non riuscì più a sostenere il suo sguardo: voltava la faccia contro il muro di pietra, ma sentiva ugualmente su di sé lo sguardo penetrante di quegli occhi gialli.

Era domenica, il giorno del Signore, quando Manseer e quattro soldati in giubba verde vennero a prenderlo. Non dissero una parola, ma lui capì dal loro volto dove lo portavano: non riuscivano a guardarlo negli occhi, e avevano l'espressione dolente di un gruppo di becchini.

Uscendo nel cortile, Sir Francis vide che era una giornata gelida e ventosa; anche se non pioveva più, le nubi che restavano sospese sulla parete della montagna erano di un grigio bluastro minaccioso, il colore di un vecchio livido. Il lastricato era lucido di pioggia, dopo il temporale. Sir Francis tentò di reprimere il tremito di freddo causato dal vento rigido, perché le guardie non pensassero che tremava di paura.

«Che Dio vi protegga!» Una voce giovane e limpida gli giunse all'orecchio, al di sopra dell'ululato del vento, spingendolo a fermarsi e alzare la testa. In cima all'impalcatura c'era Hal, con i capelli scuri arruffati dal vento e il torace nudo umido e lucente di pioggia.

Sir Francis sollevò le mani davanti a sé, gridando di rimando: «*In Arcadia habito!* Ricorda il giuramento». Anche da lontano vide l'espressione angosciata del figlio; poi le guardie lo sospinsero verso la porticina bassa che conduceva al seminterrato sotto l'armeria del castello. Manseer lo guidò oltre la porta, giù per la scala. Giunto in fondo, si fermò a bussare con diffidenza alla porta rinforzata in ferro, poi, senza attendere risposta, l'aprì per condurre dentro Sir Francis.

La stanza all'interno era ben illuminata, con una dozzina di candele di cera che oscillarono alla corrente proveniente dalla porta aperta. Da una parte c'era Jacobus Hop, seduto a uno scrittoio, con una provvista di pergamena e un calamaio davanti a sé, una penna d'oca nella mano destra. L'impiegato guardò Sir Francis con un volto pallido e terrorizzato. Sulla guancia aveva un foruncolo rosso e infiammato, che brillava alla luce. Si affrettò ad abbassare gli occhi, incapace di guardare il prigioniero.

Lungo la parete opposta era sistemata la ruota di tortura. La struttura era in legno di tek massiccio, con il letto abbastanza lungo da accogliere anche l'uomo più alto con le membra tese fino al limite estremo. A ciascuna delle due estremità c'erano robuste ruote di legno, con denti di arresto in ferro e alloggiamenti nei quali si potevano inserire le leve. Presso la parete di fronte a quella dell'impiegato, un braciere acceso. Dai ganci infissi nella parete sopra di esso pendeva un assortimento di arnesi strani e terribili. Il fuoco irradiava un calore piacevole e rasserenante.

Stadige Jan era in piedi presso la ruota, con il mantello e il cappello appesi a un attaccapanni alle sue spalle. Portava un grembiule di pelle da maniscalco.

Nel soffitto era montata una puleggia da cui pendeva una

corda con un gancio di ferro all'estremità. Stadige Jan non disse niente, mentre le guardie portavano Sir Francis al centro della stanza e passavano il gancio attraverso le catene che gli serravano i polsi. Manseer regolò la corda che passava nella carrucola finché le braccia di Sir Francis non rimasero tese in alto, sopra la testa: in questo modo, pur avendo i piedi ben piantati sul pavimento, era inerme. Manseer salutò Stadige Jan, poi uscì dalla stanza insieme ai suoi uomini, chiudendo la porta. I battenti, in tek massiccio, erano abbastanza spessi da impedire che filtrasse qualunque suono.

Nel silenzio, Hop si schiarì rumorosamente la gola, prima di leggere la trascrizione della sentenza emessa dal tribunale della Compagnia riguardo a Sir Francis. Balbettava in modo penoso, ma riuscì ad arrivare alla fine; posò il documento e pronunciò chiaramente la frase seguente, tutta d'un fiato: «Dio mi è testimone, comandante Courteney, che vorrei essere a cento leghe di distanza da qui. Questo non è un compito piacevole. Vi prego di collaborare».

Sir Francis non rispose neanche, limitandosi a fissare con fermezza gli occhi gialli di Stadige Jan. Hop riprese in mano il documento, e stavolta la sua voce tremava, spezzandosi mentre lo leggeva. «Prima domanda: il prigioniero, Francis Courteney, è al corrente della sorte del carico scomparso che risulta dal manifesto della nave della Compagnia *Standvastigheid*?»

«No», rispose Sir Francis, continuando a guardare gli occhi gialli davanti a sé. «Il prigioniero ignora quale sia la sorte del carico in questione.»

«Vi prego di riflettere, signore», mormorò Hop con voce roca. «Ho una costituzione delicata e sono sofferente di stomaco.»

Per gli uomini che lavoravano sull'impalcatura spazzata dai venti, le ore passavano con lentezza spaventosa. I loro occhi non facevano che tornare verso l'insignificante porticina sotto l'armeria. Da lì non proveniva alcun suono, finché all'improvviso, verso la metà di quella mattina gelida e ventosa, la porta non si spalancò e Jacobus Hop sbucò nel cortile, dirigendosi con un'andatura da ubriaco verso la staccionata dei cavalli e aggrappandosi a uno degli anelli di ferro come se le gambe non potessero più sostenerlo. Pareva indifferente a tutto ciò che lo circondava, mentre restava in piedi ansimando per riprendere fiato, come se fosse appena scampato all'annegamento.

Il lavoro sulle mura si arrestò. Persino Hugo Barnard e i sovrintendenti rimasero immobili, silenziosi e tranquilli, fissando dall'alto il piccolo impiegato infelice. Con tutti quegli occhi puntati addosso, improvvisamente Hop si piegò in due e vomitò sul lastricato, asciugandosi poi la bocca col dorso della mano e guardandosi attorno con aria allucinata, come in cerca di una via di scampo.

Allontanatosi di scatto dalla staccionata dei cavalli, si mise a correre, attraversando il cortile e salendo la scala che portava all'ufficio del governatore. Una delle sentinelle in cima alle scale tentò di trattenerlo, ma Hop la superò gridando: «Devo parlare a sua eccellenza».

Senza farsi annunciare, irruppe nella sala delle udienze del governatore, dove van de Velde era seduto all'estremità del lungo tavolo lucido, mentre ai lati sedevano quattro residenti della città, e rideva di qualcosa che era stato appena detto.

Il riso si spense sulle sue labbra tumide quando Hop si fermò tremante sulla soglia; aveva il viso di un pallore mortale, gli occhi pieni di lacrime e gli stivali imbrattati di vomito.

«Come osate, Hop?» tuonò van de Velde, estirpando la sua mole dalla sedia. «Come osate fare irruzione qui dentro in questo modo?»

«Vostra eccellenza», rispose l'altro balbettando, «non posso farlo. Non posso rientrare in quella stanza. Vi prego, non insistete. Mandateci qualcun altro.»

«Tornate lì immediatamente», ruggì van de Velde. «Questa è la vostra ultima possibilità, Hop. Vi avverto: o farete il vostro dovere da uomo, o ne subirete le conseguenze.»

«Voi non capite.» Ormai farfugliava apertamente. «Non posso farlo. Non avete idea di quello che sta succedendo laggiù. Non posso...»

«Andate! Andate subito, altrimenti riceverete lo stesso trattamento.»

Hop arretrò lentamente, uscendo, e van de Velde gli gridò dietro: «E chiudete la porta dietro di voi, vermiciattolo».

L'impiegato tornò indietro attraverso il cortile silenzioso barcollando come un cieco, la vista offuscata dalle lacrime. Giunto alla porticina, si fermò, facendosi visibilmente forza, poi la superò di slancio, scomparendo alla vista degli osservatori muti.

A metà del pomeriggio la porta si riaprì e Stadige Jan uscì nel cortile. Indossava come sempre l'abito scuro con il cappello alto, aveva un'espressione serena e un'andatura lenta e solenne, quando superò il cancello della fortezza per imboccare il viale che saliva, attraverso i giardini, fino alla residenza.

Qualche minuto dopo, Hop si precipitò fuori dell'armeria, diretto verso il corpo principale. Tornò indietro portando con sé il medico della Compagnia, che teneva in mano la borsa di cuoio, e insieme sparirono giù per la scala. Il medico uscì solo parecchio tempo dopo, fermandosi a parlare per qualche istante con Manseer e i suoi uomini, in attesa alla porta.

Il sergente eseguì il saluto prima di scendere con le guardie in fondo alla scala. Quando uscirono, Sir Francis era con loro, ma non poteva camminare senza aiuto, e aveva le mani e i piedi avvolti nelle bende, già costellate di macchie rosse.

« Oh, Gesù, lo hanno ucciso », sussurrò Hal, mentre il padre veniva trascinato attraverso il cortile, con le gambe penzoloni e la testa che ricadeva in avanti, inerte.

Quasi avesse sentito le sue parole, Sir Francis alzò la testa per guardarlo, poi esclamò con una voce limpida e sonora: « Ricorda il giuramento, Hal! »

« Vi voglio bene, padre! » gridò Hal di rimando, con la gola strozzata dalla pena, ma Hugo Barnard lo frustò sulla schiena.

« Torna al lavoro, bastardo. »

Quella sera, quando la fila dei forzati scese esausta la scala, passando davanti alla porta della cella del padre, Hal si soffermò per dire piano: « Prego Dio e tutti i santi di proteggervi, padre ».

Sentì il padre muoversi sul pagliericcio frusciante e poi, dopo un lungo istante, udì la sua voce. « Grazie, figlio mio. Che Dio conceda a tutti e due la forza di resistere nei giorni che ci attendono. »

Restando al riparo delle imposte della sua camera da letto, Katinka seguì con gli occhi la figura di Stadige Jan che risaliva il viale provenendo dal castello. Quando scomparve alla sua vista oltre il muro di pietra in fondo ai prati, capì che sarebbe andato direttamente al cottage. Erano ore che attendeva il suo ritorno, ed era impaziente. Si mise in testa il cappellino, controllando la sua immagine allo specchio senza esserne soddisfatta. Arrotolò intorno al dito una ciocca di capelli, facendola ricadere sulla spalla in modo studiato, poi sorrise al suo riflesso e uscì dalla stanza attraverso la porticina che dava sulla veranda posteriore. Seguì il sentiero lastricato sotto i rampicanti spogli della pergola, privati delle ultime foglie rossicce dall'arrivo dei venti invernali.

Il cottage di Stadige Jan sorgeva isolato ai margini della foresta. Nella colonia non c'era nessuno, per quanto umile fosse la sua posizione, che volesse averlo come vicino. Quando arrivò, Katinka scoprì che la porta era aperta ed entrò senza bussare né salutare. L'unica stanza del cottage era spoglia come la cella di un eremita: il pavimento era coperto di sterco di vacca e l'aria odorava di fumo stantio e di ceneri fredde sul focolare. Gli unici mobili erano un semplice letto, un tavolo e una sedia.

Soffermandosi al centro della stanza, Katinka udì uno scroscio d'acqua proveniente dal cortile sul retro e seguì quel suono. Stadige Jan era in piedi davanti all'abbeveratoio, nudo fino alla cintola, e stava attingendo acqua con un secchio di cuoio per rovesciarsela addosso.

Alzò gli occhi su di lei, con l'acqua che scorreva dai capelli fradici lungo il torace e le braccia. Aveva le membra coperte di muscoli piatti e sodi, come un lottatore professionista oppure, pensò lei con un guizzo di fantasia, come un gladiatore romano.

«Non siete sorpreso di vedermi», osservò Katinka. Non era una domanda, perché leggeva la risposta nel suo sguardo.

«Vi stavo aspettando. Aspettavo la dea Kali. Nessun altro oserebbe venire qui», rispose lui, mentre Katinka batteva le palpebre sentendosi rivolgere quell'epiteto inconsueto.

Sedette sul muretto di pietra accanto alla pompa, restando in silenzio per qualche minuto prima di domandare: «Perché mi chiamate così?» La morte di Zelda aveva creato fra loro uno strano legame mistico.

«A Trincomalee, nella bella isola di Ceylon, sorge il tempio di Kali, vicino al sacro Stagno dell'Elefante. Quando vivevo nella colonia, ci andavo ogni giorno. Kali è la dea indù della morte e della distruzione, e io la venero.» Allora lei capì che era pazzo, ma quella scoperta la incuriosì e le fece drizzare i peli finissimi e incolori che aveva sulle braccia.

Rimase in silenzio a lungo, guardandolo mentre completava la sua toeletta. Prima strizzò l'acqua dai capelli con le mani, poi asciugò le membra snelle e sode con un pezzo di tela, indossando una camicia prima di prendere la giacca scura appoggiata sul muretto, infilarsela e abbottonarla fino al mento.

Infine la guardò. «Siete venuta a sentire del mio passerotto.» Con quella bella voce melodiosa avrebbe potuto fare il predicatore o il tenore, pensò Katinka.

«Sì», rispose. «Per questo sono venuta.»

Era come se le avesse letto nel pensiero; sapeva esattamente quello che lei voleva, e cominciò a parlare senza esitazioni. Le descrisse quanto era avvenuto quel giorno nella stanza sotto l'armeria, senza omettere alcun dettaglio. Pareva quasi che cantasse, facendo apparire gli atti terribili che descriveva altrettanto nobili e necessari dei cori di una tragedia greca. La trasportò con la fantasia, al punto che lei si strinse le braccia intorno al corpo, cominciando a dondolarsi lentamente contro il muro, mentre ascoltava.

Quando lui smise di parlare, Katinka rimase a lungo immobile, con un'espressione di estasi sul viso bellissimo. Infine si riscosse con un brivido, dicendo: «Potete continuare a chiamarmi Kali, ma solo quando siamo soli. Nessun altro dovrà mai sentirvi pronunciare questo nome».

«Grazie, dea.» Gli occhi pallidi scintillavano di un fervore quasi religioso, mentre la guardava allontanarsi, diretta verso il cancello.

Lì giunta, si fermò e, senza voltarsi, domandò: «Perché lo chiamate il vostro passerotto?»

Stadige Jan scrollò le spalle. «Perché da oggi in poi appartiene a me. Appartengono tutti a me e alla dea Kali, per sempre.» A quelle parole, Katinka provò un lieve fremito di estasi, poi riprese il cammino lungo il sentiero che attraversava i giardini fino alla residenza. A ogni passo del percorso, sentì su di sé lo sguardo di Stadige Jan.

Quando rientrò nella residenza, Sukeena l'attendeva. «Mi avete mandato a chiamare, padrona?»

«Vieni con me, Sukeena.»

Precedette la ragazza nel suo *boudoir*, sedendosi sulla *chaise longue* davanti alla finestra chiusa e accennando a Sukeena di restare in piedi davanti a lei. «Il governatore Kleinhans ha accennato spesso alle tue capacità nel campo della medicina. Chi ti ha insegnato?»

« Mia madre era esperta. Fin da piccola andavo con lei a raccogliere erbe e piante, e dopo la sua morte ho studiato con mio zio. »

« Conosci le piante di qui? Non sono diverse da quelle del paese dove sei nata? »

« Ce ne sono alcune uguali. Per le altre, ho imparato da sola. »

Katinka aveva già appreso tutto questo da Kleinhans, ma le piaceva sentire la voce melodiosa della schiava. « Sukeena, ieri la mia giumenta è inciampata e per poco non mi ha disarcionato. La gamba si è impigliata nel pomo della sella, e mi è rimasto un brutto segno. Sulla mia pelle si formano facilmente dei lividi. Hai qualcosa nella tua cassetta dei medicinali che mi aiuti a rimediare? »

« Sì, padrona. »

« Ecco. » Katinka si adagiò all'indietro, sollevando le gonne per scoprire le gambe, poi cominciò ad abbassare una delle calze bianche, arrotolandola con un gesto lento e sensuale. « Guarda! » Sukeena scivolò con grazia in ginocchio sul tappeto di seta davanti a lei. Il suo tocco sulla pelle era leggero come quello di una farfalla che si posa su un fiore, e Katinka sospirò: « Mi rendo conto che hai davvero mani da guaritrice ».

Sukeena non rispose, e del resto aveva il viso nascosto dall'onda dei capelli scuri.

« Quanti anni hai? » le chiese Katinka.

Le dita di Sukeena si fermarono per un attimo, prima di riprendere a esplorare il livido che si notava dietro il ginocchio della padrona. « Sono nata nell'anno della Tigre, quindi al mio prossimo compleanno avrò diciotto anni. »

« Sei bellissima, Sukeena. Ma del resto lo sai, non è vero? »

« Non mi sento bella, padrona. Non credo che una schiava possa mai sentirsi bella. »

« Che idea ridicola. » Katinka non nascose l'irritazione per quella svolta impressa alla conversazione. « Dimmi, tuo fratello è bello come te? »

Ancora una volta le dita di Sukeena tremarono sulla sua pelle. Ah, quel colpo era andato a segno! Katinka accennò un sorriso nella pausa di silenzio, prima di chiedere: « Hai sentito la domanda, Sukeena? »

« Per me Althuda è l'uomo più bello che sia mai vissuto su questa terra », rispose Sukeena con voce sommessa, e poi si pentì di averlo detto. Sapeva per istinto che era pericoloso permettere a quella donna di scoprire in quali aree era più vulnerabile, ma non poteva richiamare le parole che le erano sfuggite di bocca.

«E quanti anni ha?»

«Tre più di me.» Sukeena rimase a occhi bassi. «Devo andare a prendere le medicine, padrona.»

«Ti aspetterò», rispose Katinka. «Fa' presto.»

Appoggiandosi ai cuscini, sorrise e si acciglio di volta in volta alla vivida sfilata di immagini e di parole che le scorreva nella mente. Si sentiva piena di aspettativa e di esultanza, e al tempo stesso irrequieta e insoddisfatta. Le parole di Stadige Jan le risuonavano nella mente come campane di una cattedrale, turbandola. Non poteva restare immobile un momento di più. Balzò in piedi, aggirandosi per la stanza come un leopardo a caccia. «Dov'è finita quella ragazza?» esclamò, e poi scorse il suo riflesso nello specchio e si voltò per esaminarlo con occhio critico.

«Kali!» mormorò, sorridendo. «Che nome meraviglioso segreto e splendido.»

Vide l'immagine di Sukeena apparire nello specchio dietro di lei, ma non si voltò subito. La bellezza bruna della ragazza era un contraltare perfetto per far risaltare la sua. Osservò i loro due volti accostati, e sentì l'eccitazione caricarle i nervi e cantare nelle vene.

«Ho l'unguento per il vostro livido, padrona.» Sukeena rimase immobile alle sue spalle, con uno sguardo indecifrabile.

«Grazie, mio passerotto», sussurrò Katinka. Voglio che tu mi appartenga per sempre, pensò. Voglio che tu appartenga a Kali.»

Tornò indietro verso la *chaise longue*, dove Sukeena s'inginocchiò di nuovo davanti a lei. Da principio l'unguento era fresco sulla pelle della gamba, poi cominciò a sprigionare un calore benefico. Le dita della ragazza erano abili e insinuanti.

«Detesto vedere qualcosa di bello distrutto senza necessità», mormorò Katinka. «Tu dici che tuo fratello è bello. Lo ami molto?»

Non ricevendo risposta, allungò la mano per sollevare il mento di Sukeena verso di sé, in modo da poterla guardare negli occhi, e la sofferenza che vi lesse le accelerò il polso. «Mio povero passerotto», ripeté. Ho toccato il punto più profondo della sua anima, pensò esultante. Allontanando la mano, lasciò scorrere le dita sulla gota della ragazza.

«Sono appena tornata dal cottage di Stadige Jan, ma tu mi hai vista sul sentiero. Mi stavi osservando, non è vero?»

«Sì, padrona.»

«Ti devo ripetere quello che mi ha detto? Devo parlarti della sua stanza speciale al castello, e di quello che avviene laggiù?» Katinka non attese la risposta, ma riprese a parlare con voce sommessa. Quando le dita di Sukeena si fermarono, interruppe il racconto per ordinarle: «Non fermarti, Sukeena, hai un tocco magico».

Quando finalmente smise di parlare, la ragazza piangeva in silenzio. Le sue lacrime scorrevano lente e viscose, come gocce d'olio spremute dal torchio, luccicanti sull'oro rosso delle sue guance. Poco dopo, Katinka domandò: «Da quanto tempo tuo fratello è rinchiuso nella fortezza? Ho sentito dire che sono passati tre mesi da quando è tornato dalle montagne per venire a prenderti. È tanto, eppure non è stato processato, né condannato».

Attese, lasciando che i minuti passassero, lentamente, lenti come le lacrime della ragazza. «Il governatore Kleinhans era indolente, oppure qualcuno lo ha influenzato, mi domando? Mio marito invece è un uomo energico e dedito al lavoro. Non permetterà che ci si faccia beffe della giustizia. Nessun rinnegato può sfuggirgli così a lungo.»

Ora Sukeena aveva abbandonato ogni finzione e fissava Katinka a occhi sbarrati mentre continuava a parlare. «Manderà Althuda nella stanza segreta con Stadige Jan. Althuda non sarà più bello. Che peccato! Che cosa possiamo fare per impedire che accada?»

«Padrona», bisbigliò Sukeena, «vostro marito ne ha il potere. Tutto è nelle sue mani.»

«Mio marito è un funzionario della Compagnia, un servitore leale e inflessibile. Non defletterà dal suo dovere.»

«Voi siete così bella, padrona. Nessun uomo può negarvi ciò che desiderate. Potete persuaderlo.» Sukeena abbassò lentamente la testa, appoggiandola sul ginocchio scoperto di Katinka. «Vi supplico con tutto il cuore, con tutta l'anima, padrona.»

«Che cosa faresti per salvare la vita di tuo fratello? Quale prezzo saresti disposta a pagare, mio passerotto?»

« Non esiste prezzo troppo alto, né sacrificio davanti al quale mi tirerei indietro. Potete chiedermi qualunque cosa, padrona. »

« Non potremmo mai pensare di liberarlo, Sukeena. Questo lo capisci, vero? » chiese Katinka in tono gentile. E neanche lo vorrei, pensò; finché il fratello è nella fortezza, il passerotto è al sicuro nella mia gabbia.

« Non mi concederò neanche la speranza di vederlo libero. »

Sukeena alzò la testa e Katinka le sollevò di nuovo il mento, stavolta con entrambe le mani, prima di protendersi lentamente in avanti. « Althuda non morirà. Lo salveremo da Stadige Jan, tu e io », le promise, baciando Sukeena sulla bocca. Le labbra della ragazza erano umide di lacrime; avevano un gusto caldo e salato, quasi di sangue. Lentamente, Sukeena le schiuse, come i petali di un'orchidea che si aprono al becco di un colibrì in cerca di nettare.

Althuda. Sukeena si fece forza col pensiero del fratello, quando Katinka, senza interrompere il bacio, le prese la mano per farla risalire lentamente sotto le gonne, finché non si posò sul suo ventre liscio e bianco. Althuda, tutto questo è per te, e per te solo, si disse in silenzio Sukeena, mentre chiudeva gli occhi e le sue dita sfioravano con delicatezza il ventre di seta, scivolando in basso, nel nido vellutato di fitti riccioli dorati.

Il giorno dopo, l'alba si levò in un cielo senza una nube. Sebbene l'aria fosse fredda, il sole era luminoso, il vento caduto. Dall'impalcatura, Hal teneva d'occhio la porta chiusa della prigione. Daniel era al suo fianco; assumendosi la parte di lavoro del ragazzo, lo proteggeva dalla frusta di Barnard.

Quando Stadige Jan entrò dal cancello, attraversando il cortile per raggiungere l'armeria con il suo passo misurato da becchino, Hal lo fissò inorridito. D'improvviso, mentre l'uomo passava sotto l'impalcatura, Hal afferrò di scatto il pesante martello da muratore posato sull'asse ai suoi piedi, sollevandolo per scagliarlo in basso e schiacciare il cranio del boia. Il pugno massiccio di Daniel si chiuse attorno al polso di Hal, sfilando il martello dalla presa come se togliesse un giocattolo di mano a un bimbo e posandolo sul muro, fuori della sua portata.

« Perché lo hai fatto? » protestò Hal. « Avrei potuto uccidere quel porco. »

« Senza ottenere nessun risultato », ribatté Daniel spietato. « Non potete salvare Sir Francis uccidendo un tirapiedi. Non fareste che sacrificare la vostra vita per niente. Si limiterebbero a mandarne un altro. »

Manseer condusse fuori della prigione Sir Francis: con i piedi bendati, non poteva camminare senza aiuto, ma teneva la testa alta mentre lo trascinavano attraverso il cortile.

« Padre! » gridò Hal, angosciato. « Non posso permetterlo. » Sir Francis alzò la testa verso di lui, gridando con voce appena sufficiente a raggiungerlo in cima al muro: « Sii forte, figlio mio. Per il mio bene, sii forte ». Manseer lo spinse giù per la scala dell'armeria.

La giornata fu lunga, più di qualunque altra Hal avesse mai vissuto; il lato settentrionale del cortile era già immerso nell'ombra quando Stadige Jan sbucò dalla porta dall'armeria.

« Stavolta lo ammazzo, quel porco velenoso », sbottò Hal, ma ancora una volta Daniel lo afferrò con una presa ferrea, mentre il boia camminava lentamente sotto l'impalcatura, uscendo dal cancello.

Hop uscì in gran fretta nel cortile, con un viso spettrale, per andare a chiamare il medico della Compagnia. I due scomparvero di nuovo giù per la scala, e stavolta i soldati portarono fuori Sir Francis su una lettiga.

« Padre! » gridò Hal, ma senza ottenere nessuna risposta, e neanche un segno di vita.

« Ti ho già avvertito più di una volta », ruggì Hugo Barnard, avvicinandosi sulle assi per infliggergli mezza dozzina di frustate sul dorso. Hal non tentò di sottrarsi ai colpi, e Barnard indietreggiò stupito dal fatto che non mostrava alcun dolore. « Un'altra di queste conversazioni imbecilli, e ti sguinzaglio contro i cani », minacciò allontanandosi. Intanto, nel cortile, il medico della Compagnia osservava con aria grave i soldati che riportavano in cella Sir Francis, privo di sensi. Poi, accompagnato da Hop, si diresse verso l'ufficio del governatore sul lato meridionale del cortile.

Van de Velde alzò la testa seccato dai documenti che ingombravano la sua scrivania. « Sì? Cosa c'è, Saar? Sono un uomo occupato. Spero che non siate venuto qui a farmi perdere tempo. »

« Si tratta del prigioniero, vostra eccellenza. » Il medico aveva un'aria agitata e umile al tempo stesso. Van de Velde non lo lasciò continuare, rivolgendosi a Hop, fermo alle spalle del medico con un'espressione nervosa, torcendo il cappello fra le dita.

«Ebbene, Hop, il pirata ha già ceduto? Ci ha detto quello che vogliamo sapere?» gridò, facendo arretrare Hop di un passo.

«È così ostinato! Non avrei mai ritenuto possibile che un essere umano...» Dopodiché cominciò un lungo e tormentato attacco di balbuzie.

«Vi riterrò responsabile, Hop.» Van de Velde uscì minaccioso da dietro la sua scrivania. Si stava appassionando al suo passatempo preferito – stuzzicare il povero impiegato –, quando intervenne il medico.

«Vostra eccellenza, temo per la vita del prigioniero. Un altro giorno di interrogatorio, e forse non ce la farà a sopravvivere.»

Allora van de Velde se la prese con lui. «È questo, dottore, lo scopo principale di tutta questa faccenda. Courteney è un condannato a morte. Morirà, su questo avete la mia parola d'onore.» Tornò alla scrivania, calandosi sulla sedia imbottita. «Non venite qui a darmi la notizia del suo decesso imminente. Tutto quello che voglio sapere da voi è se è ancora in grado di provare dolore o no, e se è in grado di parlare o almeno di far segno che comprende la domanda. Ebbene, dottore, lo è?» Van de Velde lo fulminò con un'occhiata furente.

«Vostra eccellenza», rispose il medico togliendosi gli occhiali e pulendo energicamente le lenti mentre meditava la risposta. Sapeva che cosa voleva sentirsi dire van de Velde, e sapeva pure che era poco opportuno negarglielo. «In questo momento il prigioniero non è *compos mentis*.»

Van de Velde si accigliò, interrompendolo. «E che cosa mi dite delle capacità tanto decantate del boia? Credevo che non perdesse mai un prigioniero, o almeno non intenzionalmente.»

«Signore, non è mia intenzione denigrare le doti del boia di Stato. Sono certo che domani il prigioniero avrà ripreso i sensi.»

«Volete dire che domani starà abbastanza bene da subire l'interrogatorio?»

«Sì, vostra eccellenza, il mio parere è questo.»

«Bene, *mjnheer*, vi prendo in parola. Se il pirata morirà prima di essere giustiziato ufficialmente in base alla sentenza emessa dalla corte, ne risponderete a me. Il popolino deve vedere che giustizia è stata fatta. Non è bene che l'uomo spiri in pace in una cella delle segrete, lo vogliamo là fuori sulla spianata, in modo che lo vedano tutti. Voglio usarlo per dare un esempio, mi capite? »

« Sì, vostra eccellenza. » Il medico arretrò verso la porta.

« E anche voi, Hop, mi capite, idiota? Voglio sapere dove ha nascosto il carico del galeone, e poi voglio una bella esecuzione sanguinosa. Per il vostro bene, dovrete garantirmi entrambi i risultati. »

« Sì, vostra eccellenza. »

« Voglio parlare con Stadige Jan. Mandatelo da me domattina, prima che cominci il lavoro. Voglio accertarmi che comprenda appieno le sue responsabilità. »

« Vi porterò di persona il boia », promise Hop.

Era di nuovo buio, quando Hugo Barnard interruppe il lavoro sulle mura, ordinando ai prigionieri esausti di scendere in cortile. Passando davanti alla cella del padre, Hal lo chiamò disperatamente: « Padre, riuscite a sentirmi? »

Non ottenendo risposta, martellò di pugni la porta. « Padre, parlatemi! In nome di Dio, parlate! » Una volta tanto Manseer fu indulgente, perché non tentò di costringere Hal a proseguire; così il giovane poté invocare di nuovo: « Vi prego, padre, sono Hal, vostro figlio. Non mi riconoscete? »

« Hal? » rispose una voce flebile che lui non riconobbe. « Sei tu, ragazzo mio? »

« Oh, Dio onnipotente. » Accasciandosi sulle ginocchia, il ragazzo appoggiò la fronte al battente della porta. « Sì, padre. Sono io. »

« Sii forte, figlio mio. Non durerà ancora per molto, ma ti raccomando: se mi vuoi bene, rispetta il giuramento. »

« Non posso lasciarvi soffrire. Non posso permettere che tutto questo continui. »

« Hal! » La voce del padre riacquistò di colpo il vigore consueto. « Non c'è più sofferenza. Ho superato quel limite. Non possono più farmi del male, se non attraverso te. »

« Che cosa posso fare per alleviare la vostra sofferenza? Ditemelo, vi prego! »

« C'è una sola cosa che puoi fare, ormai: agire in modo tale che io porti con me la consapevolezza della tua forza e della tua fermezza d'animo. Se mi deludi adesso, sarà stato tutto inutile. »

Hal serrò fra i denti le nocche del pugno chiuso, mordendole a sangue nel vano tentativo di frenare i singhiozzi. La voce del padre si fece sentire di nuovo. « Daniel, sei lì? »

« Sì, comandante. »

« Aiutalo. Aiuta mio figlio a comportarsi da uomo. »

« Ve lo prometto, comandante. »

Hal alzò la testa, replicando con voce più energica: « Non mi serve l'aiuto di nessuno. Manterrò fede alla promessa che vi ho fatto, padre. Non tradirò la vostra fiducia ».

« Addio, Hal. » La voce di Sir Francis cominciò ad affievolirsi, come se l'uomo stesse precipitando in un pozzo senza fondo. « Tu sei la mia carne e il mio sangue, la mia promessa di vita eterna. Addio, vita mia. »

La mattina dopo, quando prelevarono Sir Francis dalla segreta, Hop e il dottor Saar camminavano di fianco alla barella. Erano entrambi preoccupati, perché l'uomo non dava segni di vita: persino quando Hal sfidò la frusta di Barnard, chiamandolo dall'alto delle mura, Sir Francis rimase immobile, senza alzare la testa. Lo trasportarono nel seminterrato dove Stadige Jan era ancora in attesa, ma pochi minuti dopo uscirono al sole tutti e tre – Saar, Hop e Stadige Jan – intrattenendosi a parlare per qualche minuto. Poi si diressero verso l'ufficio del governatore, salendo la scala.

Van de Velde si trovava accanto alla finestra dai vetri colorati ed era intento a guardare il naviglio all'ancora al largo della spiaggia. La sera prima era entrato nella baia della Tavola un altro galeone, e lui aspettava che il comandante della nave si presentasse a porgergli i suoi rispetti e a presentare un'ordinazione per le provviste e i rifornimenti. Il governatore volse impaziente le spalle alla finestra per guardare i tre che entravano in fila nel suo studio.

« *Ja*, Hop? » esclamò, guardando la sua vittima preferita. « Vi siete ricordato i miei ordini, eh, una volta tanto? Avete accompagnato da me il boia di Stato. » Si rivolse a Stadige Jan. « E allora, il pirata vi ha rivelato dove ha nascosto il tesoro? Forza, amico, parlate. »

L'espressione del boia rimase imperturbabile. « Ho lavorato

con precauzione per non danneggiare il prigioniero al punto da renderlo... inutilizzabile », mormorò, « ma sto per raggiungere il limite. Presto non udrà più la mia voce, e non sarà sensibile a ulteriori mezzi di persuasione. »

« Avete fallito? » La voce di van de Velde fremeva di rabbia.

« No, non ancora. È forte, non avrei mai creduto che lo fosse sino a questo punto, ma c'è ancora la ruota. A quella non credo che potrà resistere. Nessun uomo resiste alla ruota. »

« Non l'avete ancora usata? » chiese van de Velde. « Perché no? »

« Per me è l'ultima risorsa. Una volta che hanno subìto la ruota, non c'è più niente da fare. È la fine. »

« E funzionerà anche con lui? » volle sapere van de Velde. « Che succede se resiste ancora? »

« Allora restano soltanto la forca e il patibolo », rispose il boia.

Van de Velde si rivolse a Saar. « Qual è la vostra opinione, dottore? »

« Vostra eccellenza, se esigete una pubblica esecuzione, dovrebbe essere eseguita poco dopo che l'uomo è stato sottoposto alla ruota. »

« Quanto dopo? » domandò van de Velde.

« Oggi stesso, prima del calar del sole. Dopo la ruota, non passerà la notte. »

Il governatore si girò di nuovo verso il boia. « Mi avete deluso. Ne sono dispiaciuto. » Stadige Jan parve indifferente a quella critica e ricambiò con fermezza lo sguardo di van de Velde. « Comunque dobbiamo fare il possibile per sfruttare al massimo questa disgraziata faccenda. Annuncerò l'esecuzione per le tre. Nel frattempo dovrete tornare laggiù e sottoporre il pirata alla ruota. »

« Capisco, vostra eccellenza », rispose il boia.

« Mi avete deluso una volta. Non fatelo più. Dev'essere vivo, quando salirà sul patibolo... Hop, mandate messaggeri per tutta la città. Il resto della giornata sarà di festa per l'intera colonia, fatta eccezione per quegli uomini che lavorano sulle mura del castello, naturalmente. Francis Courteney sarà giustiziato alle tre di questo pomeriggio. Tutti i cittadini della colonia dovranno presenziare. Voglio che tutti vedano come trattiamo un pirata. Oh, a proposito, fate in modo che *mevrou* van de Velde sia informata. Andrà molto in collera, se si vedrà negare questo divertimento. »

Alle due del pomeriggio Sir Francis Courteney fu riportato su dalla cella sotto l'armeria, sempre disteso sulla barella; stavolta non si erano nemmeno curati di ricoprire il corpo nudo. Persino dall'alto del muro meridionale del castello, e con la vista offuscata dalle lacrime, Hal si rese conto che il corpo del padre era stato deformato dalla ruota in modo grottesco. Tutte le giunture principali degli arti, delle spalle e del bacino erano lussate, gonfie e ricoperte di lividi violacei.

Un plotone d'esecuzione di giubbe verdi si schierò in cortile. Guidati da un ufficiale con la spada sguainata, i soldati si riunirono intorno alla barella. Venti uomini marciavano in testa e altri venti dietro, con i moschetti in spalla. Procedendo al passo del rullo cadenzato del tamburo che suonava a morto, il corteo uscì serpeggiando dal castello per raggiungere la spianata.

Daniel passò il braccio intorno alle spalle di Hal, mentre il ragazzo assisteva, pallido e tremante nel vento glaciale. Hal non tentò neanche di allontanarsi. I marinai che avevano un copricapo se lo tolsero, svolgendo gli stracci sudici e restando in piedi, tetri e silenziosi, mentre il corteo passava sotto di loro.

« Che Dio vi benedica, comandante », gridò Ned Tyler. « Siete stato l'uomo migliore che abbia mai navigato sui mari! » Gli altri marinai gli fecero eco con grida roche, mentre uno degli enormi cani neri di Hugo Barnard lanciava un lugubre ululato straziante.

Sulla spianata la folla attendeva intorno al patibolo, immersa in un silenzio teso e carico di aspettativa. Sembrava che tutti gli abitanti della colonia avessero risposto alla convocazione. Stadige Jan aspettava sopra di loro, in cima alla piattaforma. Indossava il grembiule di cuoio e aveva la testa coperta dalla maschera tipica del suo ufficio, il cappuccio nero; attraverso le fessure nel tessuto si vedevano solo gli occhi e la bocca.

Guidato dal tamburo, il corteo lo raggiunse avanzando con un'andatura lenta e misurata, mentre Stadige Jan attendeva con le braccia incrociate sul petto. Persino lui voltò la testa quando la carrozza del governatore scese il viale in mezzo ai giardini, attraversando il campo riservato alle parate. Stadige Jan s'inchinò rivolto al governatore e a sua moglie, mentre Aboli guidava i sei cavalli grigi ai piedi del patibolo, arrestando la vettura.

Quando gli occhi gialli di Stadige Jan incontrarono quelli di Katinka attraverso le fessure del cappuccio nero, il boia s'inchinò di nuovo, stavolta direttamente a lei. E Katinka comprese che dedicava il sacrificio a lei, alla sua dea Kali.

« Non ha motivo di comportarsi con tanta degnazione. Finora quel tanghero ha fatto un pessimo lavoro », commentò van de Velde in tono truce. « Lo ha ucciso senza strappargli una sola parola. Non so che cosa diranno tuo padre e gli altri membri del consiglio dei Diciassette, quando sapranno che il carico è perduto. Naturalmente se la prenderanno con me, come fanno sempre. »

« E tu come sempre dovrai proteggermi, marito caro », ribatté lei, alzandosi in piedi nella carrozza per avere una visuale migliore. La scorta si fermò ai piedi della forca, poi la barella con la figura inerte fu sollevata in alto e deposta ai piedi di Stadige Jan. Un basso brontolio si levò dagli spettatori mentre il boia s'inginocchiava accanto al condannato per dare inizio al suo macabro compito.

Poco dopo, quando la folla si lasciò sfuggire un possente ruggito, composto di eccitazione, orrore e gioia oscena, i grigi s'impennarono, agitandosi irrequieti fra le tirelle, innervositi da quel suono e dall'odore del sangue umano appena versato. Aboli riuscì a tenerli a freno, riportandoli sotto controllo con un'espressione impassibile e un tocco leggero sulle redini, poi lentamente distolse lo sguardo dallo spettacolo spaventoso che si svolgeva sotto i suoi occhi per guardare invece le mura ancora in costruzione del castello, dove riconobbe fra gli altri forzati la figura di Hal. Ormai alto quasi quanto Big Daniel, aveva l'aspetto e l'atteggiamento di un uomo maturo, ma conservava ancora un cuore da ragazzo. Non avrebbe dovuto assistere a quella scena; nessuno, uomo o ragazzo che sia, dovrebbe mai veder morire il proprio padre.

Aboli ebbe l'impressione che il suo grande cuore stesse per esplodere, ma riuscì a mantenere impassibile il volto sotto le cicatrici dei tatuaggi. Guardò nuovamente verso il patibolo quando il corpo di Sir Francis Courteney fu innalzato lentamente nell'aria e la folla lanciò un altro grido bestiale. La pressione che Stadige Jan esercitava sulla corda, sollevando per il collo dalla lettiga Sir Francis, era salda e insieme gentile: una manovra che richiedeva un tocco delicato, per evitare che le vertebre si spezzassero e tutto finisse troppo presto. Per lui era una questione di orgoglio professionale: l'ultima scintilla di vita in quel guscio umano infranto non doveva spegnersi prima che lo avesse sventrato e squartato.

Aboli distolse lo sguardo, tornando a rivolgerlo verso la figura di Hal Courteney, sulle mura del castello. «Non dovremmo piangerlo, Gundwane. Era un uomo e ha vissuto da uomo. Ha navigato sugli oceani, ha combattuto com'è dovere di un guerriero. Conosceva le stelle e le usanze degli uomini. Non ha mai riconosciuto alcun padrone, e non si è mai tirato indietro di fronte a un nemico. No, Gundwane, non dovremmo piangerlo, tu e io. Finché sarà vivo nei nostri cuori, non morirà mai.»

Il corpo smembrato di Sir Francis Courteney rimase esposto sul patibolo per tre giorni. Ogni mattina Hal, guardando dalle mura alle prime luci del giorno, lo vedeva ancora appeso. I gabbiani arrivavano planando dalla spiaggia in una nube stridula di ali bianche e nere, accovacciandosi con grandi schiamazzi per dare inizio al festino; e quando erano sazi, si appollaiavano sul parapetto del patibolo, annaffiando le tavole di guano liquido.

Per una volta Hal detestò la propria vista acuta, che non gli risparmiava alcun dettaglio della terribile metamorfosi che avveniva sotto i suoi occhi. Al terzo giorno, gli uccelli avevano scarnificato il cranio del padre, cosicché sogghignava rivolgendo al cielo le orbite vuote. I cittadini che attraversavano la spianata, diretti al castello, si tenevano alla larga dal patibolo al quale era appeso, e le signore, passando, accostavano al viso sacchetti contenenti erbe disseccate.

Tuttavia all'alba del quarto giorno, quando Hal andò a guardare dall'alto delle mura, scoprì che il patibolo era vuoto. I patetici resti del padre non erano più in mostra, e i gabbiani erano tornati alla spiaggia.

«Sia ringraziato il Signore», mormorò Ned Tyler rivolto a Daniel. «Ora il giovane Hal può cominciare a guarire.»

«Eppure è abbastanza strano che abbiano portato via il cadavere così presto», osservò Daniel perplesso. «Non avrei mai pensato che van de Velde fosse tanto compassionevole.»

Sukeena gli aveva insegnato a far scorrere la grata di una delle finestrelle sul retro degli alloggi degli schiavi, da cui poteva far scivolare all'esterno il corpo massiccio. Col tempo, la sorveglianza notturna alla residenza era diventata meno severa, e Aboli non incontrò troppe difficoltà a sfuggire alla pattuglia di guardia quando, per tre notti consecutive, si allontanò dal quartiere degli schiavi. Sukeena lo aveva avvertito che doveva rientrare al più tardi due ore prima dell'alba, perché a quell'ora la pattuglia si riscuoteva, diventando più zelante per fare buona impressione sulla casa che si stava svegliando.

Una volta scavalcato il muro di cinta, Aboli impiegò meno di un'ora a raggiungere di corsa, nel buio, il confine della colonia, segnato da una siepe di arbusti di mandorlo che davano frutti amari, piantati per ordine del governatore. Sebbene la siepe fosse ancora piuttosto rada e ci fossero più varchi che barriere per tutta la sua lunghezza, era lì a segnare la frontiera che nessun cittadino poteva oltrepassare senza il permesso del governatore. E viceversa, nessuna delle tribù ottentotte sparse nella sterminata pianura desertica che si stendeva oltre la montagna e la foresta poteva superare la siepe per entrare nella colonia. Per ordine della Compagnia, gli indigeni che superavano il confine dovevano essere uccisi a colpi di arma da fuoco o impiccati. La voc non intendeva più tollerare la slealtà degli indigeni, la loro subdola tendenza al furto o all'ubriachezza, appena riuscivano a mettere le mani sui liquori. Le abitudini licenziose delle loro donne, pronte a sollevare il gonnellino di pelle per una manciata di perline o un gingillo da poco, rappresentavano una minaccia per la morale dei cittadini timorati di Dio. Nella colonia erano ammessi solo uomini scelti delle tribù, che potevano essere utili come soldati o servitori, mentre gli altri erano stati ricacciati nel territorio selvaggio e desertico al quale appartenevano.

Ogni notte, Aboli attraversava quel confine immaginario per aggirarsi come un nero spettro silenzioso nella pianura che, con la sua immensa estensione, separava la montagna della Tavola e il suo bastione di modeste colline dalle grandi catene montuose dell'interno. Gli animali selvaggi non erano stati respinti da quelle pianure, perché ben pochi cacciatori bianchi avevano ottenuto il permesso di uscire dai confini della colonia per dare loro la caccia. Aboli udì nuovamente il coro selvaggio ed emozionante di un branco di leoni a caccia, che ricordava dall'infanzia. I leopardi lanciavano il loro richiamo e tossivano nei boschetti, e a volte s'imbatteva in branchi enormi di antilopi, i cui zoccoli risuonavano ossessivi come tamburi per tutta la notte.

Aboli cercava un maschio di bufalo nero. Per ben due volte si era spinto tanto vicino da fiutare il branco di bufali nei boschetti; era un odore che gli ricordava la mandria di bovini del padre, quella che aveva portato al pascolo da bambino, prima della circoncisione. Aveva sentito il grugnito dei bovini adulti e il flebile verso dei piccoli appena svezzati, aveva seguito le orme profonde dei loro zoccoli e visto chiazze di sterco umido ancora fumante al chiaro di luna; ma ogni volta che stava per raggiungere il branco, il vento lo aveva tradito. Fiutando la sua presenza, i bufali si erano allontanati nella boscaglia, lanciandosi al galoppo finché il rumore della loro fuga non si era stemperato nel silenzio. Aboli non aveva potuto inseguirli oltre, perché era già passata la mezzanotte ed era distante alcune ore di cammino dalla siepe di mandorli amari e dalla sua cella negli alloggi degli schiavi.

La terza notte, si arrischiò a evadere dalla finestra un'ora prima di quanto Sukeena gli aveva consigliato. Uno dei cani gli si avventò contro ma, prima che potesse dare l'allarme alla pattuglia di sorveglianza, Aboli lo calmò con un fischio sommesso e il cane lo riconobbe, avvicinandosi per annusargli la mano. Aboli lo accarezzò sulla testa, sussurrandogli piano qualche parola nel linguaggio della foresta e lasciandolo lì a uggiolare piano e scodinzolare, mentre lui sgusciava oltre il muro, confondendosi con le tante ombre scure proiettate dalla luna.

Durante le cacce precedenti aveva scoperto che ogni notte il branco di bufali lasciava la sicurezza garantita dal folto della foresta per abbeverarsi a una pozza distante poco più di un miglio dalla siepe. Sapeva che, se avesse superato il confine prima di mezzanotte, forse sarebbe riuscito a sorprenderli mentre erano ancora intenti all'abbeverata. Era l'occasione più propizia per isolare un maschio e braccarlo.

Da un albero cavo all'orlo della foresta, recuperò l'arco che si era fabbricato intagliando un ramo di ulivo selvatico. Sukeena aveva rubato l'unica punta di freccia, in ferro, dalla collezione di armi che il governatore Kleinhans aveva messo insieme durante il servizio nelle Indie, e che ora ornava le pareti della residenza. Era improbabile che si notasse la sua assenza in mezzo alle dozzine di spade, scudi e coltelli esposti in mostra.

« Te la restituirò », aveva promesso a Sukeena. « Non vorrei procurarti dei guai, se qualcuno si accorge che è scomparsa. »

« La tua necessità è maggiore del mio rischio », aveva ribattuto lei, infilando sotto il sedile della carrozza la punta di freccia avvolta in uno straccio. « Anch'io avevo un padre al quale è stata negata una sepoltura decente. »

Aboli aveva adattato la punta di freccia a una canna, fissandola con spago e pece, poi l'aveva impennata con le penne della muda dei falconi custoditi nelle gabbie sul retro delle scuderie. Invece non aveva avuto il tempo di cercare larve di insetti da cui ricavare il veleno per le barbe, e quindi poteva solo augurarsi che quell'unico dardo centrasse il bersaglio.

Fu allora che, cacciando fra le ombre, ridotto anche lui a un'ombra che scivolava silenziosa, Aboli ritrovò antiche capacità che credeva dimenticate e rammentò le istruzioni ricevute da ragazzo dagli anziani della tribù. Sentiva il vento notturno accarezzargli dolcemente il torace e i fianchi nudi, e così percepiva la propria direzione in ogni momento, aggirandosi intorno alla pozza d'acqua finché non gli soffiava diritto in faccia, portando fino a lui il ricco lezzo bovino della preda che cercava.

Il vento era abbastanza forte da agitare le canne alte e coprire qualsiasi suono potesse produrre, quindi Aboli fu in grado di avvicinarsi rapidamente negli ultimi cento passi. Al di sopra del sussurro del vento del nord e del fruscio delle canne, udì un colpo di tosse. S'irrigidì, incoccando la sua unica freccia e chiedendosi se i leoni fossero venuti a bere prima del branco, perché quello che aveva sentito era il verso di un leone. Guardando davanti a sé, udì il suono di grandi zoccoli che affondavano con un risucchio nella melma della pozza. Sopra le teste ondeggianti delle canne si mosse una sagoma scura, imponente al chiaro di luna.

« Un maschio », ansimò. « Il maschio dei maschi! »

Il bufalo aveva appena finito di bere. Vecchio e accorto, aveva preceduto le femmine e i piccoli del branco; aveva il dorso ricoperto di un manto lucido di fango umido del brago, e avanzava pesantemente, con gli zoccoli nel fango, verso il punto in cui era accovacciato Aboli.

Questi lo perse di vista quando si rintanò fra gli steli ondeggianti per lasciare che l'animale si avvicinasse, ma poteva individuarlo in qualsiasi momento dal respiro affannoso e dal fruscio delle canne che gli sferzavano i fianchi. Era molto vicino, ma ancora fuori della visuale di Aboli, quando all'improvviso scrollò la testa, infastidito dalle canne che s'impigliavano nelle corna, e le orecchie schioccarono sbattendo contro il muso. In questo momento, se allungassi la mano, potrei sfiorargli il muso, pensò Aboli. Aveva tutti i nervi del corpo tesi come la corda dell'arco che stringeva fra le mani.

Il folto di canne si divise in due davanti a lui e la testa imponente sbucò dagli steli, con le corna ricurve lucenti al chiaro di luna. All'improvviso il bufalo percepì qualcosa che non andava, qualche pericolo in agguato poco lontano da lui, e si fermò, sollevando la grossa testa nera. Quando alzò il muso per fiutare l'aria, Aboli vide il naso umido e lucente e l'acqua che gli colava dalla bocca. Per annusare, la bestia dilatò le narici, ampie come pozzi scuri, tanto che lui sentì il suo alito bollente sul petto nudo e sul viso.

Il bufalo volse la testa di qua e di là, in cerca dell'odore del cacciatore nascosto, umano o felino che fosse. Aboli rimase immobile come un tronco d'albero, tenendo teso al massimo il pesante arco; la resistenza del ramo di ulivo e della corda di minugia era tale che persino i muscoli granitici delle sue braccia e delle spalle erano gonfi e vibranti per lo sforzo. Voltando la testa, il bufalo lasciò esposto l'incavo dietro l'orecchio dove il collo si fondeva con l'osso del cranio e la massiccia sporgenza delle corna. Aboli prese la mira ancora per un istante, poi lanciò la freccia, che balenò ronzando al chiaro di luna, affondando per metà nel massiccio collo nero.

L'animale vacillò indietreggiando. Se la freccia avesse trovato il varco fra le vertebre della spina dorsale, come aveva sperato Aboli, sarebbe dovuto crollare di schianto sul posto, invece la punta di ferro aveva colpito sì la spina dorsale, ma era stata deviata dall'osso, incrinandolo ma recidendo la grande arteria dietro l'osso mascellare. Quando il bufalo s'impennò e scalciò sotto l'impatto penetrante della punta di ferro, l'arteria recisa esplose e un fiotto di sangue si levò alto nell'aria, nero come una piuma di struzzo al chiaro di luna.

La bestia passò accanto ad Aboli veloce come un lampo, sferrando colpi con le ampie corna ricurve. Se lui non avesse mollato l'arco, gettandosi di lato, la punta levigata che lo sfiorò sibilando, a un dito appena dall'ombelico, lo avrebbe infilzato, sbudellandolo.

Il bufalo caricò, raggiungendo un terreno arido e compatto.

Aboli, in ginocchio, tese l'orecchio per seguire la sua corsa devastante attraverso la boscaglia; poi il bufalo si arrestò di colpo. Ci fu una lunga pausa di tensione, in cui l'uomo udì il respiro affannoso dell'animale e il tamburellio delle gocce di sangue che cadevano sulle foglie dei cespugli bassi intorno a lui; poi sentì il bufalo barcollare e inciampare all'indietro, tentando di restare in piedi mentre le forze lo abbandonavano, scorrendo via da quel corpo enorme insieme con la marea di sangue scuro. La bestia cadde di schianto, facendo tremare la terra sotto i piedi nudi di Aboli. Un attimo dopo gli giunse alle orecchie il muggito roco della morte, e poi un silenzio da far dolere i timpani. Persino gli uccelli notturni e le rane toro nella palude erano stati ridotti al silenzio da quel suono spaventoso. Era come se tutta la foresta trattenesse il respiro, di fronte allo spirare di una creatura così possente. Poi, pian piano, la notte riprese a vivere, le rane stridettero e gracidarono dai banchi di canne, un nottolone lanciò un grido stridulo e di lontano un gufo reale emise il suo verso lugubre.

Aboli scuoiò il bufalo con il coltello che Sukeena aveva rubato per lui dalle cucine della residenza, poi ripiegò la pelle verdastra legandola con un cordone di corteccia. Era un carico tanto pesante da mettere a dura prova anche la sua forza; barcollò sotto quel fardello finché non riuscì a tenerlo in equilibrio sulla testa, lasciando la carcassa scuoiata ai branchi notturni di iene e agli stormi di avvoltoi, cicogne carnivore, nibbi e corvi che l'avrebbero trovata alle prime luci del giorno. Dopodiché si mise in marcia verso la colonia e la montagna della Tavola, disegnata in controluce sul cielo stellato. Nonostante il carico, avanzava al trotto leggero e ingannevolmente tranquillo dei guerrieri della sua tribù, un passo che cominciava a ridiventargli naturale dopo quel lungo periodo di vita sedentaria: vent'anni a bordo di una nave in viaggio sui mari. Ricordava usanze e credenze tribali dimenticate da tanto tempo, apprendeva di nuovo antiche tecniche, ridiventando un autentico figlio di quella terra africana riarsa dal sole.

Salito fino alle prime pendici della montagna, lasciò il fagotto formato dalla pelle in uno stretto crepaccio nella parete rocciosa, dopo averlo ricoperto di grosse pietre, perché le iene si spingevano fin lassù, attirate dalla sporcizia, dai rifiuti e dai liquami prodotti dall'insediamento umano della colonia.

Alzando lo sguardo al cielo dopo aver sistemato l'ultima pietra, vide che lo Scorpione pronto a colpire stava calando rapidamente verso l'orizzonte. Comprendendo solo allora come la notte fosse trascorsa in fretta, si lanciò giù per la discesa a lunghi balzi, raggiungendo i confini degli orti della Compagnia proprio mentre il primo gallo cantava nell'oscurità.

Più tardi, quella mattina stessa, mentre stava seduto sulla panca insieme agli altri schiavi in attesa della ciotola della colazione, piena di farinata e di latte denso e cagliato, passò Sukeena, occupata a sorvegliare l'andamento domestico della residenza. «Stanotte ti ho sentito rientrare. Era troppo tardi», sussurrò, senza voltare la testa sullo stelo di orchidea del collo. «Se ti fai scoprire, attirerai sulla nostra testa serie punizioni, e tutti i nostri piani andranno in fumo.»

«Il mio compito è quasi finito», brontolò lui sottovoce. «Stanotte sarà l'ultima volta che dovrò uscire.»

«Sii prudente, Aboli. Il rischio è grande», lo ammonì lei, scivolando via. Nonostante l'avvertimento, comunque gli aveva dato tutto l'aiuto che lui aveva chiesto, e senza guardarla Aboli mormorò fra sé: «Quella piccola ha il cuore di una leonessa».

Quella notte, quando tutta la casa si fu acquietata nel sonno, sgattaiolò attraverso la grata. Anche stavolta i cani si lasciarono calmare dal suo fischio sommesso, oltre che dai bocconi di salsiccia secca che aveva messo da parte per ciascuno di loro. Quando raggiunse il muro che segnava il confine inferiore dei prati, guardò le stelle, notando nel cielo, a oriente, la prima luminescenza soffusa che indicava il sorgere della luna. Scavalcato il muro, scese verso l'abitato tenendosi ben lontano dalla strada e usando come punto di riferimento il lato esterno del muro.

Le luci fioche visibili fra i cottage e gli edifici del villaggio non erano più di tre o quattro. Le quattro navi all'ancora nella baia avevano tutte una lanterna accesa in testa d'albero, e il castello era una massa scura e sonnolenta sullo sfondo delle stelle.

Aboli attese ai margini della spianata, adattando le orecchie ai suoni della notte. Una volta, mentre stava per avanzare sul terreno allo scoperto, udì risa di avvinazzati e brani di canti non meno sguaiati, mentre un gruppo di soldati del castello tornava da una serata di bisboccia nei rozzi tuguri del fronte del porto, che in quella colonia sperduta in capo al mondo passavano per taverne e vendevano l'alcol non distillato che gli ottentotti chiamavano *dop*. Uno degli ubriachi teneva in mano una torcia imbevuta di pece, le cui fiamme oscillarono incerte quando l'uomo si fermò davanti al patibolo, gridando un insulto al cadavere ancora appeso. I compagni risero di cuore del suo umorismo, prima di avviarsi verso il castello, barcollando e sostenendosi a vicenda.

Quando furono scomparsi all'interno, e tornarono a regnare silenzio e tenebre, Aboli attraversò fulmineo la spianata. Sebbene non riuscisse a vedere più in là di pochi passi, lo guidava l'odore della corruzione: solo un leone morto puzza quanto un cadavere umano in decomposizione.

Il corpo di Sir Francis Courteney era stato decapitato e squartato con precisione chirurgica, visto che Stadige Jan aveva usato una mannaia da macellaio per spaccare le ossa più pesanti. Aboli sfilò la testa dalla picca sulla quale era stata infilzata, avvolgendola in un panno bianco pulito e riponendola nella borsa da sella che aveva portato con sé, poi recuperò le altre parti del cadavere. I cani del villaggio avevano portato via alcune ossa piccole, ma anche lavorando al buio Aboli riuscì a mettere insieme quello che restava. Chiuse il battente di cuoio della borsa, fissandolo con la fibbia, poi se la mise in spalla e ripartì di corsa verso la montagna.

Sukeena, che conosceva a fondo ogni gola, falda o rupe della montagna, gli aveva spiegato come trovare lo stretto ingresso segreto alla caverna dove la notte prima aveva lasciato la pelle di bufalo grezza. Alla luce della luna che stava sorgendo, la ritrovò senza possibilità di dubbio. Raggiunto l'ingresso, si chinò per rimuovere in fretta le pietre che coprivano la pelle di bufalo, poi si addentrò ancor più nel crepaccio, scostando i cespugli che, ricadendo dalla roccia sovrastante, nascondevano la gola scura della caverna.

Usando con destrezza pietra focaia e acciarino, accese una delle candele che Sukeena gli aveva fornito. Nascondendo la fiamma con le mani a coppa agli occhi di eventuali osservatori ai piedi della montagna, avanzò nella bassa galleria naturale strisciando a quattro zampe e trascinandosi dietro la sacca da sella. Come Sukeena gli aveva detto, la galleria sboccava all'improvviso in una caverna abbastanza alta da consentirgli di alzarsi in piedi e, tenendo sollevata la candela sopra la testa, vide che la caverna era un luogo di sepoltura naturale degno di un grande capo. C'era persino un ripiano di roccia sulla parete in fondo. Posandovi sopra la sacca, tornò indietro strisciando per recuperare la pelle di bufalo, ma prima di rientrare nella galleria guardò indietro per orientarsi e individuare la direzione in cui sorgeva la luna.

« Lo disporrò in modo che il suo viso saluti diecimila lune e tutte le albe dell'eternità », mormorò fra sé, trascinando nella caverna la pesante pelle per stenderla sul pavimento di roccia.

Posando la candela sul ripiano di roccia, cominciò a vuotare la borsa. Prima di tutto mise da parte le piccole offerte e gli oggetti cerimoniali che aveva portato con sé, poi sollevò la testa di Sir Francis, lasciandola coperta, per deporla al centro della pelle di bufalo. Soltanto allora la scoprì con reverenza, senza mostrare alcuna ripugnanza per l'odore denso e vischioso di disfacimento che riempiva lentamente la caverna. Dopo avere riunito tutte le altre parti smembrate del corpo, le dispose nel loro ordine naturale, fissandole al loro posto con sottili trefoli di corda fatta di corteccia, finché Sir Francis non giacque adagiato sul fianco, con le ginocchia ripiegate fino a sfiorare il mento e le braccia strette intorno alle gambe, nella posizione fetale del grembo materno e del sonno. Poi avvolse strettamente intorno al corpo la pelle umida di bufalo, affinché restasse scoperto solo il viso devastato, e cucì le pieghe della pelle, in modo che, asciugandosi, formassero un sarcofago duro come il ferro. Fu un lavoro lungo e meticoloso, e quando la candela si spense in una pozza di cera liquida ne accese un'altra per completarlo.

Quando ebbe finito, prese il pettine di tartaruga, un altro dono di Sukeena, per sciogliere le ciocche aggrovigliate che ancora aderivano al teschio di Sir Francis prima di intrecciarle con cura. Infine sollevò il corpo, mettendolo a sedere e posandolo sul ripiano di roccia, dove lo orientò col viso rivolto a oriente, in modo che fissasse per sempre il sorgere della luna e dell'alba.

Rimase a lungo accovacciato sotto la mensola di roccia, contemplando la testa devastata e rivedendola con la fantasia com'era stata un tempo: il volto vigoroso del giovane marinaio che lo aveva liberato dalla stiva della nave negriera vent'anni prima.

Alla fine si alzò, cominciando a raccogliere gli oggetti del piccolo corredo funerario che aveva portato con sé e disponendoli uno alla volta davanti al corpo di Sir Francis. Il primo era un modellino minuscolo di nave, intagliato con le sue mani: non c'era stato tempo di dedicare eccessive cure alla fattura, che era rozza e infantile, ma i tre alberi erano dotati di vele, e il nome inciso a poppa era *Lady Edwina*.

« Possa questa nave portarvi oltre gli oceani oscuri fino all'approdo dove vi attende la donna della quale porta il nome», sussurrò Aboli.

Subito dopo dispose accanto alla nave il coltello e l'arco in legno di ulivo. «Non ho una spada con la quale armarvi, ma possano queste armi difendervi nei luoghi oscuri.»

Poi offrì la ciotola di cibo e la fiasca d'acqua. «Possiate non soffrire mai più la fame o la sete.»

Infine, la croce di legno che Aboli aveva foggiato con le sue mani e decorato con una conchiglia verde di orecchia di mare, osso bianco intagliato e piccoli sassi chiari raccolti dal letto del fiume. «Possa la croce del vostro Dio, che vi ha guidato nella vita, continuare a guidarvi anche nella morte», disse, posando la croce davanti agli occhi vuoti di Sir Francis.

Inginocchiato sul pavimento della caverna, accese con la candela un piccolo fuoco. «Possa questo fuoco scaldarvi nel buio della lunga notte.» Poi intonò, nella sua lingua, il lamento funebre e il canto del viaggiatore che parte per un lungo viaggio, battendo le mani in sordina per segnare il tempo e manifestare rispetto. Quando le fiamme si esaurirono, si alzò, raggiungendo l'ingresso della caverna.

«Addio, amico», disse sottovoce. «Addio, padre mio.»

Da principio il governatore van de Velde, che era un uomo prudente, non aveva permesso ad Aboli di guidare la carrozza quando c'era lui a bordo. «Questo è un capriccio che non voglio negarti, mia cara», aveva detto a sua moglie, «ma quell'individuo è un negro selvaggio. Che cosa ne sa di cavalli?»

«Per la verità parecchio, molto più del vecchio Fredricus», aveva risposto Katinka ridendo. «E ha un aspetto splendido, con la livrea nuova che ho disegnato per lui.»

«Quella bella giacca marrone con i pantaloni alla moda non mi sarà di grande aiuto, quando mi romperò l'osso del collo», aveva ribattuto lui; comunque, a dispetto della diffidenza, fu costretto ad apprezzare il modo in cui Aboli trattava il tiro a sei di cavalli grigi.

La prima volta che Aboli condusse in carrozza il governatore dalla sua residenza all'ufficio nel castello, tra i forzati che lavoravano sulle mura si levarono mormorii e una grande agitazione. Infatti, quando la vettura aveva attraversato la spianata, avvicinandosi al castello, tutti avevano riconosciuto Aboli, ben eretto a cassetta con la lunga frusta fra le mani guantate di bianco.

Hal era sul punto di lanciargli un saluto, ma si trattenne in tempo. Non fu il bruciore della frusta di Barnard a dissuaderlo, bensì la consapevolezza che era poco saggio ricordare ai carcerieri che Aboli era stato con loro a bordo della nave: gli olandesi si aspettavano che considerassero un negro come un semplice schiavo, e non come un compagno.

«Nessuno saluti Aboli», sussurrò a Daniel, che sudava al suo fianco. «Ignoratelo. Passa parola.» L'ordine si diffuse in fretta tra gli uomini sull'impalcatura e poi a quelli che lavoravano nel cortile. Quando la carrozza entrò, fra l'accorrere della guardia d'onore e i saluti degli ufficiali della guarnigione, nessuno dei forzati prestò attenzione alla scena; si dedicarono zelanti al pesante lavoro con bozzello, paranco e palanchino.

Aboli sedeva a cassetta, immobile come una polena, con lo sguardo diritto davanti a sé; gli occhi scuri non deviarono di un ette nella direzione di Hal. Arrestò i cavalli ai piedi della scala, balzando a terra per abbassare la scaletta e porgere la mano al governatore. Quando van de Velde salì anfanando le scale e scomparve nell'ufficio, Aboli risalì al suo posto, dove rimase immobile, sempre guardando davanti a sé. In breve tempo i carcerieri e le guardie dimenticarono la sua presenza silenziosa, tornando a dedicarsi alle loro incombenze, e la vita del castello ricadde nella routine.

Passò un'ora, prima che uno dei cavalli agitasse la testa, irrequieto. Con la coda dell'occhio, Hal aveva notato che Aboli sfiorava le redini per far innervosire leggermente l'animale; dopodiché scese senza fretta per avvicinarsi alla testa del cavallo, regolare il montante di cuoio del morso e accarezzargli la testa, mormorando paroline dolci. Sotto il suo tocco, l'animale si calmò subito, e Aboli posò un ginocchio a terra per sollevare prima una zampa anteriore e poi l'altra, come per controllare eventuali lesioni allo zoccolo.

Sempre tenendo un ginocchio a terra, nascosto alla vista delle guardie dal corpo del cavallo, alzò per la prima volta la testa verso Hal. I loro occhi s'incontrarono per un istante, e Aboli fece col capo un cenno quasi impercettibile, aprendo il pugno destro per far intravedere a Hal il minuscolo rotolino di carta bianca che teneva chiuso nel palmo; poi serrò di nuovo il pugno e si alzò. Girò intorno al tiro a sei, esaminando gli animali uno per uno e apportando insignificanti correzioni ai finimenti. Infine si allontanò, appoggiandosi con le spalle alla parete di pietra accanto a sé e chinandosi per ripulire gli stivali dal velo impercettibile di polvere che li copriva.

Hal lo vide prendere il rotolino di carta e infilarlo di soppiatto in una commessura fra due pietre del muro. Poi Aboli si raddrizzò prima di tornare a cassetta per aspettare i comodi del governatore. Van de Velde non mostrava mai la minima considerazione per la servitù, si trattasse di schiavi o di animali. Per tutta la mattina i sei grigi rimasero pazientemente in attesa, coccolati a intervalli da Aboli. Poco prima di mezzogiorno, il governatore riemerse dalla sede della Compagnia, e tornò alla residenza per il pranzo.

Al crepuscolo, i forzati scesero esausti dalle impalcature nel cortile. Hal incespicò raggiungendo il livello del suolo e dovette allungare la mano in cerca di un appiglio, raccogliendo con destrezza il pezzetto di carta dalla fessura fra le pietre dove Aboli l'aveva lasciata.

Nella segreta, grazie alla torcia infissa nel supporto in cima alla scala, c'era luce appena sufficiente perché Hal potesse leggere il messaggio, scritto con una bella grafia ordinata che gli era sconosciuta, visto che la scrittura di Aboli, nonostante tutti gli sforzi di Hal e del padre, era sempre stata grande, irregolare e malformata. Ora sembrava che fosse stata un'altra persona a tracciare quelle parole. Nel foglietto era avvolto un minuscolo mozzicone di carboncino, in modo che Hal potesse scrivere la risposta sul rovescio del foglio.

« Il comandante sepolto con onore. » Il cuore di Hal diede un balzo, nel leggere quelle parole. Dunque era stato Aboli a togliere dal patibolo il corpo mutilato di Sir Francis. Avrei dovuto sapere che avrebbe compiuto quel gesto di rispetto per mio padre, pensò. C'era solo un'altra parola: « Althuda? » Hal si arrovellò su quella domanda per qualche istante prima di capire che Aboli, o l'autore dello scritto, doveva informarsi sullo stato di salute dell'altro prigioniero.

« Althuda! » chiamò a bassa voce. « Sei sveglio? »

« Salve, Hal. Che cosa c'è? »

« Qualcuno dall'esterno chiede tue notizie. »

Seguì un lungo silenzio, mentre Althuda rifletteva. « E chi? »

« Non lo so. » Non poteva dare spiegazioni, perché era certo che i carcerieri origliassero quelle conversazioni.

Un altro lungo silenzio. «Posso immaginarlo», disse infine Althuda. «E anche tu. Ne abbiamo già discusso in passato. Puoi mandare una risposta? Dille che sono vivo.»

Hal sfregò il carboncino sul muro per appuntirne un'estremità prima di scrivere: «Althuda bene». Per quanto le lettere fossero piccole e fitte, sul foglietto non c'era spazio per aggiungere altro.

La mattina dopo, mentre li conducevano fuori per la giornata di lavoro sull'impalcatura, Daniel fece da schermo a Hal per il breve istante necessario a inserire il foglietto nella stessa fessura da cui lo aveva ritirato.

Verso la metà della mattinata, Aboli condusse il governatore in ufficio dalla residenza, fermando ancora una volta la carrozza sotto la scala e restando a cassetta ancora per lungo tempo dopo che van de Velde era scomparso nel suo studio. Infine alzò la testa con aria distratta verso uno stormo di storni dalle ali rosse scesi dalle vette rocciose per posarsi sulle mura del bastione orientale, dove si esibivano nei loro lugubri fischi sommessi. Dagli uccelli, il suo sguardo si spostò su Hal, che annuì. Aboli smontò anche stavolta da cassetta per accudire i cavalli, soffermandosi vicino al muro per regolare le cinghiette degli stivali e per recuperare il messaggio dalla crepa nel muro con un tocco da prestigiatore. Hal respirò meglio quando lo vide: con quello scambio avevano inaugurato una sorta di buca per le lettere.

Non commisero l'errore di tentare di scambiarsi messaggi tutti i giorni. A volte passava una settimana intera, o anche più, prima che Aboli rivolgesse un cenno a Hal, sistemando un biglietto nel muro. Se era Hal ad avere un messaggio, gli faceva lo stesso segnale, e Aboli lasciava carta e carboncino.

Il secondo messaggio che Hal ricevette era ancora scritto con quella calligrafia minuta e ricca di senso artistico: «A. è al sicuro. Orchidea manda il suo affetto».

«L'orchidea è quella di cui abbiamo parlato?» gridò Hal ad Althuda, quella sera. «Ti manda il suo affetto, e dice che sei al sicuro.»

«Non so come ci sia riuscita, ma devo crederci ed esserle grato, in questa come in tante altre cose.» Nella voce di Althuda c'era una nota di sollievo. Quando Hal si portò al naso il minuscolo foglietto, gli parve di fiutarvi una lievissima traccia di profumo. Raggomitolandosi sulla paglia umida, nel suo angolino della cella, pensò a Sukeena finché non lo sopraffece il sonno. Il ricordo della sua bellezza era come una fiamma di candela nell'oscurità invernale della segreta.

Il governatore van de Velde si stava ubriacando. Aveva bevuto vino del Reno con la minestra e Madera con il pesce e l'aragosta, mentre i vini rossi della Borgogna avevano accompagnato lo stufato di montone e il pasticcio di piccione; col manzo, invece, aveva tracannato un chiaretto, ingurgitando fra l'uno e l'altro qualche sorsata di buon gin olandese. Quando infine si alzò da tavola, per raggiungere traballando il suo posto accanto al fuoco, dovette appoggiarsi al braccio della moglie. Di solito lei non era così sollecita, ma per tutta la sera si era mostrata affettuosa e allegra, ridendo delle sue facezie, che in altre occasioni avrebbe ignorato, e riempiendogli il bicchiere con grazia prima che fosse semivuoto. A pensarci bene, non riusciva a ricordare quando fosse stata l'ultima volta che avevano cenato da soli, come una coppia di innamorati.

Una volta tanto, non era stato costretto a sopportare la presenza degli zotici della colonia, o l'adulazione ossequiosa dei dipendenti ambiziosi della Compagnia oppure, e quella era la benedizione più grande di tutte, le pose e le vanterie di quel presuntuoso vagheggino di Schreuder.

Sprofondò nella morbida poltrona di cuoio vicino al fuoco, mentre Sukeena gli portava una scatola di buoni sigari olandesi. Quando gli porse la candela per accendere, lui le sbirciò il petto con un'occhiata lasciva. La morbida curva dei seni infantili della ragazza, fra i quali era racchiusa l'esotica spilla di giada, lo turbò al punto che sentì l'inguine inturgidirsi piacevolmente.

Katinka era inginocchiata davanti al focolare, ma gli scoccò un'occhiata così insinuante che per un attimo lui ebbe paura che lo avesse visto occhieggiare la schiava; ma poi la moglie sorrise, prendendo l'attizzatoio che si stava scaldando al fuoco e immergendone la punta ardente nella brocca di pietra, piena di vino aromatizzato. Il vino ribollì, fumando, e lei ne riempì una coppa, portandola al marito prima che avesse il tempo di raffreddarsi.

« La mia bella mogliettina! » esclamò lui, con la voce un po' impastata. « Il mio piccolo tesoro. » Fece un brindisi in suo onore con la coppa fumante. Non era ancora così ubriaco o ingenuo da non rendersi conto che ci sarebbe stato un prezzo da pagare per quella insolita gentilezza; c'era sempre.

Inginocchiandosi di fronte a lui, Katinka alzò la testa verso Sukeena, rimasta in piedi poco lontano. «Per stasera è tutto, puoi andare», ordinò, rivolgendo alla schiava un sorriso d'intesa.

«Vi auguro un sonno dolce e sogni d'oro, padrone e padrona.» Sukeena rivolse loro il consueto, profondo inchino prima di uscire dalla stanza scivolando sul pavimento, poi chiuse dietro di sé la porta scorrevole intagliata, di fattura orientale, inginocchiandosi in silenzio col viso accostato al pannello. Erano gli ordini della padrona: Katinka voleva che assistesse a ciò che accadeva fra lei e il marito, perché riteneva che avrebbe rafforzato il legame fra lei e la schiava.

A quel punto Katinka si portò dietro la poltrona del marito. «Hai avuto una settimana così spossante», gli disse piano. «La storia del corpo del pirata rubato dal patibolo, le nuove ordinanze dei Diciassette sul censo e sulle imposte... Mio povero caro, lascia che ti massaggi le spalle.»

Gli tolse la parrucca, baciandolo sulla sommità del capo, poi, sentendo la peluria solleticarle le labbra, si tirò indietro per affondare i pollici nelle spalle massicce del marito, che sospirò di piacere, non solo per la sensazione di tensione ai muscoli che si scioglieva, ma perché riconosceva in quel gesto il preludio a una delle rare occasioni in cui Katinka gli dispensava i suoi favori.

«Quanto mi ami?» gli chiese lei, protesa in avanti per mordicchiargli l'orecchio.

«Ti adoro», gorgogliò. «Ti venero.»

«Sei sempre così gentile con me.» La voce di Katinka assunse quella tonalità roca che gli faceva formicolare la pelle. «Voglio essere gentile anch'io. Ho scritto a mio padre, spiegandogli le circostanze della fine del pirata, e aggiungendo che non è stata colpa tua se è andata a finire così. Consegnerò la lettera al comandante del galeone diretto in patria, che in questo momento è all'ancora nella baia, perché la recapiti personalmente a papà.»

«Posso vedere la lettera prima che tu la spedisca?» chiese lui, diffidente. «Avrebbe ancor più valore se potesse accompagnare il mio rapporto ai Diciassette, rapporto che invierò con la stessa nave.»

«Ma certo che puoi. Te la porterò domattina, prima che tu

esca per andare al castello. » Gli sfiorò di nuovo con le labbra la sommità della testa, facendo scivolare le dita dalle spalle al petto per slacciare i bottoni del farsetto e insinuare le mani nell'apertura. Afferrandogli il petto grassoccio, lo impastò come se lavorasse la pasta per un dolce.

« Sei una così brava mogliettina. Mi piacerebbe darti un segno del mio amore. Che cosa ti manca? Un gioiello? Un cagnolino? Un nuovo schiavo? Dillo al tuo Petrus. »

« Per la verità ho un piccolo capriccio », ammise lei in tono civettuolo. « C'è un uomo nelle segrete. »

« Uno dei pirati? » azzardò lui.

« No, uno schiavo che si chiama Althuda. »

« Ah, sì! So di lui. Ribelle e fuggiasco. Me ne occuperò la prossima settimana. La sua condanna a morte è già sulla mia scrivania, in attesa della firma. Devo consegnarlo a Stadige Jan? Ti piacerebbe assistere? È di questo che si tratta? Vuoi prenderti un po' di svago? E come posso negartelo? »

Lei si protese verso il basso, cominciando a slacciargli l'allacciatura dei calzoni, mentre lui allargava le gambe e scivolava più in basso sul sedile per facilitarle il compito.

« Voglio che tu gli conceda la grazia », gli sussurrò lei all'orecchio.

Van de Velde si raddrizzò di scatto. « Sei pazza! » gemette.

« Come sei crudele a darmi della pazza. » Katinka mise il broncio.

« Ma... ma è un fuggiasco! Lui e la sua banda di criminali hanno assassinato venti soldati che erano stati inviati a catturarlo. Non potrei mai liberarlo. »

« Lo so che non potresti liberarlo, ma vorrei che lo tenessi in vita. Potresti mandarlo a lavorare alle mura del castello. »

« Non posso farlo. » Scosse la testa rasata. « Neanche per te. »

Katinka girò intorno alla poltrona, inginocchiandosi di fronte a lui e riprendendo a lavorare sull'allacciatura dei calzoni. Il marito tentò di sottrarsi, tirandosi su, ma lei lo respinse, insinuando le mani all'interno.

Che tutti i santi mi siano testimoni, il vecchio idiota mi rende le cose difficili. È floscio e bianco come la pasta non lievitata, pensò lei, serrandolo fra le dita. « Neanche per la tua mogliettina amorosa? » sussurrò, alzando verso di lui gli occhi viola lucidi, mentre pensava: così va un po' meglio, ho sentito un fremito nello stelo avvizzito.

« Voglio dire che sarebbe difficile, ecco. » Annaspava, in preda alla confusione.

« Capisco. È stato altrettanto difficile per me comporre la lettera per mio padre. Mi dispiacerebbe proprio doverla distruggere. » Si alzò in piedi, sollevando le gonne come se stesse per scavalcare un muretto. Dalla cintola in giù era nuda, e gli occhi del marito divennero sporgenti come quelli di un merluzzo issato bruscamente a galla dal fondo. Si sforzò di mettersi a sedere, allungando nello stesso tempo la mano verso di lei.

Non ti permetterò di venirmi di nuovo sopra, gran pezzo di lardo di porco, pensò Katinka, mentre gli sorrideva amorevole, posandogli le mani sulle spalle. L'ultima volta per poco non mi hai schiacciata.

Gli era salita sopra a cavalcioni, come se montasse una giumenta. « Oh, Gesù, che uomo forte sei! » esclamò, prendendolo dentro di sé. L'unico piacere che ne ricavò fu il pensiero di Sukeena che origliava dalla porta traforata. Chiudendo gli occhi, evocò l'immagine delle cosce snelle della schiava e del tesoro che racchiudevano. Quel pensiero la infiammò, e sapeva che il marito avrebbe sentito la sua reazione, pensando che fosse soltanto per lui.

« Katinka », gorgogliò lui, sbuffando come se stesse per annegare, « ti amo. »

« La grazia? »

« Non posso farlo. »

« Allora non posso nemmeno io », ribatté lei, sollevandosi sulle ginocchia del marito. Dovette lottare con se stessa per non ridere forte di fronte al suo viso gonfio e agli occhi ancor più sporgenti. Lui si dimenò, sussultando sotto di lei, sferzando invano l'aria.

« Ti prego », piagnucolava. « Ti prego! »

« La grazia? » ripeté lei, restando sospesa sopra di lui per tentarlo.

« Sì », mormorò lui. « Qualunque cosa. Ti darò tutto quello che vuoi. »

« Ti amo, marito mio », gli bisbigliò all'orecchio, abbassandosi di nuovo come un uccellino che si posa sul nido.

L'ultima volta sono arrivata a contare cento colpi, rammentò. Stavolta cercherò di portarlo al traguardo in meno di cinquanta.

Dimenando i fianchi con un movimento ritmico, si dedicò al conseguimento di quell'obiettivo.

Manseer aprì la porta della cella di Althuda tuonando: « Vieni fuori, cane assassino. Per ordine del governatore, devi andare a lavorare sulle mura ». Althuda uscì dalla porta di ferro, sotto gli occhi irosi di Manseer. « Quel che è peggio, a quanto pare non ballerai una quadriglia sul patibolo con Stadige Jan. Ma non gioire troppo, ci farai divertire lo stesso sulle mura del castello. Ci penserà Barnard con i suoi cani. Non arriverai alla fine dell'inverno, ci scommetto cento *gulden*. »

Hal, che guidava la fila di forzati provenienti dalle celle inferiori, si fermò sul gradino di pietra sotto Althuda, e per un lungo istante si studiarono con interesse. Tutti e due sembravano soddisfatti di ciò che vedevano.

« Se devo scegliere, direi che preferisco le linee di tua sorella alle tue », osservò Hal sorridendo. Althuda era più piccolo di statura di quanto avesse fatto intendere la sua voce, e i segni della lunga prigionia erano evidenti: aveva la pelle giallastra e i capelli unti e aggrovigliati. Ma il corpo che s'intravedeva sotto i miseri stracci era bello, forte e agile. Althuda aveva uno sguardo franco e un'espressione cordiale e aperta. Nonostante gli occhi a mandorla e i capelli neri e lisci, il sangue inglese che gli scorreva nelle vene si armonizzava bene con quello di sua madre. La mascella aveva una linea fiera e ostinata.

« Da quale impalcatura sei caduto? » chiese a Hal con un sorriso. Era evidente la sua gioia di essere scampato all'ombra della forca. « Avevo chiesto un uomo e mi hanno mandato un ragazzo. »

« Avanti, piccolo rinnegato assassino », ruggì Barnard, quando il carceriere gli affidò i forzati. « Puoi anche essere sfuggito al cappio, per il momento, ma ho qualche piccola gioia in serbo per te. Hai tagliato la gola a qualcuno dei miei compagni, sulla montagna. » Si capiva che tutta la guarnigione era molto risentita per la grazia concessa ad Althuda. Poi Barnard se la prese con Hal. « Quanto a te, lurido pirata, hai la lingua troppo sciolta. Di' una sola parola, oggi, e ti butto giù a calci dal muro, poi sfamo i cani con i tuoi avanzi. »

Barnard li separò, mandando Hal in cima all'impalcatura, e Althuda con i gruppi di forzati che lavoravano in cortile a scaricare i blocchi di pietra dai carri trainati da buoi che scendevano dalle cave.

Tuttavia quella sera Althuda fu sospinto nella cella comune. Daniel e gli altri si affollarono attorno a lui nel buio per ascoltare il racconto completo della sua storia, e per rivolgergli tutte le domande che non avevano potuto gridare per le scale; il suo arrivo rappresentava una gradita novità, nel monotono avvicendarsi di prigionia e lavoro massacrante. Solo quando giunse dalle cucine il pentolone di stufato e gli uomini si affrettarono a consumare la loro cena frugale, Hal ebbe la possibilità di parlargli da solo.

« Se sei riuscito a fuggire una volta, Althuda, ci deve pur essere una possibilità di farlo ancora. »

« Allora ero in condizioni migliori. Avevo la mia barca da pesca, il mio padrone si fidava di me e avevo libero accesso alla colonia. Come possiamo fuggire dalle mura che ci circondano? Temo che sarebbe impossibile. »

« Tu usi le parole 'temere' e 'impossibile', ma questo è un linguaggio che non capisco. Credevo di aver incontrato un uomo, non una femminuccia. »

« Conserva le parole dure per i nostri nemici, amico. » Althuda ricambiò l'occhiata dura di Hal. « Invece di dirmi che razza di eroe sei, spiegami come hai fatto a ricevere notizie dall'esterno. » L'espressione severa di Hal si sciolse in un sorriso: gli piaceva lo spirito di quell'uomo, il modo in cui sapeva reagire, bordata su bordata. Avvicinandosi e abbassando la voce, spiegò ad Althuda com'era stato possibile, poi gli porse l'ultimo messaggio che aveva ricevuto. L'altro lo accostò all'inferriata per osservarlo alla luce della torcia che filtrava dalla scala. « Sì, questa è la mano di mia sorella. Non conosco nessun altro che sappia scrivere con tanta grazia. »

Quella sera i due composero insieme un messaggio per Aboli, allo scopo di informare lui e Sukeena che Althuda era stato liberato dalla Fossa della Morte.

Per la verità, Sukeena doveva esserne già al corrente, perché il giorno dopo accompagnò la padrona in una visita al castello, viaggiando a cassetta al fianco di Aboli. Raggiunta la scala, aiutò la padrona a scendere. Era strano, ma Hal era ormai tanto abituato alle visite di Katinka che non provava più collera o amarezza quando guardava il suo viso angelico. Le badò appena, osservando invece la schiava che rimase ferma ai piedi della scala e che lanciava rapide occhiate in tutte le direzioni, come un uccellino, cercando il volto del fratello in mezzo alle squadre di forzati.

Althuda lavorava in cortile a tagliare e sbozzare i blocchi di pietra prima che fossero issati sulla piattaforma in cima alle mura in costruzione. Aveva il viso e i capelli coperti di polvere bianca, come se fosse un mugnaio, e le mani sanguinanti a causa delle abrasioni provocate dagli attrezzi e dalla pietra ruvida. Quando infine Sukeena riuscì a individuare Althuda, fratello e sorella si guardarono a lungo, in estasi.

L'espressione raggiante di Sukeena era uno degli spettacoli più belli che Hal avesse mai visto, ma durò solo un attimo; poi la ragazza si affrettò a salire la scala dietro la padrona.

Poco dopo ricomparvero in cima alla scala, ma erano accompagnate dal governatore van de Velde, che teneva la moglie al braccio, mentre Sukeena li seguiva con aria umile. La schiava sembrava cercare qualcun altro, oltre a suo fratello. Quando salì a cassetta, mormorò qualcosa ad Aboli, che, per tutta risposta, si limitò a muovere gli occhi. Lei seguì il suo sguardo fino alla sommità dell'impalcatura, dove Hal stava assicurando l'estremità di una corda.

Accorgendosi che cercava lui, si sentì accelerare i battiti del cuore. I due si scambiarono un'occhiata solenne ed ebbero l'impressione di essere molto vicini, visto che, in seguito, Hal riuscì a ricordare ogni tratto del viso di lei, e la curva aggraziata del collo. Infine Sukeena sorrise; fu un breve interludio dolcissimo, poi abbassò gli occhi. Quella sera in cella, lui si stese sulla paglia umida per rivivere quel momento.

Forse tornerà domani, pensò Hal, mentre il sonno lo sommergeva come un'onda nera. Invece non tornò più per molte settimane.

Fecero posto ad Althuda sul pagliericcio accanto a Hal e Daniel, in modo che potessero parlare sottovoce nel buio.

« Quanti dei tuoi uomini ci sono sulle montagne? » volle sapere Hal.

« All'inizio eravamo diciannove, ma tre sono stati uccisi dagli olandesi e altri cinque sono morti dopo la fuga. Le montagne sono crudeli e ci sono molte bestie feroci. »

« Che armi hanno? »

« Gli archibugi e le spade che abbiamo preso agli olandesi; ma la polvere era scarsa, e ormai potrebbero anche averla consumata tutta. I miei compagni devono cacciare per vivere. »

« Avranno certamente fabbricato altre armi... »

« Sì, archi e picche, ma non hanno punte di ferro per queste armi. »

« Fino a che punto sono sicuri i vostri nascondigli nel territorio desertico dell'interno? » insistette Hal.

« Le montagne sono sconfinate, le gole formano un labirinto intricato. Le pareti rocciose sono ripide e non esistono sentieri, tranne quelli dei babbuini. »

« I soldati olandesi si avventurano mai fra quelle montagne? »

« Mai! Non osano scalare neanche il un dirupo. »

Quelle discussioni riempivano tutte le loro serate, mentre le tempeste invernali scendevano furiose dalla montagna, come un branco di leoni che ruggissero davanti alle mura del castello. Nelle segrete gli uomini rabbrividivano sui pagliericci; a volte erano soltanto le parole e la speranza a impedire loro di soccombere al freddo. Anche così, alcuni dei prigionieri più anziani e più deboli si ammalavano, con la gola e i polmoni congestionati da un denso catarro giallo e il corpo riarso dalla febbre; di solito morivano soffocati dalla tosse.

Quelli che riuscivano a sopravvivere erano diventati asciutti, quasi esili, ma temprati dal freddo e dalla fatica. In quei terribili mesi Hal raggiunse la piena maturità delle sue forze, fino a reggere il confronto con Daniel nel tendere e assicurare una corda o nel sollevare i pesanti vassoi per la malta. Si fece crescere una barba nera e folta, mentre il codino di capelli scuri si allungò fino a raggiungere le scapole. Aveva la schiena e i fianchi striati dai segni delle frustate e lo sguardo duro e implacabile quando alzava la testa verso le cime delle montagne, azzurrine per la distanza.

« Quanto distano le montagne? » chiese ad Althuda nel buio della cella.

« Dieci leghe. »

« Così tante! » sussurrò Hal. « Come avete fatto a percorrere una distanza del genere, con gli olandesi alle calcagna? »

« Ti ho detto che facevo il pescatore. Uscivo in mare tutti i giorni per catturare le foche usate per nutrire gli altri schiavi. La mia barca era piccola e noi eravamo tanti; è servita solo per portarci dalla parte opposta della baia Falsa, ai piedi delle montagne. Mia sorella Sukeena non sa nuotare: ecco perché non potevo lasciarle correre il rischio di fare la traversata. »

« Dov'è ora la barca? »

« Gli olandesi che ci inseguivano la trovarono dove l'avevamo nascosta e la bruciarono. » Quelle conversazioni notturne erano brevi, perché tutti erano esausti, al limite delle forze e della resistenza, ma pian piano Hal riuscì a estorcere ad Althuda tutti i dettagli che potevano tornargli utili.

« Qual è lo spirito degli uomini che hai portato con te sulle montagne? »

« Sono uomini coraggiosi... per non parlare delle donne, visto che nel gruppo c'erano anche tre ragazze. Se fossero stati meno audaci, non avrebbero mai lasciato la sicurezza della schiavitù. Comunque non sono guerrieri, tranne uno. »

« Chi è? »

« Si chiama Sabah. Era un soldato, finché non lo catturarono gli olandesi, e ora è di nuovo un soldato. »

« Potremmo fargli arrivare un messaggio? »

Althuda si lasciò sfuggire una risata amara. « Potremmo salire in cima alle mura del castello e gridare, oppure far sferragliare le catene. Può darsi che ci senta dalla cima della montagna. »

« Se avessi voluto un buffone, avrei chiamato qui Daniel per divertirmi. Le sue battute farebbero vomitare un cane, ma sono più divertenti delle tue. Ora rispondimi, Althuda: non c'è modo di raggiungere Sabah? »

Pur essendo scherzoso, il tono celava una punta di durezza. Althuda rifletté prima di rispondere. « Quando sono fuggito ho predisposto con Sukeena un nascondiglio oltre la siepe di mandorli amari che fa da confine alla colonia, dove potevamo lasciarci messaggi. Sabah conosceva quel posto, perché gliel'ho mostrato la notte che sono tornato a prendere mia sorella. È un po' azzardato, tuttavia è possibile che Sabah ci vada ancora per cercare trovare qualche messaggio da parte mia. »

« Rifletterò su quello che mi hai detto », disse Hal, e Daniel, disteso vicino a lui nella cella buia, colse il tono autoritario della sua voce e scosse la testa.

Questi sono la voce e i modi del comandante Franky, li riconosco, rifletté Daniel, meravigliato. Quello che gli hanno fatto gli olandesi avrebbe potuto distruggere un uomo più debole, e invece, perdio, non ha fatto che renderlo ancora più forte. Hal si era assunto il ruolo che era stato del padre, e tutti i superstiti dell'equipaggio lo avevano accettato e guardavano sempre più spesso a lui come a una guida che ispirava loro il coraggio per andare avanti e che li consigliava, risolvendo le piccole dispute che sorgevano quasi ogni giorno fra gli uomini costretti a vivere in una condizione così terribile, continuando a tenere viva una scintilla di speranza e di coraggio nei loro cuori.

La sera dopo, Hal riprese il consiglio di guerra che la stanchezza aveva interrotto la sera prima. «Dunque Sukeena sa dove lasciare un messaggio per Sabah?»

«Naturalmente. Conosce bene l'albero cavo sulle rive del fiume Eerste, il primo che scorre oltre la siepe di confine», rispose Althuda.

«Aboli deve tentare di mettersi in contatto con Sabah. Esiste qualcosa che sia noto solo a te e a Sabah e possa dimostrargli che il messaggio proviene da te, che non è una trappola degli olandesi?»

Althuda ci pensò. «Puoi dire soltanto: 'È il padre del piccolo Bobby'», suggerì infine. Hal attese in silenzio che Althuda si spiegasse e, dopo una pausa, lui aggiunse: «Robert è mio figlio, nato fra le montagne dopo la nostra fuga dalla colonia. In agosto compirà un anno. Sua madre è una delle ragazze di cui ti ho parlato ed è mia moglie a tutti gli effetti, a parte il nome. Nessuno tranne me, all'interno della colonia, può sapere come si chiama il bambino».

«Quindi hai una buona ragione per volare via da queste mura, come noi», mormorò Hal.

Il contenuto dei messaggi che riuscivano a passare ad Aboli era rigorosamente limitato dalle dimensioni della carta che potevano usare senza mettere in allarme i carcerieri o suscitare i sospetti di Hugo Barnard. Hal e Althuda passavano varie ore a consumarsi gli occhi nella penombra e a spremersi le meningi per comporre messaggi il più possibile succinti e nello stesso tempo comprensibili. Le risposte che ricevevano portavano fino a loro la voce di Sukeena: erano piccoli gioielli di brevità che li rallegravano con sprazzi occasionali di spirito e di umorismo.

Hal si sorprendeva a pensare sempre più spesso a Sukeena e, quando lei tornava al castello, al seguito della sua padrona, i suoi occhi correvano innanzitutto all'impalcatura sulla quale lavorava lui, prima di andare in cerca del fratello. Ogni tanto, quando c'era spazio nelle lettere che Aboli sistemava nella fenditura del muro, lei faceva piccoli commenti personali, come un'allusione alla sua folta barba nera o al suo compleanno. Questo sorprendeva Hal, commuovendolo profondamente. Per qualche tempo si era chiesto come facesse Sukeena a conoscere quel particolare intimo, ma poi intuì che glielo aveva detto Áboli. Nel buio, incoraggiava Althuda a parlare di lei, scoprendo particolari della sua infanzia, delle sue preferenze e delle sue avversioni; mentre stava disteso sul pagliericcio ascoltando Althuda, cominciò a innamorarsi della ragazza.

Ora, quando guardava le montagne a nord, le vedeva coperte da un manto di neve che scintillava al sole invernale; il vento scendeva dalle vette come una lancia che sembrava trafiggergli l'anima. « Aboli non ha ancora ricevuto notizie da Sabah. » Dopo quattro mesi di attesa, Hal accettò infine il fallimento. « Dovremo escluderlo dai nostri piani. »

« È mio amico, ma deve avermi dato per morto », riconobbe Althuda. « Sono addolorato per mia moglie, perché deve piangere anche lei la mia morte. »

« Allora non ci pensiamo più, perché non è bene desiderare quello che ci è negato », ribatté Hal con fermezza. « Sarebbe più facile fuggire dalla cava sulle montagne che evadere dal castello. Visto che dev'essere stata Sukeena a ottenere la grazia per te, forse può usare lo stesso sistema per farci assegnare alla cava. »

Composero il messaggio e, una settimana dopo, ricevettero la risposta: Sukeena non era in grado di influenzare la scelta del loro posto di lavoro, anzi li avvertiva che qualunque tentativo in questo senso avrebbe suscitato subito sospetti. « Abbiate pazienza, Gundwane », gli disse, in un messaggio più lungo di tutti i precedenti. « Quelli che vi amano lavorano per la vostra salvezza. » Hal lesse e rilesse quel messaggio cento volte, e altrettante volte lo ripeté a se stesso; era commosso dal fatto che lei avesse usato il suo soprannome, Gundwane. Naturalmente, anche quello glielo aveva rivelato Aboli.

« Quelli che vi amano »? Si riferisce ad Aboli soltanto, o usa il plurale intenzionalmente? C'è qualcun altro che mi ama? Si riferisce solo a me, oppure include anche suo fratello Althuda? Hal oscillava fra speranza e delusione. Come può occupare a tal punto la mia mente, se non ho mai sentito neanche la sua voce? Come può provare qualcosa per me, quando non vede altro che uno spaventapasseri barbuto vestito di stracci? Ma del resto forse Aboli mi ha fatto da avvocato, dicendole che non sempre sono stato così.

Per quanto potessero preparare piani di fuga, i giorni passavano e la speranza si affievoliva. Nei mesi di agosto e settembre morirono altri sei marinai di Hal: due caddero dall'impalcatura, uno fu schiacciato da un blocco di pietra precipitato dall'alto delle mura e altri due cedettero al freddo e all'umidità. Il sesto a morire fu Oliver, che era stato il valletto di Sir Francis. Al principio della prigionia si era schiacciato il piede destro sotto la ruota cerchiata di ferro di uno dei carri trainati da buoi che portavano le pietre dalla cava. Per quanto Saar gli avesse applicato una stecca sull'osso fratturato, il piede non era guarito, anzi era sempre gonfio e produceva ulcere suppurate che puzzavano come le carni di un cadavere. Hugo Barnard lo aveva costretto a tornare al lavoro, anche se Oliver doveva trascinarsi nel cortile appoggiandosi a una stampella improvvisata.

Hal e Daniel cercavano di proteggerlo, ma, se intervenivano in modo troppo evidente, Barnard diventava ancor più vendicativo. Si addossavano più che potevano il suo lavoro per tenere l'invalido alla larga dalla frusta del sovrintendente. Quando venne il giorno in cui Oliver diventò troppo debole per salire sino in cima al muro meridionale, Barnard lo mise al lavoro come garzone, addetto a tagliare e sbozzare i blocchi di pietra. Nel cortile, però, si trovava proprio sotto gli occhi di Barnard, che lo colpì con la frusta due volte nel corso di una stessa mattina.

La seconda volta si trattò di un colpo svogliato, assai meno crudele di tanti altri che lo avevano preceduto. Oliver era per mestiere un sarto e per natura una creatura timida e gentile, ma, come un codardo spinto con le spalle al muro in un vicolo dal quale non c'era via di fuga, si voltò di scatto per reagire, brandendo con la destra il pesante maglio di legno. Barnard scattò all'indietro, ma non fu abbastanza veloce, e il maglio lo colpì allo stinco. Non era un colpo violento, e infatti non spezzò l'osso, ma lacerò la pelle, facendo sprizzare un fiotto di sangue che macchiò la calza di Barnard scorrendo fino alla scarpa. Persino dal suo posto in cima all'impalcatura, Hal si accorse dall'espressione di Oliver: era inorridito e terrorizzato da quello che aveva fatto.

« Signore! » gridò, mettendosi in ginocchio. « Non l'ho fatto apposta. Vi prego, signore, perdonatemi. » Lasciò cadere a terra il maglio, giungendo le mani davanti al viso in un atteggiamento di preghiera.

Hugo Barnard fece un passo indietro, traballando, poi si chinò a esaminare la ferita. Ignorando le suppliche frenetiche di Oliver, fece scivolare in basso la calza per portare allo scoperto la lunga scalfittura. Poi, sempre senza guardare Oliver, si diresse zoppicando verso il recinto dalla parte opposta del cortile, dove erano legati i suoi due cani da cinghiale neri, e li prese al guinzaglio, indicando loro il punto nel quale Oliver era ancora inginocchiato.

«*Ja! Vat hom!*» I cani si slanciarono in avanti, tendendo il guinzaglio, abbaiando e spalancando la bocca sino a scoprire le lunghe zanne bianche.

«*Ja! Vat hom!*» li incitò Barnard, trattenendoli al tempo stesso. Il furore nella sua voce eccitava gli animali, che tendevano il guinzaglio al punto da trascinare quasi il padrone.

«Vi prego!» gridò Oliver, lottando per rialzarsi, cadendo all'indietro e infine strisciando verso la stampella, che aveva lasciato appoggiata contro il muro di pietra.

Barnard liberò i cani, che sfrecciarono attraverso il cortile: Oliver ebbe solo il tempo di alzare le mani per coprirsi il viso prima che gli fossero addosso.

Lo travolsero, facendolo rotolare sul lastricato, poi lo azzannarono. Uno lo attaccò al viso, ma lui alzò il braccio e il cane affondò i denti nel gomito. Oliver era nudo dalla cintola in su, e l'altro cane lo azzannò al ventre. Nessuno dei due era intenzionato a mollare la presa.

Dall'alto dell'impalcatura, Hal non poteva intervenire. Pian piano le grida di Oliver si affievolirono e lui cessò di lottare. Barnard e i suoi cani non ebbero pietà: continuarono a straziare il corpo anche dopo che l'ultimo fremito di vita si era spento, poi Barnard assestò ancora un calcio al corpo mutilato prima di tirarsi indietro. Ansimava e aveva il viso coperto di sudore che gli scorreva fin sulla camicia, tuttavia alzò la testa per guardare Hal con un sogghigno. Lasciò il corpo di Oliver disteso sul lastricato sino alla fine del turno di lavoro, poi scelse Hal e Daniel, ordinando loro: «Buttate quel rifiuto sul letamaio dietro il castello. Sarà più utile ai gabbiani e ai corvi di quanto non sia mai stato a me». E ridacchiò di gioia nel vedere lo sguardo omicida negli occhi di Hal.

Quando la primavera tornò, erano rimasti solo in otto, ma

quegli otto erano temprati dalle privazioni. Sul petto e sulle braccia di Hal, sotto la pelle abbronzata e segnata dalla vita all'aria aperta, muscoli e tendini spiccavano con fierezza, dal primo all'ultimo; aveva il palmo delle mani duro come il cuoio e le dita forti come le tenaglie di un maniscalco. Quando interveniva in una rissa, un solo colpo di uno dei suoi pugni segnati dalle cicatrici poteva stendere un uomo robusto.

La prima promessa di primavera disperse le nubi di tempesta, e i raggi del sole acquistarono una nuova intensità. L'irrequietezza prese il posto della cupa rassegnazione che si era impadronita di loro durante l'inverno. Perdevano facilmente la calma, litigavano più spesso fra loro e i loro occhi si volgevano di continuo verso le montagne lontane, da cui si era sciolta la neve, o scrutavano l'azzurro dell'Atlantico.

Poi arrivò da Aboli un messaggio scritto da Sukeena: «Sabah manda saluti ad A. Bobby e sua madre sentono la sua mancanza». La novità li riempì tutti di una speranza selvaggia e sfrenata che, in realtà, non aveva solide fondamenta, perché Sabah e la sua banda potevano aiutarli solo una volta superata la siepe di confine.

Passò un altro mese, e la fiammata di speranza che aveva illuminato i loro cuori si trasformò in brace. La primavera era arrivata in tutto il suo splendore, tramutando la montagna in un prodigio di fiori selvatici che abbagliavano con la profusione dei colori, raggiungendo persino i forzati in cima alle impalcature con la loro fragranza. Il vento soffiava cantando da sud-est, e i colibrì tornarono, chissà da dove, infiammando l'aria con il loro piumaggio scintillante.

Poi arrivò un messaggio laconico da parte di Sukeena e Aboli. «È tempo di andare. Quanti siete?»

Quella sera discussero il messaggio con voci sommesse e trementi di eccitazione. «Aboli ha un piano. Ma come può farci fuggire tutti?»

«Per me è l'unico cavallo in gara», brontolò Big Daniel. «Scommetto su di lui fino all'ultimo penny che ho.»

«Se solo avessi un penny da puntare», ribatté Ned, ridacchiando. Era la prima volta che Hal lo sentiva ridere da quando Oliver era stato dilaniato dai cani di Barnard.

«In quanti andiamo?» chiese Hal. «Pensateci un po', ragazzi, prima di rispondere.» Nella penombra, guardò il cerchio di teste che aveva intorno a sé. «Se restate qui, continuerete a vivere, almeno per un po', e nessuno vi stimerà di meno per questo. Se invece tentiamo e non riusciamo a raggiungere le montagne, avete visto tutti in che modo sono morti mio padre e Oliver. Era una morte indegna di un animale, per non parlare di un uomo. »

Il primo a parlare fu Althuda. « Anche se non fosse per Bobby e la mia donna, io andrei. »

« Anch'io! » esclamò Daniel, e Ned gli fece eco.

« E sono tre », mormorò Hal. « E tu, William Rogers? »

« Sono con voi, Sir Henry. »

« Non abusare della mia pazienza, Billy. Ti ho detto di non chiamarmi così. » Hal si accigliò. Quando lo chiamavano con il titolo che gli spettava si sentiva un impostore, perché non era degno della ricompensa che il nonno aveva ottenuto combattendo a fianco di Drake e del titolo che suo padre aveva portato con tanto onore. « È la tua ultima possibilità, mastro Billy. Se ti sbagli ancora, ti prenderò a calci per farti rinsavire, mi senti? »

« Sì, vi sento benissimo, Sir Henry. » Billy lo guardò sorridendo, e tutti gli altri scoppiarono in una risata scrosciante quando Hal lo prese per la collottola, tirandogli le orecchie. Erano tutti eccitati; tutti tranne Dick Moss e Paul Hale.

« Sono troppo vecchio per un'avventura del genere, Sir Hal. Ho le ossa così anchilosate che non potrei montare un bel ragazzo neanche se lo legaste a un barile per me, figuriamoci scalare una montagna. » Dick Moss, il vecchio pederasta, sorrise. « Perdonatemi, comandante, ma Paul e io ne abbiamo parlato, e resteremo qui, dove almeno abbiamo la pancia piena di stufato e un pagliericcio per dormire ogni sera. »

« Forse siete più saggi di noi », rispose Hal con un cenno di assenso, senza sentirsi rattristato da quella decisione. Per Dicky erano passati da tempo i giorni di gloria in cui era l'uomo da battere nella gara per raggiungere la testa d'albero, quando c'erano da serrare le vele in mezzo alla tempesta. Quell'ultimo inverno gli aveva irrigidito le membra e incanutito i capelli; in quel viaggio sarebbe stato solo un peso morto. Paul era il compagno di Dicky a bordo della nave; stavano insieme da vent'anni e, sebbene Paul fosse ancora un demonio con la sciabola in pugno, preferiva restare con il suo anziano amante.

« Buona fortuna a tutti e due. Siete la coppia migliore con cui abbia mai navigato », disse Hal, che guardò poi Wally Finch e Stan Sparrow. « E voi due? Volete fuggire con noi, ragazzi? »

« Verremo fin dove andrete voi. » Wally parlava a nome di tutti e due e Hal gli batté sulla spalla.

« E con questi fanno sei, anzi otto compresi Aboli e Althuda. Mi sembrano più che sufficienti, ve lo garantisco. »

Ci fu uno scambio finale di messaggi in cui Aboli e Sukeena esposero il piano che avevano escogitato, e Hal suggerì alcuni miglioramenti, stendendo inoltre una lista di oggetti e materiali che i due dovevano tentare di rubare per rendere più sicura la loro sopravvivenza sulle montagne. In cima alla lista c'erano una bussola e una carta, oltre a un ottante, se riuscivano a procurarselo.

Aboli e Sukeena fecero gli ultimi preparativi senza lasciar trasparire la loro eccitazione agli altri domestici della casa. C'erano sempre occhi scuri che osservavano tutto ciò che accadeva negli alloggi degli schiavi, e ora che il giorno fatidico era così vicino non si fidavano di nessuno. Pian piano Sukeena riuscì a raccogliere gli oggetti che Hal aveva chiesto, aggiungendone di sua iniziativa altri che sapeva necessari.

Il giorno precedente quello previsto per la fuga, Sukeena convocò Aboli nella zona della residenza dove non gli era mai stato permesso di entrare. « Ho bisogno della tua forza per spostare l'armadio intagliato nella sala dei banchetti », gli disse, di fronte alla cuoca e a due sguatteri di cucina. Aboli la seguì, sottomesso come un cane addestrato al guinzaglio. Quando furono soli, però, Aboli abbandonò il contegno da schiavo docile.

« Presto! » lo ammonì Sukeena. « La padrona tornerà fra poco. Si trova in fondo al giardino con Stadige Jan. » Si diresse in fretta verso le imposte della finestra che dava sui prati, e vide che i due erano ancora immersi in conversazione sotto le querce.

« Non c'è limite alla sua depravazione », sussurrò fra sé, guardando Katinka ridere di qualcosa che le aveva detto il boia. « Farebbe l'amore con un maiale o un serpente velenoso, se le venisse l'estro. » Sukeena rabbrividì al pensiero di quella lingua serpentina che esplorava i recessi più intimi del suo corpo. « Non accadrà più », si ripromise. « Ancora quattro giorni soltanto, poi Althuda sarà al sicuro. Se prima di allora mi chiamerà nel suo nido, accamperò la scusa che è cominciato il ciclo. »

Sentì qualcosa frullare nell'aria come un grande uccello in volo e, lanciando un'occhiata indietro, vide che Aboli aveva

preso una delle spade esposte nel salone e ne metteva alla prova
l'equilibrio e la tempra facendola roteare intorno alla testa in
circolo, cosicché i riflessi della luce sulla lama danzavano sulle
pareti bianche.

Accantonandola, ne scelse un'altra, che non incontrò la sua
approvazione e fu riposta con un'espressione accigliata. «Presto!» lo sollecitò lei a bassa voce. In pochi minuti Aboli aveva
scelto tre lame, e non per le gemme che ne decoravano l'elsa,
ma per l'elasticità e la tempra del metallo. Tutt'e tre erano scimitarre ricurve realizzate dagli armieri di Shah Jahan ad Agra,
in India. «Sono fatte per un principe mogul e stanno male in
mano a un rude marinaio, ma possono andare, finché non riuscirò a trovare una buona sciabola di acciaio Sheffield per rimpiazzarle.» Poi scelse una lama più corta, un pugnale *kukri* usato dai popoli che vivevano sulle colline all'interno dell'India, e
lo usò per tagliarsi un ciuffo di peli dall'avambraccio. «Questo
sarà l'ideale per il lavoretto ravvicinato che ho in mente», osservò con un grugnito soddisfatto.

«Ho preso nota delle armi che hai scelto», gli disse Sukeena. «Ora lasciale sull'espositore, altrimenti i vuoti saranno notati dagli altri schiavi. Te le consegnerò la sera prima.»

Quel pomeriggio lei prese il cestino e, con il capo coperto
dal cappello di paglia a cono, salì sulla montagna. Anche se un
osservatore qualsiasi non avrebbe mai intuito le sue intenzioni,
si accertò di non essere in vista, nascosta nella foresta che ricopriva la grande gola rocciosa sotto la cima. Lì c'era un albero
morto che aveva notato in molte escursioni precedenti; dal
tronco in decomposizione spuntava un mazzetto di minuscoli
funghi violacei e velenosi. Prima di cominciare a raccoglierli,
s'infilò un paio di guanti. Le lamelle del cappello apparivano di
un bel giallo intenso: quei funghi erano tossici, ma risultavano
fatali solo se mangiati in gran quantità: per questo li aveva scelti. Non voleva avere sulla coscienza la vita di uomini innocenti e
delle loro famiglie. Mise i funghi in fondo al cestino, coprendoli
di radici e di erbe prima di scendere dal ripido pendio, e tornò
alla residenza attraverso i vigneti.

Quella sera il governatore van de Velde teneva un banchetto
di gala, al quale aveva invitato i notabili della colonia e tutti gli
alti funzionari della Compagnia. Tali feste si protraevano fino a
tarda sera; dopo la partenza degli ospiti, i domestici e gli schia-

vi, esausti, lasciarono a Sukeena il compito di fare il giro della casa e chiudere le cucine per la notte.

Appena rimase sola bollì i funghi violacei finché il succo assunse la consistenza del miele grezzo, poi versò il liquido in una delle bottiglie di vino rimaste vuote dopo la festa. Era inodore, e lei non aveva bisogno di assaggiarlo per sapere che emanava soltanto un lievissimo gusto di funghi. Una delle donne che lavoravano nelle cucine della caserma del castello era in debito con lei, perché le pozioni di Sukeena avevano salvato il suo primogenito colpito dal vaiolo. La mattina dopo, la ragazza lasciò la bottiglia in un cesto insieme con altri rimedi medicinali e filtri che Aboli doveva consegnare alla donna con la carrozza.

Quando si fece portare al castello, van de Velde aveva il viso cereo e gonfio per gli eccessi della sera precedente. Aboli lasciò nella fessura del muro un messaggio che diceva: «L'ultima sera non mangiate niente che provenga dalle cucine della guarnigione».

Quella sera, Hal versò il contenuto della pentola di stufato nel secchio che serviva da latrina, prima che qualcuno degli uomini fosse tentato di assaggiarlo. L'aroma caldo che riempiva la cella sembrava una promessa paradisiaca ai marinai affamati, che protestarono, digrignando i denti e imprecando contro Hal, il loro destino e se stessi, nel vedere sprecato tutto quel ben di Dio.

La mattina dopo, la prigione si ridestò alla vita alla solita ora. Molto tempo prima che l'alba rischiarasse le quattro finestrelle con le sbarre, gli uomini si riscossero fra gemiti e colpi di tosse, poi si avviarono uno alla volta al secchio della latrina, lanciando grugniti e scorregge mentre si liberavano. Poi, quando si rammentarono che quello era il giorno cruciale, scese su di loro un silenzio teso.

Pian piano la luce del giorno filtrò dall'alto delle finestre e si squadrarono a vicenda. Prima di allora non erano mai stati lasciati in pace fino a tardi; tutte le altre mattine erano al lavoro sulle mura già da un'ora.

Quando finalmente Manseer inserì le chiavi nella serratura, aveva l'aria pallida e malaticcia, e i due uomini che lo accompagnavano non stavano meglio di lui.

«Che vi succede, Manseer?» chiese Hal. «Credevamo che ci aveste abbandonati, che non vi avremmo rivisto mai più.» Il carceriere era un sempliciotto onesto, privo di malizia, e nel corso dei mesi Hal aveva coltivato un superficiale rapporto di amicizia con lui.

« Ho passato la notte seduto nella latrina », si lamentò Manseer. « E non da solo, per giunta, perché tutti gli uomini della guarnigione tentavano di entrarci con me. Ancora adesso metà di loro è ancora a letto... » S'interruppe, mentre il suo ventre lanciava un gorgoglio simile a un suono lontano, e assunse un'espressione disperata. « Ecco che ricomincia! Giuro che ucciderò quella cuoca sfigurata dal vaiolo. » Risalì di corsa le scale, lasciandoli ad aspettare un'altra mezz'ora, prima di tornare da loro per aprire l'inferriata e condurli fuori in cortile.

Hugo Barnard, che aspettava di prenderli in consegna, era di pessimo umore. « Abbiamo perso mezza giornata di lavoro », ringhiò rivolto a Manseer. « Il colonnello Schreuder se la prenderà con me per questo, e allora mi rifarò con te, Manseer! » Si girò verso la fila di forzati. « E voi, bastardi, non restate lì a ridacchiare. Perdio, mi darete una giornata intera di lavoro, anche a costo di tenervi sulle impalcature fino a mezzanotte. Ora salite su, e alla svelta! » Barnard era in ottima forma, con il viso colorito e irascibile come sempre. Era chiaro che le coliche e la diarrea che affliggevano il resto della guarnigione non lo avevano sfiorato. Hal si rammentò l'osservazione di Manseer che Barnard viveva con una ragazza ottentotta, nell'abitato vicino alla riva, e non mangiava alla mensa della guarnigione.

Si guardò attorno in fretta, mentre attraversava il cortile per raggiungere la scaletta. Il sole era già alto nel cielo e illuminava con i suoi raggi la ridotta occidentale del castello. Quel giorno i carcerieri e le guardie erano ridotti a meno della metà; una sola sentinella invece di quattro all'ingresso, nessuna all'ingresso dell'armeria e una soltanto in cima alla scala che portava alla sede della Compagnia e agli uffici del governatore, sul lato meridionale del cortile.

Quando fu salito in cima alla scala, raggiungendo la sommità del muro, Hal guardò oltre la spianata, verso il viale, e riuscì a distinguere appena il tetto della residenza del governatore, in mezzo agli alberi.

« Che Dio ti protegga, Aboli », mormorò. « Siamo pronti per te. »

Aboli portò la carrozza all'ingresso della residenza qualche minuto prima dell'ora fissata dalla moglie del governatore, e fermò i cavalli sotto il portico. Quasi subito Sukeena comparve sulla soglia per chiamarlo. «Aboli! Ci sono alcuni pacchi della padrona da portare sulla carrozza.» Il suo tono era leggero e disinvolto, senza la minima traccia di tensione. «Vieni a prenderli, per favore.» Queste parole erano a beneficio degli altri, perché sapeva che c'era sempre qualcuno in ascolto.

Docilmente, Aboli mise il freno alle ruote della carrozza e, parlando ai cavalli per tranquillizzarli, scese con un salto da cassetta. Si muoveva senza fretta, con un'espressione calma, mentre seguiva Sukeena in casa; un minuto dopo ne uscì portando un tappeto di seta arrotolato e alcune borse da sella in cuoio. Si diresse verso il retro della carrozza per sistemare quei bagagli nel baule posteriore, poi chiuse il coperchio. Nei suoi movimenti non c'era nulla di segreto o furtivo che mettesse in allarme gli altri schiavi. Due cameriere, occupate a spazzare il portico, non alzarono nemmeno la testa per guardarlo. Lui risalì a cassetta e prese le redini, aspettando con la pazienza infinita degli schiavi.

Katinka era in ritardo, ma questo non era insolito. Finalmente scese, avvolta in una nube di profumo francese e di sete fruscianti, spolverando le scale con la gonna e rimproverando Sukeena per qualche mancanza immaginaria. Sukeena scivolava al suo fianco in silenzio, sui piedini minuscoli chiusi nelle scarpette dorate, contrita e sorridente.

Katinka salì in carrozza come una regina, pronta per la cerimonia d'incoronazione, ordinando in tono imperioso a Sukeena: «Vieni a sederti qui vicino a me!» Sukeena le rivolse una riverenza, portandosi le mani alle labbra. Aveva sperato che Katinka le desse quell'ordine. Quando era in vena di intimità fisica, Katinka la voleva abbastanza vicina a sé da poterla toccare allungando la mano; in altri momenti, invece, era fredda e altera, ma sempre imprevedibile.

È un buon auspicio che lei faccia quello che desideravo, si disse Sukeena per rincuorarsi, prendendo posto di fronte alla padrona e sorridendole con amore.

«Parti pure, Aboli!» gridò Katinka; poi, mentre la carrozza si metteva in moto, rivolse la sua attenzione a Sukeena. «Come mi sta questo colore alla luce del sole? Non mi fa sembrare troppo pallida e slavata?»

«S'intona alla perfezione con la vostra pelle, padrona.» Sukeena le disse quel che lei voleva sentire. «Ancora meglio che a lume di candela. E poi fa risaltare il viola dei vostri occhi.»

«Non dovrebbe esserci qualche gala di pizzo in più nel colletto?» Katinka inclinò la testa con aria vezzosa.

Sukeena meditò un attimo sulla risposta, poi le disse: «La vostra bellezza non dipende dal pizzo di Bruxelles, fosse anche il più fine. Si afferma da sé».

«Lo pensi davvero, Sukeena? Sei una tale adulatrice, ma devo ammettere che anche tu oggi sei particolarmente attraente.» Osservò la ragazza con aria pensierosa. Ora la carrozza percorreva il viale al trotto, con i grigi che arcuavano il collo, procedendo con la loro andatura più elegante. «Hai le guance colorite e gli occhi scintillanti. Ci sarebbe da credere che sei innamorata.»

Sukeena la guardò in un modo che faceva formicolare la pelle di Katinka. «Oh, ma io sono innamorata, di una persona speciale», sussurrò.

«Mia piccola cattivella», disse Katinka facendo le fusa.

La carrozza raggiunse la spianata, svoltando verso il castello. Katinka era così distratta che non si accorse subito della direzione che avevano preso. Poi un velo di irritazione le calò sul volto e gridò con voce acuta: «Aboli! Che stai combinando, idiota? Non al castello, dobbiamo andare da *mevrou* de Waalter.»

Aboli fece finta di non averla sentita, mentre i grigi proseguivano al trotto verso l'entrata del castello.

«Sukeena, di' a quell'idiota di tornare indietro.»

Sukeena si alzò di scatto, nella carrozza che oscillava, poi sedette di nuovo al fianco di Katinka, infilando il braccio sotto quello della padrona e tenendola stretta in una presa salda.

«Che diavolo stai facendo? Non qui. Sei uscita di senno? Non sotto gli occhi di tutta la colonia.» Tentò di liberare il braccio, ma Sukeena lo teneva stretto con una forza che la stupì.

«Entreremo nel castello», disse Sukeena a bassa voce. «E voi farete esattamente quello che vi dirò di fare.»

«Aboli, ferma immediatamente la carrozza!» Katinka alzò la voce e tentò di alzarsi in piedi, ma Sukeena la respinse giù sul sedile.

«Non opponete resistenza», le ordinò. «Altrimenti vi farò un taglio. Vi taglierò per prima cosa la faccia, così non sarete più bella. Poi, se insistete a non obbedire, vi conficcherò questa lama in quel cuore perverso e maligno che avete. »

Katinka abbassò gli occhi e vide per la prima volta la lama che Sukeena le teneva puntata al fianco. Quel pugnale era stato un dono di uno degli amanti di Katinka, e lei sapeva bene quanto fosse affilato.

« Sei pazza? » Katinka impallidì dal terrore, tentando di allontanarsi da quella punta affilata come un ago.

« Sì, forse abbastanza pazza da uccidervi e da provarne piacere. » Sukeena le spinse il pugnale contro il fianco e Katinka urlò, tanto che i cavalli drizzarono le orecchie. « Se gridate ancora, vi pungerò a sangue », la ammonì Sukeena. « Ora state zitta e ascoltate, mentre vi spiego quello che dovrete fare. »

« Ti consegnerò a Stadige Jan e riderò mentre ti sbudella », tentò di bluffare Katinka, ma le tremava la voce e aveva il terrore negli occhi.

« Non riderete mai più, se non mi obbedite. Ci penserà questo pugnale », e Sukeena la punzecchiò di nuovo, abbastanza forte da penetrare nel tessuto fino a raggiungere la pelle, cosicché sul vestito apparve una macchia di sangue grande come un *gulden* d'argento.

« Ti prego! » supplicò Katinka. « Ti prego, Sukeena, farò come dici tu. Non farmi ancora del male, ti prego. Hai detto che mi amavi. »

« E mentivo », sibilò Sukeena. « Mentivo per amore di mio fratello. Vi odio, non saprete mai fino a che punto. Detesto il tocco delle vostre mani e sono disgustata da tutte le cose sudicie e malvagie che mi avete costretta a fare, quindi non fate appello al mio amore per voi. Vi schiaccerò con la stessa indifferenza con la quale mi toglierei i pidocchi dai capelli. » Vedendo la morte nei suoi occhi, Katinka ebbe paura come di rado le era accaduto prima di allora.

« Farò come dici. » Sukeena le diede istruzioni in un tono impassibile e duro, più minaccioso di qualunque accesso di collera.

Quando Aboli guidò la carrozza oltre l'ingresso del castello, il suo arrivo fu accolto dal solito trambusto. L'unica sentinella in servizio si mise sull'attenti presentando il moschetto. Aboli frenò l'equipaggio di grigi facendo arrestare la carrozza davanti alla sede della Compagnia. Il capitano della guardia si affrettò a uscire dall'armeria, allacciandosi in fretta la cintura della spada.

Era un giovane subalterno, appena arrivato dall'Olanda, e l'arrivo inatteso della moglie del governatore lo aveva colto di sorpresa.

« Per le corna del diavolo! » borbottò fra sé. « Per quale motivo questa sgualdrina sceglie proprio oggi per venire, quando metà dei miei uomini sta male? » Lanciò un'occhiata ansiosa all'unica sentinella di guardia alla porta degli uffici della Compagnia, notando che il viso dell'uomo aveva ancora un colorito verdognolo. Poi si accorse che la moglie del governatore gli faceva segno di avvicinarsi dal sedile della carrozza e attraversò di corsa il cortile, sistemando il berretto e stringendo il sottogola mentre correva. Raggiunta la carrozza, salutò Katinka. « Buon giorno, *mevrou*. Posso aiutarvi a smontare? »

La moglie del governatore aveva un'espressione tesa e nervosa, mentre la voce era acuta e ansimante. Il sottufficiale si mise subito in allarme. « C'è qualcosa che non va, *mevrou*? »

« Sì, qualcosa di molto grave. Chiamate mio marito! »

« Volete andare nel suo ufficio? »

« No, resterò qui in carrozza. Andate subito da lui e informatelo che lo prego di venire immediatamente. È una questione della massima importanza, si tratta di vita o di morte. Andate, presto! »

Il subalterno parve sorpreso e, dopo aver salutato in fretta, salì di slancio gli scalini, due alla volta, facendo irruzione nell'ufficio attraverso la porta a due battenti. Mentre lui era lontano, Aboli scese dalla carrozza, si avvicinò al baule sul retro e aprì il coperchio. Poi guardò dalla parte opposta del cortile.

C'era una sentinella all'entrata del castello e un'altra in cima alle scale, ma la miccia del loro moschetto era spenta, come al solito. Non c'erano sentinelle di guardia alla porta dell'armeria, anche se, dal punto in cui si trovava, poteva vedere dalla finestra tre uomini. Ciascuno dei cinque sovrintendenti al cantiere era armato di spada, oltre che di frusta e bastone di canna. Hugo Barnard si trovava all'estremità opposta del cortile, con i cani al guinzaglio, e stava arringando la banda di forzati condannati per reati comuni: gli uomini erano intenti a pavimentare il tratto del cortile ai piedi del muro orientale. Gli altri forzati, non appartenenti all'equipaggio della *Resolution*, potevano rappresentare un rischio al momento della fuga. C'erano quasi duecento uomini al lavoro sulle mura, la feccia dell'umanità, e potevano facilmente compromettere il tentativo sbarrando loro la via di fuga o anche solo cercando di unirsi ai marinai e assaltando la carrozza, una volta compreso quanto stava accadendo.

Risolveremo il problema quando si presenterà, pensò Aboli incupito, prima di dedicare tutta l'attenzione alle guardie armate e ai sovrintendenti, che rappresentavano la minaccia principale. In tutto c'erano dieci uomini armati in vista, compresi Bernard e i suoi, ma al primo grido di allarme altri venti o trenta soldati sarebbero sbucati fuori dalla caserma, all'altro capo del cortile. L'intera faccenda poteva sfuggire loro di mano in pochi secondi.

Alzando la testa, Aboli vide Hal e Big Daniel che lo guardavano dall'impalcatura. Il primo aveva già in mano la corda della carrucola, con l'altra estremità annodata alla vita. Ned Tyler e Billy Rogers si trovavano sul ripiano inferiore, e i due marinai che avevano un nome da uccelli, Finch e Sparrow, cardellino e passero, lavoravano nel cortile poco lontano da Althuda. Fingevano tutti di badare al loro lavoro, ma in realtà sbirciavano di sottecchi Aboli, che frugò nel baule e, allentando la corda che legava il tappeto di seta arrotolato, ne sollevò un lembo: così facendo, scoprì, senza tirarle fuori, le tre scimitarre mogul e il pugnale *kukri* che aveva scelto per sé. Sapeva che, dal loro posto di osservazione in alto, Hal e Big Daniel potevano vedere l'interno del baule. Poi rimase immobile e inespressivo vicino alla ruota posteriore della carrozza.

All'improvviso il governatore, senza cappello e in maniche di camicia, uscì dalla porta in cima alla scala, scendendo a balzi con la sua andatura sgraziata.

«Che cosa c'è, *mevrou*?» esclamò quando fu a metà della scala, rivolgendosi alla moglie in tono formale. «Mi dicono che mi avete mandato a chiamare, e che si tratta di vita o di morte.»

«Presto!» strillò Katinka in tono piagnucoloso. «Mi trovo in una situazione davvero terribile.»

Il governatore raggiunse lo sportello della carrozza, ansimando visibilmente. «Ditemi che cosa vi affligge, *mevrou*.»

Aboli lo raggiunse alle spalle, passandogli un braccio robusto intorno al collo e inchiodandolo senza pietà. Van de Velde cominciò a dibattersi. Nonostante l'obesità, era forte, e persino Aboli ebbe difficoltà a tenerlo immobilizzato.

«Che diavolo stai combinando?» ruggì indignato. Aboli gli puntò alla gola la lama del *kukri*. Quando van de Velde sentì il gelido contatto dell'acciaio e la lama tagliente, cessò di lottare.

« Ti taglierò la gola da quel gran porco che sei », gli sussurrò Aboli all'orecchio, « e Sukeena tiene un pugnale puntato al cuore di tua moglie. Ordina ai soldati di restare dove sono e di tenere le braccia inchiodate lungo i fianchi. »

L'ufficiale si era fatto avanti, sentendo gridare van de Velde, e aveva quasi estratto la spada dal fodero, precipitandosi giù per la scala.

« Alt! » gli gridò van de Velde terrorizzato. « Non muovetevi, idiota. Mi farete uccidere. » Il subalterno si fermò, incerto. Aboli rafforzò la stretta intorno alla gola del governatore. « Digli di gettare a terra la spada. »

« Gettate a terra la spada! » piagnucolò van de Velde. « Fate come dice lui. Non vedete che mi punta un coltello alla gola? »

L'ufficiale lasciò cadere la spada, che rotolò tintinnando sugli scalini.

Cinquanta piedi più in alto, Hal si lanciò dall'impalcatura, aggrappato alla corda della carrucola, mentre Big Daniel teneva l'altra estremità, rallentando la velocità della caduta. La carrucola cigolò mentre lui precipitava in basso, atterrando in equilibrio sul lastricato del cortile. Balzando verso il retro della carrozza, afferrò una delle scimitarre ornate di gemme e con un altro balzo salì a metà della sala, chinandosi a raccogliere con la sinistra la spada del subalterno. Puntandola sotto il mento dell'ufficiale, gli disse: « Ordinate ai vostri uomini di gettare a terra le armi! »

« Deponete le armi, tutti! » gridò l'ufficiale. « Se qualcuno di voi causerà danni al governatore o alla sua signora, pagherà con la vita. » Le sentinelle obbedirono all'istante, lasciando cadere sul lastricato moschetti e armi da taglio.

« Anche voi! » gridò van de Velde ai sovrintendenti, che obbedirono con riluttanza. In quel momento, però, Hugo Barnard era nascosto alla vista da una catasta di blocchi da costruzione, approfittando di questo, sgattaiolò in silenzio nella porta che dava sulle cucine, portando con sé i cani, e si rannicchiò lì, in attesa degli eventi.

Gli altri marinai scesero agilmente dall'impalcatura: Sparrow e Finch, che erano più in basso, furono i primi a raggiungere il cortile, poi arrivarono Ned, Big Daniel e Billy Rogers.

« Avanti, Althuda! » gridò Hal, e subito l'amico lasciò cadere maglio e scalpello per raggiungerlo di corsa. « Prendi! » Hal lanciò la scimitarra ingioiellata con una parabola alta, e Althuda si protese in alto, afferrandola per l'elsa. Hal si domandò che genere di spadaccino fosse; se era un pescatore, era improbabile che avesse fatto molto esercizio.

Se verrà il momento di combattere dovrò proteggerlo, pensò, guardandosi attorno in fretta. Vide Daniel estrarre le altre armi dal baule sul retro della carrozza. Nel suo pugno enorme le due scimitarre sembravano giocattoli; ne gettò una a Ned Tyler e tenne l'altra per sé, correndo a raggiungere Hal.

Questi raccolse la spada che la sentinella aveva lasciato cadere, lanciandola a Big Daniel. «Questa è più nel tuo stile, mastro Danny», gridò.

Daniel sogghignò, scoprendo i denti marci e spezzati, mentre afferrava al volo la pesante arma della fanteria e la faceva sibilare nell'aria con affondi a destra e a sinistra.

«Gesù, è bello avere di nuovo fra le mani una vera arma!» esclamò esultante, passando a Wally Finch la scimitarra leggera. «Ci vuole uno strumento serio per un uomo, ma un giocattolo per un ragazzo.»

«Aboli, tieni ben saldo quel grosso porco e tagliagli le orecchie se cerca di fare il furbo», gridò Hal. «Voi, seguitemi!» Scese dalla scala lanciandosi verso la porta dell'armeria, seguito da Big Daniel e dagli altri. Anche Althuda fece per seguirlo, ma Hal lo fermò. «Tu no. Devi badare a Sukeena!»

Mentre Althuda tornava indietro e loro proseguivano attraverso il cortile, Hal chiese brusco a Daniel: «Dov'è Barnard?»

«Quel bastardo assassino era qui un momento fa, ma ora non lo vedo più.»

«Tieni gli occhi aperti. Quel porco ci darà ancora fastidio.»

Hal fece irruzione nell'armeria. I tre uomini nel corpo di guardia erano accasciati sulla panca: due erano addormentati, e il terzo si alzò in piedi confuso. Prima che potesse riprendersi, Hal gli puntò la spada al petto. «Resta dove sei, altrimenti darò un'occhiata al colore del tuo fegato.»

L'uomo ricadde a sedere. «Qui, Ned!» gli gridò Hal mentre entrava di corsa. «Fa' da balia a questi lattanti», e li lasciò alle sue cure mentre correva sulle tracce di Daniel e degli altri marinai.

Daniel si lanciò con impeto contro la massiccia porta di tek in fondo al corridoio, che si spalancò. Prima di allora non avevano mai avuto modo di vedere l'interno dell'armeria, ma alla prima occhiata Hal si rese conto che tutto era disposto con il massimo ordine. Le armi erano allineate sulle rastrelliere lungo la parete, mentre i barilotti di polvere stavano accatastati all'estremità opposta, formando pile alte fino al soffitto.

«Sceglietevi quella che preferite e prendete un barilotto di polvere per ciascuno», ordinò. Gli uomini corsero verso le lunghe rastrelliere di spade per la fanteria, lucenti, levigate e affilate come rasoi. Più in là c'erano quelle dei moschetti e delle pistole. Hal ne infilò un paio nella corda che gli serviva da cintura. «Ricordatevi che quando saliremo sulle montagne dovrete portarvi addosso tutto quello che prendete, quindi non siate troppo avidi», li ammonì, scegliendo un barilotto di polvere da cinquanta libbre in fondo all'armeria e caricandolo sulle spalle. Poi si diresse verso la porta. «Basta così, ragazzi. Uscite tutti! Daniel, lascia una traccia di polvere mentre esci!»

Daniel usò il calcio di un moschetto per sfondare due barilotti e versare un mucchietto di polvere nera ai piedi delle piramidi di barili. «Questi faranno un bel botto!» Sogghignò, indietreggiando verso la porta e lasciando dietro di sé una lunga scia scura con l'altro barilotto che teneva sotto il braccio.

Uscirono al sole barcollando sotto il peso delle armi. L'ultimo a uscire fu Hal. «Via di qui, Ned!» ordinò, consegnandogli le armi che portava, mentre Ned correva verso la porta. Poi si rivolse ai tre soldati olandesi, che tremavano rannicchiati sulla panca. Ned li aveva disarmati, gettando le armi nell'angolo del corpo di guardia.

«Farò saltare in aria questo locale», li avvertì in olandese. «Fuggite verso la porta e, se siete intelligenti, continuate a correre senza voltarvi indietro!» Gli uomini scattarono in piedi, accalcandosi sulla soglia nella fretta di uscire, al punto da lottare fra loro per sbucare nel cortile e attraversarlo di corsa.

«Attenzione!» gridarono, scattando verso l'entrata del castello. «Sta per saltare la polveriera!» I carcerieri e gli altri detenuti comuni, che fino a quel momento erano rimasti inebetiti a guardare la carrozza e il governatore in ostaggio nelle mani di Aboli, ora voltarono la testa verso l'armeria, fissandola con un'espressione di confuso stupore.

Hal comparve sulla soglia, con la spada in una mano e una torcia accesa che aveva preso dal supporto nell'altra.

«Conto fino a dieci», gridò, «poi darò fuoco alla traccia di polvere!» Vestito di stracci, con la folta barba nera e gli occhi allucinati, sembrava un pazzo, e strappò un gemito di orrore a tutti gli uomini presenti nel cortile. Uno dei forzati gettò a terra la vanga per seguire i soldati in fuga, precipitandosi verso la porta del castello. Subito dopo si scatenò il caos: duecento tra forzati e soldati si accalcarono all'uscita nell'ansia di mettersi in salvo.

Van de Velde si dibatté nella stretta di Aboli, gridando: «Lasciatemi andare! Quell'idiota ci farà saltare tutti in aria. Lasciatemi andare! Scappate! Scappate!» Le sue grida acute aumentarono il panico e in un batter d'occhio il cortile rimase deserto, fatta eccezione per il gruppo di marinai che circondavano la carrozza e per Hal. Katinka gridava e singhiozzava in preda a una crisi isterica, ma Sukeena la schiaffeggiò con violenza, ordinandole: «State zitta, bambolina piagnucolosa, o ve lo darò io un buon motivo per piangere», e Katinka cercò di dominare l'ansia che provava.

«Aboli, fa' salire van de Velde in carrozza! Lui e sua moglie verranno con noi», gridò Hal. E subito Aboli sollevò di peso il governatore, scaraventandolo in carrozza al di sopra dello sportello. Van de Velde atterrò sul fondo, dibattendosi per rialzarsi come un insetto infilzato da uno spillone. «Althuda, puntagli la spada al cuore e tieniti pronto a ucciderlo, appena ti darò l'ordine.»

«Non vedo l'ora!» gridò di rimando Althuda, rialzando van de Velde e sbattendolo sul sedile di fronte a sua moglie. «Dove devo puntartela?» gli domandò. «Al pancione, forse?»

Il governatore, nel trambusto, aveva perso la parrucca, e la sua espressione era spaventosa; tutto il suo corpo enorme sembrava fremere di disperazione. «Non uccidetemi. Posso proteggervi», supplicò, e Katinka riprese a piangere e a lamentarsi. Stavolta Sukeena si limitò a stringerla un po' più forte, puntandole il pugnale alla gola, e mormorò: «Ora che abbiamo il governatore, non c'è più bisogno di voi. Non ha nessuna importanza se vi uccido». Katinka soffocò il singhiozzo successivo.

«Daniel, carica la polvere e le armi di riserva», ordinò Hal. Gli altri le caricarono in carrozza, ma quella vettura elegante non era un carro e sotto quel peso si abbassò sulle molle delicate delle sospensioni.

«Basta così! Non può portarne di più!» disse Aboli, vietando di caricare a bordo gli ultimi barilotti di polvere.

«Un uomo su ogni cavallo!» ordinò Hal. «Non cercate di salire in sella, ragazzi. Nessuno di voi è un provetto cavaliere.

Non solo cadrete e vi romperete l'osso del collo, cosa che non ha molta importanza, ma il vostro peso ucciderà le povere bestie prima che abbiamo percorso un solo miglio, e questo sì che ha importanza. Aggrappatevi ai finimenti e lasciatevi portare da loro. » Si precipitarono ai loro posti intorno ai cavalli, e si aggrapparono alle tirelle. « Ora lasciate spazio per me a babordo, ragazzi », aggiunse Hal. Nonostante l'ansia e l'agitazione, Sukeena scoppiò a ridere sentendolo usare quel termine nautico. Gli uomini, invece, capirono e gli riservarono il primo cavallo all'esterno.

Aboli balzò al suo posto a cassetta, mentre a bordo della carrozza Althuda minacciava van de Velde e Sukeena puntava il pugnale alla gola di Katinka.

Aboli spronò i cavalli gridando: « Forza, Gundwane, è ora di andare. Ormai la guarnigione sta per svegliarsi da un momento all'altro ». Mentre pronunciava quelle parole, si sentì un colpo di pistola e un ufficiale uscì di corsa dalla porta della caserma oltre la spianata, agitando la pistola fumante e gridando ai suoi uomini di schierarsi: « Prendete le armi! A me la prima compagnia! »

Hal si fermò solo un attimo per accendere sulla torcia la miccia di una delle pistole, poi lanciò la torcia sulla scia di polvere, aspettando di vederla prendere fuoco. La fiamma cominciò a serpeggiare all'indietro, oltre le porte dell'armeria, lungo il corridoio che portava al magazzino principale delle polveri. Poi Hal scese con un balzo i gradini che portavano al cortile e corse incontro alla carrozza sovraccarica, mentre Aboli guidava in circolo i cavalli puntando verso l'uscita. L'aveva quasi raggiunta, e stava alzando la mano per afferrare le briglie del castrone grigio che guidava il tiro a sei, quando all'improvviso Aboli gridò, tutto agitato: « Gundwane, guardati alle spalle! »

Hugo Barnard era apparso sulla soglia del locale dove si era rifugiato con i cani al primo segno di guai. Ora sciolse i cani, lanciandoli all'inseguimento di Hal con urla selvagge di incoraggiamento. « *Vat hom!* Prendetelo! » gridò, e le bestie corsero verso di lui in silenzio, fianco a fianco, coprendo tutta la lunghezza del cortile con le loro lunghe falcate come una coppia di cani da caccia che inseguono una lepre.

L'avvertimento di Aboli aveva concesso a Hal il tempo sufficiente per voltarsi ad affrontarli. I cani lavoravano in squadra, e uno gli si avventò al viso, mentre l'altro lo attaccava alle gambe.

Hal assalì il primo mentre era ancora in aria, conficcandogli la punta della spada alla base della gola nera. Il peso del cane fece penetrare la lama per tutta la sua lunghezza, cosicché rimase trafitto al cuore e ai polmoni. Anche se era morto, la forza d'inerzia lo spinse contro il petto di Hal, che barcollò all'indietro.

Il secondo cane si avvicinò dal basso e, mentre Hal non aveva ancora recuperato l'equilibrio, gli affondò le zanne nella gamba sinistra poco sotto il ginocchio, rovesciandolo a terra. Hal urtò con la spalla contro il pavimento di pietra, e quando tentò di rialzarsi il cane lo teneva ancora saldamente e lo spinse con tutte e quattro le zampe, facendolo ricadere all'indietro. Hal sentì i denti stridere sull'osso della gamba.

« I miei cani! » urlò Barnard, « stai facendo male ai miei tesori. » Con la spada sguainata, si precipitò a intervenire. Hal tentò di nuovo di alzarsi, e ancora una volta il cane lo respinse, inchiodandolo a terra. Barnard li raggiunse, sollevando la spada sopra la testa indifesa di Hal. Vedendo arrivare il colpo, il giovane rotolò di fianco, mentre la lama colpiva il lastricato vicino al suo orecchio, facendo sprizzare una pioggia di scintille.

« Bastardo! » ruggì Barnard, sollevando di nuovo la spada. Aboli deviò la corsa dei cavalli, lanciandoli di proposito contro Barnard. Il sovrintendente aveva le spalle rivolte alla carrozza ed era così preso da Hal che non la vide arrivare. Proprio quando stava per colpire di nuovo la testa di Hal, la ruota posteriore della carrozza lo colpì all'altezza del bacino, scagliandolo di lato.

Con un violento sforzo Hal riuscì a mettersi seduto e, prima che il cane potesse rovesciarlo di nuovo, lo colpì alla base del collo, spingendo la lama ad angolo fra le scapole come fa un torero col toro, per raggiungere il cuore. Il cane lanciò un ululato d'agonia e allentò la presa sulla sua gamba, barcollando in circolo prima di accasciarsi sul lastricato, scalciando debolmente.

Hal si rimise in piedi proprio mentre Barnard lo assaliva, gridando: « Hai ucciso i miei tesori! » Impazzito per il dolore, tentò nuovamente di colpire Hal, che tuttavia schivò facilmente il colpo.

« Sudicio pirata, ti faccio a fette! » Barnard si raccolse per tornare all'attacco, ma Hal deviò il colpo successivo con la stessa apparente facilità, chiedendogli a bassa voce: « Ti ricordi quello che tu e i tuoi cani avete fatto a Oliver? » Eseguì una finta in alto a sinistra, costringendo Barnard ad aprire la guardia all'altezza del diaframma, e poi colpì fulmineo. La lama toccò

Barnard poco più in basso dello sterno, sbucando per metà dalla schiena, e il sovrintendente lasciò cadere la spada a terra, crollando in ginocchio.

« Il debito con Oliver è saldato! » esclamò Hal, puntando il piede nudo contro il petto di Barnard e riuscendo a estrarre la spada, nonostante la resistenza, mentre il sovrintendente si accasciava al suolo vicino al corpo del suo cane morente.

« Vieni, Gundwane! » Aboli lottava per controllare l'equipaggio di grigi, perché le grida e l'odore del sangue li avevano terrorizzati. « La polveriera! » Erano passati solo pochi secondi da quando Hal aveva acceso la traccia di polvere, ma guardando in quella direzione vide nubi di acre fumo azzurrino erompere dalla porta dell'armeria.

« Presto, Gundwane! » chiamò piano Sukeena. « Oh, ti prego, fa' presto! » La sua voce era così carica di ansia per la sua salvezza che gli fu di sprone. Nonostante la tensione di quei momenti terribili, Hal si rese conto che per la prima volta Sukeena gli parlava, rivolgendosi a lui chiamandolo con il soprannome. Si slanciò in avanti. Il cane lo aveva azzannato alla gamba in profondità, ma non doveva avere reciso nervi o tendini perché scoprì che, se ignorava il dolore, poteva ancora appoggiarla a terra per correre. Attraversò in un balzo il cortile, afferrando le briglie del cavallo di testa, che scosse il capo, roteando gli occhi fino a scoprire la mucosa rosea, ma lui tenne duro e Aboli controllò i cavalli con mano ferma.

La carrozza passò con grande fragore sotto l'arco del portale d'ingresso, attraversando il ponte sul fossato per sbucare sul terreno aperto adibito alle parate. Improvvisamente si udì un'esplosione violenta, e l'onda d'urto dello spostamento d'aria li investì come un uragano tropicale. I cavalli s'impennarono per il terrore e Hal rischiò di essere sbalzato, ma si aggrappò disperatamente alle tirelle, guardando indietro. Dal cortile interno del castello si levò una colonna di fumo color sabbia che si avvolse a spirale nel cielo, tra fiamme scure e frammenti di detriti.

« Per Sir Hal e il re Charley! » tuonò Big Daniel, e gli altri marinai ripresero il grido, fuori di sé per l'eccitazione della fuga riuscita.

Tuttavia Hal, voltandosi, notò che le massicce mura esterne del castello non erano state toccate dalla detonazione. Con le stesse pareti di pietra era costruita anche la caserma, che quasi certamente doveva avere resistito all'esplosione. Là dentro c'erano duecento uomini, tre compagnie di giubbe verdi che probabilmente in quel momento si stavano riprendendo dallo scoppio e fra poco si sarebbero riversate fuori del castello per lanciarsi all'inseguimento. E dov'era, si chiese, il colonnello Cornelius Schreuder?

La carrozza era lanciata al galoppo sulla spianata esterna, preceduta da una folla di forzati evasi che si disperdevano in tutte le direzioni, alcuni saltando il muro di pietra che recintava gli orti della Compagnia e dirigendosi verso la montagna, altri correndo verso la spiaggia per trovare una barca sulla quale continuare la fuga. Sul piazzale c'erano i pochi cittadini e schiavi domestici che si trovavano all'aperto a quell'ora. Rimasti storditi, fissarono esterrefatti l'orda di fuggiaschi, poi la nuvola di fumo che avviluppava il castello e infine lo spettacolo ancora più straordinario della carrozza del governatore che avanzava, coperta da una massa variopinta di fuorilegge e pirati laceri aggrappati ai finimenti dei cavalli, che urlavano come pazzi brandendo le armi. Quando la vettura puntò su di loro, si sparpagliarono freneticamente.

«I pirati sono fuggiti dal castello. Scappa, scappa!» Alla fine si ripresero e diedero l'allarme, che fu trasmesso attraverso le baracche e i tuguri dell'abitato. Hal vide i cittadini precipitarsi a fuggire insieme con gli schiavi per cercare scampo dalla ciurma di pirati assetati di sangue. Un paio di uomini più coraggiosi si erano armati e da qualche finestra proveniva una serie di colpi irregolari di moschetto, ma la distanza era molta e la mira scarsa e frettolosa. Nessuno degli uomini o dei cavalli fu colpito. La carrozza superò i primi edifici, seguendo l'unica strada che costeggiava la spiaggia ricurva della baia della Tavola, puntando verso l'ignoto.

Hal si voltò a guardare Aboli. «Rallenta, dannazione! Farai scoppiare i cavalli prima ancora di uscire dalla città.» Aboli si alzò in piedi, trattenendo i cavalli. «Eh, Royal! Rallenta, Cloud!» Ma l'equipaggio era lanciato a tutta velocità e aveva quasi raggiunto la periferia dell'abitato quando Aboli riuscì a riportare i cavalli al trotto; erano tutti sudati e ansimanti per la galoppata, ma tutt'altro che esausti.

Appena furono sotto controllo, Hal allentò la presa sui finimenti, scendendo a terra per correre a fianco della carrozza. «Althuda», esclamò, «invece di startene lì seduto come un gentiluomo a un picnic domenicale, controlla che tutti i moschetti siano caricati e pronti a sparare. Tieni! » Gli passò la pistola con la miccia accesa. « Usa questa per accendere la miccia su tutte le armi. Fra poco ci saranno addosso. » Poi spostò lo sguardo da Althuda a sua sorella.

« Non siamo stati presentati. Henry Courteney, per servirvi. » Le sorrise, e lei rise di quel saluto.

« Buon giorno, Gundwane. Vi conosco bene. Aboli mi ha spiegato che razza di giovane pirata siete. » Poi divenne seria. « Siete ferito. Dovrei dare un'occhiata alla gamba. »

« Non è niente che non possa aspettare », le assicurò.

« Il morso di un cane fa infezione presto se non viene curato. »

« Più tardi! » ripeté lui, rivolgendosi ad Aboli.

« Aboli, conosci la strada che porta al confine della colonia? »

« Esiste una sola strada, Gundwane. Dobbiamo attraversare il villaggio, girare intorno all'acquitrino e poi puntare attraverso le pianure sabbiose verso le montagne. » Gliele indicò con la mano. « La siepe di mandorli amari si trova cinque miglia più in là dell'acquitrino. »

Guardando oltre l'abitato, Hal poteva già intravedere il terreno paludoso e le lagune che si stendevano più avanti, costellate di canne e specchi d'acqua, sui quali volavano stormi di uccelli acquatici. Aveva sentito dire che in fondo alla laguna stavano acquattati coccodrilli e ippopotami.

« Althuda, incontreremo i soldati lungo la strada? » domandò Hal.

« Di solito ci sono alcune guardie al primo ponte e una pattuglia è sempre appostata sul confine per sparare a tutti gli ottentotti che tentano di entrare », rispose Althuda senza alzare gli occhi dal moschetto che stava caricando.

Allora intervenne Sukeena, dicendo: « Oggi non ci saranno picchetti né pattuglie. È dall'alba che tengo d'occhio l'incrocio, e nessun soldato è andato a raggiungere il suo posto. Sono tutti troppo occupati a curarsi il mal di pancia ». Lanciò una risatina gaia, eccitata e tesa come tutti loro. All'improvviso si alzò di scatto nella carrozza per esclamare con voce sonora: « Libera! Per la prima volta in vita mia sono libera! » La treccia si era sciolta e i capelli le ricadevano sulle spalle. Aveva gli occhi che brillavano ed era così bella da incarnare il sogno segreto di tutti quei marinai vestiti di stracci.

Anche se l'acclamarono tutti: «Tu, ma anche noi, tesoro!» fu Hal quello che lei guardò con gli occhi ridenti.

Quando superarono l'abitato, furono preceduti da grida di allarme. «Attenzione! I pirati sono evasi! I pirati sono in fuga!» I bravi cittadini di Buona Speranza si sparpagliarono in fuga davanti a loro: le madri si precipitavano in strada per afferrare i figli e trascinarli in casa, mettendo il paletto alla porta e chiudendo le imposte.

«Ora siete al sicuro. Siete riusciti a fuggire. Vi prego, Sir Henry, perché non mi lasciate libera?» Katinka si era ripresa dallo shock quanto bastava per cercare di salvarsi la vita. «Vi giuro che non ho mai avuto intenzione di farvi del male. Vi ho salvato dalla forca e ho salvato anche Althuda. Farò tutto quello che dite, Sir Henry. Solo, liberatemi, per favore», piagnucolò, aggrappandosi allo sportello della carrozza.

«Ora puoi anche chiamarmi 'Sir' e farmi queste dichiarazioni di buona volontà, ma avresti dovuto farlo quando mio padre si è avviato al patibolo.» L'espressione di Hal era così gelida e implacabile che Katinka si ritrasse, ricadendo sul sedile accanto a Sukeena, singhiozzando come se avesse il cuore spezzato.

I marinai che correvano a fianco di Hal le gridarono tutto il loro odio e il loro disprezzo. «Volevi vederci impiccati, sgualdrina, e ora ti daremo in pasto ai leoni sulle montagne», gridò trionfante Billy Rogers.

Katinka singhiozzò ancora più forte, coprendosi il viso con le mani. «Non ho mai avuto intenzione di farvi del male. Vi prego, lasciatemi andare.»

La carrozza percorreva veloce la strada deserta, e davanti a loro non restavano che poche baracche e tuguri dell'insediamento, quando Althuda si alzò dal sedile, indicando un punto alle loro spalle sulla strada coperta di ghiaia. «Cavaliere in arrivo al galoppo!»

«Così presto?» borbottò Big Daniel, facendosi ombra agli occhi. «Non mi aspettavo che l'inseguimento cominciasse subito. Hanno anche la cavalleria da mandare sulle nostre tracce?»

«Non abbiate paura di questo, ragazzi», li rassicurò Aboli. «In tutta la colonia non ci sono più di venti cavalli, e noi ne abbiamo sei.»

«Aboli ha ragione. È un solo cavaliere!» gridò Wally Finch.

Il cavaliere lasciava un pallido nastro di polvere nell'aria dietro di sé, proteso sul collo del cavallo per spingerlo al massimo, usando il frustino che teneva nella destra per sferzarlo senza pietà. Era ancora lontano, ma Hal lo riconobbe dalla fascia che gli fluttuava dietro per la velocità del galoppo.

« Maria santissima, è Schreuder! Lo sapevo che ci avrebbe raggiunti presto. » Serrò le mascelle, pregustando lo scontro. « Quell'idiota è venuto da solo. Di cervello ne ha poco, ma quanto a fegato è senza pari. » Dal suo sedile Aboli intuì che cosa aveva in mente Hal dal modo in cui aveva socchiuso gli occhi e cambiato la presa sull'elsa della spada.

« Non sognarti neanche di tornare indietro a dargli soddisfazione, Gundwane! » esclamò Aboli in tono severo. « Metterai in pericolo tutti con qualsiasi ritardo. »

« So che tu pensi che non sono all'altezza di Schreuder, ma le cose sono cambiate, Aboli. Ora posso batterlo, ne sono certo dentro di me. » Ne era convinto anche Aboli, perché Hal non era più un ragazzo. I mesi di lavoro sulle mura lo avevano irrobustito e Aboli lo aveva visto tenere testa a Big Daniel. « Lasciami qui a sistemare questa faccenda, da uomo a uomo, e vi seguirò più tardi », gridò Hal.

« No, Sir Hal! » ribatté Big Daniel. « Forse potreste anche batterlo, ma non con quel morso alla gamba che lascia scoperto l'osso. Lasciate il duello con l'olandese a un altro momento. Ora abbiamo bisogno di voi. Ci sarà un centinaio di giubbe verdi che ci inseguono da vicino. »

« No! » fecero eco Wally e Stan. « Restate con noi, comandante. »

« Abbiamo riposto in voi la nostra fiducia », insistette Ned Tyler. « Non potremo mai farcela nel deserto senza un navigatore. Non potete abbandonarci adesso. »

Hal esitava, continuando a fissare con odio il cavaliere che si avvicinava in fretta alle loro spalle. Poi l'occhio gli cadde sul viso della ragazza nella carrozza. Sukeena lo fissava con gli enormi occhi scuri pieni di supplica. « Siete gravemente ferito. Guardate la gamba! » Si protese sullo sportello della carrozza, così da stargli molto vicino, e parlò a voce così bassa che lui riuscì appena a distinguere le parole in mezzo al fragore di uomini, ruote e cavalli. « Restate con noi, Gundwane. »

Lui abbassò gli occhi sul sangue e sul siero che sgorgavano dalle profonde ferite alla gamba. Mentre esitava ancora, Big Daniel corse indietro, saltando sullo scalino della carrozza.

« Lo sistemo io », disse, togliendo il moschetto carico dalle mani di Althuda. Impugnandolo, saltò dallo scalino sulla strada polverosa, dove rimase fermo, controllando la miccia accesa e la carica nel bacinetto. Se la prese comoda, mentre la carrozza si allontanava al trotto e il colonnello Schreuder si avvicinava al galoppo.

Nonostante tutte le suppliche e gli avvertimenti, Hal tornò indietro per intervenire. « Daniel, non uccidere quell'idiota! » Voleva spiegare che lui e Schreuder avevano un destino da compiere insieme. Era una questione di onore cavalleresco in cui nessun altro doveva interferire, ma non c'era tempo per esprimere un concetto così romantico.

Schreuder era ormai arrivato a portata di udito e si alzò sulle staffe. « Katinka! » gridò. « Non aver paura, sono venuto a salvarti, tesoro. Non ti lascerò mai fra le mani di questi criminali. »

Prese dalla fascia la pistola a trombone, esponendo la molla al vento per far divampare la miccia accesa, poi si allungò sul collo del cavallo tendendo in avanti il braccio armato di pistola. « Levati di mezzo, bestione! » gridò a Daniel, sparando. Il rinculo gli proiettò verso l'alto il braccio destro, mentre una coroncina di fumo azzurrino gli avvolgeva la testa; il proiettile andò a vuoto, colpendo il terreno a un passo dalla gamba destra di Daniel e facendo sollevare la ghiaia.

Schreuder mise da parte la pistola, sguainando la spada Nettuno dal fodero che portava al fianco. Gli intarsi d'oro sulla lama scintillarono mentre la brandiva. « Ti spaccherò la testa in due come un melone! » sbraitò, sollevando in alto la spada. Daniel posò un ginocchio a terra, lasciando che il cavallo del colonnello percorresse l'ultimo tratto che li divideva.

Troppo vicino, pensò Hal. Davvero troppo vicino. Se il moschetto fa cilecca, Danny è un uomo morto. Ma Daniel mantenne la mira, facendo scattare la molla. Per un attimo Hal pensò che il suo timore si fosse avverato; poi, con un'esplosione sonora, una fiammata e un pennacchio di fumo argenteo, il moschetto fece fuoco.

Forse Daniel aveva sentito il grido di Hal, o forse il cavallo era un bersaglio più grande e più sicuro del cavaliere in sella; in ogni caso aveva mirato all'ampio petto sudato dell'animale, e una volta tanto il pesante proiettile di piombo andò a segno. Il cavallo di Schreuder, lanciato alla carica, si accasciò sotto di lui, che fu proiettato in aria, ricadendo a terra con il viso e la spalla.

Il cavallo si dibatté scalciando, steso sul dorso, dimenando la testa da una parte all'altra mentre il cuore pompava sangue dalla ferita al petto. Poi la testa ricadde sul terreno con un tonfo e, con uno sbuffo finale, rimase immobile.

Schreuder giaceva inerte sulla strada assolata. Hal per un attimo ebbe paura che si fosse spezzato il collo, e per poco non corse indietro ad aiutarlo, ma Schreuder fece qualche movimento sconnesso e Hal esitò. La carrozza si stava allontanando rapidamente e i compagni gli gridavano: « Torna indietro, Gundwane! »

« Lasciate stare quel bastardo, Sir Henry. »

Daniel balzò in piedi, afferrando per il braccio Hal. « Non è morto, ma presto lo saremo noi se restiamo qui fermi ancora per molto », gli rammentò trascinandolo via.

Per i primi passi Hal resistette, tentando di liberarsi dalla mano di Daniel. « Non può finire così, non capisci, Danny? »

« Capisco benissimo », grugnì Big Daniel, e a quel punto Schreuder si mise a sedere stordito in mezzo alla strada. La ghiaia gli aveva spellato un lato del viso, ma cercava già di mettersi in piedi, vacillando e ricadendo, poi tentando di nuovo.

« Sta benissimo », osservò Hal, con un sollievo che lo sorprese, mentre si lasciava trascinare via da Daniel.

« Evviva! » esclamò Daniel mentre raggiungevano la carrozza. « Sta abbastanza bene da riprovarci la prossima volta che vi incontrerete. Di quello non ci libereremo tanto facilmente. »

Aboli frenò la carrozza per consentire loro di raggiungerla e Hal afferrò le briglie del cavallo di testa, facendosi sollevare da terra. Voltandosi indietro, vide Schreuder in piedi al centro della strada, impolverato e sanguinante. Inseguiva la carrozza barcollando come un uomo con una bottiglia di gin scadente in corpo, continuando a brandire la spada.

Si allontanarono da lui procedendo a un trotto sostenuto; Schreuder rinunciò al tentativo di raggiungere la carrozza, preferendo lanciarle dietro degli insulti: « Perdio, Henry Courteney, vi verrò dietro anche a costo di seguirvi fino alle porte dell'inferno! Vi tengo d'occhio, signore, vi porto nel cuore ».

« Quando verrete, portate con voi quella spada che mi avete rubato », gridò di rimando Hal. « È con quella che vi infilzerò come un porcellino di latte per farvi arrostire all'inferno. » I marinai scoppiarono in una risata scrosciante, salutando il colonnello con un assortimento di gesti osceni.

« Katinka, tesoro! » riprese Schreuder cambiando tono.

«Non disperare, ti salverò. Te lo giuro sulla tomba di mio padre. Ti amo più della mia stessa vita.»

Durante tutta la sparatoria e lo scambio di urla, van de Velde era rimasto rannicchiato sul fondo della carrozza, ma ora si issò di nuovo sul sedile, lanciando un'occhiata di odio alla figura malconcia sulla strada. «È pazzo, forse? Come osa rivolgersi a mia moglie in termini così disgustosi?» Si girò verso Katinka con il viso paonazzo e la pappagorgia tremolante. «*Mevrou*, spero che non abbiate offerto il destro a quel bellimbusto di concedersi una simile licenza.»

«Vi assicuro, *mjnheer*, che il suo linguaggio e il suo tono sono uno shock per me quanto per voi. Ne sono molto offesa, e vi imploro di richiamarlo severamente alla prima occasione», rispose Katinka, aggrappandosi allo sportello della carrozza con una mano e alla cuffietta con l'altra.

«Farò di meglio, *mevrou*. S'imbarcherà sulla prima nave in partenza per Amsterdam. Non posso tollerare una simile impertinenza. Inoltre è lui il responsabile della situazione in cui ci troviamo. Come comandante del castello ha la responsabilità dei prigionieri e la loro fuga è dovuta alla sua incompetenza e trascuratezza. Quell'essere ignobile non ha il diritto di parlarti in questo modo.»

«Oh, sì che lo ha», intervenne Sukeena in tono soave. «Il colonnello Schreuder ha dalla sua il diritto di conquista. Vostra moglie si è trovata tanto spesso sotto di lui con le gambe in aria da concedergli il diritto di chiamarla tesoro, o addirittura sgualdrina e prostituta, se fosse in vena di maggiore onestà.»

«Zitta, Sukeena!» strillò Katinka. «Sei uscita di senno? Ricordati qual è il tuo posto. Sei una schiava.»

«No, *mevrou*, non sono più una schiava. Ora sono libera e vi tengo prigioniera, quindi posso dirvi tutto quello che mi pare, soprattutto se è la verità.» Si rivolse a van de Velde. «Vostra moglie e il prode colonnello hanno ruzzato in modo così plateale da deliziare tutti i pettegoli della colonia. Vi hanno piazzato sulla testa un paio di corna troppo grandi perfino per il vostro corpaccione deforme.»

«Ti farò frustare», gorgogliò van de Velde, sull'orlo di un colpo apoplettico. «Sgualdrina di una schiava!»

«Niente affatto», ribatté Althuda, puntando la scimitarra contro la pancia pendula del governatore. «Anzi, farete le scuse a mia sorella per questo insulto.»

« Scusarmi con una schiava? Mai! » disse van de Velde con voce tonante, ma stavolta Althuda lo punzecchiò con forza maggiore, e il ruggito del governatore si trasformò in uno squittio, simile a quello dell'aria che sfugge da una vescica di maiale.

« Non con una schiava, ma con una principessa di Bali nata libera », lo corresse Althuda. « E fate presto. »

« Vi chiedo scusa, signora », brontolò van de Velde a denti stretti.

« Troppo gentile, signore. » Sukeena gli sorrise e van de Velde sprofondò di nuovo nel sedile senza aggiungere una parola, ma fissando la moglie con uno sguardo velenoso.

Una volta che si furono lasciati alle spalle l'abitato, il fondo stradale peggiorò rapidamente. Era segnato da profondi solchi di ruote, lasciati dai carri della Compagnia che andavano a fare rifornimento di legna da ardere, sui quali la carrozza oscillava e rollava pericolosamente. Lungo la laguna, poi, l'acqua si era infiltrata nella carreggiata, trasformando i solchi in trincee melmose. In molti punti i marinai furono costretti a sollevare di peso le ruote posteriori per aiutare i cavalli a trainare la vettura. Era già mattina avanzata quando videro davanti a sé la struttura del ponte di legno che superava il primo fiume.

« Soldati! » gridò Aboli. Dal suo sedile alto, aveva scorto lo scintillio delle baionette e le sagome degli elmi.

« Solo quattro », precisò Hal. Aveva ancora la vista più acuta di tutti. « Non devono aspettarsi noie da questa direzione. » Aveva ragione. Il caporale che comandava la pattuglia di guardia al ponte si fece avanti, perplesso ma non allarmato, con la spada ancora nel fodero e la miccia della pistola spenta. Hal e gli altri disarmarono lui e i suoi soldati, spogliandoli della divisa e rimandandoli verso la colonia con una scarica di moschetto sparata al di sopra della loro testa.

Mentre Aboli guidava la carrozza sul ponte, affrontando l'accidentato sentiero sulla riva opposta, Hal e Ned Tyler scesero sotto la struttura in legno per legare un barilotto di polvere sotto il puntone centrale in legno massiccio. Quando gli parve giunto il momento, Hal usò il calcio della pistola per sfondare il barile e inserirvi un breve tratto di miccia a lenta combustione, poi l'accese, prima di risalire sulla strada insieme a Ned per raggiungere la carrozza.

Ora la gamba faceva soffrire molto Hal. Era gonfia e dolente, ma lui continuava a guardare indietro mentre zoppicava nella sabbia, sprofondando fino alla caviglia. Il centro del ponte esplose all'improvviso in uno zampillo di fango, acqua, assi frantumate e travi, poi i detriti precipitarono nel fiume.

« Questo non fermerà a lungo il buon colonnello, ma almeno lo costringerà a bagnarsi le brache », brontolò Hal mentre raggiungevano la carrozza. Althuda scese con un balzo, gridandogli: « Prendete il mio posto, non dovete sforzare quella gamba ».

« La mia gamba non ha niente che non vada », protestò Hal.

« A parte il fatto che riesce a stento a reggere il vostro peso », ribatté Sukeena, sporgendosi dallo sportello. « Salite subito, Gundwane, altrimenti la danneggerete per sempre. »

Docilmente, Hal salì in carrozza, prendendo posto accanto a Sukeena. Senza guardare i due, Aboli sogghignò fra sé. Lei gli dà già ordini e lui obbedisce; a quanto pare, quei due filano col vento in poppa.

« Fatemi dare un'occhiata a quella gamba », ordinò Sukeena, e Hal l'appoggiò sul sedile fra lei e Katinka.

« Bada a come ti comporti, zoticone! » scattò Katinka, scostando le gonne. « Mi macchierai di sangue il vestito. »

« Se non tieni a freno la lingua, non sarà la sola cosa che macchierò di sangue », le assicurò Hal, fissandola con un cipiglio severo. Lei si rifugiò nell'angolino più lontano del sedile.

Sukeena si diede da fare intorno alla gamba con mani agili e sicure. « Dovrei applicare un cataplasma bollente su questi morsi, perché sono profondi e certamente suppureranno. Ma ho bisogno di acqua bollita. » Guardò Hal.

« Allora dovrete aspettare che raggiungiamo le montagne », le disse lui. Poi la conversazione cessò, e per qualche istante si guardarono negli occhi, perplessi. Era la prima volta che si trovavano così vicini, e ciascuno dei due trovava nell'altro qualcosa che lo stupiva e lo riempiva di gioia.

Poi Sukeena si riscosse. « Ho le medicine nelle sacche da sella », disse in tono vivace, chinandosi oltre la spalliera del sedile per raggiungere il baule sul retro della carrozza e restando così piegata in avanti, in precario equilibrio, mentre frugava nelle borse di cuoio. La carrozza sussultava sulla pista accidentata, e Hal fissava emozionato il sederino rotondo della ragazza, puntato verso il cielo. Nonostante le gale e le sottogonne che lo nascondevano, lo immaginava incantevole quanto il viso.

Lei tornò a sedersi tenendo fra le mani alcune pezzuole e un flacone scuro. « Pulirò le ferite con questa tintura e poi le fasceremo », spiegò, senza guardare di nuovo quegli occhi verdi che la turbavano.

« Basta! » gemette Hal non appena sentì l'effetto della tintura. « Brucia come l'alito del diavolo. »

Sukeena lo sgridò. « Avete sopportato la frusta, i colpi di pistola e di spada e l'aggressione di un animale, e poi alla prima goccia di medicina vi mettete a frignare come un bambino. State fermo, adesso. »

Il viso di Aboli si contrasse, trasformandosi in un labirinto di tatuaggi e increspature provocate dal riso, ma sebbene le sue spalle sussultassero, riuscì a mantenere l'andatura.

Intuendo il suo divertimento, Hal si rivolse a lui. « Quanto manca ancora alla siepe di mandorli amari? »

« Una lega. »

« E Sabah ci aspetterà lì? »

« Spero, se le giubbe verdi non ci raggiungono prima. »

« Secondo me avremo un po' di respiro. Schreuder ha commesso un errore lanciandosi all'inseguimento da solo. Avrebbe dovuto radunare le sue truppe e inseguirci in modo ordinato. A mio parere il grosso delle giubbe verdi darà la caccia agli altri prigionieri che abbiamo liberato, e si concentreranno su di noi solo quando prenderà il comando Schreuder. »

« E lui è rimasto appiedato », aggiunse Sukeena. « Penso che ce la faremo a uscire e, una volta raggiunte le montagne... » S'interruppe, sollevando gli occhi dalla gamba di Hal; insieme, guardarono l'imponente bastione azzurrino che riempiva il cielo all'orizzonte.

Van de Velde aveva seguito avidamente la loro conversazione, e a quel punto intervenne. « La schiava ha ragione. Il vostro piano era ben congegnato e ha avuto successo, purtroppo. Comunque io sono un uomo ragionevole, Henry Courteney. Liberate subito mia moglie e me, consegnateci la carrozza e lasciateci tornare alla colonia, e in cambio vi giuro solennemente che sospenderò le ricerche, ordinando al colonnello Schreuder di ricondurre gli uomini in caserma. » Rivolse a Hal quella che sperava fosse un'espressione aperta e leale. « Vi do la mia parola di gentiluomo. »

Negli occhi del governatore Hal lesse l'astuzia e la malizia. « Vostra eccellenza, non sono troppo sicuro della validità del vostro diritto di rivendicare il titolo di gentiluomo, e inoltre detesto l'idea di esser privato così presto della vostra affascinante compagnia. »

In quel momento una delle ruote anteriori della carrozza sprofondò in una buca della pista. « Sono stati gli *aardvark* a scavare questi solchi », spiegò Althuda, mentre Hal scendeva dalla vettura rimasta in bilico.

« E che razza di uomini o di bestie sono? »

« Oritteropi, bestie con il muso allungato e la coda spessa, che scavano nei formicai con i loro artigli possenti e divorano le formiche risucchiandole con la lunga lingua vischiosa », spiegò Althuda.

Hal rovesciò la testa all'indietro, ridendo. « Certo, ci credo. Così come credo che il tuo formichiere vola, balla la contraddanza e predice il futuro con le carte. »

« Hai ancora qualche cosetta da imparare sulla terra che si stende laggiù, amico mio », gli assicurò Althuda.

Continuando a ridacchiare, Hal gli volse le spalle. « Forza, ragazzi! » gridò ai suoi marinai. « Disincagliamo questa nave dalle secche e rimettiamo la prua al vento. »

Ordinò a van de Velde e Katinka di smontare, poi si misero tutti al lavoro con i cavalli per liberare la carrozza, ma da quel momento in poi la pista divenne impraticabile, e la boscaglia ai lati si fece sempre più alta e fitta man mano che avanzavano. In meno di un miglio, rimasero impantanati ancora due volte.

« È quasi ora di liberarsi della carrozza. Col caval di san Francesco possiamo procedere più in fretta », disse sottovoce Hal ad Aboli. « Quanto manca ancora alla siepe? »

« Ormai dovremmo averla già raggiunta. Non manca molto. » Infatti raggiunsero il confine appena superata la curva successiva della pista. La famosa siepe di mandorli amari era un'escrescenza rada e stenta, che raggiungeva appena l'altezza della spalla, ma in ogni caso era lì che la strada si fermava bruscamente. C'era anche una rudimentale capanna che doveva servire da posto di guardia per il picchetto di confine, e un cartello in olandese.

ATTENZIONE! cominciava il cartello, in vistose lettere rosse, continuando con la proibizione a chiunque di superare quel punto e l'indicazione delle pene previste per i trasgressori, dal carcere al pagamento di una multa di mille *gulden*, o tutt'e due. Il cartello era stato posto a cura del governatore della Compagnia olandese delle Indie Orientali.

Hal abbatté con un calcio la porta del corpo di guardia, scoprendo che era deserto. Il fuoco era spento e il focolare freddo. Sugli attaccapanni c'erano alcuni capi di vestiario che facevano parte dell'uniforme della compagnia, e sui carboni spenti era posata una pentola nera, con coppe, bottiglie e utensili assortiti sparsi sul rozzo tavolo di legno o sulle mensole alle pareti.

Big Daniel stava per accostare l'estremità della miccia accesa alla paglia del tetto, ma Hal lo trattenne. « Non ha senso fornire a Schreuder una traccia di fumo da seguire, e poi qui non c'è niente di valore. Lascia perdere », gli disse, prima di raggiungere zoppicando i marinai che scaricavano la carrozza.

Aboli stava staccando i cavalli e Ned Tyler lo aiutava a improvvisare delle some per loro, usando i finimenti, le parti in cuoio e il tettuccio in tela della carrozza.

Katinka, rimasta seduta al fianco del marito, aveva un'aria desolata. « Che ne sarà di me, Sir Henry? » mormorò vedendolo avvicinarsi.

« Alcuni degli uomini vorrebbero portarti sulle montagne per darti in pasto agli animali selvaggi », ribatté lui. Katinka si portò la mano alle labbra, impallidendo. « Altri vorrebbero tagliarti la gola, qui e subito, per quello che tu e quel grasso rospo di tuo marito ci avete fatto. »

« Voi non permettereste mai una cosa del genere », intervenne van de Velde in tono spavaldo. « Ho fatto solo il mio dovere. »

« Avete ragione. Penso che tagliarvi la gola sia un gesto troppo clemente. Preferisco di gran lunga impiccarvi e squartarvi, come avete fatto voi con mio padre. » Lanciò un'occhiata gelida a van de Velde, che rimase sgomento. « Comunque mi accorgo di essere nauseato dalla vostra presenza. Non voglio avere ancora a che fare con nessuno dei due, quindi lascio voi e la vostra bella moglie alla mercé di Dio, del diavolo e dell'amorevole colonnello Schreuder. » Voltando le spalle, si allontanò per raggiungere Aboli e Ned, impegnati a controllare e consolidare i carichi sui cavalli.

Tre dei grigi portavano sul dorso due barilotti di polvere da sparo a testa, altri due trasportavano fagotti di armi e il sesto era carico delle voluminose sacche di Sukeena.

« Tutto a posto, comandante. » Ned corrugò la fronte. « Al vostro ordine possiamo salpare l'ancora e metterci in viaggio. »

« Non c'è niente che ci trattenga qui. La principessa Sukeena cavalcherà il cavallo di testa.» Si guardò attorno, cercandola. «Dov'è?»

«Sono qui, Gundwane.» Sukeena uscì dal riparo offerto dalla baracca delle guardie. «E non ho bisogno di trattamenti di favore. Andrò a piedi come tutti voi.»

Hal vide che si era liberata dell'abito lungo: ora indossava un paio di calzoni a sbuffo, tipici dell'isola di Bali, e una camicia di cotone larga e lunga fino alle ginocchia. Si era legata una fascia di tessuto intorno ai capelli, e ai piedi portava solidi sandali di cuoio, comodi per camminare. Gli uomini sbirciavano la linea dei polpacci inguainati nei calzoni, ma lei, ignorando le loro occhiate di pesante apprezzamento, prese le redini del cavallo più vicino per guidarlo verso il varco nella siepe di mandorli amari.

«Sukeena!» Hal avrebbe voluto fermarla, ma lei riconobbe il tono e lo ignorò. Hal riconobbe l'assurdità di insistere, moderando saggiamente l'ordine successivo. «Althuda, tu sei l'unico che conosce la strada da qui in poi. Procedi in testa, insieme a tua sorella.»

Althuda corse a raggiungerla, e insieme fratello e sorella li guidarono nel territorio selvaggio e ignoto che si stendeva oltre la siepe.

Hal e Aboli chiudevano la colonna che si snodava fra la folta boscaglia e il *bush*. Nessun uomo aveva percorso di recente quel sentiero, che era stato aperto dagli animali selvaggi; i segni dei loro zoccoli e delle loro zampe erano evidenti sul soffice terreno sabbioso, e i loro escrementi costellavano la pista.

Aboli riconosceva ciascuno di quegli animali dalle impronte, e li indicò a Hal, mentre avanzavano di buon passo. «Questo è il leopardo, e quella è l'orma dell'antilope con le corna ritorte che noi chiamiamo kudu. Se non altro, non moriremo di fame», assicurò. «In questa terra c'è selvaggina in abbondanza.»

Quella era la prima occasione che avevano di parlare dall'inizio della fuga, e Hal gli chiese sottovoce: «Questo Sabah, l'amico di Althuda... che cosa sai di lui?»

«Conosco soltanto i messaggi che ha mandato.»

«Non avrebbe dovuto venirci incontro al confine?»

«Ha detto solo che ci avrebbe condotti fra le montagne. Mi aspettavo che si facesse trovare al confine», ammise con una scrollata di spalle, «ma dal momento che abbiamo Althuda con noi, non c'è bisogno di lui.»

Avanzavano in fretta, con la giumenta grigia che trottava agile, mentre loro si aggrappavano ai suoi finimenti e correvano al suo fianco. Ogni volta che superavano un albero che poteva reggerne il peso, Aboli si arrampicava in cima per guardare indietro, alla ricerca di tracce degli eventuali inseguitori, ma ogni volta scendeva scuotendo la testa.

« Schreuder verrà », gli disse Hal. « Ho sentito dire che quelle sue giubbe verdi possono correre più veloci di un uomo a cavallo. Verranno. »

Avanzarono a ritmo costante attraverso la pianura, fermandosi solo presso le pozze d'acqua fangosa che incontravano. Hal si aggrappava al cavallo per non affaticare la gamba ferita e, mentre zoppicava al suo fianco, Aboli gli raccontò tutto quello che era accaduto nei mesi in cui erano rimasti separati. Hal restò in silenzio mentre l'amico gli descriveva, nel suo linguaggio, come aveva recuperato il corpo di Sir Francis dal patibolo e il funerale che gli aveva tributato. « È stato il funerale di un grande capo. L'ho rivestito della pelle di un bufalo nero, sistemando a portata di mano la sua nave e le armi. Gli ho lasciato acqua e cibo per il viaggio, e davanti ai suoi occhi ho messo la croce del suo Dio. »

Hal aveva la gola troppo stretta dalla commozione per ringraziarlo di quello che aveva fatto.

Il giorno continuava a trascorrere, e la loro avanzata rallentò, man mano che uomini e cavalli si stancavano, avanzando su quel terreno molle e sabbioso. Al primo acquitrino dove si fermarono per riposare qualche minuto, Hal prese in disparte Sukeena.

« Siete stata forte e coraggiosa, ma non avete le gambe lunghe come noi, e ho notato che incespicate per la stanchezza. D'ora in poi dovete andare a cavallo. » Quando lei fece per protestare, glielo impedì con fermezza. « Vi ho obbedito per quanto riguardava le ferite, ma per tutto il resto il comandante sono io, e dovete fare come dico io. D'ora in poi andrete a cavallo. »

Gli occhi della ragazza scintillarono. Eseguì quel suo piccolo gesto aggraziato di sottomissione, unendo la punta delle dita e portandola alle labbra, mentre rispondeva: « Come volete, padrone », e si lasciava issare sul grigio di testa, sopra le sacche da sella.

Dopo aver costeggiato la palude proseguirono, accelerando l'andatura. Aboli si arrampicò ancora due volte su un albero per guardare indietro, senza vedere tracce di inseguitori. Contro il proprio istinto naturale, Hal cominciava a sperare che fossero riusciti a eluderli, che avrebbero potuto raggiungere le montagne che si profilavano all'orizzonte, sempre più vicine e più alte, senza subire ulteriori molestie.

Verso la metà del pomeriggio attraversarono un vasto *vlei*, un prato di erba verde e corta, nel quale pascolavano branchi di antilopi dalle corna a scimitarra. All'arrivo della carovana di uomini e cavalli, le antilopi alzarono la testa restando immobili, con gli occhi sbarrati per lo stupore, il manto di un colore grigio-azzurro cangiante alla luce pomeridiana.

«Neppure io ho mai visto bestie di quella specie», ammise Aboli.

Mentre il branco si dava alla fuga davanti a loro, avvolto in una nube di polvere sollevata dalla corsa, Althuda gridò, voltandosi verso di loro: «Sono quelle che gli olandesi chiamano *blaauwbok*, cioè antilopi azzurre. Ne ho visto grandi branchi sulle pianure al di là dei monti».

Oltre il *vlei*, il terreno cominciava a salire, formando una serie di creste ondulate, verso i contrafforti della catena montuosa. Si diressero verso la prima cresta, seguiti a fatica da Hal, che si trascinava in fondo alla colonna. Ormai avanzava con difficoltà e con evidente sofferenza. Aboli vide che aveva il viso congestionato dalla febbre, ora che la benda applicata sulla gamba da Sukeena lasciava filtrare sangue e siero.

Raggiunta la sommità della cresta rocciosa, Aboli ordinò una sosta. Si voltarono tutti a guardare la grande montagna della Tavola, che dominava l'orizzonte a ovest, mentre sulla sinistra si apriva l'ampia falce azzurra della baia Falsa. Tuttavia erano troppo sfiniti per dedicare molto tempo ad ammirare il paesaggio circostante. I cavalli rimasero in piedi, a testa bassa, gli uomini si gettarono a terra, dovunque riuscivano a trovare un tratto in ombra. Sukeena scivolò giù dalla sua cavalcatura, affrettandosi a raggiungere Hal, che si era accasciato al suolo appoggiando la schiena al tronco di un alberello; inginocchiatasi di fronte a lui, gli tolse la benda dalla gamba, restando senza fiato nel vedere com'era gonfia e infiammata. Dopo aver annusato le ferite che trasudavano, gli parlò in tono severo.

«Non potete più camminare con questa gamba. Dovete proseguire a cavallo, come avete imposto di fare a me.» Poi alzò la testa per guardare Aboli. «Accendi un fuoco per bollire l'acqua», gli ordinò.

«Non abbiamo tempo per queste idiozie», mormorò Hal senza convinzione, ma tutti lo ignorarono. Aboli accese un fuocherello con la miccia di un moschetto, posandovi sopra un boccale di latta pieno d'acqua. Appena raggiunse il bollore, Sukeena la usò per preparare un impiastro con le erbe che aveva nella borsa, spalmandolo su un panno ripiegato, e applicò il panno ancora bollente sulle ferite di Hal, che gemette protestando: «Giuro che preferirei farmi pisciare sulla gamba da Aboli, piuttosto che farmi scottare dai vostri intrugli infernali».

Sukeena ignorò il suo linguaggio sboccato, continuando a darsi da fare per fissare l'impiastro alla gamba con un panno pulito. Poi prese dalle sacche una pagnotta e alcune salsicce secche, tagliandole a fette e preparando pane e salsiccia per tutti.

«Che Dio vi benedica, principessa», disse Big Daniel prima di prendere la sua porzione, sfiorandosi la fronte con le nocche della mano.

«Che Dio vi protegga, principessa», gli fece eco Ned, e tutti gli altri adottarono quel nome. Da allora in poi, per loro fu Principessa, e quei rudi lupi di mare cominciarono a considerarla con crescente considerazione e affetto.

«Potete mangiare anche continuando a marciare, ragazzi.» Con uno sforzo di volontà, Hal si alzò in piedi. «Siamo stati fortunati troppo a lungo, presto il diavolo vorrà la sua parte.» Gemendo e borbottando, seguirono tutti il suo esempio.

Mentre Hal aiutava Sukeena a montare in sella, Daniel lanciò un grido di avvertimento. «Eccoli che arrivano, finalmente.» Indicò un punto alle loro spalle, all'altezza dell'ampio *vlei*, in fondo al pendio. Hal spinse Sukeena in sella, in mezzo alle sacche, prima di avviarsi zoppicando verso la retroguardia della colonna. Guardando in basso, vide la lunga fila di uomini che sbucavano correndo dall'orlo della boscaglia per attraversare il terreno aperto. Erano guidati da un solo cavaliere, che procedeva al trotto.

«È di nuovo Schreuder. Ha trovato un'altra cavalcatura.» Anche a quella distanza, il colonnello era inconfondibile; stava in sella tenendosi eretto, con arroganza, mentre dalla posizione delle spalle e dal modo in cui alzava la testa per guardare in su verso il pendio emanava una sensazione di volontà omicida. Era evidente che non li aveva ancora individuati, nascosti com'erano nella folta boscaglia.

«Quanti uomini ha con sé?» chiese Ned Tyler, e tutti guardarono Hal, aspettandosi che li contasse. Lui socchiuse gli occhi osservandoli mentre uscivano dal folto; con il loro trotto leggero mantenevano facilmente il passo con il cavallo di Schreuder.

« Venti », annunciò.

« Come mai così pochi? » domandò Big Daniel.

« Quasi certamente Schreuder ha scelto i più veloci per incalzarci da vicino. Gli altri li seguiranno al massimo delle loro possibilità. » Hal si fece ombra agli occhi con la mano. « Sì, perdio, eccoli là, una lega più indietro rispetto al primo plotone, ma veloci anche loro. Riesco a vedere la polvere che sollevano e la forma dell'elmo al di sopra della boscaglia. Quel secondo distaccamento deve contare cento uomini, o anche più. »

« Venti uomini possiamo sistemarli », brontolò Big Daniel. « Ma cento di quelle micidiali giubbe verdi sono più di quello che riesco a far fuori per colazione senza ruttare. Quali sono gli ordini? »

Tutti gli uomini fissarono Hal.

Lui prese tempo prima di rispondere, studiando con attenzione la disposizione del terreno e la sua consistenza prima di rispondere: « Mastro Daniel, prendi il resto del gruppo, insieme con Althuda che ti farà da guida. Aboli e io resteremo qui con un cavallo per rallentare la loro avanzata. »

« Non possiamo distanziarli. Ce l'hanno già dimostrato, capitano », protestò Daniel. « Non sarebbe meglio combattere qui? »

« Questi sono gli ordini. » Hal gli rivolse un'occhiata gelida come l'acciaio.

Daniel si portò di nuovo le nocche alla fronte, rispondendo: « Sì, capitano », poi si rivolse agli altri. « Avete sentito gli ordini, ragazzi ».

Hal raggiunse zoppicando il punto in cui Sukeena era rimasta ferma in sella, con Althuda che stringeva in mano le redini. « Voi dovete proseguire, qualunque cosa accada. Non tornate indietro per nessun motivo », ordinò ad Althuda, prima di sorridere rivolto a Sukeena. « Neanche se ve lo ordina sua altezza reale. »

Lei non ricambiò il sorriso, ma si protese in avanti per sussurrargli: « Vi aspetterò sulla montagna. Non fatemi aspettare troppo ».

Althuda guidò di nuovo in avanti la colonna di cavalli; mentre superavano la linea dell'orizzonte, si sentì un grido lontano provenire dal *vlei*, in basso.

«E così ci hanno scoperti, finalmente», borbottò Aboli.

Hal si diresse verso l'unico cavallo rimasto, sciogliendo dalle corde uno dei barilotti di polvere da sparo da cinquanta libbre. Calandolo a terra, ordinò ad Aboli: «Prendi il cavallo e segui gli altri. Fa' in modo che Schreuder ti veda, poi legalo in un punto oltre la sommità della cresta e torna da me».

Fece rotolare il barilotto fino all'affioramento roccioso più vicino, dove si rannicchiò. Facendo capolino dal riparo, studiò di nuovo il pendio ai suoi piedi, prima di dedicare tutta l'attenzione a Schreuder e alla sua banda di giubbe verdi. Erano già molto più vicini, e si accorse che due ottentotti precedevano il cavallo di Schreuder, osservando il terreno e seguendo esattamente il percorso tracciato dal gruppo di Hal.

Leggono le nostre tracce sul terreno come i cani sulla pista del cervo, pensò. Saliranno lungo lo stesso sentiero che abbiamo seguito noi.

In quel momento Aboli tornò indietro, accovacciandosi al suo fianco. «Il cavallo è legato e gli altri sono in cammino. Allora, qual è il tuo piano, Gundwane?»

«È così semplice che non c'è bisogno di spiegartelo», rispose Hal, togliendo lo zipolo al barilotto con la punta della spada e svolgendo la miccia che si era legato intorno alla cintola. «L'incognita è questa miccia: o brucia troppo in fretta, o troppo lentamente. Comunque correrò il rischio di usarne tre dita», mormorò, misurando e poi tagliando un tratto di miccia. Lo fece rotolare dolcemente fra i palmi nel tentativo di indurlo a bruciare in modo regolare, poi ne infilò un'estremità nel cocchiume del barilotto, fermandola con lo zipolo di legno.

«È meglio fare in fretta, Gundwane. Il tuo vecchio allenatore di scherma, Schreuder, ha una gran fretta di fare un altro incontro.»

Alzando gli occhi, Hal si accorse che gli inseguitori avevano attraversato il prato e stavano già risalendo il pendio verso di loro. «Non farti vedere», gli raccomandò. «Voglio lasciarli avvicinare il più possibile.» I due rimasero distesi bocconi, scrutando il fianco della collina. Schreuder, alto sulla sella, era ben visibile, mentre i due cercatori di tracce che lo avevano guidato fin lì erano nascosti dalla cintola in giù dalla boscaglia e dagli arbusti in fiore. Quando si avvicinarono, Hal riuscì a distinguere i segni lasciati dalla ghiaia sul viso di Schreuder, gli strappi e le macchie di terriccio sull'uniforme. Non aveva più né cappello né parrucca, che probabilmente aveva perso lungo la strada, forse nella caduta. Pur essendo vanitoso, non aveva perso tempo a cercare di ritrovarli.

Il sole gli aveva già arrossato la testa rasata e il cavallo era ricoperto di schiuma, forse perché non si era curato di abbeverarlo durante il lungo inseguimento. Si avvicinò ancora di più, tenendo lo sguardo fisso sulla cresta che i fuggiaschi avevano superato sotto i suoi occhi. Il suo viso era una maschera di pietra, ma Hal comprese che si lasciava trascinare dal suo temperamento vulcanico, pronto a correre qualunque rischio e ad affrontare qualunque pericolo.

Sul ripido pendio persino gli instancabili cercatori cominciarono a rallentare. Hal vedeva il loro viso, dai lineamenti asiatici, schiacciato e giallastro, inondato di sudore; li sentiva ansimare.

«Su, forza, furfanti!» li pungolava Schreuder. «Li lascerete scappare. Più veloci! Correte più veloci!» E i due risalirono il pendio arrampicandosi a fatica.

«Bene!», mormorò Hal. «Continuano a seguire fedelmente le nostre tracce, come speravo.» Bisbigliò le istruzioni finali ad Aboli. «Ma aspetta finché non ti darò l'ordine», lo ammonì.

Si avvicinarono ancora, al punto che Hal poteva sentire lo schiocco dei piedi nudi degli ottentotti sul terreno, il cigolio dei finimenti di Schreuder e il tintinnio dei suoi speroni. L'altro si fece ancora più sotto, fin quando Hal non vide una per una le gocce di sudore che decoravano le punte dei baffi e le venuzze negli occhi azzurri e sporgenti, mentre fissava lo sguardo ossessivo e furioso sulla linea della cresta all'orizzonte, ignorando il nemico che era in agguato molto più vicino.

«Pronti!» mormorò Hal, accostando alla fiamma la miccia del barilotto di polvere. Questa prese fuoco, tossicchiò, poi cominciò a bruciare regolarmente, mentre la fiammella correva lungo il breve tratto di miccia fino al foro nel barilotto.

«Adesso, Aboli!» scattò. L'altro afferrò il barilotto balzando in piedi quasi sotto gli zoccoli del cavallo di Schreuder. I due ottentotti urlarono sorpresi, allontanandosi dal sentiero, mentre il cavallo si impennava e scalciava, proiettando Schreuder in avanti.

Per un attimo Aboli rimase immobile, tenendo il barilotto sospeso sopra la testa con le mani, mentre la miccia sibilava e sfrigolava come una vipera soffiante, emettendo una nuvoletta di fumo che circondò la sua grossa testa tatuata come un'aureola azzurrina; poi lo scagliò lungo il pendio. Il barilotto rotolò pigramente nell'aria prima di cadere sul terreno roccioso e rimbalzare, saltando e acquistando sempre più velocità. Piombò quasi sul muso del cavallo di Schreuder, che scalciò di nuovo proprio quando il cavaliere aveva appena recuperato l'equilibrio. Schreuder fu proiettato di nuovo in avanti, perse una staffa e rimase goffamente in bilico sulla sella, di traverso.

Con una giravolta, il cavallo si lanciò giù per il pendio, rischiando di travolgere il plotone di fanteria che lo seguiva da vicino. Quando il cavallo impazzito e il barilotto pieno di polvere che rotolava li investirono, la colonna di giubbe verdi lanciò un urlo sbigottito. Compresero tutti che la miccia fumante era il preludio a una spaventosa detonazione che li avrebbe investiti fra pochi secondi, quindi si diedero alla fuga sparpagliandosi qua e là. Quasi tutti si diressero istintivamente verso il basso, invece di cercare scampo ai lati, e il barilotto li superò, rimbalzando in mezzo alla colonna.

Il cavallo di Schreuder scivolava e slittava per la discesa, con le zampe posteriori contratte. Le redini sfuggirono dalla mano del cavaliere, mentre l'altra perse la presa precaria che aveva mantenuto sul pomo della sella. Schreuder cadde a terra, lontano dagli zoccoli della sua cavalcatura, e proprio in quel momento il barilotto esplose. La caduta gli salvò la vita, perché era rotolato al riparo di un basso affioramento roccioso e l'onda d'urto dell'esplosione passò sopra di lui.

Invece investì in pieno la massa di soldati in rotta. Quelli più vicini furono scagliati a terra e proiettati in aria come foglie che bruciano in un falò. Gli abiti furono strappati dai corpi dilaniati e un braccio staccato dal corpo volò in aria, ricadendo ai piedi di Hal. Lui e Aboli furono gettati a terra dalla forza dell'esplosione. Con le orecchie che gli ronzavano, Hal si raddrizzò per fissare costernato la devastazione che avevano creato.

Non uno dei nemici era rimasto in piedi. «Perdio, li hai uccisi tutti!» esclamò Hal, ma quasi subito grida confuse e lamenti si levarono fra i cespugli schiacciati. Prima uno, poi altri soldati nemici si alzarono, barcollando in preda allo shock.

«Vieni via!» Aboli afferrò Hal per il braccio, trascinandolo verso la sommità della cresta. Prima di superarla, però, Hal guardò indietro, notando che Schreuder si era già rialzato. Barcollava come un ubriaco, vicino alla carcassa mutilata del suo cavallo, ma era ancora così stordito che, sotto gli occhi di Hal, le gambe gli cedettero e si sedette di schianto fra i rami spezzati e le foglie sparse, prendendosi il viso fra le mani.

Aboli lasciò libero Hal, passando la spada nella mano destra. «Posso tornare indietro a finirlo», ringhiò, ma la proposta riscosse Hal dallo stordimento.

«Lascialo stare! Non sarebbe onorevole ucciderlo mentre è incapace di difendersi.»

«Allora andiamo, e in fretta. Forse abbiamo tolto di mezzo questo gruppo, ma, come puoi vedere, il resto delle giubbe verdi non è molto lontano.»

Hal si asciugò il viso dal sudore e dalla polvere, battendo le palpebre per schiarirsi la vista, e constatò che Aboli aveva ragione. La nube di polvere sollevata dal secondo distaccamento nemico aleggiava sulla boscaglia delle pianure, dalla parte opposta del *vlei*, ma si avvicinava in fretta.

«Se corressimo forte adesso, potremmo riuscire a tenerli a distanza fino al calar della notte, quando dovremmo trovarci già fra le montagne», calcolò Hal.

Pochi passi più avanti, incespicò, mentre la gamba ferita cedeva sotto il suo peso. Senza dire una parola, Aboli lo sostenne col braccio per aiutarlo a superare il tratto accidentato, raggiungendo il punto in cui aveva legato il cavallo. Stavolta Hal non protestò quando l'amico lo issò sul dorso dell'animale, prendendo le redini.

«Da che parte?» domandò Hal. Davanti ai suoi occhi la barriera montuosa si era suddivisa in un labirinto di dirupi e bastioni di roccia che sfioravano il cielo, di pareti rocciose e gole profonde in cui crescevano folte strisce di foresta e di boscaglia intricata. In quel caos, non riusciva a distinguere un sentiero o un passo.

«Althuda conosce la strada, ci ha lasciato dei segni da seguire.» Le tracce di cinque cavalli e della banda di fuggitivi erano incise profondamente nel terreno davanti a loro, ma per metterle in evidenza Althuda aveva inciso delle tacche sulla corteccia degli alberi lungo il percorso. Forzando l'andatura, seguirono quella pista, e dalla cresta successiva videro le sagome minuscole dei cinque cavalli grigi che attraversavano un tratto di terreno aperto due o tre miglia più avanti. Hal riuscì perfino a distinguere la figuretta di Sukeena appollaiata sul dorso del cavallo di testa. Il colore argenteo faceva spiccare i cavalli come specchi nel colore scuro del *bush*, tanto che Hal mormorò: «Sono splendidi animali, ma attirano l'occhio del nemico».

«Fra le tirelle della carrozza di un gentiluomo non potrebbero esserci bestie migliori di loro», ammise Aboli, «ma sulle montagne non ce la farebbero. Dobbiamo abbandonarli appena arriveremo sul terreno difficile, altrimenti si romperanno quelle bellissime zampe sulle rocce e nei crepacci.»

«Lasciarli agli olandesi? E perché non usare una palla di moschetto per mettere fine alle loro sofferenze?»

«Perché sono bellissimi e li amo come fossero figli miei», ribatté Aboli a bassa voce, allungando la mano per accarezzare il collo dell'animale. La giumenta grigia roteò un occhio verso di lui e si lasciò sfuggire un leggero nitrito, dimostrando di ricambiare il suo affetto.

Hal scoppiò a ridere. «Anche lei ti adora, Aboli. Li risparmieremo per amor tuo.»

Si lanciarono giù per la discesa successiva, risalendo a fatica dalla parte opposta. Il terreno diventava sempre più ripido, mentre le vette sembravano galleggiare sopra la loro testa. Una volta in cima, si fermarono di nuovo per far riprendere fiato alla giumenta e guardare avanti.

«A quanto pare, Althuda è diretto verso quella gola scura proprio davanti a noi.» Hal si fece schermo agli occhi. «Riesci a vederli?»

«No. Sono nascosti dalle pieghe del terreno e dagli alberi.» Poi Aboli si voltò di nuovo indietro. «Ma guarda alle nostre spalle, Gundwane!»

Hal si girò verso il punto indicato, lanciando un'esclamazione di dolore. «Come hanno fatto a salire così in fretta? Guadagnano terreno come se noi fossimo fermi.»

La colonna di giubbe verdi che correvano stava superando la cresta alle loro spalle, sciamando come una fila di formiche operaie in fuga da un formicaio disturbato. Hal riuscì a contarli facilmente, distinguendo persino le divise bianche degli ufficiali. La luce pomeridiana scintillava sulle baionette, ed egli sentì le loro grida fioche ma esultanti quando videro la preda così vicina.

«Ecco Schreuder!» esclamò Hal con amarezza. «Perdio, quell'uomo è un mostro. Non c'è modo di fermarlo?» Smontato di sella, il colonnello stava trotterellando in coda alla lunga colonna sparpagliata, ma proprio sotto gli occhi di Hal superò l'uomo che lo precedeva sul sentiero. «Corre più veloce dei suoi ottentotti. Se restiamo qui ancora un minuto, ci raggiungerà prima che arriviamo all'imbocco della forra.»

Più avanti, il terreno era così ripido che il cavallo non poté più procedere in linea retta: il sentiero cominciò a zigzagare sul pendio. Dal basso si sentì un altro grido di gioia, simile al richiamo del cacciatore di volpi: videro gli inseguitori sparpagliati su un miglio o più della pista, con i primi ormai molto vicini.

«Un tiro lungo di moschetto», azzardò Hal, e proprio in quel momento uno dei soldati in testa posò un ginocchio a terra dietro una roccia per prendere bene la mira prima di sparare. Videro la nuvoletta di fumo molto prima di sentire lo sparo soffocato. Il proiettile sollevò una scheggia azzurrina da una roccia, cinquanta piedi più in basso del punto in cui erano fermi. «Ancora troppo lontani. Lasciamogli sprecare polvere.»

La giumenta grigia procedeva superando con un salto ciascuno dei gradini rocciosi sul sentiero, molto più salda sulle zampe di quanto Hal avesse osato sperare. Poi raggiunsero la curva esterna dell'ampio tracciato a tornanti, riprendendo ad attraversare il pendio in direzione opposta; in questo modo si avvicinavano agli inseguitori ad angolo obliquo, e la distanza che li separava si restringeva ancora di più.

Gli uomini sul sentiero sottostante li accolsero con grida di gioia prima di gettarsi a terra per riposare, calmando il battito frenetico del cuore e il tremito alle mani. Hal li vide controllare la carica nel bacinetto dei moschetti e accendere la miccia, preparandosi a sparare appena la giumenta grigia con il suo cavaliere fosse arrivata alla portata dei moschetti.

«Per l'alito di Satana!» brontolò Hal. «È come andare incontro a una bordata nemica!» Ma non c'era nessun posto dove fuggire o nascondersi, quindi proseguirono faticosamente lungo il sentiero.

Ora Hal poteva vedere chiaramente Schreuder, che era salito a passo costante verso la testa della colonna e li stava fissando. Anche a quella distanza si accorse che si era spinto oltre il limite delle sue forze: aveva il viso tirato e stravolto, l'uniforme lacera, sporca, fradicia di sudore, e perdeva sangue da una decina di graffi e abrasioni. Respirava affannosamente, cercando di riprendere fiato, ma i suoi occhi infossati ardevano di uno sguardo maligno. Non aveva più la forza di gridare o di scuotere un'arma, ma solo di fissare Hal con uno sguardo implacabile.

Quando una delle giubbe verdi sparò, sentirono il proiettile ronzare sopra la loro testa. Aboli spingeva la giumenta quanto più possibile su quel sentiero ripido e irregolare, ma sarebbero rimasti a tiro ancora per parecchi minuti. In quel momento una raffica di colpi partì dalla fila di soldati schierati sul sentiero in basso. I proiettili colpirono le rocce intorno a loro con un suono sordo, alcuni restando nel punto in cui erano caduti, appiattiti dall'urto fino a formare dischetti lucenti, mentre altri facevano schizzare schegge di roccia che piovvero su di loro, oppure rimbalzavano sibilando nella valle.

La giumenta grigia, illesa, raggiunse il tratto di sentiero che puntava verso l'esterno e riprese la salita. Ora che la distanza era maggiore, quasi tutti gli ottentotti della fanteria balzarono in piedi per riprendere l'inseguimento. Uno o due attaccarono direttamente il pendio, tentando una scorciatoia, ma la pendenza si rivelò eccessiva anche per i loro piedi agili, e si diedero per vinti, tornando sul sentiero a zigzag e affrettandosi a seguire i compagni lungo il percorso più lungo ma meno arduo.

Alcuni soldati rimasero in ginocchio sul sentiero per ricaricare, infilando freneticamente le bacchette nella canna dei moschetti, prima di versare la polvere nera nel bacinetto. Schreuder aveva seguito con gli occhi la scarica di fucileria, appoggiato a una roccia per lasciare il tempo al cuore e al respiro affaticato di riprendersi. A quel punto si raddrizzò, strappando un moschetto appena ricaricato dalle mani di un ottentotto e scostando l'uomo con una spallata.

«Siamo fuori della portata del moschetto!» protestò Hal. «Perché insiste?»

«Perché prova un odio folle per te. È il diavolo a dargli la forza di continuare.»

In fretta, Schreuder si tolse la giacca per posarla ripiegata sulla roccia, formando un cuscino sul quale appoggiare la forcella del moschetto. Prese la mira inquadrando la sporgenza all'estremità della canna nella tacca di mira e puntando per un attimo la testa sussultante di Hal, poi alzò il tiro fino a vedere una striscia di cielo azzurro sotto, per compensare la caduta del pesante proiettile di piombo una volta raggiunto il limite della gittata. Con lo stesso movimento, spostò la mira più avanti della testa del cavallo.

«Non può sperare di centrare il bersaglio da lì!» mormorò Hal, ma proprio in quel momento vide la nuvoletta di fumo argenteo sbocciare come un fiore velenoso sullo stelo del moschetto. Poi sentì come un colpo di maglio quando il proiettile penetrò fra le costole della giumenta grigia, poco più giù del suo ginocchio. Si udì l'aria sfuggire dai polmoni perforati del cavallo: il coraggioso animale vacillò all'indietro, piegandosi sulle zampe posteriori, poi tentò di riprendere l'equilibrio impennandosi con violenza, ma riuscì soltanto a cadere rovinosamente oltre l'orlo del sentiero stretto. Appena in tempo, Aboli afferrò Hal per la gamba ferita, trascinandolo via.

I due si stesero insieme sulle rocce, guardando verso il basso, mentre il cavallo rotolava fino alla curva del sentiero, dove si fermò in mezzo a una valanga di sassi, terriccio e polvere, restando disteso e scalciando debolmente con le zampe all'aria. Un grido di trionfo si alzò dai soldati all'inseguimento, e le loro urla corsero lungo le pareti rocciose, suscitando echi negli abissi tenebrosi della forra.

Hal si alzò in piedi tremando per valutare rapidamente la situazione. Lui e Aboli avevano ancora un moschetto in spalla e una spada nel fodero a testa; inoltre un paio di pistole, un piccolo corno per la polvere e un sacchetto fissato alla cintola, pieno di proiettili per il moschetto, ma avevano perso tutto il resto.

In basso, gli inseguitori si sentirono rincuorati da quel rovesciamento di sorti ed esultarono ululando come una muta di cani che ha fiutato una pista calda, prima di riprendere la salita arrampicandosi a quattro zampe.

« Lascia le pistole e il moschetto », ordinò Aboli. « Anche la fiasca della polvere e la spada, altrimenti il peso ti stroncherà. »

Hal scosse la testa. « Presto ne avremo bisogno. Fammi strada. » Aboli non fece obiezioni, allontanandosi quanto più velocemente poteva. L'altro riuscì a tenergli dietro, costringendo la gamba ferita a funzionare, nonostante il dolore e la stanchezza che si propagava lentamente alla coscia.

Aboli si protendeva all'indietro per aiutarlo a superare i dislivelli più ardui, ma la pendenza aumentò bruscamente quando cominciarono ad aggirare il bastione di roccia che costituiva uno degli accessi alla gola tra i monti. Ormai, a ogni passo che facevano erano costretti a salire a un livello superiore, come se fossero su una scala, costeggiando la parete che scendeva a precipizio nella valle sottostante. Gli inseguitori, benché ancora vicini, erano invisibili, dall'altra parte del bastione di roccia.

« Siamo sicuri che sia questo il sentiero giusto? » domandò

ansimando Hal, quando si fermarono a riposare per qualche secondo su un gradino più ampio.

«Althuda ci lascia ancora dei segnali», gli assicurò Aboli, disperdendo con un calcio un mucchietto formato da tre ciottoli in equilibrio l'uno sull'altro, che era stato innalzato al centro del sentiero. «E anche i miei cavalli grigi.» Sorridendo, indicò un mucchietto umido e lucente di sterco, poco più avanti. Poi inclinò la testa. «Ascolta!»

Ora anche Hal sentì le voci degli uomini di Schreuder; erano molto più vicini dell'ultima volta che si erano fermati. Sembrava che fossero appena dietro l'angolo della fortezza di roccia alle loro spalle. Guardò costernato Aboli, tentando di appoggiare il peso sulla gamba buona per compensare la debolezza dell'altra. Sentirono il tintinnio delle spade sulla roccia e il rotolare dei sassi sotto i loro piedi; le voci dei soldati erano così forti e limpide che Hal distingueva perfino le loro parole e riconosceva la voce di Schreuder che li incalzava, implacabile.

«Ora mi darai retta, Gundwane!» disse Aboli, protendendosi in avanti per strappare il moschetto dalle mani di Hal. «Tu prosegui più in fretta che puoi, mentre io li trattengo qui per un po'.» Hal stava per ribattere, ma Aboli lo guardò negli occhi con durezza. «Più discuti, più mi metti in pericolo.»

Hal annuì. «Ci vediamo in cima.» Strinse con forza il braccio di Aboli, poi proseguì saltellando da solo. Arrivato al punto in cui il sentiero sboccava nella gola, si voltò e vide l'amico che si era accovacciato al riparo della curva del sentiero, sistemando i due moschetti sulla roccia davanti a sé, a portata di mano.

Hal superò l'angolo e, alzando la testa, vide la forra aprirsi sopra di lui come un grande camino tenebroso. I lati erano pareti di roccia nuda e il tetto era formato da alberi con il tronco alto e sottile, proteso verso la luce del sole e ricoperto da festoni di licheni. Sul fondo scorreva un ruscello che formava una serie di pozze e cascatelle. Il sentiero seguiva il letto del corso d'acqua, risalendo e superando massi levigati dalle acque. Hal s'inginocchiò per immergere il viso nella prima pozza e bere avidamente, assalito da una tosse violenta a causa della sua stessa ingordigia. Quando fu sazio, sentì la forza affluire di nuovo nella gamba gonfia che pulsava.

Da un lato del bastione alle sue spalle provenne il suono soffocato di un colpo di moschetto, poi il tonfo sordo di un proiettile che colpiva la carne, seguito subito dopo dall'urlo di un uomo precipitato nell'abisso, un urlo che divenne sempre più fioco e lontano mentre cadeva e s'interruppe di colpo quando raggiunse le rocce sul fondo. Aboli aveva messo a segno il primo colpo e gli inseguitori sarebbero stati respinti in disordine. Ci voleva del tempo perché si raggruppassero, tornando alla carica con maggiore cautela: Aboli aveva guadagnato minuti preziosi per Hal.

Questi si rialzò a fatica, arrampicandosi lungo il letto del torrente, dove ognuno degli enormi massi levigati metteva a dura prova la sua gamba ferita. Si trascinò in alto, fra gemiti e grugniti, tendendo nello stesso tempo l'orecchio per captare i suoni di lotta dietro di sé, ma non sentì più nulla finché non raggiunse la pozza seguente, dove si fermò sorpreso.

Althuda aveva lasciato lì i cinque grigi, legati a un albero morto al margine dell'acqua. Quando guardò più avanti, Hal capì perché li aveva abbandonati in quel punto: non avrebbero potuto proseguire oltre, su quel sentiero che dava le vertigini. Più in alto, la gola si restringeva in un passaggio stretto, e lui stesso si sentì venir meno il coraggio, vedendo l'arduo percorso che doveva seguire. Ma non c'era nessun'altra strada, perché la gola si era trasformata in una trappola senza via d'uscita. Mentre esitava, sentì provenire dal basso un altro colpo di moschetto e un clamore di grida furiose.

«Aboli ne ha beccato un altro», disse a voce alta, suscitando echi strani sulle pareti del passaggio. «Ora tutti e due i moschetti sono scarichi, e lui dovrà fuggire.» Ma Aboli aveva conquistato quei minuti di tregua per lui, e non doveva sprecarli. S'impose di proseguire sul sentiero ripido, trascinando la gamba ferita sulla roccia levigata dall'acqua come un vetro, e resa insidiosa dallo strato di viscide alghe verdi che la ricopriva.

Con il cuore che gli martellava per la stanchezza e i polpastrelli consumati, percorse gli ultimi passi, raggiungendo un ripiano di roccia nella strettoia della gola, dove si stese bocconi per guardare dall'orlo della cengia. Vide Aboli salire, saltando da una roccia all'altra senza esitazioni, con un moschetto per ciascuna mano, senza neanche guardare il terreno per valutare la solidità della presa sui massi.

Hal alzò gli occhi al cielo attraverso la stretta apertura sopra la sua testa, accorgendosi che la luce del giorno impallidiva. Fra poco sarebbe calato il buio, ma per ora le cime degli alberi erano trasformate in oro dagli ultimi raggi di sole.

«Da questa parte! » gridò dall'alto ad Aboli.

«Prosegui, Gundwane! » gridò di rimando Aboli. «Non aspettarmi. Sono vicini! »

Hal si voltò a guardare il ripido letto del torrente alle sue spalle. Era ben visibile per duecento passi; se avessero tentato di continuare la scalata, Schreuder e i suoi uomini avrebbero raggiunto quel punto di osservazione, mentre loro erano ancora esposti. Prima che potessero arrivare al prossimo riparo sarebbero stati abbattuti da colpi di moschetto a breve distanza. Dovremo fermarci qui, decise. Dobbiamo trattenerli fino al calar della sera, poi cercare di allontanarci al buio. In fretta raccolse alcuni sassi dal corso d'acqua in cui si trovava, ammucchiandoli sull'orlo della cengia. Guardando in basso, vide che Aboli era arrivato ai piedi della parete rocciosa e saliva rapidamente verso di lui.

Quando il nero fu a mezzacosta, del tutto esposto, si sentì uno sparo proveniente da un punto più in basso lungo la gola. Attraverso la penombra del crepuscolo, Hal distinse la figura del primo inseguitore. Ci furono un bagliore e la detonazione di un colpo di moschetto. Hal sbirciò con ansia, ma Aboli era illeso e continuava a salire.

Ora il fondo della gola brulicava di uomini e una raffica di spari suscitava salve di echi. Hal intravide Schreuder nella penombra: il suo viso bianco spiccava fra quelli più scuri che lo circondavano.

Aboli raggiunse la sommità della parete rocciosa e Hal gli diede una mano a salire sulla cengia. «Perché non hai proseguito, Gundwane? » gli chiese ansimante.

«Non c'è tempo per le chiacchiere. » Hal gli tolse di mano uno dei moschetti cominciando a ricaricare. «Dobbiamo trattenerli qui fino al buio. Ricarica! »

«La polvere è quasi finita. Basta solo per qualche altro colpo. » Aboli, parlando, lavorava con la bacchetta.

«Allora dobbiamo fare in modo che ogni sparo vada a segno, dopodiché li respingeremo con i sassi. » Hal caricò il bacinetto del suo moschetto. «E, quando saremo rimasti a corto di sassi da lanciare, li affronteremo con l'acciaio. »

Quando gli uomini in basso aprirono un fuoco sostenuto, i proiettili di moschetto cominciarono a ronzare e crepitare intorno alla loro testa. Hal e Aboli furono costretti a restare distesi all'interno della cengia, affacciandosi a intervalli di pochi secondi per dare una rapida occhiata ai piedi della parete.

Schreuder usava la maggior parte degli uomini per tenere costante il fuoco, controllandoli in modo che ci fosse sempre qualcuno con l'arma carica e pronta a sparare al suo comando, mentre gli altri ricaricavano. A quanto pareva aveva scelto gli uomini più forti per scalare la parete, mentre i suoi tiratori tentavano di impedire a Hal e Aboli di difendersi.

La prima ondata di almeno dodici scalatori, armati solo di spade, si lanciò in avanti, scagliandosi contro la parete di roccia. Poi, non appena le mani di Hal e Aboli apparvero all'orlo della cengia, partì una raffica poderosa di fuoco di moschetto e i lampi rischiararono la penombra.

Hal ignorò i proiettili che volavano, infrangendosi sulla roccia sotto di lui. Facendo sporgere la canna del moschetto, puntò lo scalatore più vicino. Era uno dei caporali olandesi, e il tiro era quasi a bruciapelo. Il proiettile di Hal lo colpì alla bocca, sfondando i denti e fracassando la mascella. Il caporale perse la presa sulla parete scivolosa e cadde all'indietro, investendo i tre uomini che aveva dietro di sé e abbattendoli. Tutti e quattro precipitarono, sfracellandosi sulle rocce.

Aboli sparò, facendo precipitare a valle altre due giubbe verdi. Poi lui e Hal presero le pistole e spararono due volte, liberando la parete dagli assalitori, a parte due uomini che stavano aggrappati disperatamente a una fenditura nella roccia a metà della parete di roccia levigata.

Hal lasciò cadere le pistole scariche, afferrando uno dei sassi che aveva sistemato a portata di mano e scagliandolo contro l'uomo sotto di lui. Il soldato lo vide arrivare, ma non riuscì a evitarlo. Tentò di incassare la testa fra le spalle, ma la pietra lo colpì alla tempia, le dita si aprirono e l'uomo cadde.

«Bel lancio, Gundwane! La tua mira sta migliorando.» Aboli lanciò un sasso contro l'ultimo uomo sulla parete, colpendolo al mento. L'altro vacillò per un attimo, poi mollò la presa e precipitò.

«Ricaricare!» scattò Hal e, mentre versava la polvere, lanciò un'occhiata alla striscia di cielo in alto. «Ma la notte non arriva mai?» si lamentò, vedendo Schreuder lanciare l'ultima ondata di scalatori all'assalto della parete. Il buio non li avrebbe salvati, perché, prima che fossero riusciti a ricaricare i moschetti, i soldati nemici erano già arrivati a metà della salita.

S'inginocchiarono sull'orlo della cengia per sparare di nuovo, ma stavolta riuscirono ad abbattere solo uno degli attacanti, mentre gli altri continuarono a salire. Schreuder mandò un'altra ondata di assalitori a raggiungerli, fino a che tutta la parete non formicolò di figure scure.

«Non possiamo respingerli tutti», ammise Hal, assalito da una cupa disperazione. «Dobbiamo ritirarci più in alto.» Tuttavia, quando alzò gli occhi verso la ripida salita disseminata di massi, si sentì scoraggiato.

Scagliò a terra il moschetto e, affiancato da Aboli, attaccò quella salita insidiosa. Gli assalitori, gridando, superarono l'orlo della cengia per lanciarsi all'inseguimento.

Nell'oscurità sempre più fitta, Hal e Aboli si sforzarono di salire, voltandosi quando gli inseguitori li incalzavano troppo dappresso per affrontarli con la spada e respingerli quanto bastava per avere un po' di respiro e riprendere la salita. Ma ormai erano sempre più numerose le giubbe verdi che avevano superato la sommità, ed era solo questione di minuti prima che riuscissero a raggiungerli e sopraffarli.

Poco più avanti, Hal notò un profondo crepaccio nella parete laterale della gola. Pensò per un attimo che lui e Aboli avrebbero potuto rifugiarsi lì, nell'oscurità, ma abbandonò l'idea quando raggiunse il crepaccio e vide che era poco profondo. Schreuder li avrebbe stanati come un furetto che scaccia una coppia di conigli dal loro rifugio.

«Hal Courteney!» esclamò una voce che proveniva dalla nicchia scura nella roccia. Sbirciando all'interno, lui vide due uomini; uno era Althuda, che lo aveva chiamato; l'altro era uno sconosciuto, un uomo barbuto, più anziano, vestito di pelli di animali. L'oscurità era troppo fitta per vederlo chiaramente in faccia, ma quando lui e Althuda gesticolarono freneticamente né Hal né Aboli ebbero esitazioni, e s'infilarono nella stretta apertura, stringendosi ai due uomini.

«State giù!» gridò all'orecchio di Hal lo sconosciuto, che brandiva un'ascia dal manico corto. All'entrata della fenditura comparve un soldato, con la spada levata per colpire i quattro uomini stipati all'interno, ma Althuda gli puntò contro la pistola che aveva in mano, sparandogli al petto a distanza ravvicinata.

Nello stesso istante lo sconosciuto con la barba levò in alto la scure, calandola con un colpo possente. Hal non capì che cosa stava facendo, finché non si accorse che aveva reciso una fune fatta di corteccia intrecciata, grossa quanto il polso di un uomo. L'ascia recise in modo netto la corda tesa e l'estremità libera saettò, scorrendo lontano, come se fosse attirata da una forza enorme. L'altro capo, invece, era avvolto e annodato intorno a un robusto cavicchio di legno, inserito in una fenditura. La corda girava intorno all'angolo della fenditura nella roccia, salendo poi verso l'alto e perdendosi nell'oscurità sempre più fitta in cima alla ripida gola montuosa.

Per un istante che parve eterno, non accadde altro, tanto che Hal e Aboli fissarono perplessi gli altri due. Poi, dall'estremità superiore del camino che chiudeva la gola in alto, si udirono uno scricchiolio e un fruscio, un brontolio sordo e un crepitio, come se un gigante addormentato si fosse mosso nel sonno.

« Sabah ha scatenato una cascata di sassi! » spiegò Althuda, e Hal, affacciandosi a guardare la gola dallo stretto ingresso del crepaccio, finalmente comprese. Il brontolio divenne un rombo sempre più intenso, al di sopra del quale si udivano le urla selvagge e terrorizzate delle giubbe verdi rimaste intrappolate. Per loro non c'era né scampo né riparo; la gola era una trappola mortale, nella quale Althuda e Sabah li avevano attirati.

Il rombo e lo scricchiolio della roccia proseguirono in un crescendo assordante, mentre la montagna sembrava tremare sotto i loro piedi. Le grida dei soldati che si trovavano sul cammino della frana vennero sommerse dal rombo, poi d'improvviso un fiume possente di massi in corsa spazzò l'entrata del crepaccio. La luce si oscurò, mentre l'aria si riempiva di polvere e roccia polverizzata al punto che i quattro presero a tossire e ad ansimare, tentando invano di riprendere fiato. Accecato, col fiato mozzo, Hal sollevò un lembo della camicia lacera per coprirsi il naso e la bocca, tentando di filtrare l'aria in modo da riuscire a respirare in mezzo a quella tumultuosa tempesta di polvere scatenata dalla marea di roccia e sassi che scorreva davanti a loro.

La valanga durò a lungo, poi pian piano il torrente di roccia in movimento cominciò a diminuire, fino a diventare una lenta fiumana intermittente di frammenti che slittavano. Alla fine calò su di loro un silenzio assoluto, opprimente: la polvere, posandosi, rivelò ai loro occhi il contorno dell'ingresso al rifugio.

Aboli uscì strisciando e camminando in equilibrio instabile sul terreno sconnesso. Hal lo seguì, guardando insieme a lui verso il fondo della gola, ormai immersa nel buio. Sembrava che la valanga l'avesse spazzata via da una parte all'altra. Non si sentiva alcun suono e non si vedeva traccia degli inseguitori: né un ultimo grido disperato o un gemito agonizzante, né un lembo di stoffa o un'arma caduta di mano. Era come se non fossero mai esistiti.

La gamba ferita di Hal non riusciva più a sostenere il suo peso e lui barcollò, accasciandosi sull'orlo del crepaccio. La febbre scatenata nel sangue dalle ferite infette divampò, oscurandogli la coscienza con un velo di tenebre e di calore. Si sentì sorreggere da mani forti, poi scivolò nell'incoscienza.

Il colonnello Cornelius Schreuder attese per un'ora nell'anticamera del castello prima che il governatore van de Velde si degnasse di riceverlo. Quando infine fu convocato da un aiutante di campo, entrò nella sala delle udienze del governatore, ma van de Velde si rifiutò di prendere atto della sua presenza, continuando a firmare documenti e proclami che Jacobus Hop gli metteva davanti.

Schreuder era in alta uniforme, con tutte le decorazioni e le onorificenze. Aveva la parrucca arricciata e incipriata di fresco, i baffi messi in piega con la cera d'api in modo da formare due punte aguzze, ma un lato del viso era sfregiato da cicatrici rosee e croste ancor fresche.

Dopo avere firmato l'ultimo documento, van de Velde congedò Hop con un gesto della mano e, non appena l'impiegato fu uscito, prese dalla scrivania il rapporto scritto di Schreuder come se fosse un oggetto particolarmente disgustoso.

«E così avete perso quasi quaranta uomini, Schreuder! Per non parlare di otto dei migliori cavalli della Compagnia.»

«Trentaquattro uomini», lo corresse Schreuder, ancora impettito sull'attenti.

«Quasi quaranta!» ripeté van de Velde, con un'espressione di profonda ripugnanza. «E otto cavalli. I forzati e gli schiavi che stavate inseguendo vi sono sfuggiti. Non è certo una gloriosa vittoria, vero, colonnello?» Accigliato e furioso, Schreuder fissava le modanature in stucco sul soffitto. «La sicurezza del castello ricade sotto la vostra responsabilità, Schreuder. La cura dei prigionieri ricade sotto la vostra responsabilità, e anche la sicurezza della mia persona e di mia moglie ricade sotto la vostra responsabilità. Ne convenite, Schreuder? »

« Sì, vostra eccellenza. » Sotto l'occhio di Schreuder cominciò a fremere un nervo.

« Avete permesso ai prigionieri di evadere. Avete lasciato che depredassero le proprietà della Compagnia. Avete permesso loro di danneggiare gravemente questo edificio con gli esplosivi. Guardate le mie finestre! » Van de Velde indicò le cornici vuote, da cui i vetri colorati si erano staccati in frantumi. « Ho ricevuto dal perito della Compagnia una stima dei danni che ammonta a oltre centomila *gulden*! » Stava rapidamente raggiungendo l'apice del furore. « Centomila *gulden*! E per colmare la misura avete permesso ai prigionieri di rapire mia moglie e me, esponendoci a un pericolo mortale... » Dovette interrompersi per dominare la collera. « Poi avete permesso che fossero assassinati quasi quaranta dipendenti della Compagnia, compresi cinque bianchi! Quale credete che sarà la reazione del consiglio dei Diciassette di Amsterdam, quando riceveranno il mio rapporto completo con l'elenco dettagliato delle vostre incredibili mancanze, eh? Cosa credete che diranno? Rispondetemi, pomposo damerino pieno di boria! Cosa pensate che diranno? »

« Saranno piuttosto dispiaciuti », rispose Schreuder, irrigidendosi ancora di più.

« Dispiaciuti? Piuttosto dispiaciuti? » strillò van de Velde, ricadendo sulla sedia e boccheggiando come un pesce appena tirato a riva. Quando si fu ripreso, continuò: « Sarete il primo a sapere se sono piuttosto dispiaciuti o no, Schreuder. Io vi rimando ad Amsterdam in totale e assoluta disgrazia. Salperete fra tre giorni a bordo della *Weltevreden*, che in questo momento è all'ancora nella baia. » Attraverso le finestre prive di vetri, indicò il gruppo di navi all'ancora oltre la linea della risacca. « Il mio rapporto sulla questione viaggerà per Amsterdam a bordo della stessa nave, insieme con una condanna della vostra condotta, redatta nei termini più severi. Vi presenterete al cospetto dei Diciassette per giustificarvi di persona davanti a loro. » Guardò il colonnello con odio. « La vostra carriera militare è finita, Schreuder. Vi suggerisco di considerare l'idea di intraprendere quella di lenone, vocazione per la quale avete dimostrato un considerevole talento. Addio, colonnello Schreuder. Dubito che avrò ancora il piacere della vostra compagnia. »

Ferito dagli insulti del governatore come se gli avessero inflitto venti colpi di gatto a nove code, Schreuder uscì dallo studio, ritrovandosi in cima alla scala. Per avere il tempo di ricomporsi e ritrovare la calma, si soffermò a esaminare i danni prodotti dall'esplosione agli edifici che circondavano il cortile. L'armeria era crollata, ridotta a un cumulo di rovine. Le travi di legno dell'ala nord erano state incrinate e annerite dall'incendio che era seguito all'esplosione, ma i muri esterni erano intatti e le altre costruzioni non avevano subìto che danni superficiali.

Le sentinelle che un tempo sarebbero scattate sull'attenti al suo apparire tardarono a rendergli gli onori dovuti, e comunque lo salutarono in modo svogliato, in un caso sfoggiando persino un sorriso impudente. Nella minuscola comunità della colonia le notizie si spargevano in fretta, ed era chiaro che il suo congedo disonorevole dal servizio della Compagnia era già noto a tutta la guarnigione. Jacobus Hop doveva essersi preso il gusto di diffondere la notizia, decise Schreuder, investendo con violenza la sentinella che sogghignava. «Togliti dal muso quel sogghigno, perdio, o te lo cancello dalla faccia con la spada.» L'uomo ridivenne subito serio, scattando rigidamente sull'attenti. Tuttavia, mentre lui attraversava il cortile, Manseer e i sovrintendenti parlottarono fra loro, nascondendo con la mano un sorrisetto sarcastico. Persino alcuni dei prigionieri che erano stati catturati, e adesso erano in catene, intenti a riparare i danni all'armeria, interruppero il lavoro per rivolgergli un sorriso maligno.

Una simile umiliazione era penosamente dolorosa per un uomo del suo orgoglio e del suo temperamento... e il colonnello tentò di immaginare fino a che punto sarebbe peggiorata dopo il ritorno in Olanda e il confronto con il consiglio dei Diciassette. La sua vergogna sarebbe stata proclamata ai quattro venti in ogni taverna e in ogni porto, in ogni guarnigione e reggimento, nelle sale di tutte le case più importanti e le residenze nobiliari di Amsterdam. Van de Velde aveva ragione; sarebbe diventato un paria.

Si avviò a lunghe falcate oltre l'uscita, attraversando il ponte sul fossato. Non sapeva dove andare; scese verso la riva, fermandosi sulla spiaggia a contemplare il mare. Lentamente riuscì a riportare sotto controllo il tumulto delle emozioni, cominciando a prendere in esame le possibili vie di fuga dalla vergogna e dal ridicolo.

Mi caccerò una palla nel cervello, decise. È l'unica strada che mi resta da imboccare. Poi, quasi subito, tutta la sua natura si ribellò a una scelta così vile. Rammentava come aveva disprezzato un commilitone che a Batavia, per amore di una donna, si era ficcato in bocca la canna di una pistola, facendosi saltare le cervella. «È la soluzione dei codardi», esclamò Schreuder. «E non fa per me.»

Certo, sapeva che non avrebbe mai potuto obbedire all'ordine di van de Velde di tornare in patria, in Olanda. Ma non poteva neppure restare lì, al capo di Buona Speranza, o recarsi in qualsiasi altro possedimento olandese del globo. Era un reietto, e doveva trovare un'altra terra dove la sua vergogna fosse sconosciuta.

In quel momento il suo sguardo mise a fuoco il gruppetto di navi commerciali all'ancora nella baia della Tavola. C'era la *Weltevreden*, sulla quale van de Velde avrebbe voluto rimandarlo in patria ad affrontare i Diciassette. Il suo sguardo si spostò oltre, sulle altre tre navi olandesi ancorate accanto al galeone. Non intendeva imbarcarsi su una nave olandese, ma c'erano soltanto due velieri stranieri. Il primo era portoghese: una nave negriera diretta ai mercati di Zanzibar. Il solo pensiero di imbarcarsi su una nave negriera era disgustoso; ne sentiva l'odore persino dal punto in cui si trovava, sopra la spiaggia. L'altra nave era una fregata inglese, a giudicare dall'aspetto, appena varata e ben fatta. Il sartiame era nuovo di zecca e la verniciatura appena intaccata dalle tempeste dell'Atlantico. Aveva l'aspetto di una nave da guerra, ma Schreuder aveva sentito dire che era di proprietà privata e svolgeva traffici commerciali, pur essendo armata. Lesse il suo nome sullo specchio di poppa: *Golden Bough*. Sul fianco che gli presentava si potevano contare quindici portelli per i cannoni. Il colonnello ignorava da dove arrivasse o dove fosse diretta, comunque sapeva benissimo dove procurarsi quelle informazioni e, piazzato saldamente il cappello sulla parrucca, si avviò lungo la spiaggia verso la più vicina di quell'insalubre gruppo di casupole che servivano da bordelli e da taverne ai navigatori degli oceani.

Anche a quell'ora di mattina la taverna era affollata e l'interno senza finestre era buio e saturo di fumo stantio e di esalazioni di liquori scadenti e corpi non lavati. Le prostitute erano quasi tutte ottentotte, ma c'era anche un paio di bianche, ormai troppo vecchie e sfigurate dalle pustole per lavorare anche nei porti di Rotterdam o St Pauli. Chissà come, avevano trovato delle navi che le avevano portate al sud ed erano sbarcate lì, per finire i loro giorni in quello squallido ambiente prima che il mal francese finisse di consumarle.

Con la mano sull'elsa della spada, Schreuder si accaparrò un tavolo tutto per sé con una parola brusca e uno sguardo altezzoso. Una volta seduto, chiamò una delle sguattere per farsi portare un boccale di birra poco alcolica. «Quali sono i marinai della *Golden Bough*?» domandò, lanciando un tallero d'argento sul piano sudicio del tavolo. La sgualdrina intascò al volo la principesca ricompensa, lasciando cadere la moneta nella scollatura del vestito sudicio, in mezzo alle tette pendule, prima di fare un cenno con la testa verso tre marinai seduti al tavolo nell'angolo opposto del locale.

«Offri a ognuno di quei gentiluomini un altro vaso da notte pieno del piscio che stai servendo loro, e informali che offro io.»

Quando lasciò la taverna, mezz'ora dopo, Schreuder sapeva dov'era diretta la *Golden Bough*, oltre al nome e al carattere del capitano. Si diresse senza fretta verso la spiaggia e si fece portare in barca sino alla fregata.

La sentinella all'ancora a bordo della *Golden Bough* lo avvistò non appena si fu staccato dalla spiaggia, comprendendo dall'abbigliamento e dal portamento che era un uomo di riguardo. Quando Schreuder chiamò il ponte della fregata, chiedendo il permesso di salire a bordo, un sottufficiale gallese robusto e rubizzo gli rivolse un cauto saluto al boccaporto; poi lo condusse nella cabina a poppa, dove il capitano Christopher Llewellyn gli diede il benvenuto e gli offrì un bicchiere di peltro pieno di porto. Chiaramente sollevato dalla scoperta che Schreuder parlava bene l'inglese, lo trattò subito alla pari, da gentiluomo, rilassandosi e parlando in modo franco e disinvolto.

Discussero innanzi tutto le recenti ostilità fra i loro due Paesi, dichiarandosi entrambi soddisfatti che fosse stata conclusa una pace soddisfacente, quindi passarono a parlare del traffico marittimo negli oceani orientali e dei poteri temporali e politici che governavano le regioni delle Indie Orientali e dell'India. Erano questioni molto intricate, rese ancor più complesse dalla rivalità esistente fra le potenze europee i cui vascelli commerciali e militari stavano penetrando sempre più numerosi nei mari dell'Oriente.

«Ci sono anche i conflitti religiosi che coinvolgono i Paesi dell'Oriente», osservò Llewellyn. «Il mio attuale viaggio è una risposta all'appello lanciato dal re cristiano dell'Etiopia, Prete Gianni, che richiede aiuti militari per la guerra contro le forze dell'Islam.»

Sentendo nominare una guerra in Oriente, Schreuder si raddrizzò leggermente sulla sedia. Era un guerriero, sebbene al momento fosse disoccupato, e la guerra era il suo mestiere. «Non avevo sentito parlare di quel conflitto. Vi prego, ditemi qualcosa di più.»

«Il Gran Mogol ha inviato la sua flotta e il suo esercito, al comando del fratello minore Sadiq Khan Jahan, alla conquista dei Paesi che occupano la regione costiera del Corno d'Africa, sottraendoli al dominio del re cristiano.» Llewellyn interruppe la spiegazione per chiedere: «Ditemi, colonnello, sapete qualcosa della religione islamica?»

Schreuder annuì. «Sì, certo. Molti degli uomini che hanno combattuto ai miei ordini negli ultimi trent'anni erano musulmani. Conosco piuttosto bene la loro religione e parlo l'arabo.»

«Allora saprete che uno dei precetti di questa fede militante è lo *hadj*, il pellegrinaggio nel luogo di nascita del profeta della Mecca, che si trova sulla sponda orientale del mar Rosso.»

«Ah! Ora capisco dove volete arrivare. Qualunque pellegrino proveniente dal regno del Gran Mogol in India sarebbe costretto ad attraversare il mar Rosso aggirando il Corno d'Africa, e questo porterebbe le due religioni a scontrarsi militarmente nella regione... La mia deduzione è corretta?»

«In effetti, colonnello, mi congratulo con voi per la vostra prontezza nell'afferrare le implicazioni religiose e politiche. È esattamente questo il pretesto usato dal Gran Mogol per attaccare Prete Gianni. Naturalmente, gli arabi commerciano con l'Africa da epoche anteriori tanto alla nascita del nostro Salvatore, Gesù Cristo, quanto del profeta Maometto. Partendo da una testa di ponte sull'isola di Zanzibar, hanno esteso in modo graduale il loro dominio sulla terraferma, e ora hanno intenzione di conquistare e soggiogare il cuore dell'Etiopia cristiana.»

«E qual è, se posso avere l'ardire di chiederlo, il vostro ruolo in questo conflitto?» chiese Schreuder.

«Io appartengo a un antico ordine cavalleresco, quello dei cavalieri del Tempio dell'ordine di San Giorgio e del Santo Graal, consacrato alla difesa della fede cristiana e dei luoghi santi del cristianesimo. Siamo i successori dei Templari.»

«So del vostro ordine, e conosco alcuni dei vostri confratelli. Il conte di Cumbrae, per esempio.»

«Ah!» Llewellyn tirò su col naso. «Non è un esempio di prim'ordine.»

«Ho conosciuto anche Sir Francis Courteney», aggiunse Schreuder.

Stavolta l'entusiasmo di Llewellyn fu sincero. «Lo conosco bene. Che straordinario marinaio e gentiluomo! Sapete per caso dove potrei trovare Franky? Questa guerra di religione nel Corno d'Africa dovrebbe attirarlo come un'ape al miele. Le nostre due navi insieme costituirebbero una forza d'attacco formidabile.»

«Sir Francis purtroppo è rimasto vittima della recente guerra fra i nostri due Paesi.» Sebbene Schreuder avesse usato una formula diplomatica per comunicare la notizia, Llewellyn ne fu alquanto sconvolto.

«Ne sono addolorato.» Rimase in silenzio per qualche istante, prima di riscuotersi. «Comunque, per completare la risposta alla vostra domanda, colonnello Schreuder, sono diretto verso il Corno d'Africa per rispondere all'appello di Prete Gianni, che chiede aiuto per respingere l'assalto dell'Islam. Ho intenzione di salpare stasera con la marea.»

«Senza dubbio avrete bisogno di aiuti militari, oltre che navali», disse a bruciapelo l'altro tentando di mascherare l'eccitazione che provava. Quella era una risposta diretta alla sua preghiera. «Sareste cortesemente disposto ad accogliere la mia richiesta di un passaggio a bordo della vostra nave fino al teatro della guerra? Sono deciso a offrire anch'io i miei servigi.»

Llewellyn si mostrò sorpreso. «Una decisione improvvisa, signore. Non avete obblighi o doveri qui a terra? Vi sarebbe possibile salpare con me con un preavviso così breve?»

«In realtà, comandante, la vostra presenza qui nella baia della Tavola pare un segno della provvidenza. Proprio quest'oggi mi sono liberato degli obblighi di cui parlate. È come se avessi avuto una premonizione divina di questo richiamo al dovere. Sono pronto a rispondere al richiamo. Sarei lieto di pagare il mio passaggio, e quello della signora che deve diventare mia moglie, in monete d'oro.»

Llewellyn, incerto, si grattò la barba, fissando Schreuder con occhi acuti. «Ho una sola cabina libera, ma è piccola e non certo adatta a passeggeri di rango.»

«Pagherei dieci ghinee inglesi per avere il privilegio di navigare con voi», insistette Schreuder, e l'espressione del comandante si rasserenò.

«Sarei onorato della vostra compagnia e di quella della signora. Tuttavia non posso rimandare la partenza neanche di un'ora. Devo salpare con la marea. Vi farò accompagnare a riva da una barca, che aspetterà il vostro ritorno sulla spiaggia.»

Mentre tornava a terra, Schreuder fremeva di eccitazione. Il servizio di un potentato orientale durante una guerra di religione offriva senz'altro occasioni di gloria militare e di guadagni di gran lunga superiori a quanto avrebbe mai potuto aspettarsi al servizio della Compagnia olandese delle Indie Orientali. Gli era stata offerta una via di scampo dalla minaccia del disonore e dell'ignominia. Dopo quella guerra, sarebbe potuto tornare in Olanda carico d'oro e di gloria. Era questo il colpo di fortuna che aveva aspettato per tutta la vita e, con la donna che amava più di ogni altra cosa al suo fianco, l'avrebbe sfruttato appieno.

Non appena la barca approdò, il colonnello balzò a terra, lanciando al nostromo una monetina d'argento. «Aspettatemi!» gridò, avviandosi in fretta verso il castello. Il servitore lo attendeva nel suo alloggio, e Schreuder gli diede istruzioni di preparare i bagagli, mettendovi dentro tutto ciò che possedeva, di farli portare sulla spiaggia e di caricarli sulla scialuppa della *Golden Bough*. Gli sembrava che ormai tutta la guarnigione fosse al corrente della sua caduta in disgrazia; anche il servitore non rimase sorpreso dagli ordini, e quindi nessuno avrebbe trovato strano che lui si allontanasse.

Chiamò lo stalliere, ordinandogli di sellare il solo cavallo che gli restava. Mentre aspettava che glielo portasse dalle scuderie, si guardò nel piccolo specchio del suo spogliatoio, assestando l'uniforme, spolverando la parrucca e restaurando la curva dei baffi. Provava il calore dell'eccitazione, unito a un senso di sollievo. Prima che il governatore si accorgesse che lui e Katinka erano fuggiti, la *Golden Bough* sarebbe stata già in alto mare, sulla rotta per l'Oriente.

Scese di corsa le scale per uscire in cortile, dove lo stalliere teneva il cavallo per le briglie, e saltò in sella. Aveva una gran fretta e, ansioso di partire, lanciò la bestia al galoppo lungo il viale verso la residenza del governatore. La sua fretta non era tale, però, da fargli trascurare ogni cautela. Infatti non raggiunse l'ingresso principale attraversando i prati davanti alla costruzione, ma si servì della via di accesso laterale, che si apriva nel boschetto di querce e che veniva usata di solito dagli schiavi e dai fornitori di legna e provviste provenienti dal villaggio. Giunto nei pressi della residenza, per evitare che il rumore degli zoccoli lo tradisse, trattenne il cavallo e si avvicinò al passo, entrando nel cortile delle scuderie, dietro le cucine. Vedendolo smontare di sella, un mozzo di stalla si affrettò a prendere in custodia il cavallo, mentre Schreuder costeggiava il muro delle cucine, entrando nei giardini dal cancelletto all'angolo.

Per precauzione si guardò attorno, perché spesso in quella parte della tenuta lavoravano i giardinieri, ma non vide nessuno. Attraversò i prati camminando a passo regolare, senza indugiare e senza affrettarsi, ed entrò nella residenza attraverso la porta a due battenti che immetteva nella biblioteca; la lunga stanza era deserta.

Schreuder conosceva bene la pianta della residenza, dal momento che era venuto spesso a far visita a Katinka quando il marito era trattenuto al castello dai suoi impegni di lavoro. Prima di tutto entrò nello studio che si affacciava sui prati e sulla vista lontana della baia, con l'azzurro dell'Atlantico. Quello era il rifugio preferito di Katinka, ma quel giorno non si trovava lì. C'era però una schiava, inginocchiata davanti agli scaffali della libreria e intenta a estrarre i volumi, uno alla volta, per lucidare con un panno morbido le rilegature in cuoio; quando Schreuder entrò nella stanza, alzò la testa, sorpresa.

«Dov'è la tua padrona?» le domandò. Vedendo che la donna lo guardava a bocca aperta, senza capire, ripeté: «Dov'è *mevrou* van de Velde?»

La schiava si alzò, confusa. «La padrona è nella sua stanza, ma non vuol essere disturbata. È indisposta. Ha lasciato severe istruzioni.»

Schreuder girò sui tacchi, imboccando il corridoio. Arrivato in fondo, provò delicatamente a girare la maniglia della porta, ma, trovandola chiusa a chiave dall'interno, lanciò un'esclamazione spazientita. Il tempo passava, e lui sapeva che Llewellyn non avrebbe esitato a mettere in atto la minaccia di salpare senza di lui all'arrivo della marea. Tornò all'estremità opposta del corridoio, uscendo attraverso la porta a vetri sulla lunga veranda e dirigendosi verso le finestre che si aprivano sulla camera da letto dell'appartamento padronale. Le finestre dello spogliatoio di Katinka avevano le imposte chiuse; stava per bussare, ma poi si trattenne, perché non voleva mettere sull'avviso gli schiavi. Estrasse invece la spada, inserendo la lama nel varco fra le imposte per sollevare il saliscendi all'interno. Una volta aperto il battente, scavalcò il davanzale entrando nella stanza.

Il profumo di Katinka gli assalì i sensi e, per un attimo, fu travolto dalle vertigini al pensiero dell'amore e del desiderio che provava per lei. Poi, con un impeto di gioia, ricordò che presto sarebbe stata soltanto sua: loro due in viaggio da soli, mano nella mano, per costruire insieme una nuova vita e una nuova fortuna. Avanzando sul pavimento di legno, a passi felpati per non spaventarla, scostò con delicatezza le tende che chiudevano la porta di comunicazione con la camera da letto padronale. Anche lì le imposte erano chiuse e la stanza era immersa nella penombra. Si soffermò, per dare il tempo agli occhi di assuefarsi alla semioscurità, e notò che il letto era in disordine.

Poi, nell'ombra, distinse dal candore delle lenzuola gualcite la luminosità perlacea della pelle di Katinka: era nuda, di spalle, con la cascata di capelli d'oro e argento sciolta sulla schiena fino al solco che divideva le natiche perfette. Provò un impeto di desiderio irresistibile, così intenso che per un attimo non riuscì a muoversi e neanche a respirare.

Poi lei, voltando la testa, se lo trovò davanti. Spalancò gli occhi, e tutto il sangue le defluì dal viso.

« Porco detestabile! » mormorò. « Come osi spiarmi? » Parlava a voce bassa, ma carica di furore e di disprezzo. Lui arretrò, sbigottito. Katinka era la sua amante, e non riusciva a capire come potesse parlargli così. Poi si accorse che la donna aveva i seni coperti da un velo lucente e impalpabile di sudore, ed era seduta a cavalcioni di una figura maschile. L'uomo sul quale era impalata, nell'atto stesso della passione, era disteso supino, e lei lo cavalcava come un destriero.

L'uomo aveva un corpo muscoloso, bianco e sodo: il corpo di un gladiatore. Con un solo movimento, Katinka si staccò da lui per voltarsi a fronteggiare Schreuder, restando in piedi accanto al letto, tremante di collera.

« Che cosa fai nella mia camera da letto? » sibilò.

Schreuder, stupidamente, rispose: « Sono venuto a portarti via con me ». Intanto, però, i suoi occhi correvano al corpo dell'uomo, con i peli pubici ancora umidi e il sesso proteso verso il soffitto, turgido e coperto di un velo vischioso, iridescente.

L'uomo si mise a sedere, fissando Schreuder con occhi gialli e inespressivi.

Allora Schreuder fu assalito da un'ondata di orrore inesprimibile: Katinka, il suo amore, si rotolava fra le lenzuola con Stadige Jan, il boia.

Katinka parlava, ma le sue parole non avevano più senso per lui. «Sei venuto a portarmi via? E cosa ti ha fatto credere che sarei venuta con te, il buffone della Compagnia, lo zimbello di tutta la colonia? Vattene di qui, idiota. Torna a rintanarti nell'oscurità e nella vergogna da cui provieni.»

Stadige Jan si alzò dal letto. «L'avete sentita? Uscite, o vi butto fuori.» Non furono le parole, bensì il fatto che l'uomo fosse ancora in piena erezione a trasformare Schreuder in un folle. La collera che, fino a quel momento, era riuscito a tenere sotto controllo eruppe, impadronendosi di lui. Alle umiliazioni, agli insulti e ai rifiuti che gli erano stati inflitti per tutto il giorno, si aggiunse la fiamma nera della gelosia.

Stadige Jan si chinò sul mucchio dei vestiti che si era tolto, abbandonato sul pavimento vicino al letto e, quando si raddrizzò, impugnava nella destra un falcetto da potatore. «Vi avverto», disse con la sua voce profonda, «uscite subito, immediatamente...»

Con un solo movimento fluido, la spada Nettuno scattò dal fodero come se fosse dotata di vita propria. Stadige Jan non era un guerriero; le sue vittime gli venivano consegnate sempre legate e incatenate. Non si era mai scontrato con un uomo del calibro di Schreuder. Balzò in avanti, tenendo il coltello basso, ma la spada guizzò sul lato interno del suo polso recidendo i tendini, cosicché le dita del boia si aprirono involontariamente, lasciando cadere l'arma sul pavimento.

Allora Schreuder puntò al cuore, con un colpo che Stadige Jan non ebbe né il tempo né la possibilità di eludere. La punta lo colpì al centro del petto ampio e glabro, trapassandolo e affondando fino al pomo in cui era incastonato lo zaffiro. I due uomini si fronteggiarono, uniti dall'arma; poi, pian piano, il sesso di Stadige Jan s'inflaccidì. Gli occhi si coprirono di un velo, diventando ciechi e opachi come ciottoli gialli. Quando cadde in ginocchio, Katinka cominciò a urlare.

Schreuder ritirò dal petto del boia la lama, la cui lucentezza era velata dal sangue della vittima. Katinka urlò ancora quando un getto di sangue rosso vivo, che proveniva dal cuore, sgorgò dalla ferita di Stadige Jan, che si accasciò sul pavimento.

«Non urlare», ringhiò Schreuder, ancora posseduto da quella collera nera, avanzando su di lei con la spada fra le mani. «Mi hai tradito con questo essere schifoso, eppure sapevi che ti amavo. Sono venuto a prenderti perché volevo che tu venissi via con me.» Ma Katinka arretrò davanti a lui, con i pugni serrati contro le guance, lanciando acute urla isteriche.

«Non urlare», le gridò. «Sta' zitta. Non posso sopportarti quando fai così.» Quel suono odioso gli echeggiava nella testa, scatenando un dolore terribile, ma lei cercò di allontanarsi da lui, gridando sempre più forte: era un suono insopportabile, doveva farla smettere.

«Basta!» Tentò di afferrarla per il polso, ma lei fu più svelta, liberandosi dalla stretta. Le sue urla divennero ancora più stridule, e la collera di Schreuder travolse gli argini, come una spaventosa bestia nera sulla quale non aveva più alcun controllo. La spada che brandiva volò, senza essere guidata dal suo cervello o dalla sua mano, e la trafisse nel ventre bianco e serico, poco più in alto del nido di riccioli dorati sul monte di Venere.

L'urlo si trasformò in uno strillo acutissimo di sofferenza, mentre Katinka si aggrappava alla lama che lui stava ritirando dalle sue carni. Il filo della lama le tagliò il palmo fino all'osso; allora Schreuder, per farla tacere, la trafisse altre due volte.

«Zitta!» le gridò, furente. Lei gli voltò le spalle, tentando di correre verso la porta dello spogliatoio, ma lui la colpì alle reni, estrasse la lama e poi la trafisse di nuovo in mezzo alle spalle. Cadde a terra, rotolando sulla schiena, e lui la dominò dall'alto continuando a menare fendenti di punta e di taglio. Ogni volta la lama la trafiggeva da parte a parte, urtando contro le mattonelle del pavimento sul quale si dibatteva nell'agonia.

«Sta' zitta!» urlava Schreuder, continuando a colpirla finché le grida e i singhiozzi non si spensero. E anche allora non smise di colpire, ritto in mezzo alla pozza rossa di sangue che si allargava, con l'uniforme costellata di macchie scarlatte, il viso e le braccia coperte di gocce e di schizzi.

Poi, lentamente, la furia cieca defluì dal suo cervello, lasciandolo privo di forze. Si appoggiò con le spalle alla parete, chiazzando l'intonaco del sangue della sua vittima.

«Katinka!» sussurrò. «Non intendevo farti del male. Ti amo tanto.»

Era immersa in un'ampia pozza di sangue. Le ferite risaltavano sulla pelle bianca come un coro di bocche rosse. Lui non avrebbe mai pensato che ci fosse tanto sangue in quel corpo snello e bianco. La testa giaceva in una pozza scarlatta, e i capelli erano tinti di rosso; persino il viso era coperto di sangue. I lineamenti erano contorti in una smorfia di terrore e di sofferenza.

«Katinka, tesoro, ti prego, perdonami.» Fece per raggiungerla, guadando il fiume di sangue che si spandeva sulle piastrelle per attraversare la stanza. Poi si fermò con la spada in mano, intravedendo nello specchio, sulla parete opposta, l'immagine allucinata e imbrattata di sangue che lo fissava.

«Oh, Maria, che cosa ho fatto?» Distogliendo lo sguardo dalla creatura nello specchio, s'inginocchiò accanto al corpo della donna che amava. Tentò di sollevarla, ma era inerte, come priva di ossa, e scivolò dal suo abbraccio, ricadendo nella pozza del proprio sangue.

Schreuder si alzò, arretrando. «Non volevo che tu morissi. Mi hai fatto andare in collera. Ti amavo, e tu mi eri infedele.»

Vide ancora una volta la propria immagine allo specchio. «Buon Dio, quanto sangue. Ce n'è così tanto.» Con le mani appiccicaticce, si sfregò la giacca e poi si stropicciò il viso finché le macchie di sangue non si estesero a formare una sorta di scarlatta maschera di carnevale.

Pensò per la prima volta alla fuga, alla barca che lo attendeva sulla spiaggia e alla nave che era alla fonda nella baia. «Non posso attraversare la colonia in questo stato! Non posso salire a bordo così!»

Attraversò barcollando la stanza per raggiungere la porta dello spogliatoio del governatore. Togliendosi di dosso la giacca inzuppata di sangue, la scagliò lontano. Sul lavamano dello spogliatoio c'era una brocca d'acqua, in cui immerse le mani insanguinate, lavandosi il viso. Afferrata la salvietta dal gancio, la immerse nell'acqua arrossata, sfregandosi le braccia e la parte anteriore dei pantaloni.

«Quanto sangue!» seguitava a ripetere, mentre sfregava, sciacquava la salvietta e riprendeva a sfregare. Su uno dei ripiani trovò una pila di camicie pulite, e ne indossò una sopra la pelle umida. Van de Velde era un uomo massiccio, quindi la camicia gli stava abbastanza bene. Abbassando gli occhi, notò che le macchie di sangue non erano troppo evidenti sulla sargia scura dei pantaloni. La parrucca era macchiata, per cui se la tolse, scaraventandola contro la parete opposta. Ne scelse un'altra dalla serie disposta sui supporti lungo la parete in fondo e trovò un mantello di lana che lo copriva dalle spalle ai polpacci. Perse un minuto per ripulire la lama e lo zaffiro della spada Nettuno, poi la rimise nel fodero. Quando si guardò di nuovo allo specchio, vide che il suo aspetto non avrebbe più suscitato shock o allarme. Quindi fu colpito da un'idea. Raccolse la giacca sporca, strappando dai risvolti medaglie e onorificenze, avvolgendole in un fazzoletto da collo pulito che trovò su uno dei ripiani, ficcandole nella tasca interna del mantello.

Si soffermò sulla soglia dello spogliatoio del governatore, guardando per l'ultima volta il corpo della donna che amava. Il suo sangue continuava a spandersi sulle piastrelle, con la lentezza di un serpente pigro e grasso, e stava per raggiungere l'estremità della pozza più piccola in cui giaceva Stadige Jan. Quando il loro sangue si unì, a Schreuder parve di aver assistito a un sacrilegio: come poteva il puro mescolarsi con l'impuro?

« Non volevo che accadesse », mormorò disperato. « Mi spiace tanto, tesoro. Volevo che venissi con me. » Scavalcò con cautela il rigagnolo di sangue per raggiungere la finestra chiusa dalle imposte e uscì sulla veranda, avvolgendosi il mantello sulle spalle e attraversando i giardini in direzione della porticina nel muro delle scuderie. Una volta lì, chiamò lo stalliere, che si precipitò a portargli il cavallo.

Schreuder discese il viale e attraversò la spianata, guardando diritto davanti a sé. La scialuppa era ancora sulla spiaggia e, non appena lui giunse a cavallo il nostromo gli gridò: « Stavamo per rinunciare a voi, colonnello. La *Golden Bough* sta alando il cavo dell'ancora e attrezzando i pennoni ».

Quando salì sul ponte della fregata, il capitano Llewellyn e il suo equipaggio erano tanto presi dalle manovre per salpare l'ancora e issare le vele che gli prestarono ben poca attenzione. Un mozzo condusse Schreuder nella piccola cabina, poi si allontanò in fretta, lasciandolo solo. I bauli da viaggio erano stati portati a bordo ed erano stipati sotto l'angusta cuccetta. Schreuder si tolse gli abiti sporchi e, trovata una divisa pulita in uno dei bauli, si affrettò prima di indossarla a sistemare sui risvolti della giacca le medaglie e le onorificenze. Degli indumenti macchiati di sangue fece un fagotto, cercando qualcosa che facesse da zavorra. Era evidente che le sottili paratie di legno sarebbero state abbattute nel caso che la fregata si preparasse al combattimento, e la sua cabina faceva parte del ponte di batteria della nave. Quasi tutto lo spazio disponibile sul ponte era occupato da una colubrina, accanto alla quale c'era una piramide di palle di cannone in ferro. Lui ne inserì una nell'involto di panni sporchi di sangue, aspettando di sentire che la nave prendeva il vento, avanzando nella baia.

Poi aprì di uno spiraglio il portello del cannone, lasciando cadere l'involto nelle acque verdi, profonde una cinquantina di braccia. Quando salì in coperta, erano già a una lega di distanza dalla spiaggia e filavano veloci col vento di sud-est in poppa, per andare al largo prima di virare per doppiare il capo.

Schreuder guardò in direzione di terra, scorgendo fra gli alberi il tetto della residenza del governatore, ai piedi della grande montagna. Si domandò se avevano già scoperto il corpo di Katinka o se era ancora unita nella morte al suo indegno amante. Rimase lì, affacciato alla battagliola di poppa, finché l'imponente massiccio della montagna della Tavola non fu che un profilo lontano e azzurrino sullo sfondo del cielo estivo.

« Addio, mia cara », sussurrò.

Solo a mezzanotte, mentre giaceva insonne sulla cuccetta dura, cominciò a prendere coscienza della spaventosa gravità della situazione. La sua colpa era manifesta. Tutte le navi in partenza dalla baia della Tavola avrebbero diffuso l'annuncio oltre gli oceani e in ogni porto del mondo civile. Da quel momento in poi, era un fuggiasco e un fuorilegge.

Al suo risveglio, Hal provò una sensazione di pace quale di rado aveva conosciuto prima di allora. Rimase disteso con gli occhi chiusi, troppo pigro e debole per aprirli, accorgendosi di essere al caldo e all'asciutto, comodamente adagiato su un giaciglio. Si aspettava di essere assalito dal fetore della cella in fondo alle segrete, un odore composito, di aria viziata, umidità, paglia marcia e latrine, oltre agli effluvi corporei di uomini che non facevano il bagno da un anno e vivevano stipati in un lercio buco della terra. Invece gli giunse alle narici la fragranza del fumo di legna, dolce e profumato: l'aroma di un fuoco di fascine di cedro.

Di colpo tornarono ad assalirlo i ricordi e, con enorme sollievo, si rammentò della fuga, del fatto che non erano più prigionieri. Restò disteso ad assaporare quella consapevolezza. C'erano anche altri odori e altri suoni, che si divertì a riconoscere senza aprire gli occhi. C'erano la fragranza dell'erba fresca del pagliericcio sul quale era disteso e il sentore della coperta di pelliccia che lo scaldava, l'aroma della carne che arrostiva sul fuoco di carbone e un altro profumo, esasperante perché non riusciva a identificarlo. Era un misto di fiori selvatici e caldo muschio animale, che lo eccitava, intensificando la sensazione di benessere.

Aprì gli occhi lentamente, con cautela, restando stordito per un attimo dall'intensa luce di montagna che penetrava dall'apertura nel rifugio in cui si trovava. Guardando attorno a sé, intuì che doveva essere scavato nel fianco della montagna, perché le pareti erano per metà di roccia liscia e per metà di ramoscelli intrecciati e cementati con argilla rossa. Il tetto era di paglia. Lungo la parete interna si scorgevano vasi di terraglia e arnesi di varia natura realizzati in modo grossolano. Da un piolo accanto alla porta pendeva un arco con la faretra e vicino erano appesi la sua spada e le pistole.

Disteso sul pagliericcio, Hal ascoltava il gorgoglio di un ruscello di montagna, quando udì all'improvviso una risata di donna, più gaia e deliziosa del chioccolio dell'acqua. Nel tentativo di guardare oltre la soglia, si sollevò, appoggiandosi a un gomito, restando scosso dallo sforzo che quel semplice movimento gli richiedeva. Al riso della donna si mescolò la risatina di un poppante. In tutta la sua lunga prigionia non aveva udito nulla di simile: non seppe trattenere una risata felice.

Subito il riso femminile cessò e, fuori della capanna, ci fu un movimento rapido: sulla soglia apparve una figura flessuosa, disegnata in controluce così da sembrare soltanto un profilo adorabile. Pur non vedendola in volto, capì subito chi era.

« Buon giorno, Gundwane. Avete dormito a lungo, ma avete dormito anche bene? » chiese Sukeena con timidezza. Portava il lattante in equilibrio su un'anca e aveva i capelli sciolti, lunghi fino alla vita come un velo scuro. « Questo è mio nipote Bobby. » Fece saltellare sull'anca il piccolo, che gorgogliò entusiasta.

« Per quanto tempo ho dormito? » chiese Hal, tentando di alzarsi; subito lei consegnò il bambino a qualcun altro, all'esterno, per accorrere da lui. Inginocchiandosi a fianco del pagliericcio, lo trattenne, posandogli sul petto nudo una mano piccola e calda.

« Piano, Gundwane. Avete avuto la febbre per due giorni. »

« Ora sto di nuovo bene », ribatté lui, riconoscendo subito dopo il misterioso profumo che aveva notato poco prima. Era il suo profumo di donna, emanato dai fiori che portava fra i capelli e dal soffice calore della sua pelle.

« Non ancora », lo smentì. Hal adagiò di nuovo la testa sul pagliericcio, fissandola, e lei sorrise senza imbarazzo.

« Non ho mai visto una creatura bella come voi », gli sfuggì. Poi alzò la mano per sfiorarsi il viso. « E la barba? »

« Non c'è più. » Lei rise, sedendosi con le gambe incrociate. « Ho rubato un rasoio a quel grassone del governatore proprio a questo scopo. » Piegando la testa di lato, lo studiò a lungo. « Senza barba, siete bellissimo anche voi, Gundwane. »

Rendendosi conto del significato di quello che aveva detto, arrossì leggermente. Così Hal poté ammirare le sue guance soffuse di un luminoso oro rosso, mentre lei dedicava tutta la sua attenzione alla gamba ferita, scostando la coperta di pelliccia per togliere la fasciatura.

« Ah », mormorò, sfiorandola con delicatezza. « Si sta cicatrizzando alla perfezione, con un piccolo aiuto da parte dei miei rimedi. Siete stato molto fortunato. Il morso di un cane è sempre infetto, e poi lo sforzo a cui avete sottoposto la gamba durante la fuga avrebbe potuto uccidervi o mutilarvi per tutta la vita. »

Hal sorrise dei suoi rimproveri, tornando a stendersi comodamente per affidarsi alle sue mani.

« Avete fame? » gli domandò Sukeena, cambiando la fasciatura alla ferita. A quelle parole, Hal si accorse di avere una fame da lupo. Lei gli portò gli avanzi di una pernice selvatica arrostita sui carboni, poi sedette di fronte a lui per guardarlo mentre mangiava e ripuliva le ossa.

« Presto riacquisterete le forze. » Sorrise. « Mangiate come un leone. » Raccolti gli avanzi del suo pasto, si alzò. « Aboli e gli altri marinai mi tormentano per avere la possibilità di venire a trovarvi. Ora vado a chiamarli. »

« Aspettate! » esclamò per trattenerla. Avrebbe voluto che quel tempo trascorso da solo con lei non finisse così presto. La ragazza tornò a sedersi accanto a lui, guardandolo con aria interrogativa.

«Non vi ho ringraziato», disse Hal in tono non troppo sicuro. «Senza le vostre cure, probabilmente sarei morto a causa della febbre.»

Lei sorrise dolcemente, ribattendo: «Neanch'io vi ho ringraziato. Senza di voi, sarei ancora una schiava». Si guardarono a lungo, in silenzio, ciascuno dei due studiando il viso dell'altro. Poi Hal domandò: «Dove siamo, Sukeena?» Accennò un gesto che comprendeva tutto l'ambiente circostante. «Questa capanna?»

«È di Sabah. Ce l'ha prestata. O meglio, l'ha prestata a voi e a me, andando a vivere con gli altri componenti della sua banda.»

«Dunque siamo fra le montagne, finalmente?»

«Nel cuore delle montagne. In un luogo senza nome, un luogo dove gli olandesi non potranno mai ritrovarci.»

«Voglio vedere.» Per un attimo lei parve incerta, poi annuì. Lo aiutò ad alzarsi, offrendogli l'appoggio della sua spalla mentre saltellava su una gamba sola verso l'entrata del rifugio col tetto di paglia.

Lasciandosi scivolare a terra, si appoggiò allo stipite della porta, in legno di cedro grezzo, e Sukeena si sedette accanto a lui, guardando il panorama circostante. Per molto tempo nessuno dei due parlò. Hal aspirava avidamente l'aria frizzante e cristallina, che aveva la fragranza e il gusto dei fiori selvatici sparsi a piene mani tutt'intorno a loro.

«Che visione di paradiso», mormorò lui alla fine. Le vette che li circondavano erano splendide e selvagge. Le pareti rocciose e le gole erano rivestite di licheni che comprendevano tutte le sfumature di colore della tavolozza di un pittore. La luce del sole prossimo al tramonto investiva le cime sul lato opposto di quella valle profonda, coronandole di una luminosità dorata. L'acqua del ruscello ai loro piedi era pura come l'aria che respiravano; Hal poteva vedere i pesci che nuotavano come ombre lunghe sui banchi di sabbia gialla, sventagliando la coda scura.

«È strano: non ho mai visto questo luogo, e neanche un altro simile, eppure mi sembra di conoscerlo bene. Ho la sensazione di essere di nuovo a casa, come se aspettassi di tornare qui.»

«Non è strano, Henry Courteney. Anch'io aspettavo.» Lei voltò la testa per guardarlo in fondo agli occhi, parlando con un tono più intimo e segreto. «Aspettavo te. Sapevo che saresti venuto, perché me lo avevano detto le stelle. Il giorno che ti ho visto per la prima volta sulla spianata fuori del castello, ti ho riconosciuto. »

Quella semplice dichiarazione racchiudeva tali e tanti significati sui quali meditare, che lui rimase silenzioso a lungo, osservando la giovane donna.

« Anche mio padre era un iniziato, capace di leggere negli astri. »

« Me lo ha detto Aboli. »

« Dunque anche tu sai leggere il futuro nelle stelle, Sukeena. »

Lei non negò. « Mia madre mi ha trasmesso molti insegnamenti. Ho potuto vederti da molto lontano. »

Lui accettò le sue parole senza discutere. « Allora dovresti sapere che cosa ne sarà di noi, di me e di te... »

Lei sorrise, con uno scintillio malizioso negli occhi, prima di insinuare il braccio sotto il suo. « Non c'è bisogno di essere un grande saggio per sapere questo, Gundwane. Ma ci sono molte altre cose che posso dirti sulla sorte che ci aspetta. »

« Allora parla », la invitò. Lei sorrise ancora, scuotendo la testa. « Ci sarà tempo per questo in seguito. Avremo molte occasioni per parlare, mentre aspettiamo che la tua gamba guarisca e tu riacquisti le forze. » Si alzò in piedi. « Ma ora vado a chiamare gli altri. Non posso tenerli lontani ancora a lungo. »

Vennero subito, ma il primo ad arrivare fu Aboli, che salutò Hal nel linguaggio della foresta. « Ti vedo bene, Gundwane. Pensavo che avresti dormito per sempre. »

« Senza il tuo aiuto, forse sarebbe finita così. »

Poi giunsero Big Daniel, Ned e gli altri, sfiorandosi la fronte nel saluto e mormorando saluti imbarazzati. Tutti si accovacciarono a semicerchio davanti a lui. Non erano molto abili nell'esprimere a parole i loro sentimenti, ma quello che Hal vide nei loro occhi quando lo guardavano gli scaldò il cuore e lo fece sentire più forte.

« Questo è Sabah, che già conosci », disse Althuda, presentandolo.

« Ben trovato, Sabah! » Hal gli strinse la mano. « Non sono mai stato più felice in vita mia di vedere un altro uomo di quanto sono stato quella sera nella forra. »

« Avrei voluto accorrere in vostro aiuto molto prima », replicò Sabah in olandese, « ma siamo molto pochi, mentre i nemici sono numerosi come le zecche sulla pancia di un'antilope in primavera. » Sabah prese posto nel circolo di uomini e cominciò a spiegare: « La sorte non è stata generosa con noi, qui sulle montagne. Non abbiamo avuto a disposizione i servigi di un medico abile come Sukeena. Noi che una volta eravamo diciannove, ora siamo soltanto otto, fra cui una donna e un poppante. Sapevamo di non potervi aiutare allo scoperto, perché abbiamo consumato tutta la polvere da sparo per andare a caccia e procurarci da mangiare. Comunque sapevamo che Althuda vi avrebbe portati quassù passando la forra e, sapendo che gli olandesi vi avrebbero seguiti, abbiamo predisposto la valanga di sassi ».

« La vostra mossa è stata astuta e coraggiosa », osservò Hal.

Althuda fece uscire dall'ombra la sua donna. Era una ragazza graziosa, piccola e più scura di pelle rispetto a lui, ma Hal non poteva dubitare che fosse Althuda il padre del bambino che teneva appoggiato all'anca.

« Questa è Zwaantie, mia moglie, e questo è mio figlio Bobby. » Hal tese la mano e Zwaantie gli consegnò il bambino; così prese in braccio Bobby, che lo guardò con gli occhi neri, enormi e solenni.

« È un bravo bambino e forte, anche », commentò, mentre padre e madre sorridevano orgogliosi.

Zwaantie prese in braccio il bambino, assicurandolo sulla schiena con un sistema di cinghie, poi accese il fuoco insieme a Sukeena per cucinare la cena, a base di cacciagione e frutti di bosco, mentre gli uomini parlavano sottovoce di questioni serie.

Anzitutto, Sabah spiegò la situazione in cui si trovavano, rivolgendosi direttamente a Hal per ampliare il breve rapporto che gli aveva già fatto. Hal comprese subito che, nonostante la bellezza dell'ambiente nella stagione estiva e l'apparente abbondanza del pasto che le donne stavano preparando, le montagne non erano sempre così ospitali. D'inverno la neve era alta anche nelle valli e la selvaggina scarseggiava. D'altra parte non osavano trasferirsi a latitudini più basse, dove le tribù ottentotte li avrebbero visti, riferendo la loro posizione agli olandesi del capo di Buona Speranza.

« L'inverno è rigido. Se resteremo qui anche il prossimo inverno, tra un anno, di questi tempi, ben pochi di noi saranno vivi. » Durante la prigionia, i marinai di Hal avevano imparato l'olandese quanto bastava per seguire il discorso di Sabah e, quando questi ebbe finito di parlare, rimasero in silenzio a fissare il fuoco acceso con aria tetra, mangiando sconsolati il cibo servito dalle donne.

Poi, uno alla volta, si girarono verso Hal. Fu Big Daniel a parlare per tutti, chiedendo: « E ora che faremo, Sir Henry? »

« Siamo marinai o montanari? » Hal rispose alla domanda con un'altra domanda, e alcuni degli uomini ridacchiarono.

« Siamo nati in fondo al mare e nelle vene abbiamo acqua salata al posto del sangue » rispose Ned Tyler.

« Allora dovrò riportarvi al mare e procurarvi una nave, non vi pare? » esclamò Hal. Rimasero tutti sconcertati e alcuni ridacchiarono di nuovo, sia pure controvoglia.

« Mastro Daniel, voglio un elenco di tutte le armi, la polvere e le altre provviste che siamo riusciti a portare con noi », ordinò Hal in tono brusco.

« Non c'è rimasto granché, comandante. Quando abbiamo dovuto rinunciare ai cavalli, ci restavano appena forze sufficienti per salire quassù. »

« Polvere? »

« Solo quella che avevamo nelle fiasche. »

« Quando avete proseguito, sui cavalli c'erano due barilotti pieni. »

« Quei barilotti pesavano cinquanta libbre l'uno. » Daniel assunse un'espressione vergognosa. « Un carico troppo pesante. »

« Ti ho visto trasportare carichi che pesavano il doppio. » Hal era furente e deluso. Senza una riserva di polvere, erano alla mercé di quel Paese inclemente, delle bestie feroci e delle tribù che lo infestavano.

« Daniel ha portato le mie sacche fin su alla gola », intervenne Sukeena a bassa voce. « Nessun altro poteva farlo. »

« Mi dispiace », mormorò Daniel.

Sukeena lo difese con calore. « Nelle mie sacche non c'è nulla di cui potessimo fare a meno, comprese le medicine che ti hanno salvato la gamba e che salveranno tutti noi dalle ferite e dalle pestilenze che incontreremo in questo territorio selvaggio. »

« Grazie, Principessa », mormorò Daniel, guardandola con gli occhi di un cane affezionato; se avesse avuto la coda, Hal era certo che avrebbe scodinzolato.

Sorridendo, batté sulla spalla di Daniel. « In quello che hai fatto non ci trovo niente di sbagliato, Big Danny. Nessuno avrebbe saputo fare di meglio. »

Si rilassarono tutti, sorridendo; poi Ned Tyler domandò: «Parlavate sul serio quando ci avete promesso una nave, comandante?»

A quel punto Sukeena si alzò dal suo posto accanto al fuoco. «Per oggi basta. Deve recuperare le forze prima che possiate tormentarlo ancora. Dovete andarvene, ma potete tornare domani.»

Uno alla volta sfilarono davanti a Hal, stringendogli la mano e mormorando qualche parola; poi si allontanarono nell'oscurità per raggiungere le altre capanne sparpagliate sul fondo della valle. Quando anche l'ultimo fu uscito, Sukeena gettò sul fuoco un altro ceppo di legno di cedro e si sedette accanto a lui. Con un gesto naturale, Hal le passò un braccio intorno alle spalle, mentre lei gli si appoggiava con il corpo snello, abbandonando la testa nell'incavo della spalla. Si lasciò sfuggire un sospiro, un suono dolce e beato, e per qualche tempo nessuno dei due parlò.

«Vorrei stare qui al tuo fianco per sempre, ma forse le stelle non lo permetteranno», sussurrò poi Sukeena. «Forse la stagione del nostro amore sarà breve come una giornata d'inverno.»

«Non dirlo», le ordinò Hal. «Non dirlo mai.»

Alzarono entrambi la testa per contemplare le stelle, che lì, in quell'aria pura di montagna, erano tanto luminose da rischiarare il cielo con la stessa luminescenza della madreperla che riveste l'interno di una conchiglia di orecchia di mare appena pescata dalle acque. Hal le guardava con timoroso rispetto e, ripensando a quello che gli aveva detto Sukeena, si sentì invadere da una sensazione di disperazione e di tristezza che lo fece rabbrividire.

D'un tratto lei si mise a sedere, osservando a bassa voce: «Così prenderai freddo. Vieni, Gundwane!»

Lo aiutò ad alzarsi, guidandolo all'interno del rifugio, verso il pagliericcio addossato alla parete interna. Ve lo distese, poi accese il lucignolo della piccola lampada a olio di terracotta, sistemandola su un ripiano nella parete di roccia. Avvicinatasi al fuoco, sollevò la pentola di coccio piena d'acqua che era posata ai margini dei tizzoni ardenti. Poi versò l'acqua bollente in un piatto vuoto, mescolandovi acqua fredda attinta dal recipiente accanto alla porta finché la temperatura non le parve ideale.

I suoi movimenti erano tranquilli e pacati. Appoggiato su un gomito, Hal rimase a guardare mentre lei disponeva il piatto di acqua calda al centro del pavimento, poi vi versava dentro alcune gocce da un flacone di vetro, mescolando con la mano. Si sentì aleggiare nell'aria il suo profumo lieve e insinuante, diffuso dalla zaffata di vapore.

Sukeena si alzò, dirigendosi verso l'entrata e abbassando la tenda di pelle di animale sull'apertura, poi tornò indietro, fermandosi vicino al piatto di acqua profumata e sfilandosi dai capelli i fiori selvatici per gettarli sulla coperta di pelliccia ai piedi di Hal. Senza guardarlo, sciolse la massa scura dei capelli pettinandoli fin quando non scintillarono come un'onda di ossidiana. Mentre si pettinava, cominciò a cantare nella sua lingua, una ninnananna o una canzone d'amore, Hal non sapeva bene quale delle due. La sua voce era rasserenante, lo calmava e lo riempiva di gioia.

Posando il pettine, si lasciò scivolare la camicia dalle spalle. Il suo corpo risplendeva alla luce gialla della lampada, e i seni sembravano piccole pere dorate. Poi gli voltò le spalle e il canto cambiò: era un'espressione melodiosa di gioia e di eccitazione.

«Che cosa canti?» le domandò.

Sukeena sorrise, voltando la testa all'indietro sulla spalla nuda. «È il canto nuziale del popolo di mia madre. La sposa dice che è felice e che ama il marito con la forza eterna dell'oceano e la pazienza delle stelle che splendono in cielo.»

«Non ho mai sentito un canto più piacevole.»

Con lenti movimenti voluttuosi, lei tolse quanto portava intorno alla vita, gettandolo da parte. Aveva natiche piccole e sode, divise da un solco profondo che formava due ovali perfetti. Accovacciandosi vicino al piatto per immergere un piccolo lembo di stoffa nell'acqua profumata, cominciò a lavarsi, partendo dalle spalle e lavando prima un braccio, poi l'altro, fino alla punta delle dita affusolate. Sotto le ascelle aveva ciuffi serici di riccioli neri.

Hal comprese che i gesti che compiva facevano parte di un lavacro rituale, di una cerimonia che stava celebrando di fronte a lui. Osservava avidamente ogni suo movimento, e ogni tanto lei alzava gli occhi per sorridergli con aria schiva. Le ciocche morbide di capelli dietro le orecchie erano state inumidite col panno, e goccioline d'acqua scintillavano sulle guance e sul labbro superiore.

Infine si alzò in piedi, voltandosi lentamente verso di lui. Una volta Hal aveva pensato che il suo corpo fosse quasi androgino, ma ora lo vide così femminile che il suo cuore si gonfiò di desiderio per lei. Aveva il ventre piatto, ma liscio come il burro, che culminava alla base in un triangolo di peluria scura e soffice come un gattino addormentato.

Poi Sukeena si asciugò con la camicia di cotone che si era tolta e si diresse verso la lampada a olio, chiudendo una mano a coppa intorno al lucignolo e chinandosi in avanti per spegnere la fiamma.

«No!» disse Hal. «Lascia la luce accesa. Voglio guardarti.»

Finalmente andò da lui, scivolando a piedi nudi sul pavimento di pietra, e s'infilò nel letto al suo fianco, fra le sue braccia, intrecciando il corpo al suo. Gli sfiorò la bocca con le labbra umide, morbide e calde, mescolando al suo il proprio alito, che profumava dei fiori selvatici che aveva portato fra i capelli.

«Ti ho aspettato tutta la vita», sussurrò sulla sua bocca.

E lui sussurrò a sua volta: «L'attesa è stata troppo lunga, ma finalmente sono qui».

Al mattino gli mostrò con orgoglio i tesori che aveva portato per lui nelle sacche da sella: in un modo o nell'altro, era riuscita a procurarsi tutto quello che lui aveva chiesto negli appunti lasciati per Aboli nel muro del castello.

Hal afferrò le carte. «Dove le hai trovate?» domandò, rendendola felice nel vedere quanto valore attribuiva a quegli oggetti.

«Ho molti amici nella colonia», spiegò lei. «C'era persino qualche prostituta delle taverne che veniva da me a chiedere una cura per i suoi disturbi. Alcune di quelle donne lavorano nelle taverne e salgono a bordo delle navi nella baia per fare il loro mestiere; tornando a riva portano con sé tante cose, non sempre ottenute in regalo dai marinai.» Scoppiò in una risata allegra. «Qualunque cosa non sia fissata con i bulloni al ponte del galeone, dal punto di vista di quelle signore appartiene a loro. Quando ho chiesto delle carte, mi hanno portato queste. Sono quelle che volevi, Gundwane?»

«Sono più di quanto avessi sperato, Sukeena. Questa è molto preziosa, e anche quest'altra.» Le carte provenivano chiaramente dal tesoro di qualche navigatore, ed erano estremamente dettagliate, fitte di annotazioni e osservazioni scritte con una grafia colta ed elegante. Mostravano le coste dell'Africa meridionale con eccezionale ricchezza di dettagli, e lui poteva apprezzarne la precisione anche grazie alla sua esperienza personale. Infatti, con suo grande stupore, su una di esse era segnata la posizione della laguna dell'Elefante: era la prima volta che la vedeva indicata su una carta che non fosse quella del padre. La posizione era indicata in modo quasi esatto, e nel margine era disegnato uno schizzo dell'approdo e dell'elevazione dei promontori dalla parte del mare, in cui riconobbe subito il frutto di un'osservazione diretta.

Sebbene la costa e il litorale circostante fossero registrati con precisione, l'interno, come al solito, era rimasto in bianco o era pieno di congetture su laghi e montagne che nessun occhio europeo aveva mai contemplato. Il contorno delle montagne fra le quali si trovavano era stato tracciato in modo approssimativo, come se il cartografo le avesse osservate dalla colonia di Buona Speranza o entrando dal mare nell'insenatura della baia Falsa, affidandosi alle ipotesi per quanto riguardava la forma e l'estensione. Chissà dove e come, per completare le carte, Sukeena era riuscita a ottenere un almanacco dei navigatori olandesi pubblicato ad Amsterdam, che registrava i movimenti dei corpi celesti fino alla fine del decennio in corso.

Hal accantonò quei preziosi documenti per prendere in mano l'ottante che Sukeena gli aveva procurato. Era un modello smontabile, le cui varie parti erano contenute in un piccolo astuccio di cuoio con l'interno rivestito di velluto azzurro. Lo strumento in sé era realizzato con ingegnosità e arte straordinaria: il quadrante in bronzo, decorato con le rappresentazioni dei quattro venti, le lancette e le viti erano tutti arricchiti da incisioni e abbelliti da gradevoli motivi ornamentali e figure classiche. Una minuscola placca in bronzo all'interno del coperchio dell'astuccio recava l'incisione: « Cellini. Venezia ».

La bussola che gli aveva portato era contenuta in un solido astuccio di cuoio: la cassa era di ottone, mentre l'ago magnetico aveva le estremità in oro e avorio, bilanciate con tale precisione da indicare invariabilmente il nord comunque si rigirasse la cassa fra le dita.

« Ma questi strumenti valgono almeno venti sterline! » commentò Hal, ammirato e stupito. « Se hai saputo procurarteli, sei davvero una maga. » La prese per mano uscendo all'aperto, senza zoppicare troppo come il giorno precedente. Mentre erano seduti fianco a fianco sul pendio, le insegnò a rilevare il passaggio del sole allo zenith e a segnare la posizione su una delle carte. Lei era felice del piacere che gli aveva procurato, e dapprima lo sorprese e lo incantò con la sua comprensione immediata dell'arte esoterica della navigazione, finché Hal non rammentò che era un'astrologa, e conosceva i cieli.

Con quegli strumenti fra le mani, poteva spostarsi con sicurezza in quel territorio desertico, e il suo sogno di trovare una nave cominciò a sembrare meno assurdo di quanto non fosse stato appena un giorno prima. La strinse al petto per baciarla, e Sukeena si fuse teneramente a lui. « Quel bacio è stato una ricompensa migliore delle venti sterline di cui parlavate, comandante. »

« Se un solo bacio vale venti sterline, allora ho per te qualcosa che deve valerne cinquecento », esclamò Hal, rovesciandola nell'erba per fare l'amore con lei. Molto tempo dopo, lei lo guardò sorridendo e bisbigliando: « Questo valeva tutto l'oro del mondo ».

Quando tornarono all'accampamento, scoprirono che Daniel aveva riunito tutte le armi, mentre Aboli stava levigando la lama delle spade, affilandole con una pietra durissima che aveva raccolto dal letto del ruscello.

Hal esaminò con cura l'assortimento di armi. C'erano sciabole e pistole sufficienti per armare tutti gli uomini, ma i moschetti erano solo cinque, solidi e pesanti, modelli militari standard in dotazione agli olandesi. Il punto debole era la scarsità di polvere nera, micce e palle di piombo. Potevano sempre usare ciottoli di ghiaia come proiettili, ma non esistevano surrogati della polvere pirica: nelle fiasche avevano meno di cinque libbre di quella preziosa sostanza, sufficienti per nemmeno una ventina di cariche.

« Senza polvere, non possiamo più uccidere bestie di grossa taglia », spiegò Sabah a Hal. « Mangiamo pernici e *dassies*. » Sabah usò il diminutivo del nome olandese del tasso per indicare le creature soffici, simili a conigli, che pullulavano nelle caverne e nei crepacci. Hal pensò che somigliavano ai conigli della Bibbia.

L'urina prodotta dalle colonie di *dassies* scorreva giù dall'orlo della parete con tanta abbondanza da lasciare sulla roccia, asciugandosi, una spessa patina che splendeva al sole come caramello, ma senza avere un odore altrettanto dolce. Con pazienza e abilità, questi conigli di roccia si potevano prendere in trappola e uccidere in quantità tale da fornire alla piccola banda una fonte costante di cibo, dal momento che avevano una carne saporita come quella dei maialini di latte.

Da quando Sukeena era con loro, comunque, la dieta quotidiana si era arricchita, grazie alla sua conoscenza delle radici e delle piante commestibili. Ogni giorno, quando usciva a fare incetta di erbe lungo i pendii, Hal l'accompagnava per portarle il cestino; man mano che la sua gamba migliorava, si avventuravano più lontano e restavano fuori più a lungo.

Le montagne li cingevano nel loro abbraccio maestoso, fornendo la montatura perfetta per la gemma luminosa del loro amore. Quando il cestino di Sukeena era pieno fino a traboccare, in uno dei tanti corsi d'acqua trovavano qualche pozza nascosta in cui fare il bagno nudi. Poi restavano distesi fianco a fianco ad asciugarsi al sole sulle rocce lisce, levigate dall'acqua. Giocavano ciascuno con il corpo dell'altro, con lentezza esasperante, prima di fare l'amore. Poi parlavano, esplorando a vicenda la mente così come avevano esplorato il corpo, e alla fine facevano di nuovo l'amore. Il loro appetito sembrava insaziabile.

«Oh! Ma dove hai imparato a far godere così una ragazza?» chiedeva Sukeena, senza fiato. «Chi ti ha insegnato tutte queste cose speciali che mi fai?»

Era una domanda alla quale non gradiva rispondere, così diceva: «È solo che stiamo così bene insieme da completarci a vicenda. I miei punti speciali erano fatti per toccare i tuoi. Io cerco il piacere nel tuo piacere, e il mio è moltiplicato cento volte dal tuo».

La sera, quando tutti i fuggitivi si riunivano intorno al fuoco della cucina, incalzavano Hal facendogli domande sui progetti che aveva per loro, ma lui le eludeva con una risata tranquilla o una scrollata del capo. In realtà nella sua mente si stava delineando un piano d'azione, ma non era ancora pronto a esporlo, perché c'erano ancora molti ostacoli da superare. Invece interrogava Sabah e gli altri cinque schiavi fuggiaschi, sopravvissuti con lui all'inverno in montagna.

«Fin dove vi siete spinti a est oltre la catena montuosa, Sabah?»

«Verso la metà dell'inverno abbiamo viaggiato per sei giorni in quella direzione. Cercavamo cibo e un posto dove non facesse tanto freddo.»

«Che tipo di terra s'incontra, a est?»

«Per molte leghe ci sono montagne come queste, e poi al-

l'improvviso si passa a pianure coperte di foreste e prateria on-
dulata, dove s'intravede il mare sulla destra.» Sabah prese un
ramoscello per tracciare un disegno sulla polvere accanto al
fuoco. Hal s'impresse nella memoria le sue descrizioni, interro-
gandolo assiduamente e stimolandolo a ricordare ogni dettaglio
di quello che aveva visto.

«Siete scesi in quelle pianure?»

«Siamo andati avanti per un breve tratto. Abbiamo incontrato strane creature, mai viste prima: grigie, enormi, con lunghe
corna piantate sul naso. Una si è lanciata contro di noi lanciando sbuffi e fischi spaventosi. Anche se le abbiamo sparato con il
moschetto, ci è piombata addosso, infilzando con il corno la
moglie di Johannes e uccidendola.»

Guardarono tutti il piccolo e guercio Johannes, che piangeva
al ricordo della donna morta; era strano vedere le lacrime scorrere dall'orbita vuota. Rimasero in silenzio per qualche minuto,
poi fu Zwaantie a riprendere il racconto. «Il mio piccolo Bobby
aveva appena un mese, e non potevo esporlo a un pericolo del
genere. Senza polvere per i moschetti non potevamo andare
avanti. Ho insistito con Sabah per tornare indietro, e siamo venuti qui.»

«Perché fate queste domande? Qual è il vostro piano, comandante?» volle sapere Big Daniel, ma Hal scosse la testa.

«Non sono ancora pronto a spiegarvelo, ma non perdetevi
d'animo, ragazzi. Vi ho promesso che vi troverò una nave, no?»
Lo disse con una sicurezza maggiore di quanta ne provasse. La
mattina dopo, con la scusa di andare a pesca, guidò Aboli e Big
Daniel a monte del ruscello, fino alla pozza successiva. Quando
furono lontani dall'accampamento, si sedettero insieme sulla
sponda rocciosa.

«È chiaro che, se non riusciamo ad armarci meglio, resteremo in trappola su queste montagne. Poco alla volta moriremo,
avviliti e scoraggiati come gli uomini di Sabah. Dobbiamo procurarci la polvere per i moschetti.»

«E dove?» chiese Daniel. «Che cosa proponete?»

«Stavo pensando alla colonia.»

Lo fissarono entrambi con stupore, ma fu Aboli a rompere il
silenzio. «Hai intenzione di tornare a Buona Speranza? Ma anche lì non potrai procurarti la polvere. Oh, sì, forse potrai mettere le mani su un paio di libbre, prendendole alle giubbe verdi

giù al ponte, oppure a un cacciatore della Compagnia, ma questo non è sufficiente per metterci in viaggio. »

« Avevo intenzione di tornare al castello. »

I due uomini risero con amarezza. « Non vi manca l'iniziativa né il coraggio, comandante », osservò Big Daniel. « Ma è una follia. »

Aboli fu d'accordo e, con la sua voce profonda, osservò: « Se pensassi che abbiamo anche una minima probabilità di successo, andrei volentieri, anche da solo. Ma pensaci, Gundwane, non mi riferisco solo all'impossibilità di introdurci nell'armeria del castello. Ammettiamo pure che sia possibile, e che la riserva di polvere che abbiamo distrutto sia stata ricostituita con le spedizioni inviate dall'Olanda. Ammettiamo pure di riuscire a portarne via una parte. Come potremmo portare anche un solo barilotto fin quassù, con Schreuder e i suoi uomini che c'inseguono? Stavolta non avremmo i cavalli. »

In cuor suo, Hal sapeva fin dall'inizio che era una follia, ma aveva sperato che anche una proposta così disperata potesse far scattare nella loro mente la scintilla di un altro piano.

Aboli continuò: « Hai parlato di un progetto per trovare una nave. Se ci esponi quello, Gundwane, forse potremo aiutarti a metterlo in pratica ». I due lo guardarono con aria di attesa.

« Dove credete che sia l'Avvoltoio, in questo momento? » replicò Hal.

Aboli e Big Daniel lo guardarono sorpresi. « Se le mie preghiere sono state esaudite, arrostisce all'inferno », rispose Daniel con amarezza.

Hal guardò Aboli. « E tu che ne pensi? Dove cercheresti l'Avvoltoio? »

« Da qualche parte sui sette mari, dovunque possa fiutare oro o la promessa di una preda facile, come l'uccello che si ciba di carogne da cui prende il nome. »

« Proprio così! » Hal gli batté sulla spalla. « Ma dove potrebbe essere più nitida la pista dell'oro? Per quale motivo l'Avvoltoio ha comprato all'asta Jiri e gli altri marinai negri? »

Aboli lo fissò senza capire, poi un sorriso si allargò lentamente sul faccione scuro. « La laguna dell'Elefante! »

Big Daniel scoppiò in una risata eccitata. « Ha fiutato il tesoro del galeone olandese, e ha pensato che i nostri ragazzi potessero condurlo fin lì. »

« Quanto siamo lontani dalla laguna dell'Elefante? » chiese Aboli.

« Secondo i miei calcoli, trecento miglia marine. » L'immensità di quella distanza li ridusse al silenzio.

« È un lungo viaggio », osservò Daniel. « Senza la polvere per difenderci lungo il cammino, o per combattere contro l'Avvoltoio, ammesso che arriviamo a destinazione. »

Aboli non replicò, limitandosi a guardare Hal. « Quanto tempo ci vorrà per il viaggio, Gundwane? »

« Se riusciamo a percorrere dieci miglia buone al giorno, cosa di cui dubito, forse poco più di un mese. »

« L'Avvoltoio sarà ancora lì, quando arriveremo, oppure avrà rinunciato alla ricerca salpando l'ancora? » rifletté a voce alta Aboli.

« Già! » brontolò Daniel. « E, se sarà partito, che ne sarà di noi, allora? Resteremmo bloccati lì per sempre. »

« Preferisci restare bloccato qui, mastro Daniel? Vuoi morire di freddo e di stenti su questa montagna dimenticata da Dio, quando tornerà l'inverno? »

Tacquero di nuovo, poi Aboli disse: « Io sono pronto a partire subito. Non ci resta nessun'altra via ».

« E la gamba di Sir Henry? Sarà abbastanza forte? »

« Concedetemi un'altra settimana, ragazzi, e ve la farò vedere. »

« Che cosa facciamo, se troviamo l'Avvoltoio ancora accampato nella laguna dell'Elefante? » Daniel non era disposto ad accettare troppo facilmente. « Ha un equipaggio di cento manigoldi ben armati e noi, anche ammesso che superiamo tutti il viaggio, saremo una dozzina, armati solo di spada. »

« Certo, è uno scontro davvero impari! » Hal rise di lui. « Ti ho visto affrontarne di molto peggiori. Polvere o no, partiamo alla ricerca dell'Avvoltoio. Sei con noi, mastro Daniel? »

« Ma certo che sono con voi. » Big Daniel sembrava offeso. « Che cosa vi ha fatto pensare che non lo fossi? »

Quella sera, intorno al falò, Hal espose il piano agli altri, e alla fine osservò la loro espressione tetra alla luce del fuoco. « Non imporrò a nessuno di venire con noi. Aboli, Daniel e io siamo decisi a partire, ma se c'è qualcuno fra voi che preferisce restare qui fra le montagne, vi lasceremo metà della riserva di armi, compresa la polvere da sparo che resta, e senza rancore. C'è qualcuno di voi che desidera parlare? »

« Sì », rispose Sukeena, senza alzare gli occhi dal cibo che stava preparando. « Io andrò dovunque tu vada. »

« Ben detto, Principessa », esclamò Ned Tyler con un sorriso. « Anch'io. »

« Sì! » risposero gli altri marinai all'unisono. « Siamo tutti con voi. »

Hal li ringraziò con un cenno del capo, prima di guardare Althuda. « Tu hai una donna e un figlio cui pensare, Althuda. Che cosa rispondi? »

Vedeva la tensione sul viso della piccola Zwaantie, mentre allattava il bimbo al seno. I suoi occhi scuri erano pieni di dubbi e diffidenza. Althuda la invitò ad alzarsi, allontanandosi con lei nell'ombra.

Quando furono lontani, Sabah parlò a nome della sua banda. « Il nostro capo è Althuda. Lui ci ha salvati dalla prigionia, e non possiamo lasciare lui e Zwaantie soli in questa zona desertica a morire di freddo e di fame con il bambino. Se Althuda va, andiamo anche noi, ma se resta dobbiamo restare con lui. »

« Ammiro la tua fermezza e lealtà, Sabah », rispose Hal.

Mentre attendevano in silenzio, sentirono Zwaantie piangere di paura nell'oscurità. Poi, dopo un lungo intervallo, Althuda la ricondusse verso il fuoco, tenendole un braccio intorno alle spalle, e ripresero posto nel circolo.

« Zwaantie non teme per se stessa, ma per il bambino », spiegò. « Comunque sa che la nostra unica possibilità siete voi, Sir Hal. Vi seguiremo. »

« Sarei stato molto triste se la tua decisione fosse stata diversa, Althuda. » Hal sorrise con autentico piacere. « Se saremo insieme, le nostre probabilità aumenteranno di molto. Ora dobbiamo fare i preparativi e accordarci su quando partire. »

Sukeena si allontanò dal fuoco per sedersi accanto a Hal, prendendo la parola in tono risoluto. « La tua gamba non sarà guarita prima di altri cinque giorni. Prima di allora, non ti permetterò di marciare. »

« E quando parla Principessa », dichiarò Aboli con la sua voce profonda, « solo chi è sciocco non le dà ascolto. »

In quegli ultimi giorni, Hal e Sukeena andarono a fare provviste di erbe e piante che lei intendeva usare per ricavarne rimedi medicinali e cibo. Le ultime tracce di infezione alle ferite di Hal cedettero alle sue cure, mentre lo sforzo di salire e scendere lungo le pendici ripide e accidentate della montagna rafforzava rapidamente la gamba ferita.

Il giorno prima di quello fissato per la partenza, i due si fermarono a mezzogiorno per fare il bagno, riposare e fare l'amore sull'erba soffice lungo il ruscello. Quello era un ramo del fiume che non avevano ancora visitato nelle loro spedizioni precedenti e, mentre Hal era steso al sole, sfinito dalla passione, Sukeena si alzò, nuda com'era, allontanandosi di alcuni passi lungo il pendio per soddisfare una necessità naturale.

Vedendola accovacciarsi dietro un tratto di cespugli bassi, Hal si rilassò e chiuse gli occhi, scivolando pigramente nel dormiveglia. Fu ridestato dal suono familiare del bastoncino appuntito di Sukeena che scavava nel terreno, e pochi minuti dopo lei tornò, ancora nuda, ma con una zolla di terra gialla fra le mani.

«Cristalli di fiori! I primi che trovo fra queste montagne.» Era entusiasta della scoperta, e tolse alcune erbe meno preziose dal cestino per fare posto ai grumi di terra friabile. «Un tempo alcune di queste montagne dovevano essere vulcani, perché i cristalli di fiori nascono dal terreno sotto forma di lava.»

Hal la guardò lavorare, più interessato allo scintillio del suo corpo nudo al sole, simile all'oro fuso, e al modo in cui i piccoli seni cambiavano forma mentre impugnava con energia il bastoncino, che ai grumi cristallini di terra gialla che lei estraeva dal fianco della gola montuosa.

«A che scopo ti serve, questa terra?» domandò lui, senza alzarsi dal giaciglio d'erba.

«A molti scopi. È un rimedio sovrano contro emicranie e coliche. Mescolata con il succo delle bacche di verbena, calma le palpitazioni del cuore e facilita il flusso mensile delle donne e...» Snocciolò una lista dei malanni che poteva curare con quel rimedio, ma a Hal non sembrava che avesse speciali virtù: in apparenza aveva l'aspetto di una qualsiasi zolla di terra secca. Il cestino ormai era così pesante che, al ritorno, dovette portarlo Hal.

Quella sera, mentre il gruppo era seduto intorno al fuoco e teneva l'ultimo consiglio prima di intraprendere il lungo viaggio verso est, Sukeena pestò le zolle di terra nel rozzo mortaio di pietra che aveva costruito, mescolando la polvere in una pentola piena d'acqua. Dopo averla messa a scaldare al fuoco, andò a sedersi a fianco di Hal, mentre lui riesaminava l'ordine di marcia per il giorno seguente. Stava suddividendo armi e munizioni fra gli uomini: il peso e la mole di ogni carico sarebbero stati dettati dall'età e dalla forza dell'uomo che lo trasportava.

D'improvviso Hal s'interruppe, annusando l'aria. «Per il cielo e tutti i santi apostoli!» esclamò. «Che diavolo hai messo in quella pentola, Sukeena?»

«Te l'ho detto, Gundwane, sono i fiori gialli.» Parve allarmata quando lui si precipitò verso di lei, prendendola fra le braccia, lanciandola in aria e afferrandola al volo quando ricadde, con le gonne svolazzanti.

«Questo non è affatto un fiore! Riconoscerei questo odore anche all'inferno, che è il suo vero posto!» La baciò finché non distolse il viso.

«Sei pazzo?» Lei rise, ansimando per riprendere fiato.

«Pazzo d'amore per te!» replicò lui, costringendola a voltarsi verso gli uomini che assistevano stupiti. «Ragazzi, Principessa ha fatto il miracolo che ci salverà tutti.»

«Tu parli per enigmi», ribatté Aboli.

«Sì!» esclamarono gli altri in coro. «Parlate chiaro, comandante.»

«Parlerò tanto chiaro che anche il più tardo di comprendonio fra voi lupi di mare capirà le mie parole.» Hal rise della loro confusione. «La sua pentola è piena di zolfo! Magico zolfo giallo!»

Fu Ned Tyler a capire per primo, perché era il capo artigliere. Balzò in piedi anche lui, precipitandosi in ginocchio sopra la pentola, inalando i vapori come se fossero il fumo di una pipa di oppio.

«Il capitano ha ragione, ragazzi», esclamò, ululando di gioia. «È zolfo, eccome.»

Sukeena guidò una spedizione composta da Aboli e Big Daniel sino al fianco della gola rocciosa dove aveva scoperto il giacimento di zolfo. Di lì tornarono al campo, barcollando sotto il peso della terra gialla, impacchettata in cesti o cucita in sacchi fatti di pelli di animali.

Mentre Sukeena sovrintendeva alla bollitura e al filtraggio dei cristalli di zolfo dal minerale grezzo, il guercio Johannes e Zwaantie preparavano i fuochi bassi, circondati da un argine di terra, sui quali i ceppi di legno di cedro si riducevano pian piano a pepite nere di carbone puro.

Il gruppo di Hal e Sabah, invece, scalava il ripido pendio sopra il campo per raggiungere le pareti che ospitavano le colonie di conigli di roccia. Gli uomini di Sabah si arrampicavano sui precipizi, grattando via i cristalli color ambra di urina disseccata. I piccoli animali defecavano in concimaie comuni ma, mentre le pallottoline di sterco rotolavano via, l'urina gocciolava impregnando la superficie della roccia. In certi punti il rivestimento era spesso alcuni piedi.

Calarono sacchi pieni di quei depositi maleodoranti fino alla base della parete, poi li trasportarono a spalla fino al campo. Lavoravano a turno, per tenere i fuochi sempre accesi sotto le pentole di terraglia, estraendo lo zolfo dalla terra frantumata e il salnitro dagli escrementi degli animali.

Ned Tyler e Hal, i due esperti di artiglieria, sorvegliavano quelle pentole fumanti come alchimisti, filtrando il liquido e facendolo ridurre col calore; infine asciugarono al sole la densa pasta che avevano ricavato. Dalla prima bollitura ottennero una scorta di polveri cristalline asciutte che riempiva tre grosse pentole.

Una volta schiacciato, il carbone dava una polvere nera e vellutata, mentre il salnitro era marrone chiaro, fine come sale marino. Quando Hal ne mise un pizzico sulla lingua, infatti, lo trovò pungente e salmastro come il mare. I fiori di zolfo, invece, erano gialli come i narcisi e quasi del tutto inodori.

L'intero gruppo di fuggiaschi si raccolse in circolo per assistere; infine Hal cominciò a mescolare i tre componenti nel mortaio di pietra di Sukeena. Dopo aver calcolato le proporzioni, per prima cosa mescolò il carbone e lo zolfo. Senza l'ultimo ingrediente essenziale, infatti, gli altri due erano inerti e innocui. Poi aggiunse il salnitro, unendolo con precauzione alla polvere primaria, di colore grigio scuro, fino a ottenere una fiasca piena di una sostanza che, alla vista e all'olfatto, sembrava autentica polvere da sparo.

Aboli gli porse uno dei moschetti, misurando la quantità giusta per una carica, la inserì nella canna, ficcandovi sopra uno stoppaccio di corteccia fibrosa essiccata, poi inserì con la bacchetta un ciottolo rotondo che aveva scelto dalla riva sabbiosa del ruscello. Non intendeva certo sprecare una pallottola di piombo per quell'esperimento.

Nel frattempo, Big Daniel aveva sistemato sull'altra riva un bersaglio di legno. Mentre Hal si accovacciava per prendere la mira, gli altri si disposero ai lati, tappandosi le orecchie. Un silenzio carico di aspettativa calò sul gruppo, mentre Hal puntava e premeva il grilletto.

Si sentì un'esplosione poderosa, accompagnata da una nuvola accecante di fumo. Il bersaglio di legno andò in pezzi, cadendo in acqua. Un grido di esultanza si levò dal gruppo: tutti si davano pacche sulle spalle e ballavano la giga al sole, ebbri di trionfo.

«È una polvere ottima, pari a quella che si trova nei depositi navali di Greenwich», sentenziò Ned Tyler, «ma bisognerà trasformarla in panetti per poterla trasportare.»

A questo scopo, Hal fece sistemare un pentolone di coccio dietro uno schermo di vegetazione all'estremità del campo, e tutti ricevettero l'ordine di fare uso del vaso in ogni occasione possibile. Persino le donne si ritiravano dietro lo schermo per dare il loro contributo. Una volta riempito il vaso, la polvere da sparo fu inumidita, impastandola con l'urina per formare delle mattonelle che furono messe a essiccare al sole e riposte in cestini di vimini per facilitarne il trasporto.

«Le macineremo quando ne avremo bisogno», spiegò Hal a Sukeena. «Ora non avremo bisogno di trasportare tanta carne e pesce secco, perché potremo andare a caccia durante il viaggio. Se c'è abbondanza di selvaggina, come dice Sabah, non resteremo a corto di carne fresca.»

Con due giorni di ritardo rispetto alle previsioni, il gruppo fu pronto a mettersi in viaggio verso est. Guidavano la colonna Hal, in qualità di navigatore, e Sabah, che aveva già percorso quell'itinerario; Althuda e i tre armati di moschetto stavano al centro, per proteggere le donne e il piccolo Bobby, mentre Aboli e Big Daniel formavano la retroguardia, curvi sotto il peso del carico.

Viaggiavano seguendo la linea di minore pendenza della catena montuosa, percorrendo le valli e limitandosi a superare i passi fra una cima e l'altra. Hal valutava le distanze percorse a occhio e in base al tempo, mentre rilevava la direzione grazie alla bussola nell'astuccio di cuoio, e ogni sera riportava il tutto sulle carte prima che la luce svanisse.

La sera si accampavano all'aperto, perché il tempo era mite ed erano troppo stanchi per costruirsi un riparo. Ogni giorno

all'alba si alzavano con le pelli, che Sabah chiamava *kaross*, ricoperte di rugiada.

Come aveva preannunciato Sabah, dovettero superare sei
giorni di duro cammino in quel labirinto di valli, prima di raggiungere la ripida scarpata a oriente; una volta raggiunta la sommità, contemplarono il territorio che si stendeva ai loro piedi.

In lontananza, sulla destra, scorsero la macchia azzurra del-
l'oceano che si fondeva con l'azzurro più chiaro del cielo, della
stessa sfumatura di un uovo di airone; ma il terreno sotto di loro non era davvero pianeggiante come Hal si era aspettato, bensì interrotto da collinette, ondulazioni erbose e strisce di foresta
verde cupo, disposte evidentemente lungo il corso dei numerosi
fiumiciattoli che solcavano il litorale prima di gettarsi in mare.

Sulla sinistra, un'altra catena di montagne azzurrine e frastagliate si snodava in direzione parallela al mare, formando un bastione che proteggeva il misterioso interno del continente. La
vista acuta di Hal individuò sulle praterie dorate alcune chiazze
scure in perenne movimento, simili a ombre di nuvole, anche
quando in cielo non c'erano nuvole. Vide la polvere che aleggiava nell'aria al seguito dei branchi di animali selvaggi in movimento, e di tanto in tanto scorse il riflesso del sole su zanne d'a-
vorio o corna lucenti.

«Questa terra è tutta un brulichio di vita», mormorò rivolto
a Sukeena, in piedi al suo fianco. «Forse laggiù vivono strane
bestie che nessun uomo ha mai visto prima d'ora. Forse persino
draghi che sputano fuoco, o unicorni e grifoni alati.» Sukeena
rabbrividì, stringendosi le braccia intorno al corpo, anche se il
sole era alto e ardente.

«Ho visto creature del genere disegnate sulle carte che ti ho
portato», mormorò.

Davanti a loro si apriva un sentiero, battuto dalle grandi
zampe degli elefanti e delimitato da pietre miliari formate da pile dei loro escrementi gialli e fibrosi; Hal seguì la pista, che
scendeva lungo il pendio con un tracciato sinuoso, aggirando i
precipizi e le gole pericolose.

Man mano che scendevano, le caratteristiche del paesaggio
delle pianure divennero più evidenti. Hal riuscì persino a riconoscere alcune delle creature che vi dimoravano. La massa nera
di bovini, sovrastata da una nebbiolina di polvere dorata e da
una nube di uccelli intenti a liberarli dai parassiti, che ogni tanto si libravano a loro volta sopra di loro con le piume bianche

scintillanti al sole, doveva corrispondere a quel bufalo selvatico di cui gli aveva parlato Aboli. *Nyati*, lo aveva chiamato, quando aveva ammonito Hal a guardarsi dalla sua ferocia. Dovevano esserci alcune centinaia di quelle bestie in ognuno dei tre branchi distinti che aveva sott'occhio.

Oltre il branco di bufali più vicino c'era un piccolo gruppo di elefanti. Hal li ricordava bene dai precedenti avvistamenti, tanto tempo prima, sulle rive della laguna, ma non ne aveva mai visti tanti prima di allora. C'erano almeno venti grosse femmine grigie, ciascuna seguita da un piccolo. Sparsi sulla pianura, come collinette di granito grigio, stavano tre o quattro maschi isolati: riusciva a stento a valutare le dimensioni di quei pachidermi, o la lunghezza e il diametro delle zanne d'avorio giallastro.

C'erano altre creature, non altrettanto grandi degli elefanti maschi, ma non meno imponenti, e anch'esse grigie, che da principio scambiò per elefanti. Mentre scendevano verso le pianure, però, scorse le corna nere, in alcuni casi lunghe quanto un uomo, che decoravano il grosso muso grigio e corrugato. Ricordava quanto gli aveva detto Sabah di quelle bestie crudeli, una delle quali aveva trafitto e ucciso la donna di Johannes con il corno micidiale. Quei « renosteri », come li chiamava Sabah, sembravano animali solitari, visto che se ne stavano appartati dai loro simili, ciascuno all'ombra di un albero.

Mentre avanzava alla testa della minuscola colonna, Hal udì alle spalle un lieve scalpiccio di piedi che si avvicinavano: Sukeena aveva lasciato il suo posto al centro della colonna, come faceva spesso, appena trovava un pretesto per camminare per qualche tempo al suo fianco.

Insinuando la mano in quella di Hal, si tenne al passo con lui. « Non volevo entrare da sola in questo paese nuovo. Volevo camminare al tuo fianco », gli disse sottovoce, prima di alzare lo sguardo al cielo. « Vedi come il vento volge a sud e le nubi si accovacciano in cima alle montagne come un branco di bestie selvatiche in agguato? Si avvicina una tempesta. » Il suo avvertimento si rivelò opportuno. Hal riuscì a condurre tutti al riparo in una caverna prima che gli elementi si scatenassero. Rimasero lì per tre lunghi giorni e tre notti, mentre all'esterno infuriava la tempesta, e quando uscirono finalmente all'aperto la terra sembrava lavata di fresco e il cielo era azzurro e luminoso.

Prima ancora che la *Golden Bough* avesse preso il largo dal capo di Buona Speranza, virando di bordo per doppiare il capo, il comandante Christopher Llewellyn si era già pentito di aver preso a bordo come passeggero pagante il colonnello Cornelius Schreuder.

Aveva scoperto ben presto che era un uomo con una grande opinione di sé e un carattere difficile, arrogante. Aveva convinzioni salde e incrollabili su qualunque argomento, e non esitava mai a esprimerle. « Attira i nemici come un cane attira le pulci », osservò Llewellyn rivolto al secondo.

Due giorni dopo la partenza dalla baia della Tavola, lo aveva invitato a cena, insieme con alcuni dei suoi ufficiali, nella cabina di poppa. Llewellyn era un uomo colto, e anche in mare ci teneva a mantenere uno stile di vita elevato. Con il denaro guadagnato nella recente guerra contro l'Olanda, poteva permettersi di indulgere al gusto per le cose belle.

La *Golden Bough* era costata quasi duemila sterline, ed era probabilmente il veliero più bello della sua classe e capacità di carico. Le colubrine erano appena uscite dalla fonderia e le vele erano della tela migliore. L'alloggio del comandante era arredato con un gusto e una raffinatezza senza paragoni, ma senza sacrificare alle esigenze del lusso le caratteristiche proprie di una nave da guerra.

Durante il viaggio di andata, nell'Atlantico, Llewellyn aveva scoperto con gioia che la capacità della sua fregata di tenere il mare era esattamente quella che si era augurato. Navigando in fil di ruota, con la velatura completa e un vento sostenuto, la chiglia fendeva l'acqua come un coltello e la nave puntava così alta nel vento che il comandante aveva l'impressione che il suo cuore cantasse, nel sentire il ponte impennarsi sotto i suoi piedi.

La maggior parte degli ufficiali e sottufficiali aveva già prestato servizio con lui durante la guerra, dando prova di abilità e coraggio, ma a bordo c'era anche un ufficiale più giovane, il quarto figlio di George, visconte di Winterton.

Lord Winterton era Gran Navigatore dell'ordine, oltre a essere uno degli uomini più potenti d'Inghilterra, e possedeva una flotta di navi corsare e commerciali. Suo figlio Vincent, che il padre aveva affidato alla tutela di Llewellyn, era alla prima esperienza di navigazione di corsa, ed era un giovane attraente, non ancora ventenne ma colto, con un atteggiamento aperto e accattivante che lo aveva reso popolare fra i marinai e gli ufficiali. Era anche lui fra gli invitati a cena alla tavola di Llewellyn, quella seconda sera dopo la partenza da Buona Speranza.

La serata cominciò in un clima gaio e vivace, perché tutti gli inglesi erano allegri, con una buona nave e la promessa della gloria e dell'oro che li attraeva. Schreuder, al contrario, era introverso e di pessimo umore. Quando furono tutti scaldati da un paio di bicchieri di vino, Llewellyn esclamò, dall'altro capo della cabina: «Vincent, ragazzo mio, perché non ci cantate qualcosa?»

«Avete ancora voglia di sentirmi miagolare, signore?» rispose il giovane ridendo, con modestia, e tutti gli altri commensali lo incitarono. «Forza, Vinny! Canta per noi, amico!»

Vincent Winterton si alzò in piedi, dirigendosi verso il piccolo clavicordo che era assicurato con robuste viti di ottone a una delle travi portanti della nave. Sedutosi davanti alla tastiera, gettò all'indietro i lunghi capelli ricci, cavando dai tasti un suono sommesso e argentino. «Che cosa volete sentire?»

«*Greensleeves*!» suggerì qualcuno, ma Vincent fece una smorfia. «L'avete sentita cento e più volte, da quando siamo salpati.»

«*Mother Mine*», esclamò qualcun altro. Stavolta Vincent annuì, rovesciando la testa all'indietro e cantando con una voce limpida e sonora che trasfigurò il testo sdolcinato, facendo salire le lacrime agli occhi di molti dei presenti, che battevano i piedi sul pavimento a tempo con la canzone.

Schreuder aveva concepito un'avversione istantanea e irrazionale per quel giovanotto attraente, così cordiale e popolare fra i suoi pari, tanto sicuro di sé e sereno, a suo agio per privilegio di nascita. Schreuder, al confronto, si sentiva anziano e trascurato; non aveva mai suscitato la naturale ammirazione e l'affetto di quanti gli stavano intorno, come invece era evidente nel caso di quel giovane.

Se ne stava rigidamente seduto in un angolo, ignorato da quegli uomini che, fino a poco tempo prima, erano suoi nemici, e che lo detestavano, vedendo in lui soltanto uno straniero noioso e un soldato di fanteria, non un membro di quella scelta confraternita dell'oceano. Sentì che la sua avversione si trasformava in odio vero e proprio per il giovanotto, che aveva il viso fresco, senza rughe, e una voce con lo stesso timbro e colore della campana di un tempio.

Quando la canzone finì, ci fu un attimo di silenzio, attento e rispettoso, poi tutti proruppero in un applauso, esclamando: «Oh, ben fatto, ragazzo! », oppure: «Bravo, Vinny! » Schreuder sentì la propria irritazione raggiungere livelli insostenibili.

Il plauso si prolungò troppo, per i gusti di Vincent, che si alzò dal clavicordo, invitandoli con un gesto a desistere.

Nel silenzio che seguì, Schreuder disse a voce bassa, ma perfettamente nitida: «Miagolare? No, signore, sarebbe un insulto alla specie felina».

Seguì un silenzio esterrefatto, amplificato dallo spazio angusto della cabina. Il giovane arrossì, abbassando istintivamente la mano sull'elsa del pugnale corto che teneva infilato nella cintura ornata di gemme, ma Llewellyn disse brusco: «Vincent! » scuotendo la testa. A malincuore, il giovane ritrasse la mano dall'arma, imponendosi di sorridere e inchinarsi leggermente. «Avete l'orecchio fine, signore. Mi inchino al vostro gusto di intenditore. »

Tornato al suo posto a tavola, volse le spalle a Schreuder per intrattenere il vicino con un fuoco di fila di battute scherzose. Il momento di imbarazzo passò, e gli altri ospiti si rilassarono, sorridendo e unendosi alla conversazione, che escludeva di proposito il colonnello.

Il cuoco di Llewellyn lo aveva seguito da casa sua, e la nave era stata rifornita di carne e verdure fresche al capo di Buona Speranza, quindi il pasto era all'altezza di quelli che si potevano gustare nelle botteghe del caffè e nelle birrerie di Fleet Street, e la conversazione era altrettanto piacevole, alleggerita da un sottile umorismo, fitta di arguzie, doppisensi e frasi di gergo alla moda. Tutto questo in gran parte sfuggiva alla sensibilità linguistica di Schreuder, e il risentimento si accumulava in lui come le nubi che preludono a un tifone tropicale.

Diede un solo contributo alla conversazione, l'allusione pungente alla vittoria olandese sul Tamigi e alla conquista della *Royal Charles*, vanto della marina inglese, che portava il nome del loro amato sovrano. E di nuovo il gelo spense la conversazione: tutti lo fulminarono con gli occhi, poi ripresero a parlare come se lui non avesse aperto bocca.

Schreuder si consolava col chiaretto e, quando la bottiglia davanti a lui fu vuota, allungò la mano verso la caraffa del brandy. La sua resistenza all'alcol era adamantina come il suo orgoglio, ma quella sera sembrava renderlo soltanto più truce e furente. Alla fine del pasto era nello stato d'animo ideale per andare in cerca di una lite, e tentò di trovare un modo, quale che fosse, per alleviare la terribile sensazione di rifiuto e di disperazione che lo aveva sopraffatto.

Alla fine Llewellyn si alzò per proporre il patriottico brindisi: « Salute e lunga vita al Principe nero! » Tutti si alzarono in piedi, abbassando la testa per non urtare contro il soffitto basso: solo Schreuder restò seduto.

Llewellyn bussò con le nocche sul tavolo. « Se non vi dispiace, colonnello, alzatevi in piedi. Brindiamo alla salute del re d'Inghilterra. »

« Non ho più sete, grazie, comandante », rispose Schreuder, incrociando le braccia.

Gli uomini brontolarono, e uno di loro disse forte: « Lasciatelo a me, comandante ».

« Il colonnello Schreuder è ospite a bordo di questa nave », ribatté Llewellyn in tono minaccioso. « E nessuno di voi gli userà alcuno sgarbo, per quanto da parte sua si comporti come un porco e trasgredisca tutte le convenzioni della società civile. » Poi si rivolse a Schreuder. « Colonnello, vi chiedo per l'ultima volta di unirvi al brindisi. In caso contrario, siamo ancora a breve distanza dal capo di Buona Speranza. Darò subito ordine perché la nave viri di bordo per tornare alla baia della Tavola. Lì vi restituirò il denaro del passaggio, e vi farò depositare sulla spiaggia come un secchio di rifiuti. »

Schreuder rinsavì all'istante. Quella era una minaccia che non aveva previsto: aveva sperato di provocare uno di quegli idioti inglesi, costringendolo a un duello. Così avrebbe impartito loro una lezione di scherma che li avrebbe costretti a sbarrare quegli occhi da pesce lesso e a cancellare dal viso quei sorrisetti di superiorità; ma il pensiero di essere riportato sulla scena del delitto e consegnato nelle mani vendicative del governatore van de Velde gli rese le labbra insensibili, facendo formicolare le dita per il terrore. Si alzò lentamente in piedi, con il bicchiere in mano. Allora Llewellyn si rilassò leggermente, e tutti brindarono prima di sedersi di nuovo in un brusio di risa e chiacchiere.

« C'è qualcuno che ha voglia di fare un tiro a dadi? » propose Vincent Winterton, e l'invito fu accolto dal consenso generale.

« Purché non vogliate giocare di nuovo con puntate di uno scellino », obiettò uno degli ufficiali più anziani. « L'ultima vol-

ta ho perso quasi venti sterline, tutto il premio che avevo guadagnato per la cattura del *Buurman*. »

« Poste da un quarto di penny, col limite di uno scellino »,
suggerì un altro, e tutti annuirono, cercando il sacchetto delle
monete.

« Signor Winterton », intervenne Schreuder, « vi sfido a puntare la posta massima che il vostro stomaco riesce a reggere senza vomitare. » Era pallido e aveva la fronte coperta da un velo
di sudore, ma quello era l'unico effetto visibile che l'alcol aveva
su di lui.

Ancora una volta il silenzio calò nella cabina, mentre Schreuder frugava sotto la giacca dell'uniforme, tirando fuori un sacchetto in pelle di cinghiale che fece cadere con disinvoltura sul
tavolo; emetteva il tintinnio inconfondibile dell'oro. Tutti coloro che erano seduti a tavola s'irrigidirono.

« Qui a bordo si gioca per svago e in spirito di amicizia »,
ringhiò Llewellyn.

Ma Vincent Winterton domandò in tono leggero: « Quanto
c'è in quel sacchetto, colonnello? »

Schreuder allentò il cordone e, con un gesto elaborato, versò
un mucchietto di monete al centro del tavolo; poi guardò il cerchio di facce con aria trionfante.

Ora non mi prenderanno tanto alla leggera, pensò, ma a voce
alta disse: « Ventimila *gulden* olandesi, che equivalgono a oltre
trecento delle vostre sterline ». Era tutta la sua fortuna, ma nel
suo cuore pulsava un istinto indomabile di autodistruzione. Si
sentiva spinto a commettere follie, come se, con l'oro, potesse
cancellare la colpa del terribile omicidio che aveva commesso.

La compagnia era stata ridotta al silenzio dall'entità della
somma. Era una cifra enorme, più di quanto la maggior parte di
quegli ufficiali potesse sperare di accumulare in una vita intera,
affrontando rischi considerevoli.

Vincent Winterton sorrise con grazia. « Vedo che siete un
vero sportivo, signore. »

« Ah! » esclamò Schreuder con un sorriso gelido. « La posta
è troppo alta, non è vero? » E ripose le monete d'oro nel sacchetto, facendo il gesto di alzarsi da tavola.

« Calma, colonnello », lo trattenne Vincent. Schreuder si lasciò cadere di nuovo sulla sedia. « Sono venuto impreparato,
ma vi prego di concedermi qualche minuto di tempo. » Si alzò,
inchinandosi prima di lasciare la cabina. Rimasero tutti seduti,

in silenzio, finché non tornò, posando davanti a sé una cassetta in legno di tek.

« Trecento, avete detto? » Cominciò a contare le monete, estraendole dalla cassetta per posarle al centro del tavolo, in una splendida cascata d'oro.

« Volete essere così gentile da custodire voi le poste, comandante? » chiese Vincent in tono cortese. « Se il colonnello è d'accordo, naturalmente. »

« Non ho obiezioni. » Schreuder annuì con un gesto rigido, porgendo il sacchetto a Llewellyn. Dentro di sé, però, cominciava a pentirsi. Non si era aspettato che qualcuno di loro accettasse la sfida; una perdita di quelle proporzioni avrebbe ridotto sul lastrico la maggior parte degli uomini, lui compreso.

Llewellyn accettò i due sacchetti, ponendoli di fronte a sé. Poi Vincent prese il bicchiere di cuoio con i dadi, passandolo a Schreuder. « Di solito giochiamo con questi, signore », gli disse con un sorriso disinvolto. « Volete controllarli? Se non sono di vostro gradimento, forse possiamo trovarne altri che vi soddisfino di più. »

Schreuder scosse il bicchiere, rovesciando i dadi sul tavolo e provando a lanciarli, poi prese ciascuno dei due cubetti d'avorio per esaminarli alla luce. « Non vedo alcun difetto », concluse, rimettendoli nel bicchiere. « Resta solo da concordare il gioco. *Hazard?* »

« Certo », convenne Vincent. « E quale, se no? »

« Qual è il limite per ogni tiro? » volle sapere Schreuder. « Una sterlina o cinque? »

« Un solo tiro », ribatté Vincent. « Col metodo del tiro più alto si decide chi lancia, e poi si giocano le trecento sterline sul suo lancio. »

Schreuder rimase stordito da quella proposta. Si era aspettato di fare le puntate aumentando sempre più la posta, il che gli avrebbe permesso di ritirarsi in buon ordine, se i dadi fossero stati contro di lui. Non aveva mai sentito che si giocasse una somma così enorme con un solo tiro.

Uno degli amici di Vincent si lasciò sfuggire una risatina gongolante. « Quant'è vero Iddio, Vinny, così vedremo se questa testa di formaggio ha fegato oppure no. »

Schreuder lo fulminò, ma sapeva di essere in trappola. Per un attimo ancora cercò di trovare una via di scampo, ma Vincent mormorò: « Spero proprio di non avervi messo in imbarazzo, colonnello. Vi avevo preso per uno sportivo. Volete ritirarvi? »

« Vi assicuro che mi sta benissimo, *jonge gezellen* », ribatté usando il termine dispregiativo per indicare un ragazzo ingenuo. « Un solo tiro per trecento sterline. Sono d'accordo. »

Llewellyn mise nel bicchiere uno dei dadi, passandolo a Schreuder. « Un dado per decidere chi lancia. Al tiro più alto. È questo l'accordo, signori? » Entrambi annuirono.

Schreuder lanciò il dado. « Tre! » annunciò Llewellyn, rimettendo il dado nel bicchiere di cuoio.

« A voi, signor Winterton. » Pose il bicchiere davanti a Vincent, che lo scosse e lanciò con un solo movimento.

« Cinque! » annunciò Llewellyn. « Tocca a Winterton lanciare, un solo tiro di dadi per una posta di trecento sterline. » Stavolta mise nel bicchiere entrambi i dadi. « Chi lancia decide il punto. Prego, Winterton. »

Vincent prese il bicchiere, scuotendolo e lanciando. Llewellyn lesse il risultato: « Il punto è sette ».

Schreuder si sentì gelare il sangue. Sette era il punto più facile da ripetere, perché erano molte le combinazioni di dadi che davano quel risultato. Le probabilità erano a suo sfavore, e quella consapevolezza era riflessa dall'espressione trionfante di tutti gli osservatori. Se Vincent avesse ottenuto un altro sette o un undici, com'era probabile, avrebbe vinto. Avrebbe perso solo se avesse fatto *crabs*, ossia uno e uno oppure uno e due, o anche se avesse fatto dodici. Qualsiasi altro numero sarebbe diventato il suo punto, e avrebbe dovuto continuare a lanciare finché non lo avesse ripetuto o avesse ottenuto una delle combinazioni perdenti.

Schreuder si appoggiò allo schienale della sedia, incrociando le braccia come per difendersi da un attacco brutale. Vincent lanciò.

« Quattro! » esclamò Llewellyn. « Ora il punto è quattro. » Tutti i presenti intorno al tavolo si lasciarono sfuggire all'unisono un sospiro, tranne Vincent. Si era trovato il punto più difficile da raggiungere, e ora le sorti erano cambiate di nuovo, assegnando un favore schiacciante a Schreuder. Vincent doveva fare di nuovo quattro per vincere, mentre col sette avrebbe perso. Erano solo due le combinazioni che potevano dare un totale di quattro, molte di più quelle che davano come risultato sette, che lo avrebbe fatto perdere.

« Avete tutta la mia simpatia, signore », osservò Schreuder con un sorriso crudele. « Quattro è un numero diabolicamente difficile. »

« Gli angeli favoriscono i virtuosi. » Vincent agitò nell'aria la mano, con un sorriso. « Volete per caso aumentare la posta? Vogliamo aggiungere altre cento sterline? » Era un'offerta folle, con le probabilità così nettamente a suo sfavore, ma Schreuder non aveva più un *gulden* in tasca.

Scosse la testa con un gesto brusco. « Non approfitterei mai di un uomo in ginocchio. »

« Come siete generoso, colonnello », replicò Vincent, lanciando di nuovo.

« Dieci! » esclamò Llewellyn. Era un numero neutro.

Vincent raccolse i dadi, li scosse e tirò ancora.

« Sei! » Un altro numero neutro, anche se Schreuder era ancora immobile, pallido come un cadavere, e sentiva il sudore scorrergli sul petto.

« Questo è per tutte le belle ragazze che abbiamo lasciato a terra », esclamò Winterton. Quando lanciò, i dadi rotolarono sul piano del tavolo di noce. Per un lungo, terribile istante, nessuno si mosse o parlò; poi dalla gola di tutti gli inglesi presenti si levò un urlo possente, che dovette allarmare gli uomini di guardia sul ponte e raggiungere persino la vedetta in testa all'albero maestro.

« Maria e Giuseppe! Due paia di tette! Il quattro più dolce che abbia mai visto! »

« Winterton ha ottenuto il punto », intonò Llewellyn, posando i due sacchetti di fronte a lui. « Winterton vince. » Ma la sua voce fu quasi sommersa da un coro fragoroso di risate e congratulazioni che si prolungò per alcuni minuti, mentre Schreuder restava seduto, immobile come un albero abbattuto nella foresta, col viso grigio e sudato.

Alla fine Winterton liquidò ulteriori battute scherzose e congratulazioni. Alzatosi in piedi, si protese oltre il tavolo verso Schreuder, dicendogli con serietà: « I miei complimenti, signore. Siete un gentiluomo dai nervi d'acciaio e uno sportivo della più bell'acqua. Vi offro la mano dell'amicizia ». Tese la mano destra, ma Schreuder la guardò con disprezzo, restando immobile, e i sorrisi svanirono. Un altro silenzio teso calò sulla piccola cabina.

Schreuder parlò con voce nitida e scandita: « Avrei dovuto

esaminare meglio i *vostri* dadi, quando ne ho avuto l'occasione », mettendo l'accento sul possessivo. « Spero che mi scuserete, signore, ma mi sono imposto la regola di non stringere mai la mano ai bari. » Vincent si ritrasse di scatto, fissando incredulo Schreuder, mentre gli altri restavano a bocca aperta.

Impiegò qualche istante a riprendersi dallo shock dell'insulto inatteso. Il suo bel viso giovane era impallidito sotto il colorito acceso conferito dal mare e dalla salsedine, quando rispose: « Vi sarei molto obbligato se accettaste di accordarmi soddisfazione per questo insulto, colonnello Schreuder ».

« Con il massimo piacere. » Schreuder si alzò, gongolando di trionfo. Era stato sfidato, quindi la scelta delle armi spettava a lui, e non ci sarebbero state ridicole farse con la pistola. Sarebbe stato l'acciaio a cantare, e quel cucciolo inglese avrebbe avuto il piacere di ritrovarsi una spanna della spada Nettuno nel ventre. Schreuder si rivolse a Llewellyn. « Volete farmi l'onore di farmi da padrino in questa faccenda? » gli domandò.

« Non io! » Llewellyn scosse la testa con fermezza. « Non ammetto duelli a bordo delle mie navi. Dovrete trovare qualcun altro che vi faccia da padrino, e dovrete tenere a freno il vostro temperamento finché non arriveremo in porto. Solo allora potrete scendere a terra per risolvere la questione. »

Schreuder guardò di nuovo Vincent. « Vi comunicherò il nome del mio padrino alla prima occasione. Vi prometto soddisfazione non appena entreremo in porto. » Alzandosi, uscì dalla cabina. Sentì le loro voci alle sue spalle, concitate nei commenti e nelle congetture, ma i fumi del brandy si mescolarono alla collera con tanta violenza da fargli temere che le vene pulsanti alle tempie potessero esplodere.

Il giorno dopo Schreuder rimase rintanato nella sua cabina, simile a una cuccia per cani, dove un servitore gli portò i pasti mentre stava steso sulla cuccetta, inerte come un caduto in battaglia, a leccarsi le terribili ferite inflitte al suo orgoglio e il dolore intollerabile causato dalla perdita di tutto il suo patrimonio. Il secondo giorno salì in coperta mentre la *Golden Bough* andava di bolina stretta, seguendo la rotta ovest nord-ovest lungo la sporgenza della linea costiera dell'Africa meridionale.

Non appena la sua testa spuntò dalla cappa di boccaporto, l'ufficiale di guardia gli voltò le spalle, mostrandosi occupatissimo a controllare i pioli infissi nella tavola accanto al timone, mentre il comandante Llewellyn sollevava il cannocchiale per esaminare le montagne azzurrine che si profilavano all'orizzonte a nord. Schreuder cominciò a camminare avanti e indietro lungo la battagliola sottovento, mentre gli ufficiali ignoravano volutamente la sua presenza. Il valletto che aveva servito la cena nella cabina del comandante aveva diffuso la notizia dell'imminente duello, cosicché l'equipaggio lo sbirciava di sottecchi, incuriosito ma tenendosi alla larga.

Mezz'ora dopo, Schreuder si fermò di colpo davanti all'ufficiale di guardia, chiedendogli senza preamboli: « Fowler, volete farmi da secondo? »

« Chiedo scusa, colonnello, ma Winterton è mio amico. Volete esonerarmi, per favore? »

Nei giorni seguenti, Schreuder avvicinò tutti gli ufficiali a bordo chiedendo loro di fargli da secondo, ma ogni volta si vide opporre un gelido rifiuto. Ostracizzato e umiliato, si aggirava in coperta come un leopardo uscito a caccia di notte. Le sue riflessioni oscillavano come un pendolo fra rimorso e sofferenza per la morte di Katinka, ed era risentito per il modo con cui il comandante e gli ufficiali lo trattavano. La sua collera crebbe al punto che riusciva a stento a controllarla.

La mattina del quinto giorno, mentre camminava avanti e indietro lungo la battagliola sottovento, un annuncio dalla coffa lo riscosse dalla sua cupa nube di sofferenza. Quando il comandante Llewellyn si diresse verso la battagliola sopravvento per guardare a sud-ovest, Schreuder lo seguì, attraversando il ponte per fermarsi alle sue spalle.

Sulle prime non credette ai propri occhi, fissando la barriera minacciosa di nuvole scure che si stendeva dall'orizzonte fino allo zenith, lanciata verso di loro a una velocità tale da ricordargli la valanga di sassi che aveva spazzato la forra.

« È meglio che scendiate sottocoperta, colonnello », lo avvertì Llewellyn. « Tira aria di burrasca. »

Schreuder ignorò l'avvertimento, restando fermo presso la battagliola, pieno di timoroso rispetto mentre osservava le nubi piombare su di loro. Tutt'intorno a lui, la nave era in subbuglio, con l'equipaggio che si precipitava a serrare le vele e invertire la direzione, in modo che la *Golden Bough* affrontasse di prua la furia della tempesta, ma il vento si levò così in fretta da sorprenderla con il controvelaccio e il fiocco ancora bordati.

La tempesta si scatenò contro la *Golden Bough*, ululando furiosamente e inclinandola, cosicché la battagliola sottovento fu sommersa e l'acqua si riversò a bordo, allagando la coperta fino all'altezza della cintola. Schreuder fu travolto da quell'ondata di piena, e sarebbe stato trascinato fuori bordo, se non si fosse aggrappato alle sartie dell'albero maestro.

Il fiocco e il controvelaccio della *Golden Bough* si lacerarono come fogli di pergamena bagnata, e per un lungo istante la fregata fu sommersa per metà, come se la tempesta l'avesse spinta verso il basso. Il mare si riversò all'interno dai boccaporti aperti, e dallo scafo si sentì provenire uno schianto pauroso, quando alcune paratie della stiva si sfasciarono e il carico si spostò. Gli uomini urlavano, alcuni di loro schiacciati da una colubrina che si era staccata dall'affusto, slittando qua e là sul ponte di batteria, come impazzita; altri marinai, trascinati fuori bordo dalle acque scatenate, strillavano come anime dannate che precipitano all'inferno. L'aria divenne bianca di spuma, al punto che Schreuder ebbe l'impressione di annegare, pur avendo il viso fuori dell'acqua, accecato dalla nebbia bianca.

Pian piano la *Golden Bough* si raddrizzò, grazie alla chiglia rinforzata in piombo che la riportò in verticale, ma l'alberatura e il sartiame schioccavano e sferzavano l'aria in tumulto. Alcuni pennoni erano spezzati e sbatacchiavano, urtando contro gli alberi ancora in piedi. Sbandando fortemente per l'acqua che aveva imbarcato, la *Golden Bough*, ormai ingovernabile, era in balia del vento.

Ansimante e soffocato dalla schiuma, inzuppato fino alle ossa, Schreuder si trascinò attraverso il ponte per mettersi al riparo del boccaporto. Di lì, inorridito e affascinato, rimase a guardare il mondo intorno a lui che si dissolveva in spruzzi grigi e onde verdi impazzite, striate da lunghi sentieri di spuma.

Per due giorni il vento li assalì senza tregua, mentre il mare diventava sempre più agitato a ogni ora che passava, finché le onde non s'innalzarono più su dell'albero maestro, investendoli dall'alto. Semiallagata, la *Golden Bough* fu lenta a risollevarsi di prua per incontrarle, e così si abbatterono sul ponte, esplodendo in un vortice di spuma. Due timonieri, legati alla barra, lottavano per mantenerla prua al vento, ma ogni onda che spazzava la coperta s'infrangeva su di loro. Ormai era il secondo giorno ed erano tutti esausti, prossimi al limite della resistenza.

Dormire era impossibile, e il vitto era ridotto alle sole gallette dure.

Llewellyn si era assicurato all'albero maestro, e di lì dirigeva gli sforzi degli ufficiali e degli uomini per salvare la nave. Nessuno poteva reggersi in piedi sul ponte, quindi Llewellyn non poteva tenere gli uomini al lavoro sulle pompe principali, ma sul ponte di batteria squadre di marinai lavoravano freneticamente alle pompe ausiliarie nel tentativo di liberare le sentine da uno strato d'acqua alto sei piedi. Appena riuscivano a pomparla via, il mare rientrava dai portelli dei cannoni sfondati e dai boccaporti incrinati.

La terra sottovento sembrava sempre più vicina, mentre la tempesta li incalzava in avanti, con i soli alberi, e per quanto i timonieri si prodigassero, spaccandosi il cuore e i muscoli nel tentativo di reggerla, la *Golden Bough* continuava a puntare verso terra. Quella notte udirono la risacca infrangersi nelle tenebre con un boato simile a un cannoneggiamento, che diventava di ora in ora più fragoroso via via che venivano sospinti verso le rocce.

Quando spuntò l'alba del terzo giorno poterono vedere, attraverso la nebbia e la spuma, la sagoma cupa e minacciosa della terra, le scogliere e i promontori frastagliati distanti appena una lega, oltre le montagne d'acqua che andavano verso di loro.

Schreuder si trascinò in coperta, aggrappandosi ad alberi, sartie e paterazzi ogni volta che un'onda spazzava il ponte. L'acqua di mare gli scorreva dai capelli sul viso, riempiendogli la bocca e le orecchie, mentre ansimava rivolto a Llewellyn: «Questa costa mi è familiare. Riconosco quel promontorio che ci viene incontro».

«Ci vorrà la benedizione di Dio per doppiarlo con questa rotta», gridò di rimando Llewellyn. «Il vento ci ha presi fra le sue grinfie.»

«Allora rendete grazie all'Onnipotente con tutto il cuore, comandante, perché la nostra salvezza è a meno di cinque leghe di distanza», ruggì Schreuder, battendo le palpebre per scacciare l'acqua di mare.

«Come potete averne la certezza?»

«Sono stato già sbarcato qui, e ho attraversato la regione a piedi. Conosco ogni singola piega del terreno. Oltre quel promontorio c'è un'insenatura che abbiamo soprannominato baia dei Bufali. Una volta entrata lì, la nave dovrebbe essere al riparo dalla violenza del vento, e dalla parte opposta si trova una coppia di promontori rocciosi che sorvegliano l'ingresso a una laguna ampia e tranquilla. Là dentro dovremmo essere al riparo anche da una tempesta come questa. »

« Sulle mie carte non ci sono lagune in questo punto. » L'espressione di Llewellyn era divisa fra dubbio e speranza.

« Gesù, comandante, dovete credermi! » gridò Schreuder. In mare era fuori del suo elemento naturale, e una volta tanto aveva paura.

« Prima dobbiamo doppiare quelle rocce, e poi potremo mettere alla prova la qualità della vostra memoria. »

Ridotto al silenzio, Schreuder si aggrappò disperatamente all'albero accanto a Llewellyn, con lo sguardo inorridito inchiodato a prua, vedendo davanti a sé il mare che apriva le labbra sogghignanti di spuma bianca, scoprendo zanne nude di roccia nera. La Golden Bough puntava inesorabilmente verso quelle fauci spalancate.

Uno dei timonieri gridò: « Oh, santa Madre di Dio, salva le nostre anime mortali! Stiamo per sfracellarci! »

« Tieni forte quella barra! » gli gridò di rimando Llewellyn. Poco lontano, il mare si aprì in una voragine paurosa, e la risacca esplose come il soffio di una balena gigantesca. Sembrava che artigli di roccia si allungassero verso le fragili tavole di legno della piccola nave, ed erano così vicini che Schreuder vide persino le masse di conchiglie e di alghe che rivestivano le rocce. Un'altra onda, più grande delle altre, s'innalzò, scaraventandoli contro la barriera, ma le rocce furono inghiottite dalla massa d'acqua in ebollizione e la Golden Bough spiccò un balzo, come un cacciatore che salta uno steccato, superando d'impeto la barriera.

La chiglia sfiorò la roccia, impennandosi con tanta violenza che Schreuder perse la presa sull'albero e fu scaraventato sul ponte; ma la nave si liberò, risalendo sulla cresta di quell'onda possente e scivolando nelle acque più profonde, oltre la barriera, per slanciarsi in avanti, mentre la punta del promontorio restava alle sue spalle e la baia si apriva davanti a loro a prua. Schreuder si sentì riportare in verticale e si accorse subito che la spaventosa violenza del fortunale era stata fiaccata dallo sperone di terra. Benché la nave continuasse a caricare con impeto furioso, stava tornando sotto controllo e Schreuder la sentiva rispondere alle sollecitazioni del timone.

« Laggiù! » gridò all'orecchio di Llewellyn. « Laggiù! Davanti a noi! »

« Dio dei cieli! Avevate ragione. » Oltre la cortina di schiuma e salsedine, Llewellyn scorse la sagoma dei promontori gemelli al di sopra della prua della nave. Si rivolse ai timonieri. « Lasciala scadere di un punto! » Anche se la loro espressione terrorizzata indicava quanto detestassero obbedire, la lasciarono venire sottovento, puntando verso il pilastro di roccia nera circondato dalla risacca.

« Alla via così! » ordinò Llewellyn, e la *Golden Bough* entrò a capofitto nella baia.

« Winterton! » ruggì il comandante rivolto a Vincent, che era accovacciato sotto la cappa di boccaporto, tenendosi a disposizione, con mezza dozzina di marinai al riparo sulla scaletta alle sue spalle. « Dobbiamo sciogliere una mano di terzaroli alla vela maestra per darle manovrabilità. Potete farlo voi? »

Espresse l'ordine in forma di richiesta, perché mandare un uomo in testa d'albero in mezzo a quella tempesta equivaleva quasi a un omicidio. Doveva essere un ufficiale a dare l'esempio, e Vincent era il più forte e il più spericolato.

« Venite, ragazzi! » gridò Vincent ai suoi uomini, senza esitare. « C'è una ghinea d'oro per chiunque riuscirà a precedermi sul pennone di maestra. » Balzò in piedi, sfrecciando attraverso il ponte per raggiungere le sartie dell'albero maestro e arrampicarsi come una scimmia, imitato dai suoi uomini.

La *Golden Bough* si slanciò attraverso la baia dei Bufali come un cavallo imbizzarrito, e d'improvviso Schreuder gridò di nuovo: « Guardate laggiù! » indicando il punto in cui l'ingresso alla laguna cominciava ad aprirsi alla loro visuale, fra i due promontori che svettavano ai lati.

Llewellyn rovesciò la testa all'indietro per fissare la cima dell'albero maestro, con le minuscole figure dei marinai disposte a intervalli lungo il pennone alto, in lotta con le vele serrate. Riconobbe facilmente Vincent, dalla figura snella e atletica e dai capelli neri che svolazzavano al vento.

« Ben fatto, fin qui », mormorò, « ma sbrigati, ragazzo. Dammi un po' di tela per virare. »

Proprio in quel momento il coltellaccio si spiegò, gonfiandosi con uno schiocco simile a un colpo di moschetto. Per un terribile istante Llewellyn pensò che la vela potesse lacerarsi per il vento impetuoso; invece si gonfiò e tenne, e subito lui sentì cambiare il movimento della nave.

«Santa Madre di Dio, potremmo ancora farcela!» gracidò, con la gola segnata e arrochita dalla salsedine. «Accostate!» gridò al timone, e la *Golden Bough* rispose docile, mettendo la prua al vento.

Come una freccia scoccata da un arco lungo, stava puntando in linea retta verso il promontorio occidentale come se volesse scaraventarsi a riva, ma la chiglia scivolò nell'acqua e l'angolo della prua cambiò. Il varco si aprì davanti alla nave, che passando veloce fra i due promontori cavalcò la marea, in quel momento al massimo, ed entrò nel canale, raggiungendo le acque tranquille della laguna, dov'era al riparo dalla furiosa violenza della tempesta.

Llewellyn fissò le rive coperte di verdi foreste, incerto fra meraviglia e sollievo, poi sussultò, puntando il dito in avanti. «C'è già un'altra nave all'ancora!»

Schreuder, accanto a lui, si riparò gli occhi dalle sferzanti folate di vento che turbinavano intorno alle scogliere.

«Conosco quel veliero!» esclamò. «Lo conosco bene. È la nave di Lord Cumbrae, la *Gull of Moray*!»

«*Eland!*» mormorò sottovoce Althuda, e Hal riconobbe il nome olandese dell'alce, ma quelle creature erano diverse da tutti i grandi cervidi rossi del Nord che aveva visto in vita sua. Erano enormi, ancora più grandi dei bovini che lo zio Thomas aveva allevato nella tenuta di High Weald.

Erano in tre, Hal, Althuda e Aboli, stesi bocconi in una piccola depressione del terreno tappezzata di erba rigogliosa. Il branco era disposto in ordine sparso nel bosco di acacie spinose davanti a loro. Hal contò cinquantadue capi fra maschi, femmine e piccoli. I maschi erano poderosi e grassi al punto che, quando camminavano, la giogaia oscillava da una parte all'altra e la carne sul ventre e sui quarti posteriori tremolava come il corpo di una medusa. A ogni passo si sentiva uno strano suono schioccante, simile a quello di ramoscelli che si spezzano.

«Sono le loro ginocchia che fanno questo rumore», spiegò sottovoce Aboli all'orecchio di Hal. «Nkulu Kulu, il grande dio dell'universo, le ha punite così quando si sono vantate di essere le antilopi più grandi. Ha inflitto loro questo castigo in modo che il cacciatore le sentisse sempre arrivare da lontano. »

Hal sorrise di quella bizzarra credenza, ma poi Aboli aggiunse un'osservazione che spense quel sorriso. « Conosco queste creature. I cacciatori della mia tribù le apprezzavano molto, perché un maschio come quello che comanda il branco ha intorno al cuore una massa di grasso che due uomini non riescono a portare. » Da mesi, ormai, nessuno di loro assaggiava del grasso, perché la selvaggina che erano riusciti a uccidere ne era priva. Ne avevano tutti un gran bisogno, e Sukeena aveva avvertito Hal che entro breve tempo la mancanza di grasso poteva causare disturbi e addirittura malattie.

Hal studiò il maschio capobranco mentre brucava le foglie di uno degli alberi di acacia spinosa, raggiungendo i rami più alti con le massicce corna a spirale. A differenza delle femmine, che erano di un bel marrone vellutato con strisce bianche sulle spalle, il maschio con l'età era diventato di colore grigioazzurro e aveva un ciuffo di peli più scuri sulla fronte, alla base delle grandi corna.

« Lascia perdere il maschio », gli suggerì Aboli. « Avrà la carne dura e tigliosa. Vedi quella femmina dietro di lui? Sarà dolce e tenera come una vergine, e il suo grasso si scioglierà in bocca come il miele. » Eppure, nonostante il consiglio di Aboli, che in base alla sua esperienza era sempre il migliore, Hal sentiva l'istinto del cacciatore che lo attirava verso il grande maschio.

« Se vogliamo traversare il fiume sani e salvi, avremo bisogno di tutta la carne che riusciamo a portare. Ciascuno di noi sparerà al suo bersaglio », decise. « Io mi prendo il maschio, tu e Althuda scegliete pure bestie più giovani. » Cominciò a strisciare in avanti sul ventre, seguito dagli altri due.

Negli ultimi giorni, da quando erano scesi dalle montagne, avevano scoperto che le bestie di quelle pianure non temevano affatto l'uomo, o quasi. A quanto pareva, il temuto profilo eretto e bipede non costituiva un particolare motivo di terrore per loro, che permettevano ai cacciatori di arrivare a portata di tiro col moschetto prima di allontanarsi.

È così che doveva essere nel paradiso terrestre prima della caduta, pensò Hal, mentre puntava verso il capo del branco. La lieve brezza lo favoriva, allontanando dal branco le spirali di fumo azzurrino delle micce.

Ormai era così vicino da riuscire a distinguere una per una le ciglia che incorniciavano gli enormi e liquidi occhi scuri dell'animale, e le zampe rosse e oro degli uccellini che stavano aggrappati a frotte alla pelle morbida fra le zampe anteriori. Il maschio brucava, strappando delicatamente con la lingua bluastra le foglioline verdi che spuntavano sui ramoscelli, in mezzo alle spine.

Ai suoi fianchi, due delle sue giovani femmine mangiavano dallo stesso albero: una aveva il piccolo accanto, mentre l'altra aveva il ventre gonfio e deformato dalla gravidanza. Hal girò lentamente la testa per guardare i due uomini che aveva ai lati, indicando loro le femmine con un lento movimento degli occhi, e Aboli annuì, sollevando il moschetto.

Ancora una volta Hal concentrò tutta la sua attenzione sul grande maschio, seguendo la linea della scapola sotto la pelle della spalla e fissando un punto al quale mirare in tutta la vasta superficie del morbido mantello grigioazzurro. Sollevando il moschetto, accostò il calcio all'incavo della spalla, mentre gli uomini ai lati lo imitavano.

In quel momento il maschio fece un passo avanti, inducendolo a rimandare il tiro; poi si fermò di nuovo, alzando la testa e tendendola al massimo sul collo massiccio, prolungato dalla giogaia, rovesciando sul dorso le massicce corna a spirale, per alzarsi di due braccia e raggiungere così i ramoscelli più alti dell'acacia, nel punto in cui crescevano i ciuffetti più teneri di foglioline verdi.

Hal sparò, sentendo nello stesso tempo la detonazione dei due moschetti ai lati mescolarsi con l'esplosione del suo. Uno schermo mulinante di fumo bianco gli coprì la visuale. Mollando il moschetto, scattò in piedi per correre lateralmente, in modo da poter guardare oltre la cortina di fumo. Vide che una delle femmine era a terra e scalciava, dimenandosi, mentre il sangue sprizzava dalla ferita alla gola, e l'altra si allontanava barcollando, con la zampa anteriore che pendeva dall'osso fratturato. Aboli la rincorreva, impugnando con la destra la sciabola sguainata.

Il resto del branco si era dato alla fuga in una massa bruna e compatta che scendeva lungo la valle, con i piccoli che seguivano le madri. Il maschio invece si era allontanato dal branco, segno certo che la pallottola di piombo l'aveva ferito in modo grave. Si era avviato in salita sul lieve pendio della bassa collinetta erbosa di fronte a loro, ma aveva il passo breve e impacciato, e quando cambiò direzione, esponendo la spalla massiccia agli occhi di Hal, il sangue che scorreva lungo il fianco scintillò al sole come una bandiera, gorgogliante di bollicine d'aria sfuggite dai polmoni perforati.

Hal si lanciò in corsa, accelerando sull'erba che cresceva a ciuffi. La ferita alla gamba era ormai solo una cicatrice perfettamente rimarginata, di un colore livido e lucente, leggermente in rilievo. La lunga marcia oltre le montagne e le pianure aveva rafforzato l'arto, cosicché ora il suo passo era sicuro e spedito. Un centinaio di braccia più avanti, il maschio si stava allontanando da lui, lasciando sospesa nell'aria una nube di fine polvere rossa; poi la ferita cominciò a farsi sentire e il sangue che sgorgava formò una pista lucente sull'erba d'argento, indicando il suo passaggio.

Hal ridusse la distanza che li separava, finché rimase indietro solo di una dozzina di passi rispetto alla bestia, che aveva avvertito la presenza dell'inseguitore e si voltò ad affrontarlo, ormai alle strette. Hal si aspettava una carica furiosa, con la grande testa abbassata e le corna a spirale puntate in avanti. Si preparò a fronteggiarla, faccia a faccia con l'antilope, sfoderando la sciabola, pronto a difendersi.

Il maschio lo guardò con gli occhi enormi pieni di perplessità, scuri e densi di sofferenza all'approssimarsi della morte. Gli colò il sangue dalle narici e la morbida lingua blu sfuggì penzolante dall'angolo della bocca. Non tentò neppure di attaccarlo, o di difendersi, e Hal non vide né crudeltà né collera nel suo sguardo.

«Perdonami», mormorò, girando intorno all'animale, in attesa del momento giusto, mentre sentiva le onde lente e tristi del rimorso abbattersi su di lui nell'assistere all'agonia che aveva inflitto a quel magnifico esemplare. Di scatto si slanciò in avanti per colpire con l'acciaio. L'animale s'impennò, allontanandosi con un guizzo che gli fece sfuggire di mano l'elsa della spada, ma l'acciaio aveva trovato il cuore e, piegando lentamente le zampe sotto di sé, l'antilope si accasciò sulle ginocchia con un movimento stanco. Un solo gemito sommesso, poi si rovesciò sul fianco e morì.

Afferrata l'elsa della spada, Hal ritirò la lunga lama insanguinata, poi scelse una roccia poco lontana dalla carcassa per sedervisi. Si sentiva triste e al tempo stesso stranamente euforico. Era perplesso e confuso da quelle emozioni contraddittorie, mentre indugiava ad ammirare la bellezza e la maestosità della bestia che aveva ridotto a quel mesto mucchio di carne morta sull'erba.

Sentì una mano posarglisi sulla spalla e la voce di Aboli mormorare: «Solo il vero cacciatore conosce l'angoscia dell'uccisione, Gundwane. Per questo gli uomini della mia tribù, che sono cacciatori, cantano e danzano per esprimere il loro ringraziamento e propiziarsi gli spiriti della selvaggina che hanno abbattuto».

«Insegnami a cantare questo canto e a danzare questa danza», disse Hal. Aboli cominciò a cantare con la sua bella voce profonda e quando lui ebbe afferrato il ritmo si unì al ritornello, lodando la bellezza e la grazia della preda e ringraziandola di essere morta in modo che il cacciatore e la sua tribù potessero vivere.

Aboli prese a danzare, trascinando e battendo a terra i piedi mentre cantava, descrivendo un circolo intorno al corpo monumentale dell'antilope, imitato da Hal. Lui si sentiva il petto stretto in una morsa e la vista offuscata; poi il canto si concluse e sedettero insieme sotto i raggi gialli e obliqui del sole, osservando la minuscola colonna di fuggitivi, guidata da Sukeena, che avanzava verso di loro nella pianura.

Prima di sera, Hal li mise al lavoro per costruire il recinto, controllando con attenzione che i varchi fossero chiusi con rami di acacia.

Trasportarono al campo i quarti di carne ricavati dall'antilope, sistemandoli all'interno del recinto, dove gli animali che si cibano di carogne non potevano razziarli. Lasciarono fuori soltanto gli scarti e le interiora: gli zoccoli e la testa recisi, la montagna di visceri pieni di polpa di foglie ed erba semidigerite. Appena si allontanarono, accorsero gli avvoltoi, saltellando o planando sulle grandi ali, mentre iene e sciacalli si precipitarono a ingozzarsi, ululando accosciati intorno a quel festino.

Dopo che tutti ebbero mangiato a sazietà le succulente bistecche di *eland*, Hal assegnò a Sukeena e a se stesso il turno di guardia intermedio, che cominciava a mezzanotte. Anche se era il più pesante, perché era il momento in cui le forze vitali dell'uomo scendono al livello più basso, i due amavano avere la notte per sé.

Mentre il resto del gruppo dormiva, si rannicchiarono all'ingresso del recinto, sotto una sola coperta di pelle, con il moschetto vicino alla destra di Hal. Dopo aver fatto l'amore con dolcezza, in silenzio per non disturbare gli altri, contemplarono il cielo, parlando sottovoce, mentre le stelle in alto descrivevano i loro remoti e antichi percorsi.

«Dimmi la verità, amore, che cosa hai letto in quelle stelle? Che cosa ci aspetta? Quanti figli maschi mi darai?» La mano di Sukeena, stretta nella sua, rimase immobile; Hal sentì tutto il suo corpo irrigidirsi. Lei non rispose, costringendolo a ripetere la domanda. «Perché non vuoi mai rivelarmi che cosa vedi nel futuro? So che hai tracciato il nostro oroscopo, perché spesso, quando mi credevi addormentato, ti ho visto studiare e scrivere nel tuo libriccino blu.»

Lei gli posò le dita sulle labbra. «Taci, mio signore. In questa vita ci sono molte cose che è meglio ignorare. Per questa notte e per domani, lascia che ci amiamo con tutto il cuore e con tutte le nostre forze. Ricaviamo il massimo da ogni giorno che Dio ci concede.»

«Tu mi preoccupi, tesoro. Non ci saranno figli maschi, allora?»

Lei tacque di nuovo, mentre osservavano una stella cadente tracciare la sua breve scia di fuoco nel cielo e infine spegnersi sotto i loro occhi. Poi sospirò, prima di bisbigliare: «Sì, ti darò un figlio, ma...» Si morse le labbra per non pronunciare le altre parole che aveva sulla punta della lingua.

«Nella tua voce sento una grande tristezza.» Il tono di Hal era inquieto. «Eppure il pensiero che mi darai un figlio mi riempie di gioia.»

«Le stelle possono essere maligne», mormorò lei. «A volte mantengono le loro promesse in un modo inaspettato, di cui non possiamo gioire. Di una cosa soltanto sono sicura, ed è che il destino ti ha scelto per un'impresa di grande importanza. È stato disposto così fin dal giorno della tua nascita.»

«Anche mio padre mi ha parlato di questo compito.» Hal meditò su quell'antica profezia. «Sono pronto ad affrontare il mio destino, ma ho bisogno che tu mi aiuti e mi sostenga, come hai già fatto tante volte.»

Lei non rispose a quella supplica, limitandosi a dire: «Il compito che ti hanno imposto riguarda un voto e un talismano carico di mistero e di potere».

« E sarete con me, tu e mio figlio? »

« Se potrò guidarti nella direzione in cui devi procedere, lo farò con tutto il cuore e con tutte le forze. »

« Ma sarai con me? »

« Verrò con te fin quando le stelle lo permetteranno », gli promise. « Più di questo non so e non posso dire. »

« Ma... » cominciò Hal, prima che lei accostasse il viso al suo, coprendo la sua bocca con le labbra per impedirgli di parlare.

« Basta! Non devi chiedere altro », lo ammonì. « Ora uniamoci ancora una volta, e lasciamo alle stelle ciò che riguarda le stelle. »

Verso la fine del loro turno di guardia, quando le Sette Sorelle erano tramontate oltre le colline e il Toro campeggiava in cielo alto e fiero, si stesero l'uno nelle braccia dell'altra, continuando a parlare sottovoce per combattere la sonnolenza che cominciava a sopraffarli. Si erano assuefatti ai suoni notturni di quel mondo selvaggio, dal limpido gorgheggio degli uccelli notturni al coro intermittente e modulato dei piccoli sciacalli rossi e alle strida sinistre o alle risate chiocce dei branchi di iene che si contendevano i resti della carcassa, ma tutt'a un tratto si udì un suono che li agghiacciò fin nel profondo dell'anima.

Era la voce di tutti i diavoli dell'inferno, un mostruoso ruggito vibrante che riduceva al silenzio tutte le creature inferiori e rimbombava contro le colline, riverberandosi su di loro in centinaia di echi. Involontariamente Sukeena si strinse a lui, gridando forte: « Oh, Gundwane, che terribile creatura è questa? »

Non era la sola a provare terrore, giacché tutto l'accampamento si svegliò di colpo. Zwaantie gridò, mentre il bambino faceva eco al suo terrore. Persino gli uomini balzarono in piedi, invocando Dio.

Aboli apparve sopra di loro come un'ombra scura proiettata dalla luna, calmando Sukeena con il tocco della mano sulla spalla tremante. « Non è uno spettro, ma una creatura di questo mondo », la rassicurò. « Si dice che anche il cacciatore più coraggioso resti spaventato dal leone tre volte: la prima volta quando vede le sue tracce, la seconda quando ode la sua voce, e la terza quando lo affronta faccia a faccia. »

Hal balzò in piedi, gridando agli altri: « Gettate legna sul fuoco. Accendete la miccia su tutti i moschetti. Disponete le donne e il bambino al centro del campo ».

Si accovacciarono per formare un circolo stretto dietro le

fragili pareti del recinto, e per qualche tempo tutto rimase tranquillo, ancora più tranquillo di prima, perché ora anche gli animali che si cibano di carogne erano stati ridotti al silenzio dalla voce possente che parlava dalle tenebre.

Attesero, con le armi pronte a sparare, fissando il buio della notte dove la luce gialla delle fiamme non poteva giungere. Hal aveva l'impressione che la luce tremolante del fuoco giocasse degli scherzi alla sua vista, perché una volta gli parve di vedere una sagoma spettrale scivolare in silenzio fra le ombre. Poi Sukeena lo afferrò per il braccio, affondandogli le unghie nella carne, e capì che lo aveva visto anche lei.

All'improvviso quel suono terrificante s'abbatté di nuovo su di loro, facendo drizzare i capelli sulla testa, spingendo le donne a strillare e gli uomini a tremare e consolidare la presa sulle armi, che ora sembravano tanto fragili e inadeguate.

«Laggiù!» bisbigliò Zwaantie. Stavolta non c'erano dubbi sul fatto che quello che vedevano fosse reale. Era una mostruosa sagoma felina, apparentemente alta fino alla spalla di un uomo, che passò davanti ai loro occhi camminando in assoluto silenzio sui cuscinetti delle zampe. Le fiamme risplendevano sul manto bronzeo e lucente, tramutando gli occhi in smeraldi scintillanti come quelli della corona di Satana. Ne venne un altro, e poi un altro ancora, passando davanti a loro in una sfilata rapida e minacciosa, e poi scomparendo di nuovo nella notte.

«Raccolgono il coraggio per decidersi», spiegò Aboli. «Fiutano il sangue e la carne e ci danno la caccia.»

«Dovremmo abbandonare il recinto, allora?» chiese Hal.

«No!» Aboli scosse la testa. «Il buio è il loro regno. Sono in grado di vedere anche quando la notte ostacola la nostra vista, anzi l'oscurità li rende audaci. Dobbiamo stare qui, dove possiamo vederli quando arrivano.»

In quel momento sbucò dall'oscurità una creatura tale da far apparire piccole tutte le altre che avevano visto fino allora. Avanzò verso di loro con una maestosa andatura oscillante, la testa e le spalle coperte da una criniera nera e dorata che la faceva apparire enorme come un covone di fieno. «Devo sparargli?» sussurrò Hal ad Aboli.

«Una ferita lo farà impazzire. Non sparare se non sei sicuro di poterlo uccidere con un colpo pulito.»

Il leone si fermò in piena luce, allargando le zampe anteriori e abbassando la testa, cosicché la criniera scura parve ergersi, gonfiandosi sotto i loro occhi terrorizzati e raddoppiando in apparenza la sua mole. Quando il felino spalancò le mascelle, videro scintillare le zanne d'avorio prima che un nuovo, potente ruggito li assalisse.

Il suono li colpì con violenza, come un'onda sollevata da una tempesta. Si sentirono scuotere i nervi e ronzare le orecchie. La bestia era tanto vicina che Hal poteva sentire il suo fiato investirlo in piena faccia; odorava di cadaveri e carogne morti da tempo.

«Ora fate silenzio!» intimò Hal. «Non fate rumore e non muovetevi, altrimenti lo istigherete ad attaccare.» Persino le donne e il bambino obbedirono. Soffocando le grida, rimasero immobili, irrigiditi dal terrore. Sembrava un'eternità che stavano così, sotto gli occhi del leone, finché il piccolo guercio Johannes non riuscì più a resistere. Urlò, afferrando il moschetto e sparando a caso.

Un attimo prima che il fumo dello sparo li accecasse, Hal vide che il proiettile aveva mancato la belva, colpendo il terriccio in mezzo alle zampe anteriori. Poi la nube di fumo li avvolse, mentre il leone, furente, continuava a ruggire. Le donne strillarono e gli uomini si scontrarono nella fretta di ritirarsi all'interno del recinto. Solo Hal e Aboli mantennero la loro posizione, col moschetto spianato e puntato contro la cortina di fumo. La piccola Sukeena si rannicchiò, facendosi ancor più piccola al fianco di Hal, ma senza fuggire.

Poi il leone eruppe dalla nuvola di fumo, lanciato alla carica. Hal premette il grilletto, ma il moschetto fece cilecca, mentre l'arma di Aboli fece un rombo assordante. Così fulmineo fu il movimento del leone, che l'animale divenne una macchia sfocata in mezzo al fumo e all'oscurità, ingannando l'occhio. Il colpo di Aboli non ebbe effetto sull'animale, che si avventò sul recinto lanciando un ruggito spaventoso. Hal si buttò a terra per coprire Sukeena col proprio corpo, e il leone lo scavalcò con un balzo.

Pareva che, in quel crocchio di umanità terrorizzata, avesse scelto Johannes. Le sue possenti mascelle si chiusero sulle sue reni, sollevandolo come potrebbe fare un gatto per trasportare un topo. Con un altro balzo, superò la parete posteriore del recinto e scomparve nella notte.

Udirono Johannes gridare nel buio, ma il leone non lo portò lontano: cominciò a divorarlo appena superato il cerchio di luce del fuoco, mentre era ancora vivo. Sentirono le sue ossa scricchiolare sotto i morsi e le carni lacerarsi quando la fiera strappò un boccone. Poi si scatenò un caos di ruggiti e di ringhi, quando accorsero le leonesse per dividersi la preda, sbranando Johannes che continuava a gridare e singhiozzare. Pian piano le urla si affievolirono, finché non cessarono del tutto e dal buio provennero solo i suoni del macabro festino.

Le donne erano isteriche, mentre Bobby per il terrore piangeva e batteva i piccoli pugni sul petto di Althuda. Hal tranquillizzò Sukeena, che reagì subito al contatto del suo braccio sulle spalle. «Non fuggite di corsa, ma muovetevi con calma. Restate seduti in circolo, con le donne al centro. Ricaricate i moschetti, ma non sparate finché non ve lo ordino io.» Hal li rianimò, prima di guardare Daniel e Aboli.

«È la nostra riserva di carne ad attirarli. Quando avranno finito con Johannes attaccheranno il recinto per averne dell'altra.»

«Hai ragione, Gundwane.»

«Allora daremo loro la carne dell'*eland* per distrarre la loro attenzione. Aiutatemi.»

In tre, afferrarono uno degli enormi quarti posteriori di antilope, trascinandola a fatica fino al margine del cerchio di luce, poi lo scaraventarono nella polvere.

«Non correte», raccomandò di nuovo Hal. «Se corriamo, ci inseguiranno, proprio come il gatto insegue il topo.» Arretrarono lentamente per rientrare nel recinto. Quasi subito, una delle leonesse si spinse avanti, afferrò il quarto di carne sanguinolenta e lo trasportò via nella notte. Sentirono tutti il trambusto mentre le altre le contendevano la preda, e poi i suoni del banchetto quando gli animali si accovacciarono per nutrirsi, ringhiandosi addosso a vicenda.

Quella carne fu sufficiente a tenere occupato almeno un'ora quel vorace branco di grandi felini, che poi riprese a pattugliare il terreno ai margini del cerchio di luce del fuoco, lanciando brevi cariche simulate contro quel gruppetto di umani terrorizzati. Hal disse: «Dobbiamo nutrirli di nuovo». Ben presto divenne chiaro che i leoni preferivano accettare quelle offerte che assaltare il campo, visto che quando i tre uomini trascinavano dell'altra carne all'esterno del recinto, il branco aspettava che si ritirassero prima che una leonessa sbucasse dall'oscurità per trascinarla via.

«La femmina è sempre la più coraggiosa», osservò Hal per distrarre gli altri.

Aboli ne convenne, aggiungendo: «E anche la più avida».

«Non è colpa nostra, se a voi maschi difettano il coraggio e il buon senso per nutrirvi da soli», ribatté Sukeena in tono acido, e quasi tutti risero, ma sottovoce e senza convinzione. Altre due volte, durante la notte, Hal dovette portare fuori delle zampe di *eland* per sfamare il branco. Alla fine, quando l'alba cominciò a delineare di nuovo in controluce le cime delle acacie sullo sfondo del cielo pallido, i leoni parvero finalmente sazi. Si udì il ruggito del maschio con la criniera nera affievolirsi in lontananza; ruggì ancora una volta a una lega di distanza, proprio mentre il sole disegnava il contorno dorato e fiammeggiante delle cime frastagliate della catena montuosa che correva parallela alla loro direzione di marcia.

Hal e Althuda uscirono a vedere che cosa era rimasto del povero Johannes. Stranamente i leoni avevano lasciato intatte le mani e la testa, divorando il resto. Hal gli chiuse gli occhi e Sukeena cucì in un pezzo di stoffa quei miseri resti, poi pregarono sulla tomba che avevano scavato e Ned pose alcune lastre di roccia sul terriccio scavato di fresco per impedire alle iene di riesumarli.

«Non possiamo restare ancora qui», disse Hal aiutando Sukeena a rialzarsi. «Se vogliamo raggiungere il fiume entro oggi, dobbiamo partire subito. Per fortuna, ci resta ancora carne sufficiente.»

Issarono le parti di antilope rimanenti su lunghi pali da trasporto e, con un uomo a ogni estremità, trasportarono faticosamente con sé la carne oltre le colline ondulate e le praterie. Era ormai tardo pomeriggio quando raggiunsero il fiume e contemplarono dall'alto la vasta distesa verde che si era già rivelata una barriera formidabile alla loro marcia.

La *Golden Bough* calò l'ancora all'estremità del canale della laguna dell'Elefante, e Llewellyn mise subito al lavoro l'equipaggio per pompare l'acqua dalle sentine e riparare i danni causati dalla tempesta alla chiglia e al sartiame. In cielo infuriava ancora una tempesta, ma per quanto la superficie della laguna fosse increspata da una frotta di piccole onde, la mole dei promontori ne smorzava la violenza.

Cornelius Schreuder era ansioso di scendere a terra. Desiderava disperatamente sbarcare dalla *Golden Bough* e liberarsi di quella compagnia di inglesi che aveva finito per detestare. Considerava Lord Cumbrae un amico e un alleato, ed era ansioso di raggiungerlo per chiedergli di fargli da secondo nella questione d'onore con Vincent Winterton. Sceso nella minuscola cabina, preparò in fretta i bagagli e, visto che non era possibile distrarre un uomo dai suoi compiti per averne un aiuto, li trascinò di persona sul ponte. Poi rimase in piedi all'uscita del boccaporto con la pila dei suoi averi ai piedi, guardando la base di Cumbrae a terra, sulla riva opposta della laguna.

L'Avvoltoio aveva fissato il campo nello stesso luogo in cui si trovava quello di Sir Francis Courteney, quando Schreuder lo aveva attaccato con le sue giubbe verdi. Fra gli alberi ferveva una grande attività: Schreuder ebbe l'impressione che Cumbrae fosse intento a scavare trincee e altre fortificazioni, cosa che lo lasciò perplesso. Non gli sembrava sensato fortificare il campo contro un nemico che non esisteva.

Llewellyn non volle lasciare la nave finché non ebbe la certezza che le riparazioni erano ben avviate e che il veliero era riparato e al sicuro sotto tutti gli aspetti. Solo alla fine affidò al secondo, Arnold Fowler, il comando del ponte, ordinando di preparare una delle scialuppe.

«Comandante Llewellyn!» Schreuder si avvicinò all'ufficiale nel momento in cui raggiungeva la battagliola. «Con il consenso di Lord Cumbrae, ho deciso di lasciare la vostra nave per trasferirmi sulla *Gull of Moray*.»

Llewellyn annuì. «Ho capito che era questa la vostra intenzione e in tutta sincerità, colonnello, dubito che si verseranno molte lacrime a bordo della *Golden Bough*, quando ve ne andrete. Ora vado a riva per scoprire dove sarebbe possibile riempire le botti d'acqua che sono state contaminate dall'acqua di mare durante la tempesta, e porterò voi e i vostri averi al campo di Cumbrae. Ho qui il denaro che mi avete pagato per il passaggio. Per risparmiarmi ulteriori sgradevoli incidenti e discussioni, ve lo restituisco per intero.»

Schreuder avrebbe voluto concedersi il piacere di rifiutare sdegnosamente l'offerta, ma quelle poche ghinee erano tutto ciò che gli restava al mondo, quindi accettò il magro borsellino che Llewellyn gli porse, mormorando a malincuore: «In questo, almeno, vi comportate da gentiluomo, signore. Ve ne sono grato».

Si calarono nella scialuppa, dove Llewellyn sedette a poppa, mentre Schreuder prese posto a prua, ignorando le facce sogghignanti dell'equipaggio e i saluti ironici degli ufficiali dal cassero. Erano appena a metà strada dalla spiaggia, quando una figura familiare che indossava un gonnellino a quadri e un berretto ornato di nastri sbucò dagli alberi, con la barba rossa e la capigliatura in disordine che sfavillavano al sole, osservando il loro arrivo con le mani appoggiate sui fianchi.

«Per le corna di Belzebù, il colonnello Schreuder!» ruggì Cumbrae riconoscendolo. «La vista del vostro volto sorridente mi rallegra il cuore.» Appena la prua della barca toccò la spiaggia, Schreuder balzò a terra, afferrando la mano tesa dell'Avvoltoio.

«Sono sorpreso ma più che lieto di trovarvi qui, milord.»

L'Avvoltoio guardò alle sue spalle con un gran sorriso. «Oh, ma questo non è il mio diletto confratello nel Tempio, Christopher Llewellyn? Benvenuto, cugino, e che la benevolenza di Dio sia con voi.»

Llewellyn non sorrise, e non parve troppo entusiasta di stringere la mano che Cumbrae gli porse appena posò i piedi sulla sabbia della riva. «Come va, Cumbrae? La nostra ultima conversazione nella baia di Trincomalee è stata interrotta in un momento cruciale, quando siete salpato con una certa fretta.»

«Ah, ma questo è avvenuto in un'altra terra e molto tempo fa, cugino, e sono certo che sappiamo essere entrambi tanto magnanimi da perdonare e dimenticare una questioncella così sciocca e insignificante.»

«A casa mia, cinquecento sterline e la vita di venti dei miei uomini non sono una questioncella sciocca e insignificante, e vorrei ricordarvi che non sono vostro cugino, e neanche parente», scattò Llewellyn, irrigidendo le gambe al ricordo di quella vecchia offesa.

Ma Cumbrae gli passò un braccio sulle spalle, dicendo sottovoce: «*In Arcadia habito*».

Era evidente che Llewellyn lottava con se stesso, ma non poteva rinnegare il giuramento prestato da cavaliere, così alla fine rispose a denti stretti: «*Flumen sacrum bene cognosco*».

«Ecco fatto», esclamò l'Avvoltoio con una risata tonante, «non è stato poi così terribile, vero? Se non siamo cugini, siamo pur sempre fratelli in Cristo, no?»

« Mi sentirei più fraterno verso di voi, Cumbrae, se riavessi in tasca le mie cinquecento sterline. »

« Potrei considerare quel debito un risarcimento per la grave offesa che avete inflitto alla mia diletta *Gull* e alla mia persona. » L'Avvoltoio scostò il mantello per mostrare la vistosa cicatrice sulla parte superiore del braccio. « Ma sono un uomo pieno di compassione e pronto al perdono, Christopher, e quindi le avrete, vi do la mia parola. Cinquecento sterline fino all'ultimo centesimo, con tanto di interessi. »

Llewellyn lo squadrò con freddezza. « Rinvio i ringraziamenti al momento in cui sentirò fra le mani il peso del vostro sacchetto di monete. »

Cumbrae lesse la decisione nel suo sguardo fermo; non c'era bisogno di guardare due volte la fila di portelli dei cannoni e le linee filanti dello scafo della *Gull* per capire che stavolta erano alla pari, e sarebbe stato difficile sconfiggerla se si fosse arrivati a uno scontro diretto fra le due navi, com'era accaduto quattro anni prima nella baia di Trincomalee.

« Non vi biasimo se diffidate di tutti, in questo nostro mondo malvagio, ma cenate con me stasera, qui a terra, e vi metterò fra le mani il sacchetto, ve lo giuro. »

Llewellyn rispose con un cenno serio del capo. « Vi ringrazio dell'offerta di ospitalità, signore, ma ricordo bene l'ultima volta che ho accettato uno dei vostri inviti. Ho a bordo un cuoco in grado di assicurarmi un pasto che sia più di mio gusto. Comunque tornerò al crepuscolo per ritirare la borsa di monete che mi avete promesso. » Llewellyn s'inchinò prima di tornare a bordo della sua scialuppa.

L'Avvoltoio lo guardò allontanarsi con uno sguardo calcolatore. La scialuppa si diresse verso l'altro capo della laguna, puntando al ruscello di acqua dolce che sfociava all'estremità superiore. « Quel damerino ha un brutto carattere », ringhiò, e il suo commento fu accolto con un cenno di assenso da Schreuder.

« Non sono mai stato così contento come adesso di liberarmi di una persona sgradevole e di trovarmi qui su questa spiaggia a fare appello alla vostra amicizia. »

Cumbrae gli lanciò un'occhiata acuta. « Ora sono in svantaggio su di voi, colonnello. Che cosa fate qui, in effetti, e cosa posso fare per voi in nome della buona amicizia? »

« C'è un posto dove possiamo parlare? »

« Da questa parte, mio vecchio amico e compagno d'armi »,

rispose Cumbrae, precedendo Schreuder nel suo rifugio in mezzo al bosco e versandogli mezzo bicchiere di whisky. «E ora ditemi, come mai non siete più al comando della guarnigione di Buona Speranza?»

«Per essere franco con voi, milord, mi trovo nelle peste. Sono accusato dal governatore van de Velde di un delitto che non ho commesso. Sapete bene come fosse ossessionato dall'invidia e dalla malevolenza nei miei confronti», spiegò Schreuder, mentre Cumbrae assentiva senza compromettersi.

«Continuate, vi prego.»

«Dieci giorni fa, la moglie del governatore è stata assassinata, in un impeto di lussuria e passione bestiale, dal giardiniere e boia della Compagnia.»

«Santo cielo!» esclamò Cumbrae. «Stadige Jan! Sapevo che era un folle, glielo avevo letto negli occhi. Un pazzo furioso. Mi spiace per la donna, però; era un bocconcino delizioso. Solo guardare quelle tette mi faceva spuntare un osso nei calzoni, perdiana!»

«Van de Velde mi ha accusato ingiustamente di quel terribile delitto e sono stato costretto a fuggire sulla prima nave disponibile, prima che mi facesse imprigionare e torturare sulla ruota. Llewellyn mi ha offerto un passaggio per l'Oriente, dove avevo deciso di arruolarmi nella guerra in corso nel Corno d'Africa fra Prete Gianni e il Gran Mogol.»

Gli occhi di Cumbrae s'illuminarono e lui e si protese in avanti sullo sgabello al solo sentir nominare la guerra, come una iena che fiuta il sangue di un campo di battaglia. Ormai era decisamente stufo di scavare per trovare l'introvabile tesoro di Franky Courteney, e la promessa di un modo più facile per riempirsi la stiva di ricchezze aveva tutta la sua attenzione. Ma non intendeva scoprire troppo la sua impazienza con quello spaccone borioso, quindi replicò in tono caloroso e comprensivo: «Potete contare sulla mia più profonda simpatia e su tutto l'aiuto che sarò in grado di prestarvi». La sua mente era una fucina di idee. Intuiva che Schreuder era colpevole del crimine che rinnegava con tanta veemenza, ma, colpevole o no, ormai era un fuorilegge, e in questo modo si metteva alla mercé di Cumbrae.

L'Avvoltoio aveva ricevuto ampie dimostrazioni delle qualità di Schreuder come combattente; un uomo eccellente da avere ai propri ordini, soprattutto quando sarebbe stato completamente sotto il suo controllo, in virtù della colpa di cui si era macchiato. In quanto fuggiasco e assassino, l'olandese non poteva più permettersi di fare tanto il sofistico in campo morale.

Una volta persa la verginità, la seconda volta una fanciulla solleva le gonne e si sdraia sul fieno con maggiore entusiasmo, si disse l'Avvoltoio tutto allegro. Poi tese la mano, serrando il braccio di Schreuder in una stretta salda e amichevole. «Potete contare su di me, amico. Ditemi, in che modo posso aiutarvi?»

«Desidero mettermi al vostro servizio. Diventerò il vostro uomo.»

«E sarete il benvenuto.» Cumbrae sogghignò con aperta soddisfazione. Si era appena procurato i servigi di un cane da caccia, forse non dotato di eccessiva intelligenza, ma comunque aggressivo e del tutto privo di paura.

«Vi chiedo un solo favore in cambio», disse Schreuder.

L'Avvoltoio lasciò ricadere la mano cordiale dalla sua spalla, e i suoi occhi divennero guardinghi. Avrebbe dovuto saperlo che un bel regalo come quello doveva avere il prezzo scritto sotto.

«Un favore?» ripeté.

«A bordo della *Golden Bough* sono stato trattato nel modo più indegno e vergognoso. Uno degli ufficiali della nave mi ha frodato di una grossa somma di denaro giocando a dadi, e il comandante Llewellyn e i suoi uomini mi hanno insultato e umiliato. Per coronare l'opera, la persona che mi ha truffato mi ha anche sfidato a duello. A bordo non sono riuscito a trovare nessuno disposto a farmi da padrino, e Llewellyn ci ha proibito di sistemare questa faccenda d'onore finché non fossimo entrati in porto.»

«Andate avanti, vi prego.» I sospetti di Cumbrae cominciavano a dileguarsi man mano che si rendeva conto della piega presa dalla conversazione.

«Vi sarei molto grato e mi riterrei onorato se poteste accettare di farmi da padrino in questa circostanza, milord.»

«È tutto qui quello che mi chiedete?» Non riusciva quasi a credere che fosse così facile. Intravedeva già i vantaggi che si potevano ricavare da quell'affare. Aveva promesso a Llewellyn le cinquecento sterline, e gliele avrebbe date, ma solo quando fosse stato sicuro di potersi riprendere il denaro, insieme con tutti gli altri profitti sui quali gli fosse riuscito di mettere le mani.

Lanciò un'occhiata alle acque della laguna. Ecco lì, all'ancora, la *Golden Bough*, un veliero possente, pronto al combattimento. Se fosse riuscito ad aggiungerlo alla sua flotta, avrebbe avuto ai suoi ordini una forza di guerra che pochi erano in grado di eguagliare. Presentandosi al largo del Corno d'Africa con quei due velieri, nel bel mezzo della guerra che secondo Schreuder infuriava laggiù, quale bottino avrebbe potuto accaparrarsi?

«Per me sarà un onore e un piacere farvi da padrino», assicurò a Schreuder. «Indicatemi il nome del vile che vi ha sfidato, e farò in modo che abbiate da lui immediata soddisfazione.»

Quella sera, quando Llewellyn tornò di nuovo a riva, era accompagnato da due ufficiali e una dozzina di marinai armati di pistola e sciabola. Cumbrae era ad accoglierlo sulla spiaggia. «Ecco la borsa di monete che vi avevo promesso, mio caro Christopher. Venite con me nel mio modesto alloggio, a bere un goccio in nome dell'amicizia e in ricordo dei giorni conviviali che abbiamo vissuto insieme in altri tempi. Ma prima volete presentarmi questi due gentiluomini?»

«Il signor Arnold Fowler, comandante in seconda della mia nave.» I due si scambiarono un cenno di saluto. «E questo è il mio terzo ufficiale, Vincent Winterton, figlio del mio patrono, il visconte di Winterton.»

«Nonché asso nel gioco d'azzardo, a quanto mi risulta, e mano lesta con i dadi.» Cumbrae sorrise con malignità a Vincent, inducendolo a ritirare la mano che era sul punto di porgere.

«Chiedo scusa, signore, ma che cosa intendete dire con questa osservazione?» s'informò Vincent, irrigidendosi.

«Solo che il colonnello Schreuder mi ha chiesto di fargli da padrino. Vorreste essere così gentile da dirmi chi vi fa da secondo?»

Intervenne subito Llewellyn. «Sono io che ho l'onore di fare da padrino a Winterton.»

«Allora abbiamo molte cose da discutere, mio caro Christopher. Vi prego di seguirmi, ma, visto che discuteremo degli affari di Winterton, forse sarebbe meglio che lui restasse qui sulla spiaggia.»

Il comandante seguì l'Avvoltoio nella sua capanna, accettando lo sgabello che gli offriva. «Un bicchierino di acquavite?»

Llewellyn scosse la testa. «No, grazie. Veniamo subito al punto.»

«Siete sempre stato impaziente e ostinato.» L'Avvoltoio si riempì il bicchiere, bevendo una sorsata e facendo schioccare le labbra prima di asciugarsi i baffi con il dorso della mano. « Non saprete mai che cosa vi perdete. È il whisky migliore che ci sia in tutte le isole. Comunque tenete, questo è per voi. » Fece scivolare il pesante sacchetto di monete sul piano del barile che gli faceva da tavolo. Llewellyn lo prese, soppesandolo fra le mani con aria pensierosa.

« Contatele, se volete », lo invitò Cumbrae. « Non mi offendo. » Si mise comodo, sorseggiando il whisky, per osservare con un sogghigno sul volto Llewellyn che ordinava le monete d'oro in mucchietti ordinati sul piano del barile.

« Cinquecento, più cinquanta di interessi. Vi ringrazio, signore. » L'espressione di Llewellyn si era raddolcita.

« È un ben misero prezzo da pagare per il vostro affetto e la vostra amicizia, Christopher », ribatté Cumbrae. « Ma ora passiamo all'altra faccenda. Come vi ho detto, faccio da padrino al colonnello Schreuder. »

« E io a Winterton. Il mio assistito si riterrà soddisfatto delle scuse di Schreuder. »

« Sapete benissimo, Christopher, che il mio ragazzo non gliele farà mai. Temo che i due giovani cuccioli dovranno vedersela sul campo. »

« La scelta delle armi spetta a voi. Diciamo pistole a venti passi? »

« Niente affatto. Il mio assistito sceglie la spada. »

« Allora dobbiamo accettare. A quale ora e in quale posto? »

« Questa è una decisione che lascio a voi. »

« Ho alcune riparazioni da fare al sartiame e alla chiglia, per i danni che abbiamo subìto durante la tempesta. Ho bisogno dell'aiuto di Winterton a bordo. Posso suggerire fra tre giorni, sulla spiaggia al levar del sole? »

L'Avvoltoio si tirò la barba, riflettendo su quella proposta. Gli occorreva qualche tempo per il piano che aveva in mente. Tre giorni sarebbero stati l'ideale.

« D'accordo! » esclamò, e subito Llewellyn si alzò in piedi, infilando il sacchetto nella tasca della giacca.

« Adesso non volete quel bicchierino che vi ho offerto prima? » suggerì Cumbrae, ma anche stavolta Llewellyn rifiutò.

« Come ripeto, signore, ho molto da fare a bordo della mia nave. »

L'Avvoltoio lo seguì con gli occhi mentre scendeva verso la spiaggia per salire a bordo della scialuppa. Quando vennero riportati sulla *Golden Bough*, all'ancora nella laguna, Llewellyn e Winterton parevano immersi in una seria e profonda conversazione.

«Il giovane Winterton non sa che lo aspetta una sorpresa. Non deve aver visto l'olandese con una spada in mano, se ha accettato con tanta facilità la scelta delle armi.» Ingollò le ultime gocce di whisky che gli restavano nel boccale, prima di sogghignare ancora. «Vediamo se ci riesce di preparare una piccola sorpresa anche per Christopher Llewellyn.» Sbattendo il boccale sul piano del barile, lanciò un ordine: «Mandatemi Bowles, e alla svelta».

Sam Bowles si presentò con un sorriso untuoso, dimenandosi tutto come un cane frustato per ingraziarsi il comandante, ma con gli occhi sempre gelidi e astuti.

«Sammy, ragazzo mio.» Cumbrae gli assestò una pacca sul braccio che bruciò come una puntura di vespa, senza cancellare però il sorriso dalle labbra dell'uomo. «Ho da farvi una proposta che dovrebbe andarvi proprio a fagiolo. Ascoltatemi bene.»

Sam Bowles si sedette davanti a lui, piegando la testa di lato per non perdere una parola delle istruzioni. Un paio di volte fece una domanda o lanciò una risatina chioccia, di gioia maligna o di ammirazione, mentre Cumbrae gli svelava i suoi piani.

«Avete sempre sognato il comando di una nave tutta vostra, Sammy caro. Questa è la vostra occasione. Servitemi bene, e l'avrete. Comandante Samuel Bowles. Come suona?»

«Mi piace maledettamente come suona, vostra grazia! E non vi deluderò.»

«No davvero», confermò Cumbrae. «O almeno, non più di una volta, perché se lo fate ballerete una sarabanda, penzolando dal pennone principale della *Gull*.»

Le rive del fiume erano fitte di salici e acacie verdi, ricoperte da un manto di fiori gialli. Il fiume, ampio e profondo, scorreva lento con le sue acque verdi fra due pareti di roccia. Le rive sabbiose erano scoperte e quando le guardarono, dall'alto delle ripide pendici della valle, Sukeena rabbrividì mormorando: «Oh, che creature orribili e mostruose! Devono essere questi i draghi di cui parlavamo?»

«Sono davvero draghi», ammise Hal, mentre fissavano i coccodrilli stesi al sole sulla sabbia bianca. Erano dozzine; alcuni poco più grandi di lucertole, altri enormi, lunghi e larghi quanto una scialuppa, imponenti mostri grigi che potevano senz'altro inghiottire un uomo intero. Avevano scoperto quanto fossero feroci quelle creature al primo tentativo di guadare il fiume, quando Billy Rogers era stato afferrato da una di loro e trascinato sott'acqua. Non erano riusciti a recuperare nemmeno un brandello del suo corpo.

« Tremo al pensiero di tentare di nuovo la traversata, con quelle bestiacce che sorvegliano ancora il fiume », mormorò Sukeena con voce tremula.

« Aboli li conosce, dal tempo in cui viveva nel suo paese al nord, e la sua tribù ha un modo per tenerli a bada. »

In cima alla parete di roccia che sovrastava il fiume, dove i coccodrilli non potevano arrivare, accatastarono al sole i pezzi di carne di antilope, che cominciavano a puzzare. Poi Hal mandò alcuni uomini nella foresta, in cerca di tronchi di legna secca che galleggiassero alti sull'acqua. Seguendo le istruzioni di Ned Tyler, gli uomini sagomarono i ceppi con la sciabola, sebbene Hal detestasse vedere il filo tagliente della lama smussato e scheggiato in quel modo. Nel frattempo Althuda, con l'aiuto di Sukeena, infilava accuratamente nei pezzi sanguinolenti di *eland* lunghe cime rigide, grosse quanto il mignolo della ragazza.

Aboli individuò la specie di albero che cercava, poi tagliò i rami per ricavarne corti paletti flessibili e riportarne intere bracciate in riva al fiume, dove lavoravano gli altri. Big Daniel lo aiutò ad appuntire le estremità di quei paletti di legno verde corti e resistenti, ricavandone delle punte aguzze che indurì col fuoco. Poi, usando un tronco che aveva esattamente la circonferenza di un'architrave, i due giganti applicarono i paletti tutt'intorno al tronco, fino a formare un cerchio con le punte aguzze leggermente sovrapposte l'una all'altra. Tenendole in posizione, Hal ne legò le estremità usando strisce di pelle di antilope. Quando allentarono cautamente la tensione, le punte ricurve somigliavano agli ingranaggi d'acciaio della molla di un moschetto ed erano pronte ad aprirsi di scatto se veniva recisa la striscia di pelle che le tratteneva. Al tramonto avevano finito di preparare una pila intera di quei congegni a trappola.

L'esperienza recente con il branco di leoni aveva lasciato il segno, e quella notte issarono i pezzi di carne in alto, sui rami superiori di uno degli alberi più imponenti che crescevano sulle rive di quel grande fiume. Costruirono il recinto molto più a valle di quel deposito di carne, accertandosi che le pareti fossero fatte di ceppi robusti e che l'entrata fosse sbarrata da rami spinosi appena tagliati.

Benché quella notte dormissero poco, restando distesi ad ascoltare gli ululati e le risa stridule di iene e sciacalli sotto gli alberi dov'era appesa la carne, i leoni non li infastidirono più. All'alba, uscirono dal recinto per riprendere i preparativi per il guado del fiume.

Ned Tyler completò la costruzione della zattera, unendo i pali fra loro con una fune fatta di pelle non conciata.

«È un'imbarcazione molto fragile», commentò Sukeena guardandola con evidente sfiducia. «Uno di quei grossi draghi del fiume potrebbe rovesciarla con un solo colpo di coda.»

«Ecco perché Aboli ha preparato per noi i suoi trabocchetti.»

Tornarono in cima al pendio, dove Althuda e Zwaantie stavano aiutando Aboli ad avvolgere intorno agli anelli di legno verde uno spesso strato di carne di *eland* semiputrefatta.

«Il coccodrillo non può masticare il cibo che ingoia», spiegò Aboli mentre lavorava. «Ciascuno di questi bocconi di carne è della misura giusta perché uno di quei mostri lo ingoi tutto intero.»

Quando tutte le esche furono pronte, le portarono in riva al fiume. Appena furono vicini al punto in cui i grandi rettili erano stesi al sole come ceppi sospinti a riva dalla corrente, cominciarono a gridare e battere le mani, sparando colpi di moschetto e facendo un gran fracasso, tanto da allarmare persino quelle bestie enormi.

Sollevarono il corpo massiccio sulle zampe corte e robuste per rifugiarsi pigramente al riparo del loro elemento naturale, scivolando nelle profonde pozze verdi con possenti scrosci d'acqua, sollevando onde che raggiunsero la riva opposta. Appena la sponda fu libera, gli uomini si affrettarono a disporre i pezzi di carne maleodorante ai margini dell'acqua. Poi tornarono indietro a precipizio, salendo al sicuro sull'alta parete rocciosa che dominava il fiume, insieme alle donne.

Poco dopo, gli occhi dei coccodrilli cominciarono a spuntare un po' dappertutto sulla superficie della pozza, avvicinandosi lentamente alla riva sabbiosa.

«Sono bestie infide e codarde», commentò Aboli, con l'odio nella voce e un'espressione disgustata. «Ma fra poco, quando sentiranno l'odore della carne, l'avidità avrà la meglio sulla paura.»

Proprio in quel momento uno dei rettili più grossi risalì dalle secche del fiume e avanzò cautamente sulla riva, arando la sabbia dietro di sé con la massiccia coda sormontata da una cresta alta. D'improvviso, con sorprendente velocità e agilità, scattò in avanti per afferrare uno dei pezzi di carne, aprendo le mascelle al massimo per ingoiarlo tutto intero. Dall'alto della roccia, rimasero a guardare con timore reverenziale mentre l'enorme boccone di carne gli scivolava in gola, gonfiando le morbide scaglie bianche all'esterno del collo. La bestia si voltò per scivolare di nuovo nell'acqua, ma subito dopo un altro dei rettili emerse per ingoiare una delle esche. Seguì una mischia generale di lunghi corpi che strisciavano, lucenti di gocce d'acqua alla luce del sole, sibilando, facendo scattare le mascelle e accalcandosi l'uno sull'altro per raggiungere la carne.

Una volta consumate tutte le esche, alcuni coccodrilli tornarono a immergersi nell'acqua, ma molti altri si sistemarono di nuovo al sole, sulla sabbia calda dalla quale erano stati sloggiati. E la pace scese di nuovo sulla riva, dove i martin pescatori svolazzavano librandosi sulle acque. Un grosso ippopotamo emise un roco grugnito che somigliava a una risata, e le femmine si accalcarono intorno a lui, col dorso lucente simile a una pila di macigni neri.

«Il tuo piano non ha funzionato», commentò Sabah. «I coccodrilli stanno benissimo e sono più che mai pronti a lanciarsi su chiunque di noi si avvicini all'acqua.

«Sii paziente, Sabah», gli rispose Aboli. «Ci vuole tempo perché i succhi dello stomaco possano corrodere la pelle grezza. Ma quando ci riusciranno, i bastoncini scatteranno e le punte aguzze perforeranno le viscere, trafiggendo organi vitali.»

Mentre finiva di parlare, uno dei rettili più grandi, il primo che aveva abboccato, si lasciò sfuggire all'improvviso un possente ruggito, inarcando il dorso al punto che la coda crestata sventagliò l'aria sopra la testa. Lanciò un altro ruggito, poi girò su se stesso, tentando di afferrarsi il corpo con le mascelle vigorose, lacerando le scaglie con le zanne gialle e acuminate e strappandosi lembi della sua stessa carne.

«Guardate lì!» Aboli scattò in piedi puntando il dito. «L'estremità appuntita del paletto gli ha perforato la pancia.» Allora videro la punta del paletto annerito col fuoco sporgere di un palmo dal ventre scaglioso. Mentre il maschio si dibatteva sibilando negli spasmi della morte, anche un secondo rettile fu assalito da convulsioni, e poi un altro e un altro ancora, finché la pozza non divenne bianca di spuma e le terribili grida angosciate, miste a ruggiti di indignazione, echeggiarono lungo le sponde del fiume, richiamando aquile e avvoltoi dai loro nidi in cima alla parete di roccia.

«Bravo, Aboli! Ci hai aperto la strada.» Hal balzò in piedi.

«Sì, ora possiamo traversare, ma fate presto e non attardatevi nell'acqua, e neanche a riva, perché ci sono ancora altri *ngwenya* che non hanno assaggiato i paletti.»

Seguirono il suo consiglio. Sollevando tutti insieme la zattera sconnessa, la portarono in riva al fiume, e appena galleggiò vi caricarono in fretta i cesti di provviste, le sacche da sella e i contenitori della polvere da sparo, poi spinsero a bordo della fragile imbarcazione le due donne e il piccolo Bobby. Gli uomini si spogliarono, restando in perizoma, per trainare la zattera a nuoto nella torpida corrente. Appena raggiunta la sponda opposta, afferrarono la roba e si affrettarono a risalire il pendio roccioso.

Una volta in salvo, lontano dall'acqua, poterono finalmente abbracciarsi, ridendo e congratulandosi per lo scampato pericolo. Quella notte si accamparono lì, e all'alba Aboli chiese sottovoce a Hal: «Quanto manca ancora alla laguna dell'Elefante?»

Hal svolse la carta, indicandogli la posizione stimata. «In questo punto siamo a cinque leghe dal mare e a non più di cinquanta dalla laguna. Se non ci sono altri fiumi larghi come questo a sbarrarci la strada, dovremmo arrivare con altri cinque giorni di marcia a passo sostenuto.»

«Allora mettiamoci in cammino», replicò Aboli, svegliando il resto del gruppo esausto. Incitati da lui, presero il carico e, mentre i raggi del sole nascente sfioravano il loro viso, assunsero di nuovo l'ordine di marcia che avevano rispettato per tutto quel lungo viaggio.

Le quattro scialuppe della *Golden Bough* erano affollate di marinai che remavano per raggiungere la riva, in quell'ora cupa che precede l'alba. A prua di ogni barca c'era un uomo che teneva alta una lanterna per illuminare il percorso, e i riflessi danzavano come lucciole sulla superficie calma e nera della laguna.

«Llewellyn si porta a terra metà dell'equipaggio», osservò

gongolante l'Avvoltoio, mentre guardava la flottiglia di barche puntare verso la spiaggia.

« Sospetta un tranello », ribatté Sam Bowles con una risatina entusiasta, « quindi viene in forze. »

« Che ospite villano! Sospettarci di tendergli un agguato. » L'Avvoltoio scosse la testa con espressione malinconica. « Si merita tutto quello che il destino ha in serbo per lui. »

« Ha diviso le forze. Su quelle barche ci saranno almeno cinquanta uomini », calcolò Sam. « In questo modo ci facilita le cose. Da qui in poi la navigazione dovrebbe essere facile, col vento a favore. »

« Speriamo, signor Bowles. Ora andiamo incontro ai nostri ospiti. E ricordate, il segnale è un fuoco d'artificio rosso. Aspettate di vederlo nel cielo. »

« Sì, comandante! » Sam si portò le nocche alla fronte, sgattaiolando tra le ombre. Cumbrae si avviò sulla sabbia per andare a ricevere la barca di testa. Quando approdò sulla spiaggia, vide alla luce della lampada che Llewellyn e Vincent Winterton erano seduti insieme sul traversino di poppa. Vincent indossava un mantello di lana scura per ripararsi dal vento gelido, ma era a capo scoperto, con i folti capelli stretti in un codino sulla nuca. Seguì il comandante a terra.

« Buon giorno, signori », li salutò Cumbrae. « Vi faccio i complimenti per la puntualità. »

Llewellyn rispose con un cenno di saluto. « Winterton è pronto a cominciare. »

L'Avvoltoio si tirò la barba. « Il colonnello Schreuder lo aspetta. Da questa parte, per favore. » S'incamminarono in una direzione parallela alla spiaggia, seguiti dai marinai delle scialuppe, schierati in una colonna ordinata. « È insolito portarsi dietro una simile folla per assistere a un affare d'onore », osservò Cumbrae.

« Sono poche, ormai, le convenzioni che si rispettano quaggiù oltre la linea », ribatté Llewellyn. « Ma la prima è avere le spalle ben coperte. »

« *Touché.* » Cumbrae ridacchiò. « Ma per dimostrarvi la mia buona fede, non inviterò nessuno dei miei ragazzi a unirsi a noi. Sono disarmato. » Per dimostrarlo, mostrò le mani e aprì la giacca. Ben nascosta, infilata nella cintura sulle reni, dove formava una sporgenza rassicurante, portava una delle nuovissime pistole a ruota prodotte da Fallon a Glasgow. Era un'invenzione prodigiosa ma dal costo proibitivo, il che spiegava come mai non fosse adottata più largamente. Alla semplice pressione del grilletto, la ruota caricata a molla percuoteva la martellina e le polveri di pirite del cane producevano una pioggia di scintille nel bacinetto, facendo detonare la carica. L'arma gli era costata oltre venti sterline, ma ne era valsa la pena, perché non c'era nessuna miccia accesa a tradirne la presenza.

«Per dimostrarmi la vostra buona fede, mio caro Christopher, vorreste gentilmente tenere i vostri uomini riuniti da una parte dello spiazzo, e sotto il vostro diretto controllo? »

A poca distanza dalla spiaggia, raggiunsero l'area dove la sabbia era stata spianata, ricavando uno spiazzo quadrato delimitato da corde. In ciascuno dei quattro angoli era stato piazzato un barile dell'acqua. « Venti passi di lato », spiegò Cumbrae. « Basteranno a garantire libertà di movimento al vostro uomo? »

Winterton osservò lo spiazzo, poi annuì. « Va abbastanza bene », rispose per lui Llewellyn.

« Dovremo attendere che faccia giorno », disse Cumbrae. « Il mio cuoco ha preparato una colazione a base di gallette calde e vino speziato. Volete partecipare? »

« Grazie, milord. Una coppa di vino sarebbe gradita. » Un servitore portò le coppe fumanti, e Cumbrae disse: « Se volete scusarmi, vado a prendere il mio assistito ». S'inchinò, allontanandosi lungo il sentiero fra gli alberi e tornando pochi minuti dopo seguito dal colonnello Schreuder.

Si fermarono insieme all'estremità opposta del quadrato delimitato dalle corde, parlottando a bassa voce. Infine Cumbrae alzò gli occhi al cielo, disse qualcosa a Schreuder, poi annuì e tornò nel punto dove Llewellyn e Vincent aspettavano. « Penso che ora la luce sia sufficiente. Siete d'accordo? »

« Possiamo cominciare », rispose Llewellyn con un rigido cenno di assenso.

« Il mio assistito offre le sue armi al vostro esame », disse Cumbrae, porgendo per prima la spada Nettuno, con l'elsa in avanti. Llewellyn la prese, osservando la lama intarsiata d'oro alla luce dell'alba.

« Un'opera d'arte singolare », mormorò in tono critico. « Quelle donne nude non sarebbero stonate in un bordello. » Sfiorò le ninfe intarsiate in oro. « Ma almeno la punta non è avvelenata e la lunghezza è pari a quella della lama del mio assistito. » Tenne le due spade vicine per confrontarle, poi consegnò a Cumbrae la spada di Vincent per l'ispezione di rito.

« Una bella coppia », convenne l'altro, restituendola.

« Attacchi di cinque minuti, al primo sangue? » propose Llewellyn, estraendo l'orologio dal taschino del panciotto.

« Temo che su questo non possiamo dichiararci d'accordo. » Cumbrae scosse la testa. « Il mio uomo desidera combattere senza pause, finché uno dei contendenti non chieda misericordia o non muoia. »

« Perdio, signore », proruppe Llewellyn. « Queste regole sono omicide. »

« Se il vostro assistito piscia come un cucciolo, non dovrebbe aspirare a ululare coi lupi », ribatté Cumbrae con una scrollata di spalle.

« Accetto! » intervenne Vincent. « Combatteremo all'ultimo sangue, se è quello che vuole l'olandese. »

« È proprio quello che vuole », gli assicurò Cumbrae. « Siamo pronti a cominciare, quando lo siete voi. Volete dare il segnale, comandante Llewellyn? »

L'Avvoltoio indietreggiò e, con poche frasi concise, espose le regole a Schreuder, che annuì, abbassandosi per passare sotto la corda della barriera. Indossava una camicia leggera con il collo aperto, in modo da dimostrare che sotto non portava la cotta di maglia. Secondo la tradizione, la camicia di cotone candida offriva un bersaglio ben visibile all'avversario, rivelando subito il sangue sgorgato da un colpo messo a segno.

Dalla parte opposta del quadrato, Vincent allentò il fermaglio del mantello, lasciandolo cadere sulla sabbia. Era vestito allo stesso modo, con una camicia bianca. Impugnata la spada, saltò la corda con un balzo agile e leggero, fronteggiando Schreuder sulla spianata di sabbia. Entrambi i contendenti cominciarono a scaldarsi con una serie di esercizi che fecero cantare e scintillare le lame alle prime luci del giorno.

« Siete pronto, colonnello Schreuder? » gridò Llewellyn qualche minuto dopo dalla linea laterale, tenendo sollevato un fazzoletto di seta rosso.

« Pronto! »

« Siete pronto, signor Winterton? »

« Pronto! »

Llewellyn lasciò cadere il fazzoletto, e i marinai della *Golden Bough*, schierati dalla parte opposta del quadrato, lanciarono un brontolio sordo. I due cominciarono a girare in cerchio, chiudendo cautamente la guardia con la lama tesa e la punta che descriveva dei circoletti, abbassandosi bruscamente. D'improvviso Vincent scattò in avanti, puntando alla gola di Schreuder, ma il colonnello arrestò facilmente la lama. Per un lungo istante lottarono in silenzio, fissandosi negli occhi. Forse Vincent vide la morte nello sguardo implacabile di Schreuder, e sentì l'acciaio del suo polso, perché ruppe il contatto per primo. Mentre si disimpegnava, Schreuder lo incalzò con una serie di risposte fulminee, che fecero lampeggiare e scintillare la sua lama come un raggio di sole.

Fu un'esibizione abbagliante, che spinse Vincent, nel disperato tentativo di parare e ritirarsi, a ridosso di uno dei barili dell'acqua che contrassegnavano un angolo del quadrato. Inchiodato lì, era alla mercé dell'avversario, ma Schreuder interruppe bruscamente l'assalto, voltando le spalle al giovane con aria sprezzante per tornare al centro. Lì si rimise in guardia, con la lama pronta, in attesa che Vincent lo impegnasse di nuovo.

Tutti gli spettatori, tranne Cumbrae, erano sbalorditi dal virtuosismo dell'olandese. Era chiaro che Vincent Winterton era uno schermidore di eccezionale abilità, eppure era stato costretto a fare appello a tutta la sua maestria per sopravvivere a quel primo attacco fulmineo. In cuor suo, Llewellyn sapeva che se Vincent era sopravvissuto non era grazie alla sua abilità, ma al fatto che Schreuder aveva voluto così. Il giovane inglese era stato già toccato tre volte, due volte di striscio al petto e un'altra al braccio sinistro, in modo più serio. La sua camicia era squarciata da tre tagli irregolari e stava diventando rossa, via via che le ferite cominciavano a sanguinare.

Vincent abbassò gli occhi a guardarla, e la sua espressione rispecchiò la disperazione che provava, rendendosi conto di non essere all'altezza dell'olandese. Alzò la testa per guardare Schreuder, che attendeva in una posizione classica e arrogante, con un'espressione grave e intenta sul volto, studiando intanto l'avversario al di sopra della punta della spada Nettuno, che descriveva delle ellissi incrociate.

Vincent drizzò la schiena e si mise in guardia, tentando di sorridere con disinvoltura mentre si preparava ad affrontare una morte certa. I rudi marinai che assistevano avrebbero potuto gridare e lanciare incoraggiamenti di fronte allo spettacolo di un combattimento col toro o di uno scontro fra due galli, ma persino loro erano ammutoliti, oppressi dalla terribile tragedia che vedevano profilarsi. Llewellyn non poteva permetterla.

«Un momento!» gridò, scavalcando la corda. Si interpose fra i due, sollevando la mano destra. «Colonnello Schreuder, signore, ci avete dato ogni ragione per ammirare la vostra abilità nella scherma. Avete ottenuto il primo sangue. Non volete offrirci un valido motivo per rispettarvi, dichiarando che il vostro onore è soddisfatto?»

«Che quel codardo inglese mi faccia le sue scuse di fronte a tutti i presenti, e mi riterrò soddisfatto», rispose Schreuder. Allora Llewellyn fece appello a Vincent. «Non volete fare quello che il colonnello vi chiede? Vi prego, Vincent, fatelo per me e per la fiducia che vostro padre ha riposto in me.»

Il viso di Vincent era mortalmente pallido, ma il sangue che gli macchiava la camicia era scarlatto, come i petali delle rose di maggio in piena fioritura. «Il colonnello mi ha appena definito codardo. Perdonatemi, comandante, ma sapete che non posso accettare simili condizioni.»

Llewellyn contemplò con tristezza il suo giovane protetto. «Ha intenzione di uccidervi, Vincent. È uno spreco terribile per una vita così giovane.»

«E io ho intenzione di uccidere lui.» Ora che tutto era deciso, Vincent poteva sorridere; era un sorriso gaio, temerario. «Vi prego, fatevi da parte, comandante.» Disperato, Llewellyn tornò verso le corde.

«In guardia, signore!» gridò Vincent, prima di lanciarsi alla carica facendo schizzare la sabbia sotto gli stivali; assalto e parata per salvarsi la vita. La spada Nettuno era una barriera d'acciaio impenetrabile davanti a lui: l'olandese mulinava e cavava, giocando con la lama di Vincent con tale facilità da far sembrare i suoi tentativi più audaci risibili come quelli di un bambino. Schreuder non perdeva mai quell'espressione grave, e quando infine Vincent si ritirò, ansimante e sfinito, con il sudore che diluiva il sangue in un rosa sbiadito, aveva ricevuto altre due ferite, e aveva negli occhi la disperazione più nera.

Ora, infine, i marinai della *Golden Bough* avevano ritrovato la voce. «Grazia, dannato assassino testa di formaggio!» gridavano, e poi: «Una conclusione leale, amico. Lasciate in vita il ragazzo!»

Non otterranno certo la grazia dal colonnello Cornelius, pensò Cumbrae con un sorriso truce, ma intanto il fracasso che fanno aiuterà Sam a sbrigare il suo lavoretto. Lanciò un'occhiata oltre la laguna, verso la *Golden Bough* all'ancora nel canale. Tutti gli uomini a bordo erano assiepati lungo la battagliola che guardava a riva, aguzzando gli occhi per scorgere il duello. Persino la vedetta in coffa aveva puntato il cannocchiale sulla spiaggia. Non uno di loro si accorgeva delle barche che sbucavano veloci dalle mangrovie sulla riva opposta. Riconobbe Sam Bowles nella barca di testa, mentre filava all'ombra della *Golden Bough*, restando nascosto dallo scafo della nave. Gesummaria, Sam la prenderà senza sparare neanche un colpo, pensò esultante Cumbrae, tornando a guardare l'arena.

«Avete avuto il vostro turno», stava dicendo Schreuder. «Ora tocca a me. In guardia, se non vi dispiace.» Con tre passi rapidi aveva coperto la distanza che li separava. Il giovane aveva risposto al primo assalto, e poi al secondo, con una parata alta e un arresto, ma la lama della spada Nettuno era veloce e sfuggente come un cobra infuriato. Pareva che lo avesse ipnotizzato con la sua danza letale e brillante; saettando e colpendo, lo costrinse lentamente a cedere terreno. Ogni volta che parava e arretrava, Vincent perdeva la posizione e l'equilibrio.

Poi, tutt'a un tratto, Schreuder realizzò un colpo che pochi avrebbero osato tentare al di fuori della pedana da esercitazione. Tenendo bloccate le lame nella classica posizione di legamento, eseguì una risposta di mulinello che strappò all'acciaio un suono stridulo, insopportabile per i nervi degli spettatori. Una volta legati, i due contendenti non osavano disimpegnarsi, poiché per farlo era necessario concedere un'apertura, e le due spade continuarono a mulinare, unite in un circolo mortale. Divenne una prova di forza e di resistenza. Vincent sentiva il braccio diventare di piombo, mentre il sudore gli colava dal mento. Gli occhi erano disperati e il polso cominciò a tremare e a piegarsi sotto la tensione.

Poi Schreuder arrestò il circolo fatale, senza cavare, ma semplicemente bloccando la spada di Vincent in una morsa d'acciaio. Era una tale esibizione di forza e di padronanza, che persino Cumbrae rimase a bocca aperta.

Per un attimo i duellanti restarono immobili, poi lentamente Schreuder cominciò a forzare la punta delle due lame in alto, finché non furono rivolte verso il cielo, a braccio teso. Vincent era inerme: tentò di reggere alla pressione dell'altra spada, ma il braccio cominciò a vibrare e i muscoli a fremere, assaliti da un crampo. Per lo sforzo, si morse la lingua, tanto che all'angolo della bocca apparve una macchia di sangue.

Non poteva resistere ancora per molto. Llewellyn lanciò un grido disperato, vedendo che il giovane aveva raggiunto il limite estremo della sua forza e capacità di resistenza. « Tenete duro, Vincent! » Ma invano. Il giovane era in difficoltà; si disimpegnò con il braccio destro proteso in alto sopra la testa, lasciando scoperto il petto.

« Ah! » ruggì Schreuder, con un affondo così fulmineo che sfuggì all'occhio, veloce come il lancio di una freccia da una balestra, e raggiunse il bersaglio un dito più in basso dello sterno di Vincent, trafiggendolo e facendo spuntare la lama dal dorso. Per un lungo istante Vincent rimase immobile come una figura scolpita in un blocco di marmo, poi le gambe gli cedettero e si accasciò sulla sabbia.

« Assassinio! » gridò Llewellyn. Scattando nello spiazzo, s'inginocchiò vicino al giovane morente. Lo prese fra le braccia e guardò Schreuder, gridando di nuovo: « Dannato assassino! »

« Devo prendervi alla lettera », disse Cumbrae sorridendo e avvicinandosi di spalle all'uomo inginocchiato. « E sono lieto di accontentarvi, cugino! » esclamò, estraendo la pistola a ruota che teneva dietro la schiena, puntando la canna alla nuca di Llewellyn e premendo il grilletto. Ci fu una pioggia di scintille, poi la pistola ruggì, saltando nel pugno dell'Avvoltoio. A distanza così ravvicinata, la carica di pallini di piombo penetrò nel cranio, facendo saltare a brandelli metà della faccia di Llewellyn, che ricadde in avanti, con il corpo di Vincent ancora fra le braccia.

L'Avvoltoio si guardò attorno, e vide che il razzo rosso stava già salendo in alto dal boschetto, lasciando una parabola di fumo argenteo sul fragile sfondo azzurro del cielo mattutino: il segnale per Sam Bowles e i suoi compagni di lanciarsi all'arrembaggio della *Golden Bough*.

Nel frattempo, poco più su della spiaggia, gli artiglieri nascosti fra gli alberi scostavano i rami che coprivano le colubrine. Era stato l'Avvoltoio in persona a piazzare la batteria, disponendo i cannoni in modo da coprire tutto il lato opposto dello spiazzo, dove i marinai della *Golden Bough* erano schierati in fila per quattro. Le colubrine, caricate ciascuna con una carica completa di mitraglia, erano piazzate in modo da prendere d'infilata tutto il gruppo.

Pur essendo all'oscuro della batteria nascosta, i marinai della

Golden Bough si stavano riprendendo in fretta dallo shock di vedere gli ufficiali massacrati sotto i loro occhi inorriditi. Dal loro gruppo si levò un mormorio furioso, misto a grida di indignazione, ma non c'era nessun ufficiale a dare gli ordini e, sebbene avessero sfoderato la sciabola, istintivamente esitavano a entrare in azione.

L'Avvoltoio afferrò il braccio libero del colonnello Schreuder, gridandogli all'orecchio: «Venite, presto! Lasciate libero il campo di tiro», e trascinandolo lontano dallo spiazzo delimitato dalle funi.

«Perdio, signore, avete assassinato Llewellyn!» protestò Schreuder, che era rimasto sbigottito. «Era disarmato! Indifeso!»

«Discuteremo poi di queste sottigliezze», promise Cumbrae, allungando un piede per agganciare la caviglia di Schreuder e spingendolo nello stesso tempo in avanti. I due finirono lunghi distesi nella trincea poco profonda che Cumbrae aveva fatto scavare nella sabbia proprio a quello scopo, nello stesso istante in cui i marinai della *Golden Bough* superavano le corde che delimitavano lo spiazzo alle loro spalle.

«Che cosa state facendo?» ruggì Schreuder. «Lasciatemi subito.»

«Vi sto salvando la vita, idiota patentato», gli gridò all'orecchio Cumbrae, tenendo la testa bassa sotto il livello della trincea, mentre la prima salva di mitraglia partiva dal bosco investendo la spiaggia.

L'Avvoltoio aveva calcolato con cura il tiro, in modo che la rosa della mitraglia si allargasse descrivendo un arco micidiale. Infatti colpì in pieno la schiera di marinai, rastrellando la sabbia della spiaggia come un'accecante tempesta bianca e infrangendosi sulla superficie tranquilla delle acque della laguna come una bufera. Quasi tutti gli uomini della *Golden Bough* furono falciati all'istante: solo alcuni rimasero in piedi, sconcertati e stupiti, barcollando come ubriachi per le ferite, il frastuono della mitraglia e lo spostamento d'aria dell'esplosione.

Cumbrae afferrò con entrambe le mani lo spadone a doppio taglio dal fondo della trincea, dove lo aveva sepolto sotto un lieve strato di sabbia e, balzato in piedi, si avventò su quei pochi superstiti. Tagliò la testa di netto al primo uomo che si trovò davanti, proprio mentre i suoi marinai sbucavano dalla nube di fumo, urlando come demoni e brandendo le sciabole.

Si lanciarono sul gruppo decimato menando colpi alla cieca, anche quando Cumbrae gridò: « Basta così! Concedete quartiere a quelli che si arrendono! » Gli uomini non badarono ai suoi ordini e continuarono a sciabolare i marinai finché le gocce di sangue non li bagnarono fino al gomito, schizzando sui volti sorridenti. Cumbrae dovette lanciarsi in avanti, a furia di pugni e piattonate.

« Basta! Abbiamo bisogno di uomini per manovrare la *Golden Bough*. Risparmiatene una dozzina, dannati idioti! » Gli lasciarono meno di quello che aveva chiesto. Quando la strage fu conclusa, erano rimasti solo in nove, legati mani e piedi e stesi bocconi sulla sabbia come maialini al mercato.

« Da questa parte! » ruggì di nuovo l'Avvoltoio, guidando il suo equipaggio sulla spiaggia, dove erano in secco le scialuppe della *Golden Bough*. Vi salirono in frotte, afferrando i remi e, guidati da Cumbrae che ruggiva a prua come un animale ferito, si diressero verso la *Golden Bough*, ormeggiarono la scialuppa alla murata e assalirono il ponte con le sciabole sguainate e le pistole già armate.

Lì non c'era bisogno di aiuto: gli uomini di Sam Bowles avevano colto di sorpresa la *Golden Bough*. Il ponte era scivoloso di sangue, cosparso di cadaveri stesi qua e là e rannicchiati negli ombrinali. Sotto il castello di prua un gruppetto di uomini di Llewellyn resisteva disperatamente, circondato dalla banda di Sam, ma quando videro l'Avvoltoio e i suoi assalire il ponte gettarono a terra la sciabola. I pochi che sapevano nuotare raggiunsero di corsa la battagliola per tuffarsi nella laguna, mentre gli altri cadevano in ginocchio, invocando pietà.

« Risparmiateli, signor Bowles », gridò Cumbrae, « ho bisogno di marinai! » Non aspettò di vedere se l'ordine veniva eseguito, ma strappando un moschetto dalle mani dell'uomo vicino a lui corse alla battagliola. I marinai in fuga stavano nuotando verso gli alberi di mangrovia. Prese accuratamente la mira per la testa di uno, che lasciava intravedere la pelle rosea in mezzo ai capelli grigi e umidi. Fu un colpo fortunato: l'uomo alzò le braccia e sprofondò, lasciando una macchia rosa sulla superficie. Quelli intorno a Cumbrae lanciarono un urlo di gioia e si unirono a lui in quello sport, indicando il bersaglio e scommettendo sulla loro abilità di tiratori. « Chi mi dà cinque scellini su quel maiale con il codino biondo? » Sparavano agli uomini in acqua come se fossero anatre azzoppate.

Sam Bowles si affrettò incontro a Cumbrae, sorridendo e chinando la testa. «La nave è vostra, milord.»

«Ben fatto, signor Bowles.» Cumbrae gli affibbiò una pacca così vigorosa da fargli quasi perdere l'equilibrio. «Ci sarà ancora qualcuno nascosto sottocoperta. Stanateli! Cercate di prenderli vivi. Calate in acqua una scialuppa per ripescare anche quelli!» aggiunse indicando i pochi superstiti che ancora nuotavano verso le mangrovie. «Io scendo nella cabina di Llewellyn per cercare i documenti della nave. Chiamatemi quando avrete riunito tutti i prigionieri, legati, al centro della nave.»

Spalancò con un calcio la porta chiusa della cabina di Llewellyn, soffermandosi ad ammirarne l'interno. Era arredata in modo splendido, con i mobili lucidissimi e i tendaggi di velluto fine.

Nella scrivania trovò le chiavi della cassaforte di ferro che era fissata al ponte sotto la comoda cuccetta. Aprendola, riconobbe subito la borsa di monete che aveva dato a Llewellyn. «Vi sono molto obbligato, Christopher. Non ne avrete bisogno, lì dove andate», mormorò infilandosela in tasca. Sotto c'era un altro sacchetto, che portò alla scrivania, rovesciandovi le monete d'oro che conteneva. «Duecentosedici sterline, cinque scellini e due pence», contò ad alta voce. «Questi dovrebbero essere i soldi per la nave. Molto parsimonioso, ma ti ringrazio di ogni contributo.»

Poi i suoi occhi si posarono su una cassetta di legno in fondo alla cassaforte. Sollevandola, osservò il nome inciso sul coperchio: «On. Vincent Winterton». La cassetta era chiusa, ma cedette facilmente alla lama del suo pugnale. Quando vide cosa conteneva, sorrise, lasciando scorrere fra le dita una manciata di monete. «Senza dubbio queste sono le perdite al gioco del buon colonnello Schreuder, ma è meglio che non sia più tentato di scommettere. Me ne occuperò io per lui.»

Si versò un bicchiere di brandy francese dalla riserva del comandante, sedendosi allo scrittoio per esaminare i registri e i documenti della nave. Il giornale di bordo sarebbe stato una lettura interessante, in seguito; lo mise da parte. Diede un'occhiata a una lettera contenente un contratto con Lord Nevers, che a quanto pareva era il proprietario della *Golden Bough*. «Ora non più, vostra signoria.» Sogghignò. «Sono spiacente di informarvi che adesso è tutta mia.»

Il manifesto di carico fu una delusione. La *Golden Bough* trasportava soprattutto articoli a buon mercato, coltelli e accette, tessuti, perline e anelli di rame. Comunque c'erano anche cinquecento moschetti e una buona riserva di polvere nera nella stiva.

« Ah, dunque volevi dedicarti al traffico di armi! Vergogna, mio caro Christopher. » Fece schioccare la lingua in segno di disapprovazione. « Dovrò trovare qualcosa di meglio per riempire la stiva nel viaggio di ritorno », si ripromise, bevendo una sorsata di brandy.

Continuò a esaminare i documenti. C'era una seconda lettera di Nevers, che accettava la commissione per la *Golden Bough* come nave da guerra al servizio di Prete Gianni, accompagnata da una pomposa lettera di presentazione per quest'ultimo firmata dal Cancelliere dello Scacchiere inglese, il conte di Clarendon, con tanto di gran sigillo, in cui si raccomandava Christopher Llewellyn al sovrano di Etiopia nei termini più calorosi.

« Ah, questa vale di più. Con qualche piccola modifica al nome, va bene anche per me! » La ripiegò con cura, riponendo la cassetta, i sacchetti, i registri e i documenti nella cassaforte e appendendosi la chiave al collo con un nastro. Mentre finiva il brandy, rifletté sulle varie possibilità di azione che a quel punto si aprivano dinanzi a lui.

Quella guerra nel Corno d'Africa lo incuriosiva. Fra poco gli alisei di sud-est avrebbero cominciato a soffiare attraverso l'oceano Indiano. Sulle loro ali benevole, il Gran Mogol avrebbe inviato i suoi *dhow* carichi di truppe e di tesori dal suo impero nel subcontinente indiano verso le basi commerciali sulla costa africana. Ci sarebbe stato anche il pellegrinaggio annuale dei fedeli dell'Islam, che approfittavano degli stessi venti favorevoli per attraversare il golfo arabico e compiere il viaggio fino alla città natale del Profeta di Dio. Potenti e principi, ministri di Stato e ricchi mercanti provenienti da tutti gli angoli dell'Oriente, avrebbero portato con sé ricchezze che poteva solo immaginare, per deporle come offerte nelle moschee e nei templi della Mecca e di Medina.

Cumbrae si concesse qualche minuto per sognare rubini color sangue di piccione e zaffiri color fiordaliso grossi come il suo pugno, elefanti carichi di lingotti d'argento e d'oro. Con la *Gull* e la *Golden Bough* insieme, non ci sarà nessun principe nero o pagano che possa tenermi testa. Mi riempirò la stiva con il bottino migliore. Il misero tesoro di Franky Courteney impallidisce di fronte a tanta abbondanza, cercò di consolarsi. Gli bruciava ancora parecchio il fatto di non essere riuscito a scovare il nascondiglio di Franky, e a quel pensiero si accigliò. Salpando da questa laguna, lascerò le ossa di Jiri e di quegli altri mori bugiardi come segnali del mio passaggio, si ripromise.

Sam Bowles interruppe le sue riflessioni affacciandosi nella cabina. «Vi chiedo scusa, vostra grazia, abbiamo radunato tutti i prigionieri. È stato un lavoretto pulito. Non ci è sfuggito nessuno.»

L'Avvoltoio si alzò in piedi, lieto di essere distratto da quei fastidiosi rimpianti. «Allora vediamo che cosa avete per me.»

I prigionieri erano legati e disposti su tre file, accovacciati al centro della nave. «Quarantadue incalliti lupi di mare», esclamò Sam con orgoglio. «Legati come salami.»

«Nessun ferito?» chiese incredulo l'Avvoltoio.

Sam rispose in un bisbiglio: «Sapevo che non avreste voluto perdere tempo a giocare con loro. Gli abbiamo tenuto la testa sott'acqua per aiutarli a trovare la strada fino a Gesù. Per molti di loro è stato un gesto di misericordia».

«La vostra compassione mi lascia sconcertato, Bowles», borbottò Cumbrae, «ma in futuro risparmiatemi certi dettagli. Sapete che sono un uomo mite.» Accantonò quel problema dalla mente per esaminare i prigionieri. Nonostante le assicurazioni di Sam, molti di loro erano stati percossi; qua e là si vedeva un occhio nero, oppure tagli e gonfiori alle labbra. Stavano a testa bassa, e nessuno di loro lo guardava.

Si incamminò lentamente, afferrando ogni tanto una ciocca di capelli per sollevare il viso di un uomo e studiarlo. Arrivato alla fine della fila, tornò indietro per dir loro in tono gioviale: «Ascoltatemi, galletti, ho un posto per tutti voi. Navigate con me e avrete uno scellino al mese e una parte equa del denaro del bottino. E, quant'è vero che mi chiamo Angus Cumbrae, ci saranno sacchi d'oro e d'argento da dividere».

Vedendo che nessuno di loro rispondeva, si incupì. «Siete sordi, oppure il gatto vi ha mangiato la lingua? Chi vuole navigare con Cochran di Cumbrae?» Sul ponte aleggiò un silenzio teso. Avanzò scegliendo uno dei prigionieri dall'aria più intelligente. «Come ti chiami, ragazzo?»

«Davey Morgan.»

«Vuoi navigare con me, Davey?»

L'uomo alzò lentamente la testa per fissare l'Avvoltoio. «Ho visto il giovane Winterton assassinato e il comandante ucciso a sangue freddo sulla spiaggia. Non intendo navigare con uno sporco pirata.»

«Pirata!» gridò l'Avvoltoio. «Come osi darmi del pirata, schifoso? Sei nato per sfamare i gabbiani, ed è quello che farai!» Estratto lo spadone dal fodero con un suono stridulo, lo calò sulla testa di Davey Morgan, spiccandola dal busto fino alle spalle. Con la spada insanguinata in mano, passeggiò tra le file dei prigionieri.

«C'è qualcun altro fra voi che vorrebbe darmi del pirata in faccia?» Nessuno parlò, e alla fine Cumbrae si rivolse a Bowles. «Rinchiudeteli tutti nella stiva della *Golden Bough*. Date loro mezza pinta d'acqua e una galletta al giorno. Lasciamoli riflettere più seriamente sulla mia offerta. Fra qualche giorno parlerò di nuovo con questi tesorucci, e vedremo se avranno imparato le buone maniere.»

Prese in disparte Sam, abbassando la voce. «Ci sono ancora alcuni danni causati dalla tempesta che richiedono delle riparazioni.» Puntò il dito verso il sartiame. «Ora è la vostra nave, potete comandarla e salpare. Sistemate tutto subito. Voglio lasciare questo maledetto approdo appena possibile. Mi sentite, comandante Bowles?»

Il viso di Sam Bowles s'illuminò di piacere nel sentire quel titolo. «Potete contare su di me, vostra grazia.»

Cumbrae si diresse verso il boccaporto, calandosi in una delle scialuppe. «Riportatemi sulla spiaggia, furfanti.» Prima che toccassero la sabbia, saltò in acqua raggiungendo a guado la spiaggia dove lo aspettava il colonnello.

«Milord, devo parlarvi», gli annunciò Schreuder, e l'Avvoltoio gli sorrise con simpatia.

«I vostri discorsi mi piacciono sempre, signore. Venite con me. Possiamo parlare mentre mi occupo dei miei affari.» Fece strada attraverso la spiaggia, entrando nel boschetto.

«Il comandante Llewellyn era...» cominciò Schreuder, ma l'Avvoltoio lo interruppe.

«Llewellyn era un pirata. Mi stavo difendendo dal suo tradimento.» Si fermò bruscamente per affrontare Schreuder, tirando su la manica per scoprire la profonda cicatrice violacea che gli solcava la spalla. «Vedete questa? Ecco che cosa ci ho guadagnato a fidarmi di Llewellyn in passato. Se non lo avessi preceduto, i suoi *desperados* sarebbero piombati su di noi per massacrarci sul posto. Sono certo che capite e che mi siete riconoscente per il mio intervento. Avreste potuto fare voi quella fine. »

Indicò il gruppo di marinai che risalivano barcollando la spiaggia, trascinando per le gambe i corpi di Llewellyn e di Vincent Winterton. La testa fracassata del primo lasciò una scia rossa sulla sabbia.

Schreuder guardò inorridito quella scena; nelle parole di Cumbrae aveva riconosciuto un avvertimento e una minaccia. Oltre la prima fila di alberi c'era una serie di trincee profonde, scavate di fresco in tutta la zona dove un tempo si trovava l'accampamento di Sir Francis Courteney. Al posto della sua capanna c'era una fossa profonda venti piedi, con il fondo pieno di acqua salmastra filtrata dalla laguna. Sul luogo dove sorgeva il deposito delle spezie c'era un'altra lunga trincea: pareva che un esercito di minatori fosse al lavoro in mezzo agli alberi. Gli uomini dell'Avvoltoio trascinarono i cadaveri verso la più vicina di quelle fosse, gettandoli dentro senza tante cerimonie. I corpi scivolarono lungo il fianco ripido, finendo nella pozza sul fondo.

Schreuder sembrava turbato e incerto. « Mi riesce difficile credere che Llewellyn fosse un tipo del genere. » Ma Cumbrae non lo lasciò finire.

« Perdio, Schreuder, dubitate della mia parola? Che ne è stato della vostra dichiarazione che volevate unirvi a me? Se le mie azioni vi offendono, è meglio che ci separiamo subito. Vi darò una delle scialuppe della *Golden Bough* e un gruppo di pirati di Llewellyn che vi aiutino a tornare al capo di Buona Speranza, così potrete esporre i vostri scrupoli al governatore van de Velde. Questa soluzione vi aggrada di più? »

« No, signore, niente affatto », si affrettò a rispondere Schreuder. « Voi sapete che non posso tornare al capo di Buona Speranza. »

« E allora, colonnello, siete ancora con me? »

Schreuder esitò, osservando le macabre fatiche del gruppo che si occupava delle sepolture. Sapeva che, se avesse contrariato Cumbrae, probabilmente sarebbe finito nella fossa insieme con Llewellyn e i marinai della *Golden Bough*. Era in trappola.

« Sono ancora con voi », rispose infine.

L'Avvoltoio annuì. « Allora saldiamo il patto stringendoci la mano. » Tese il grosso pugno coperto di lentiggini e di peli rosso fuoco. Lentamente Schreuder tese la mano e gliela strinse: nei suoi occhi Cumbrae vide che da quel momento in poi aveva saltato il fosso e fu lieto di potersi fidare finalmente di lui. Accettando e condonando il massacro degli ufficiali e dell'equipaggio della *Golden Bough*, era diventato anche lui un pirata e un fuorilegge: a tutti gli effetti lo strumento dell'Avvoltoio.

« Venite con me, signore. Vorrei mostrarvi quello che abbiamo fatto qui. » Cumbrae cambiò argomento con disinvoltura, guidando Schreuder accanto alla fossa comune senza degnare di uno sguardo quel mucchio di cadaveri. « Vedete, conoscevo bene Francis Courteney... eravamo come fratelli. Sono ancora convinto che abbia nascosto il suo tesoro da queste parti. Aveva il bottino strappato alla *Standvastigheid* e quello della *Heerlige Nacht*. Per tutti i santi, ci devono essere ventimila sterline seppellite chissà dove, sotto questa sabbia. »

Ormai avevano raggiunto la trincea lunga e profonda dove erano già al lavoro con la vanga quaranta uomini. Fra loro c'erano i tre marinai negri che Cumbrae aveva acquistato all'asta al capo di Buona Speranza.

« Jiri! » tuonò l'Avvoltoio. « Matesi! Kimatti! » Gli schiavi sussultarono, gettando a terra la vanga e arrampicandosi lungo la parete della fossa per affrontare trepidanti il loro padrone.

« Guardate questi campioni, signore. Li ho pagati cinquecento fiorini ciascuno. È stato il peggiore affare della mia vita. Qui sotto gli occhi avete la prova vivente che ci sono solo tre cose che un moro sa fare bene: imbrogliare, rubare e ballare. » L'Avvoltoio si lasciò sfuggire una risata tuonante. « Non è la verità, Jiri? »

« Sì, Lordy. » Jiri sogghignò, con un cenno di assenso. « È la verità di Dio. »

L'Avvoltoio smise di ridere improvvisamente, così come aveva cominciato. « Che ne sai tu di Dio, pagano? » Con un pugno fece cadere Jiri nella fossa. « Tornate tutti e tre al lavoro! »

Gli schiavi afferrarono la vanga e attaccarono il fondo della fossa con energia frenetica, scagliando la terra oltre il parapetto. Cumbrae incombeva su di loro, con i pugni sui fianchi. « Ascoltatemi, figli della mezzanotte. Voi mi dite che il tesoro che cerco è sepolto qui. Ebbene, allora trovatelo, altrimenti non verrete con me quando salperò. Vi seppellirò tutti e tre in questa fossa che state scavando con le vostre sudicie zampacce fuligginose. Mi sentite? »

« Vi sentiamo, Lordy », risposero in coro.

Poi prese il braccio di Schreuder in una stretta cordiale, guidandolo oltre. « Sono arrivato ad accettare la triste realtà che non hanno mai conosciuto il nascondiglio del tesoro di Franky. Mi hanno menato per il naso per tutti questi mesi. I miei furfanti e io ne abbiamo abbastanza di fare le talpe. Lasciate che vi offra l'ospitalità del mio umile alloggio insieme con un boccale di whisky, e potrete raccontarmi tutto quello che sapete su questa guerricciola in corso fra il Gran Mogol e Prete Gianni. Mi sembra che voi e io potremmo trovare un'occupazione migliore e maggior profitto altrove che qui alla laguna dell'Elefante. »

Hal osservò i suoi uomini alla luce del fuoco, mentre divoravano la cena a base di carne affumicata. Negli ultimi giorni la caccia aveva dato magri risultati, ed erano quasi tutti stanchi. I suoi marinai non erano mai stati schiavi: il duro lavoro sulle mura del castello, al capo di Buona Speranza, non li aveva fiaccati nel fisico o nel morale, bensì rinvigoriti, e ora la lunga marcia li aveva temprati. Da loro non avrebbe potuto desiderare di più: erano combattenti forti ed esperti. Quanto ad Althuda, provava fiducia e simpatia nei suoi confronti, ma era stato uno schiavo fin dall'infanzia, e alcuni dei suoi uomini non avrebbero mai imparato a combattere. Sabah, poi, era una delusione; non aveva mai corrisposto alle sue aspettative, anzi era diventato astioso e ostruzionista. Non faceva che sottrarsi ai suoi doveri e protestare contro gli ordini che gli venivano impartiti. Il suo grido di battaglia era diventato: « Non sono più uno schiavo, e nessuno ha il diritto di darmi ordini! »

Sabah non avrebbe sfigurato accanto ai suoi simili nell'equipaggio dell'Avvoltoio, pensò Hal, ma alzò gli occhi con un sorriso quando Sukeena venne a sedersi accanto a lui.

« Non farti nemico Sabah », gli sussurrò lei con dolcezza.

« Non vorrei », replicò, « ma ciascuno di noi deve fare la sua parte. » La guardò con tenerezza. « Tu vali dieci uomini come Sabah, ma oggi ti ho visto inciampare più di una volta, e quando credevi che non ti osservassi ho visto il dolore nei tuoi occhi. Sei ammalata, tesoro? Sto davvero forzando troppo l'andatura? »

« Sei troppo premuroso, Gundwane. » Alzò la testa per sorridergli. «Marcerò con te fino alle porte dell'inferno, senza lamentarmi.»

«Lo so, ed è questo che mi preoccupa. Se non ti lamenti, come faccio a sapere che cosa ti fa star male?»

«Non sto male.»

«Devi giurarmelo», insistette Hal. «Giurami che non mi nascondi nessuna malattia.»

«Te lo giuro, con questo bacio.» Gli offrì le labbra. «Tutto va come deve andare, secondo i piani di Dio, e te lo dimostrerò.» Prendendolo per mano, lo guidò verso l'angolo buio del recinto dove aveva preparato il letto.

Sebbene il corpo di Sukeena si fondesse con il suo con la stessa dolcezza di sempre, nel suo modo di fare l'amore c'era un languore che gli appariva strano; anche se durante la passione lo inebriava, gli lasciava alla fine un senso di inquietudine e di perplessità. Sentiva che qualcosa era cambiato, ma non avrebbe saputo dire esattamente che cosa.

Il giorno dopo la tenne d'occhio durante la lunga marcia, e gli parve che sul terreno più ripido il suo passo non fosse più scattante come prima. Poi, quando il caldo raggiunse l'apice, Sukeena non riuscì a mantenere il suo posto nella colonna e cominciò a restare indietro. Zwaantie andò ad aiutarla in un punto critico del sentiero degli elefanti che stavano seguendo, ma Sukeena le rispose in modo brusco, respingendone la mano. Hal rallentò il passo, in modo quasi impercettibile, per facilitarle il compito, e decise di fare la sosta di mezzogiorno in anticipo rispetto ai giorni precedenti.

Quella notte Sukeena dormì al suo fianco immobile come un cadavere, mentre lui restava sveglio. Ormai si era convinto che non stava bene, anche se lei cercava di nascondergli la propria debolezza. Nel sonno aveva il respiro tanto lieve che dovette accostarle l'orecchio alle labbra per rassicurarsi. Tenendola stretta stretta, ebbe l'impressione che il suo corpo fosse accaldato e una volta, poco prima dell'alba, lei si lasciò sfuggire un gemito così patetico che Hal si sentì scoppiare il cuore d'amore e di preoccupazione per lei. Alla fine scivolò anche lui in un sonno profondo e senza sogni, ma quando si svegliò di scatto, allungando la mano, scoprì che era scomparsa.

Si sollevò appoggiandosi a un gomito e guardandosi attorno nel campo. Il fuoco si era spento, ridotto a un mucchietto di braci, ma la luna piena, sebbene ancora bassa all'orizzonte, proiettava luce sufficiente per vedere che lei non era lì. Hal distinse la figura scura di Aboli: la stella del mattino era quasi eclissata dalla luce più intensa della luna, ma brillava proprio sopra di lui, seduto di guardia all'ingresso del recinto. Era sveglio, perché Hal lo sentì tossire piano e poi stringersi meglio la coperta intorno alle spalle.

Hal scostò la coperta di pelli per raggiungerlo, accovacciandosi accanto a lui. «Dov'è Sukeena?» sussurrò.

«È uscita poco fa.»

«Da che parte?»

«Verso il ruscello.»

«E non l'hai fermata?»

«Andava per i fatti suoi.» Incuriosito, Aboli si voltò a guardarlo. «Perché avrei dovuto fermarla?»

«Scusami, non voleva essere un rimprovero. È solo che mi preoccupa. Non sta bene, lo hai notato?»

Aboli esitò. «Forse. Le donne sono figlie della luna, che sta per raggiungere il plenilunio, quindi probabilmente è cominciato il flusso.»

«Vado a raggiungerla.» Hal si alzò, incamminandosi lungo il sentiero appena tracciato che portava alla pozza poco profonda nella quale avevano fatto il bagno la sera prima. Stava per chiamarla, quando udì un suono che lo indusse a tacere, allarmandolo. Si fermò, mettendosi in ascolto con ansia, e il suono si ripeté, rivelando sofferenza e tensione. Avanzando, la vide inginocchiata sulla sponda sabbiosa della pozza. Aveva gettato via la coperta, e il chiaro di luna splendeva sulla sua pelle nuda, conferendole la patina lucente dell'avorio levigato. Era piegata in due, in uno spasmo di dolore e di nausea. Sotto gli occhi angosciati di lui, vomitò sulla sabbia.

La raggiunse di corsa, inginocchiandosi accanto a lei, che lo guardò disperata. «Non dovresti vedermi così», mormorò con voce roca, prima di voltare la testa dall'altra parte e vomitare di nuovo. Lui le passò il braccio intorno alle spalle: era gelida e tremava.

«Tu stai male», sussurrò. «Oh, amore mio, perché non mi hai risposto sinceramente? Perché hai tentato di tenermelo nascosto?»

Lei si asciugò le labbra con il dorso della mano. «Non avresti dovuto seguirmi», insistette. «Non volevo che lo sapessi.»

« Se stai male, devo saperlo. Dovresti fidarti di me abbastanza per dirmelo. »

« Non volevo diventare un peso per te. Non volevo che rallentassi la marcia per causa mia. »

Lui l'abbracciò stretta. « Non sarai mai un peso per me. Tu sei il respiro nei miei polmoni e il sangue nelle mie vene. E ora dimmi sinceramente che cosa ti fa star male, cara. »

Lei sospirò, appoggiandosi a lui col corpo tremante. « Oh, Hal, perdonami. Non volevo che accadesse ancora. Ho preso tutte le medicine che conosco per impedirlo... »

« Di che si tratta? » Lui era confuso e sconcertato. « Dimmelo, ti prego. »

« Porto in grembo tuo figlio. » La fissò sbigottito, senza riuscire a muoversi o a parlare. « Perché resti in silenzio? Perché mi guardi così? Per favore, non andare in collera con me. »

D'improvviso lui la strinse al petto con tutte le sue forze. « Non è la collera che mi lega la lingua, ma la gioia. Gioia per il nostro amore, gioia per il figlio che mi hai promesso. »

Quel giorno Hal cambiò l'ordine di marcia, prendendo con sé Sukeena in testa alla colonna e, per quanto lei protestasse ridendo, le tolse di mano il cestino per aggiungerlo al suo carico. Alleggerita di quel peso, lei riuscì a procedere leggera e a mantenere il suo posto senza difficoltà. Inoltre la prese per mano nei punti difficili, e lei non protestò, quando si accorse quanto gli faceva piacere proteggerla e coccolarla in quel modo.

« Non devi dirlo agli altri », mormorò. « Altrimenti vorranno rallentare la marcia per causa mia. »

Così mantennero il segreto, camminando mano nella mano e sorridendosi, così felici che, anche se Zwaantie non lo aveva detto ad Althuda e lui non lo aveva confidato ad Aboli, dovettero indovinarlo comunque. Aboli sorrideva come se il futuro padre fosse lui, mostrando tante premure per Sukeena che alla fine anche Sabah intuì il motivo della nuova atmosfera che aveva pervaso il gruppo.

La regione che stavano attraversando divenne sempre più boscosa. Alcuni alberi erano giganteschi, simili a grandi frecce pronte a perforare il cielo. Dovevano essere già vecchi quando Cristo nostro Salvatore si è fatto uomo ed è nato su questa terra, meditava Hal.

Con i saggi consigli di Aboli, che faceva loro da guida, stavano venendo a patti con quel territorio selvaggio e con i grandi animali che vi abbondavano. La paura non era più la loro compagna fedele, e Hal e Sukeena avevano imparato a gioire delle strane forme di bellezza che vedevano intorno a sé. Si fermavano in cima a un'altura per guardare un'aquila che planava in alto nel cielo con le ali immobili, oppure per ammirare un minuscolo uccellino dalle piume cangianti, non più grande del pollice di Sukeena, che restava sospeso su un fiore bevendone il nettare con un becco ricurvo lungo quanto il suo corpo.

La prateria era popolata da un tale numero di strani animali da sfidare l'immaginazione. C'erano interi branchi di quelle antilopi azzurre che avevano incontrato per la prima volta sulle pendici delle montagne, e cavalli selvaggi pezzati, a strisce color crema, ruggine e nero. Spesso avvistavano davanti a sé, fra gli alberi, le sagome scure ed enormi dei rinoceronti con due corni, ma avevano imparato che quella bestia terribile era quasi cieca, e che potevano evitare la sua terribile carica sbuffante con una breve deviazione dal sentiero.

Sul terreno aperto, oltre la foresta, c'erano branchi di piccole gazzelle color cannella, così numerose da sembrare nubi di fumo che passavano sulle colline. Avevano i fianchi attraversati da strisce orizzontali color cioccolata, mentre la testa era coronata da corna a forma di lira. Quando erano allarmate alla vista delle figure umane, scattavano con una leggerezza incredibile, spiccando balzi nell'aria e sventolando un ciuffetto bianco sul dorso. Ogni femmina era seguita da un piccolo, e Sukeena batteva le mani entusiasta nel vedere i giovani che cercavano le mammelle della madre o saltellavano con i loro coetanei. Hal la osservava con affetto, sapendo che ora anche lei portava un figlio dentro di sé, dividendo la sua gioia per i piccoli di un'altra specie e godendo con lei del segreto che credevano ignorato dagli altri.

Ogni volta, a mezzogiorno, rilevava la posizione del sole, e tutti i membri del gruppo si raccoglievano attorno a lui per osservarlo segnare la loro posizione sulla carta. La fila di puntini sul pesante foglio di pergamena si spostava lentamente verso la curva della linea costiera che sulla carta olandese era indicata come Buffels Baai, ovvero la baia dei Bufali.

« Ormai siamo a non più di cinque leghe dalla laguna. » Hal alzò la testa, distogliendo lo sguardo dalla carta.

Aboli si disse d'accordo. « Stamattina, mentre eravamo a caccia, ho riconosciuto le colline davanti a noi e ho visto dall'alto la linea di nuvole basse che contrassegnano la costa. Siamo molto vicini. »

Hal assentì. « Dobbiamo avanzare con cautela. C'è il rischio di imbattersi in spedizioni di approvvigionamento della *Gull*. Questo è un posto adatto per insediare un campo più stabile. Ci sono acqua e legna in abbondanza e da questa collina si gode una buona visuale. Domattina, Aboli e io lasceremo qui voialtri e andremo avanti per scoprire se davvero la *Gull* è alla fonda nella laguna dell'Elefante. »

Un'ora prima dell'alba, Hal prese in disparte Big Daniel per affidare Sukeena alle sue cure. « Proteggila, mastro Daniel. Non perderla mai di vista. »

« Non dovete temere, comandante. Con me sarà al sicuro. »

Hal e Aboli lasciarono il campo appena la luce fu sufficiente per vedere il sentiero che portava a est. Sukeena li accompagnò per un breve tratto.

« Buon viaggio, Aboli », gli augurò abbracciandolo. « Veglia sul mio uomo. »

« Veglierò su di lui, così come tu vegli su suo figlio. »

« Sei uno spaventoso furfante, Aboli! » Gli assestò un colpetto scherzoso sul torace ampio. « Come fai a sapere tutto? Eravamo così sicuri che fosse un segreto anche per te. » Si voltò ridendo verso Hal. « Lo sa! »

« Allora tutto è perduto. » Hal scosse la testa. « Perché dal giorno in cui nascerà, questo furfante è capace di impadronirsene come se fosse suo, proprio come ha fatto con me. »

Lei li guardò salire sull'altura; giunti in cima, si voltarono a salutarla con la mano, ma appena scomparvero il sorriso svanì dalle sue labbra e una lacrima le rigò la guancia. Mentre tornava indietro, si fermò al torrente per cancellarla, rinfrescandosi il viso. Non appena rientrata al campo, Althuda alzò gli occhi dalla lama di spada che stava lucidando e le sorrise, senza intuire la sua angoscia; anzi si meravigliò del suo aspetto fresco e luminoso, anche dopo tanti mesi di cammino massacrante in quel territorio selvaggio.

L'ultima volta che erano stati lì, Hal e Aboli erano andati a caccia, esplorando le colline che sovrastavano la laguna. Conoscendo il percorso del fiume, entrarono nella gola stretta e profonda un miglio più su della laguna, per seguire la pista degli elefanti fino a un guado poco profondo che conoscevano. Però non si avvicinarono alla laguna da quella direzione. «Da queste parti potrebbero aggirarsi gruppi di marinai della *Gull* in cerca d'acqua», lo ammonì Aboli. Hal annuì, precedendolo nella parte opposta della gola attraverso un ampio giro dietro le colline.

Salirono sulle alture dal pendio, fermandosi pochi passi prima della linea dell'orizzonte. Hal sapeva che la caverna con le antiche pitture su roccia, dove lui e Katinka si davano convegno, si trovava appena oltre la cresta di fronte a loro: di lì si godeva il panorama della laguna fino ai promontori rocciosi e, più oltre, fino all'oceano.

«Sfrutta quegli alberi per mascherare la tua sagoma all'orizzonte», gli disse Aboli a bassa voce.

Hal sorrise. «Mi hai insegnato bene, non l'ho dimenticato.» Percorse gli ultimi metri della salita con estrema lentezza, e pian piano davanti ai suoi occhi si schiuse il panorama dal versante opposto. Erano settimane, ormai, che non vedeva il mare, e si sentì sollevare lo spirito guardando la serena distesa azzurra, screziata di cavalloni bianchi che s'impennavano, sospinti dal vento di sud-est. Era l'elemento che dominava la sua vita, e gli era mancato molto.

«Oh, avere una nave!» sussurrò. «Mio Dio, ti prego, fa' che ci sia una nave.»

Via via che saliva, apparvero davanti ai suoi occhi i grandi bastioni grigi dei promontori, le fortezze che sorvegliavano l'ingresso alla laguna. Prima di fare ancora un altro passo esitò, facendosi forza per sopportare la terribile delusione di trovare l'ancoraggio deserto. Come un giocatore d'azzardo, aveva puntato la vita su quel lancio di dadi del destino. S'impose di fare lentamente un altro passo, poi ansimò, afferrando Aboli per il braccio e conficcandogli le dita nei muscoli contratti.

«La *Gull*!» mormorò, come se fosse una preghiera di ringraziamento. «E non è sola! C'è un'altra bella nave.»

Per qualche minuto nessuno dei due parlò, poi Aboli disse: «Hai trovato la nave che ci avevi promesso. Se riuscirai a conquistarla, sarai finalmente un comandante, Gundwane».

Avanzarono furtivi e, giunti in cima alla collina, si stesero supini per guardare l'ampia laguna ai loro piedi.

«Quale pensi che sia la nave vicina alla *Gull*?» domandò Hal. «Da qui non riesco a distinguere il nome.»

«È inglese», rispose Aboli con sicurezza. «In nessun altro paese monterebbero lo strallo di mezzana in quel modo.»

«Gallese, forse? Ha un forte slancio di prua e un insellamento pronunciato del ponte. Sulla costa occidentale le costruiscono così.»

«È possibile, ma comunque è una nave da guerra. Guarda quei cannoni. Ce ne dovrebbero essere poche come quella, nella sua classe», mormorò Aboli pensieroso.

«Anche meglio della *Gull*, non ti pare?» Hal la guardava con occhi accesi di desiderio, che parlavano per lui.

Aboli scosse la testa. «Non azzardarti a cercare di catturarla, Gundwane. Appartiene di sicuro a qualche onesto comandante inglese. Se metti le mani su quella, farai di noi tutti dei pirati. Meglio provare con la *Gull*.»

Rimasero un'altra ora in cima alla collina, parlando e facendo progetti sottovoce, mentre studiavano le due navi e l'accampamento fra gli alberi sulla riva opposta della laguna.

«Santo cielo!» esclamò bruscamente Hal. «Quello è l'Avvoltoio in persona. Riconoscerei dovunque quel covone di capelli rosso fuoco.» La sua voce era inasprita dall'odio e dalla collera. «Sta passando sull'altra nave. Guarda come sale la scaletta senza chiedere l'autorizzazione, come se fosse sua.»

«E chi è quello che lo accoglie in cima alla scaletta?» disse Aboli. «Giurerei di conoscere quella camminata, e la testa pelata che luccica al sole.»

«Non è possibile che ci sia Sam Bowles a bordo della fregata... eppure è così», ribatté Hal sbalordito. «Sta succedendo qualcosa di molto strano, Aboli. Come possiamo scoprire di che si tratta?»

Mentre il sole, sotto i loro occhi, cominciava a calare a occidente, Hal tentò di tenere la rabbia sotto controllo. Laggiù c'erano i due uomini responsabili della terribile morte di suo padre. Rivedeva ogni dettaglio della sua agonia e odiava a tal punto Sam Bowles e l'Avvoltoio da essere consapevole che le sue emozioni potevano sopraffare la ragione. L'istinto gli diceva di tralasciare ogni altra considerazione e di scendere ad affrontarli per chiedere loro conto dell'agonia e della morte di Sir Francis.

Non devo permetterlo, si disse. Devo pensare prima di tutto a Sukeena e al figlio che sta per darmi.

Aboli gli sfiorò il braccio, indicando un punto ai piedi della collina. I raggi del sole al tramonto avevano cambiato l'angolazione delle ombre degli alberi della foresta, cosicché potevano vedere più chiaramente l'interno dell'accampamento.

« L'Avvoltoio sta scavando delle fortificazioni, laggiù. » Aboli era perplesso. « Ma non c'è un piano preciso. Le trincee sono tutte scavate a casaccio. »

« Eppure sembra che tutti i suoi uomini siano al lavoro negli scavi. Ci dev'essere un piano... » Hal s'interruppe ridendo. « Ma certo! Ecco perché è tornato nella laguna! Sta ancora cercando il tesoro di mio padre. »

« È fuori strada di parecchio. » Aboli ridacchiò. « Può darsi che Jiri e Matesi lo abbiano messo fuori strada di proposito. »

« Oh, Maria santissima, certo che quei furfanti lo hanno menato per il naso. Al mercato degli schiavi, Cumbrae ha comprato più di quello che cercava. Gli faranno vedere lucciole per lanterne, fingendo di strisciare ai suoi piedi e chiamandolo Lordy. » Sorrise a quel pensiero, poi ridivenne serio. « Pensi che siano ancora là, oppure che l'Avvoltoio li ha già ammazzati? »

« No, li terrà in vita finché penserà che abbiano valore per lui. Sta scavando, quindi spera ancora. Secondo me sono ancora vivi. »

« Dobbiamo aspettare che si facciano vedere. » Rimasero ancora un'ora in cima alla collina, in silenzio, poi Hal mormorò: « La marea sta cambiando. La fregata sconosciuta si muove all'ancora ». La guardarono mentre s'inchinava, facendo la riverenza alla marea con grazia compassata; poi Hal aggiunse: « Ora riesco a vedere il nome sullo specchio di poppa, ma è difficile da leggere. Può essere *Golden Swan? Golden Hart?* No, penso di no. È la *Golden Bough!* »

« Un bel nome per una bella nave », osservò Aboli, che poi sussultò, indicando eccitato un punto nell'intrico di trincee e di fosse scavate fra gli alberi. « Ci sono alcuni negri che escono da quel fosso: sono tre. Per caso è Jiri, quello? I tuoi occhi sono più acuti dei miei. »

« Santo cielo, è vero, e dietro di lui ci sono Matesi e Kimatti. »

« Li stanno portando verso una baracca sulla battigia. Dev'essere lì che li rinchiudono durante la notte. »

« Aboli, dobbiamo parlare con loro. Scenderò laggiù appena farà buio, per cercare di raggiungere la baracca. A che ora sorgerà la luna? »

« Un'ora dopo la mezzanotte », rispose Aboli. « Ma non te lo permetterò. Ho fatto una promessa a Sukeena. E poi, la tua pelle bianca brilla come uno specchio. Andrò io. »

Nudo, Aboli avanzò a guado dalla riva opposta finché l'acqua gli arrivò al mento, poi cominciò a nuotare con un movimento a rana che non faceva rumore e lasciava soltanto una scia silenziosa simile a una traccia d'olio. Quando raggiunse la riva, attese di avere la certezza che la spiaggia fosse sicura, prima di lasciare le secche. Poi strisciò fulmineo sul terreno scoperto, rannicchiandosi contro il tronco del primo albero che incontrò.

Nel boschetto c'erano due fuochi accesi, e da lì sentì provenire un suono di voci maschili e, ogni tanto, un brano di canto o uno scroscio di risa. Le fiamme fornivano luce sufficiente per distinguere le capanne dov'erano imprigionati gli schiavi. Sul davanti scorse la fiammella di una miccia accesa sulla molla di un moschetto, e da quel particolare riuscì a scorgere la sentinella, seduta con le spalle addossate a un albero da cui teneva sotto tiro la porta della capanna.

Sono negligenti, pensò. Un solo uomo di guardia, e sembra addormentato.

Si trascinò in avanti strisciando a quattro zampe, ma prima di raggiungere la parete posteriore della capanna udì dei passi e si nascose dietro un altro tronco, accovacciandosi. Stavano arrivando due marinai dell'Avvoltoio, che si dirigevano tranquillamente verso di lui attraverso il boschetto, discutendo a voce alta.

« Non ho nessuna voglia di navigare con quel piccolo furetto », stava dicendo uno dei due. « Ti taglierebbe la gola per il puro gusto di farlo. »

« Questo vale anche per te, Willie Macgregor. »

« Sì, ma almeno io non userei una lama senza filo, come farebbe Sam Bowles. »

« Tu navigherai con qualsiasi comandante l'Avvoltoio ti dirà di seguire, e questo è quanto », dichiarò il compagno, fermandosi dietro l'albero dov'era accovacciato Aboli. Scostando il perizoma, urinò fragorosamente contro l'albero. « Per le palle del diavolo, anche con Sam Bowles come comandante, sarò felice di andarmene da questo posto. Ho lasciato la mia bella Scozia per sfuggire alla miniera di carbone, ed eccomi di nuovo qui a scavare. » Si scrollò con energia, poi i due ripresero il cammino.

Aboli attese che fossero lontani per ricominciare a strisciare verso la parete posteriore della capanna. Scoprì che era stata intonacata con argilla cruda, ma che alcuni frammenti del rivestimento si stavano staccando dall'intelaiatura di rami intrecciati al di sotto. Girò lentamente lungo la parete, sempre strisciando, sondando delicatamente ogni fessura con uno stelo d'erba, finché non trovò uno spiraglio che attraversava tutto lo spessore della parete. Accostando le labbra all'apertura, bisbigliò piano: «Jiri!»

Udì un brusco movimento dalla parte opposta della parete, e un attimo dopo gli rispose un mormorio spaventato: «È la voce di Aboli, questa, o è il suo spettro?»

«Sono vivo. Ecco, senti il calore del mio dito... questa non è la mano di un morto.»

Parlarono sottovoce fra loro per quasi un'ora, prima che Aboli lasciasse la capanna, scendendo di soppiatto fino alla spiaggia, dove scivolò nelle acque della laguna come una foca nera.

L'alba dipingeva il cielo a oriente con i colori dei limoni e delle albicocche mature, quando Aboli risalì la collina per tornare nel punto in cui aveva lasciato Hal. Il quale non era nella caverna ma, quando Aboli lanciò un sommesso richiamo modulato, apparve con la sciabola in mano da dietro la cascata di rampicanti che nascondeva l'ingresso.

«Ho notizie», annunciò Aboli. «Una volta tanto gli dèi sono stati clementi.»

«Raccontami!» ordinò Hal con impazienza, riponendo la spada nel fodero. Si sedettero affiancati all'ingresso della caverna, da cui potevano tenere d'occhio l'intero arco della laguna, mentre Aboli riferiva nei minimi particolari quanto Jiri era riuscito a dirgli.

Hal lanciò un'esclamazione quando Aboli descrisse il massacro del comandante e degli uomini della *Golden Bough*, e il modo in cui Sam Bowles aveva affogato i feriti nelle acque basse della laguna, come gattini indesiderati. «Anche per l'Avvoltoio questo è un misfatto che puzza d'inferno.»

«Non tutti sono stati uccisi», gli disse Aboli. «Jiri dice che molti superstiti sono rinchiusi nella stiva principale della *Golden Bough*.» Hal assentì, pensieroso. «Dice pure che l'Avvoltoio ha assegnato il comando della *Golden Bough* a Sam Bowles.»

«Santo cielo, quel furfante ne ha fatta di strada», esclamò Hal. «Ma tutto questo potrebbe tornare a nostro vantaggio. La *Golden Bough* è diventata una nave pirata, e la caccia, per noi, è aperta. Comunque sarà un'impresa rischiosa stuzzicare l'Avvoltoio nel suo stesso nido.» Cadde in un lungo silenzio, e Aboli non lo disturbò.

Alla fine Hal alzò gli occhi, e fu chiaro che aveva preso una decisione. «Ho giurato a mio padre di non rivelare mai quello che **ho** intenzione di mostrarti adesso, ma le circostanze sono cambiate. Mi perdonerebbe anche lui, lo so. Vieni con me, Aboli.»

Hal lo condusse in basso, lungo il pendio posteriore della collina, e di lì si diresse verso la gola del fiume. Trovarono un sentiero tracciato dai babbuini, che percorsero sdrucciolando sino in fondo alla ripida discesa. A quel punto Hal cominciò a risalire il corso d'acqua, e le pareti di roccia divennero sempre più alte e ripide. In certi punti erano costretti a entrare nell'acqua, guadando il ruscello lungo la roccia. A intervalli, Hal si fermava per fare il punto, finché non lanciò un grugnito di soddisfazione: aveva riconosciuto come punto di riferimento l'albero morto. Sempre costeggiando la riva immerso nell'acqua, guadò fino a raggiungerlo, poi risalì sulla riva per cominciare la scalata del pendio.

«Dove vai, Gundwane?» lo chiamò Aboli.

«Seguimi», rispose Hal. Aboli, scrollando le spalle, cominciò a seguirlo nella scalata. Ridacchiò, quando all'improvviso Hal allungò una mano per aiutarlo a salire sulla stretta cengia che non era riuscito a vedere dal basso. «Qui c'è sotto lo zampino del comandante Franky», esclamò. «L'Avvoltoio si sarebbe risparmiato un sacco di lavoro cercando qui, invece di scavare buche nel bosco, vero?»

«Da questa parte.» Hal si spostò lateralmente lungo la cengia, tenendo le spalle rivolte alla parete, con il precipizio profondo cento piedi che si spalancava ai suoi piedi. Quando raggiunse il punto in cui la cengia si allargava e la parete in alto era spaccata da una fenditura, si fermò per esaminare i massi che bloccavano l'entrata.

«Non ci sono stati visitatori, neanche le scimmie», disse sollevato, cominciando a spostare le rocce dall'apertura. Quando lo spazio fu sufficiente, s'insinuò all'interno, avanzando a tentoni nel buio alla ricerca della pietra focaia, dell'acciarino e della candela che il padre aveva lasciato sulla mensola di roccia. Finalmente l'esca prese fuoco al terzo colpo dell'acciarino sulla pietra focaia, così che Hal poté accendere la candela e sollevarla in alto.

Aboli rise a quel chiarore giallastro, guardando la riserva di sacchi di tela e cassette. «Sei un uomo ricco, Gundwane. Ma a che cosa ci serve, adesso, tutto questo oro e questo argento? Non può comprare né un boccone di cibo né una nave per portare via tutto.»

Hal si diresse verso la cassa più vicina, sollevando il coperchio. I lingotti d'oro brillarono al lume della candela. «Mio padre è morto per lasciarmi questa eredità. Preferirei che fosse ancora vivo accanto a me, anche a costo di vivere di elemosine.» Richiuse di scatto il coperchio, guardando di nuovo Aboli. «Malgrado quello che puoi pensare, non sono venuto qui per l'oro. Sono venuto per questo.» Affibbiò un calcio al barilotto di polvere accanto a lui. «E per questi!» Indicò i moschetti e le spade accatastate contro la parete di fondo della caverna. «E anche per questi!» Si diresse verso il punto in cui erano ammucchiati la carrucola e il cavalletto, raccogliendo uno dei rotoli di corda che lui e suo padre avevano usato. Per saggiarne la resistenza, ne fece passare un tratto dietro la schiena, tendendo la corda al massimo con le braccia e le spalle.

«È ancora resistente, e non è marcita.» Lasciò cadere la cima. «Dunque, qui c'è tutto quello che ci serve.»

Aboli si sedette sulla cassa accanto a lui. «Quindi hai un piano. Allora puoi confidarlo a me, Gundwane.» Ascoltò in silenzio Hal, e un paio di volte annuì o gli diede alcuni suggerimenti.

Quella stessa mattina si misero in cammino verso l'accampamento. Procedendo in fretta, per lo più trotterellando e correndo, lo raggiunsero poco dopo mezzogiorno. Sukeena li vide risalire la collina e andò loro incontro. Hal l'afferrò e la fece volare in aria, poi si trattenne, posandola a terra con grande precauzione, come se fosse fatta di vetro e potesse incrinarsi facilmente. «Perdonami, ti tratto con troppa irruenza.»

«Sono tua e puoi trattarmi come vuoi, ne sarò sempre felice.» Gli mise le braccia al collo, baciandolo. «Dimmi che cosa hai scoperto. C'è una nave nella laguna?»

« Sì, una bella nave. Anzi, bellissima, ma neanche la metà di te. »

Sollecitati da Hal, tolsero il campo per mettersi subito in marcia. Lui e Aboli fungevano da esploratori, e li precedevano per sgomberare il sentiero e guidare il piccolo gruppo alla laguna.

Quando raggiunsero il fiume, prima di scendere lungo la gola, Hal lasciò lì Big Daniel e tutti gli altri marinai, tranne Ned Tyler. Erano all'oscuro del fatto che la caverna del tesoro si trovava soltanto a un centinaio di braccia di distanza, a monte di quel punto. « Aspettami qui, mastro Daniel. Devo portare gli altri in un luogo sicuro. Nascondetevi bene, tornerò dopo il tramonto. »

Aboli li accompagnò, mentre Hal guidava il resto del gruppo dall'altra parte della gola, proseguendo poi verso il versante opposto delle colline. Si avvicinarono ai banchi di sabbia che separavano la terraferma dall'isola sulla quale avevano costruito le barche incendiarie.

A quel punto era già la fine del pomeriggio, e Hal li lasciò riposare fino a sera. Appena fu buio guadarono le acque basse, con Hal che portava Sukeena sulle spalle. Appena raggiunta l'isola, si affrettarono a rintanarsi nel folto della boscaglia, dov'erano nascosti alla vista dall'accampamento dei pirati.

« Niente fuochi! » li ammonì Hal. « Parlate soltanto sottovoce. Zwaantie, impedisci al piccolo Bobby di piangere. Nessuno si allontani. Restate vicini. Ned sarà il comandante, quando non ci sono io. Obbedite a lui. »

Hal e Aboli proseguirono attraverso l'isola, passando nella boscaglia per raggiungere la spiaggia che si affacciava sulla laguna. Nella zona dove avevano costruito le barche incendiarie, il sottobosco era ricresciuto fitto. Cercarono dappertutto, e infine individuarono le due imbarcazioni a catamarano che non erano state usate per l'attacco alla *Gull* e le trascinarono sulla spiaggia.

« Staranno a galla? » si chiese Aboli incerto.

« Ned aveva fatto un buon lavoro, e sembrano abbastanza solide », ribatté Hal. « Se scarichiamo le sostanze infiammabili, galleggeranno meglio sull'acqua. »

Svuotarono le barche del carico di fascine di legna impregnate di catrame. « Così va meglio », commentò Hal soddisfatto. « Ora saranno più leggere e più facili da manovrare. » Le nascosero di nuovo, coprendole di frasche.

« C'è ancora molto da fare, prima di giorno. » Hal riportò

Aboli nel punto in cui la maggior parte dei compagni di Althuda erano già addormentati. « Non svegliare Sukeena », disse al fratello di lei. « È sfinita e deve dormire. »

« Dove andate? »

« Non c'è tempo per dare spiegazioni. Torneremo prima dell'alba. »

Hal e Aboli traversarono il canale per raggiungere la terraferma, poi tornarono indietro attraverso la foresta, al buio; ma quando raggiunsero la linea delle colline, Hal si fermò dicendo: « C'è qualcosa che devo trovare ».

Tornò indietro, verso le luci incerte dell'accampamento dei pirati, muovendosi lentamente e facendo spesso delle soste per orientarsi, finché non si fermò alla base di un albero alto.

« È questo. » Con la punta della sciabola sondò il terreno molle e argilloso attorno alle radici. Sentì un tintinnio metallico e s'inginocchiò per scavare con le mani nude, poi estrasse dalla terra la catena d'oro, sollevandola alla luce delle stelle.

« Questo è il sigillo dei cavalieri Nautonnier che apparteneva a tuo padre. » Aboli lo aveva riconosciuto subito.

« E anche l'anello, e il medaglione con il ritratto di mia madre. » Hal si alzò, ripulendo dal terriccio umido il vetro che aveva protetto la miniatura. « Con questi oggetti fra le mani, mi sento di nuovo un uomo completo. » Lasciò cadere i suoi tesori nel sacchetto di cuoio che portava alla cintura.

« Ora proseguiamo, prima che ci scoprano. »

Era mezzanotte passata quando risalirono la parete della gola; non appena raggiunsero la riva del fiume, Big Daniel li invitò sottovoce a farsi riconoscere.

« Sono io », lo rassicurò Hal; e solo allora gli altri emersero dai nascondigli.

« Restate qui », ordinò. « Aboli e io torneremo subito. »

I due risalirono la corrente. Hal guidò la scalata fino alla cengia, dopodiché si orientò a tentoni nell'oscurità della caverna. Lavorando alla luce fioca della candela, i due amici legarono le sciabole a gruppi di dieci, accatastandole all'entrata. Hal svuotò una delle casse del loro prezioso contenuto, accumulando i lingotti d'oro in un angolo della caverna, per infilarvi dentro venti pistole.

Poi fecero rotolare i barilotti di polvere, insieme con la miccia, fino allo stretto ripiano di roccia, sistemando la carrucola con il bozzello e la corda inserita. Hal ridiscese sulla riva, lanciando un fischio sommesso appena raggiunse il corso d'acqua, e Aboli calò gli involti con le armi e i barilotti pieni di polvere.

Era un lavoro pesante, ma i forti muscoli di Aboli lo resero quasi facile. Alla fine, quest'ultimo scese a raggiungere Hal e cominciarono a trasportare le merci fino al punto in cui erano in attesa Big Daniel e gli altri marinai.

«Queste le riconosco», disse ridacchiando Big Daniel, mentre passava le mani su un involto di sciabole, esaminandole al chiarore lunare.

«E qui c'è qualcos'altro che dovresti riconoscere», disse Hal, dandogli da portare due dei pesanti barilotti di polvere.

Trasportando tutti quanti il massimo del carico che la loro schiena poteva sopportare, risalivano faticosamente la parete laterale della gola, scaricavano il loro fardello e poi ridiscendevano per prendere il successivo. Alla fine, carichi come bestie da soma, si inoltrarono nella foresta. Hal fece solo due deviazioni per nascondere due barilotti di polvere, un involto di miccia e tre sciabole nella caverna delle pitture; poi ripresero la marcia.

Era quasi giorno, quando finalmente raggiunsero Althuda e gli altri sull'isola. Mangiarono la carne affumicata che Sukeena e Zwaantie avevano preparato; poi, mentre gli altri si avvolgevano nelle coperte di pelli, Hal prese in disparte Sukeena per mostrarle il grande sigillo dei Nautonnier e il medaglione.

«Dove li hai trovati, Gundwane?»

«Li ho nascosti nella foresta il giorno della nostra cattura.»

«Chi è la donna?» domandò lei studiando il ritratto.

«Edwina Courteney, mia madre.»

«Oh, Hal, è bellissima. Tu hai i suoi occhi.»

«Allora da' a mio figlio questi stessi occhi.»

«Tenterò. Tenterò con tutto il cuore.»

Nel tardo pomeriggio Hal svegliò gli altri per assegnare a ciascuno il suo compito.

«Sabah, tira fuori dalla cassetta le pistole e togli le cariche. Poi ricaricale e riponile nella cassetta per tenerle all'asciutto.» L'altro si mise subito al lavoro.

«Big Daniel mi aiuterà a caricare le barche. Ned, tu porta le donne giù alla spiaggia e spiega loro come devono aiutarti a spingere in mare la seconda lancia quando verrà il momento.

Devono lasciare tutto il resto. Non ci sarà né spazio né tempo per occuparsi d'altro.

« Neppure delle mie sacche? » chiese Sukeena.

Hal esitò, poi rispose con fermezza: « No, neanche di quelle ». Lei non obiettò, limitandosi a lanciargli un'occhiata critica in tralice prima di seguire Ned fra gli alberi, insieme a Zwaantie, che portava Bobby sulla schiena, legato con le cinghie.

« Vieni con me, Aboli. » Hal lo prese per il braccio e si diressero in silenzio verso l'estremità settentrionale dell'isola, dove avanzarono strisciando a quattro zampe finché non raggiunsero un punto in cui potevano stendersi e spiare la spiaggia dall'altra parte dello specchio d'acqua in cui si trovavano le scialuppe della *Gull* e della *Golden Bough*, tirate in secco sotto l'accampamento.

Mentre facevano la guardia, Hal spiegò i dettagli secondari e le piccole modifiche apportate al piano originale; di tanto in tanto Aboli annuiva, e alla fine commentò: « È un piano semplice ed efficace; se gli dèi ci sono propizi, funzionerà ».

Al tramonto osservarono le due navi ancorate nel canale, seguendo l'attività in corso sulla spiaggia. Non appena fece buio, le squadre di uomini che avevano lavorato tutto il giorno a scavare le trincee dell'Avvoltoio ricevettero il cambio. Alcuni scesero a fare il bagno nelle acque della laguna, altri raggiunsero a remi la *Gull* per dormire nella loro cuccetta.

Il fumo dei fuochi accesi per cucinare saliva a spirale fra gli alberi, spandendosi sull'acqua in una pallida foschia bluastra. Hal e Aboli fiutarono l'aroma del pesce cotto sulla brace. I suoni si propagavano nitidi sulla superficie calma dell'acqua; udivano chiaramente le voci degli uomini e riuscivano persino ad afferrare qualcosa dei loro discorsi, un'imprecazione sonora o una discussione accalorata. Per ben due volte Hal ebbe la certezza di aver sentito la voce dell'Avvoltoio, ma non lo vide.

Proprio mentre cominciava a calare il buio, una scialuppa si staccò dalla murata della *Golden Bough*, puntando verso la spiaggia.

« A poppa c'è Sam Bowles », annunciò Hal, con l'odio che traspariva dalla voce.

« Il comandante Bowles, ora, se quello che mi dice Jiri è vero », lo corresse Aboli.

« È quasi ora di muoversi », disse Hal, quando le sagome delle navi all'ancora cominciarono a fondersi con la massa scura della foresta alle loro spalle. «Tu sai cosa devi fare, e che Dio sia con te, Aboli.» Hal gli strinse il braccio per un attimo.

«E anche con te, Gundwane.» Alzatosi in piedi, Aboli entrò in acqua. Attraversando il canale a nuoto, non fece alcun rumore, ma lasciò dietro di sé una lieve scia fosforescente sulla superficie scura.

Hal si orientò nella boscaglia per raggiungere il punto in cui lo aspettavano gli altri, accanto alla sagoma sgraziata delle due barche incendiarie. Li fece sedere in circolo attorno a sé per impartire a voce bassa le istruzioni. Alla fine gliele fece ripetere, correggendoli quando sbagliavano.

«Ora non resta altro da fare, finché Aboli non avrà portato a termine il suo lavoro.»

Aboli raggiunse la terraferma, uscendo rapidamente dall'acqua. Spostandosi in silenzio attraverso la foresta, si accorse che la brezza calda gli aveva asciugato il corpo ancor prima che raggiungesse la caverna delle pitture. Si accovacciò vicino ai barilotti di polvere, facendo i preparativi che Hal gli aveva suggerito.

Tagliò due tratti di miccia; uno misurava appena un braccio di lunghezza, mentre il secondo era un rotolo lungo trenta piedi. Il primo avrebbe impiegato dieci minuti a consumarsi, l'altro quasi tre volte tanto. In ogni caso, il tempo era un fattore estremamente incerto.

Lavorava in fretta, e quando entrambi i barilotti furono pronti si legò sulla schiena l'involto contenente tre sciabole, si mise in spalla i due barilotti di polvere e sgattaiolò fuori della caverna. Ricordava che la notte prima, quando aveva fatto visita alla capanna in cui erano tenuti prigionieri Jiri e gli altri schiavi, aveva notato che gli uomini dell'Avvoltoio avevano allentato la sorveglianza. I mesi tranquilli che avevano trascorso accampati lì avevano attutito la loro diffidenza, e le sentinelle non erano più vigili. Comunque, non faceva conto sul loro letargo.

Si avvicinò furtivo al campo finché non riuscì a distinguere i volti degli uomini seduti accanto ai falò. Ne riconobbe molti, ma non c'era traccia di Cumbrae o di Sam Bowles. Sistemò il primo barilotto in un tratto di sterpaglia lungo il perimetro esterno del campo, il più vicino possibile, e poi, senza accendere la miccia, si allontanò fino a raggiungere una delle trincee che gli uomini dell'Avvoltoio avevano scavato in cerca del tesoro.

Piazzò il barilotto con la miccia più lunga sul terrapieno della trincea, coprendolo di sabbia e detriti ricavati dallo scavo, poi svolse la miccia arrotolata, portandone l'estremità al riparo della trincea. Accovacciatosi lì, fece schermo col proprio corpo alla pietra focaia e all'acciarino, per evitare che le scintille luminose mettessero sull'avviso gli uomini del campo mentre faceva scattare la pietra focaia del moschetto. Quando questa cominciò a bruciare in modo regolare, la usò per accendere il cordone della miccia, controllandola per un minuto in modo da accertarsi che bruciasse anch'essa regolarmente. Poi uscì dalla trincea, tornando in fretta e in silenzio al primo barilotto. Con la pietra focaia del moschetto che aveva in mano, accese il tratto di miccia più corto.

«La prima esplosione li farà accorrere», aveva spiegato Hal. «Poi il secondo barilotto gli esploderà in faccia.»

Sempre portando il fascio di sciabole, Aboli si affrettò ad allontanarsi. C'era sempre il pericolo che la fiamma dell'una o dell'altra miccia si consumasse troppo in fretta, facendo scoppiare il barilotto in anticipo. Una volta allo scoperto, muovendosi con maggiore cautela, trovò il sentiero che correva verso la spiaggia. Fu costretto due volte a lasciarlo, quando altre figure vennero verso di lui sbucando dalle tenebre; un'altra volta, invece, non fu abbastanza lesto da evitare l'incontro, ma se la cavò con un pizzico di audacia, scambiando un roco: «Buona notte!» con il pirata che lo sfiorò.

Riconobbe la baracca di argilla sullo sfondo del chiarore del campo, avvicinandosi di soppiatto alla parete posteriore. Jiri rispose subito al suo sussurro: «Siamo pronti, fratello». Il suo tono era fiero e vivace, non più il piagnucolio dello schiavo.

Aboli depose il fascio di armi e, con la sua sciabola, recise il cordone che le teneva insieme. «Tenete!» mormorò. La mano di Jiri uscì all'esterno dalla fessura nel muro di fango, e Aboli gli passò la sciabola.

«Aspetta che esploda il primo barilotto», ordinò attraverso la fessura.

«Ti sento, Aboli.»

Strisciando oltre l'angolo della capanna, si affacciò a guardare. La sentinella era seduta nella solita posizione, davanti alla porta. Stavolta era sveglia e fumava una pipa d'argilla con il cannello lungo. Aboli vide il tabacco ardere nel fornello della pipa quando l'uomo tirò una boccata, e e rimase in attesa dietro l'angolo.

Il tempo passava così lentamente che cominciò a temere che la miccia del primo barilotto fosse difettosa e si fosse consumata del tutto prima di raggiungere la polvere. Aveva appena deciso di tornare indietro a controllare, e stava per alzarsi, quando l'esplosione investì l'accampamento, strappando i rami dagli alberi, sollevando nubi di ceneri ardenti e scintille dai fuochi da campo; travolse la capanna di fango, abbattendo per metà la parete anteriore e svellendo il tetto; colpì la sentinella di guardia alla porta, rovesciandola all'indietro. L'uomo, finito a terra supino, tentò di rialzarsi, ma era ostacolato dalla grossa pancia. Mentre si dibatteva, Aboli lo sovrastò, piantandogli un piede sul petto per inchiodarlo al suolo, menò un fendente con la spada e sentì l'elsa vibrare nella sua mano quando il taglio spezzò il collo dell'uomo, il cui corpo fu scosso da uno spasmo, poi rimase immobile. Allontanandosi con un balzo, Aboli afferrò la maniglia di corda della rudimentale porta della capanna e, mentre la tirava a sé, i tre uomini all'interno si lanciarono con tutto il loro peso sul battente dalla parte opposta, spalancandola.

«Da questa parte, fratelli», disse Aboli guidandoli verso la spiaggia.

L'accampamento era in subbuglio. L'oscurità brulicava di uomini che si agitavano, imprecando, lanciando ovunque ordini e allarmi.

«Alle armi! Ci attaccano.»

«Tenete duro!» sentirono urlare l'Avvoltoio. «Prendeteli, ragazzi!»

«Petey! Dove sei, tesoro?» gridava un marinaio ferito, invocando il suo compagno. «Sono spacciato. Vieni da me, Petey!»

Tizzoni ardenti provenienti dai fuochi erano stati proiettati nella boscaglia, appiccando le fiamme alla foresta e illuminando la scena di una luce infernale. Le ombre degli uomini assumevano dimensioni mostruose mentre si agitavano, spaventandosi a vicenda. Qualcuno esplose un colpo di moschetto, scatenando subito una salva disordinata da parte di marinai spaventati che sparavano alle ombre e ai propri compagni. Altre grida e urla disperate si levarono quando i proiettili di piombo riscossero il loro pedaggio di morte tra le figure impazzite.

«I bastardi sono nella foresta dietro di noi!» Era di nuovo la voce dell'Avvoltoio. « Da questa parte, miei valorosi! » Li radunava, spronandoli all'attacco, e altri uomini accorsero dalla spiaggia per unirsi alla difesa, ma finirono sotto il tiro dei compagni nervosi acquattati fra gli alberi, e ricambiarono a loro volta il fuoco.

Raggiungendo la spiaggia, Aboli trovò le scialuppe tirate in secco e abbandonate dall'equipaggio, che si era precipitato a rispondere all'appello dell'Avvoltoio.

« Dove tengono gli attrezzi? » chiese a Jiri.

« C'è un deposito, da quella parte. » Jiri lo condusse di corsa sul posto. Pale, asce e palanchini erano ammucchiati sotto una tettoia. Aboli ripose nel fodero la sciabola, afferrando una pesante sbarra di ferro. Gli altri tre seguirono il suo esempio prima di tornare di corsa sulla spiaggia per danneggiare le barche.

Con pochi colpi ben assestati sfondarono le assi, lasciando intatta solo una scialuppa.

« Avanti, non sprecate altro tempo! » incalzava Aboli, e tutti insieme lasciarono cadere gli attrezzi per correre verso l'unica barca rimasta. La spinsero in acqua saltando a bordo, afferrarono un remo ciascuno e cominciarono a vogare verso la sagoma scura della fregata, che ora emergeva dalle tenebre, illuminata dalla foresta in fiamme.

Quando furono a pochi colpi di remo dalla spiaggia, una banda di pirati emerse dal boschetto.

« Fermi, tornate indietro! » gridarono.

« Sono quelle scimmie nere. Ci stanno rubando una delle barche. »

« Non lasciateli fuggire! » Un moschetto tuonò, e un proiettile sfiorò la testa dei rematori, che si chinarono aumentando il ritmo e proiettandosi sui remi con tutto il loro peso.

Ormai tutti i pirati sparavano, con tale intensità che i proiettili sollevavano spruzzi d'acqua tutt'intorno o colpivano con un tonfo sordo le assi della scialuppa.

Alcuni dei pirati corsero verso le barche rimaste sulla battigia, salendo a frotte per spingerle all'inseguimento, ma quasi subito lanciarono grida costernate mentre l'acqua filtrava dalle assi sfondate e le barche si allagavano rovesciandosi. Pochi sapevano nuotare, e le urla di rabbia si tramutarono in pietose richieste di aiuto mentre quei poveretti si dibattevano nell'acqua scura, e poi affondavano.

In quel momento, l'accampamento fu investito dalla seconda

esplosione, che fece ancora più danni della prima, perché gli uomini dell'Avvoltoio, in risposta ai suoi ordini stentorei, stavano attaccando proprio nella direzione da cui proveniva l'esplosione che li travolse.

«Questo li terrà occupati per un po'», brontolò Aboli. «Puntate alla fregata, ragazzi, e lasciate l'Avvoltoio alle cure del suo simile, il diavolo.»

Per varare la barca incendiaria, Hal non aveva atteso che la prima esplosione risuonasse nella notte. Con l'aiuto di tutti gli uomini del gruppo, trascinò l'imbarcazione sulla spiaggia: liberata dal carico, era molto più leggera da trasportare. Vi caricarono dentro i fasci di sciabole e la cassa piena di pistole cariche.

Lasciarono Sabah a custodirla e tornarono indietro a prendere la seconda. Le donne corsero al loro fianco mentre la trascinavano fin sulla battigia, poi si arrampicarono a bordo. Big Daniel teneva in braccio il piccolo Bobby, che consegnò a Zwantie solo quando la donna fu seduta al sicuro, sul fondo della barca. Hal issò a bordo Sukeena, sistemandola con delicatezza sul traversino di poppa prima di darle ancora un bacio.

«Resta al riparo finché non avremo preso la nave. Ascolta Ned, lui sa cosa fare.»

La lasciò per correre a prendere il comando della prima barca. Erano con lui Big Daniel e i due marinai, Sparrow e Finch, insieme con Sabah e Althuda. Sul ponte della nave avrebbero avuto bisogno di tutti gli uomini in grado di combattere.

Spinsero la barca in acqua nel canale e, quando non toccarono più il fondo, cominciarono a nuotare, dirigendola verso la fregata all'ancora. L'alta marea era in fase di stanca: presto sarebbe cominciata a diminuire, aiutandoli a dirigere la fregata nel profondo canale fra i due promontori.

«Ma prima deve diventare nostra!» si disse Hal, mentre continuava a scalciare con energia, aggrappato al capo di banda.

A cento braccia dalla *Golden Bough*, bisbigliò agli altri: «Basta così, ragazzi. Non dobbiamo arrivare se non quando saremo graditi». Si tennero a galla, mentre la barca andava alla deriva, seguendo la marea.

La notte era molto silenziosa, al punto che udivano le voci degli uomini sulla spiaggia, il cigolio del sartiame della fregata quando era trattenuta dall'ancora e gli alberi spogli che rollavano in modo quasi impercettibile sullo sfondo dello sfavillio delle stelle.

«Forse Aboli ha incontrato qualche difficoltà», mormorò alla fine Big Daniel. «Potremmo essere costretti a salire a bordo senza il suo diversivo.»

«Aspettate!» ribatté Hal. «Aboli non ci deluderà mai.»

Rimasero sospesi nell'acqua, con i nervi tesi al punto di rottura. Poi udirono un lieve scroscio alle loro spalle, e Hal si voltò: la seconda barca avanzava silenziosa verso di loro dall'isola.

«Ned è troppo ansioso», osservò Big Daniel.

«Sta solo eseguendo i miei ordini, ma non deve superarci.»

«Come possiamo fermarlo?»

«Lo raggiungerò a nuoto per parlargli», rispose Hal, lasciando la presa sulla barca. Si diresse verso l'altra imbarcazione con una bracciata silenziosa che non increspava la superficie. Una volta affiancato, si tenne a galla chiamando sottovoce: «Ned!»

«Sì, comandante!»

«C'è un leggero ritardo. Aspetta qui e non precederci. Aspetta di sentire la prima esplosione, poi portala a destinazione e ormeggiala al cavo dell'ancora.»

«Sì, comandante», rispose Ned.

In quel momento Hal, guardando verso lo scafo immerso nell'oscurità, vide una testa scrutarlo dall'alto. Il chiarore delle stelle brillò sulla pelle di Sukeena, dorata come il miele, e capì che non doveva parlarle di nuovo, o avvicinarsi a nuoto, per evitare che l'ansia per lei offuscasse la sua capacità di giudizio, che l'amore per lei spegnesse il fuoco che gli ardeva nelle vene, spingendolo a combattere. Voltandosi indietro, tornò a nuoto verso l'altra barca.

Mentre la raggiungeva, alzando la mano per aggrapparsi al capo di banda, il silenzio della notte fu squarciato da un tuono e gli echi che s'infransero sulle colline si ripercossero sulla laguna. Dal bosco immerso nell'ombra scaturirono fiamme alte fino al cielo, che per un attimo illuminarono a giorno la scena. A quella luce, Hal vide fino all'ultima sartia della fregata, ma nessun segno di una sentinella all'ancora o di altre presenze umane a bordo.

«Adesso o mai più, ragazzi», mormorò. Si mossero tutti con nuova energia, impiegando soltando dieci minuti a coprire la distanza. Ma nel frattempo la notte si era trasformata. Udivano dalla spiaggia le grida e i colpi di moschetto, mentre le fiamme della foresta danzavano lucenti sulla superficie dell'acqua intorno a loro. Hal temeva che il riverbero li facesse avvistare da una sentinella zelante sul ponte della fregata.

Infine, con suo grande sollievo, la goffa imbarcazione entrò nell'ombra proiettata dallo scafo alto della nave. Lanciando un'occhiata indietro, vide Ned Tyler che avvicinava l'altra barca alla loro. Sotto gli occhi di Hal, raggiunsero la cima dell'ancora e Sukeena si alzò in piedi a prua per afferrarla. Hal provò un impeto di sollievo. Gli ordini che aveva dato a Ned erano di tenere le donne al sicuro finché non avessero ottenuto il controllo del ponte della nave.

Vide soddisfatto che lungo la murata della *Golden Bough* era ormeggiata una lancia, con la scaletta di corda che penzolava dall'alto del ponte. Caso ancor più fortunato, la lancia era vuota, e non si vedeva nessuno affacciato al parapetto. Comunque, in alto, si sentiva un brusio di voci. L'equipaggio doveva essere assiepato lungo il parapetto opposto, che dava sulla spiaggia, intento a guardare allarmato le fiamme e a osservare con sbigottimento le figure in corsa e i lampi dei moschetti.

Sospinsero la barca per gli ultimi metri, urtando leggermente contro la fiancata della lancia vuota. Subito Hal si issò fuori dell'acqua per salire a bordo e, lasciando agli altri il compito di assicurare l'imbarcazione, salì la scaletta di corda fino al livello del ponte.

Come aveva sperato, l'equipaggio era tutto preso da quanto accadeva sulla spiaggia, ma fu sorpreso dal numero degli uomini: dovevano essere almeno cinquanta. Mentre Hal si accingeva a scendere sul ponte, dalla parte della foresta si udì un'altra possente detonazione.

« Perdio, guardate un po' che succede! » gridò uno dei pirati di Sam Bowles.

« C'è una terribile battaglia in corso, laggiù. »

« I nostri compagni sono nei guai. Hanno bisogno del nostro aiuto. »

« Non devo niente a nessuno di loro, e da me non avranno uno straccio di aiuto. »

« Shamus ha ragione. Lasciamo che l'Avvoltoio combatta da solo le sue battaglie. »

Hal salì sul ponte con un agile volteggio, e con mezza dozzina di passi raggiunse la protezione del castello di prua. Accovacciato in quel punto, osservò il ponte. Jiri aveva detto ad Aboli che i marinai fedeli alla fregata erano rinchiusi nella stiva principale, ma il boccaporto era pienamente visibile dagli uomini di Sam Bowles, lungo il parapetto opposto.

Lanciando un'occhiata indietro, Hal vide la testa di Big Daniel affacciarsi dal boccaporto. Non poteva indugiare oltre. Balzò allo scoperto, correndo verso la cappa del boccaporto principale e mettendosi al riparo in ginocchio. Vicino al portello c'era un maglio, ma non ebbe il coraggio di usarlo per svellere i cunei che lo bloccavano; i pirati lo avrebbero sentito, piombandogli addosso all'istante.

Bussò piano sulle assi con l'elsa della sciabola, dicendo sottovoce: «Ehilà, voi della *Golden Bough*, mi sentite?»

Una voce sommessa, dalla parte opposta del portello, rispose subito, con un melodioso accento celtico: «Vi sentiamo. Chi siete?»

«Un inglese onesto, venuto a liberarvi. Volete combattere con noi contro l'Avvoltoio?»

«Che Dio vi benedica, inglese onesto! Non vediamo l'ora di assaggiare il suo sangue di sciacallo.»

Hal si guardò attorno: Big Daniel aveva issato in coperta un fascio di sciabole, mentre Wally Finch e Stan Sparrow ne stavano portando altri. Althuda aveva la cassa piena di pistole cariche, che calò sul ponte, aprendo il coperchio. A prima vista le armi all'interno sembravano asciutte e pronte a far fuoco.

«Abbiamo le armi per voi», sussurrò Hal all'uomo sotto il portello. «Dateci una mano, spingendo il portello quando avrò fatto saltare i cunei, poi venite fuori battendovi come ossessi, ma gridate il nome della vostra nave, così vi riconosceremo e voi riconoscerete noi.»

Rivolto a Daniel, annuì, sollevando il pesante maglio. Big Daniel afferrò l'orlo del portello, facendo forza con tutto il suo peso; Hal vibrò un colpo di maglio e con uno schianto fragoroso il primo cuneo volò attraverso il ponte. Balzò dalla parte opposta e con altri due violenti colpi di maglio fece finire sul ponte i cunei rimanenti. Con l'aiuto di Big Daniel dall'alto e l'equipaggio prigioniero della *Golden Bough* che spingeva dal basso, il pesante cappuccio si aprì con un gran fracasso, e i prigionieri sbucarono all'aperto come vespe inferocite.

Nel sentire questo fragore improvviso alle loro spalle, gli uomini di Sam Bowles si voltarono a bocca aperta. Impiegarono qualche secondo a capire che erano stati abbordati e che i loro prigionieri erano liberi, ma ormai Hal e Big Daniel li affrontavano a viso aperto sulla coperta illuminata dalle fiamme, con la sciabola in mano.

Alle loro spalle, Althuda faceva sprizzare scintille da pietra focaia e acciarino, affrettandosi ad accendere la miccia sulla molla delle pistole, mentre Wally e Stan lanciavano sciabole ai marinai liberati che uscivano a frotte dalla stiva.

Con un urlo selvaggio un branco di pirati, guidati da Sam Bowles, caricò attraverso il ponte. Erano venti contro due, e al primo assalto respinsero Daniel e Hal, che persero lentamente terreno, fra tintinnii e stridore d'acciaio. Comunque i due resistettero quanto bastava perché i marinai della *Golden Bough* si gettassero nella mischia.

Nel giro di pochi minuti il ponte era affollato di uomini che si battevano, mescolati al punto che solo il loro grido di guerra consentiva di riconoscere i nemici dai nuovi amici.

«Per Cochran di Cumbrae!» ululava Sam Bowles, mentre gli uomini di Hal gridavano di rimando: «Per Sir Hal e la *Golden Bough*!»

I marinai della fregata appena liberati erano spinti da un frenetico desiderio di vendetta, non solo per la loro prigionia, ma per il massacro degli ufficiali e l'annegamento dei compagni feriti. Hal e i suoi uomini avevano mille ragioni in più per dare sfogo alla loro rabbia, e avevano aspettato un tempo infinitamente più lungo per saldare quel conto.

Gli uomini di Sam Bowles erano animali messi alle strette. Sapevano di non potersi aspettare alcun aiuto dai compagni a terra, e di non poter ricevere misericordia o grazia dai vendicatori che avevano di fronte.

Le due parti erano quasi alla pari sul piano numerico, ma forse l'equipaggio della fregata era stato indebolito dalla lunga prigionia nella stiva buia e senz'aria. In prima linea, Hal cominciò a rendersi conto che la lotta volgeva a loro svantaggio: i suoi uomini erano costretti a cedere terreno, ritirandosi lentamente verso prua.

Con la coda dell'occhio, vide Sabah lasciare lo schieramento e fuggire, gettando la spada e precipitandosi verso il boccaporto per nascondersi sottocoperta. Hal lo odiò per questo: basta un solo codardo per dare inizio alla disfatta. Ma Sabah non raggiunse mai il boccaporto: un pirata alto, con la barba nera, lo trafisse alle reni con un colpo di sciabola che gli fece spuntare la lama dall'ombelico.

«Un'altra ora di esercitazione forse lo avrebbe salvato», pensò in un lampo Hal, prima di concentrare tutta la sua determinazione e la sua forza sui quattro uomini che si facevano sotto, ululando come iene intorno alla preda sanguinante, per battersi con lui.

Ne uccise uno con un colpo al cuore, al di sotto del braccio sollevato, disarmandone un altro con un fendente netto al braccio che recise i tendini; la spada cadde dalle dita dell'uomo, che corse urlando sul ponte, gettandosi in mare. Gli altri due aggressori si ritirarono spaventati, e in quell'attimo di tregua Hal si guardò attorno in cerca di Sam Bowles nella mischia.

Lo vide alla retroguardia di quell'orda: si teneva con prudenza fuori della zona critica, lanciando ordini e minacce agli uomini, con il viso da furetto contorto dalla malvagità

«Sam Bowles!» gli gridò Hal. «Ti tengo d'occhio.» Oltre la testa degli uomini che li dividevano, Sam guardò nella sua direzione, e d'improvviso nei suoi occhi chiari, troppo ravvicinati, comparve il terrore.

«Ora vengo a prenderti!» ruggì Hal, lanciandosi in avanti, ma aveva davanti a sé tre uomini e, nei secondi che impiegò per respingerli e farsi largo, Sam era sgattaiolato via, nascondendosi tra gli altri.

Ora i pirati rumoreggiavano intorno a Hal come sciacalli intorno a un leone. Per un attimo si batté fianco a fianco con Daniel, accorgendosi stupito che il gigante era ferito in una dozzina di punti. Poi si accorse che l'elsa della spada era appiccicosa nella sua mano, come se avesse attinto del miele con le dita da un vasetto, e scoprì che non era miele, ma il suo stesso sangue. Anch'egli era ferito, ma nella foga del combattimento non sentiva alcun dolore, e continuò a battersi.

«Attenzione, Sir Hal!» gridò Big Daniel, vicino a lui nella mischia. «A poppa!»

Hal fece un balzo indietro, disimpegnandosi, per guardare in direzione della poppa. L'avvertimento di Daniel era arrivato appena in tempo per salvarlo.

Sam Bowles era affacciato al parapetto del cassero che dava sul ponte inferiore. Nell'incavo del parapetto c'era un pesante «assassino» di bronzo, e Sam teneva in mano una miccia accesa, facendo ruotare e puntando il piccolo cannoncino a mano.

In mezzo alla folla di combattenti aveva individuato Hal, e l'«assassino» era puntato su di lui. Sam accostò la miccia al bacinetto dell'arma.

Un attimo prima che sparasse, Hal fece un balzo in avanti, afferrando alla cintola il pirata e sollevandolo da terra. L'uomo urlò per la sorpresa, mentre Hal lo teneva davanti a sé come uno scudo umano, proprio mentre l'«assassino» sparava e una raffica di piombo spazzava il ponte. Hal sentì il corpo dell'uomo sussultare fra le sue braccia, trafitto da mezza dozzina di proiettili pesanti. Quando Hal lo lasciò ricadere sul ponte, era già morto.

Ma lo sparo aveva fatto una strage fra gli uomini della *Golden Bough*, che si erano affollati nel punto in cui si trovava Hal. Tre caddero a terra scalciando, immersi nel proprio sangue, mentre altri due, pur essendo stati colpiti, si sforzavano di reggersi in piedi.

I pirati si accorsero che quella mossa improvvisa aveva fatto pendere la bilancia in loro favore e si lanciarono in avanti come un branco di lupi, incalzati da Sam con urla eccitate. Gli uomini di Hal cominciarono a cedere, come una diga incrinata. Mancavano pochi secondi alla disfatta, quando sul parapetto alle spalle della marmaglia furiosa comparve un faccione nero coperto di tatuaggi.

Aboli lanciò un ruggito che paralizzò tutti, e quando superò con un balzo il parapetto fu seguito da vicino da altri tre giganti, tutti con la sciabola in mano. Prima che i pirati si riscuotessero, affrontando quel nuovo assalto, avevano già ucciso cinque uomini.

Quelli intorno a Hal si sentirono rincuorati: spronati dalle sue grida roche e guidati da Big Daniel, si gettarono di nuovo nella mischia. Intrappolati fra Aboli con i suoi uomini da un lato e i marinai rianimati dall'altro, i pirati lanciarono urla di disperazione e si diedero alla fuga. Quelli che non sapevano nuotare si precipitarono nelle viscere della fregata scendendo per i boccaporti, mentre gli altri si affollavano al parapetto per saltare fuori bordo.

Il combattimento era finito e la fregata era nelle loro mani. «Dov'è Sam Bowles?» gridò Hal rivolto a Daniel.

«L'ho visto correre sottocoperta.»

Hal esitò un attimo, lottando contro la tentazione di precipitarsi sulle sue tracce per ottenere vendetta. Poi, con uno sforzo, accantonò l'idea per tornare al suo dovere.

« Ci sarà tempo per lui più tardi. » Prendendo il posto del comandante sul cassero, Hal esaminò la sua nuova nave. Alcuni uomini stavano scaricando la pistola fuori bordo contro gli uomini che sguazzavano e nuotavano in acqua, dirigendosi verso la spiaggia. « Basta con queste sciocchezze! » gridò loro. « Datevi da fare per mettere la nave in assetto di navigazione. L'Avvoltoio può piombarci addosso da un momento all'altro. »

Anche gli sconosciuti che aveva appena liberato dalla stiva si affrettarono a obbedire ai suoi ordini, perché riconoscevano nella sua voce il tono dell'autorità.

Poi Hal abbassò la voce. « Aboli, mastro Daniel, fate salire a bordo le donne, il più presto possibile. » Mentre loro correvano al boccaporto, lui dedicò tutta la sua attenzione alla fregata.

I gabbieri erano già a metà strada sulle sartie, e un altro gruppo di marinai azionava l'argano per alare l'ancora.

« Non c'è tempo per questo », disse Hal. « Prendete un'ascia e tagliate il cavo dell'ancora per salpare. » Udì la lama dell'ascia colpire le assi a prua, e sentì la nave filare, seguendo la marea.

Lanciando un'occhiata al boccaporto, vide Aboli issare sul ponte Sukeena, mentre Big Daniel stringeva al petto il piccolo Bobby, con Zwaantie aggrappata all'altro braccio.

La vela di maestra sbocciò sopra la sua testa come un fiore, schioccando pigramente e poi gonfiandosi alla leggera brezza notturna. Hal si girò verso il timone e vide, con grande sollievo, che Ned Tyler era già alla barra.

« A vele spiegate, Tyler. »

« A vele spiegate, comandante. »

« Punta verso il canale principale! »

« Sì, comandante! » Ned non riuscì a trattenere un sorriso, e Hal gli sorrise di rimando.

« Che te ne pare di questa nave, Tyler? »

« Mi sembra discreta », rispose l'altro, con gli occhi che brillavano.

Hal staccò dal piolo il megafono, puntandolo al cielo per dare l'ordine di issare le vele di maestra, e sentì la nave sussultare sotto di lui: cominciava a volare.

« Oh, che meraviglia! » mormorò. « È come un uccello, e il vento l'adora. »

Si avvicinò al punto in cui Sukeena era inginocchiata accanto a uno dei marinai feriti.

« Ti avevo detto di lasciare quelle borse a terra, non è così? »

« Sì, mio signore », rispose lei sorridendogli con dolcezza. « Ma sapevo che scherzavi. » Poi la sua espressione divenne apprensiva. « Ma tu sei ferito! » Balzò in piedi. « Lascia che mi occupi delle tue ferite. »

« Sono soltanto graffi, e quest'uomo ha bisogno delle tue cure più di me. » Hal si allontanò per dirigersi verso la battagliola e guardare verso la spiaggia. Ormai l'incendio divampava nella foresta, illuminando a giorno la scena, e lui poteva distinguere chiaramente i volti degli uomini ammassati sulla battigia. Fremevano di rabbia e di frustrazione, perché si erano accorti finalmente di essersi lasciati soffiare la fregata sotto il naso.

Hal scorse la figura gigantesca di Cumbrae, in prima linea fra gli uomini. Brandiva lo spadone a doppio taglio, col volto gonfio di rabbia al punto che sembrava lì lì per scoppiare come un pomodoro troppo maturo. Hal rise al suo indirizzo, moltiplicando cento volte la collera dell'Avvoltoio. La sua voce gli giunse al di sopra del brusio dei suoi uomini. « Non esiste oceano abbastanza vasto per nasconderti, Courteney. Ti troverò, dovessero passare cinquant'anni. »

Poi Hal smise di ridere, riconoscendo l'uomo fermo sulla spiaggia, poco più in alto. Da principio Hal non credeva ai propri occhi, ma le fiamme lo illuminavano così chiaramente che non esisteva possibilità di errore. In contrasto con le smanie dell'Avvoltoio e la sua collera plateale, Cornelius Schroeder stava immobile, con le braccia incrociate, fissando Hal con uno sguardo freddo che gli gelò il cuore. I loro occhi s'incontrarono, e fu come se si misurassero in un duello sul campo.

Investita da una corrente d'aria più forte, proveniente dai promontori, la *Golden Bough* tendeva a ingavonarsi leggermente, mentre l'acqua cominciava a gorgogliare sotto la prua come un poppante soddisfatto. Con il ponte che vibrava, la nave si allontanò dalla spiaggia, e Hal dedicò tutta la sua attenzione a governarla, mettendola in linea per la pericolosa corsa nel canale fino al mare. Passarono alcuni minuti prima che potesse guardare di nuovo a riva.

Sulla spiaggia erano rimasti soltanto i due uomini che Hal odiava più di ogni altro al mondo, entrambi nemici implacabili. L'Avvoltoio si era spinto nella laguna, con l'acqua alla cintola, come per restare il più vicino possibile a lui. Schreuder era rimasto dove lo aveva visto; non si era mosso, e la sua immobilità da rettile era raggelante quanto gli istrionismi di Cumbrae.

«Verrà il giorno in cui dovrai ucciderli tutti e due», disse una voce profonda al suo fianco. Hal si trovò vicino Aboli.

«Non faccio che sognare quel giorno.»

Sentì sotto di sé il primo impeto del mare che affluiva nella laguna attraverso i promontori. La vista delle fiamme aveva annullato la sua capacità di visione notturna, per cui davanti a sé non vedeva che tenebre. Doveva trovare la strada in quel canale insidioso, brancolando come un cieco.

«Spegnete le lanterne!» ordinò. Il loro fievole chiarore non poteva penetrare nel buio, anzi serviva solo ad accecarlo del tutto. «Portala di un punto a sinistra», ordinò sottovoce a Ned Tyler.

«Un punto a sinistra!»

«Valle incontro!»

Più che vedere, sentì la scogliera che si profilava davanti a lui, udì il continuo frangersi delle onde sulla barriera all'ingresso del canale. Valutò la direzione in base al suono del mare, alla sensazione del vento sulla pelle e al movimento del ponte sotto i piedi.

Dopo tante grida e spari, la nave era immersa in un silenzio mortale. Tutti i marinai a bordo sapevano che Hal li guidava contro un avversario antico, molto più pericoloso dell'Avvoltoio o di qualsiasi altro uomo.

«Bordate la vela maestra e quella di mezzana», gridò agli uomini sulle sartie. «Tenetevi pronti a issare le gabbie.»

La Golden Bough era avvolta da una cortina di paura quasi palpabile, perché la marea l'aveva presa per la gola e non c'era modo di rallentare la corsa a rotta di collo verso le pareti di roccia invisibili, in quel buio accecante.

Giunse il momento: Hal sentì il riflusso che proveniva dalla barriera esterna investire la prua, e il vento che gli soffiava sulla guancia provenire da una nuova direzione, mentre la nave filava verso quelle fauci di roccia.

«Barra a dritta!» ordinò bruscamente. «Bordate. Issate le gabbie.»

La Golden Bough ruotò su se stessa e le vele maestre schioccarono al vento come le ali di un avvoltoio che fiuta odore di morte. La nave corse incontro alle tenebre, mentre tutti sul ponte si preparavano al terribile impatto, con la chiglia squarciata dalle zanne della barriera.

Hal si fermò alla battagliola, alzando gli occhi per scrutare il cielo. I suoi occhi si stavano adeguando all'oscurità. Vide la linea, alta sull'orizzonte, dove le stelle erano spente dalla massa del promontorio.

«Barra a mezzanave, Tyler. Alla via così.»

La nave si stabilizzò sulla nuova rotta cieca, e il cuore di Hal accelerò i battiti nel sentire l'eco della risacca che rimbombava sulle scogliere vicine. Serrò i pugni contro i fianchi, anticipando lo schianto contro la barriera; invece sentì l'impeto del mare aperto gonfiarsi sotto la chiglia, mentre la *Golden Bough* gli andava incontro con l'impeto e la passione di un'amante.

«Bordate le gabbie!» Hal dovette alzare la voce per farsi sentire. Lo schiocco delle vele cessò, e udì nuovamente il pulsare sommesso della tela ben tesa.

La nave sollevò la prua quando il primo cavallone oceanico scivolò sotto la chiglia, e per un attimo nessuno osò credere che Hal li avesse condotti in salvo attraverso l'inferno.

«Accendete le lanterne», ordinò piano Hal. «Tyler, accosta a sud. Andiamo al largo.»

Il prolungato silenzio fu rotto da una voce che gridò dal pennone di maestra: «Il Signore vi ama, comandante! Ce l'abbiamo fatta». Poi il ponte fu sommerso da grida di esultanza.

«Per Sir Hal e la *Golden Bough*!» Lo acclamarono fino a restare afoni per lo sforzo, e Hal udì voci sconosciute chiamarlo per nome. I marinai che aveva liberato dalla stiva gridavano forte, acclamandolo come gli altri.

Sentì una mano piccola e calda insinuarsi nella sua e, abbassando gli occhi, vide il viso dolce di Sukeena risplendere alla luce della lanterna accanto alla chiesuola.

«Ti amano già quasi quanto ti amo io.» Gli tirò leggermente la mano. «Non vuoi venire in un posto dove possa curarti le ferite?»

Ma lui non voleva lasciare il cassero, voleva assaporare ancora i suoni e le sensazioni della nuova nave e del mare sotto di lei. Così attirò a sé Sukeena, mentre la *Golden Bough* filava nella notte e le stelle sfavillavano in cielo.

Infine Big Daniel li raggiunse, trascinando con sé una figura abietta. Hal non la riconobbe subito, ma poi la voce piagnucolosa gli fece accapponare la pelle per il disgusto.

« Oh, buon Sir Henry, vi prego, abbiate pietà di un vecchio compagno di navigazione. »

« Sam Bowles. » Hal tentò di mantenere un tono di voce calmo. « Hai sulla coscienza tanto sangue che può navigarci sopra una fregata. »

« Voi mi fate torto, buon Sir Henry. Sono un povero disgraziato, sballottato dalle tempeste e dai fortunali della vita. Non ho mai voluto fare del male a nessuno. »

« Mi occuperò di lui domattina. Incatenatelo all'albero di maestra e mettete due uomini di guardia », ordinò Hal a Big Daniel. « Fate in modo che stavolta non ci sfugga di mano, defraudandoci della vendetta che meritiamo ampiamente. »

Alla luce della lanterna, rimase a guardare mentre Sam Bowles veniva ammanettato al piede dell'albero di maestra e due uomini dell'equipaggio montavano di guardia con la spada sguainata.

« Il mio fratellino, Peter, era uno di quelli che hai annegato », disse il più anziano dei due a Sam Bowles. « Non cerco che una scusa per conficcarti questa lama nella pancia. »

Hal lasciò a Daniel il comando sul ponte e, prendendo con sé Sukeena, scese sottocoperta nella cabina principale. Lei non volle saperne di riposare prima di avere pulito e bendato i tagli e le ferite che costellavano il suo corpo, anche se nessuna di esse era tanto grave da metterla in ansia. Alla fine, Hal la condusse nella piccola cabina adiacente, dicendole: « Qui potrai riposare indisturbata ». La depose sulla cuccetta, coprendola con una coperta di lana nonostante le sue proteste.

« Ci sono dei feriti che hanno bisogno di me », insistette lei.

« Tuo figlio e io ne abbiamo più bisogno », ribatté lui con fermezza, costringendola a posare la testa sul cuscino, dove Sukeena si lasciò sfuggire un sospiro, addormentandosi quasi subito.

Lui tornò nella cabina principale, sedendosi alla scrivania di Llewellyn. Al centro del piano di mogano era posata una grande Bibbia rilegata in cuoio nero. Durante tutta la prigionia, Hal non aveva potuto accostarsi alle Sacre Scritture; ora aprì la copertina, leggendo l'iscrizione tracciata con una calligrafia inclinata e decisa:

Christopher Llewellyn, scudiero, nato il 16 ottobre dell'anno di grazia 1621.

Sotto c'era un'altra annotazione, più recente:

Consacrato cavaliere Nautonnier dell'ordine del Tempio di San Giorgio e del Santo Graal il 2 agosto 1643.

La scoperta che il precedente comandante di quella nave era stato un confratello fu per Hal un piacere che rafforzava la sua sensazione che tutto, nella vita, avesse un significato e uno scopo. Per un'ora, sfogliando le pagine della Bibbia, rilesse i passaggi familiari e ispirati ai quali il padre gli aveva insegnato di rivolgersi per scegliere la propria rotta nella vita. Alla fine chiuse il libro, alzandosi per cominciare a cercare i registri e i documenti della nave, scoprendo ben presto la cassaforte sotto la cuccetta. Visto che non riusciva a trovarne la chiave, chiamò Aboli per farsi aiutare. Insieme aprirono il coperchio della cassetta, poi Hal congedò Aboli, restando seduto per il resto della notte alla scrivania di Llewellyn per esaminare i registri e i documenti della nave alla luce della lanterna. Era così assorto nella lettura che quando Aboli venne a prenderlo, un'ora dopo il levar del sole, alzò la testa sorpreso. «Che ore sono, Aboli?»

«Due tocchi del turno di guardia del mattino. Gli uomini chiedono di vederti, comandante.»

Hal si alzò dalla scrivania, stirandosi e stropicciandosi gli occhi, poi si accostò alla porta della cabina dove Sukeena dormiva ancora.

«Sarebbe meglio se parlassi ai nuovi marinai il più presto possibile, Gundwane», disse Aboli alle sue spalle.

«Sì, hai ragione.» Hal si voltò verso di lui.

«Daniel e io abbiamo già detto chi sei, ma ora devi convincerli a navigare ai tuoi ordini. Se si rifiutano di accettarti come loro nuovo comandante, c'è poco da fare. Loro sono trentaquattro, e noi soltanto sei.»

Hal si diresse verso il piccolo specchio sulla paratia, sopra la brocca e il catino del lavamano. Vedendo la propria immagine riflessa, sussultò sorpreso. «Santo cielo, Aboli, ho proprio l'aria di un pirata, al punto che io stesso non mi fiderei di me.»

Sukeena doveva essere in ascolto, perché comparve all'improvviso sulla soglia, avvolta nella coperta.

«Avvertili che arriveremo fra un minuto, Aboli, quando avrò migliorato un po' il suo aspetto.»

Quando Hal e Sukeena uscirono insieme sul ponte, gli uomini riuniti al centro della nave li fissarono attoniti. La trasformazione era straordinaria: Hal era rasato di fresco e indossava abiti semplici ma puliti, presi dal guardaroba di Llewellyn; Sukeena si era pettinata i capelli, ungendoli di balsamo e acconciandoli a treccia, e si era confezionata una sorta di tunica con una delle tende di velluto della cabina, drappeggiandola intorno alla vita e ai fianchi infantili. Insieme, l'alto e giovane inglese e la bella orientale formavano una coppia straordinaria.

Hal lasciò Sukeena accanto al boccaporto, avanzando per affrontare gli uomini. «Mi chiamo Henry Courteney. Sono inglese, come voi, e sono un marinaio, come voi. »

«E con i fiocchi, comandante », esclamò uno degli uomini. «Abbiamo visto come avete saputo guidare una nave sconosciuta, al buio, in mezzo a quei promontori. Per i miei gusti, siete marinaio quanto basta per riempirmi il boccale e scaldarmi le budella. »

Un altro esclamò: «Ho navigato con vostro padre, Sir Francis, sulla vecchia *Lady Edwina*. Era un marinaio e un guerriero, e per giunta un uomo onesto ».

Poi un altro gridò: «Ieri sera, per quanto ne so, avete abbattuto sette dei pirati dell'Avvoltoio con la vostra lama. Buon sangue non mente ».

Tutti cominciarono ad acclamarlo, continuando a lungo, per cui non poté prendere subito la parola, ma alla fine alzò la mano. «Vi dirò subito che ho letto il giornale di bordo del comandante Llewellyn. Ho letto il contratto che aveva con il proprietario della nave, e so dov'era diretta la *Golden Bough* e qual era la sua missione. » Fece una pausa, fissando i loro volti onesti, segnati dalla vita all'aria aperta. «Abbiamo una scelta da fare, voi e io. Possiamo dire che siamo stati sconfitti dall'Avvoltoio prima di cominciare, e tornarcene a casa in Inghilterra. »

Gli uomini si lasciarono sfuggire brontolii e vibrate proteste, finché lui non alzò di nuovo la mano. «Oppure posso rilevare il contratto del comandante Llewellyn e onorare il suo accordo con i proprietari della *Golden Bough*. Da parte vostra, potete arruolarvi con me alle stesse condizioni e con la stessa quota del bottino che avevate già sottoscritto. Prima di rispondere, ricordatevi che, se verrete con me, ci sono forti probabilità che c'imbatteremo di nuovo nell'Avvoltoio, e dovremo combattere di nuovo contro di lui. »

« Portateci da lui subito, comandante », gridò uno dei marinai. « Combatteremo con lui oggi stesso. »

« No, ragazzo. Siamo a corto di uomini, e prima di incontrare di nuovo l'Avvoltoio devo imparare a governare questa nave. Combatteremo contro la *Gull* nel giorno e nel luogo che sceglierò io », dichiarò Hal con fermezza. « E quel giorno infilzeremo la testa dell'Avvoltoio in cima all'albero di maestra e ci divideremo il suo bottino. »

« Io sono con voi, comandante », gridò un marinaio biondo e allampanato. « Non so neanche scrivere il mio nome, ma portatemi il registro, e ci metterò una croce così grossa e nera da spaventare il diavolo in persona. »

Scoppiarono tutti in una risata sonora.

« Sì, portate il registro e fateci firmare. »

« Siamo con voi. Ci metto il mio giuramento e la mia firma. »

Hal li fermò di nuovo. « Verrete uno alla volta nella mia cabina, in modo che possa imparare i vostri nomi e stringervi la mano. »

Si girò verso la battagliola, indicando un punto oltre la prua. « Siamo arrivati al largo senza intoppi. » All'orizzonte si stendeva la costa africana, bassa e azzurrina. « Ora salite sugli alberi a issare le vele per portare la nave sulla rotta verso il Corno d'Africa. »

Sciamarono a frotte sulle sartie, suddividendosi poi lungo i pennoni, e le vele si gonfiarono al vento, splendendo al sole come una nuvola alta.

« Qual è la rotta, comandante? » gridò Ned Tyler dal timone.

« Est nord-est e un punto a est, Tyler », rispose Hal. Poi sentì la nave impennarsi, mentre lui si voltava a guardare la scia che solcava i marosi azzurri come una pennellata candida.

Ogni componente dell'equipaggio che passava davanti al piede dell'albero dov'era accovacciato Sam Bowles, ammanettato come una scimmia in cattività, ne approfittava per sputargli addosso.

Aboli si presentò da Hal all'inizio del primo turno pomeridiano. « Ora devi chiudere i conti con Sam Bowles. Gli uomini cominciano a diventare impazienti. Prima o poi, uno di loro cercherà di precedere il cappio, ficcandogli un coltello fra le costole. »

« Mi risparmierebbe molti fastidi. » Hal alzò gli occhi dal mucchio di carte e dal trattato di navigazione che aveva scovato nel baule di Christopher Llewellyn. Sapeva che l'equipaggio avrebbe preteso una crudele vendetta su Sam Bowles, e non gli sorrideva affatto l'idea di quello che doveva fare.

« Salgo subito in coperta. » Sospirò, arrendendosi alla spietata logica di Aboli. « Raduna gli uomini al centro della nave. »

Aveva creduto che Sukeena fosse ancora nella piccola cabina attigua alla santabarbara che aveva trasformato in un'infermeria e dove due feriti erano ancora fra la vita e la morte. Sperava che restasse lì, invece quando uscì sul ponte lei gli venne incontro.

« Dovresti scendere sottocoperta, Principessa », le disse sottovoce. « Non sarà uno spettacolo adatto ai tuoi occhi. »

« Quello che affligge te, affligge anche me. Tuo padre faceva parte di te, quindi la sua morte mi riguarda. Anch'io ho perso mio padre in circostanze terribili, ma l'ho vendicato. Resterò ad assistere mentre tu vendichi la morte del tuo. »

« Bene. » Hal assentì, poi esclamò, rivolto all'altro capo del ponte: « Portate il prigioniero! »

Furono costretti a trascinarlo davanti ai suoi accusatori, perché le gambe non lo reggevano, e le lacrime scorrevano sul suo viso mescolandosi agli sputi dei marinai.

« Non avevo cattive intenzioni », supplicava. « Statemi a sentire, compagni. È stato quel demonio di Cumbrae a costringermi. »

« Ma se ridevi mentre tenevi sott'acqua la testa di mio fratello, nella laguna! » gridò uno dei marinai.

Quando lo trascinarono oltre il punto in cui stava ritto Aboli, con le braccia incrociate sul petto, il gigante nero fissò Sam con uno strano scintillio negli occhi.

« Ricordati di Francis Courteney! » mormorò. « Ricordati quello che hai fatto all'uomo migliore che abbia mai solcato i mari. »

Hal aveva preparato una lista dei crimini di cui Sam Bowles doveva rispondere. Man mano che leggeva le accuse a voce alta, gli uomini gridavano, invocando vendetta.

Infine Hal arrivò all'ultima voce dello spaventoso elenco: « Samuel Bowles, sei accusato di aver assassinato, sotto gli occhi dei compagni, i feriti della *Golden Bough* che erano sopravvissuti alla tua subdola imboscata, facendoli annegare ».

Ripiegando il documento, domandò con voce severa: « Hai

sentito le accuse contro di te, Samuel Bowles. Che cosa hai da dire in tua difesa? »

« Non è stata colpa mia! Lo giuro, non lo avrei mai fatto, ma temevo per la mia vita. »

L'equipaggio lo zittì gridando, e passarono alcuni minuti prima che Hal riuscisse a ottenere silenzio. Poi domandò: « Dunque non respingi le accuse che ti sono mosse? »

« A che serve respingerle? » gridò uno degli uomini. « Lo abbiamo visto tutti con i nostri occhi. »

Ora Sam Bowles piangeva forte. « Per amore di Gesù, abbiate pietà, Sir Henry. So di avere sbagliato, ma concedetemi una possibilità, e non troverete una creatura più fidata e amorevole di me; vi servirò per tutta la vita. »

La vista di Bowles disgustava così profondamente Hal che avrebbe voluto sputare per cancellare dalla bocca quel sapore disgustoso. D'improvviso rivide un'immagine impressa nella sua memoria, quella del padre che veniva condotto al patibolo disteso sulla lettiga, con il corpo spezzato e contorto dalla tortura sulla ruota, e a quel ricordo cominciò a tremare.

Sukeena, al suo fianco, avvertì quel turbamento e gli posò sul braccio la mano leggera, per calmarlo. Lui tirò un respiro lento e profondo, lottando per respingere le onde cupe di sofferenza che minacciavano di sopraffarlo. « Samuel Bowles, avete ammesso la vostra colpa riguardo a tutte le accuse che vi sono state mosse. C'è qualcosa che desiderate dire, prima che pronunci la sentenza contro di voi? » Fissò con uno sguardo truce gli occhi inondati di lacrime di Sam e assistette a una strana trasformazione. Si rese conto che le lacrime erano un espediente che Sam poteva usare a suo piacimento. C'era qualcos'altro che ardeva in una parte nascosta in profondità nella sua anima, un alone di malvagità così cupo che per un attimo dubitò di guardare ancora negli occhi di un essere umano, anziché in quelli di una belva ormai braccata.

« Voi credete di odiarmi, Henry Courteney, ma non sapete che cos'è veramente l'odio. Io godo al pensiero di vostro padre che gridava sulla ruota. È stata opera di Sam Bowles. Ricordatelo, per tutti i giorni della vostra vita. Può darsi che Sam Bowles sia morto, ma è stata opera sua! » La voce s'innalzò fino a diventare un urlo, mentre sulle sue labbra si formava un velo di bava. Il suo demone lo sopraffece al punto che le sue grida divennero incoerenti. « Questa è la mia nave, solo mia. Sarei diventato il comandante Samuel Bowles, e voi me lo avete impedito. Possa il diavolo bere il vostro sangue all'inferno, possa ballare sul cadavere contorto e imputridito di vostro padre, Henry Courteney. »

Hal distolse lo sguardo da quello spettacolo ripugnante, tentando di non sentire quel torrente di invettive.

« Tyler », chiamò a voce alta per farsi sentire da tutti, nonostante le urla di Sam Bowles. « Non faremo perdere altro tempo all'equipaggio della nave con questa faccenda. Il prigioniero dev'essere impiccato immediatamente. Passate una corda sul pennone principale... »

« Gundwane! » gridò Aboli in tono di avvertimento. « Dietro di te! » E scattò, ma troppo tardi per intervenire. Fulmineo come una vipera, Sam Bowles aveva infilato la mano sotto le brache, dove, fissato all'interno della coscia, portava un fodero di cuoio. La lama del pugnale scintillò nella sua mano, lucente come una scheggia di cristallo, graziosa come il pendente di una fanciulla. Bowles la lanciò con uno scatto del polso.

Hal aveva cominciato a voltarsi subito dopo il grido di Aboli, ma Sam fu più svelto. Il pugnale saettò nello spazio che li separava, e Hal fece una smorfia, anticipando la sensazione della lama affilata come un rasoio che gli affondava nella carne. Per un attimo dubitò dei propri sensi, perché non avvertì il colpo. Poi, abbassando gli occhi, si accorse che Sukeena aveva proteso in avanti il braccio nudo per bloccare il colpo e la lama argentea l'aveva colpita due dita sotto il gomito, affondando fino all'impugnatura.

« Gesù, proteggila! » esclamò Hal, prendendola fra le braccia e stringendola a sé. Guardarono tutti e due l'elsa del pugnale che sporgeva dalla carne.

Aboli raggiunse Sam Bowles un attimo dopo che il pugnale era volato dalle sue dita, stendendolo sul ponte con un pugno. Ned Tyler e una dozzina di uomini balzarono in avanti per afferrarlo, rimettendolo in piedi. Sam scosse la testa per schiarirsi la vista, perché il pugno di Aboli lo aveva stordito; gli colava il sangue da un angolo della bocca.

« Passate una corda nel bozzello del pennone di maestra », gridò Ned Tyler, e un uomo salì sulle sartie per obbedire. Corse in fuori lungo il pennone principale, e un minuto dopo la corda pendeva dal bozzello e l'estremità libera ricadeva sul ponte.

« La lama è penetrata in profondità », mormorò Hal, stringendo al petto Sukeena e sollevando con tenerezza il braccio ferito.

«È sottile e acuminata.» Sukeena alzò la testa per sorridergli con aria coraggiosa. «Così acuminata che l'ho sentita appena. Tirala fuori in fretta, mio caro, e guarirò perfettamente.»

«Aiutami, qui!» esclamò Hal rivolto ad Aboli che si precipitò al suo fianco, afferrò la sottile elsa lavorata e, con un solo rapido movimento, estrasse la lama dalle carni di Sukeena. Venne fuori con sorprendente facilità.

Lei mormorò: «Ha fatto ben poco danno», ma era impallidita e sulle palpebre inferiori le lacrime tremavano. Hal la prese fra le braccia, dirigendosi verso il boccaporto di poppa, ma lo trattenne un grido selvaggio.

Sam Bowles era ritto sotto la corda che penzolava dal pennone, mentre Ned Tyler gli infilava il cappio sotto l'orecchio e quattro uomini erano già pronti con l'estremità libera della corda fra le mani.

«La vostra puttana è morta, Henry Courteney. È morta, proprio come il vostro bastardo. Li ha uccisi tutti e due Sam Bowles. Comandante Courteney, ricordatemi nelle vostre preghiere. Io sono l'uomo che non dimenticherete mai!»

«È solo un taglietto. La Principessa è una ragazza forte e coraggiosa, se la caverà», mormorò Ned in tono truce all'orecchio di Sam Bowles. «Il morto sei tu, Sam Bowles.» Rivolse un cenno agli uomini all'altro capo della corda, che si allontanarono, battendo all'unisono i piedi nudi sulle tavole del ponte.

Un attimo prima che la corda si tendesse, togliendogli il respiro, Sam gridò di nuovo: «Guardate bene la lama che ha ferito la vostra sgualdrina, comandante, e quando ne proverete la punta pensate a Sam Bowles». La corda gli serrò la gola, sollevandolo da terra e soffocando la parola seguente prima che gli salisse alle labbra.

L'equipaggio ululò di gioia quando Sam Bowles salì a spirale nell'aria, ondeggiando, mentre la *Golden Bough* rollava sotto di lui. Le sue gambe scalciavano e danzavano al punto che le catene alle caviglie tintinnavano come i campanellini di una slitta.

Si dibatteva ancora, gorgogliando, quando il collo urtò con violenza, spezzandosi, contro il bozzello all'estremità del pennone di maestra sul ponte.

«Lasciatelo appeso lì tutta la notte», ordinò Ned Tyler. «Domattina lo tireremo giù e lo getteremo in pasto agli squali.»

Poi si chinò a raccogliere il pugnale dal ponte dove Hal lo aveva gettato, esaminando la lama insanguinata, e il suo viso abbronzato divenne di un pallore grigiastro. «Maria santissima, fa' che non sia vero!» Alzò di nuovo lo sguardo verso il corpo di Sam Bowles, che oscillava in alto a ogni movimento della nave.

«La tua morte è stata troppo facile. Se fosse in mio potere, ti ucciderei cento volte, ogni volta in modo più doloroso.»

Hal depose Sukeena sulla cuccetta nella cabina principale. «Dovrei cauterizzare la ferita, ma il ferro rovente lascerebbe una cicatrice.» Inginocchiandosi vicino alla cuccetta, esaminò con attenzione la ferita. «È profonda, ma non c'è quasi emorragia.» Le avvolse il braccio in una benda di lino bianco che Aboli gli aveva portato dal baule ai piedi della cuccetta.

«Portami la borsa delle medicine», ordinò Sukeena, e Aboli si allontanò subito. Appena furono soli, Hal si chinò su di lei per baciarle la guancia pallida. «Hai intercettato il colpo di Sam per salvarmi», mormorò, accostando il viso al suo. «Hai rischiato per me la tua vita e quella del bambino che porti in grembo. Non è stato un buon affare, amore mio.»

«Lo rifarei...» S'interruppe di colpo e lui la sentì irrigidirsi fra le sue braccia, lasciandosi sfuggire un gemito.

«Cos'è che ti fa soffrire, tesoro?» Tirandosi indietro, la guardò in faccia. Sotto i suoi occhi minuscole gocce di sudore sgorgavano dai pori della pelle, come rugiada sui petali di una rosa gialla. «Soffri?»

«Brucia», bisbigliò lei. «Brucia più del ferro rovente di cui parlavi.»

Hal svolse in fretta la benda dal braccio, fissando sbigottito il cambiamento avvenuto nella ferita mentre si abbracciavano. Il braccio si gonfiava sotto i suoi occhi, come uno di quei pesci palla della barriera corallina che possono gonfiarsi, raggiungendo un volume molto superiore, quando sono minacciati da un predatore. Sukeena alzò il braccio per portarselo al petto, e lanciò un gemito involontario quando il dolore che s'irradiava dalla ferita dilagò nel petto come una colata incandescente di piombo fuso.

«Non capisco quello che sta succedendo.» Cominciò a dimenarsi sulla cuccetta. «Questo non è naturale. Guarda come cambia colore.»

Hal guardò impotente il braccio che si gonfiava lentamente, tingendosi di linee scarlatte e violacee che andavano dal gomito alla spalla. La ferita cominciò a trasudare un fluido giallo e viscoso.

« Che cosa posso fare? » proruppe.

« Non lo so », rispose lei disperata. « C'è qualcosa che sfugge alla mia comprensione. » Uno spasmo di sofferenza l'afferrò in una morsa, facendole inarcare la schiena. Poi il dolore diminuì, e lei implorò: « Devo avere la mia borsa. Non posso sopportare questo dolore. Ho una polvere ricavata dal papavero da oppio ».

Hal balzò in piedi, attraversando la cabina. « Aboli, dove sei? Porta la borsa, subito! »

Sulla soglia c'era Ned Tyler, che teneva qualcosa in mano e aveva una strana espressione sul viso. « Comandante, c'è qualcosa che devo farvi vedere. »

« Non ora, amico, non ora. » Hal alzò di nuovo la voce. « Aboli, vieni subito. »

Aboli scese di corsa la scaletta, portando le sacche da sella. « Che cosa c'è, Gundwane? »

« Sukeena! Le sta succedendo qualcosa. Ha bisogno delle medicine. »

« Comandante! » Ned Tyler entrò di forza nella cabina, scostando Aboli e afferrando Hal per il braccio. « Non è una cosa che può aspettare. Guardate il pugnale. Guardate la punta! » Sollevò l'arma, e gli altri la fissarono.

« In nome di Dio! » sussurrò Hal. « Fa' che non sia vero. »

Per tutta la lunghezza della lama correva un solco stretto, riempito con una pasta nera e vischiosa, che seccandosi aveva lasciato uno strato duro e scintillante.

« È un'arma da sicario », disse Ned a bassa voce. « Il solco è pieno di veleno. »

Hal sentì il ponte oscillare sotto i suoi piedi, come se la *Golden Bough* fosse stata colpita da un'onda alta. Gli si oscurò la vista. « Non è possibile. Aboli, dimmi che non è possibile. »

« Sii forte », mormorò Aboli. « Sii forte per lei, Gundwane. » Strinse il braccio di Hal con vigore, e quella stretta rinvigorì Hal, schiarendogli la vista, ma quando tentò di respirare scoprì che una fascia di piombo gli serrava le costole. « Non posso vivere senza di lei », gemette, come un bambino confuso.

« Non farglielo capire », disse Aboli. « Non renderle la separazione più difficile. »

Hal lo fissò senza capire, poi cominciò a comprendere il significato ineluttabile di quella minuscola scanalatura nella lama d'acciaio e delle ferali minacce che Sam Bowles gli aveva lanciato con il cappio al collo.

« Sukeena sta per morire », disse, con tono meravigliato.

« Questo sarà per te più difficile di tutte le battaglie che hai combattuto finora, Gundwane. »

Con uno sforzo enorme, Hal tentò di riprendere il controllo di sé. « Non mostrarle il pugnale », ordinò a Ned Tyler. « Va'! Getta in mare quell'arnese maledetto. »

Tornando da Sukeena, tentò di nascondere la disperazione che aveva nel cuore. « Aboli ha portato la tua borsa. » S'inginocchiò di nuovo vicino a lei. « Dimmi come preparare la pozione. »

« Oh, fa' in fretta », implorò lei, assalita da un altro spasmo. « Il flacone blu. Due dosi in un bicchiere di acqua calda. Non di più, perché è potente. »

La mano le tremò con violenza quando tentò di prendergli di mano il boccale. Ormai aveva l'uso di una sola mano: il braccio ferito era gonfio e violaceo, le dita un tempo delicate si erano enfiate al punto che la pelle minacciava di spaccarsi. Faceva fatica a tenere il boccale, e Hal glielo portò alle labbra mentre lei inghiottiva la pozione con patetica urgenza.

Si adagiò di nuovo all'indietro, stremata dallo sforzo, torcendosi sulla cuccetta e inzuppando le coltri con il sudore dell'agonia. Hal le rimase accanto, stringendola al petto, tentando di confortarla, ma sapendo troppo bene com'erano vani i suoi sforzi.

Dopo qualche tempo il papavero cominciò a fare effetto. Lei gli si strinse contro, affondandogli il viso nel collo. « Sto morendo, Gundwane. »

« Non dirlo », la implorò.

« Lo sapevo da molti mesi. L'ho letto nelle stelle. Era per questo che non potevo rispondere alla tua domanda. »

« Sukeena, amore mio, morirò con te. »

« No. » La sua voce era un po' più forte. « Tu continuerai a vivere. Ti ho accompagnato nel tuo viaggio per quanto mi era concesso, ma a te il fato ha riservato un destino speciale. » Riposò per un attimo, e lui pensò che fosse entrata in coma, ma poi parlò di nuovo. «Tu continuerai a vivere, avrai molti figli maschi vigorosi e i loro discendenti prospereranno in questa terra, l'Africa, e ne faranno il loro paese.»

«Io non voglio altro figlio che il tuo», replicò Hal. «Mi hai promesso un figlio maschio.»

«Zitto, amore, perché il figlio che ti darò ti spezzerà il cuore.» Fu scossa da un'altra terribile convulsione che la fece gridare per la sofferenza. Alla fine, quando sembrava che non potesse più resistere, ricadde sulla cuccetta, tremando e piangendo. Lui la tenne stretta, senza riuscire a trovare le parole per esprimere il suo dolore.

Le ore passavano, e udì due volte la campana della nave annunciare il cambio della guardia. La sentiva diventare sempre più debole e allontanarsi da lui, poi il suo corpo fu scosso da una serie di spasmi potenti. Quando ricadde fra le sue braccia, mormorò: «Tuo figlio, il figlio che ti ho promesso, è nato». Aveva gli occhi serrati, con le lacrime che scivolavano fra le palpebre.

Per un minuto intero lui non capì quelle parole, poi scostò timoroso la coperta.

Fra le sue cosce insanguinate giaceva un minuscolo bambolotto roseo, coperto da un velo di umidità lucente e ancora unito a lei da un gomitolo di cordone ombelicale. La piccola testa era formata solo a metà, gli occhi non si sarebbero mai aperti, né avrebbero mai pianto, e la bocca non avrebbe mai succhiato, né riso; ma Hal vide che era davvero un maschio.

La prese di nuovo fra le braccia e Sukeena aprì gli occhi, sorridendo dolcemente. «Mi dispiace, amore. Ora devo andare. Se anche dimenticherai tutto il resto, ricorda solo questo, che ti ho amato come nessun'altra donna potrà mai amarti.»

Chiuse gli occhi e lui sentì la vita defluire dal suo corpo, mentre su di lei calava un gran senso di pace.

Attese insieme a loro, la sua donna e suo figlio, fino a mezzanotte. Poi Althuda portò in cabina un rotolo di tela, insieme con l'ago da velaio, il filo e il guardapalma. Hal mise il bambino nato morto fra le braccia di Sukeena, avvolgendolo in una pezza di lino, poi, con l'aiuto di Althuda, li chiuse insieme in un sudario ricavato cucendo vela nuova, con una palla di cannone ai piedi di Sukeena come zavorra.

A mezzanotte, Hal portò fra le braccia in coperta la donna e il bambino affidandoli entrambi al mare, sotto il luminoso chiaro di luna africano. Scivolarono sotto la superficie scura, lasciando appena un'increspatura nella scia della nave al loro passaggio.

«Addio, amore», sussurrò. «Addio, figlio mio.»

Poi scese nella cabina di poppa, e aprì la Bibbia di Llewellyn, cercando conforto fra le sue pagine rilegate in pelle nera, ma senza trovarlo.

Per sei lunghi giorni restò seduto da solo vicino alla finestra della sua cabina, senza mangiare niente di quello che Aboli gli portava. A volte leggeva la Bibbia, ma per lo più si limitava a guardare la scia della nave. Ogni giorno, a mezzogiorno, saliva sul ponte, smunto e severo, per rilevare la posizione del sole. Calcolava il punto della nave e dava ordini al timoniere, poi tornava nella sua cabina per restare solo con il proprio dolore.

All'alba del settimo giorno Aboli si presentò da lui. «Il dolore è naturale, Gundwane, ma questa è autocommiserazione. Tu dimentichi il tuo dovere e tutti noi che abbiamo riposto in te la nostra fiducia. Hai già sofferto abbastanza.»

«Non sarà mai abbastanza.» Hal alzò lo sguardo su di lui. «La piangerò per tutti i giorni della mia vita.» Alzandosi, sentì la cabina ondeggiargli intorno, indebolito com'era dalla sofferenza e dalla mancanza di cibo. Aspettò che gli si facesse chiaro in la testa. «Hai ragione, Aboli. Portami un piatto di cibo e un boccale di birra leggera.»

Dopo aver mangiato, si sentì più forte. Si lavò, si fece la barba, si cambiò la camicia e districò i capelli aggrovigliati, pettinandoli in una grossa treccia sulla schiena. Si accorse che tra i riccioli neri c'erano dei fili bianchi, e guardandosi allo specchio riconobbe a stento il viso abbronzato che lo fissava, con il naso a becco come quello di un'aquila. Notò che non c'era un filo di grasso sulle ossa degli zigomi o sulla linea implacabile della mascella. Gli occhi erano verdi come smeraldi, con lo stesso scintillio adamantino di quella pietra.

Ho appena vent'anni, pensò sbalordito, eppure ne dimostro già il doppio.

Prese la spada dal piano del tavolo, infilandola nel fodero. «Benissimo, Aboli, sono pronto a tornare al mio dovere», annunciò, e Aboli lo seguì in coperta.

Il nostromo al timone lo salutò e le sentinelle sul ponte si diedero di gomito. Tutti gli uomini erano intensamente coscienti della sua presenza, ma nessuno guardava nella sua direzione. Hal rimase per qualche tempo affacciato alla battagliola, facendo saettare gli occhi acuti sul ponte e sul sartiame.

«Nostromo, attento a orzare, dannazione!» scattò rivolto al timoniere.

La balumina della vela di maestra tremava appena nella turbolenza del vento, ma Hal se n'era accorto e le sentinelle, accovacciate ai piedi dell'albero di maestra, si scambiarono di nascosto un sorriso. Il comandante era di nuovo al comando.

Da principio non si resero conto di ciò che questo lasciava presagire, ma ne avrebbero scoperto ben presto la portata. Hal cominciò convocando tutti gli uomini dell'equipaggio nella sua cabina, uno alla volta. Dopo aver chiesto loro il nome e il villaggio o la città di provenienza, li interrogava con abilità sul loro servizio, studiandoli nel frattempo per valutarne le qualità.

Tre di loro si distinguevano su tutti gli altri: sotto il comando di Llewellyn erano stati tutti a capo dei rispettivi turni di guardia e il nostromo, John Lovell, aveva prestato servizio sotto il padre di Hal.

«Tu manterrai il tuo vecchio posto di nostromo», gli disse Hal. John sorrise. «Sarà un piacere servirvi, comandante.»

«Spero che tu la pensi così anche fra un mese», replicò lui in tono truce.

Gli altri due erano William Stanley e Robert Moone, entrambi timonieri. Hal apprezzò il loro aspetto. Llewellyn aveva buon occhio nel giudicare gli uomini, pensò, stringendo loro la mano.

L'altro nostromo era Big Daniel, mentre Ned Tyler, che sapeva leggere e scrivere, divenne secondo ufficiale. Althuda, uno dei pochi altri letterati a bordo, divenne lo scrivano della nave, responsabile di tutti i documenti e del loro aggiornamento. Era il legame più stretto con Sukeena che restava a Hal, e per questo provava un grande affetto per lui e voleva tenerselo vicino; in questo modo avrebbero potuto condividere il dolore.

John Lovell e Ned Tyler esaminarono insieme a lui il ruolino della nave, aiutandolo a compilare la tabella dei turni di guardia, la lista nominale in base alla quale ogni uomo sapeva a quale turno veniva assegnato e qual era il suo posto per ogni evenienza.

Fatto questo, Hal ispezionò la nave, cominciando dal ponte principale e poi aprendo tutti i boccaporti, insieme con i due timonieri. Si arrampicò, e a volte strisciò, in ogni parte dello scafo, dalle sentine fino alla testa d'albero. Entrato nella santabarbara, aprì tre barilotti, scelti a caso, per valutare la qualità della polvere da sparo e della miccia.

Fece l'inventario del carico controllandolo col manifesto, e rimase sorpreso e soddisfatto della gran quantità di moschetti e proiettili di piombo che la nave trasportava, insieme con notevoli partite di articoli da smerciare.

Poi ordinò una revisione dello scafo e, calata in mare una scialuppa, si fece portare a forza di remi tutt'intorno, in modo da poter giudicare le condizioni della chiglia. Spostò alcune colubrine, trasferendole verso poppa, e ordinò di issare il carico sul ponte e ridistribuirlo, per stabilire l'assetto che preferiva. Poi fece esercitare l'equipaggio a issare la velatura e modificarla, facendo navigare la *Golden Bough* in tutte le direzioni della bussola e con ogni tipo di vento. Continuò così per quasi una settimana, convocando il turno di guardia a mezzogiorno o nel cuore della notte per ridurre o aumentare la velatura e spingere la nave alla massima velocità.

Ben presto conosceva la *Golden Bough* con la stessa intimità di un'amante. Sapeva quanto poteva farla accostare al vento e come amava filare col vento in poppa e tutte le vele spiegate. Fece inumidire d'acqua le vele in modo che reggessero meglio il vento e poi, mentre era in piena corsa, ne calcolò la velocità in acqua usando una clessidra e una sagola di legno calata da prua a poppa. Scoprì in che modo strapparle fino all'ultima iarda di velocità e come farla rispondere al timone così come un purosangue risponde alle redini.

L'equipaggio lavorava senza lamentarsi e Aboli sentiva i marinai parlare fra loro nel castello di prua. Anziché lamentarsi, sembrava che apprezzassero il cambiamento rispetto al comando più indulgente di Llewellyn.

«Il giovane comandante è un vero marinaio. La nave lo ama. Lui sa spingerla al limite e farla volare sull'acqua, eccome.»

«Gli piace spingere anche noi al limite», obiettò un altro. «Fatevi animo, lavativi. Scommetto che alla fine di questo viaggio ci sarà un bel gruzzoletto anche per noi.»

Poi Hal si mise al lavoro sui cannoni, ordinando di tirarli fuori in posizione di tiro e poi rimetterli a posto, finché gli uomini, sudati e sfiniti, non imprecarono contro di lui sorridendo e dandogli del tiranno. Dopodiché fece esercitare gli artiglieri a sparare contro un barile galleggiante, congratulandosi con i migliori quando il bersaglio andava in pezzi.

Negli intervalli, li faceva esercitare con la sciabola e la picca, combattendo insieme a loro, a torso nudo, misurandosi contro Aboli, Big Daniel o John Lovell, che era il migliore spadaccino del nuovo equipaggio.

La *Golden Bough* navigava costeggiando il continente africano, e Hal la diresse verso nord. Ora il mare che attraversavano cambiava carattere a ogni lega. Le acque assunsero un intenso color indaco che sembrava stingere sul cielo. Erano così limpide che, sporgendosi da prua, Hal riusciva a scorgere a quattro braccia di profondità le focene che precedevano la nave, facendo evoluzioni come una muta di spaniel vivaci, prima di sbucare in superficie per saltare, descrivendo un arco. Quando emergevano, vedeva la narice sulla parte superiore della testa aprirsi per respirare, mentre le focene lo guardavano con occhi allegri e un sorriso malizioso.

La corsa della nave era accompagnata dai pesci volanti, che la precedevano su ali d'argento, mentre le colonne di cumuli erano i fari che segnalavano invariabilmente il nord.

Quando incappavano in una bonaccia, Hal non lasciava riposare l'equipaggio, ma calava in mare le scialuppe facendo gareggiare un turno di guardia contro l'altro, finché l'acqua non diventava bianca, spumeggiando sotto i remi. Poi, alla fine della corsa, ordinava loro di abbordare la *Golden Bough* come se fosse una nave nemica, mentre lui, Aboli e Big Daniel si opponevano, costringendoli a combattere per mettere piede sul ponte.

Sotto il calore afoso dei tropici, quando la *Golden Bough* rollava dolcemente sulle onde pigre e le vele vuote pendevano flosce, ingaggiava i marinai in gare di velocità per salire in cima all'albero di maestra e ridiscendere, mettendo in palio come premio una razione supplementare di rum.

Nel giro di alcune settimane gli uomini divennero agili, allenati e traboccanti di entusiasmo, ansiosi di battersi. Hal, invece, era tormentato da una spina nel cuore che non confidava a nessuno, neanche ad Aboli.

Una notte dopo l'altra, sedeva alla sua scrivania nella cabina principale, non osando dormire, perché sapeva che il dolore e i ricordi della donna e del bambino che aveva perso avrebbero ossessionato i suoi sogni, e studiava le carte cercando di escogitare una soluzione.

Aveva solo quaranta uomini ai suoi ordini, appena sufficienti per navigare, ma troppo pochi per combattere. Se si fossero incontrati di nuovo, l'Avvoltoio avrebbe potuto lanciare cento uomini contro il ponte della *Golden Bough*. Se volevano essere in grado di difendersi, per non parlare di arruolarsi al servizio di Prete Gianni, Hal doveva trovare dei marinai.

Studiando le carte, riuscì a trovare ben pochi porti dove arruolare marinai esperti. Erano quasi tutti sotto il controllo dei portoghesi e degli olandesi, e non avrebbero accolto volentieri una fregata inglese, soprattutto una fregata il cui comandante aveva intenzione di attirare i marinai al proprio servizio.

Gli inglesi non erano penetrati in massa in quell'oceano lontano. Alcuni mercanti avevano creato degli insediamenti nel continente indiano, ma ricadevano sotto l'influenza del Gran Mogol, e inoltre raggiungerli comportava una deviazione di parecchie migliaia di miglia dalla rotta che intendeva seguire.

Sapeva che sulla costa sudorientale della lunga isola di St Lawrence, chiamata anche Madagascar, i cavalieri francesi dell'ordine del Santo Graal avevano un porto sicuro che chiamavano Fort Dauphin. Facendo scalo lì in veste di cavaliere inglese dell'ordine, poteva aspettarsi poco più di un benvenuto, a meno che qualche circostanza rara come un ciclone non avesse causato un naufragio, lasciando in porto dei marinai senza nave. Comunque decise di correre quel rischio, facendo il primo scalo a Fort Dauphin, e quindi puntò sull'isola.

Mentre navigava verso nord, alla volta del Madagascar, l'Africa era sempre lì, a sinistra. A volte la terra era avvolta in una nebbiolina azzurra, altre volte era così vicina che potevano sentirne l'aroma: era il sentore piccante delle spezie e l'odore ricco e scuro della terra, simile a quello di un biscotto caldo appena sfornato.

Spesso Jiri, Matesi e Kimatti si affacciavano insieme alla battagliola, indicandosi a vicenda le verdi colline e la linea frastagliata di pizzo della risacca, parlando sottovoce nella lingua delle foreste. Persino Aboli, quando aveva un'ora libera, si arrampicava in coffa per fissare la terra da lontano, scendendo di lì con un'espressione triste e malinconica.

Navigarono per intere settimane senza vedere traccia di altri uomini. Lungo la costa non c'erano città o porti da osservare; e in mare non videro una vela, e nemmeno una canoa o un *dhow* che costeggiassero la riva.

Solo quando giunsero a un centinaio di leghe da Cap St Marie, l'estrema punta meridionale dell'isola, avvistarono un'altra nave. Hal fece segnalare il posto di combattimento e caricare le colubrine a mitraglia, con la miccia già accesa, perché laggiù, oltre la Linea, non osava accettare nessuna nave sulla fiducia.

Quando furono quasi a portata di voce con l'altra nave, questa issò la bandiera. Felice di vedere in testa all'albero di maestra il vessillo inglese e la *croix pattée* dell'ordine, Hal rispose issando gli stessi colori e le due navi accostarono per scambiarsi i saluti.

«Che nave siete?» chiese Hal, e la risposta gli giunse al di sopra delle acque color indaco. «La *Rose of Durham*, del comandante Welles.» Era una nave mercantile armata, una caravella con dodici cannoni per murata.

Hal fece calare in mare una scialuppa, prendendovi posto di persona, e all'uscita dal boccaporto fu accolto da un comandante di mezza età vivace come un elfo. «*In Arcadia habito.*»

«*Flumen sacrum bene cognosco*», rispose Hal, dopodiché si salutarono con la stretta di mano segreta di riconoscimento.

Il comandante Welles lo invitò nella sua cabina, dove bevvero insieme un boccale di sidro scambiandosi avidamente le notizie. Welles era salpato quattro settimane prima dallo stabilimento inglese di St George, presso Madras, sulla costa orientale dell'India, con un carico di tessuti che intendeva scambiare con schiavi sulla costa occidentale dell'Africa, nel Gambia; di lì avrebbe proseguito il viaggio attraverso l'Atlantico fino ai Caraibi, dove voleva barattare gli schiavi in cambio di zucchero, per tornare poi in Inghilterra.

Hal lo interrogò sulla disponibilità di marinai dagli insediamenti inglesi sul Carnatic, il tratto di costa indiana che andava da Ghats a oriente, fino a Coromandel, ma Welles scosse la testa. «Sarà meglio per voi girare al largo da tutta quella costa. Quando sono partito, il colera infuriava in tutti i villaggi e gli insediamenti. Ogni uomo che prendete a bordo potrebbe portarsi dietro la morte come compagna.»

Hal rimase atterrito al pensiero del disastro che l'epidemia avrebbe causato nel suo equipaggio già ridotto all'osso, se si fosse manifestata a bordo della *Golden Bough*. Non poteva azzardarsi a visitare i porti infestati dalla malattia.

Bevendo un secondo boccale di sidro, Welles fornì a Hal il primo resoconto degno di fede del conflitto in corso nel Corno d'Africa. «Il fratello minore del Gran Mogol, Sadiq Khan Jahan, è arrivato al largo della costa con una grande flotta, grazie all'alleanza che ha stipulato con Ahmed El Grang, soprannominato 'il Mancino', sultano dello stato arabo di Oman che accampa diritti sulle terre confinanti con l'impero di Prete Gianni. Insieme, i due hanno proclamato la *jihad*, la guerra santa, e hanno travolto i cristiani come un ciclone, conquistando e saccheggiando i porti e le città della costa, bruciando le chiese e spogliando i monasteri, massacrando monaci e santi uomini.»

«Ho intenzione di offrire i miei servigi a Prete Gianni per aiutarlo a resistere ai pagani», gli disse Hal.

«È una nuova crociata, e la vostra è una nobile causa», annuì Welles. «Molte delle reliquie più sacre del cristianesimo sono conservate dai santi padri nelle città etiopiche di Axum e nei monasteri che sorgono in luoghi segreti sulle montagne. Se dovessero cadere nelle mani dei pagani, sarebbe un triste giorno per tutto il mondo cristiano.»

«Se non potete impegnarvi anche voi in questa santa impresa, non potreste cedermi una dozzina dei vostri uomini? Sono molto angustiato dalla mancanza di marinai in gamba.»

Welles distolse lo sguardo. «Mi aspetta un lungo viaggio e prevedo forti perdite nel mio equipaggio, quando visiteremo la costa malsana del Gambia e durante la traversata dell'Atlantico.»

«Vi ricordo i voti che avete pronunciato», insistette Hal.

Welles esitò, prima di stringersi nelle spalle. «Radunerò l'equipaggio; potrete lanciare un appello chiedendo volontari che si uniscano a voi nell'impresa.»

Hal lo ringraziò, pur sapendo che Welles scommetteva sul sicuro. Ben pochi marinai, alla fine di un viaggio di due anni, avrebbero rinunciato alla loro quota di profitti e alla prospettiva di un imminente ritorno a casa per prendere le armi in difesa di un sovrano straniero, sia pure cristiano. Soltanto due uomini risposero all'appello di Hal, e Welles parve sollevato all'idea di liberarsene. Il giovane intuì che dovevano essere due piantagrane, perennemente insoddisfatti, ma non poteva permettersi di fare il difficile.

Prima che si separassero, consegnò a Welles due plichi, chiusi in involucri di tela con l'indirizzo scritto sopra. Uno di essi, indirizzato al visconte di Winterton, conteneva una lunga lettera, in cui Hal descriveva le circostanze dell'assassinio del comandante Llewellyn e dell'acquisizione da parte sua della *Golden Bough*, allegando un impegno a utilizzare la nave secondo il contratto originale.

La seconda lettera era indirizzata allo zio, Thomas Courteney, a High Weald, per informarlo della morte di Sir Francis e della sua conseguente successione al titolo, con la richiesta allo zio di continuare a dirigere la proprietà per suo conto.

Quando infine si congedò da Welles, i due marinai che aveva acquisito tornarono con lui sulla *Golden Bough*. Dal cassero Hal vide le vele della *Rose of Durham* scomparire oltre l'orizzonte a sud, e dopo alcuni giorni apparire a nord le colline dell'isola di Madagascar.

Quella notte Hal, com'era ormai sua abitudine, salì sul ponte alla fine del secondo turno di guardia per leggere i rilevamenti sulla chiesuola e parlare con il timoniere. Tre ombre scure lo attendevano ai piedi dell'albero di maestra.

«Jiri e gli altri vorrebbero parlarti, Gundwane», spiegò Aboli.

Si riunirono attorno a lui, fermo presso la battagliola sopravvento, e il primo a prendere la parola fu Jiri, nel linguaggio delle foreste. «Quando i negrieri mi portarono via da casa, ero già un uomo», mormorò a Hal. «Ero abbastanza grande da ricordare la mia terra molto meglio di loro.» Indicò Aboli, Kimatti e Matesi, che annuirono.

«Noi eravamo bambini», aggiunse Aboli.

«In questi ultimi giorni», riprese Jiri, «quando ho cominciato a sentire l'odore della terra e ho rivisto le colline verdi, vecchi ricordi dimenticati da tempo si sono risvegliati. Ora sono sicuro, nel profondo del cuore, che saprei ritrovare la strada per tornare al grande fiume, sulle sponde del quale viveva la mia tribù quando ero bambino.»

Hal rimase in silenzio per qualche istante, poi domandò: «Perché mi dici questo, Jiri? Vuoi tornare dalla tua gente?»

L'altro esitò. «È passato tanto tempo. Mio padre e mia madre sono morti, uccisi dai negrieri. Anche i miei fratelli e gli amici d'infanzia non vivono più lì, sono stati portati via in catene.» Dopo una pausa di silenzio, aggiunse: «No, comandante, non posso tornare indietro, perché voi siete il mio capo, come vostro padre prima di voi, e questi sono i miei fratelli ». Indicò Aboli e gli altri attorno a lui.

Toccò ad Aboli riprendere il filo del discorso. « Se Jiri potesse guidarci fino al grande fiume, se riuscissimo a trovare la sua tribù perduta, forse tra loro potremmo trovare anche un centinaio di guerrieri per riempire questa nave. »

Hal lo fissò, attonito. « Un centinaio di uomini? Uomini che sappiano battersi come voi? Allora vuol dire che le stelle tornano a sorridermi. »

Li condusse tutti nella cabina di poppa, dove accese le lanterne e spiegò le carte sulle assi del pavimento. Si accovacciarono tutt'intorno, in circolo, e i negri puntarono l'indice sui fogli di pergamena, discutendo in tono pacato con le loro voci sonore, mentre Hal spiegava le indicazioni sulle carte che i tre, a differenza di Aboli, non sapevano leggere.

Quando la campana della nave indicò l'inizio del turno di guardia del mattino, Hal salì in coperta per chiamare Ned Tyler. « Nuova rotta, Tyler. Si va in direzione sud. Segnatelo sulla chiesuola. »

Sentendo l'ordine di tornare indietro, Ned si stupì, ma non fece domande. « Direzione sud, comandante. »

Hal si lasciò impietosire, perché era evidente che la curiosità lo tormentava come un foruncolo sul sedere. « Ci dirigiamo di nuovo verso la terraferma. »

Attraversarono l'ampio canale che separa l'isola di Madagascar dal continente africano. La terra comparve all'orizzonte, simile a una sbavatura bluastra e, quando furono al largo, virarono per proseguire in direzione sud lungo la costa.

Di giorno Aboli e Jiri passavano quasi tutto il tempo in coffa, scrutando la terraferma. Due volte Jiri scese per chiedere a Hal il permesso di approdare per indagare su quella che sembrava la foce di un grande fiume. La prima volta si rivelò un falso canale, mentre la seconda, quando furono all'ancora nella foce, Jiri non riconobbe il fiume. « È troppo piccolo. Il fiume che cerco ha quattro foci. »

Salparono per riprendere il mare, proseguendo verso sud. Hal cominciava a dubitare della memoria di Jiri, ma continuò a perseverare. Qualche giorno dopo, notò l'evidente eccitazione dei due uomini in coffa: fissavano la terraferma gesticolando fra loro. Matesi e Kimatti, che, non essendo di turno, poltrivano sul castello di prua, si alzarono di scatto per arrampicarsi sulle sartie e contemplare la terra, aggrappati al sartiame.

Hal si diresse verso il parapetto e, portandosi all'occhio il cannocchiale di ottone di Llewellyn, vide aprirsi dinanzi a loro il delta di un grande fiume. Le acque che si riversavano dalle numerose bocche della foce erano torbide, cariche di detriti delle paludi e delle terre sconosciute che dovevano stendersi alla fonte di quel fiume maestoso. Interi branchi di squali si nutrivano di quei rifiuti, zigzagando nella corrente con le alte pinne dorsali triangolari che emergevano dall'acqua.

Hal chiamò sul ponte Jiri per chiedergli: «Come viene chiamato dalla tua tribù questo fiume?»

«Ha molti nomi, perché è un solo fiume che si getta in mare come molti fiumi. Questi si chiamano Musela, Inhamessingo e Chinde. Ma il principale è lo Zambere.»

«Certo questi nomi hanno un suono nobile, ma sei sicuro che sia questo il fiume serpente con quattro bocche?»

«Lo giuro sulla tomba di mio padre.»

Avvicinandosi a riva, Hal mise due uomini a prua per scandagliare il fondo e, quando cominciò a risalire bruscamente, gettò l'ancora in dodici braccia d'acqua. Non solo non intendeva rischiare la nave nelle acque interne e nei canali tortuosi del delta, ma c'era anche un altro rischio che non voleva correre. Dal padre aveva appreso che quei delta nelle zone tropicali erano pericolosi per la salute dell'equipaggio. Se gli uomini respiravano l'aria notturna di quelle paludi, cadevano facilmente preda delle febbri mortali prodotte dai loro miasmi e chiamate giustamente «malaria».

Le borse di Sukeena, che costituivano l'unica eredità rimasta di lei, insieme alla spilla di giada, contenevano una buona riserva di «polvere dei gesuiti», ossia il chinino che si estraeva dalla corteccia dell'albero di *cinchona*; inoltre Hal aveva trovato un intero barattolo della stessa preziosa sostanza fra le scorte di Llewellyn. Era quello l'unico rimedio contro la malaria, una malattia che i marinai incontravano in tutte le zone conosciute degli oceani, dalle giungle di Batavia e dell'India ai canali di Venezia, agli acquitrini della Virginia e dei Caraibi, nel Nuovo Mondo.

Hal non intendeva esporre tutti gli uomini al rischio di contrarre quella malattia, e quindi ordinò di issare in coperta le due pinacce custodite nella stiva e di montarle. Poi scelse gli equipaggi per le imbarcazioni, includendo naturalmente i quattro africani e Big Daniel. A prua di ciascuna pinaccia fece installare un falconetto, mentre a prua erano montati due « assassini ».

Tutti i partecipanti alla spedizione erano armati fino ai denti, e Hal fece caricare a bordo di ogni imbarcazione tre pesanti casse di articoli commerciali: coltelli, forbici e specchietti, rotoli di filo di rame e perline di vetro di Murano.

Lasciando a Ned Tyler il comando della *Golden Bough*, insieme con Althuda, ordinò loro di restare all'ancora al largo, in attesa del loro ritorno. Il segnale d'allarme sarebbe stato un razzo rosso: solo allora Ned avrebbe dovuto mandare a terra le barche alla loro ricerca.

« Può darsi che passino molti giorni, o addirittura settimane », li avvertì. « Non perdetevi d'animo. Restate al vostro posto finché non avrete nostre notizie. »

Hal prese il comando della pinaccia di testa, tenendo con sé Aboli e gli altri africani, mentre Big Daniel li seguiva con la seconda.

Esplorarono così i quattro canali principali del delta. Il livello dell'acqua sembrava molto basso e alcune delle entrate erano sbarrate da banchi di sabbia. Conoscendo per esperienza il pericolo rappresentato dai coccodrilli, Hal non voleva rischiare di mandare uomini a terra per far trainare l'imbarcazione oltre il banco di sabbia. Alla fine scelse la foce che presentava il maggior volume d'acqua. Con la vela al terzo gonfia della brezza mattutina spirante dal mare e tutti gli uomini ai remi, si spinsero oltre le secche addentrandosi nel mondo torrido e silenzioso delle paludi.

Gli alti steli di papiro e le radici aeree delle mangrovie formavano due pareti imponenti ai lati del canale, restringendo la loro visuale e facendo schermo al vento. Proseguirono remando a ritmo costante, seguendo i meandri del canale, ma ogni svolta ripresentava ai loro occhi lo stesso spettacolo. Hal comprese subito che sarebbe stato assai facile smarrirsi in quel labirinto e contrassegnò ogni svolta legando strisce di tela ai rami più alti delle mangrovie.

Avanzarono alla cieca per due giorni, puntando in direzione ovest, guidati solo dalla bussola e dal flusso delle acque. Nelle pozze sguazzavano branchi di grandi ippopotami grigi, che, al loro avvicinarsi, spalancavano le enormi mascelle rosa, lanciando sonori avvertimenti che suonavano come risate sfrenate. Da principio si tenevano alla larga da quelle bestie, ma quando presero maggiore familiarità con loro Hal si limitò a ignorare i loro moniti e scoppi d'ira, proseguendo imperterrito per la sua strada.

Quella audacia dapprima parve giustificata, visto che gli animali s'immergevano non appena puntava diritto verso di loro; poi, però, superando l'ennesima curva del canale, raggiunsero una grande pozza verde. Al centro emergeva un banco di fango, sul quale si trovavano una grossa femmina di ippopotamo e, al suo fianco, un piccolo non più grande di un maiale. Vedendoli avanzare a remi verso di lei, la femmina lanciò un verso minaccioso, ma gli uomini scoppiarono in una risata di derisione. Hal gridò dalla prua: «Fatti da parte, vecchia. Non intendiamo farti del male, ma vorremmo passare».

La grossa femmina abbassò la testa e, lanciando un grugnito bellicoso, caricò sul fango, lanciata al galoppo con un'andatura goffa che sollevava zolle melmose. Non appena si accorse che la bestia faceva sul serio, Hal afferrò la miccia sul fondo della barca e lanciò l'allarme. «Santo cielo, vuole attaccarci!»

Afferrata l'impugnatura di ferro del falconetto, lo fece ruotare sul perno per puntare, ma l'ippopotamo raggiunse l'acqua e si tuffò di slancio, sollevando una cortina di spruzzi e scomparendo sotto la superficie. Hal spostò la canna del falconetto da una parte all'altra, cercando un'occasione per sparare, ma l'animale nuotava in profondità.

«Ci sta venendo addosso!» gridò Aboli. «Gundwane, aspetta di poter prendere bene la mira.»

Hal sbirciava sul fondo, con la miccia pronta, e attraverso le limpide acque verdi vide uno spettacolo incredibile: l'ippopotamo avanzava sul fondo procedendo lentamente al galoppo, come in un sogno e sollevando nuvole di fango. Comunque era ancora a un braccio di profondità, e lo sparo non avrebbe potuto raggiungerlo.

«È sotto di noi!» segnalò.

«Tenetevi pronti!» ammonì Aboli. «È così che distruggono le canoe del mio popolo.» Aveva appena finito di pronunciare quelle parole, quando sentirono sotto di sé uno schianto fragoroso, prodotto dall'ippopotamo che si era impennato al di sotto della pinaccia, sollevando sull'acqua la pesante imbarcazione con tutto il peso dei dieci rematori.

Gli uomini furono scagliati lontano dai banchi, e Hal sarebbe finito fuori bordo, se non si fosse aggrappato al traversino; poi, quando la barca ricadde, lui afferrò di nuovo l'impugnatura del falconetto.

La carica dell'animale avrebbe sfondato la chiglia di un'imbarcazione meno robusta, e senza dubbio avrebbe ridotto in pezzi una canoa ricavata da un tronco d'albero, ma la pinaccia era stata costruita per resistere alla violenza del mare del Nord.

La grossa testa grigia riemerse a fianco della barca, con la bocca aperta simile a una caverna rosa, orlata da una fila di zanne d'avorio giallo. Con un ruggito che scosse l'equipaggio per la sua ferocia, l'ippopotamo si avventò su di loro spalancando le mascelle per schiantare il fasciame della barca.

Hal fece ruotare il falconetto fin quasi a toccare la testa dell'animale lanciato all'attacco e fece fuoco. Fumo e fiamme finirono direttamente nella gola spalancata, le mascelle si richiusero di scatto e la bestia scomparve in un vortice d'acqua, riemergendo pochi istanti dopo a metà strada dall'isolotto di fango dove il piccolo era rimasto abbandonato, solo e sperduto.

Il grosso corpo rotondeggiante emerse per metà dalla superficie, in preda a spasmi atroci, poi ricadde all'indietro, sprofondando nella morte e lasciando sulle acque verdi una lunga scia scarlatta che segnava il suo passaggio.

I marinai tornarono ai remi con rinnovata energia e la pinaccia superò di slancio la curva successiva, seguita a breve distanza dalla barca di Big Daniel. Dopo lo scontro con l'ippopotamo, la pinaccia di Hal imbarcava acqua ma, con un uomo addetto ad aggottare, potevano tenerla all'asciutto finché non si fosse presentata l'occasione di tirarla in secco e rovesciarla per riparare i danni. Proseguirono quindi lungo il canale.

Nuvole di uccelli acquatici si alzavano in volo dalle fitte macchie di papiro attorno a loro o stavano appollaiate sui rami delle mangrovie. Più volte scorsero una strana antilope dal manto ruvido color marrone, con le corna a spirale dalla punta chiara, che doveva aver eletto a suo domicilio le paludi. Al crepuscolo ne sorpresero una ferma ai margini di un papireto e Hal l'abbatté, con un tiro di moschetto piuttosto fortunato, data la lunga distanza. Scoprirono sorpresi che l'animale aveva zoccoli deformi, enormemente allungati; Hal rifletté che dovevano svolgere la stessa funzione delle pinne di un pesce in acqua, fornendo appoggio sulla superficie molle dei canneti. Le carni dell'antilope, comunque, erano dolci e tenere, e furono molto apprezzate dagli uomini, che da molto tempo desideravano mangiare qualcosa di sostanzioso.

Le notti, che trascorrevano dormendo sul ponte, erano tormentate dal ronzio di grandi nubi di insetti pungenti, cosicché al mattino si svegliavano con la faccia gonfia, costellata di bolle rosse.

Al terzo giorno di navigazione, il papiro cominciò a cedere il posto ad ampie pianure allagate dalle acque. Ora la brezza riusciva a raggiungerli, disperdendo le nubi di insetti e gonfiando la vela al terzo che avevano issato. Procedendo più veloci, arrivarono al punto in cui gli altri bracci del fiume si riunivano tutti a formare un solo, grande corso d'acqua, largo quasi trecento braccia.

Le pianure alluvionali sulle rive di quel fiume possente erano verdeggianti, coperte di un manto d'erba alto fino al ginocchio, dove pascolavano branchi enormi di bufali che formavano un tappeto in movimento fin dove Hal poteva spingersi con lo sguardo salendo in cima all'albero della pinaccia. Erano così fitti che intere zone della prateria erano oscurate dalla loro massa.

Numerosi erano anche i bufali sulle rive del fiume, con il muso bavoso sollevato e la testa appesantita dalle massicce corna ricurve. Hal accostò a riva per sparare col falconetto nel cuore del branco, e con un solo colpo abbatté due giovani femmine. Quella sera, per la prima volta, si accamparono sulla riva, banchettando con bistecche di bufalo arrostite sul carbone.

Per molti giorni proseguirono il viaggio su quel placido fiume verde, e gradualmente le pianure ai lati cedettero il passo ai boschi di conifere. Il fiume si restrinse, diventando più profondo e impetuoso e rallentando la loro avanzata controcorrente. L'ottava sera da quando avevano lasciato la nave, approdarono sulla riva per accamparsi in un bosco di fichi selvatici dalle dimensioni imponenti.

Incontrarono quasi subito segni di presenze umane: una palizzata ormai quasi in rovina, fatta di tronchi massicci. All'interno sorgevano alcuni recinti che Hal suppose destinati a rinchiudere bovini o altri animali.

« Negrieri! » esclamò invece Aboli con amarezza. « È qui che hanno incatenato la mia gente come bestie. In uno di questi *boma*, forse proprio in questo, è morta mia madre, schiantata sotto il peso del dolore. »

Il recinto era abbandonato da tempo, ma Hal non se la sentì

di accamparsi in un luogo che era stato testimone di tanta sofferenza. Si spostarono a monte di una lega, trovando un'isoletta sulla quale stabilire il loro bivacco. La mattina dopo ripresero il viaggio sul fiume, attraversando foreste e praterie prive di ogni traccia di vita umana. « I negrieri hanno devastato tutto il territorio », osservò Aboli con rammarico. « È per questo che hanno abbandonato il loro insediamento e se ne sono andati. A quanto pare, non c'è nessuno della nostra tribù, uomo o donna, che sia sopravvissuto alle loro razzie. Dobbiamo abbandonare la ricerca, Gundwane, e tornare indietro. »

« No, Aboli, proseguiamo. »

« Tutt'intorno a noi ci sono solo antichi ricordi di disperazione e di morte. Queste foreste sono popolate soltanto dagli spettri dei miei avi. »

« Decido io quando è il momento di tornare indietro, e quel momento non è ancora arrivato », ribatté Hal, perché in realtà cominciava a essere affascinato da quel Paese nuovo e sconosciuto e dalle creature selvagge di cui abbondava. Avvertiva l'impulso potente di proseguire il viaggio, risalendo fino alla sorgente di quel grande fiume.

Il giorno dopo, dalla prua della sua imbarcazione, Hal scorse una catena di colline basse a poca distanza dal fiume, in direzione nord. Ordinò agli uomini di tirare in secco le pinacce, lasciando a Big Daniel e i suoi marinai l'incarico di riparare le falle provocate nella chiglia dall'attacco dell'ippopotamo. Preso con sé Aboli, partì per salire sulle colline e studiare così il territorio dalla parte opposta. Le colline erano più lontane di quanto sembravano, perché l'aria limpida e la luce intensa del sole africano ingannavano l'occhio. Era tardo pomeriggio quando raggiunsero la sommità, abbassando lo sguardo sulle distanze sconfinate dove foreste e colline si ripetevano all'infinito, una fascia dopo l'altra e una catena dopo l'altra, come immagini riflesse in una serie di specchi azzurrati.

Restarono seduti in silenzio, soggiogati dall'immensità di quella terra selvaggia. Alla fine Hal si alzò a malincuore. « Hai ragione, Aboli. Qui non ci sono uomini, dobbiamo tornare alla nave. »

Eppure in fondo all'animo provava una strana riluttanza a voltare le spalle a quella terra; si sentiva più che mai attratto dal mistero e dal senso di avventura suggerito dai suoi spazi immensi.

« Avrai molti figli maschi vigorosi », gli aveva predetto Sukeena. « I loro discendenti prospereranno in questa terra, l'Africa, e ne faranno il loro Paese. »

Eppure non amava ancora quella terra. Era troppo estranea a
lui, troppo barbara e diversa da tutto ciò che aveva conosciuto
nel clima più mite del nord; tuttavia ne sentiva profondamente
la magia nel sangue. Scese sulle colline il silenzio del crepuscolo, quel momento in cui tutto il creato trattiene il respiro prima
dell'avanzata insidiosa della notte. Lanciò ancora un'occhiata,
abbracciando l'orizzonte dove le colline, come mostruosi cama-
leonti, cambiavano colore. Sotto i suoi occhi divennero color
zaffiro, lapislazzulo, e poi dello stesso azzurro del dorso del
martin pescatore. D'improvviso s'irrigidì e, afferrando per il
braccio Aboli, gli sussurrò: « Guarda! » puntando il dito. Ai
piedi della catena di colline successiva, un filo sottile di fumo
saliva dalla foresta, disegnandosi sul cielo viola della sera.

« Uomini! » mormorò Aboli. « Avevi ragione a non voler tornare indietro, Gundwane. »

Scesero dalla collina avvolti nell'oscurità e attraversarono la
foresta come ombre. Hal li guidava affidandosi alle stelle, fissando la grande e luminosa Croce del Sud sospesa sulla collina
ai piedi della quale avevano scorto la colonna di fumo. Dopo
mezzanotte, mentre avanzavano con sempre maggiore cautela,
Aboli si fermò così bruscamente che Hal rischiò di urtare contro di lui nel buio.

« Ascolta! » Rimasero in silenzio per qualche minuto, poi
Hal disse: « Io non sento niente ».

« Aspetta! » insistette Aboli. Infine anche Hal sentì. Era un
suono comune, ma che lui non udiva da quando aveva lasciato
il capo di Buona Speranza: il cupo muggito di una mucca.

« Gli uomini del mio popolo sono mandriani », sussurrò
Aboli. « Per loro i bovini sono i beni più preziosi. » Guidò cautamente in avanti Hal, finché non fiutarono l'odore del fumo di
legna e il sentore familiare dei recinti per il bestiame. Hal scorse
la fioca luminescenza della pozza di brace che contrassegnava il
bivacco, sulla quale si stagliava il profilo di un uomo seduto, avvolto in una coperta di pelli.

Rimasero lì distesi in attesa dell'alba, ma, prima ancora che
albeggiasse, il campo si ridestò alla vita. L'uomo di guardia si alzò stirandosi e tossì, sputando sulle braci, poi gettò altra legna
sul fuoco e s'inginocchiò per soffiarvi sopra. Le fiamme divam-

parono e, a quella luce, Hal si accorse che era poco più che un
bambino, coperto solo da un perizoma. Il ragazzo si allontanò
dal fuoco, avvicinandosi al punto in cui erano nascosti, poi sollevò il perizoma per urinare sull'erba, giocando con il getto di
urina, mirando alle foglie morte e ai ramoscelli, ridendo mentre
tentava di affogare uno scarabeo che si affannava a fuggire.

Quindi tornò verso il fuoco e, rivolto verso la tettoia fatta di
rami e fronde, annunciò: « Arriva l'alba. È ora di portare fuori
la mandria ».

La voce del ragazzo era acuta, ancora infantile, ma Hal fu lieto di scoprire che comprendeva ogni parola di quello che aveva
detto: era la stessa lingua della foresta che gli aveva insegnato
Aboli.

Altri due ragazzi della stessa età uscirono strisciando dalla
capanna, rabbrividendo, brontolando e grattandosi, poi tutti e
tre si diressero verso il recinto del bestiame, parlando con gli
animali come se fossero bambini anche loro, grattandoli sulla
testa e assestando pacche sui fianchi.

Man mano che la luce diventava più intensa, Hal si accorse
che quei bovini erano molto diversi da quelli di High Weald:
sembravano più alti e snelli, con una gobba enorme e corna così
ampie da risultare quasi grottesche, come se il peso fosse eccessivo anche per loro.

I ragazzi isolarono una mucca, allontanando il vitello dalla
sua mammella, poi uno s'inginocchiò sotto il ventre per mun-
gerla, facendo sprizzare getti abbondanti in un recipiente ricavato da una zucca. Nel frattempo gli altri due afferravano un torello, passandogli intorno al collo un laccio di cuoio; quando il
laccio fu teso e i vasi sanguigni spiccarono gonfi sotto la pelle
nera, uno dei due punse una vena con la punta acuminata di
una freccia e il primo ragazzo accorse con la zucca piena a metà
di latte, ponendo l'imboccatura sotto il fiotto di sangue rosso
che sprizzava dal forellino.

Quando la zucca fu piena, uno dei tre arrestò con una manciata di polvere il sangue che usciva dalla piccola ferita nel collo
del torello. La bestia si allontanò, per nulla indebolita dal salas-
so. I ragazzi agitarono energicamente la zucca e poi se la passarono, a turno, bevendo avidamente la miscela di latte e sangue e
facendo schioccare le labbra con un sospiro di piacere.

Erano così intenti a fare colazione che nessuno di loro notò

Aboli o Hal finché non si sentirono afferrare alle spalle e sollevare in aria, strillando e scalciando.

«Zitto, piccolo babbuino», ordinò Aboli.

«Negrieri!» gemette il maggiore dei tre, vedendo il viso bianco di Hal. «Ci hanno catturato i negrieri!»

«Ci divoreranno», squittì il minore.

«Non siamo negrieri», protestò Hal. «E non vogliamo farvi del male.»

Quel tentativo di rassicurarli non fece che provocare un nuovo parossismo di orrore nel terzetto. «È un demonio che sa parlare il linguaggio del cielo.»

«Capisce tutto quello che diciamo. È un demonio albino.»

«Ci mangerà sicuramente, come diceva mia madre.»

Aboli sollevò il maggiore a braccio teso, fissandolo con aria corrucciata. «Come ti chiami, scimmietta?»

«Guardate i tatuaggi», urlò il ragazzo, in preda al terrore e alla confusione. «È tatuato come i *monomatapa*, gli eletti del cielo.»

«È un grande *mambo*!»

«Oppure lo spirito del *monomatapa* che è morto tanto tempo fa.»

«Sono davvero un grande capo», dichiarò Aboli. «E tu mi dirai il tuo nome.»

«Mi chiamo Tweti... Oh, *monomatapa*, risparmiami, perché sono così piccolo. Sarei soltanto un boccone per le tue possenti mascelle.»

«Portami al tuo villaggio, Tweti, e risparmierò te e i tuoi fratelli.»

A poco a poco i ragazzi cominciarono a credere che non sarebbero stati divorati o ridotti in schiavitù, e presero a sorridere con timidezza dei tentativi di Hal di fare amicizia. Di lì a poco ridacchiavano, entusiasti di essere stati prescelti dal grande capo tatuato e dallo strano albino per condurli al villaggio.

Spingendo davanti a sé la mandria, percorsero una pista che attraversava le colline sbucando all'improvviso in un piccolo villaggio circondato da coltivazioni rudimentali, dove crescevano poche e stente piante di miglio. Le capanne erano foggiate ad alveare, con un bellissimo tetto di paglia, ma in quel momento erano deserte. Davanti a ogni capanna c'era un fuoco, sul quale erano posate pentole di terraglia, e nei recinti si scorgevano alcuni vitelli, mentre cesti intrecciati, armi e utensili erano sparsi qua e là, abbandonati dagli abitanti del villaggio nella loro fuga.

I tre ragazzi lanciarono richiami rassicuranti, rivolti alla boscaglia che circondava le capanne. «Venite fuori! Venite a vedere! È un grande *mambo* della nostra tribù, tornato a visitarci dal regno dei morti!»

La prima persona che uscì timidamente allo scoperto, da un ciuffo di erba degli elefanti, fu una vecchia che indossava solo una gonna di cuoio unticcio e aveva un'orbita vuota e un solo dente giallastro in bocca. Le mammelle flaccide penzolavano sul ventre grinzoso, scarnificato da tatuaggi rituali.

Non appena vide il viso di Aboli, corse a prostrarsi davanti a lui, sollevandogli uno dei piedi per metterselo sulla testa. «Possente *monomatapa*», gemette, «tu sei l'eletto del cielo, e io non sono che un inutile insetto, uno scarabeo stercorario, di fronte alla tua gloria.»

Da soli, a coppie e poi sempre più numerosi, gli altri abitanti del villaggio uscirono dai loro nascondigli per radunarsi dinanzi ad Aboli e inginocchiarsi in segno di obbedienza, cospargendosi il capo di polvere e di cenere in segno di ossequio.

«Non lasciamoci montare la testa da tutta questa adulazione, o eletto del cielo», gli disse Hal in inglese, con un tono piuttosto acido.

«Ti concedo la dispensa regale», ribatté Aboli senza sorridere. «Non c'è bisogno che ti inginocchi alla mia presenza, e neppure che ti cosparga il capo di cenere.»

Gli abitanti del villaggio portarono due sgabelli di legno scolpito, poi offrirono ai visitatori zucche di latte cagliato misto a sangue fresco, farinata di miglio, uccellini alla griglia, termiti arrostite e bruchi appena scottati sulla brace.

«Devi mangiare un boccone di tutto quello che ti offrono», ammonì Aboli, «altrimenti sarebbe una grave offesa per loro.»

Il giovane riuscì a inghiottire solo qualche sorsata di latte e sangue, mentre Aboli ne tracannò una zucca intera. Invece Hal trovò un po' più accettabili le altre leccornie: i bruchi sapevano di erba fresca e le termiti erano croccanti e deliziose, come castagne arrosto.

Alla fine del pasto, il capo del villaggio si fece avanti, procedendo a quattro zampe, per rispondere alle domande di Aboli.

«Dov'è la città dei *monomatapa*?»

«A due giorni di cammino, nella direzione del sole al tramonto.»

«Mi servono dieci uomini validi che mi facciano da guida.»

«Come comandi, *mambo*.»

Entro un'ora i dieci uomini erano pronti e il piccolo Tweti e i suoi compagni piangevano amaramente perché non erano stati prescelti per quell'onore, ma rimandati all'umile compito di guardiani della mandria.

Il sentiero che seguirono verso occidente passava attraverso foreste aperte di alberi alti e aggraziati, inframmezzate da ampie distese di savana erbosa. Incontrarono varie altre mandrie di bovini con la gobba, custodite da ragazzi nudi. Il bestiame pascolava apparentemente in pace con branchi di antilopi selvagge, alcune delle quali avevano un aspetto quasi equino, ma un mantello rossiccio o nero come la notte e corna ricurve come scimitarre orientali, che sfioravano i fianchi.

Più volte, nella foresta, videro degli elefanti, gruppetti di femmine accompagnate dai piccoli. Una volta passarono a meno di cento braccia da un grosso maschio, fermo sotto un albero spinoso dalla cima piatta, al centro della savana aperta. Quel patriarca non si mostrò affatto impaurito: si limitò ad allargare le orecchie lacerate come insegne di battaglia, sollevando le zanne ricurve per scrutarli con gli occhi minuscoli.

«Ci vogliono due uomini robusti per trasportare una di quelle zanne», osservò Aboli. «E nei mercati di Zanzibar spunterebbero trenta sterline inglesi l'una.»

Superarono molti piccoli villaggi di capanne ad alveare, simili a quello in cui viveva Tweti. Era evidente che la notizia del loro arrivo li aveva preceduti, perché gli abitanti uscivano per fissare con reverenza i tatuaggi di Aboli e prostrarsi ai suoi piedi, cospargendosi di polvere.

Ognuno dei capi locali implorava Aboli di onorare il suo villaggio trascorrendo la notte nella nuova capanna che il suo popolo aveva costruito apposta per lui, non appena ricevuta la notizia del suo arrivo. Gli offrivano cibo e bevande, zucche piene della miscela di sangue e latte e boccali d'argilla pieni di birra di miglio. Gli presentavano anche in omaggio punte di lancia e lame di ascia in ferro, una piccola zanna di elefante, mantelli e borse di pelle conciata. Aboli toccava tutti quei doni per indicare che li accettava, prima di restituirli al donatore. Gli portavano addirittura ragazze fra cui scegliere: piccole ninfe graziose

ornate con braccialetti in filo di rame ai polsi e alle caviglie e
minuscoli gonnellini di perline colorate, che coprivano appena
le pudenda. Le ragazze ridacchiavano, coprendosi la bocca con
le mani delicate dal palmo roseo, sbirciando Aboli con gli enormi occhi scuri, illanguiditi dal timore reverenziale. I seni morbidi da adolescenti scintillavano, spalmati di grasso di vacca misto ad argilla rossa, mentre le natiche nude e rotonde oscillavano a ogni passo quando si allontanavano deluse, congedate da
Aboli, voltandosi a guardarlo con desiderio misto a timoroso rispetto: quale prestigio avrebbero acquistato, se fossero state
scelte dal *monomatapa*!

Il secondo giorno si diressero verso un'altra catena di colline,
più accidentate, con le nude pareti di granito. Avvicinandosi, videro che la sommità di ogni collina era fortificata con mura di
pietra.

« Quella laggiù è la grande città dei *monomatapa*, costruita in
cima alle colline per resistere agli attacchi dei negrieri. I suoi
reggimenti sono sempre pronti a respingerli. »

Una gran folla scese dalle colline per salutarli: centinaia di
uomini e donne che indossavano i loro ornamenti di perline e i
gioielli d'avorio scolpito. Gli anziani portavano copricapi di
piume di struzzo e gonnellini di code di vacca. Tutti gli uomini
erano armati di lance, e reggevano in spalla archi da guerra.
Non appena videro il viso di Aboli, emisero gemiti pieni di reverenza e si gettarono ai suoi piedi, in modo che il *monomatapa*
calpestasse i loro corpi frementi.

Sospinti da quella calca, salirono lentamente il sentiero che
portava alla cima della collina più alta, superando una serie di
porte. A ciascuna di esse, una parte della folla si fermava; alla fine, quando raggiunsero la fascia di terreno in pendenza prima
della fortezza che coronava la vetta, erano accompagnati solo da
una manciata di capi, guerrieri e consiglieri di altissimo rango,
tutti addobbati con le insegne della loro carica.

Dinanzi all'ultima porta si fermarono anch'essi, e un nobile
vecchissimo, con i capelli argentei e l'occhio d'aquila, prese per
mano Aboli guidandolo nel cortile interno. Hal, liberatosi con
un'alzata di spalle dei consiglieri che cercavano di trattenerlo,
entrò al suo fianco.

Il pavimento del cortile interno era fatto d'argilla prima mescolata con sangue e sterco di vacca e poi compressa in modo
tale da assumere, asciugandosi, la consistenza del marmo rosso

levigato. Lo spiazzo era circondato da capanne molto più grandi di quelle che avevano visto fino a quel momento, e la copertura dei tetti era di erba fresca intrecciata. La porta di ogni capanna era decorata da oggetti che a prima vista sembravano sfere d'avorio; solo quando furono al centro del cortile Hal si accorse che erano teschi umani, e che tutt'intorno al perimetro ce n'erano altri, a centinaia, ammucchiati a formare alte piramidi.

Accanto a ogni piramide di teschi era infisso nel terreno un palo, in cima al quale era impalato un corpo di uomo o di donna. Per lo più quelle vittime erano morte da tempo ed emanavano un terribile fetore, ma una o due si contorcevano ancora o lanciavano gemiti pietosi.

Il vecchio si fermò al centro del cortile. Hal e Aboli rimasero in silenzio per qualche istante, poi dalla capanna più grande e imponente, che sorgeva proprio di fronte a loro, giunse una bizzarra cacofonia di strumenti musicali primitivi e di voci umane discordanti, mentre si andava formando una processione di strane creature. Strisciavano e si contorcevano come insetti sulla superficie di argilla levigata, e avevano il corpo e il volto ricoperti di argilla colorata nonché dipinti a disegni fantastici. Portavano addosso talismani, amuleti e feticci magici, pelli di rettili, ossa e teschi di uomini e animali, e tutto il macabro armamentario dei maghi e delle streghe. Piagnucolando, ululando e farfugliando, roteavano gli occhi e battevano i denti, suonando tamburi e strimpellando strumenti a una sola corda simili ad arpe.

Li seguivano due donne, completamente nude. Una era una donna matura, dai seni pieni e opulenti, con il ventre segnato dalle smagliature della gravidanza, mentre l'altra era una ragazza snella e graziosa, con un viso dolce e i denti di un bianco abbagliante dietro le labbra tumide. Era la più bella che Hal avesse mai visto da quando erano entrati nel territorio dei *monomatapa*; aveva la vita sottile, i fianchi rotondi e la pelle vellutata come raso nero. La ragazza si mise carponi, con le natiche rivolte verso di loro, e Hal si agitò turbato, nel vedere le parti intime della fanciulla esposte al suo sguardo. Persino in quelle circostanze, gravide di rischi e d'incertezza, si sentiva eccitato dalla sua femminilità.

«Non mostrare la minima emozione», lo ammonì Aboli sottovoce, quasi senza muovere le labbra. «Se ti è cara la vita, rimani impassibile.»

Gli stregoni tacquero. Per qualche istante rimasero tutti silenziosi e immobili, poi uscì dalla capanna una figura corpulenta, avvolta in un mantello di pelle di leopardo. Portava un alto copricapo fatto della stessa pelle maculata, che accentuava la sua altezza già imponente.

Soffermandosi sulla soglia, rivolse loro un'occhiata imperiosa, e tutto il corteo di stregoni accovacciati ai suoi piedi gemette di stupore e si coprì gli occhi, come se la bellezza e la maestà di quell'uomo fossero accecanti.

Hal ricambiò lo sguardo. Era difficile seguire il consiglio di Aboli di restare impassibile, perché il viso del *monomatapa* era tatuato esattamente nello stesso modo e con gli stessi disegni del viso che conosceva fin dall'infanzia, il grande viso rotondo di Aboli.

Fu proprio Aboli a rompere il silenzio. «Ti vedo, grande *mambo*. Vedo te, mio fratello. Vedo te, N'Pofho, figlio di mio padre.»

Il *monomatapa* socchiuse leggermente gli occhi, ma il suo viso tatuato rimase impassibile, come scolpito nell'ebano. A passi lenti e solenni, si diresse verso il punto in cui la ragazza nuda era carponi, sedendosi sulla sua schiena arcuata come se fosse uno sgabello. Continuò a fissare corrucciato Aboli e Hal, mentre il silenzio si prolungava.

D'improvviso fece un gesto spazientito, rivolto alla donna che stava in piedi accanto a lui; lei prese in mano uno dei seni e, mettendogli fra le labbra il capezzolo turgido, glielo diede da succhiare. Lui cominciò a poppare, con il pomo d'Adamo che sussultava, poi la respinse, asciugandosi le labbra con il palmo della mano. Ristorato da quella bevanda calda, guardò il suo veggente principale. «Parlami di questi stranieri, Sweswe!» gli ordinò. «Fammi una profezia, prediletto degli spiriti oscuri!»

Il più vecchio e brutto degli stregoni scattò in piedi, cominciando una danza selvaggia. Piroettando e saltando in aria, lanciò grida stridule, scuotendo il sonaglio che teneva in mano. «Tradimento!» gridò, con le labbra spruzzate di bava schiumosa. «Sacrilegio! Chi osa vantare legami di sangue con il Figlio del Cielo?» Si dimenò davanti ad Aboli, danzando sulle gambette ossute come una scimmia avvizzita. «Sento puzza di tradimento!» Lanciando il sonaglio ai piedi di Aboli, prese in mano uno scacciamosche infilato nella cintura. «Sento puzza di sedizione!» Brandendo lo scacciamosche, cominciò a tremare da capo a piedi. «Quale demonio è questo che osa imitare il tatuaggio sacro? » Fece roteare gli occhi fino a mostrare solo il bianco. «Attento, perché lo spirito di tuo padre, il grande Holomima, esige il sacrificio di sangue! » gridò con voce stridula, contraendo i muscoli per avventarsi contro Aboli, e colpendolo in viso con lo scacciamosche magico.

Aboli fu più veloce. La scimitarra balzò fuori dal fodero che portava alla cintura come se fosse dotata di vita propria, balenando al sole. Il nero vibrò un fendente e la testa dello stregone, spiccata di netto dal busto, rotolò all'indietro. Si fermò infine sull'argilla levigata, con gli occhi sbarrati rivolti al cielo, stupiti, mentre le labbra fremevano e guizzavano, nel tentativo di pronunciare le ultime parole d'accusa.

Il corpo decapitato rimase in piedi, per un attimo, reggendosi sulle gambe tremanti, poi uno zampillo di sangue schizzò alto nell'aria dal collo reciso, lo scacciamosche gli cadde di mano e il corpo si accasciò lentamente sopra la testa.

«Lo spirito di nostro padre Holomima esige il sacrificio di sangue», sibilò Aboli, «e io, Aboli suo figlio, gliel'ho reso. »

Per quella che a Hal parve un'eternità, nessuno parlò o si mosse, nell'area del recinto reale. Poi il *monomatapa* cominciò a fremere. Il ventre prese a tremolare, mentre le mascelle pendule ricoperte di tatuaggi vibravano; il viso si contorse in una maschera, apparentemente di collera furiosa.

Hal posò la mano sull'elsa della spada. «Se è davvero tuo fratello, lo ucciderò per te», bisbigliò ad Aboli. «Tu coprimi le spalle, e ci apriremo la strada combattendo. »

Fu allora che il *monomatapa* spalancò la bocca, lasciandosi sfuggire una risata fragorosa. «Il tatuato ha compiuto il sacrificio di sangue richiesto da Sweswe! » gridò, e per qualche minuto non riuscì a parlare, sopraffatto dall'ilarità. Scosso dalle risate, ansimava per riprendere fiato, si stringeva le braccia al corpo, poi riprendeva a ridere. «Avete visto com'è rimasto in piedi senza testa, mentre la bocca cercava ancora di parlare? » tuonava, con le guance rigate da fiumi di lacrime.

La banda di stregoni terrorizzati proruppe in strida e squittii di ilarità contagiosa. «Il cielo ride! » ululavano. «E tutti gli uomini sono felici. »

Di colpo il *monomatapa* smise di ridere. «Portatemi la stupida testa di Sweswe», ordinò.

Il consigliere che aveva guidato il corteo si precipitò a obbedire, raccogliendo la testa e inginocchiandosi davanti al re prima di offrirgliela.

Il *monomatapa* afferrò la testa, tenendola per la massa di trecce unte e aggrovigliate, poi, fissandola negli occhi vacui, ricominciò a ridere. «Che stupidità non riconoscere il sangue dei re. Come hai potuto non riconoscere mio fratello Aboli dal portamento maestoso e dal temperamento di fuoco? »

Scagliò la testa gocciolante contro gli altri stregoni, che si dispersero. «Imparate dalla stupidità di Sweswe», li ammonì. «Non fate più false profezie! Non ditemi più falsità! Sparite tutti, altrimenti chiederò a mio fratello di compiere un altro sacrificio di sangue. »

Fuggirono in preda al panico, mentre il *monomatapa* si alzava dal suo trono vivente per avanzare verso Aboli, con il faccione rischiarato da un gran sorriso di gioia. «Aboli! » esclamò abbracciandolo. «Fratello mio, che eri morto da tempo e ora vivi! »

Furono messe a loro disposizione una delle capanne lungo il perimetro del cortile e una processione di fanciulle che portavano in equilibrio sulla testa recipienti di coccio pieni di acqua calda per il bagno. Altre ragazze reggevano vassoi sui quali erano disposti indumenti destinati a sostituire i loro abiti sporchi e insanguinati: perizomi di pelle ornati di perline e mantelli di pelliccia e piume.

Quando si furono lavati e cambiati, indossando quegli abiti sontuosi, entrò un altro corteo di ragazze che portavano zucche piene di birra, un tipo di idromele ottenuto dalla fermentazione del miele selvatico e la miscela di latte e sangue. Altre ancora portavano vassoi di cibo caldo.

Alla fine del pasto, si presentò da loro il consigliere canuto che li aveva accompagnati alla presenza del *monomatapa*. Si accovacciò ai piedi di Aboli con grande cortesia e segni evidenti di rispetto. «Benché tu fossi troppo giovane, l'ultima volta che mi hai visto, per ricordarti di me ora, mi chiamo Zama, ed ero l'*induna* di tuo padre, il grande *monomatapa* Holomima. »

«Ne sono desolato, Zama, ma non ricordo quasi nulla di quei tempi. Ricordo mio fratello N'Pofho. Ricordo il dolore del coltello per i tatuaggi e del taglio della circoncisione, che abbiamo subito insieme. Ricordo che strillò più forte di me. »

Zama assunse un'espressione preoccupata, scrollando la testa come per ammonire Aboli a non usare un tono così irriverente nei confronti del re, ma la sua voce rimase calma e pacata. «Tutto questo è vero, salvo che il *monomatapa* non ha mai strillato. Ero presente alla cerimonia del coltello, e sono stato io a tenerti ferma la testa mentre il ferro rovente incideva le tue guance e recideva il cappuccio del pene.»

«Ora mi sembra di ricordare vagamente le tue mani e le tue parole di conforto. Ti ringrazio per questo, Zama.»

«Tu e N'Pofho eravate gemelli, nati alla stessa ora, ecco perché tuo padre ordinò che portaste entrambi il tatuaggio regale. Era una novità: mai prima di allora due figli di re erano stati tatuati insieme, nella stessa cerimonia.»

«Ricordo ben poco di mio padre, a parte il fatto che era alto e forte. Rammento come da piccolo avessi paura dei tatuaggi sul suo viso.»

«Era un uomo possente e temibile», convenne Zama.

«Ricordo la notte in cui morì: le grida, i colpi di moschetto e le fiamme terribili nella notte.»

«Io ero con lui, quando vennero i negrieri con le loro catene di dolore.» Gli occhi del vecchio si riempirono di lacrime. «Eri così giovane, Aboli. Mi meraviglio che tu ricordi quei fatti terribili.»

«Parlami di quella notte.»

«Com'era mia abitudine e mio dovere, dormivo sulla soglia della capanna di tuo padre. Ero al suo fianco, quando fu colpito da un proiettile sparato dai moschetti dei negrieri.» Zama tacque a quel ricordo, poi alzò di nuovo gli occhi. «Mentre giaceva agonizzante, mi disse: 'Zama, lasciami. Salva i miei figli. Salva i *monomatapa*!' e io mi affrettai a obbedire.»

«Venisti a salvarmi?»

«Corsi verso la capanna dove tu e tuo fratello dormivate con vostra madre, e tentai di strapparti a lei, però tua madre non volle lasciarti andare. 'Prendi N'Pofho!' mi ordinò, perché tu eri sempre stato il suo preferito. Così afferrai tuo fratello e fuggimmo insieme nella notte. Tua madre e io restammo separati nell'oscurità. Sentii le sue grida, ma avevo l'altro bambino fra le braccia, e tornare indietro avrebbe significato la schiavitù per tutti noi e l'estinzione della dinastia reale. Perdonami, Aboli: lasciai te e tua madre per proseguire la fuga, rifugiandomi sulle colline con N'Pofho.»

« Non c'è nulla da perdonare in quello che hai fatto », gli rispose Aboli, assolvendolo.

Zama si guardò attorno nella capanna, poi sussurrò: « È stata la scelta sbagliata. Avrei dovuto prendere te ». La sua espressione mutò, mentre si avvicinava ad Aboli, come per aggiungere qualcosa; poi si ritrasse, a malincuore, come se non avesse il coraggio di correre un rischio terribile, alzandosi lentamente in piedi. « Perdonami, Aboli, figlio di Holomima, ma ora devo lasciarti. »

« Ti perdono tutto », disse Aboli con dolcezza. « So che cos'hai nel cuore. Pensa a questo, Zama: ora un altro leone ruggisce in cima alla collina che poteva essere mia. La mia vita è legata a un nuovo destino. »

« Hai ragione, Aboli, e io sono un vecchio. Non ho più la forza o il desiderio di cambiare ciò che non si può cambiare. » Si alzò in piedi. « Domattina il *monomatapa* ti concederà udienza. Verrò a prenderti io. » Abbassò leggermente la voce. « Ti prego, non cercare di lasciare il recinto regale senza il permesso del re. »

Quando fu uscito, Aboli sorrise. « Zama ci ha chiesto di non andarcene. Del resto sarebbe difficile: hai visto le guardie che sono state disposte a tutti gli ingressi? »

« Sì, è impossibile non notarle. » Hal si alzò dallo sgabello di ebano per dirigersi verso la soglia della capanna. Contò venti uomini al cancello; erano tutti guerrieri magnifici, alti, muscolosi, armati di lancia e ascia da combattimento. Portavano alti scudi di pelle bovina bianca e nera, con un copricapo di penne di gru.

« Uscire di qui sarà molto più difficile che entrarci », osservò Aboli in tono tetro.

Al tramonto si presentò un altro corteo di ragazze con il pasto serale. « Capisco bene come mai il tuo regale fratello è così bene in carne », commentò Hal di fronte a quella profusione di cibo.

Quando si dichiararono soddisfatti, le ragazze si ritirarono, portando via i vassoi e i recipienti, e tornò a trovarli Zama.

Stavolta teneva per mano due fanciulle, che s'inginocchiarono di fronte a Hal e Aboli. Hal riconobbe nella più giovane delle due quella che era servita da trono vivente al *monomatapa*.

« Il *monomatapa* vi manda queste femmine per addolcire i vostri sogni con il miele dei loro lombi », annunciò Zama prima di ritirarsi.

Hal vide la più graziosa delle due alzare la testa per sorridergli con aria timida. Aveva un viso dolcissimo, le labbra tumide e
gli occhi scuri ed enormi. I capelli erano intrecciati con le perline per formare trecce lunghe fino alle spalle. Il corpo era rotondo e lucente, con i seni e le natiche scoperti, anche se la ragazza
portava un minuscolo gonnellino di perline.

« Ti vedo, o Grande », disse con un filo di voce, « e i miei occhi sono offuscati dallo splendore della tua presenza. » Strisciò
in avanti come un gattino, posandogli la testa sulle ginocchia.

« Non puoi restare qui. » Hal si alzò di scatto. « Devi andartene subito. »

La ragazza lo fissò costernata, mentre gli occhi le si riempivano di lacrime. « Non ti piaccio? » mormorò.

« Sei molto graziosa », ribatté Hal. « Ma... » Come poteva
dirle che era sposato a un meraviglioso ricordo?

« Lasciami restare con te, signore », lo implorò la ragazza in
tono patetico. « Se tu mi respingi, mi manderanno dal boia, e
morirò impalata. Ti prego, lasciami vivere. Abbi pietà di questa
femmina indegna, o Gloriosa Faccia Bianca. »

Hal si rivolse ad Aboli. « Che posso fare? »

« Mandala via », rispose lui con una scrollata di spalle. « Come dice lei, è indegna. Puoi sempre tapparti le orecchie per non
dover sentire le sue urla mentre viene impalata. »

« Non prendermi in giro, Aboli. Sai che non posso tradire il
ricordo della donna che amo. »

« Sukeena è morta, Gundwane. L'ho amata anch'io, come un
fratello, ma ora è morta. Questa ragazzina è viva, ma domani al
tramonto non lo sarà più, se non avrai pietà di lei. Non è stata
Sukeena a chiederti questo voto di fedeltà. »

Aboli si chinò verso l'altra ragazza, prendendola per mano e
facendola alzare in piedi.

« Non posso darti altro aiuto, Gundwane. Sei un uomo, e
Sukeena lo sapeva. Ora che non c'è più, riterrebbe giusto che tu
viva come tale per il resto dei tuoi giorni. »

Condusse la ragazza a lui destinata verso il retro della capanna, dov'era sistemata una pila di coperte di pelli, insieme con
un paio di poggiatesta di legno scolpito, fianco a fianco, poi la
fece adagiare sulle pelli e abbassò la cortina che li isolava dagli
altri.

« Come ti chiami? » chiese Hal alla ragazza rannicchiata ai
suoi piedi.

« Mi chiamo Inyosi, 'ape' », rispose lei. « Ti prego, non mandarmi a morire. » Strisciando verso di lui, gli cinse le gambe con le braccia, accostando il viso al suo inguine.

« Non posso », mormorava lui, « appartengo a un'altra. » Ma l'alito della ragazza era dolce e caldo sul suo ventre, mentre gli accarezzava le gambe.

« Non posso », ripeté disperatamente, mentre una delle piccole mani di Inyosi s'insinuava già sotto il perizoma.

« La tua bocca dice una cosa, Possente Signore », sussurrò la ragazza, « ma la grande lancia della tua virilità ne dice un'altra. »

Lasciandosi sfuggire un gemito soffocato, Hal la prese fra le braccia e corse con lei verso il giaciglio di pelli preparato in un angolo.

Dapprima Inyosi fu stupita dal furore della sua passione, ma poi lanciò un grido di gioia e lo eguagliò nello slancio, bacio per bacio.

All'alba, mentre si preparava a uscire, gli disse sottovoce: « Tu hai salvato la mia vita indegna, e in cambio devo tentare di salvare la tua. » Dopo averlo baciato per l'ultima volta, mormorò, con le labbra sulle sue: « Ho sentito il *monomatapa* parlare con Zama, mentre era seduto su di me. È convinto che Aboli sia tornato per reclamare il trono del cielo. Domani, durante l'udienza alla quale vi ha convocati, darà ordine alle sue guardie del corpo di afferrarvi e scaraventarvi in fondo al precipizio, sulle rocce dove le iene e gli avvoltoi sono in attesa di divorare i vostri cadaveri. » Inyosi si rannicchiò contro il suo petto. « Non voglio che tu muoia, mio signore. Sei troppo bello. »

Poi si alzò dal giaciglio per sgattaiolare fuori nel buio, mentre Hal si dirigeva verso il focolare, gettando sul fuoco una fascina di legna. Il fumo salì attraverso il foro al centro del tetto a cupola e le fiamme illuminarono l'interno di una luce gialla e palpitante.

« Aboli, sei solo? Dobbiamo parlare subito », disse a voce alta.

Aboli uscì dalla tenda. « La ragazza dorme... parliamo in inglese. »

« Tuo fratello ha intenzione di farci uccidere entrambi durante l'udienza. »

« Te lo ha detto la ragazza? »

Hal annuì, sentendosi in colpa per quell'accenno alla sua infedeltà.

Aboli sorrise comprensivo. «Così, la piccola ape ti salva la vita. Sukeena ne sarebbe lieta. Non devi sentirti in colpa.»

«Se tentassimo la fuga, tuo fratello ci lancerebbe alle calcagna un intero esercito, e non raggiungeremmo mai la nave.»

«Allora hai un piano, Gundwane?»

Zama venne a prenderli per condurli all'udienza reale. Uscendo dalla penombra della grande capanna, furono quasi accecati dallo splendore del sole africano, e Hal si soffermò a guardare lo spettacolo del popolo dei *monomatapa* affluiti per l'occasione.

Poteva calcolare il loro numero solo a occhio, comunque lo spazio centrale era circondato da un intero reggimento di guardie del corpo reali, un migliaio circa di guerrieri alti, abbigliati con il copricapo di penne di gru che li trasformava in giganti. La lieve brezza mattutina sfiorava le penne, agitandole, e il sole scintillava sulla lama delle lance.

Più in là, i nobili della tribù riempivano tutti gli spazi liberi e si allineavano in cima alla parete di blocchi di granito che circondava la cittadella. Le cento mogli del re si affollavano intorno alla porta della sua capanna; alcune erano tanto grasse e cariche di braccialetti e ornamenti che non potevano camminare senza un aiuto e si appoggiavano pesantemente al braccio delle loro ancelle. Quando si spostavano, le loro natiche rollavano e oscillavano come molli vesciche piene di lardo.

Zama guidò Hal e Aboli al centro del cortile, lasciandoli soli. Un silenzio greve calò sulla folla. Nessuno si muoveva, finché all'improvviso il comandante delle guardie non soffiò in un corno di kudu, e il *monomatapa* comparve sulla soglia della capanna.

Un sospiro attraversò la folla adunata nel cortile e tutti insieme, come un sol uomo, si gettarono lunghi distesi a terra, coprendosi il viso. Solo Hal e Aboli rimasero in piedi.

Il *monomatapa* si diresse verso il suo trono vivente, sedendosi sul dorso nudo di Inyosi.

«Parla prima tu!» sussurrò Hal. «Non lasciargli il tempo di ordinare l'esecuzione.»

«Ti vedo, fratello mio!» esclamò Aboli, mentre i cortigiani lanciavano un gemito inorridito di fronte a quella violazione dell'etichetta. «Vedo te, Grande Signore dei Cieli!»

Il *monomatapa* non diede segno di aver udito.

« Ti porto il saluto dello spirito di nostro padre, Holomima, che fu *monomatapa* prima di te. »

Il fratello di Aboli si ritrasse, come se un cobra si fosse drizzato davanti a lui. « Tu parli con gli spiriti? » La sua voce tradiva un lieve tremito.

« Nostro padre è venuto da me nella notte. Era alto come un grande baobab, e il suo volto era terribile, con gli occhi di fuoco. La sua voce era come il tuono nei cieli. È venuto da me per lanciarmi un terribile monito. »

L'assemblea lanciò un gemito di terrore superstizioso.

« E qual era questo monito? » gracchiò il *monomatapa*, fissando intimorito il fratello.

« Nostro padre teme per la nostra vita, la tua e la mia. Un grande pericolo ci sovrasta entrambi. »

Alcune delle mogli grasse strillarono, una cadde addirittura a terra in preda a convulsioni, con la schiuma alla bocca.

« Di che pericolo si tratta, Aboli? » Il re lanciava occhiate timorose attorno a sé, quasi vedesse degli assassini fra i suoi cortigiani.

« Nostro padre mi ha ammonito che tu e io siamo uniti in vita come lo siamo stati nella nascita. Se uno dei due prospera, lo stesso vale per l'altro. »

Il *monomatapa* annuì. « Che altro ti ha detto? »

« Ha detto che, se siamo uniti nella vita, lo saremo anche nella morte. Mi ha predetto che moriremo lo stesso giorno, ma che quel giorno dipenderà dalla nostra scelta. »

Il viso del re assunse uno strano colorito grigiastro, coprendosi di un velo di sudore. Gli anziani strillarono, mentre quelli più vicini al re estrassero piccoli coltelli di ferro per tagliuzzarsi il petto e le braccia, facendo sprizzare il sangue: in quel modo intendevano proteggerlo dalla stregoneria.

« Sono profondamente turbato dalle parole pronunciate da nostro padre », continuò Aboli. « Vorrei poter restare qui con te, nella terra del cielo, per proteggerti da questo destino. Ma, ahimè, l'ombra di mio padre mi ha avvertito inoltre che, se dovessi restare qui un giorno di più, morirei, e il *monomatapa* morirebbe con me. Devo partire subito, e non tornare mai più. Questo è il solo modo per sopravvivere entrambi alla maledizione. »

« Così sia. » Il *monomatapa* si alzò in piedi, puntando il dito tremante. « Devi andartene oggi stesso. »

« Purtroppo, diletto fratello, non posso andarmene di qui senza aver ottenuto quello che ero venuto a chiederti. »

« Parla, Aboli! Cos'è che ti manca? »

« Devo avere centocinquanta dei tuoi guerrieri migliori per proteggermi, perché un nemico terribile è in agguato, in attesa di colpirmi. Senza questi soldati, andrò incontro a morte certa, e la mia morte comporterebbe la morte del *monomatapa*. »

« Scegli! » gridò il *monomatapa*. « Scegli i migliori *amadoda* e portali con te. Sono tuoi schiavi. Puoi farne quello che vuoi, ma vattene oggi stesso. Lascia per sempre la mia terra. »

A bordo della pinaccia di testa, Hal prese la barra, puntando verso il mare aperto attraverso il braccio del delta che si chiamava Musela. Big Daniel lo seguiva dappresso, e la *Golden Bough* era lì all'ancora dove l'aveva lasciata, sul fondale di dieci braccia. Vedendoli avvicinarsi, Ned Tyler ordinò il posto di combattimento e tirò fuori i cannoni. Le pinacce erano così cariche di uomini che emergevano dall'acqua di due dita o poco più e, da lontano, così basse sull'acqua, sembravano canoe da guerra. Lo scintillio delle lance e i copricapi ondeggianti degli *amadoda* rafforzavano quell'impressione, e Ned diede ordine di sparare una bordata di avvertimento a prua. Quando il cannone tuonò, sollevando un pennacchio di schiuma dall'acqua una cinquantina di braccia più avanti della scialuppa di testa, Hal si alzò in piedi a prua, sventolando la bandiera con la *croix pattée*.

« Il Signore ci protegga! » esclamò Ned. « Stavamo sparando contro il comandante. »

« Non dimenticherò il saluto che mi avete rivolto, Tyler », gli disse Hal, non appena sbucato sul ponte dal boccaporto. « Ho diritto a un saluto con quattro salve, non una sola. »

« Che Dio vi benedica, comandante, non avevo idea che foste voi. Con rispetto parlando, credevo che fosse un branco di selvaggi pagani, signore. »

« Ed è quello che siamo, Tyler! » Hal sorrise della confusione di Ned quando un'orda di magnifici guerrieri invase il ponte della *Golden Bough*. « Credete di riuscire a trasformarli in marinai, Tyler? »

Giunto al largo, Hal puntò di nuovo la prua verso il nord, risalendo il canale fra il Madagascar e la terraferma. Era diretto a Zanzibar, il nodo nevralgico di tutti i traffici della costa. Lì sperava di avere ulteriori notizie sul corso della guerra santa nel Corno d'Africa e, se avesse avuto fortuna, di apprendere qualcosa sui movimenti della *Gull of Moray*.

Quello fu un periodo di adattamento per gli *amadoda*. Tutto era strano, per loro, a bordo della *Golden Bough*. Nessuno di loro aveva mai visto il mare. Avevano creduto che le pinacce fossero le canoe più grandi mai concepite dall'uomo, e rimasero intimoriti dalle dimensioni della nave, dall'altezza degli alberi e dalla vastità delle vele.

Quasi tutti furono colpiti subito dal mal di mare, per non parlare del tumulto provocato nelle loro viscere dalla dieta a base di gallette e carne in salamoia. Rimpiangevano le pentole di farinata di miglio e le zucche di latte e sangue e, non essendo mai stati confinati in uno spazio così ristretto, sognavano la vastità della savana.

Soffrivano il freddo, perché anche in quel mare tropicale gli alisei erano freschi e la corrente calda del Mozambico era pur sempre inferiore di alcuni gradi alla temperatura delle pianure assolate della savana. Hal ordinò ad Althuda, che era il responsabile delle scorte della nave, di consegnare loro alcune pezze di tela da vela, con la quale Aboli insegnò loro a cucirsi brache e giacche di tela incatramata.

Comunque gli *amadoda* dimenticarono presto queste tribolazioni quando Aboli ordinò a un gruppo di loro di seguire Jiri, Matesi e Kimatti sui pennoni per sciogliere e serrare le vele. A cento piedi di altezza sul ponte e sul mare in perenne movimento, oscillando sul grande pendolo dell'albero di maestra, per la prima volta nella loro vita quei guerrieri che avevano ucciso almeno un leone a testa conobbero il terrore.

Aboli li raggiunse lì dov'erano rimasti, cioè aggrappati disperatamente alle sartie, per schernirli: « Ma guardatele, queste verginelle! Sulle prime credevo che ci fosse almeno un uomo fra loro, ma mi accorgo che per pisciare dovrebbero accovacciarsi tutti ». Poi si tenne in equilibrio sul pennone oscillante, ridendo, e corse fino all'estremità, dove improvvisò una danza di guerra, battendo i piedi e balzando in aria. Uno degli *amadoda* non riuscì più a sopportare lo scherno; allentando la stretta mortale sul sartiame, si precipitò lungo il pennone verso il punto in cui si trovava Aboli.

«Allora un uomo c'è! » esclamò Aboli, ridendo e abbracciandolo. Nelle settimane che seguirono, tre *amadoda* caddero dal sartiame nel tentativo di emulare quell'impresa. Due finirono in mare e, prima che Hal potesse invertire la rotta e tornare indietro a raccoglierli, erano già finiti in pasto agli squali. Il terzo precipitò sul ponte, e la sua fu la fine più misericordiosa. Da allora non ci furono altre vittime e gli *amadoda*, abituati fin dall'infanzia ad arrampicarsi sugli alberi più alti in cerca di miele e uova di uccelli, divennero in breve tempo abili gabbieri.

Quando poi Hal fece portare dalla stiva fasci di picche per consegnarli agli *amadoda*, questi ulularono ballando di gioia, perché erano lancieri provetti. Rimasero subito entusiasti delle pesanti armi dalla letale punta di ferro. Aboli adattò le tattiche e le formazioni di combattimento degli indigeni allo spazio ristretto della *Golden Bough*, insegnando loro lo schema classico della testuggine, con gli scudi sovrapposti e serrati come le scaglie di un armadillo. Adottando quella formazione, potevano spazzare il ponte di una nave nemica senza incontrare opposizione.

Hal ordinò loro di sistemare una pesante stuoia di stoppa sotto il castello di prua per usarla come bersaglio. Quando gli *amadoda* si furono assuefatti al peso e all'equilibrio delle picche, impararono a scagliarle dall'altro capo della nave, conficcando per intero la pesante punta di ferro nella stuoia di ruvida fibra. Si dedicarono a quelle esercitazioni con tanto zelo che due di loro furono colpiti a morte prima che Aboli riuscisse a inculcare loro che quelle erano semplici esercitazioni, e non si doveva lottare a morte.

Poi venne il momento di iniziarli all'arco lungo inglese. I loro archi, al confronto, erano corti e di portata ridotta, per cui i guerrieri guardarono con sospetto quell'arma alta sei piedi, ne saggiarono il peso con diffidenza e scossero la testa. Hal tolse loro l'arco di mano, incoccando una freccia, poi guardò il gabbiano bianco e nero che planava in alto sull'albero di maestra. « Se riesco ad abbattere uno di quegli uccelli, lo mangerete crudo? » domandò. Sentendo quello scherzo, gli *amadoda* si sbellicarono dal ridere.

« Io mangerò anche le penne! » gridò un tipo grosso e baldanzoso che si chiamava Ingwe, « leopardo ». Con un solo movimento fluido, Hal tese l'arco e lanciò. La freccia salì in cielo, descrivendo controvento una traiettoria ad arco, e tutti lanciarono un grido di stupore quando trafisse il petto candido del gabbiano, che ripiegò le larghe ali e precipitò, piombando sul ponte ai piedi di Hal. Un *amadoda* lo raccolse, e si passarono tutti di mano in mano il corpo trafitto, parlottando fra loro.

«Non gli scompigliate le penne», li ammonì Hal, «altrimenti rovinerete la cena di Ingwe.»

Da quel momento in poi, nacque in loro un amore appassionato per l'arco lungo. Nel giro di pochi giorni erano diventati arcieri provetti. Quando Hal fece rimorchiare dietro la nave un barile vuoto a cento braccia di distanza, gli *amadoda* lo centrarono, dapprima in modo isolato, poi in massa, come veri arcieri inglesi. Issando di nuovo a bordo il barile, si scoprì che era irto di frecce come il dorso di un porcospino, e fu possibile recuperare sette frecce su dieci di quelle lanciate.

In un solo ambito gli *amadoda* non mostravano la minima predisposizione, e precisamente in quello delle grandi colubrine di bronzo. Nonostante le minacce e lo scherno che riversava su di loro, Aboli non riuscì a indurli ad avvicinarsi ai cannoni se non con superstizioso timore. Ogni volta che sentivano risuonare una bordata ululavano: «Questa è stregoneria. È il tuono dei cieli».

Hal redasse una nuova tabella dei turni di guardia, in cui i posti di combattimento dell'equipaggio erano organizzati in modo che i marinai bianchi facessero da serventi alle batterie, e gli *amadoda* manovrassero le vele e formassero i gruppi da arrembaggio.

L'isola di Zanzibar si annunciò all'orizzonte con un banco stabile di nuvole alte, venti leghe più avanti a prua. La striscia bianca di spiaggia della baia era orlata da una frangia di palme, ma le mura imponenti della fortezza erano ancora più bianche, abbaglianti come un ghiacciaio al sole. Il forte era stato costruito dai portoghesi un secolo prima e, fino a una decina di anni avanti aveva garantito loro il dominio sulle rotte commerciali di tutta la costa orientale del continente africano.

In seguito gli arabi del sultanato di Oman, agli ordini del sovrano guerriero Ahmed El Grang, detto «il Mancino», erano giunti a bordo dei loro *dhow* di guerra, attaccando i portoghesi e scacciando la loro guarnigione con grandi perdite. Quella sconfitta aveva segnato l'inizio del declino dell'influenza portoghese sulla costa, e gli arabi di Oman avevano imposto il loro dominio commerciale sulla regione.

Hal studiò la fortezza attraverso il cannocchiale, notando la bandiera dell'Islam che sventolava sulla torre, e le file serrate di cannoni lungo la sommità delle mura. Quelle armi potevano scagliare proiettili infuocati su qualunque veliero ostile che tentasse di entrare nella baia.

Fu scosso da un brivido di premonizione, al pensiero che, se si fosse unito alle forze di Prete Gianni, sarebbe diventato nemico di Ahmed El Grang: un giorno quegli enormi cannoni avrebbero potuto sparare contro la *Golden Bough*. Nel frattempo, doveva approfittare dell'ultima occasione per entrare nel campo degli arabi di Oman in veste neutrale e raccogliere tutte le informazioni possibili.

Il porto era affollato di piccole imbarcazioni, per lo più *dhow* appartenenti a musulmani provenienti dall'India, dall'Arabia e da Muscat. In mezzo a quella moltitudine c'erano anche due velieri: uno batteva bandiera spagnola e l'altro era francese, ma Hal non conosceva nessuno dei due.

Tutti quei mercanti approdavano a Zanzibar attirati dalle ricchezze dell'Africa: l'oro di Sofala, la gomma arabica, l'avorio e l'interminabile afflusso di individui destinati al mercato degli schiavi. Era lì che, nell'arco di una sola stagione, si offrivano in vendita settemila persone, fra uomini, donne e bambini, quando gli alisei sospingevano in porto i brigantini provenienti dalla parte opposta del capo di Buona Speranza e da tutto l'immenso bacino dell'oceano Indiano.

Hal abbassò la bandiera in segno di cortesia verso la fortezza, poi guidò la *Golden Bough* verso l'ancoraggio con le sole vele di gabbia. Al suo ordine, l'ancora calò con uno scroscio nell'acqua limpida e anche l'ultimo, minuscolo lembo di tela fu ammainato e serrato dagli esuberanti *amadoda* di Aboli. Quasi subito la nave fu assediata da una flotta di piccoli battelli che vendevano ogni articolo possibile e immaginabile, dalla frutta fresca all'acqua ai bambini. Questi ultimi ricevevano dai padroni l'ordine di chinarsi in avanti sul traversino e sollevare le vesti per esibire le piccole natiche brune a beneficio dei marinai affacciati alla battagliola della *Golden Bough*.

«Graziosi bambini bum-bum», tubavano i ruffiani nel loro inglese gergale. «Dolci natiche come manghi maturi.»

«Tyler, calate in mare una barca», ordinò Hal. «Io vado a

terra. Porterò con me Althuda, mastro Daniel e dieci degli uomini migliori. »

Raggiunsero a forza di remi l'approdo con i gradini di pietra sotto le mura della fortezza, e il primo a sbarcare fu Big Daniel, incaricato di aprire un varco nella calca di mercanti che si affollavano sulla battigia per offrire le loro merci. Durante l'ultimo scalo a Zanzibar, aveva fatto da scorta a terra per Sir Francis, quindi toccava a lui guidare il gruppo, mentre i marinai formavano una falange serrata intorno a Hal, marciando lungo le stradine.

Passarono accanto a bazar affollati, dove i mercanti mettevano in mostra il loro assortimento. Commercianti e marinai delle altre imbarcazioni presenti in porto sceglievano fra cataste di zanne di elefante e panetti di gomma arabica dorata e fragrante, mazzi di piume di struzzo e corni di rinoceronte, contrattando il prezzo dei tappeti di Muscat e degli aculei di porcospino pieni di granelli d'oro provenienti dai depositi alluvionali di Sofala e dei fiumi africani dell'interno. I negrieri esponevano file di esseri umani, che i potenziali acquirenti esaminavano controllando i denti, palpando i muscoli dei maschi o sollevando il gonnellino delle giovani donne per valutarne le grazie.

Da quella zona commerciale, Big Daniel li guidò verso un settore della città dove gli edifici costruiti ai lati dei vicoli parevano toccarsi in alto, tagliando fuori la luce del giorno. Qui il fetore di escrementi umani, proveniente dalle fogne a cielo aperto che scendevano verso il porto, rischiò di soffocarli.

Big Daniel si fermò bruscamente davanti a una porta ad arco in mogano, riccamente intagliata e irta di spuntoni di ferro. Poi tirò il cordone del campanello. Qualche minuto dopo, i chiavistelli dall'interno vennero tolti e la porta enorme si spalancò, lasciando scorgere una mezza dozzina di faccine brune che facevano capolino: bambini e bambine di sangue misto, fra i cinque e i dieci anni di età.

« Benvenuto, benvenuto! » cinguettarono in un inglese dall'accento insolito. « Possa la benedizione di Allah il misericordioso scendere su di voi, milord inglese. Possano tutti i vostri giorni essere dorati e profumati di gelsomino. »

Una bambina prese per mano Hal, guidandolo nel cortile interno. Al centro chiocciolava una fontana, mentre l'aria era fragrante del profumo del tamarindo. Un uomo alto, vestito di un'ampia tunica bianca, con un copricapo cinto da cordoni dorati alla maniera araba, si alzò dalla pila di tappeti di seta sulla quale era adagiato.

« Davvero, aggiungo mille benvenuti a quelli dei miei bambini, mio buon comandante, e possa Allah sommergervi di ricchezze e benedizioni », disse con l'accento familiare dello Yorkshire. « Ho visto la vostra bella nave gettare l'ancora nella baia, e ho capito che presto sareste venuti a trovarmi. » Batté le mani, e dal retro della casa emerse una fila di schiavi, ciascuno dei quali portava vassoi sui quali si scorgevano bicchieri di latte di cocco, oltre a piccole ciotole di dolci e nocciole tostate.

Il console fece accompagnare Big Daniel e i marinai negli alloggi della servitù, sul retro della casa. « Vi serviranno abbondanti rinfreschi », li rassicurò.

Hal lanciò a Big Daniel un'occhiata significativa, che il nostromo interpretò correttamente. In quella casa araba non ci sarebbero stati liquori, ma donne sì, e i marinai dovevano essere protetti da se stessi. Hal si tenne accanto Althuda, giacché era possibile che gli toccasse redigere qualche documento o prendere appunti.

Il console lo guidò verso un angolo appartato del cortile. « Ora consentitemi di presentarmi. Sono William Grey, console di sua maestà presso il sultanato di Zanzibar. »

« Henry Courteney, signore, per servirvi. »

« Ho conosciuto un certo Sir Francis Courteney. È un vostro parente, per caso? »

« È mio padre, signore. »

« Ah! Un uomo d'onore. Vi prego di porgergli i miei rispetti, la prossima volta che vi incontrerete. »

« Purtroppo è rimasto ucciso durante la guerra con gli olandesi. »

« Le mie condoglianze, comandante. Vi prego, accomodatevi. » Una pila di tappeti di seta era stata già disposta per Hal. Il console si sedette di fronte a lui e, quando si fu accomodato, uno schiavo gli portò una pipa ad acqua. « Una pipa di *bhang* è un toccasana contro i disturbi del fegato e contro la malaria, che in questi climi è un vero flagello. Volete farmi compagnia, signore? »

Hal rifiutò l'offerta, perché sapeva quali trucchi giocassero alla mente i fiori della canapa indiana, quali sogni e fantasticherie potessero procurare a chi li fumava.

Mentre fumava la pipa, Grey lo interrogò con astuzia sui

suoi movimenti recenti e sui progetti che aveva per il futuro, ottenendo da Hal solo risposte cortesi ma evasive. Come una coppia di duellanti, si battevano in attesa di un varco nella guardia dell'altro. Via via che l'acqua gorgogliava nell'alto contenitore di vetro della pipa e il fumo fragrante si diffondeva nel cortile, Grey diventava più affabile ed espansivo.

« Vivete alla maniera di un grande sceicco », osservò Hal, tentando la strada dell'adulazione. Grey rispose con entusiasmo.

« Eppure ci credereste che, soltanto quindici anni fa, ero un umile impiegato della Compagnia inglese delle Indie Orientali? Quando la mia nave fece naufragio sulla barriera corallina di Sofala, mi ritrovai qui come un reietto. » Si strinse nelle spalle, con un gesto più orientale che inglese. « Come sapete, Allah mi ha sorriso. »

« Avete abbracciato l'Islam? » Hal non lasciò trasparire dall'espressione la ripugnanza che provava per quell'apostata.

« Sono un vero credente: Allah è l'unico Dio, e Maometto il suo profeta », confermò l'altro annuendo. Hal si domandava fino a che punto la sua decisione di convertirsi era stata dettata da considerazioni politiche e pratiche. Grey il cristiano non avrebbe prosperato a Zanzibar quanto Grey il musulmano.

« La maggior parte degli inglesi che fanno scalo a Zanzibar hanno in mente una cosa sola », continuò Grey. « Sono venuti qui per affari, e di solito acquistano un carico di schiavi. Mi dispiace che questa non sia la stagione migliore per il commercio degli schiavi. Gli alisei hanno portato qui i *dhow* dall'India e anche oltre. Si sono accaparrati già gli esemplari migliori... Nel mio recinto ho comunque duecento creature di prima qualità, le migliori che possiate trovare nel raggio di mille miglia. »

« Grazie, signore », rispose Hal, « ma non sono interessato agli schiavi. »

« Questa, signore, è una decisione deplorevole. Vi assicuro che c'è ancora di che accumulare una grande fortuna in questo campo. I piantatori di canna da zucchero del Brasile e dei Caraibi invocano manodopera per farla lavorare nei campi. »

« Grazie ancora. Non sono in affari. » Adesso agli occhi di Hal era chiaro in che modo avesse fatto fortuna Grey. Il posto di console era secondario, rispetto a quello di agente e mediatore per i mercanti europei che confluivano a Zanzibar.

« C'è un altro settore suscettibile di investimenti produttivi in cui potrei esservi utile. Ho osservato dal tetto la vostra nave quando avete gettato l'ancora, e non ho potuto fare a meno di notare che è ben armata. Si potrebbe quasi dire che è un vascello di linea. »

Hal annuì, senza compromettersi, e Grey continuò: « Voi forse non sapete che il sultano di Oman Ahmed El Grang, prediletto da Dio, è in guerra con l'imperatore dell'Etiopia ».

« L'ho sentito dire. »

« È una lotta senza esclusione di colpi, in terra e per mare. Il sultano ha rilasciato lettere di marca per le navi che desiderano unirsi alle sue forze. Queste commissioni in genere sono limitate ai comandanti musulmani, ma io, avendo una grande influenza alla corte del sultano, potrei procurarvene una. Naturalmente non si tratta di un favore che si ottiene con facilità. Ottenere per voi una lettera di marca del sultanato di Oman mi costerebbe duecento sterline, signore. »

Hal stava per respingere con indignazione quell'offerta di unirsi ai pagani nella guerra contro Cristo e i suoi seguaci, quando l'istinto lo ammonì di non rifiutare subito. « Potrebbero esserci profitti, signore? » domandò con aria pensierosa.

« Ma certo. Ci sono ricchezze enormi da accaparrarsi. L'impero di Prete Gianni è una delle più antiche roccheforti della fede cristiana: da oltre mille anni l'oro e le offerte dei pellegrini si sono accumulati nel tesoro delle chiese e dei monasteri. Lo stesso Prete Gianni è ricco come qualsiasi sovrano europeo. Si dice che nel suo tesoro, ad Axum, ci siano oltre venti tonnellate d'oro. » L'avidità faceva ansimare Grey di fronte all'immagine che aveva evocato con la fantasia.

« E voi potreste procurarmi una commissione da parte del sultano? » Hal si protese in avanti, simulando interesse.

« Certo, signore. Neanche un mese fa sono riuscito a ottenerla per uno scozzese. » Grey fu colpito da un'idea improvvisa, e il suo viso s'illuminò. « Se facessi altrettanto per voi, forse potreste unire le forze. Con due navi da combattimento come le vostre, formereste una squadra navale tanto potente da affrontare qualunque veliero la marina di Prete Gianni possa mandarvi contro. »

« È un'idea eccitante, » disse Hal con un sorriso, fingendo di non mostrarsi troppo interessato; credeva di intuire chi fosse il comandante scozzese. « Ma chi è l'inglese di cui parlate? »

« Un vero gentiluomo e un grande marinaio », rispose Grey

con entusiasmo. « È salpato da Zanzibar meno di cinque settimane fa, diretto verso il Corno d'Africa. »

« Allora potrò raggiungerlo e unire le mie forze alle sue », rifletté Hal a voce alta. « Indicatemi il suo nome e la sua posizione, signore. »

Grey lanciò un'occhiata cospiratoria al cortile, prima di abbassare la voce. « È un nobile di alto rango, il conte di Cumbrae. » Poi si rilassò, battendosi sul ginocchio per sottolineare l'enormità della rivelazione. « Ecco, signore! E voi che ne pensate? »

« Sono molto meravigliato. » Hal non ebbe difficoltà a mascherare l'eccitazione. « Ma voi credete davvero che potreste procurare una commissione anche a me? E, in caso affermativo, quanto tempo ci vorrebbe? »

« In Arabia non si fa mai nulla in fretta. » Grey ridivenne evasivo. « Ma si possono sempre accelerare le cose con una piccola *bakshish*. Diciamo un extra di duecento sterline, vale a dire quattrocento in tutto, e dovrei essere in grado di rimettere la commissione nelle vostre mani domani sera. Naturalmente, esigerei il pagamento anticipato. »

« È una grossa somma. » Hal corrugò la fronte. Ora che sapeva dov'era diretto l'Avvoltoio, avrebbe voluto precipitarsi subito a bordo della *Golden Bough* per salpare, lanciandosi all'inseguimento; ma tenne a freno quell'impulso, perché doveva estorcere a Grey anche la più piccola informazione.

« Sì », ammise l'altro. « Ma pensate a quello che vi frutterà. Venti tonnellate di oro puro per l'uomo tanto audace da strapparle dal tesoro di Prete Gianni. E non è tutto. Ci sono anche i gioielli e gli altri tesori inviati in pagamento dei tributi all'impero da oltre mille anni, i tesori delle chiese copte... Le reliquie di Gesù Cristo e della Vergine, degli apostoli e dei santi. Il riscatto che potrebbero valere è incalcolabile. » Gli occhi scintillarono di avidità. « Si dice... » S'interruppe per abbassare di nuovo la voce. « Si dice che Prete Gianni sia addirittura il custode del Santo Graal. »

« Il Santo Graal. » Hal impallidì per la venerazione che portava a quella sacra reliquia, e Grey rimase entusiasta della reazione prodotta.

« Sì, sì! Il Santo Graal! La preziosa coppa che i cristiani cercano fin dal giorno della crocifissione. »

Hal scosse la testa, fissando Grey con autentico stupore. Era turbato da una strana sensazione che lo lasciava senza parole. Gli balenarono alla mente le predizioni del padre e di Sukeena; in fondo al cuore sapeva che questo faceva parte del destino che gli era stato prefigurato.

Grey interpretò quel silenzio e la scrollata di capo come segni di scetticismo. «Vi assicuro, signore, che il Santo Graal è il motivo principale per cui il Gran Mogol e Ahmed El Grang hanno attaccato l'impero di Etiopia. Questo l'ho appreso dalle labbra del sultano in persona. È convinto anche lui che la reliquia sia affidata alle cure di Prete Gianni. Lo ha predetto uno dei più importanti *ayatollah* dell'Islam, assicurandogli che se riuscirà a strappare il Graal a Prete Gianni la sua dinastia sarà investita di un potere incredibile, e questo sarà il preludio al trionfo dell'Islam su tutte le false religioni del mondo.»

Hal lo fissò esterrefatto. I suoi pensieri erano in tumulto, e non era più sicuro di se stesso o di alcunché, nel mondo che lo circondava. Fu necessario uno sforzo immenso per accantonare dalla mente una prospettiva terribile come la sottomissione del cristianesimo e per riordinare i pensieri.

«E dov'è conservata questa reliquia?» chiese con voce roca.

«Nessuno lo sa con certezza, tranne Prete Gianni e i suoi monaci. Qualcuno dice ad Axum o a Gondar, altri dicono che sia occultata in un monastero fra le montagne più alte.»

«Non sarà già caduta nelle mani di El Grang o del Gran Mogol? Forse le sorti della guerra sono già decise, in un senso o nell'altro?»

«No, no!» rispose Grey con veemenza. «Proprio stamattina è arrivato un *dhow* dal golfo di Aden, portando notizie che risalgono a meno di otto giorni fa. Pare che gli eserciti vittoriosi dell'Islam siano stati fermati a Mitsiwa. Tra le file dei cristiani è salito di recente alla ribalta un potente generale, che chiamano Nazet, e, per quanto non sia che uno sbarbatello, gli eserciti di Tigre e Galla sono ai suoi ordini.» Dal gusto che Grey metteva nel riferire queste sconfitte registrate dalla causa dell'Islam, Hal ricavò l'impressione che il console tenesse per entrambe le parti. «Nazet ha respinto gli eserciti di El Grang e del Mogol, che ora si fronteggiano davanti a Mitsiwa, raccogliendo le forze per la battaglia finale, che deciderà le sorti della guerra. È tutt'altro che finita. Vi consiglio seriamente, mio giovane amico, una volta ottenuta la lettera di marca che vi procurerò, di affrettarvi a salpare per Mitsiwa in tempo per partecipare alla divisione del bottino.»

«Devo riflettere su tutto quello che mi avete detto», replicò Hal alzandosi dal mucchio di tappeti. «Se dovessi decidere di avvalermi della vostra generosa offerta, tornerò domani con le quattrocento sterline per l'acquisto della commissione del sultano.»

«Sarete sempre il benvenuto in casa mia», gli assicurò Grey.

«Riportami alla nave il più presto possibile», ordinò Hal a Big Daniel, non appena gli alti battenti scolpiti della porta si chiusero dietro di loro. «Voglio salpare con la marea di stasera.»

Erano arrivati al primo bazar quando Althuda afferrò per il braccio Hal. «Devo tornare indietro. Ho lasciato il mio diario nel cortile.»

«Ho una fretta terribile, Althuda. L'Avvoltoio è già in vantaggio su di noi di un mese e più, ma ora so con certezza dove cercarlo.»

«Devo recuperare il mio diario. Precedetemi sulla nave. Non tarderò molto. Manda la barca a prendermi, e falla aspettare ai gradini del porto. Sarò lì prima che salpiate.»

«Non farmi aspettare invano, Althuda. Non posso tardare.»

Hal lo lasciò andare a malincuore, affrettandosi a seguire Big Daniel. Raggiunta la *Golden Bough*, mandò indietro la lancia ad aspettare Althuda all'approdo, dando ordine di preparare la nave per il mare. Poi scese nella sua cabina per stendere sulla scrivania sotto le finestre di poppa le carte e le istruzioni per la navigazione nel golfo di Aden e sul mar Rosso che aveva ereditato da Llewellyn.

Le aveva studiate quasi tutti i giorni da quando era a bordo della nave, e quindi non aveva difficoltà a localizzare tutti i nomi che Grey aveva citato nel discorso. Tracciò la rotta per doppiare l'estremità del Corno d'Africa e navigare lungo il golfo di Aden, superando lo stretto di Bab al-Mandab per entrare nelle acque meridionali del mar Rosso. C'erano centinaia di isolette sparse lungo la costa etiopica, e offrivano un nascondiglio perfetto a corsari e pirati.

Avrebbe dovuto evitare la flotta del Gran Mogol e del sultano di Oman finché non fosse riuscito a raggiungere la corte cristiana di Prete Gianni, ottenendo la commissione da lui. Non poteva attaccare i musulmani senza avere quel documento fra le mani, altrimenti rischiava la stessa sorte del padre: l'accusa di pirateria.

Forse poteva riuscire a mettersi in contatto con il comandante dell'esercito cristiano, quel generale Nazet, di cui aveva parlato Grey, per mettere a sua disposizione la *Golden Bough*. In ogni caso, rifletté, la flotta da trasporto dell'esercito musulmano si sarebbe concentrata in quei mari già affollati, e loro potevano cadere facilmente preda di una veloce fregata comandata da un comandante audace. C'era un aspetto sul quale Grey aveva ragione: nei prossimi giorni erano in palio fortuna e gloria.

Sentendo la campana suonare la fine del turno di guardia, lasciò le carte per salire in coperta. La marea era cambiata. Poi lanciò un'occhiata al porto e riconobbe, anche a quella distanza, la figura di Althuda in cima agli scalini dell'approdo. Era impegnato in un fitto parlottio con Stan Sparrow, che aveva riportato indietro la lancia per attenderlo.

«Dannazione», borbottò Hal, «perde tempo in chiacchiere idiote.» Dedicò tutta la sua attenzione alle condizioni della nave, seguendo con gli occhi i gabbieri che salivano rapidi e sicuri lungo le sartie per issare le vele. Quando guardò di nuovo verso la riva, vide che la lancia stava accostando alla murata della nave, sotto il punto in cui lui si trovava.

Non appena toccò lo scafo, Althuda salì la scaletta, piantandosi davanti a Hal con espressione seria. «Sono venuto a prendere Zwaantie e mio figlio», disse in tono solenne. «E a dirti addio.»

«Non capisco.» Hal lo fissava sbigottito.

«Il console Grey mi ha assunto al suo servizio come scrivano. Ho intenzione di restare qui a Zanzibar con la mia famiglia.»

«Ma perché, Althuda? Perché?»

«Tu sai bene che Sukeena e io siamo stati allevati da nostra madre nella religione del profeta di Allah, Maometto. Tu sei deciso a combattere contro gli eserciti dell'Islam in nome del Dio cristiano, e io non posso più seguirti.» Althuda gli volse le spalle per dirigersi verso il castello di prua e di lì a pochi minuti era di ritorno con Zwaantie, tenendo fra le braccia il piccolo Bobby. Zwaantie piangeva in silenzio, e distolse lo sguardo da Hal. Althuda invece, in cima alla scaletta, lo fissò.

«Questa separazione mi addolora, ma mi conforta il pensiero dell'amore che hai portato a mia sorella e invoco su di te la benedizione di Allah.» Pronunciate queste parole, salì con Zwaantie a bordo della lancia. Hal li seguì con lo sguardo fino al molo, vedendoli salire i gradini di pietra. Althuda non si voltò mai indietro, mentre lui e la sua famigliola scomparivano nella folla di mercanti vestiti di bianco, accompagnati dai loro schiavi.

Hal era così rattristato da non rendersi conto che la lancia era tornata finché non vide, con un sussulto, che era stata già issata a bordo e che Ned Tyler alla barra del timone aspettava i suoi ordini.

«Salpate l'ancora, per favore, Tyler. Issate le gabbie e puntate verso il canale.»

Lanciò ancora un'occhiata a terra, sentendosi solo, perché Althuda aveva reciso il suo ultimo, tenue legame con Sukeena. «Se n'è andata», sussurrò, «ora se n'è andata davvero.»

Voltando risolutamente le spalle alla bianca cittadella, guardò il punto in cui i monti Usambara, sul continente africano, si stendevano bassi e azzurrini sull'orizzonte.

«Portate la nave sulla rotta a sinistra, Tyler. Issate tutta la velatura ordinaria. La rotta è nord nord-est e un punto a est per superare l'isola di Pemba.»

Il vento resse e dodici giorni dopo doppiarono il capo Guardafui, all'estremità del grande corno di rinoceronte dell'Africa: davanti a loro si apriva il golfo di Aden. Hal ordinò il cambio di rotta per puntare a est.

Le scabre scogliere e le colline rosse del golfo di Aden parevano le mascelle dell'Africa. Vi entrarono sospinti dall'ultimo soffio degli alisei. Il caldo era infernale e senza il vento sarebbe stato insopportabile; il mare era di un azzurro particolarmente vivido, e rifletteva la pancia bianca delle rondini di mare che roteavano sulla scia della nave.

Davanti a loro le coste alte si avvicinavano sempre più, formando la strozzatura di Bab al-Mandab. Superarono di giorno lo stretto roccioso, entrando nella gola del mar Rosso, e Hal ridusse la velatura, perché quelle erano acque insidiose, disseminate di centinaia di isole e irte di barriere di corallo tagliente. A est si stendevano le torride terre dell'Arabia, a ovest le coste dell'Etiopia e l'impero di Prete Gianni.

In quelle acque molto frequentate, cominciarono a incontrare altre navi. Ogni volta la vedetta avvertiva il cassero e Hal saliva in coffa di persona, ansioso di veder comparire all'orizzonte le gabbie di una nave a vela quadra, di riconoscere l'assetto della *Gull of Moray*. Invece ogni volta restava deluso. Erano tutti *dhow* che fuggivano lontano dal profilo alto e minaccioso della *Golden Bough*, cercando riparo nelle acque basse dove la grande nave non poteva seguirli.

Hal scoprì ben presto quanto fossero imprecise le carte che aveva trovato nella scrivania di Llewellyn. Alcune delle isole che superarono non comparivano affatto sulle carte, mentre altre erano disegnate a leghe intere di distanza dalla loro posizione reale. Gli scandagli indicati erano pure invenzioni della fantasia del cartografo. Giacché le notti erano senza luna, Hal non osò spingersi oltre nel buio fra quelle barriere e quelle isole. Al crepuscolo gettò l'ancora per la notte al riparo di una delle isole più grandi.

«Nessuna luce», ordinò a Ned Tyler. «Eseguite le manovre in silenzio.»

«Non c'è verso di far tacere gli uomini di Aboli. Starnazzano come oche azzannate da una volpe.»

Hal sorrise. «Gliene parlerò io.»

Quando salì in coperta all'inizio del primo turno di guardia, la nave era buia e silenziosa. Fece i soliti giri di ispezione, fermandosi a parlare per qualche minuto con Aboli, che era a capo del turno. Poi andò ad affacciarsi alla battagliola, da solo, contemplando il cielo.

Tutt'a un tratto sentì un rumore estraneo e, per un attimo, pensò che provenisse dalla nave. Poi si rese conto che erano voci umane, ma parlavano in una lingua che lui non conosceva; si spostò in fretta a poppa, e le voci divennero più vicine e più nitide. Udì persino il cigolio del sartiame e lo scricchiolio dei remi, accompagnato da tonfi nell'acqua.

Corse di nuovo a prua in cerca di Aboli. «Riunisci un gruppo da arrembaggio armato. Dieci uomini», sussurrò. «Nessun rumore. Calate in mare la lancia.»

Aboli impiegò solo dieci minuti a eseguire l'ordine. Non appena la barca toccò la superficie dell'acqua, salirono a bordo e si allontanarono. Al timone c'era Hal, che virò nelle tenebre, procedendo alla cieca verso l'isola invisibile.

Alcuni minuti dopo, sussurrò: «Basta!» e i rematori si fermar332. D'improvviso udirono poco lontano il suono di qualcosa che cadeva sul tavolato di legno di un ponte, seguito da un'esclamazione di dolore o di irritazione. Aguzzando lo sguardo in quella direzione, alla luce delle stelle, Hal vide il chiarore di una piccola vela latina.

« Forza, tutti insieme! » bisbigliò. La barca scattò in avanti, mentre Aboli si alzava a prua tenendo in mano un grappino legato all'estremità di una cima. Il piccolo *dhow* che emerse bruscamente dal buio di fronte a loro non era molto più alto del capo di banda della barca. Aboli fece roteare il gancio oltre la fiancata, imprimendo uno strattone alla cima.

« Agganciato! » grugnì. « Forza, ragazzi. »

Gli uomini lasciarono i remi e, con un agghiacciante grido di guerra, invasero il ponte dell'imbarcazione sconosciuta, accolti da grida di costernazione e di terrore. Hal legò la barra del timone, afferrando la lanterna cieca per lanciarsi sulle tracce dei suoi uomini e frenarne l'impeto. Quando aprì lo sportellino della lanterna per proiettare la luce intorno, scoprì che l'equipaggio del *dhow* era già sottomesso, steso sul ponte a braccia e gambe larghe. C'era una dozzina circa di marinai seminudi, scuri di pelle, ma in mezzo a loro spiccava un uomo anziano, vestito con una lunga tunica. Hal sulle prime lo scambiò per il comandante.

« Portatelo qui », ordinò. Quando gli trascinarono davanti il prigioniero, Hal vide che aveva una barba fluente lunga fin quasi alle ginocchia e un gran numero di croci copte e rosari appesi al collo. La mitra quadrata che portava sulla testa era ricamata con fili d'oro e d'argento. « Tutto a posto! » segnalò agli uomini che lo immobilizzavano. « Trattatelo con gentilezza, è un sacerdote. » Il prigioniero fu liberato subito; si rassettò le vesti, ravviandosi la barba con le dita, poi si drizzò in tutta la sua altezza, squadrando Hal con glaciale dignità.

« Parlate inglese, padre? » domandò Hal. L'uomo lo fissò di rimando. Anche alla luce incerta della lanterna, il suo sguardo era freddo e penetrante, ma non dava segno di aver capito. Hal passò al latino. « Chi siete, padre? »

« Sono Fasilides, vescovo di Axum, confessore di sua maestà Yohannis, imperatore d'Etiopia », rispose il sacerdote in un latino dotto e scorrevole.

« Vi chiedo umilmente perdono, vostra grazia. Ho scambiato questo battello per quello di un invasore musulmano. Desidero con tutto il cuore la vostra benedizione. » Hal piegò un ginocchio sul ponte. Forse sto esagerando con l'umiltà, si disse, ma il vescovo parve accogliere quel gesto come un atto dovuto. Tracciò il segno della croce sulla testa di Hal, posandogli poi due dita sulla fronte.

« *In nomine Patris, et Filii, et Spiritus Sancti* », intonò modulando la voce e porgendo a Hal l'anello da baciare. Ora sembrava abbastanza raddolcito da permettere all'altro di sfruttare l'occasione.

« Questo è un incontro davvero provvidenziale, vostra grazia », disse rialzandosi. « Io sono un cavaliere dell'ordine del Tempio di San Giorgio e del Santo Graal. Sono in viaggio per mettere la mia nave e i suoi uomini a disposizione di Prete Gianni, il cristianissimo imperatore d'Etiopia, nella guerra santa contro le forze dell'Islam. Come confessore di sua maestà, voi potreste condurmi alla sua corte. »

« Forse è possibile ottenere una udienza », rispose Fasilides con sussiego.

Ma la sua compunzione fu scossa e i suoi modi migliorarono di colpo quando la luce dell'alba rivelò la *Golden Bough* in tutta la sua magnificenza. Fasilides divenne ancor più cordiale quando Hal lo invitò a bordo, offrendosi di ospitarlo per il resto del viaggio.

Hal poteva formulare solo congetture sul motivo per cui il vescovo di Axum se ne andava a zonzo per le isole a mezzanotte a bordo di un piccolo *dhow* che puzzava di pesce, e Fasilides, interrogato sull'argomento, ridiventò altezzoso. « Non sono autorizzato a discutere affari di Stato, temporali o spirituali che siano. »

Fasilides portò a bordo con sé i due servitori, nonché uno dei pescatori del *dhow*, che doveva fare da pilota a Hal. Una volta a bordo della *Golden Bough*, il vescovo si insediò comodamente nella piccola cabina attigua a quella di Hal.

Con un pilota locale a bordo, Hal poté puntare verso Mitsiwa a tutta velocità, senza neanche degnarsi di ridurre la velatura al tramonto del sole.

Invitò Fasilides a cenare con lui e il buon vescovo rivelò una notevole predilezione per il vino e il brandy di Llewellyn. Hal teneva sempre il suo bicchiere pieno fino all'orlo, impresa che richiedeva non poca destrezza. La dignità di Fasilides calava in proporzione al livello del brandy nella caraffa, tanto che rispose alle domande di Hal con riserve via via minori. « L'imperatore si trova nel monastero di San Luca, sulle colline che dominano Mitsiwa, insieme con il generale Nazet. È là che devo incontrarlo », spiegò.

« Ho sentito dire che l'imperatore ha riportato una grande vittoria sui pagani a Mitsiwa », indagò Hal.

« Una grande e straordinaria vittoria! » confermò Fasilides con calore. « A Pasqua, i pagani hanno attraversato lo stretto di Bab al-Mandab con un forte esercito, risalendo la costa verso nord e conquistando tutti i porti e i forti. Il padre del nostro imperatore Yohannis è caduto in battaglia e gran parte del nostro esercito è stata dispersa e distrutta. I *dhow* di guerra di El Grang sono piombati sulla nostra flotta nella baia di Adulis, catturando o bruciando venti delle nostre navi migliori. Quando poi i pagani hanno schierato migliaia di uomini davanti a Mitsiwa, è sembrato che Dio avesse abbandonato l'Etiopia. » Gli occhi di Fasilides si riempirono di lacrime e il vescovo dovette bere una generosa sorsata di brandy per calmarsi. « Ma Egli è l'unico Dio ed è fedele al suo popolo. Ci ha mandato un guerriero per ricomporre il nostro esercito in rotta. Nazet è sceso dalle montagne, portando con sé l'esercito degli amhara per unirsi alle nostre forze qui sulla costa e innalzando nelle prime file il sacro Tabernacolo di Maria madre di Dio. Questo talismano è come una folgore nella mano di Nazet. Davanti alla sua avanzata, i pagani sono arretrati, confusi. »

« Qual è questo talismano di cui parlate, vostra grazia? È una sacra reliquia? »

Il vescovo abbassò la voce, chinandosi sul tavolo per afferrare la mano di Hal e guardarlo negli occhi. « È una reliquia di Gesù Cristo, la più potente di tutta la cristianità. » Fissava Hal con un fervore tanto intenso che Hal si sentì accapponare la pelle per la soggezione. « Il Tabernacolo di Maria contiene la coppa della vita, il Santo Graal che Cristo usò nell'Ultima Cena; lo stesso calice nel quale Giuseppe di Arimatea raccolse il sangue del Salvatore mentre Egli era inchiodato alla croce. »

« E ora dove si trova il Tabernacolo? » Hal aveva la voce roca, e ricambiava la stretta di Fasilides con tanta forza da strappare una smorfia al vecchio. « Voi lo avete visto? Esiste davvero? »

« Ho pregato sul Tabernacolo che contiene il sacro calice, anche se nessuno può vederlo o mettervi le mani sopra. »

« Dov'è questo sacro oggetto? » La voce di Hal era alterata dall'eccitazione. « Ho sentito parlare di questa leggenda per tutta la vita. L'ordine cavalleresco al quale appartengo fonda la sua esistenza proprio su questa coppa. Dove posso trovarla? »

Fasilides parve ritornare sobrio di fronte all'eccitazione di Hal, tanto che si tirò indietro, liberando la mano dalla sua stretta. « Ci sono cose che non si possono rivelare. » Era ridiventato remoto e inaccessibile. Hal comprese che sarebbe stato poco saggio insistere oltre, e cercò qualche argomento capace di sciogliere l'atteggiamento irrigidito del vescovo.

« Parlatemi dello scontro navale nella baia di Adulis », suggerì. « In quanto marinaio, m'interesso soprattutto a ciò che avviene sui mari. C'era una nave simile a questa che combatteva con la squadra navale dell'Islam? »

Il vescovo si rilassò un poco. « C'erano molte navi da entrambe le parti. Grandi tempeste di fuoco e un massacro spaventoso. »

« Ma non c'era una nave con la vela quadra, che inalberava l'insegna della *croix pattée*? » insistette Hal. « Ne avete almeno sentito parlare? » Ma era chiaro che il vescovo non avrebbe saputo distinguere una fregata da una quinquereme.

Si strinse nelle spalle. « Forse gli ammiragli e i generali saranno in grado di rispondere a queste domande, quando giungeremo al monastero di San Luca », suggerì.

Il pomeriggio successivo superarono l'entrata della baia di Adulis, virando verso l'approdo dell'isola di Dahlak, all'imbocco della baia. In questo, almeno, il resoconto di Fasilides era esatto. Le vie d'accesso erano affollate di velieri; una foresta di alberi e sartie si stagliava sullo sfondo delle cupe colline rosse che cingevano la baia. Su ogni albero garrivano le insegne dell'Islam e le bandiere di Oman e del Gran Mogol.

Hal fece accostare la *Golden Bough*, salendo in coffa e restando lì un'ora intera col cannocchiale puntato. Era impossibile contare i navigli all'ancora nella baia, e le acque pullulavano di piccoli battelli che trasportavano provviste e rifornimenti al grande esercito a terra. Di una cosa sola Hal era certo, quando ridiscese sul ponte e ordinò di issare nuovamente le vele: nella baia di Adulis non c'era nessuna nave a vela quadra.

I resti frammentari della flotta dell'imperatore Yohannis si trovavano al largo di Mitsiwa. Hal ancorò al largo di quegli scafi bruciati e danneggiati, mentre Fasilides inviava a terra uno dei servitori. «Ha il compito di scoprire se il quartier generale di Nazet è ancora al monastero, e in caso affermativo dobbiamo procurarci i cavalli per raggiungerlo.»

Mentre aspettavano il ritorno del servo, Hal diede disposizioni per la sua temporanea assenza dalla *Golden Bough*. Decise di portare con sé soltanto Aboli, lasciando il comando della nave a Ned Tyler.

«Non restate all'ancora, perché questa è una costa sottovento e sareste vulnerabili, se l'Avvoltoio dovesse trovarvi qui», ammonì Ned. «Incrociate al largo della costa, e considerate tutte le vele che avvistate come se fossero nemiche. Se doveste imbattervi nella *Gull of Moray*, non attaccate battaglia in nessun caso. Tornerò il più presto possibile. Il segnale sarà un razzo rosso. Quando lo vedrete, mandate una barca a prendermi a terra.»

Hal rimase irrequieto per tutto il giorno e tutta la notte, ma alle prime luci dell'alba la vedetta in coffa riferì: «Piccolo *dhow* che esce dalla baia. Dirige da questa parte».

Hal udì il grido dalla sua cabina e si precipitò in coperta, riconoscendo anche senza cannocchiale il servo di Fasilides, in piedi sul piccolo battello. Mandò a chiamare il vescovo che, salendo sul ponte, rivelò di accusare le conseguenze degli eccessi della sera prima. Comunque lui e il servo parlarono in una lingua sconosciuta, poi il prelato si rivolse a Hal. «L'imperatore e il generale Nazet si trovano ancora al monastero. Ci sono alcuni cavalli che ci aspettano sulla spiaggia. Possiamo trovarci lì a mezzogiorno. Il mio servo ha portato degli abiti per voi e per il vostro servitore, in modo che non vi si noti troppo.»

Nella sua cabina, Hal s'infilò i calzoni di cotone leggero, tagliati ampi e ripresi alle caviglie. Gli stivali erano di cuoio morbido, con la punta rialzata, e sopra la camicia di cotone indossò una tunica allacciata davanti, che gli arrivava a metà coscia. Il servo del vescovo gli mostrò in che modo doveva avvolgersi la lunga striscia di stoffa bianca attorno alla testa per formare il turbante *ha'ik*, sopra il quale infilò l'elmo d'acciaio a forma di cipolla, sovrastato da una punta e ornato da incisioni con le croci copte.

Quando lui e Aboli salirono in coperta, l'equipaggio li guardò a bocca aperta, mentre Fasilides annuiva in segno di approvazione. «Ora nessuno riconoscerà in voi un occidentale.»

La barca li depositò sulla spiaggia sotto le pareti rocciose, dove li aspettava una scorta armata. I cavalli erano arabi, con lunghe criniere e code fluenti, le narici larghe e i begli occhi della loro razza. Le selle erano ricavate da un unico blocco di legno, decorate in ottone e argento, con la gualdrappa e le redini appesantite da ricami in filo metallico.

« Il viaggio fino al monastero è lungo », li ammonì Fasilides, « non dobbiamo perdere tempo. »

Risalirono il sentiero sulle rocce, sbucando sulla spianata che si stendeva davanti a Mitsiwa.

« Questo è il campo della nostra vittoria! » esclamò Fasilides con voce stridula, alzandosi sulle staffe per fare un ampio gesto che abbracciava tutto il macabro scenario della pianura. Anche se la battaglia era avvenuta alcune settimane prima, gli avvoltoi erano ancora sospesi sul campo come una nuvola scura, e sciacalli e cani randagi ringhiavano contendendosi pile di ossa e masticando le carni annerite che vi aderivano ancora. Le mosche erano fitte nell'aria come api che sciamano al seguito della loro regina; strisciavano sul viso di Hal, stuzzicandogli le narici. Le loro larve biancastre brulicavano nei corpi putrefatti, così fitte da conferire loro un'apparenza di movimento, neanche fossero ancora vivi.

C'erano anche sciacalli umani al lavoro sul vasto campo di battaglia: donne e bambini avvolti in lunghe tuniche polverose, con la bocca e il naso coperti per difendersi dal fetore. Portavano ciascuno un paniere per contenere la loro raccolta di bottoni, monetine e gioielli, pugnali e anelli che strappavano alle dita scheletriche dei cadaveri.

« Diecimila morti! » esclamò trionfante Fasilides, conducendoli su una pista che si allontanava dal campo di battaglia, aggirando la città fortificata di Mitsiwa. « Nazet è un guerriero troppo abile per farsi intrappolare col suo esercito fra quelle mura. Dalle vette lassù, invece, può dominare il terreno. » Puntò il dito in avanti, indicando le prime pendici montuose.

L'esercito vittorioso dell'imperatore Yohannis era accampato oltre Mitsiwa, sul terreno aperto che si stendeva sotto le colline brulle. Occupava la superficie di una città con una miriade di tende di cuoio, capanne erette in fretta e tettoie di pietra e paglia, che si stendeva per cinque leghe, dal mare alle colline. Fra quelle abitazioni rudimentali pascolavano branchi di cavalli, cammelli e torelli, mentre una nuvola di polvere e di fumo azzurrino, emesso dai fuochi di sterco disseccato, oscurava l'azzurro del cielo. Il lezzo di ammoniaca degli animali, il fumo e il puzzo dei mucchi di rifiuti che marcivano al sole, le collinette di letame e le latrine scavate nel terreno, l'odore intenso di carogne e di umanità sporca sotto il sole del deserto rivaleggiavano con le esalazioni mefitiche del campo di battaglia.

Superarono squadroni di cavalleria in sella a magnifici destrieri con la criniera lunga e alti pennacchi di piume fieramente arcuati. I cavalieri indossavano strane armature e costumi fantasiosi dai colori vivaci, ed erano armati di archi, lance e archibugi *jezail* a canna lunga, dal calcio ricurvo e ornato di gemme.

Le batterie di artiglieria erano sparse su una lega di terreno sabbioso e roccioso, e contavano centinaia di cannoni. Alcuni dei colossali cannoni da assedio erano scolpiti a forma di delfini e draghi, posati su affusti trainati da cento bovini ciascuno. I carri di munizioni, carichi di barilotti di polvere, erano ammassati in quadrati serrati.

Reggimenti di soldati di fanteria marciavano avanti e indietro. Alle loro uniformi già varie ed esotiche avevano aggiunto i tesori razziati sul campo di battaglia, cosicché non c'erano due uomini che fossero vestiti allo stesso modo. Portavano scudi rotondi, quadrati e ovali, fatti di bronzo, legno o cuoio grezzo. I loro volti erano scuri, col naso a becco e la barba argentea, o color sabbia, o nera come le ali dei corvi che volteggiavano sul campo.

« Sessantamila uomini », disse Fasilides. « Con il Tabernacolo e Nazet al comando, nessun nemico può resistere. »

Le prostitute e le donne al seguito dell'esercito che non erano occupate a saccheggiare il campo di battaglia erano altrettanto numerose degli uomini. Accudivano i fuochi da campo, oppure oziavano all'ombra dei carri carichi di bagagli. Le somale erano alte e velate misteriosamente; le ragazze galla, invece, andavano in giro a seno nudo, con lo sguardo sfrontato. Alcune, sbirciando la figura virile e atletica di Hal, gli lanciavano inviti incomprensibili, spiegandosi meglio con i gesti osceni che li accompagnavano.

« No, Gundwane », gli mormorò all'orecchio Aboli, « non pensarci neanche, perché i galla... mutilano le loro donne. Dove ti aspetteresti di avere un'accoglienza umida e oleosa, troveresti solo una cicatrice dura e rinsecchita. »

A tal punto era fitta quella massa di uomini, donne e animali, che la loro avanzata dovette rallentare. I fedeli, riconoscendo il vescovo, accorrevano da lui per inginocchiarsi davanti al suo cavallo, implorando la benedizione.

Alla fine riuscirono a lasciarsi alle spalle la folla, spronando i cavalli sulla ripida pista che risaliva le colline. Fasilides procedeva in testa, al galoppo, con le vesti svolazzanti intorno alla figura esile, con la barba che ricadeva all'indietro sulla spalla. Raggiunta la sommità, tirò le redini del suo purosangue, indicando un punto a sud. «Laggiù! Ecco la baia di Adulis, e lì, prima del porto di Zula, è accampato l'esercito dell'Islam.» Riparando gli occhi dal sole del deserto, Hal vide la nube giallastra di fumo e polvere, da cui scaturivano lampi corruschi di sole riflesso dagli affusti dei cannoni e dalle armi di un altro vasto esercito.

«Quanti uomini ha ai suoi ordini El Grang?»

«Era questa la missione che dovevo compiere quando mi avete trovato: ottenere dalle nostre spie la risposta a questa domanda.»

«Quanti, dunque?» insistette Hal, mentre Fasilides scoppiava a ridere.

«La risposta è riservata alle orecchie del generale Nazet», rispose, spronando il cavallo. Proseguirono la salita lungo il sentiero accidentato, sbucando sulla cresta successiva.

«Laggiù!» indicò Fasilides. «Ecco il monastero di San Luca.»

Era appollaiato sulla sommità di una collina irregolare. Le mura e il profilo rozzamente squadrato non erano alleggeriti da ornamenti, colonne o architravi. Una delle staffette del vescovo soffiò in un corno d'ariete e la massiccia porta di legno si spalancò davanti a loro. Entrarono al galoppo nel cortile, smontando davanti al torrione principale, accolti da stallieri che si presero cura dei cavalli, portandoli via.

«Da questa parte!» ordinò Fasilides, varcando la soglia di una porticina stretta che conduceva in un dedalo di passaggi e scalette. I loro stivali risuonavano sul pavimento di pietra, suscitando echi nei corridoi e nei saloni fumosi.

Tutt'a un tratto si trovarono in una chiesa buia e cavernosa, con il soffitto a cupola che si perdeva nell'oscurità. Centinaia di candele tremolanti rischiaravano, insieme al bagliore emanato da incensieri sospesi in alto, arazzi che raffiguravano santi e martiri, appesi alle pareti accanto a logori stendardi dei monasteri e icone dipinte e tempestate di gemme.

Fasilides s'inginocchiò davanti all'altare, sul quale spiccava una croce copta in argento alta sei piedi, e Hal seguì il suo esempio. Aboli rimase in piedi alle loro spalle, con le braccia incrociate sul petto.

« Dio dei nostri padri, Signore degli eserciti », pregava il vescovo, parlando in latino a beneficio di Hal, « ti rendiamo grazie per la tua generosità e per la grande vittoria che ci hai concesso sui pagani. Ti raccomandiamo il tuo servo Henry Courteney. Possa egli prosperare al servizio dell'unico vero Dio, e possa il suo esercito prevalere sugli infedeli. »

Hal ebbe appena il tempo di completare le genuflessioni e gli amen, che il vescovo era di nuovo in piedi e in cammino, diretto verso una cappella che si apriva sulla navata.

« Aspettate qui », gli ordinò. Puntando direttamente verso l'arazzo di lana a colori vivaci appeso dietro l'altare minore, lo scostò, rivelando una porta bassa e stretta e scomparve, chinandosi per passare dall'apertura.

Guardandosi attorno, Hal vide che la cappella era arredata in modo più sontuoso del tempio principale, tetro e squallido. Il piccolo altare era ricoperto di uno strato di metallo giallo che poteva anche essere ottone, ma scintillava come oro puro alla luce delle candele. La croce era decorata da grosse pietre colorate; forse erano solo pezzi di vetro, ma Hal ebbe l'impressione che avessero lo splendore di smeraldi, rubini e diamanti. I ripiani di legno che arrivavano sino al soffitto erano carichi di ex voto offerti da penitenti e supplici ricchi e nobili. Alcuni dovevano essere rimasti intoccati da secoli, giacché erano coperti da uno strato di polvere e ragnatele che nascondeva la loro vera natura. Cinque monaci dalle tonache sudicie e lacere stavano inginocchiati in preghiera davanti alla statua di una Madonna nera con un piccolo Gesù Bambino nero fra le braccia, e non si lasciarono distogliere dalle loro devozioni.

Hal e Aboli attesero insieme, appoggiati a una colonna di pietra in fondo alla cappella, mentre il tempo passava. L'aria opprimente sapeva di incenso e di vecchiaia, mentre il canto sommesso dei monaci aveva un effetto ipnotico. Hal fu assalito da ondate di sonnolenza che si sforzò di combattere, sforzandosi di tenere gli occhi aperti.

D'improvviso si sentì un lieve rumore di passi frettolosi provenire dalla parte opposta dell'arazzo. Hal si raddrizzò, mentre un bambino sbucava correndo dalla porta e si precipitava nella cappella con tutta l'esuberanza di un cucciolo, fermandosi con una scivolata sul pavimento. Doveva avere quattro o cinque anni, indossava una semplice camicia di cotone bianco ed era scalzo. La testa era coperta di ricci neri e lucenti, che danzavano mentre si guardava attorno incuriosito, con gli occhi scuri e grandi come quelli dei santi effigiati nei ritratti stilizzati appesi sulla parete di pietra, alle sue spalle.

Vedendo Hal, corse verso di lui, fermandosi quando gli fu di fronte. Lo fissò con tanta intensità che Hal rimase incantato da quel folletto e posò un ginocchio a terra, in modo che potessero guardarsi negli occhi alla pari.

Il bambino disse qualcosa in un linguaggio nel quale ora Hal riconobbe il ge'ez, cioè l'etiopico. Evidentemente era una domanda, ma lui non riusciva neanche a intuirne la sostanza. «Anche tu!» esclamò scoppiando a ridere, ma il bambino era serio e ripeté la domanda. Hal si strinse nelle spalle, e il bambino pestò un piede a terra, ripetendo la richiesta per la terza volta. «Sì!» rispose energicamente Hal. Il bambino rise entusiasta, battendo le mani e, quando Hal si raddrizzò, allargò le braccia impartendo un ordine che poteva significare una sola cosa. «Vuoi essere preso in braccio?» Hal si chinò a prendere in braccio il piccolo, che lo guardò negli occhi prima di parlare di nuovo, indicando il viso di Hal con tanta energia da rischiare di ficcargli un dito in un occhio.

«Non riesco a capire che cosa dici, piccolo», protestò Hal ridendo.

Fasilides sopraggiunse silenzioso alle sue spalle, annunciando in tono solenne: «Sua maestà cristianissima Yohannis, re dei re, sovrano di Galla e Amhara, difensore della fede di Cristo crocifisso, osserva che i vostri occhi sono di uno strano colore verde, a differenza di tutti quelli che ha visto finora».

Hal fissò il visetto angelico del bimbo che teneva fra le braccia. «E questo è il leggendario Prete Gianni?» chiese in tono reverente.

«Proprio così. Avete anche promesso all'imperatore di portarlo a fare un viaggio sulla vostra nave, che io gli ho descritto.»

«Vorreste informare l'imperatore che sarei profondamente onorato di averlo come ospite a bordo della *Golden Bough*?»

Tutt'a un tratto Yohannis sgusciò via dalle braccia di Hal, prendendolo per mano e trascinandolo verso la porta nascosta. Oltre l'apertura, imboccarono un lungo corridoio illuminato da torce infisse nei supporti di ferro sulle pareti di pietra. In fondo al passaggio c'erano due guardie armate, ma l'imperatore strillò un ordine e loro si scostarono, salutandolo. Yohannis condusse Hal in un lungo salone.

Nelle pareti si aprivano delle strette feritoie, dalle quali il sole luminoso del deserto penetrava, formando raggi dorati di consistenza quasi solida. Quasi tutto il salone era occupato da un lungo tavolo, attorno al quale erano seduti cinque uomini, che si alzarono per inchinarsi profondamente all'indirizzo di Yohannis, prima di squadrare Hal con occhi penetranti.

Erano tutti guerrieri, si capiva dal portamento e dall'abbigliamento: portavano cotta di maglia e corazza, e alcuni avevano persino l'elmo d'acciaio in testa e una tunica sopra la corazza, con la croce o uno stemma araldico.

A capotavola sedeva il più giovane di tutti, che era anche vestito nel modo più semplice, pur avendo l'aspetto più imponente e autoritario di tutti. Lo sguardo di Hal fu attirato subito da quella figura snella e aggraziata.

Yohannis, impaziente, lo condusse da lui, chiacchierando nella sua lingua, e il guerriero li osservò con uno sguardo franco. Benché desse l'impressione di essere alto di statura, in realtà arrivava alla spalla di Hal. Un raggio di sole proveniente da una delle feritoie lo illuminava in controluce, circondandolo di un alone dorato in cui turbinavano particelle di polvere.

« Siete voi il generale Nazet? » chiese Hal in latino. Il generale annuì. Aveva sul capo un'enorme massa di riccioli fitti, simile a una corona o un'aureola scura. Indossava una tunica bianca sopra la cotta di maglia di ferro, ma, nonostante quella massiccia bardatura, aveva la vita sottile e la schiena diritta e flessuosa.

« Sì, sono io il generale Nazet. » La voce era bassa e roca, eppure stranamente musicale. Hal si rese conto con stupore che era molto giovane: aveva la pelle liscia, del colore scuro e traslucido della gomma arabica. Neanche un'ombra di barba o di baffi macchiava la linea snella delle mascelle o la curva fiera delle labbra tumide. Il naso era stretto e diritto, con le narici finemente cesellate.

« Io sono Henry Courteney, comandante inglese della *Golden Bough*. »

« Il vescovo Fasilides me lo ha già detto », rispose il generale. « Ma forse preferite parlare nella vostra lingua. » Nazet passò all'inglese. « Devo ammettere che il mio latino non è scorrevole come il vostro, comandante. »

Hal lo fissò sbalordito, momentaneamente senza parole, e

Nazet sorrise. « Mio padre è stato ambasciatore presso il doge di Venezia. Ho trascorso gran parte della mia infanzia nei Paesi del nord, imparando le lingue della diplomazia: francese, inglese e italiano. »

« Voi mi lasciate senza parole, generale », ammise Hal, notando nello stesso tempo che Nazet aveva gli occhi del colore del miele e le ciglia lunghe e ricurve come quelle di una ragazza. Prima di allora non si era mai sentito attratto sessualmente da un altro maschio, ma ora, contemplando quel volto regale e quella pelle d'oro vellutato, fissando quegli occhi luminosi, avvertì una tensione al petto che gli rendeva difficile respirare.

« Vi prego di sedervi, comandante. » Nazet gli indicò uno sgabello accanto a sé. Erano così vicini che Hal poteva sentire l'odore del suo corpo. Nazet non era profumato, ma aveva un odore naturale caldo e muschiato, che Hal si sorprese a inalare avidamente. Con un sussulto colpevole, riconobbe quanto fosse innaturale quell'attrazione peccaminosa, allontanandosi dal generale per quanto gli consentiva lo sgabello duro e basso.

L'imperatore si arrampicò sulle ginocchia di Nazet, accarezzandogli la guancia liscia e dorata, farfugliando qualcosa con la sua voce acuta. Il generale ridacchiò, rispondendo nella sua lingua, senza staccare gli occhi dal viso di Hal.

« Fasilides mi dice che siete venuto in Etiopia per offrire i vostri servigi alla causa del cristianissimo imperatore. »

« È così. Sono venuto per chiedere a sua maestà di concedermi una lettera di marca, in modo che io possa usare la mia nave contro i nemici di Cristo. »

« Siete arrivato nel momento più propizio. » Nazet assentì. « Fasilides vi ha parlato della sconfitta che la nostra flotta ha subito nella baia di Adulis? »

« Mi ha parlato anche della vostra splendida vittoria a Mitsiwa. »

Di fronte a quel complimento, Nazet non mostrò alcun falso orgoglio. « L'una controbilancia l'altra », osservò. « Se El Grang domina i mari, può far affluire continuamente dall'Arabia e dal territorio del Gran Mogol rinforzi e provviste per rifornire il suo esercito in rotta. Si è già rifatto di tutte le perdite che gli ho inflitto a Mitsiwa. Ora attendo rinforzi dalle montagne, quindi non sono pronto ad attaccarlo di nuovo a Zula, dove si trova, e ogni giorno lui riceve sostegno dal mare e diventa più forte. »

Hal annuì. « Capisco la vostra situazione. » Nella voce di Nazet c'era qualcosa che lo turbava; quando era agitato, il suo timbro si alterava. Hal dovette fare uno sforzo per riflettere sulle parole e non su chi le pronunciava.

«Ora c'è una nuova minaccia che mi insidia», aggiunse Nazet. «El Grang ha preso al suo servizio una nave straniera più potente di ogni altra che possiamo mandarle contro.»

Hal sentì un fremito di eccitazione corrergli lungo la schiena, facendogli drizzare i peli sulle braccia.

«Che tipo di nave è?»

«Non sono un esperto di navi, ma gli ammiragli mi dicono che è una nave a vela quadra, che appartiene alla classe delle fregate.» Nazet guardò Hal con occhi acuti. «Dev'essere simile alla vostra.»

«Sapete come si chiama il comandante?» chiese Hal, ma Nazet scosse la testa.

«So soltanto che infligge terribili perdite ai nostri *dhow* da trasporto, al punto che posso contare solo sui rifornimenti che provengono dal nord.»

«Quale bandiera batte?» insistette Hal.

Nazet parlò in fretta con uno dei suoi ufficiali, poi si rivolse di nuovo a Hal. «La nave innalza il vessillo di Oman, ma anche una croce di colore rosso e di forma insolita, su fondo bianco.»

«Credo di conoscere quel criminale», disse Hal in tono truce, «e scaglierò il mio veliero contro il suo alla prima occasione... Naturalmente se sua maestà cristianissima mi concederà la commissione per combattere nella sua flotta come corsaro.»

«Su suggerimento di Fasilides, ho già ordinato agli scribi di corte di stilare la commissione per voi. Dobbiamo solo accordarci sulle condizioni e io la firmerò per conto dell'imperatore.» Nazet si alzò dallo sgabello. «Ma ora venite, lasciate che vi mostri la posizione delle nostre forze e di quelle di El Grang.» Lo precedette verso l'estremità opposta del salone, seguito da tutti gli altri ufficiali. Si riunirono intorno al tavolo circolare sul quale, vide Hal, era stato costruito in argilla un modellino del mar Rosso e dei territori circostanti. Era eseguito con grande ricchezza di dettagli e colorato in toni realistici. Ogni porto e cittadina erano segnati con chiarezza; minuscole navi intagliate nel legno navigavano sulle acque azzurre, mentre reggimenti di fanti e cavalieri erano rappresentati da figurine d'avorio in scala, sulle quali erano dipinte splendide uniformi.

Mentre studiavano con serietà il modellino, l'imperatore accostò uno sgabello al tavolo in modo da poter raggiungere i soldatini. Con strilli di gioia e imitazioni infantili di nitriti e colpi di cannone, cominciò a spostare le figure sulla tavola. Nazet allungò la mano per impedirglielo, e Hal fissò quella mano: era snella, liscia e delicata, con le dita lunghe e affusolate, le unghie di un rosa perlaceo. Di colpo la verità si fece strada nella sua mente, e prima di poterselo impedire, sbottò in inglese: « Santa Madre di Dio, ma voi siete una donna! »

Nazet gli lanciò un'occhiata tagliente, mentre le guance ambrate erano arrossate dall'irritazione. « Vi consiglio di non sottovalutarmi a causa del mio sesso, comandante. Essendo inglese, dovreste ricordare la lezione militare che vi inflisse una donna a Orléans. »

Alle labbra di Hal salì pronta la replica: « Sì, ma quello è stato due secoli fa, e in compenso l'abbiamo mandata al rogo! » Tuttavia riuscì a trattenersi, tentando invece di assumere un tono conciliante.

« Non intendevo offendervi, generale, anzi questo aumenta l'ammirazione che già provavo per le vostre qualità di comandante. »

Nazet non si lasciò ammorbidire tanto facilmente; i suoi modi divennero bruschi e pratici, mentre esponeva la posizione tattica e strategica dei due eserciti, indicandogli il modo migliore di impiegare la *Golden Bough*. Non lo guardava più negli occhi, e la linea delle labbra morbide si era indurita. « Immagino che vorrete mettervi direttamente ai miei ordini; a questo scopo ho ordinato all'ammiraglio Senec di escogitare una semplice serie di segnali, razzi e lanterne di notte, bandiere e segnali di fumo durante il giorno, per mezzo dei quali potrò trasmettervi gli ordini da terra quando sarete in mare. Avete obiezioni da fare, comandante? »

« No, generale ».

« Quanto alla divisione del bottino, due terzi vanno alle casse imperiali, e il resto a voi e al vostro equipaggio. »

« È consuetudine che la nave trattenga la metà del bottino », protestò Hal.

« Comandante, in questi mari la consuetudine viene fissata da sua maestà cristianissima. »

« Allora non mi resta che accettare. » Hal sorrise con ironia. « Tutte le forniture militari che potrete catturare saranno acquistate dal tesoro reale, e lo stesso vale per i vascelli nemici, che saranno acquistati dalla marina. »

Distolse lo sguardo da lui allorché entrò uno scriba della cancelleria imperiale, che s'inchinò prima di porgerle un documento scritto su un foglio di rigida pergamena gialla. Nazet lo scorse in fretta, poi prese la penna d'oca che lo scriba le porgeva, colmando gli spazi vuoti nel testo e firmando in calce: « Judith Nazet », con una croce subito dopo.

Cospargendo di sabbia l'inchiostro umido, aggiunse: « È scritto in ge'ez, ma vi farò preparare una traduzione per il nostro prossimo incontro. Nel frattempo, vi assicuro che questa lettera rispecchia esattamente le condizioni che abbiamo discusso ». Arrotolando il documento, lo legò con un nastro prima di consegnarlo a Hal.

« Mi basta la vostra assicurazione. » Hal fece scivolare il rotolo di pergamena nella manica della tunica.

« Sono certa che siete ansioso di tornare alla vostra nave, comandante, e non vi trattengo oltre. » Con quel congedo, parve dimenticarsi della sua esistenza e tornò a dedicare tutta la sua attenzione ai comandanti e al panorama d'argilla del campo di battaglia che era esposto sul tavolo davanti a lei.

« Avete parlato di una serie di segnali, generale. » Nonostante l'atteggiamento rigido di Nazet, Hal era stranamente restio ad allontanarsi; si sentiva attirato da lei allo stesso modo in cui l'ago della bussola è attirato dal nord.

Senza guardarlo, lei rispose: « L'ammiraglio Senec vi farà recapitare un libro con i segnali a bordo della nave, prima della partenza. Il vescovo Fasilides vi mostrerà il luogo dove attendono i vostri cavalli. Addio, comandante ».

Ripercorrendo il lungo corridoio a fianco del vescovo, Hal gli domandò: « Il Tabernacolo di Maria si trova in questo monastero, vero? »

Fasilides si fermò di colpo, fissandolo. « Come lo avete saputo? Chi ve lo ha detto? »

« Come devoto cristiano, vorrei contemplare un oggetto così sacro. Potete esaudire questo mio desiderio? »

Fasilides si tirò nervosamente la barba. « Può darsi, vedremo. Venite con me. » Guidò Hal verso il luogo in cui Aboli era rimasto in attesa, poi entrambi lo seguirono in un labirinto di scale e passaggi, fermandosi infine di fronte a una porta sorvegliata da quattro sacerdoti in tunica e turbante.

« Questo vostro seguace è cristiano? » domandò guardando Aboli. Hal scosse la testa. « Allora deve restare qui. »

Prendendo per il braccio Hal, il vescovo lo guidò fino alla porta. Parlò sottovoce in ge'ez con uno dei sacerdoti, e il vecchio estrasse di sotto la tunica una enorme chiave nera per aprire la porta. Fasilides precedette Hal nella cripta interna.

Il Tabernacolo si trovava al centro del pavimento lastricato di pietre, in mezzo a una foresta di candele accese su alti candelabri di bronzo a più braccia.

Hal, sopraffatto da una sensazione di reverenza e di grazia, comprese che quello era uno dei momenti supremi della sua vita, forse addirittura quello che giustificava la sua nascita e la sua esistenza.

Il Tabernacolo consisteva in una cassetta sostenuta da quattro piedi scolpiti a zampa di leone, con quattro maniglie ai lati. Il corpo quadrato della cassetta era ricoperto da un tessuto ricamato con un fitto motivo ornamentale in argento e oro, annerito dalla patina del tempo. Ai quattro angoli del coperchio erano applicate minuscole figurine d'oro che rappresentavano angeli con la testa china e le mani giunte in preghiera, di squisita fattura.

Hal s'inginocchiò nella stessa posizione degli angeli. « Signore, Dio degli eserciti, sono venuto a rimettermi al tuo comando, come mi hai ordinato », cominciò a pregare a voce alta. Molto tempo dopo, si fece il segno della croce prima di alzarsi in piedi.

« Potrei vedere il calice? » chiese con deferenza, ma Fasilides scosse la testa.

« Nemmeno io l'ho visto. È troppo sacro per gli occhi di un mortale. Vi accecherebbe. »

Il pilota etiope condusse la *Golden Bough* verso sud di notte, con le sole vele di gabbia spiegate. Guidati da uno scandagliatore che rilevava la profondità, sgusciarono furtivi al riparo dell'isola di Dahlak, al largo dell'imboccatura della baia di Adulis.

Hal ascoltava con ansia la litania dello scandagliatore: « Niente fondo su questa linea! » Poi, qualche minuto dopo: « Niente fondo su questa linea! » e quindi il suono sommesso della sagola di piombo che affondava, filata da prua. D'improvviso il canto cambiò e la voce dello scandagliatore assunse un tono più brusco: « Profondità, venti! »

«Tyler!» scattò Hal. «Tenersi pronti a filare l'ancora.»

«Al segno, dieci!» Il richiamo successivo dello scandagliatore era ancora più brusco.

«Serrare tutte le vele. Filare l'ancora!»

L'ancora scese sul fondo e la *Golden Bough* scivolò ancora in avanti per un breve tratto prima di tendere il cavo.

«Prendete il comando in coperta, Tyler», ordinò Hal. «Io salgo in coffa.»

Si arrampicò sulle sartie dal ponte fino in cima all'albero senza una sola pausa, constatando con piacere che aveva il respiro profondo e regolare anche quando raggiunse il nido d'aquila della coffa.

«Ti vedo, Gundwane!» esclamò Aboli, facendogli posto. Hal si sistemò meglio accanto a lui per guardare anzitutto verso terra. L'isola di Dahlak era una massa più scura nella notte cupa, ma le sue rocce erano lontane un buon centinaio di braccia. Poi, guardando a ovest, vide la curva della baia di Adulis, delineata chiaramente dai fuochi dell'esercito di El Grang, accampato lungo la linea costiera, intorno al piccolo porto di Zula. Le acque scintillavano di lanterne accese a bordo delle navi dell'Islam, alla fonda nella baia. Tentò di contare quelle luci, ma si diede per vinto quando arrivò a sessantaquattro. Si domandò se una di quelle era la *Gull of Moray*, e quel pensiero gli serrò lo stomaco.

Voltandosi a est, vide la prima pallida promessa dell'alba disegnare in controluce le cime frastagliate dell'Arabia, da cui giungevano i *dhow* da carico di El Grang, stipati di uomini, cavalli e provviste che andavano a ingrossare le sue legioni.

Poi, sotto il chiarore dell'alba, vide sul mare scuro le lanterne di segnalazione di altre navi, che tremolavano come lucciole, navigando verso la baia di Adulis sulle ali della brezza notturna.

«Riesci a contarle, Aboli?»

Aboli ridacchiò. «I miei occhi non sono acuti come i tuoi, Gundwane. Diciamo soltanto che sono molte, e aspettiamo che l'alba ci riveli il loro vero numero.»

Aspettarono in silenzio, da vecchi amici che non hanno bisogno di parole, e sentirono entrambi il freddo dell'alba imminente dissipato dalla promessa della battaglia che il nuovo giorno portava con sé, perché quello specchio di mare brulicava di navi nemiche.

Il cielo a oriente cominciò ad arrossarsi come la fucina di un fabbro. Le rocce dell'isola vicina apparivano pallide in quel chiarore, dipinte di bianco dal guano degli uccelli marini che vi si posavano sopra da secoli. Dai loro posatoi sulla roccia, gli uccelli si lanciarono in volo, attraversando il cielo rosso dell'alba in formazioni a punta di freccia e lanciando strida ossessive. Alzando gli occhi a guardarli, Hal sentì la brezza mattutina sfiorargli il viso con le sue dita fresche. Soffiava da ovest, secondo le previsioni sulle quali contava; aveva la flottiglia di *dhow* sottovento, alla sua mercé.

Il sole che sorgeva illuminò la vetta dei monti, infiammandoli. Di lontano, oltre le rocce basse dell'isola, una vela scintillò sulle acque ancora in ombra, poi un'altra e un'altra ancora, e infine, man mano che il raggio della visuale si allargava le vele furono una dozzina.

Hal batté leggermente sulla spalla di Aboli. « È ora di andare al lavoro, vecchio mio », annunciò scivolando lungo le sartie. Non appena toccò il ponte gridò al timoniere: « Salpare l'ancora, Tyler. Tutti a sciogliere le vele ».

Liberata dalla costrizione dell'ancora, la *Golden Bough* si allontanò a vele spiegate, con le acque che frusciavano sotto la prua, lasciando dietro di sé una scia spumosa mentre usciva a tutta velocità dal suo nascondiglio dietro l'isola di Dahlak.

La luce era sufficiente ormai perché Hal potesse distinguere nitidamente le sue prede, sparpagliate sulle acque spruzzate di schiuma. Cercò con ansia in mezzo a loro le vele di una nave, ma scorse soltanto le vele latine dei *dhow* arabi.

Le più vicine fra quelle imbarcazioni sembravano indifferenti all'apparizione improvvisa della *Golden Bough*, proprio all'ingresso della baia di Adulis. Proseguivano sulla loro rotta e, quando la fregata piombò sulla più vicina, Hal vide l'equipaggio e i passeggeri allineati a guardarli lungo la battagliola del *dhow*. Alcuni si erano addirittura arrampicati sul tozzo albero maestro, agitando la mano per salutarli.

Hal si avvicinò al timone per dire a Ned Tyler: « È probabile che abbiano visto una sola nave come la nostra, in queste acque, e cioè la *Gull*. Ci scambiano per alleati ». Alzò lo sguardo verso i gabbieri, sospesi sul sartiame, pronti a manovrare la grande massa di vele, poi spostò di nuovo lo sguardo sul ponte, dove gli artiglieri erano affaccendati intorno alle colubrine e i mozzi addetti a distribuire la polvere si affrettavano a salire dalla stiva con il loro carico letale.

« Fisher! » gridò. « Cariare una sola batteria per lato con palle piene, e tutte le altre a mitraglia e palle incatenate, per favore. » Big Daniel sogghignò, scoprendo i denti neri e marci, sfiorandosi la fronte nel saluto. Hal voleva semplicemente disalberare i battelli nemici, non affondarli o bruciarli. Anche la più piccola e modesta di quelle imbarcazioni poteva valere molto per il tesoriere di sua maestà cristianissima, se lui fosse riuscito a catturarle e consegnarle all'ammiraglio Senec a Mitsiwa. Per questo avrebbe tenuto di riserva la batteria caricata a palle su ogni lato.

Il primo *dhow* era così vicino che Hal poteva vedere l'espressione sui volti dei marinai, che erano una dozzina o poco più, vestiti di stracci logori e stinti, con il turbante *ha'ik*. Alcuni sorridevano ancora, agitando la mano, ma il vecchio al timone, a poppa, si guardava attorno freneticamente, come in cerca di una provvidenziale via di scampo dallo scafo imponente della nave che gli piombava addosso.

« Issate i colori, per favore, Tyler », ordinò Hal, osservando la *croix pattée* spiegarsi al vento accanto alla bianca croce copta dell'impero. La costernazione sui volti dell'equipaggio quando videro la croce del loro destino garrire al vento sotto i loro occhi era uno spettacolo patetico, che non impedì comunque a Hal di impartire subito l'ordine successivo. « Fuori i cannoni, mastro Daniel! » I portelli della *Golden Bough* si spalancarono e lo scafo risuonò del rombo degli affusti, mentre le colubrine si affacciavano in fuori con la canna di bronzo.

« Passerò a dritta della preda. Sparate non appena siete a tiro, mastro Daniel! » Big Danier corse a prua, prendendo il comando della batteria numero uno. Hal lo vide spostarsi fulmineo da un cannone all'altro per controllare la carica, regolando leggermente il meccanismo di elevazione per abbassare la mira. Avrebbero sparato direttamente sul *dhow*, dall'alto, superandolo.

La *Golden Bough* piombò in silenzio sul piccolo battello, mentre Hal ordinava sottovoce al timoniere: « Portatela lentamente di un punto a sinistra. »

Accorgendosi della minaccia rappresentata dalle colubrine, i marinai del *dhow* fuggirono dalla battagliola, gettandosi lunghi distesi sul ponte, dietro il piccolo e tozzo albero maestro, o rannicchiandosi dietro le balle e le casse di merce accatastate.

La prima batteria aprì il fuoco all'unisono, con una scarica tonante e tutti i colpi centrarono il bersaglio. La base dell'albero fu abbattuta, in una tempesta di schegge di legno, e il sartiame ricadde di lato, penzolando fuori bordo in un intrico disordinato di cime e tela. Il vecchio timoniere scomparve, come dissolto nell'aria dall'incantesimo di un mago, lasciando solo una chiazza rossa sulle assi divelte.

« Cessate il fuoco! » tuonò Hal, per farsi sentire nel riverbero assordante delle cannonate. Il *dhow* era mutilato, con la prua alla deriva, il timone divelto e l'albero abbattuto. La *Golden Bough* lo lasciò nella sua scia.

« Mantenere la rotta, Tyler. » La *Golden Bough* si lanciò contro la flottiglia di piccoli battelli sparsi sulle acque azzurre davanti alla prua. Avevano assistito al trattamento spietato riservato al primo *dhow*, avevano visto i colori dell'impero garrire sull'albero di maestra della fregata e ora viravano tutti di bordo, con la prua al vento, mettendo le ali per fuggire davanti alla carica della *Golden Bough*.

« Puntare sul battello a prua! » ordinò Hal a bassa voce, e Ned Tyler accostò di un punto. Il *dhow* che aveva scelto era uno dei più grandi in vista, con il ponte affollato di uomini. Secondo i calcoli di Hal, dovevano essere almeno in trecento, tutti stipati. Era un viaggio breve, attraverso un braccio di mare non troppo largo, e il comandante aveva corso un rischio; portava un carico di molto superiore a quanto consigliava la prudenza.

Un fievole grido di sfida giunse alle orecchie di Hal mentre stavano per raggiungere l'obiettivo: « *Allah Akbar!* Dio è grande! » Elmi da guerra d'acciaio scintillavano sul capo dei soldati di Oman, che brandivano lunghe scimitarre ricurve. Partì una salva disordinata di colpi di moschetto, diretti contro la fregata, accompagnata da spari di *jezail* e sbuffi di fumo lungo il *dhow*. Un proiettile di piombo colpì l'albero sopra la testa di Hal.

« Qui tutti gli uomini a bordo sono soldati », gridò Hal. Non c'era bisogno di aggiungere che, se fossero riusciti a raggiungere la sponda occidentale, avrebbero marciato contro Judith Nazet. « Cacciategli in corpo una bordata di palle. Affondatelo, mastro Daniel! »

Le pesanti palle di ferro investirono il *dhow* dal ponte alla chiglia, spaccandolo in due come un ceppo di legna sotto l'accetta. Il mare si riversò nel ventre squarciato, il battello s'inabissò e le acque si riempirono di teste che sussultavano sulle onde, mentre i soldati si dibattevano per non annegare.

« Puntate su quel battello con il vessillo d'argento. » Hal non si voltò neanche a guardare, investendo la flotta come un barracuda che si lancia contro un banco di pesci volanti. La *Golden Bough* volava sulla preda come se quest'ultima fosse ferma all'ancora, sparando nubi di fuoco e fiamme con i suoi cannoni. Alcune delle imbarcazioni più piccole affondavano, altre restavano a galla nella scia della fregata, con l'albero spezzato e le vele penzoloni. Molti marinai si gettavano in mare non appena le colubrine venivano puntate su di loro, preferendo gli squali alle cannonate.

Parecchi battelli corsero a rifugiarsi dietro l'isola più vicina, tentando di gettare l'ancora nelle acque basse dove la fregata non poteva seguirli, altri ancora si lanciarono deliberatamente sulla riva, mentre l'equipaggio si tuffava per proseguire a nuoto o a guado verso la spiaggia.

Solo le imbarcazioni più a est e più vicine alla costa dell'Arabia avevano un vantaggio sufficiente per sfuggire alla carica della fregata. Guardando a poppa, Hal vide l'acqua dietro di sé punteggiata dagli scafi malridotti di quelle che aveva sbaragliato. Ogni miglio che i superstiti percorrevano in direzione est per sfuggirgli era un miglio che li allontanava da Mitsiwa.

« Nessuno di quelli avrà tanta fretta di tornare! » commentò con aria truce, osservandoli mentre se la battevano in preda alla confusione. « Tyler, per favore, invertite la direzione della nave e fatela bordeggiare di bolina stretta. »

Quella era l'andatura preferita dalla *Golden Bough*. « Non esiste *dhow* in tutta l'Arabia che sappia prendere il vento meglio del mio tesoro », disse Hal a voce alta, vedendo venti vele sopravvento che tentavano di sfuggirgli riparando a ovest. La fregata si slanciò contro quella flotta sparsa e alcuni dei *dhow*, vedendola arrivare, ammainarono la vela triangolare, invocando misericordia da Allah.

Hal teneva a freno la nave quando passava accanto a uno di questi battelli, portandola con la prua al vento mentre calava in mare una barca e inviava una rappresentanza dell'equipaggio, comprendente un marinaio bianco e sei *amadoda*, a prendere possesso dell'imbarcazione che si arrendeva. « Se il carico non comprende merci di valore, fate sbarcare l'equipaggio e datele fuoco. »

Alla fine di quel pomeriggio, Hal puntò verso Mitsiwa con cinque grandi *dhow* al traino dietro la *Golden Bough* e altri sette che navigavano di conserva, con l'albero smantellato e l'equipaggio sconfitto a bordo. Tutte le imbarcazioni catturate erano cariche di rifornimenti essenziali per la guerra. Dietro di lui, il cielo era velato dal fumo degli scafi in fiamme e il mare era costellato di relitti.

Il generale Nazet, in sella al suo stallone arabo nero, osservava dalla scogliera quella flottiglia disordinata che tornava in ordine sparso verso Mitsiwa. Alla fine richiuse il cannocchiale, osservando rivolta all'ammiraglio Senec, al suo fianco: «Ora capisco perché lo chiamano El Tazar! Questo inglese è davvero un barracuda». Poi distolse il viso per evitare che l'altro vedesse il sorriso pensoso che raddolciva il suo bel viso. El Tazar, un nome adatto a lui, pensò... poi, senza alcun nesso evidente, le venne in mente qualcos'altro. Chissà se è audace come amante quanto lo è come guerriero. Era la prima volta, da quando Dio l'aveva prescelta per guidare le sue legioni contro i pagani, che guardava un uomo con gli occhi di una donna.

Il colonnello Cornelius Schreuder smontò di sella davanti all'enorme tenda di seta lucente rossa e gialla. Uno stalliere corse a prendere il suo cavallo, mentre lui si soffermava a studiare l'accampamento. La tenda reale sorgeva su una piccola altura che dominava la baia di Adulis. Lassù la brezza di mare rinfrescava l'aria, rendendola respirabile. Sulla pianura sottostante, invece, dove l'esercito dell'Islam era accampato intorno al porto di Zula, le pietre crepitavano per il calore, tremolando come in un miraggio.

La baia era affollata di imbarcazioni, ma l'alberatura imponente della *Gull of Moray* dominava tutte le altre. La nave del conte di Cumbrae era arrivata durante la notte, e ora Schreuder sentiva la voce dell'Avvoltoio salire di tono nella discussione che si svolgeva dentro la tenda di seta. Storse la bocca in un sorriso privo di umorismo, regolando l'inclinazione della spada dorata che gli pendeva dal fianco prima di sollevare il lembo della tenda. Un alto *subadar* lo accolse con un inchino. Tutti i soldati dell'Islam avevano imparato a conoscerlo bene; nel breve periodo che aveva trascorso al servizio del sultano, aveva compiuto imprese divenute leggendarie nell'esercito del Gran Mogol. L'ufficiale lo introdusse alla presenza del re.

L'interno della tenda era confortevole e arredato in modo

lussuoso. Tutto il pavimento era coperto di uno spesso strato di tappeti multicolori di seta, e i tendaggi formavano un doppio strato che isolava la tenda dal calore del sole. I tavoli bassi erano d'avorio e di legni rari, mentre il vasellame era d'oro massiccio.

Il fratello del Gran Mogol, il maragià Sadiq Khan Jahan, era seduto al centro, su una pila di cuscini di seta, vestito con una tunica di seta gialla imbottita e pantaloni a strisce rosso e oro. Le pantofole che portava ai piedi erano scarlatte, con le punte lunghe e ricurve e le fibbie dorate. Il turbante era giallo, fermato sopra la fronte da un fermaglio con uno smeraldo grosso come una noce. Era rasato di fresco, con un filo sottile di baffi che sembrava disegnato sul labbro superiore. Sulle ginocchia teneva una scimitarra custodita in un fodero così tempestato di gemme che il loro scintillio feriva gli occhi. Sulla mano protetta da un guanto reggeva un falcone, uno dei meravigliosi *saker* del deserto. Sollevandolo, lo baciò sul becco con la stessa tenerezza che avrebbe riservato a una bellissima donna, o meglio, pensò cupo Schreuder, a uno dei suoi graziosi ragazzi.

Poco più indietro, su un'altra pila di cuscini, era seduto Ahmed El Grang, la mano sinistra di Allah, con le spalle così larghe da sembrare deformi e il collo taurino, dai tendini in rilievo come cordoni. Portava l'elmo da guerra d'acciaio e aveva la barba tinta di rosso con l'henné, come quella del Profeta. Il torace massiccio era coperto da una corazza d'acciaio, con braccialetti pure d'acciaio ai polsi. Aveva sopracciglia folte e occhi freddi e implacabili come quelli di un'aquila.

Alle spalle di quella coppia così male assortita, c'era una schiera di cortigiani e ufficiali, tutti abbigliati con sfarzo. Davanti al principe era inginocchiato un interprete, che, con la fronte premuta al suolo, tentava di restare al passo con il torrente di invettive dell'Avvoltoio.

Questi era in piedi, piantato saldamente di fronte al principe, con i pugni sui fianchi. Portava in testa il berretto con i nastri e la sua barba era ancor più folta e fiammeggiante dei riccioli tinti e ben pettinati che coprivano il mento di El Grang. Indossava la mezza armatura sopra il tradizionale gonnellino scozzese a quadri, e si voltò sollevato quando Schreuder fece il suo ingresso nella tenda, inchinandosi profondamente in segno di omaggio prima al principe e poi a El Grang.

«Che Gesù vi protegga, colonnello, ho bisogno di voi per far intendere ragione a questi due bravi ragazzi. Questa scimmia... » esclamò pungolando l'interprete con lo stivale, « blatera a vanvera, trasformando quello che dico in una montagna di sciocchezze. » Sapeva che Schreuder aveva trascorso molti anni in Oriente e l'arabo era una delle lingue che parlava correntemente.

« Ditegli che sono venuto qui per conquistare un bottino, non per mettere a confronto la *Gull* con un'altra nave di uguale potenza e farmela saltare in aria sotto i piedi! » gli suggerì l'Avvoltoio. « Vogliono farmi ingaggiare battaglia contro la *Golden Bough*! »

« Spiegatemi meglio la faccenda. Solo così sarò in grado di aiutarvi. »

« È arrivata in queste acque la *Golden Bough*... sotto il comando del giovane Courteney, devo presumere », gli disse l'Avvoltoio.

Schreuder si oscurò. « Riusciremo mai a liberarci di lui? »

« Pare di no. In ogni caso, ora batte la croce bianca dell'impero e si avventa sui battelli da trasporto di El Grang come una furia. Ha affondato o catturato ventitré imbarcazioni, nell'ultima settimana, e nessuno dei comandanti musulmani vuole uscire in mare quando c'è lui al largo. Sta bloccando da solo tutta la costa dell'Etiopia. » Scrollò la testa con riluttante ammirazione. « Dalle scogliere sopra Tenwera l'ho visto far a pezzi una flottiglia di *dhow* da guerra di El Grang. Gesù, governa la nave bene come Franky. Ha aggirato quei musulmani spingendoli verso terra e ora l'intera flotta di Allah il misericordioso è imbottigliata in porto, mentre El Grang è a corto di viveri e rifornimenti. I musulmani chiamano il giovane Courteney El Tazar, il barracuda, e nessuno di loro vuole uscire in mare ad affrontarlo. »

Poi il suo sogghigno svanì, sostituito da un'espressione lugubre. « La *Golden Bough* è veloce, con la chiglia libera dalle alghe, mentre la *Gull* è in mare ormai da quasi tre anni e ha il fasciame infestato dai vermi. Direi che, anche con l'assetto di navigazione migliore, la *Golden Bough* mi ruba almeno tre nodi di velocità. »

« Cosa volete che dica a sua altezza? » ribatté Schreuder in tono sprezzante, « che avete paura di affrontare il giovane Courteney? »

« Io non ho paura di nessuno al mondo, se è per questo, ma non ci vedo il tornaconto. Hal Courteney non ha niente che io voglia, però se si arrivasse a uno scontro diretto potrebbe infliggere seri danni a me e alla mia *Gull*. Se vogliono che mi batta con lui, dovranno addolcirmi un po' l'amaro calice. »

Schreuder si rivolse al principe, spiegandogli la questione in termini diplomatici e scelti con cura. Mentre lo ascoltava, Sadiq Khan Jahan accarezzava il falcone, e questi arruffava le penne, abbassando sugli occhi gialli le palpebre pesanti. Quando Schreuder finì di parlare, il principe si rivolse a El Grang. « Come hai detto che lo chiamano, questo spaccone con la barba rossa? »

« Lo chiamano Avvoltoio, vostra altezza. »

« Un soprannome azzeccato, visto che a quanto pare preferisce beccare gli occhi ai deboli e ai moribondi, predando le carogne lasciate da creature più fiere, anziché uccidere da sé la preda. Non è un falcone. »

El Grang assentì, mentre il principe tornava a rivolgersi a Schreuder. « Chiedete a questo nobile uccello da preda quale ricompensa chiede per battersi con El Tazar. »

« Dite a quel bel ragazzo che voglio un *lakh* di rupie in monete d'oro, e le voglio nelle mie mani prima di uscire dal porto », fu la risposta di Cumbrae. Persino Schreuder rimase scosso dalla sua audacia: un *lakh* equivaleva a centomila rupie. L'Avvoltoio aggiunse in tono amabile: « Vedete, ho messo il principe con il culo per aria e i pantaloni intorno alle caviglie, e ho intenzione di fotterlo ben bene, ma non come piace a lui. »

Schreuder ascoltò la risposta del principe, prima di rivolgersi di nuovo a Cumbrae. « Dice che con un *lakh* di rupie potreste costruire venti navi come la *Gull* ».

« Può darsi, ma non mi comprerei un paio di palle per sostituire quelle che Hal Courteney mi farà saltare. »

Il principe sorrise di quella risposta. « Dite all'Avvoltoio che deve averle perse già da tempo... comunque sarebbe un buon eunuco. Potrei sempre trovargli un posto nel mio harem. »

Nonostante l'insulto, Cumbrae si lasciò sfuggire una risata tonante, ma scosse la testa. « Rispondete a quel piccolo pederasta che l'Avvoltoio, se non vede l'oro, vola via. »

Il principe ed El Grang confabularono gesticolando, poi raggiunsero una decisione.

« Ho un'altra proposta, che il prode comandante potrebbe trovare più di suo gusto. Il rischio che correrà non sarà altrettanto grande, ma riceverà lo stesso il *lakh* che pretende. » Il principe si alzò in piedi, mentre tutti i cortigiani cadevano in ginocchio, con la fronte a terra. «Lascerò al sultano Ahmed El Grang il compito di spiegarvelo in segreto.»

Il principe si ritirò dietro le cortine sul fondo della tenda, accompagnato da tutto il suo seguito, lasciando solo i due europei e il sultano nella caverna di seta.

El Grang fece segno ai due uomini di avvicinarsi, ed entrambi sedettero di fronte a lui. «Quello che ho da dirvi non deve arrivare all'orecchio di anima viva, all'infuori di voi.» Indugiò qualche istante a riordinare le idee, accarezzandosi una vecchia ferita di lancia che formava un cordone rilevato di tessuto cicatriziale, dall'orecchio fin sotto il colletto alto della tunica; quell'antica ferita gli aveva reciso per metà le corde vocali, lasciandogli una voce roca.

«L'imperatore», cominciò a spiegare, «è rimasto ucciso di fronte a Suakin, e il figlio Yohannis, che ha ereditato la corona di Prete Gianni, è ancora un bambino. I suoi eserciti erano in rotta, quando si è presentata una profetessa che sosteneva di essere stata prescelta dal Dio dei cristiani per guidare le sue armate. È scesa dalle montagne, guidando cinquantamila soldati e portando con sé un talismano religioso che chiamano il Tabernacolo di Maria. I suoi eserciti, ispirati dal fanatismo religioso, sono riusciti a bloccare la nostra avanzata a Mitsiwa.»

Tanto Schreuder quanto Cumbrae annuirono; non si trattava certo di una novità per loro. «Ora, Allah mi ha concesso l'opportunità di mettere le mani insieme sul talismano e sulla persona del piccolo imperatore.» El Grang si rilassò, osservando con occhi penetranti i volti dei due bianchi.

«Con il Tabernacolo e l'imperatore fra le mani, gli eserciti di Nazet si scioglierebbero come neve al sole», mormorò Schreuder.

El Grang annuì. «Si è presentato da noi un monaco rinnegato, che si è offerto di guidare un piccolo drappello comandato da un uomo audace fino al luogo in cui sono nascosti il talismano e l'imperatore. Una volta catturati il piccolo e il Tabernacolo, avrò bisogno di una nave potente e veloce per trasportarli a Muscat prima che Nazet possa tentare di strapparceli.» Si rivolse a Schreuder: «Voi, colonnello, siete l'uomo audace che mi serve. Se avrete successo, riceverete anche voi un *lakh*».

Poi El Grang si rivolse a Cumbrae. «La nave veloce che li porterà a Muscat è la vostra. Quando li consegnerete laggiù, ci sarà un altro *lakh* per voi. » Gli rivolse un sorriso gelido. « Stavolta vi pagherò per fuggire davanti a El Tazar, e non per affrontarlo. Avete palle sufficienti per questo compito, mio prode Avvoltoio? »

La *Golden Bough* filava a sud, con le vele illuminate dagli ultimi raggi del sole, maestosa come una torre dorata.

« La *Gull of Moray* è all'ancora nella baia di Adulis », avevano riferito le spie di Fasilides, « mentre il capitano è a terra. Si dice che oggi tenga consiglio con El Grang. » Ma erano informazioni vecchie di due giorni.

Chissà se l'Avvoltoio era ancora lì, si domandava irrequieto Hal, studiando l'assetto della velatura. La *Golden Bough* non avrebbe potuto sostenere neanche un altro scampolo di tela, ma le vele erano tutte bordate a regola d'arte, lo scafo fendeva l'acqua e il ponte vibrava sotto i suoi piedi come una creatura viva. Se la trovassi ancora alla fonda, potremmo abbordarla anche al buio, pensò il giovane, percorrendo il ponte per controllare l'assetto dei cannoni. I marinai bianchi si portavano le nocche alla fronte, sorridendo, mentre i ranghi serrati di *amadoda* sogghignavano, passandosi la mano destra aperta di traverso sul petto in segno di saluto. Erano come cani da caccia che hanno fiutato la pista del cervo. Lui sapeva che non si sarebbero tirati indietro nel momento in cui avrebbe affiancato la *Gull*, guidandoli all'arrembaggio sul ponte.

Il sole tramontava all'orizzonte, spegnendo in mare le sue fiamme, e il buio cominciava a calare, offuscando i contorni della terra.

La luna sorge tra due ore, rifletteva Hal, fermandosi vicino alla scialuppa per controllare la rotta della nave. A quell'ora dovremmo essere nella baia di Adulis. Alzò gli occhi verso Ned Tyler, che aveva il viso illuminato dalla lanterna della bussola.

« Alzate le vele nuove », ordinò, e Ned trasmise l'ordine ripetendolo al megafono. Le vele nuove erano distese sul ponte, ma ci volle un'ora di lavoro duro e pericoloso prima che le vele bianche fossero portate in coperta e quelle tinte di nero con la pece venissero alzate e spiegate.

Nero era lo scafo, e nere come la mezzanotte anche le vele. Al chiaro di luna, la *Golden Bough* non avrebbe riflesso neanche un barlume di luce, arrivando per cogliere di sorpresa la flotta dell'Islam all'ancora nella baia di Adulis.

Speriamo che ci sia l'Avvoltoio, pregava in silenzio Hal. Ti prego, Dio, fa' che non sia salpato.

Lentamente la baia si aprì davanti a loro, rivelando le lanterne della flotta nemica, fitte come le luci di una grande città. Più in là, i fuochi dei bivacchi dell'esercito di El Grang si riflettevano sul ventre gonfio della bassa nube di polvere e di fumo.

«Mettersi a bolina stretta, Tyler. Virare per l'ingresso nella baia.» La nave accostò, puntando veloce verso la flotta all'ancora.

«Una mano di terzaroli sulla vela di maestra. Serrare velaccio e controvelaccio, Tyler.» La nave perse abbrivo e il fruscio della prua diminuì, mentre le vele fileggiavano.

Hal si diresse a prua, dove trovò Aboli che emergeva dall'ombra. «I tuoi arcieri sono pronti?»

I denti di Aboli scintillarono nel buio. «Sono pronti, Gundwane.»

Hal li scorse in quel momento: sagome scure accovacciate lungo la battagliola fra una colubrina e l'altra, con i fasci di frecce disposti sul ponte a portata di mano.

«Tienili d'occhio!» lo ammonì. Se gli *amadoda* avevano un difetto in battaglia, era che potevano lasciarsi trascinare dalla sete di sangue.

Quando Hal raggiunse la postazione di Big Daniel, al centro della nave, lo trovò intento a controllare che tutte le micce fossero nascoste, in modo che le punte incandescenti non tradissero la loro presenza al nemico all'erta. «Buona sera, mastro Daniel. I tuoi uomini non hanno mai partecipato a un combattimento notturno, prima d'ora. Tieni le briglie tese, non lasciarli sparare alla cieca.»

Tornò al timone, mentre la nave avanzava nella baia, un'ombra scura sulle acque scure. La luna sorse alle loro spalle, illuminando la scena di una radiosità argentea, cosicché Hal poteva distinguere le sagome della flotta nemica, mentre la sua nave era ancora invisibile.

Scivolavano sull'acqua, avvicinandosi, e ormai erano tanto vicini da udire i suoni provenienti dai velieri ormeggiati nella baia: voci che cantavano, pregavano e discutevano. Qualcuno stava usando un maglio di legno, e si sentivano il cigolio dei remi negli scalmi e lo sbatacchiare del sartiame sui *dhow* che rollavano dolcemente all'ancora.

Hal aguzzava lo sguardo in attesa di scorgere gli alberi della *Gull of Moray*, pur sapendo che, anche se si trovava nella baia, non avrebbe potuto individuarla prima che la bordata iniziale rischiarasse le tenebre.

«Un grande *dhow* di prua», segnalò sottovoce a Ned Tyler. «Virate per passargli accanto sulla dritta.»

«Pronti, mastro Daniel!» Alzò la voce. «Sul naviglio a sinistra, puntare, fuoco!»

Si avvicinarono di soppiatto al *dhow* all'ancora e, quando fu di prua, la *Golden Bough* lo investì con una bordata che illuminò la notte come un fulmine temporalesco, mentre il tuono assordante dei cannoni echeggiava sulle colline deserte. In quel breve lampo Hal vide gli alberi e gli scafi di tutta la flotta nemica illuminati a giorno e si sentì oppresso dalla disperazione.

«La *Gull* se n'è andata», disse a voce alta. L'Avvoltoio gli era sfuggito per l'ennesima volta. «Ci sarà un'altra occasione», si consolò, accantonando con fermezza quel pensiero per dedicarsi tutto alla battaglia, che gli si prospettava alla mente come una sfilata di scene infernali.

Dopo che la prima bordata ebbe investito la preda, Aboli non attese ordini. Gli *amadoda* accesero le frecce incendiarie, rischiarando il ponte col riverbero di molte fiamme luminose: su ogni canna era legato, poco più in basso della punta di ferro, un trefolo di canapo imbevuto di pece che, appena sfiorato con la miccia, sputacchiava e cominciava a bruciare.

Gli arcieri neri lanciarono le frecce, che salirono in cielo descrivendo un'alta parabola fiammeggiante prima di ricadere in basso, conficcandosi nel fasciame dei vascelli all'ancora. Mentre urla di terrore e di sofferenza si levavano dallo scafo infranto dalla bordata, la *Golden Bough* proseguiva veloce, addentrandosi nella massa di imbarcazioni.

«Due vascelli ai lati della prua, un punto», segnalò Hal al timoniere. «Barra al centro.»

Mentre li superavano, sfiorandoli, la nave s'inclinò prima da una parte e poi dall'altra, scaricando due bordate in rapida successione: dall'alto del cielo cadde sui velieri colpiti una pioggia di frecce incendiarie.

Alle loro spalle, il primo *dhow* era in fiamme e l'incendio rischiarava la baia, illuminando i bersagli a beneficio degli artiglieri della *Golden Bough* che piombava su di loro.

« El Tazar! » Nel sentire quelle voci terrorizzate gridare in arabo il suo nome, che veniva ripetuto da una nave all'altra, Hal abbozzò un sorriso tetro, osservando i loro tentativi di tagliare il cavo dell'ancora per sfuggire al suo avvicinarsi. Ora i *dhow* in fiamme erano cinque, alla deriva in mezzo all'ancoraggio affollato.

Alcune imbarcazioni nemiche erano divorate dagli incendi, e ormai bruciavano senza fare alcun tentativo di prendere di mira la fregata. Palle di cannone vaganti, scagliate con una traiettoria troppo alta, ululavano in alto, mentre altre, lanciate troppo basse, sfioravano la superficie delle acque infrangendosi su navi amiche ancorate a fianco.

Le fiamme si propagavano da una nave all'altra: ben presto tutto l'arco della baia fu illuminato a giorno. Ancora una volta Hal cercò gli alberi alti della *Gull*. Se fosse stata lì, a quell'ora l'Avvoltoio avrebbe alzato le vele e la silhouette della nave sarebbe apparsa inconfondibile; invece non si vedeva da nessuna parte. Quindi Hal tornò a dedicarsi, con rinnovata lena, al compito di seminare il più possibile la distruzione nella flotta musulmana.

Uno dei velieri in fiamme alle loro spalle doveva essere carico di parecchie tonnellate di polvere nera destinata all'artiglieria di El Grang, perché esplose, sprigionando un'immensa torre di fumo nero costellata di fiamme rosse e ruggenti, come se il diavolo avesse spalancato le porte dell'inferno. La colonna di fumo salì a spirale nel cielo notturno finché la sommità non scomparve alla vista, come se avesse raggiunto il paradiso. Lo spostamento d'aria dell'esplosione investì tutta la flotta, spazzando via i velieri più vicini, fracassandone il fasciame o rovesciandoli.

Il vento prodotto dallo scoppio investì la fregata, tanto che per un attimo la nave perse l'abbrivo; ma poi la brezza notturna che soffiava da terra gonfiò di nuovo le vele, e la *Golden Bough* riprese la sua corsa, addentrandosi nella baia e nel cuore della flotta nemica.

Hal annuiva con aria di truce soddisfazione ogni volta che risuonava una salva di colpi: si sarebbe detto che fossero un unico tuono e una sola fiammata, perché tutti i cannoni sparavano nello stesso istante. Persino gli *amadoda* di Aboli scagliavano le frecce all'unisono, formando una compatta nube di fuoco. Viceversa, non si era mai sentito un cannoneggiamento così dissonante e incontrollato come quello che partiva a singhiozzo dalle navi nemiche.

Poi entrarono in scena le batterie costiere di El Grang, con gli artiglieri ancora insonnoliti che brancolavano per raggiungere i colossali cannoni da assedio. Ognuna delle loro scariche era come un tuono a sé, tanto fragoroso da far scomparire al confronto il rombo delle salve coordinate della fregata. Hal sorrideva ogni volta che una di quelle possenti fiammate scaturiva dalle ridotte di pietra all'interno della baia. In mezzo alla confusione e al fumo, gli artiglieri a terra non potevano scorgere le vele nere della *Golden Bough*, e finivano per sparare sulla propria flotta. Hal vide almeno una nave nemica ridotta in pezzi da un solo colpo di una batteria costiera.

« Pronti al giro di ritorno! » Hal impartì l'ordine in uno dei rari momenti di silenzio. La riva si avvicinava in fretta, e presto sarebbero rimasti intrappolati nei fondali bassi della baia. I gabbieri regolarono le vele con tempismo perfetto e la prua descrisse un ampio arco, prima di raddrizzarsi e puntare di nuovo verso il mare aperto.

Hal avanzò al centro della nave, alla luce brillante delle navi in fiamme, alzando la voce in modo che gli uomini potessero sentirlo: « Non dubito che El Grang ricorderà a lungo questa notte ». Gli uomini, pur continuando a manovrare gli affusti dei cannoni e incoccare le frecce, lo acclamarono a gran voce. « Per la *Bough* e per Sir Hal! »

Poi una voce isolata gridò: « El Tazar! » e tutti ripresero quel grido con tanto vigore che persino El Grang e il principe dovettero sentirlo, mentre stavano ritti davanti alla tenda di seta sull'altura che dominava la baia, guardando la flotta distrutta ai loro piedi.

« El Tazar! El Tazar! »

Hal rivolse un cenno col capo al timoniere. « Portateci al largo, per favore, Tyler. »

Mentre si allontanavano a zigzag tra le navi in fiamme e i relitti galleggianti, dirigendosi lentamente verso l'uscita della baia, un colpo isolato sparato da uno dei *dhow* alla deriva perforò la frisata, spazzando la coperta. Miracolosamente passò fra uno degli artiglieri e un gruppo di arcieri seminudi senza colpirli. Invece Stan Sparrow era in piedi presso la battagliola opposta, al comando di una batteria di cannoni, e la palla di ferro rovente gli amputò di netto le gambe, poco sotto il ginocchio.

Istintivamente Hal scattò in avanti per soccorrerlo, poi si controllò. Era il capitano della nave, e non era compito suo occuparsi di morti e feriti; ma sentì acutamente la sofferenza della perdita. Stan Sparrow era stato fin dall'inizio al fianco di suo padre, era un brav'uomo e un buon marinaio.

Portandolo via, passarono accanto a Hal. Vide che il ferito aveva il viso pallido come l'avorio, svuotato dalla perdita di sangue; se ne stava andando in fretta, ma quando vide Hal sollevò con uno sforzo la mano fino a toccare la fronte. « Sono stati bei momenti, comandante », gli disse.

« Buon viaggio, mastro Stan », rispose Hal. Poi si voltò a guardare di nuovo la baia, in modo che nessun uomo potesse scorgere il suo turbamento alla luce delle navi in fiamme.

Molto tempo dopo, quando erano già usciti dalla baia per puntare a nord verso Mitsiwa, il cielo notturno dietro di loro continuava ancora a risplendere dell'inferno che avevano scatenato. I comandanti delle varie divisioni si presentarono uno alla volta per fare rapporto: benché Stan Sparrow fosse l'unico caduto, altri tre uomini erano stati feriti da colpi di moschetto sparati dai *dhow* mentre passavano in mezzo a loro, e un altro ancora aveva la gamba schiacciata, investita dal rinculo di una colubrina preparata con una carica eccessiva. Era un prezzo modesto da pagare, immaginava Hal, eppure, pur sapendo che era una debolezza, piangeva Stan Sparrow.

Era sfinito e aveva mal di testa per il frastuono del combattimento e il fumo della polvere da sparo, ma era troppo eccitato e aveva la mente in subbuglio, in preda a un turbine di emozioni e pensieri contraddittori. Lasciando il timone a Ned Tyler, se ne andò da solo a prua, nella speranza che l'aria fresca della notte lo calmasse.

Era ancora lì, da solo, quando l'alba cominciò a incrinare l'oscurità e la *Golden Bough* entrò nello stretto di Mitsiwa: e così fu la prima nave a vedere i tre razzi rossi sfrecciare in alto nel cielo dalla cima delle scogliere che dominavano la baia.

Era un segnale di Judith Nazet, un richiamo urgente. Sentì il cuore accelerare i battiti per il terrore, mentre si voltava per gridare ad Aboli, che comandava il turno di guardia: « Issa tre lanterne rosse in testa d'albero! »

Le tre lanterne rosse segnalavano che aveva ricevuto il messaggio.

Ha sentito i cannoni e visto le fiamme, pensò. Vuole sentire il mio rapporto sulla battaglia. Sperava così di placare il senso di allarme che lo aveva assalito, ma sapeva, chissà come, che non era vero.

Quando puntarono verso la riva, ormai era giorno pieno. Hal era ancora a prua, e fu il primo a scorgere la barca che veniva verso di loro dalla spiaggia. A duecento braccia di distanza riconobbe la figura snella ritta vicino all'unico albero: si sentì balzare il cuore in gola e la sua tristezza si dissolse, rimpiazzata da un senso di ansia impaziente.

Judith Nazet era a capo scoperto, col viso incorniciato dall'alone scuro dei capelli. Indossava l'armatura e aveva una spada affibbiata al fianco, più l'elmo d'acciaio sotto il braccio.

Hal tornò sul cassero per ordinare al timiere: «Invertire la rotta e mettersi in panna! Lasciate affiancare la barca. »

Judith Nazet emerse in fretta dal boccaporto, con grazia e agilità, ma Hal si accorse che il suo splendido viso era angosciato. «Rendo grazie a Dio che vi ha riportato qui così presto», disse con la voce tremante per una forte emozione. «Ci ha colpiti una terribile catastrofe. Non riesco a trovare le parole adatte per descriverla. »

Avevano avvolto alcune strisce di cuoio intorno agli zoccoli dei cavalli per attutire il rumore sul terreno roccioso. Il prete cavalcava accanto a lui, ma Cornelius Schreuder aveva preso la precauzione di assicurare una catenella d'acciaio al polso dell'uomo, legando l'altro capo al proprio polso. Il prete aveva lo sguardo sfuggente e una faccia da furetto che non gli ispiravano la minima fiducia.

Procedevano a cavallo in fila per due, sul fondo di quella valle stretta e, sebbene la luna fosse sorta già da un'ora, i fianchi rocciosi della gola continuavano a riverberare sul loro viso il calore del sole. Schreuder aveva scelto i quindici soldati più fidati del reggimento, tutti montati su cavalli veloci. Gli oggetti metallici e le armi erano stati avvolti con cura in un panno, perché non tintinnassero o riflettessero la luce nel buio notturno.

Il prete alzò d'improvviso la mano. «Fermatevi qui! »

Schreuder ripeté l'ordine in un sussurro.

« Devo andare avanti per vedere se la via è libera », disse il prete.

« Verrò con voi. » Schreuder smontò di sella, accorciando la catenella che li teneva uniti. Lasciando il resto del gruppo sul fondo di un *uadi*, cominciarono ad arrampicarsi strisciando sul ripido pendio.

« Ecco il monastero! » Il prete indicava un massiccio edificio quadrato che dominava le colline sopra di loro, cancellando metà delle stelle dal cielo notturno. « Due lampi e poi di nuovo due lampi. »

Schreuder puntò la piccola lanterna verso le mura del monastero, spalancando lo sportellino che riparava la fiamma e facendola lampeggiare due volte, e poi di nuovo due volte; nulla, nessuna reazione.

« Se cercate di menarmi per il naso, vi stacco la testa con la spada », grugnì Schreuder, accorgendosi che il piccolo prete al suo fianco rabbrividiva.

« Ripetete il segnale! » lo pregò. Schreuder ripeté il segnale, e d'improvviso una minuscola scheggia di luce scintillò per un attimo alla sommità del muro. Apparve due volte, poi si spense.

« Possiamo proseguire », bisbigliò il prete, eccitato, ma Schreuder lo trattenne.

« Che cosa avete detto a quelli nel monastero che ci aiuteranno a entrare? »

« Loro sanno soltanto che dobbiamo trasferire di nascosto l'imperatore e il Tabernacolo in un posto sicuro per salvarli da un complotto di assassini, ordito da un potente nobile della fazione dei galla che cerca di strappare la corona a Prete Gianni. »

« Un buon piano », mormorò Schreuder, incitando il prete a scendere lungo il pendio fino al punto dove li aspettavano i cavalli. La guida riprese il cammino e salirono un'altra ripida scarpata, ritrovandosi alla fine sotto le mura massicce che s'intravedevano appena nell'oscurità.

« Lasciate qui i cavalli », sussurrò il prete con voce tremula.

Gli uomini di Schreuder smontarono, consegnando le redini a due compagni, incaricati di custodire i cavalli. Il colonnello radunò il gruppo e lo guidò, preceduto dal prete, verso il muro da cui penzolava una scaletta di corda: nel buio, Schreuder non riusciva a scorgerne la sommità. « Ho mantenuto la mia parte del patto », brontolò il prete. « Ci sarà un altro ad aspettarvi in cima al muro. Non dovrei ricevere la ricompensa che mi è stata promessa? »

« Siete stato di parola », fu pronto a riconoscere Schreuder. « È nella sacca della sella. Uno dei miei uomini vi riporterà indietro fino ai cavalli e ve la consegnerà. » Passò l'estremità della catenella d'acciaio al suo luogotenente, dicendogli in arabo: « Trattalo bene, Ezekiel », in modo che il prete potesse capire. « Dagli la ricompensa che si merita. »

Ezekiel condusse via il prete, mentre Schreuder aspettava qualche minuto, finché non sentì scaturire dal buio un grugnito di shock e di sorpresa, insieme al soffio lieve dell'aria che sfuggiva da una trachea troncata di netto. Ezekiel tornò indietro in silenzio, asciugando il pugnale su un lembo del turbante.

« Un lavoro ben fatto », commentò Schreuder.

« Il mio coltello è affilato », ribatté Ezekiel, riponendo la lama nel fodero.

Schreuder salì sul primo scalino della scaletta di corda per cominciare l'arrampicata. Cinquanta piedi più in alto, raggiunse una feritoia che si apriva nel muro, larga appena quanto bastava per consentire il passaggio delle spalle. Un altro prete lo attendeva nella minuscola cella di pietra all'interno.

Uno dopo l'altro, gli uomini di Schreuder lo seguirono, scivolando al di sopra del davanzale e affollandosi nella cella.

« Portateci prima dal bambino », ordinò Schreuder al prete, posandogli una mano sulla spalla ossuta. I suoi uomini lo seguirono lungo il corridoio buio e tortuoso, ciascuno appoggiando la mano alla spalla del compagno davanti a lui.

Svoltando a destra e a sinistra in quel labirinto buio, raggiunsero infine una scala a chiocciola e, una volta in fondo, videro un chiarore lontano, che divenne sempre più intenso man mano che si avvicinavano. Alla fine del passaggio si trovarono di fronte a una porta, ai lati della quale ardevano torce fumose infisse nei supporti alla parete. Sulla soglia erano rannicchiate due guardie, con le armi accanto.

« Uccidili! » bisbigliò Schreuder a Ezekiel.

« Sono già morti », ribatté il prete. Schreuder ne sfiorò uno col piede, e il braccio della guardia ricadde inerte, mentre la ciotola che aveva contenuto il pasto avvelenato gli rotolava via di mano, vuota.

Quando il prete bussò alla porta con un segnale convenzionale, il paletto fu tolto dalla parte interna, il battente si spalancò e comparve sulla soglia una bambinaia, con un bambino tra le braccia e gli occhi dilatati dal terrore alla luce delle torce.

«È questo?» Schreuder sollevò il lembo della coperta per scrutare il visetto scuro del bambino addormentato; aveva gli occhi chiusi e i riccioli scuri umidi di sudore.

«È questo», confermò il prete.

Schreuder strinse saldamente il braccio della bambinaia, attirandola accanto a sé. «Ora pensiamo al resto», disse a bassa voce.

Ripresero a camminare, addentrandosi nel dedalo di sale buie e corridoi stretti fino a raggiungere un'altra porta massiccia davanti alla quale giacevano i corpi di quattro sacerdoti, contorti negli spasmi dell'agonia causata dal veleno. La loro guida s'inginocchiò vicino a uno dei morti, frugando tra le sue vesti; quando si rialzò, teneva in mano una massiccia chiave di ferro, che inserì nella serratura prima di tirarsi indietro.

Schreuder chiamò a sé Ezekiel con un sussurro, affidandogli la bambinaia. «Sorvegliala bene!» Poi si avvicinò alla porta, afferrando la maniglia di bronzo. Quando il battente si spalancò, il prete traditore e persino il gruppo di razziatori si ritrassero di scatto dinanzi alla luce intensa che si riversava fuori della cripta di pietra. Dopo tanto buio, il chiarore di cento candele era abbagliante.

Schreuder varcò la soglia, poi persino lui esitò e si fermò, incerto. Fissava il Tabernacolo rivestito dal drappo lucente di ricami. Alla luce palpitante delle candele, gli angeli sul coperchio sembravano danzare, e il colonnello si sentì sopraffare da una sensazione di religioso rispetto. Si segnò istintivamente, poi tentò di fare un passo avanti per afferrare una delle maniglie della cassetta, ma fu come se avesse urtato contro una barriera invisibile, che gli sbarrava il passo. Il respiro divenne affannoso e provò un senso di costrizione al petto; si sentiva pervaso dall'impulso irrazionale di voltare le spalle al Tabernacolo e fuggire, tanto che indietreggiò di un passo prima di riuscire a dominarsi. Pian piano, procedendo a ritroso, uscì dalla cripta.

«Ezekiel!» disse con voce roca. «Io mi occupo della donna e del bambino. Pensaci tu alla cassetta, con l'aiuto di Mustapha.»

I due musulmani, che non soffrivano di scrupoli religiosi, si fecero avanti con zelo, afferrando le maniglie. Con loro grande sorpresa, il Tabernacolo si rivelò leggero, quasi senza peso, e in due lo portarono senza sforzo.

« I cavalli ci aspettano al cancello principale », disse Schreuder in arabo alla loro guida. « Accompagnateci là. »

Ripercorrendo in fretta i corridoi bui, s'imbatterono inaspettatamente in un altro prete vestito di bianco, che svoltava un angolo del corridoio venendo verso di loro. Alla luce incerta delle torce, vide il Tabernacolo fra le mani dei due soldati armati e cadde in ginocchio, lanciando un grido di orrore di fronte a quel sacrilegio. Schreuder, che aveva il braccio della bambinaia stretto nella mano sinistra e la spada Nettuno già sguainata nella destra, uccise il prete inginocchiato con un solo colpo fra le costole.

Rimasero in ascolto per qualche minuto, ma nessuno accorse al grido.

« Proseguite! » ordinò il colonnello.

La loro guida si fermò di nuovo, bruscamente. « La porta è poco distante e nel corpo di guardia ci sono tre uomini. » Schreuder riusciva a scorgere il chiarore della loro lampada che si riversava fuori della porta aperta. « Io devo lasciarvi qui. »

« Andate con Dio », rispose Schreuder in tono ironico, e l'uomo si allontanò in gran fretta.

« Ezekiel, posa la cassetta e va' avanti a sistemare le guardie. » In tre sgattaiolarono lungo il passaggio, mentre il colonnello teneva saldamente la bambinaia. Ezekiel sgattaiolò dentro il corpo di guardia e, dopo un attimo di silenzio, si udì il rumore di qualcosa che cadeva sul pavimento di pietra.

Schreuder fece una smorfia, ma tutto ridivenne silenzioso. Ezekiel tornò indietro dicendo: « Fatto! »

« Stai diventando vecchio e maldestro », lo rimproverò il colonnello, precedendo il gruppo verso la porta massiccia. Ci vollero tre uomini per sollevare le grosse assi di legno che la sbarravano, poi Ezekiel azionò il rudimentale argano che l'azionava e la porta si aprì faticosamente.

« Ora restate uniti! » li ammonì il colonnello, guidandoli di corsa oltre il ponte e sul sentiero scavato nella roccia. Fermandosi un istante sotto il chiaro di luna, lanciò un fischio sommesso. Si udì un tonfo smorzato di zoccoli, mentre i custodi dei cavalli sbucavano dal loro nascondiglio fra le rocce. Ezekiel sollevò il Tabernacolo, sistemandolo sulla soma del cavallo privo di cavaliere e assicurandolo bene con le corde. Poi ciascuno di loro prese le redini della propria cavalcatura, montando in sella. Schreuder si chinò per prendere il bambino addormentato dalle braccia della bambinaia; il piccolo lanciò un grido nel sonno, ma il colonnello riuscì a calmarlo e a sistemarlo saldamente sul pomo della sella.

« Vattene! » ordinò alla donna. « Non c'è più bisogno di te. »

« Non posso lasciare il bambino. » La voce della donna era acuta e agitata.

Schreuder allora si protese di nuovo in basso e, con un solo fendente della spada Nettuno, uccise la bambinaia, lasciandola distesa vicino alla pista, prima di guidare la spedizione nella discesa dai monti.

« Due sacerdoti del monastero sono riusciti a seguire gli empi nella fuga », spiegò Judith Nazet a Hal. Persino di fronte al disastro le sue labbra restavano ferme, gli occhi calmi e sereni. Lui ammirò la sua forza d'animo, comprendendo in quel momento come aveva fatto ad assumere il comando di un esercito in rotta riportandolo alla vittoria.

« E ora dove sono? » le chiese, così scosso da quella terribile notizia che gli riusciva difficile riflettere in modo chiaro.

« Sono andati direttamente dal monastero a Tenwera. Sono arrivati laggiù poco prima dell'alba, tre ore fa, e c'era una grande nave ad aspettarli, ancorata nella baia. »

« Vi hanno descritto questa nave? »

« Sì, era quella del corsaro che ha la commissione del Gran Mogol, quello di cui abbiamo già parlato nel nostro primo incontro. Lo stesso che ha seminato tanto scompiglio nella nostra flotta di trasporti. »

« L'Avvoltoio! » esclamò Hal.

« Sì, è così che si fa chiamare, anche dagli alleati. » Judith annuì. « Sotto gli occhi dei miei uomini, di vedetta sulle rocce, una piccola barca ha portato l'imperatore e il Tabernacolo fino alla nave, che era all'ancora. Non appena sono arrivati a bordo, l'Avvoltoio ha salpato. »

« In quale direzione? »

« All'uscita dalla baia si è diretto a sud. »

« Sì, certo. » Hal assentì. « Gli avranno ordinato di portare Yohannis e il Tabernacolo a Muscat, o addirittura in India, nel regno del Gran Mogol. »

« Ho già inviato una delle nostre navi più veloci all'inseguimento dell'Avvoltoio. Aveva solo un'ora di ritardo su di lui, e il vento era leggero. È un piccolo *dhow*, e non potrebbe mai attaccare una nave potente come quella dell'Avvoltoio ma, se Dio è misericordioso, dovrebbe seguirlo ancora, come un'ombra. »

« Dobbiamo inseguirlo subito. » Hal si voltò per rivolgersi in tono pressante a Ned Tyler. « Invertite la rotta e alzate tutte le vele, fino all'ultima iarda di tela che riuscite a farle sostenere. La rotta è sud sud-est per Bab al-Mandab. »

Prendendo Judith per il braccio, la condusse nella sua cabina; era la prima volta che la toccava. « Siete stanca », le disse. « Ve lo leggo negli occhi. »

« No, comandante, non è stanchezza quella che vedete, ma sofferenza. Se non riuscite a salvarci voi, tutto è perduto: un re, un Paese, una fede. »

« Vi prego, sedetevi », insistette Hal. « Voglio mostrarvi quello che dobbiamo fare. » Spiegò la carta di fronte a lei. « L'Avvoltoio potrebbe ancora puntare direttamente verso la costa occidentale dell'Arabia e, se facesse così, saremmo perduti. Anche con questa nave, non posso sperare di raggiungerlo prima che arrivi sulla sponda opposta. »

Il sole del primo mattino filtrava dalle finestre a poppa, rivelando con crudezza i segni dell'angoscia incisi sul bel viso di Judith. Fu terribile per Hal vedere quanto dolore le avevano inflitto le sue parole, tanto che abbassò gli occhi sulla carta per non guardarla.

« Comunque non credo che lo farà. Se facesse vela direttamente per l'Arabia, l'imperatore e il Tabernacolo dovrebbero affrontare un viaggio difficile e pericoloso via terra per raggiungere Muscat o l'India. » Scrollò la testa. « No, punterà a sud attraverso lo stretto di Bab al-Mandab. »

Hal puntò il dito sullo stretto accesso al mar Rosso. « Se riusciremo ad arrivarci prima di lui, non potrà evitarci, perché il Bab è troppo stretto. Dobbiamo riuscire a raggiungerlo lì. »

« Dio lo voglia! » pregò Judith.

« Ho un vecchio conto da saldare con l'Avvoltoio », spiegò Hal con espressione truce. « Non vedo l'ora di puntargli contro i miei cannoni. »

Judith lo guardò costernata. « Ma non potete sparare sulla sua nave. »

« Che volete dire? » La fissò stupito.

« A bordo con lui ci sono l'imperatore e il Tabernacolo. Non potete distruggere nessuno dei due. »

Comprendendo la verità delle sue parole, Hal si sentì gelare il sangue. Avrebbe dovuto raggiungere la *Gull of Moray* e accostare, mentre l'Avvoltoio sparava le sue bordate contro la *Golden Bough* senza poter replicare. Immaginava perfettamente ciò che avrebbero dovuto subire, la distruzione inflitta allo scafo della sua nave dalle cannonate e il massacro sui ponti, prima di poter abbordare la *Gull*.

La *Golden Bough* filava verso sud. Alla fine del turno di guardia del mattino, Hal riunì gli uomini al centro della nave per informarli del compito che chiedeva loro di addossarsi. « Non ve lo nascondo, ragazzi. L'Avvoltoio potrà bersagliarci, mentre noi non potremo rispondere al fuoco. » Gli uomini erano tutti silenziosi e seri in volto. « Ma pensate come sarà bello quando abborderemo la *Gull* e li passeremo a fil di lama. »

Tutti lo acclamarono, ma nei loro occhi si leggeva la paura.

« Voi promettete la morte, e loro vi acclamano », osservò con dolcezza Judith Nazet, quando furono soli. « E poi definiscono me un condottiero. » Hal credette di sentire qualcosa di più del rispetto nel suo tono di voce.

A metà del primo turno di guardia della notte, si sentì un grido dalla coffa. « Vela in vista! Di prua! »

Il polso di Hal accelerò. Possibile che avessero raggiunto l'Avvoltoio così presto? Afferrò il megafono dal supporto. « Coffa! Che cosa vedi? »

« Vela latina! » Si sentì sprofondare. « Una piccola imbarcazione, sulla nostra stessa rotta. »

Judith osservò con calma: « Potrebbe essere quella che ho mandato a seguire la *Gull* ».

Pian piano ridussero la distanza che li separava dall'altra imbarcazione, la quale, mezz'ora dopo, era a una lunghezza di distanza. Hal porse il cannocchiale a Judith, che la studiò con attenzione. « Sì, è la mia staffetta. » Abbassò lo strumento. « Potete esporre la croce bianca per placare i loro timori, e poi avvicinarvi quanto basta per parlare con loro? »

Superarono il *dhow*, passando così vicino da poter osservare dall'alto l'unico ponte dell'imbarcazione, poi Judith gridò una domanda in ge'ez, ascoltando la fievole risposta.

Si rivolse subito a Hal, con gli occhi scintillanti di eccitazione. « Eravate nel giusto. Seguono la *Gull* fin dall'alba. Soltanto poche ore fa avevano in vista le sue vele, ma poi il vento si è rinforzato e la nave li ha distanziati. »

« Su quale rotta era, l'ultima volta che l'hanno vista? »

« La stessa che ha seguito per tutto il giorno: direzione sud, puntando dritto verso lo stretto di Bab. »

Per quanto Hal la invitasse a scendere nella sua cabina per riposare, Judith insistette per restare accanto a lui sul cassero. Parlavano poco, perché erano entrambi tesi e spaventati, ma traevano conforto l'uno dall'altra, attingendo a una riserva comune di forza e determinazione.

A intervalli di alcuni minuti, Hal alzava gli occhi verso le vele funeree, poi si dirigeva verso la chiesuola, ma non c'erano ordini da dare, perché Ned governava come meglio non si sarebbe potuto.

La nave era avvolta in un silenzio carico di ansia e di emozione. Nessuno gridava o rideva. Gli uomini liberi dal turno di guardia non sonnecchiavano al riparo della vela maestra, come al solito, ma si raggruppavano in piccoli capannelli silenziosi, attenti alla minima mossa che faceva Hal, a ogni parola che pronunciava.

Il sole descrisse il suo periplo maestoso del cielo, calando verso le colline lontane a occidente; la notte piombò su di loro subdola come un'assassina, e l'orizzonte si offuscò, fondendosi con il cielo sempre più buio fino a sparire.

Nel buio, Hal sentì la mano di Judith sul braccio; era liscia e calda, ma forte. « Li abbiamo perduti, però non è colpa vostra », disse piano. « Nessuno avrebbe potuto fare di più. »

« Non ho ancora fallito », ribatté lui. « Abbiate fede in Dio, e fiducia in me. »

« Ma... al buio? Senza dubbio l'Avvoltoio non esporrebbe delle luci, e all'alba di domani avrà superato lo stretto e sarà in mare aperto. »

Hal avrebbe voluto dirle che tutto quello era preordinato da molto tempo, che stava navigando a sud per andare incontro a un destino speciale... Sì, anche se poteva sembrarle fantasioso, doveva dirglielo. « Judith », cominciò, poi fece una pausa per cercare le parole giuste.

« Ponte! » La voce di Aboli risuonò poderosa dalle tenebre, con un timbro e una risonanza che fecero venire la pelle d'oca a Hal.

« Coffa! » gridò di rimando.

« Una luce di prua! »

Lui passò un braccio sulle spalle di Judith, che dapprima fece per allontanarsi, poi, invece, gli si strinse vicino.

« Ecco la risposta alla vostra domanda », sussurrò Hal.

« Dio ha provveduto per noi. »

« Io devo salire in coffa. » Lasciò ricadere il braccio. « Forse siamo troppo frettolosi, e il diavolo ci sta beffando. » Si avvicinò in fretta a Ned. « Nave scura, Tyler. Trascinerò sotto la chiglia il primo uomo che mostra una luce. Nave silenziosa, nessun rumore o voce. » Si diresse verso le sartie dell'albero di maestra, arrampicandosi in fretta per raggiungere Aboli. « Dov'è quella luce? » Scandagliò con gli occhi l'oscurità davanti a loro. « Non vedo niente. »

« Ora non si vede più, ma era dritta davanti a noi. »

« Una stella nell'occhio, Aboli? »

« Aspetta, Gundwane. Era una luce piccola e molto lontana. »

I minuti passarono lentamente, poi d'un tratto la vide anche Hal. Non si poteva neppure definire uno scintillio, bensì una vaga luminescenza, così debole che lui dubitò persino dei suoi occhi, soprattutto perché Aboli, al suo fianco, non aveva dato segno di vederla. Hal distolse lo sguardo per riposare gli occhi, poi guardò di nuovo e vide che era ancora lì, nel buio, troppo bassa per essere una stella: una luminosità strana, innaturale.

« Sì, Aboli. Ora la vedo. » Mentre parlava, la luce divenne più intensa, e anche Aboli lanciò un'esclamazione. Poi si spense di nuovo.

« Potrebbe essere un veliero sconosciuto, non la *Gull*. »

« Certo l'Avvoltoio non sarebbe tanto negligente da lasciare una luce in vista. »

« Una lanterna nella cabina di poppa? Il riflesso della chiesuola? »

« O uno dei marinai che si gusta in pace una pipa? »

« Preghiamo che sia una di queste possibilità. Comunque si trova nella posizione in cui possiamo prevedere che sia l'Avvoltoio. La terremo d'occhio fin dopo il sorgere della luna. »

Rimasero insieme, aguzzando lo sguardo nella notte. Talvolta la strana luce appariva come un punto ben preciso, in altri momenti era un vago chiarore amorfo, e spesso spariva del tutto. Una volta scomparve per una mezz'ora angosciosa, prima di tornare a risplendere, nettamente più intensa.

« Stiamo guadagnando terreno », si azzardò a sussurrare Hal.
« Quale sarà la distanza adesso, secondo te? »

« Una lega, forse meno. »

« E la luna dov'è? » Hal guardò a est. « Quando si deciderà a sorgere? »

Scorse la prima iridescenza dietro le montagne scure della penisola arabica; poi, schiva come una sposa, la luna svelò il suo volto e stese sulle acque una passatoia d'argento; Hal si sentì serrare il petto in una morsa, mentre ogni tendine del suo corpo si allungava come la corda di un arco.

Dall'oscurità davanti a loro emerse un'apparizione meravigliosa, sfumata come una nube di foschia opalina.

« Eccola! » bisbigliò Hal, poi dovette prendere fiato per schiarirsi la voce. « La *Gull of Moray* di prua. »

Afferrò Aboli per il braccio. « Scendi ad avvertire Ned Tyler e Big Daniel. Resta lì finché non riuscirete a vedere la *Gull* dal ponte, poi torna. »

Quando Aboli se ne fu andato, lui rimase a guardare il profilo della velatura della *Gull*, nitido e fermo al chiaro di luna. Si sentiva spaventato come di rado era stato in vita sua, temendo non solo per sé, ma per gli uomini che avevano fiducia in lui; per la donna sul ponte e il bambino a bordo dell'altra nave. Come poteva sperare di affiancarsi alla *Gull* con la *Golden Bough*, mentre l'altra nave sparava le sue bordate contro di loro che non potevano rispondere? In quanti dovevano morire nella prossima ora, e chi sarebbe stato fra loro? Immaginò il corpo snello e fiero di Judith Nazet dilaniato da una raffica di mitraglia. « Dio, fa' che non accada. Mi hai già preso più di quanto possa sopportare. Quanto mi chiederai ancora? »

Vide di nuovo la luce a bordo dell'altra nave; risplendeva dalle finestre alte a poppa. Erano candele accese nella cabina? Fissò quel punto sino a farsi dolere gli occhi, ma quella luce non giungeva da un punto preciso.

Sentì un tocco leggero sul braccio. Non aveva sentito risalire Aboli. « La *Gull* è in vista dal ponte », riferì sottovoce a Hal.

Lui non riusciva ancora a lasciare la coffa, perché provava un senso di religioso timore nel guardare la strana luce a poppa della *Gull*. « Non è una lampada, né una lanterna o una candela, Aboli. È il Tabernacolo di Maria che risplende nel buio, come un faro che mi guida verso il mio destino. »

Al suo fianco, Aboli fu scosso da un brivido. « È vero che

quella non è una luce di questo mondo. È una luce incantata, quale non ne ho mai viste prima. » Gli tremava la voce. « Ma come puoi sapere, Gundwane? Come puoi essere certo che sia il talismano che arde così? »

« Perché lo so », rispose Hal semplicemente. Proprio in quel momento la luce si spense sotto i loro occhi, e la *Gull* rimase al buio. Solo le vele illuminate dalla luna continuavano a risplendere sulla nave.

« Era un segnale », sussurrò Aboli.

« Sì, era un segnale », confermò Hal, con una voce di nuovo forte e serena. « Dio mi ha dato un segnale. »

Scesero sul ponte, dove Hal si diresse subito al timone. « Eccola lì, Tyler. » Guardarono entrambi le vele della *Gull*, risplendenti al chiaro di luna.

« Già, eccola, capitano. »

« Schermate la luce nella chiesuola. Portatemi a fianco della *Gull*, per favore. Tenete a disposizione quattro timonieri di riserva, pronti a prendere la barra man mano che gli altri vengono abbattuti. »

« Bene, Sir Hal. »

Hal proseguì. Dal buio emerse la figura di Big Daniel. « I grappini di ferro, mastro Daniel? »

« Tutti pronti, capitano. Li lanceremo io e dieci dei miei uomini più forti. »

« No, Daniel, lascialo fare a John Lovell. Ho un lavoro migliore per te e Aboli. Venite con me. »

Guidò Daniel e Aboli verso il punto in cui era rimasta Judith Nazet, ai piedi dell'albero di maestra.

« Voi due andrete con il generale Nazet. Prendete dieci dei marinai migliori e non lasciatevi coinvolgere nel combattimento in coperta. Più rapidi che potete, scendete nella cabina di poppa della *Gull*. Lì troverete il Tabernacolo e il bambino. Portateli via. Niente e nessuno dovrà distogliervi dal vostro scopo, capito? »

« Come sapete dove custodiscono l'imperatore e il Tabernacolo? » chiese Judith Nazet a bassa voce.

« Lo so », rispose Hal in tono così sicuro che lei tacque. Avrebbe voluto ordinarle di restare al sicuro sino alla fine del combattimento, ma sapeva che avrebbe rifiutato; e poi non esisteva un luogo sicuro, quando due navi di quella potenza erano impegnate in uno scontro mortale.

« E tu dove sarai, Gundwane? » chiese piano Aboli.

« Io sarò con l'Avvoltoio », rispose Hal, allontanandosi senza aggiungere una parola.

Si diresse a prua, soffermandosi quando raggiungeva ognuna delle divisioni, accovacciate sotto la linea della battagliola, per parlare sottovoce a ogni nostromo. « Che Dio vi protegga, Samuel Moone. Può darsi che dobbiamo subire un paio di colpi prima di abbordarla, ma pensate al piacere che vi attende a bordo della *Gull*. »

A Jiri disse: « Questa sarà una battaglia di cui potrai vantarti con i tuoi nipotini ».

Ebbe una parola per ciascuno di loro, poi si ritirò di nuovo a prua per guardare in direzione della *Gull*: ormai era distante solo un centinaio di braccia e navigava placida sotto le vele irradiate dalla luna.

« Signore, nascondici alla loro vista », sussurrò, alzando la testa verso le sue vele, che formavano una piramide alta e scura sotto le stelle.

Lentamente, con lentezza penosa, diminuirono la distanza che li separava dalla *Gull*. Ormai non può sfuggirci, pensò Hal con cupa soddisfazione. Siamo troppo vicini.

D'improvviso, dalla coffa della *Gull* proruppe un grido di terrore. « Vela in vista! Di poppa! La *Golden Bough*! »

Da quel momento in poi sul ponte dell'altra nave si scatenò un pandemonio di grida e movimenti confusi, con il rullo selvaggio del tamburo che chiamava l'equipaggio dell'Avvoltoio ai posti di combattimento e un fitto scalpiccio di piedi sul tavolato dei ponti; si udirono una serie di schianti sonori mentre si spalancavano i portelli, e poi il cigolio e il rombo dei cannoni collocati in posizione di tiro. In venti punti diversi lungo la battagliola buia si propagò il bagliore delle micce accese, circondato dallo scintillio dei loro riflessi sull'acciaio.

« Accendere le lampade da combattimento! » Hal udì le urla colleriche dell'Avvoltoio che spingeva gli uomini in preda al panico verso i posti di combattimento, poi sentì chiaramente il suo ordine al timone: « A sinistra! Assestiamo una bella bordata a quei bastardi! Daremo loro una tale zaffata di polvere da sparo che la scorreggeranno in faccia al demonio, quando li manderemo all'inferno! »

Le lanterne da combattimento della *Gull* si accesero, illuminando tutta la nave per consentire agli artiglieri di fare il loro lavoro. A quel chiarore giallo, Hal scorse per un attimo il cespuglio di capelli rossi dell'Avvoltoio.

Poi la silhouette della *Gull* cambiò rapidamente, mentre la nave virava di bordo. Hal notò che l'Avvoltoio aveva reagito in modo istintivo, ma poco saggio. Nella posizione in cui si trovava prima, Hal non avrebbe potuto far altro che subire, lasciando che la *Golden Bough* fosse ridotta a un relitto, dato che non poteva attaccare. Ora invece Cumbrae sarebbe stato fortunato se fosse riuscito a sparare una buona bordata prima che l'altra nave gli fosse addosso.

Hal sogghignò. Forse l'Avvoltoio era vittima della sua stessa malvagità. Probabilmente non aveva tenuto conto del fatto che Hal non avrebbe aperto il fuoco per via del bambino e dell'antica reliquia che trasportava. Se al posto di Hal ci fosse stato lui, l'Avvoltoio avrebbe spazzato via l'avversario a suon di cannonate.

Mentre la *Gull* accostava lentamente, la *Golden Bough* le si avventò contro; per un attimo Hal pensò che avrebbero potuto abbordarla prima che i cannoni facessero fuoco.

Coprirono le ultime cento iarde, e Ned aveva già dato ordine di ridurre la velatura per il combattimento, quando la *Gull* completò l'arco della virata e tutti i suoi cannoni puntarono direttamente contro Hal.

Guardando la batteria della *Gull*, rimase accecato dal lampo luminoso color cremisi della bordata che sparò contro la *Golden Bough* quasi a bruciapelo.

La tempesta causata dallo spostamento d'aria li investì con tanta maligna violenza che Hal fu scaraventato all'indietro, e per un attimo pensò di essere stato colpito. Il ponte si dissolse in una grandinata di schegge di legno, mentre il gruppetto di *amadoda* accanto a lui fu colpito in pieno. La *Golden Bough* s'inclinò bruscamente, sotto il peso della bordata che l'aveva colpita, avvolta in una nube soffocante di fumo.

Il terribile silenzio che seguì al tuono della bordata era incrinato solo dalle grida e dai gemiti dei feriti e dei morenti. Poi la cortina di fumo si dissolse e, dalla parte opposta dello stretto varco che separava le due navi, giunse il grido di battaglia dell'altro equipaggio: «Per la *Gull* e Islay!» Quindi Hal sentì il rombo degli affusti che rientravano negli alloggiamenti per ricaricare i cannoni.

Quanti dei miei ragazzi saranno morti? si chiese Hal. Un quarto? La metà? Si voltò a guardare i ponti, ma l'oscurità nascose ai suoi occhi le assi spezzate e i mucchi di morti e moribondi.

Dalla parte opposta sentì i lievi tonfi delle bacchette che calcavano la polvere e i colpi nella canna delle colubrine. «Più veloce!» sussurrò. «Più veloce, mia cara. Riduci la distanza, non esporci a un'altra di queste bordate.»

Udì lo squittio e il rombo degli affusti, mentre una delle batterie di artiglieri, più rapida delle altre, completava il caricamento spingendo fuori la colubrina. Ormai le due navi erano così vicine che Hal riuscì a vedere la canna mostruosa sbucare dal portello e sparare un altro colpo quasi a contatto diretto con la murata della *Golden Bough*: le assi del fasciame s'infransero e gli uomini gridarono, colpiti dalla pesante palla di ferro.

Poi, prima che altri cannoni della *Gull* potessero far fuoco, le due navi si urtarono con uno schianto fragoroso. Alla luce delle lanterne da combattimento della *Gull*, Hal scorse i grappini da abbordaggio scagliati oltre la murata e li sentì tintinnare sul ponte dell'altra nave. Senza esitare, superò con un balzo la stretta striscia d'acqua mentre i due scafi si avvicinavano. Atterrando con l'agilità di un gatto fra gli artiglieri dell'Avvoltoio, ne uccise due prima che potessero estrarre la sciabola.

Un'ondata di uomini, guidati dagli *amadoda* armati di picca e ascia lo seguì. In pochi secondi il ponte della *Gull* si trasformò in un campo di battaglia, dove gli uomini combattevano corpo a corpo, gridando e lanciando urla di rabbia e di terrore.

«El Tazar!» ruggivano gli uomini della *Golden Bough*, mentre gli altri rispondevano: «Per la *Gull* e Cumbrae!»

Hal si trovò di fronte quattro uomini e fu costretto a indietreggiare verso la battagliola prima che John Lovell li attaccasse alle spalle, abbattendone uno con un colpo di sciabola fra le scapole. Hal ne uccise un altro che esitava, mentre gli altri due si diedero alla fuga. Quindi approfittò di un attimo di tregua per guardarsi attorno e vide l'Avvoltoio, all'estremità opposta del ponte, menare fendenti sugli uomini che aveva di fronte, facendo roteare sopra la testa lo spadone.

Poi con la coda dell'occhio Hal scorse lo scintillio dell'elmo d'acciaio di Judith Nazet e, ai lati, le figure gigantesche di Aboli e Big Daniel, che attraversavano il ponte verso la scaletta che portava alla cabina di poppa. Quell'attimo di distrazione avrebbe potuto costargli la vita, perché un uomo lo prese di mira con la picca: Hal si voltò appena in tempo per evitare il suo affondo. Poi si ritrovò nel cuore della mischia, che si spostava avanti e indietro sul ponte.

Abbatté un altro uomo con un colpo al ventre, e cercò con lo sguardo l'Avvoltoio. Vedendolo al centro della nave, gli gridò: «Cumbrae! Vengo a prenderti! » Ma nel trambusto l'Avvoltoio non lo vide, e Hal cominciò a farsi largo per raggiungerlo attraverso la folla di uomini che si battevano fra loro.

In quel momento una delle sartie di maestra fu recisa di netto da un colpo d'ascia che mancò la testa cui mirava, e la lanterna da combattimento che vi era appesa s'infranse sul ponte ai piedi di Hal. Lui evitò con un balzo all'indietro il getto di olio ardente che stava per investirlo in faccia, poi si riprese, attraversando con un salto la cortina di fiamme per raggiungere l'Avvoltoio.

Atterrando dalla parte opposta, si guardò rapidamente attorno, ma l'altro era scomparso; c'erano invece due dei suoi marinai. Affrontandoli, Hal recise al primo i tendini del braccio teso; poi, con lo stesso movimento, cambiò la direzione del colpo per affondare la punta della spada nella gola del secondo.

Non appena fu libero, si guardò alle spalle. Le fiamme appiccate dalla lanterna infranta si erano estese e illuminavano il ponte. Rivoletti di fuoco risalivano lungo la sartia penzolante, attaccando il sartiame. Attraverso le fiamme vide Judith Nazet risalire di slancio la scaletta di poppa, sbucando dal boccaporto. Era seguita a breve distanza da Big Daniel, che portava il Tabernacolo di Maria tenendolo in equilibrio sulla spalla, quasi fosse leggero come un cuscino di piume. Gli angeli d'oro sul coperchio scintillavano alla luce delle fiamme.

Un marinaio si slanciò su Judith con la picca, e Hal lanciò un grido di orrore quando la punta lucente la colpì in pieno al fianco, sotto il braccio sollevato, ma il colpo trapassò il cotone sottile della tunica, rimbalzando sull'acciaio della cotta di maglia che lei portava sotto la veste. Judith si girò di scatto su se stessa, come una pantera, facendo balenare la spada e puntando al viso dell'uomo. L'impeto del suo colpo fu tale che la punta sbucò dalla nuca del pirata, il quale cadde ai suoi piedi.

Gli occhi scuri e intensi di Judith incontrarono quelli di Hal, al di sopra del ponte brulicante di uomini.

« Yohannis! » gli gridò. « È scomparso! »

La cortina di fiamme che li divideva divampò, costringendo Hal a urlare per farsi sentire: « Va' con Daniel! Allontanati da questa nave! Portate al sicuro il Tabernacolo sulla *Golden Bough*! Io vado a cercare Yohannis».

Senza esitare né discutere, Judith corse verso la battagliola insieme con Daniel, balzando poi sul ponte della *Golden Bough*. Hal cominciò a farsi largo verso il boccaporto per scendere ai ponti inferiori, dov'era nascosto il bambino, ma una schiera di *amadoda* guidati da Jiri invase il ponte sbarrandogli la strada. I guerrieri neri avevano serrato gli scudi, formando una solida testuggine e, con le picche sporgenti dai varchi fra uno scudo e l'altro, i pirati non potevano reggere alla loro carica.

In ogni battaglia arriva il momento in cui si decide l'esito finale, e quel momento giunse quando i marinai della *Gull* si dispersero davanti a quell'orda di guerrieri neri che ululavano e saltellavano: gli uomini dell'Avvoltoio erano sconfitti.

«Devo trovare Yohannis e portarlo via dalla *Gull* prima che le fiamme raggiungano la santabarbara», si disse Hal, puntando verso la scaletta del castello di prua, da cui gli sembrava più facile raggiungere i ponti inferiori. In quel momento un ruggito lo paralizzò.

Sopra di lui si stagliava l'Avvoltoio, illuminato in pieno dalla luce gialla delle fiamme danzanti. «Courteney!» gridò con voce tonante. «È questo che cerchi?»

Era a testa scoperta, con i folti capelli rossi che danzavano attorno al viso. Con la destra impugnava lo spadone, mentre con la sinistra teneva stretto Yohannis, che piangeva terrorizzato, sospeso a mezz'aria. Indossava solo una camiciola da notte, che gli era risalita intorno alla vita, e le gambette brune scalciavano freneticamente.

«È questo che cerchi?» ripeté l'Avvoltoio, sollevando il bambino sopra la testa. «Allora vieni a prenderti il moccioso.»

Hal si slanciò in avanti, spazzando via due uomini, per arrivare ai piedi della scaletta del castello di prua. L'Avvoltoio seguiva con gli occhi la sua avanzata. Doveva sapere che ormai era sconfitto, con la nave in fiamme e i marinai travolti e scaraventati fuori bordo dall'assalto degli uomini armati di picche, eppure continuava a sogghignare come un mascherone grottesco. «Lascia che ti mostri un bel giochetto, Sir Henry. Si chiama acchiappare il bambino con l'acciaio.»

Con un ampio gesto del braccio robusto e peloso lanciò in aria il bambino, a una quindicina di piedi di altezza; poi, mentre ricadeva, tenne lo spadone puntato verso di lui.

« No! » urlò Hal, angosciato.

Proprio all'ultimo istante, prima che il bambino finisse impalato sulla punta della spada, l'Avvoltoio la scostò, e Yohannis cadde fra le sue braccia, illeso.

« Trattiamo! » gridò Hal. « Consegnami il bambino sano e salvo, e potrai andartene libero, con tutto il bottino. »

« Che affare! La mia nave è in fiamme, con tutto il bottino. »

« Ascoltami », implorò Hal. « Lascia andare il bambino. »

« Come potrei rifiutare qualcosa a un confratello? » ribatté l'Avvoltoio, continuando a sghignazzare. « Avrai quello che chiedi. Ecco, lascio libero il piccolo bastardo nero. » Con un altro possente gesto del braccio, scaraventò Yohannis oltre la murata della nave. La camiciola svolazzò intorno al corpo del piccolo mentre questi cadeva, poi il mare buio lo inghiottì.

Hal sentì Judith Nazet urlare alle sue spalle. Senza esitare, lasciò cadere la spada sul ponte e con tre passi di corsa raggiunse la battagliola tuffandosi a capofitto in mare. Urtò la superficie con violenza, scendendo verso il fondo, poi lottò per riemergere.

A guardare verso l'alto, da venti piedi di profondità, l'acqua era limpida come aria di montagna. Scorse la chiglia ricoperta di alghe della *Gull* che passava sopra di lui e il riverbero delle fiamme che danzava sulle acque increspate. Poi, fra sé e la luce dell'incendio, vide una piccola forma scura. Le braccia e le gambe minuscole si dibattevano come un pesce nella rete, e bollicine d'argento sfuggivano dalla bocca di Yohannis mentre il piccino rotolava nella scia dello scafo.

Hal si slanciò verso di lui per raggiungerlo prima che fosse trascinato via dalla corrente. Stringendolo al petto, risalì a galla, tenendo sollevato il viso del bambino al di sopra della superficie.

Yohannis lottò debolmente, tossendo e sputando, poi si lasciò sfuggire un grido acuto, terrorizzato. « Butta fuori tutto », gli raccomandò Hal, guardandosi attorno.

Big Daniel doveva avere richiamato i suoi uomini, tagliando le cime dei grappini per staccare la *Golden Bough* dallo scafo in fiamme. Le due navi si stavano allontanando. I marinai della *Gull* saltavano fuori bordo, investiti dal calore dell'incendio, mentre le fiamme si propagavano alla vela di maestra. La *Gull* prese il vento con la tela in fiamme e senza timoniere, puntando lentamente verso la zona di mare in cui Hal si teneva a galla, mentre lui tentava disperatamente di allontanarsi, nuotando con una mano sola e tenendo Yohannis lontano dalla sua traiettoria.

Per un minuto interminabile ebbe l'impressione che sarebbero stati travolti, poi un colpo di vento spostò la prua di un punto e la nave passò a poca distanza da loro.

Hal vide stupito che l'Avvoltoio era rimasto lì, solo, ancora in cima alla scaletta del castello di prua. Circondato dalle fiamme, sembrava indifferente al loro calore. La barba cominciava a fumare, annerita dalle fiamme, ma lui guardava Hal, ansimando dal gran ridere. Rimasto senza fiato, aprì la bocca per gridargli qualcosa, ma proprio in quel momento la vela di trinchetto della *Gull* prese fuoco e l'enorme distesa di tela cadde fluttuando nell'aria fino a coprire l'Avvoltoio. Da quel sudario di fuoco Hal sentì scaturire un ultimo, terribile grido, poi le fiamme divamparono alte e il relitto della *Gull* si allontanò in balia del vento, portando via il suo capitano.

Hal la seguì con lo sguardo finché le onde non nascosero alla sua vista la nave in fiamme. Poi un'onda anomala lo sollevò sulle acque insieme al bambino. La *Gull* era lontana ormai una lega, e in quell'istante le fiamme probabilmente raggiunsero il deposito delle polveri, perché la nave saltò in aria con un rombo spaventoso. Hal sentì le acque serrargli il torace in una morsa. Rimase a guardare, mentre assi in fiamme venivano scagliate in aria con violenza nel cielo notturno, spegnendosi poi nelle acque buie. Infine scesero di nuovo l'oscurità e il silenzio.

Non si vedeva alcuna traccia della *Golden Bough*. Il bambino piangeva disperataente, e Hal non conosceva neppure una parola di ge'ez per confortarlo, così lo tenne fra le braccia, con la testa fuori dell'acqua, parlandogli in inglese. « Su, da bravo, devi essere coraggioso, perché sei nato imperatore e so per certo che gli imperatori non piangono mai. » Ma gli stivali e gli abiti inzuppati d'acqua lo trascinavano a fondo, e dovette impegnarsi per resistere. Riuscì a tenere a galla se stesso e il piccino per il resto di quella lunga notte, ma all'alba capì di essere prossimo a esaurire le forze, mentre Yohannis tremava di freddo e piangeva sommessamente fra le sue braccia. « Ormai manca poco, Yohannis, e sarà giorno pieno », mormorava con voce roca, la gola bruciata dalla salsedine, pur sapendo che nessuno dei due sarebbe riuscito a resistere ancora per molto.

« Gundwane! » gridò una voce amata. Hal sapeva che era il

delirio, e rise forte. «Ora non fate giochetti con me», esclamò. «Non ho la forza di sopportarli, lasciatemi in pace.»

Poi vide emergere dal buio una figura, udì lo sciacquio dei remi che facevano forza per raggiungerlo e la voce che ripeteva: «Gundwane!»

«Aboli!» gridò con voce stridula. «Sono qui!»

Quelle grandi mani nere si protesero per afferrarlo, issando lui e il bambino a bordo della scialuppa. Non appena fu a bordo, Hal si guardò attorno. La *Golden Bough*, con tutte le lanterne accese, era in panna a mezza lega di distanza, ma Judith Nazet era seduta di fronte a lui sul traversino di poppa e gli tolse dalle braccia il bambino per avvolgerlo nel suo mantello. Subito cominciò a vezzeggiare Yohannis, parlandogli sottovoce nella sua lingua, mentre l'equipaggio remava per tornare alla nave. Prima che raggiungessero la *Golden Bough*, Yohannis dormiva fra le sue braccia.

«E il Tabernacolo?» chiese Hal con voce roca ad Aboli. «È al sicuro?»

«È nella tua cabina», gli assicurò Aboli. «È andato tutto come aveva predetto tuo padre. Finalmente le stelle dovranno lasciarti libero, ora che hai adempiuto la profezia.»

Hal si sentì pervaso da un profondo appagamento, che gli fece scivolare di dosso la stanchezza. Si sentiva leggero, come se fosse stato liberato da una lunga e severa penitenza che gli era stata imposta. Guardò Judith, scoprendo che lo guardava a sua volta. Nei suoi occhi scuri c'era qualcosa che non riusciva a decifrare, ma lei li abbassò prima che Hal potesse leggervi chiaramente. Avrebbe voluto avvicinarsi a lei, toccarla, parlarle di quelle sensazioni strane e intense che s'impadronivano di lui, ma li separavano quattro file di rematori nella piccola imbarcazione sovraccarica.

Quando raggiunsero la *Golden Bough*, l'equipaggio era in attesa sul sartiame e lo acclamò non appena la scialuppa fu ormeggiata alle catene. Aboli gli tese la mano per aiutarlo a salire la scaletta fino al ponte, ma lui la ignorò, salendo senza aiuto. Si fermò solo di fronte alla lunga fila di corpi avvolti nei sudari di tela e disposti al centro della nave e ai danni terribili che i cannoni della *Gull* avevano inflitto alla sua nave. Ma non era il momento di soffermarsi su quei motivi di tristezza, pensò. Più tardi avrebbero sepolto in mare i caduti e li avrebbero pianti, ma quello era il momento della vittoria. Guardò invece i volti sorridenti dei suoi uomini. «Ebbene, manigoldi, avete ripagato in pieno l'Avvoltoio e i suoi tagliagole, con una moneta più pesante di quella che si aspettavano. Tyler, aprite il barile di rum e distribuite una doppia razione a tutti gli uomini a bordo, per brindare all'Avvoltoio e augurargli buon viaggio all'inferno. Poi fate rotta verso Mitsiwa.»

Prendendo il bambino dalle braccia di Judith Nazet, lo portò nella cabina di poppa, adagiandolo sulla cuccetta prima di rivolgersi a lei, che gli stava vicina. «È un bambino robusto, e non ha subito danni. Dovremmo lasciarlo dormire.»

«Sì», rispose lei sottovoce, guardandolo con quegli occhi scuri e imperscrutabili. Poi lo prese per mano, guidandolo verso l'alcova chiusa da tendaggi dov'era custodito il Tabernacolo di Maria.

«Volete pregare con me, El Tazar?» gli domandò. S'inginocchiarono insieme.

«Ti rendiamo grazie, o Signore, per avere risparmiato la vita del nostro imperatore, il tuo piccolo servo Yohannis. Ti rendiamo grazie per averlo liberato dalle mani crudeli dell'empio. Chiediamo la tua benedizione per lui, nel conflitto che ci attende. E una volta ottenuta la vittoria, ti preghiamo, o Signore, di concedergli un regno lungo e pacifico. Fa' di lui un sovrano saggio e gentile. Amen!»

«Amen», ripeté Hal, sul punto di alzarsi, ma lei lo trattenne posandogli una mano sul braccio.

«Ti rendiamo grazie, o Signore, anche per averci inviato il tuo valido e fedele servo Henry Courteney, senza il cui valore e servizio altruistico gli infedeli avrebbero trionfato. Possa egli essere ricompensato appieno dalla gratitudine di tutto il popolo dell'Etiopia, oltre che dall'amore e dall'adorazione che la tua serva, Judith Nazet, prova per lui.»

Hal sentì lo shock di quelle parole ripercuotersi in tutto il suo corpo. Si voltò verso di lei, ma scoprì che la donna aveva gli occhi chiusi. Pensò di aver capito male, ma poi la stretta sul suo braccio si rafforzò, mentre Judith si alzava, portandolo con sé.

Sempre senza guardarlo, lo condusse fuori della cabina principale, in quella attigua e più piccola, dove chiuse la porta sprangandola con il paletto.

«Hai i vestiti umidi», gli disse, cominciando a spogliarlo come se fosse una cameriera personale. I suoi gesti erano lenti e calmi. Gli sfiorò il torace nudo, facendo scorrere lungo i fianchi le lunghe dita brune, poi s'inginocchiò davanti a lui per slacciare la cintura e far scivolare in basso i pantaloni. Quando fu tutto nudo, Judith fissò intensamente il membro di Hal, ma senza toccarlo. Alzandosi in piedi, lo prese per mano per guidarlo verso la cuccetta. Lui tentò di indurla a stendersi accanto a lui, ma Judith respinse le sue mani.

In piedi davanti a lui, cominciò a spogliarsi, slacciando i fermagli della cotta di maglia, che cadde sul tavolato ai suoi piedi. Sotto il pesante indumento guerresco e mascolino il suo corpo era un concentrato di femminilità, con la pelle di ambra traslucida, i seni piccoli con i capezzoli duri e rotondi, di colore rosso scuro come bacche mature. I fianchi stretti descrivevano una curva morbida, assottigliandosi verso la vita snella, mentre il cespuglio di riccioli che ricopriva il monte di Venere era rigoglioso, di un nero lucido come ossidiana.

Infine si avvicinò a Hal, disteso sulla cuccetta, chinandosi a baciarlo sulla bocca. Poi, con un gemito d'impazienza e un movimento agile, scivolò su di lui, che rimase sorpreso dalla forza e dall'arrendevolezza del suo corpo quando si protese per stringerla a sé.

Nel tardo pomeriggio di quella giornata calda, irreale come un sogno, furono destati dal pianto del bambino nella cabina vicina. Judith sospirò, ma si svegliò subito. Vestendosi, guardò Hal come se volesse imprimersi nella memoria ogni dettaglio del suo viso e del suo corpo. Poi, mentre si allacciava l'armatura, si fermò accanto a lui per dirgli: «Sì, ti amo. Ma, proprio come ha scelto te, Dio ha chiamato me a compiere una missione. Devo vedere il piccolo imperatore saldamente insediato sul trono di Prete Gianni, ad Axum». Tacque per qualche istante, poi disse piano: «Se ti baciassi ancora, forse la mia fermezza d'animo si dissolverebbe. Addio, Henry Courteney. È con tutto il cuore che vorrei essere una ragazza qualsiasi... vorrei che non finisse così». Poi si avviò alla porta, per rispondere al richiamo del suo re.

Hal gettò l'ancora al largo della spiaggia di Mitsiwa, calando in mare la scialuppa, sul fondo della quale Daniel Fisher depose con reverenza il Tabernacolo di Maria. Judith Nazet, con l'armatura completa e l'elmo da guerra, rimase in piedi a prua, tenendo per mano il bambino. Hal si mise al timone e dieci marinai li portarono a forza di remi verso la spiaggia.

Li attendevano il vescovo Fasilides e cinquanta capitani del-
l'esercito, allineati sulla sabbia rossa, mentre diecimila guerrieri
erano schierati in cima alla scogliera. Riconoscendo il generale e
il sovrano, cominciarono ad acclamarli, e il clamore si propagò
attraverso la pianura, moltiplicandosi negli echi di cinquantamila voci sulle colline.

I reggimenti che si erano persi d'animo ed erano già sulla via
del ritorno verso le alture e le zone remote dell'interno, creden-
dosi abbandonati dal loro generale e dal loro imperatore, uden-
do quel suono tornarono indietro. Schiera su schiera, colonna
su colonna, affluendo come immissari di un possente fiume di
armati, sollevando con gli zoccoli dei cavalli una nube alta di
polvere rossa, con le armi scintillanti al sole e le voci che andavano a ingrossare il coro trionfante, si riversarono giù dalle colline.

Fasilides si fece avanti per salutare Yohannis non appena
questi mise piede sulla spiaggia, con la mano in quella di Judith.
I cinquanta capitani s'inginocchiarono sulla sabbia, sollevando
la spada e invocando su di lui la benedizione di Dio, poi si affollarono per contendersi l'onore di portare in spalla il Tabernacolo di Maria. Cantando un inno di battaglia, la processione
si snodò in salita sul ripido sentiero che portava ai monti.

Judith Nazet salì in sella allo stallone nero con la placca dorata sul petto e il pennacchio di piume di struzzo, facendolo im-
pennare e spronandolo, con una giravolta, verso il punto in cui
era rimasto Hal, sulla battigia.

« Se la battaglia ci sarà favorevole, i pagani tenteranno la fuga per mare. Scaglia su di lui l'ira e la vendetta dell'Onnipotente con la tua bella nave », gli ordinò. « Se invece la battaglia sarà
una sconfitta per noi, tieni la *Golden Bough* qui in attesa, per
portare in salvo l'imperatore. »

« Sarò qui ad attenderti, generale Nazet. » Hal alzò la testa
per guardarla negli occhi, tentando di dare alle sue parole
un'enfasi speciale.

Lei si protese dalla sella, con gli occhi scuri e luminosi dietro
la visiera dell'elmo, ma lui non riuscì a capire se scintillassero
per la ferocia guerresca o per le lacrime dell'amore perduto.

« Per tutta la vita non farò che rimpiangere che la nostra sorte non potesse essere diversa, El Tazar. » Poi si raddrizzò, voltando il cavallo per risalire il sentiero della scogliera. L'imperatore Yohannis si girò fra le braccia del vescovo Fasilides, salu-

tando Hal con la mano. Gridò qualcosa, e la sua voce alta e acuta arrivò affievolita fino a Hal, ancora fermo sulla battigia.

Non riuscì a capire una sola parola, ma rispose con la mano al saluto, gridando: «Anche tu, ragazzo, anche tu!»

La *Golden Bough* andò nuovamente al largo. Non appena superata la linea delle cinquanta braccia di profondità, a capo scoperto sotto l'implacabile sole africano, affidarono al mare i loro morti. Ce n'erano quarantatré, chiusi nei sudari di tela: uomini del Galles e del Devon e delle terre misteriose lungo il fiume Zambere, ormai tutti uniti nella morte.

Poi Hal riportò la nave al sicuro in acque basse, dove mise tutti al lavoro per riparare i danni del combattimento e riempire di nuovo il deposito delle polveri con le munizioni che il generale Nazet gli mandava da terra.

Poco prima dell'alba del terzo giorno, Hal fu svegliato dal rombo dei cannoni. Salì subito sul ponte, dove Aboli era affacciato alla battagliola sottovento. «È cominciata, Gundwane. Il generale Nazet ha lanciato il suo esercito contro El Grang nella battaglia decisiva.»

Rimasero insieme alla battagliola, guardando verso la riva ancora immersa nel buio: le colline lontane erano rischiarate dalle fiamme infernali del campo di battaglia e un vasto drappo di fumo e di polvere saliva lentamente nel cielo senza vento, gonfiandosi in un'alta nube.

«Se El Grang viene sconfitto, tenterà di fuggire con tutto l'esercito oltre le acque, tornando in Arabia», disse Hal a Ned Tyler e ad Aboli, mentre ascoltavano il fragore incessante dei cannoni. «Salpate l'ancora e mettete la nave su una rotta a sud. Andremo a sbarrare la strada ai fuggiaschi quando cercheranno di uscire dalla baia di Adulis.»

Era mezzogiorno passato, quando la *Golden Bough* raggiunse il posto di combattimento all'imbocco della baia, riducendo la velatura. Il suono dei cannoni non si era mai spento e Hal salì in coffa per puntare il cannocchiale sulla vasta pianura oltre Zula, dove i due eserciti erano impegnati nello scontro mortale.

Attraverso la cortina di fumo e di polvere, scorse le sagome minuscole dei cavalieri impegnati in attacchi e contrattacchi, scatenati come furie nella nube sollevata dagli zoccoli dei cavalli. Vide le lunghe fiammate dei cannoni da assedio, di un rosso pallido sotto il sole accecante, e i movimenti serpentini delle fanterie che si spostavano nella nebbia rossa, contorcendosi come cobra morenti, con le punte delle lance scintillanti simili a scaglie di rettili.

Pian piano la battaglia si estese fino a lambire la linea costiera e Hal vide una carica di cavalleria riversarsi giù dalle scogliere per attaccare una formazione disordinata di fanteria allo sbando. Le sciabole si alzavano e ricadevano, mentre i soldati si sparpagliavano davanti ai cavalli, fino a gettarsi in mare dall'alto delle scogliere.

« Chi sono? » si chiedeva agitato Hal. « Di chi sono quei cavalli? »

Poi, attraverso il cannocchiale, scorse la croce bianca dell'Etiopia in testa alla massa di cavalieri lanciati verso Zula.

« Nazet li ha sconfitti », disse Aboli. « L'esercito di El Grang è in rotta! »

« Mettete uno scandagliatore a prua, Tyler. Portateci più vicino. »

La *Golden Bough* scivolò silenziosa all'imbocco della baia, fermandosi a un centinaio di braccia appena dalla riva.

Dall'alto della coffa, Hal osservava le nubi giallastre della battaglia scendere lentamente verso la spiaggia, e i resti dell'esercito sconfitto di El Grang riversarsi a riva davanti agli squadroni di cavalleria etiope.

Gettavano a terra le armi, scendendo verso la battigia in cerca di qualche imbarcazione in grado di portarli al largo. Una flotta raccogliticcia di *dhow* di ogni forma e condizione, carichi di fuggiaschi, salpò dalle spiagge intorno al porto in fiamme di Zula, diretta verso l'apertura della baia.

« Santo cielo! » esclamò ridendo Big Daniel. « L'acqua è così fitta di battelli che si potrebbe traversare la baia da un capo all'altro senza bagnarsi i piedi. »

« Sfoderate i cannoni, mastro Daniel, e vediamo se possiamo farli bagnare un po' di più », ordinò Hal.

La *Golden Bough* fendette quell'immensa flotta di battelli che tentavano di sfuggirle. Li sovrastò senza sforzo, mentre i suoi cannoni cominciavano a tuonare. Uno dopo l'altro, i *dhow* finirono distrutti e capovolti, riversando in mare il loro carico di soldati sfiniti e sconfitti. E il peso dell'armatura li trascinò a fondo.

Fu un massacro così terribile che alla fine gli artiglieri non lanciavano più grida di esultanza, ma continuavano il loro lavoro di serventi in un cupo silenzio. Hal camminava lungo le batterie, spiegando in tono severo: « So quello che provate, ragazzi, ma se li risparmiate adesso, forse dovrete combattere contro di loro domani, e chi può dire se vi daranno quartiere, quando lo chiederete? »

Era disgustato anche lui da quel massacro, e non vedeva l'ora che tramontasse il sole, o si presentasse qualche altro pretesto per porre fine a quel macello. E l'occasione si presentò in modo inaspettato.

Aboli lasciò il posto di combattimento alla batteria di dritta, tornando indietro di corsa verso Hal che camminava su e giù sul cassero come un leone in gabbia. Lo guardò stupito, ma, prima che potesse rimproverarlo, Aboli puntò il dito verso la prua, a dritta.

« Quel *dhow* con la vela rossa! L'uomo a poppa, lo vedi, Gundwane? »

Hal si sentì accapponare la pelle per l'apprensione, poi un sudore freddo cominciò a colargli lungo la schiena quando riconobbe la figura alta ritta a poppa, contro la barra del timone. Ora aveva il viso rasato, senza baffi a punta. Portava un turbante giallo e il *dolman* fittamente ricamato di un alto dignitario islamico sopra un paio di calzoni bianchi a sbuffo e stivali morbidi alti fino al ginocchio, ma il suo viso chiaro spiccava come uno specchio tra gli uomini barbuti che lo circondavano. Potevano esistere altri uomini con le spalle altrettanto larghe e la figura alta e atletica, ma nessuno con la stessa spada al fianco e lo stesso fodero intarsiato d'oro.

« Invertite la rotta, Tyler. Accostate a quel *dhow* con la vela rossa », ordinò Hal.

Ned guardò nella direzione indicata, poi imprecò. « Figlio di una baldracca, è Schreuder! Possa il diavolo sprofondarlo all'inferno. »

Non appena la fregata puntò verso di loro, i marinai arabi si spostarono verso la battagliola del *dhow* per lanciarsi fuori bordo e tentare di tornare a nuoto verso la spiaggia, preferendo le sciabole della cavalleria etiope alle bordate delle colubrine della *Golden Bough*. Solo Schreuder rimase a poppa, alzando la testa verso la fregata con la solita espressione fredda e implacabile. Quando si avvicinarono, Hal vide che aveva il viso rigato di polvere e fuliggine, e gli abiti lacerati e sporchi del fango del campo di battaglia.

Hal si avvicinò alla battagliola, ricambiando lo sguardo. Erano così vicini che non dovette quasi alzare la voce per farsi sentire. «Colonnello Schreuder, avete la mia spada, signore.»

«Allora, signore, volete venire a prenderla?»

«Tyler, in mia assenza lascio il comando a voi. Portatemi vicino al *dhow*, in modo che possa salire a bordo.»

«Questa è una follia, Gundwane», disse piano Aboli.

«Guardatevi bene dall'interferire, tu o altri», ribatté Hal, dirigendosi verso il boccaporto. Mentre il piccolo *dhow* oscillava a fianco della fregata, scese la scaletta, superando con un balzo la stretta striscia d'acqua che li separava e atterrando agilmente sul ponte del battello.

Sguainata la spada, guardò a poppa. Schreuder si allontanò dalla barra del timone, sfilandosi la rigida tunica ricamata.

«Siete un idiota romantico, Henry Courteney», mormorò, mentre la spada Nettuno usciva dal fodero.

«All'ultimo sangue?» chiese Hal, brandendo la spada.

«Naturalmente», rispose Schreuder annuendo con aria grave. «Perché sarò io a uccidervi.»

Si avvicinarono con la grazia lenta di due amanti che comincino un minuetto. Le loro lame s'incontrarono in una serie di giravolte, colpetti, sfioramenti e scivolamenti; l'acciaio urtava l'acciaio, i piedi erano in perenne movimento, la punta era sempre alta e gli occhi non abbandonavano l'avversario.

Ned Tyler teneva la fregata a cinquanta iarde, mantenendo le distanze con sapienti tocchi di timone e bordando la velatura già ridotta. Gli uomini erano allineati lungo la battagliola più vicina, attenti e silenziosi. Benché pochi di loro comprendessero le finezze dello stile e della tecnica, non potevano non percepire la grazia e la bellezza di quel rito di morte.

«Un occhio agli occhi!» A Hal pareva di sentire nelle orecchie la voce del padre. «Per leggere nell'anima dell'avversario!»

Il viso di Schreuder restava grave, ma Hal vide un'ombra incupire l'azzurro gelido dei suoi occhi. Non era paura, bensì rispetto. Sia pure solo con quei primi tocchi leggeri di lama, aveva valutato l'avversario. Ricordando i loro incontri precedenti, non si era aspettato di trovarsi di fronte tanta forza e abilità. Per quanto riguardava Hal, se fosse sopravvissuto a quello scontro, non avrebbe danzato mai più così vicino alla morte, sfiorandola e fiutando il suo respiro, come in quel momento.

Un attimo prima che cominciasse l'attacco, Hal studiò lo sguardo dell'avversario avvicinandosi poi in punta di piedi per entrare nella sua guardia e incalzandolo con una rapida serie di affondi. Hal arretrò, arrestando ogni stoccata ma avvertendone la potenza. Udiva appena i mormorii eccitati degli spettatori sul ponte della fregata, sopra di loro, ma osservava gli occhi di Schreuder e lo contrastava, tenendo alta la punta. L'olandese si avventò d'improvviso puntando alla gola, il primo colpo serio, ma, non appena Hal lo arrestò si disimpegnò con grazia, posando a terra il ginocchio destro per sferrare un fendente alla caviglia del giovane, mirando al tendine di Achille per azzopparlo.

Hal schivò con un agile salto il lampo della lama dorata, ma si sentì sfiorare il tallone. In quel momento, con entrambi i piedi sollevati da terra, era momentaneamente privo di equilibrio e Schreuder si raddrizzò, fulmineo come un cobra, cambiando l'angolazione della spada per puntare al ventre. Hal balzò all'indietro, tuttavia sentì il tocco della lama affilata come un rasoio: non un taglio, ma appena un graffio. Toccando il ponte con il piede sinistro e rimbalzando, puntò a uno degli occhi azzurri di Schreuder. Vi lesse la sorpresa e il primo barlume di paura, ma poi Schreuder girò la testa di lato e la punta gli incise la guancia.

Indietreggiarono, descrivendo un cerchio. Ormai sanguinavano entrambi. Hal sentì un calore umido inzuppargli il davanti della camicia, mentre un rivoletto scarlatto scorreva lento dall'angolo delle labbra sottili di Schreuder, gocciolando dal mento.

«Il primo sangue è mio, non siete d'accordo, signore?» sibilò Schreuder.

«Ve lo concedo. Ma di chi sarà l'ultimo?» Hal non aveva ancora finito di pronunciare quelle parole, che Schreuder cominciò ad attaccare sul serio. Mentre gli spettatori a bordo della *Golden Bough* ululavano per l'eccitazione, spinse Hal indietro, passo per passo, da poppa a prua del *dhow*, e poi lo inchiodò lì, incrociando le lame e costringendolo con le spalle alla battagliola. Rimasero così, con le lame incrociate all'altezza degli occhi, separati appena da una spanna. Il loro alito si mescolava e Hal vide le gocce di sudore cadere dal labbro superiore di Schreuder, mentre si sforzava di mantenere la posizione.

Allora Hal tentennò volutamente all'indietro. Vide il bagliore di trionfo negli occhi azzurri così vicini ai suoi, ma aveva il dorso carico come l'arco lungo che sostiene la tensione dell'arciere e, quando la scaricò, scagliò Schreuder all'indietro con tutta la forza delle gambe, delle braccia e del torso. L'impeto di quel movimento proiettò Hal all'attacco, consentendogli di risospingere il colonnello sul ponte fino a poppa.

Con la barra del timone conficcata nella schiena, Schreuder non poteva più arretrare. Fermata la lama di Hal, con tutta la forza del polso lo costrinse a un legamento prolungato, lo stesso espediente col quale aveva ucciso Vincent Winterton e una dozzina di altri prima di lui. Le spade mulinavano e trillavano insieme, un vortice argenteo di luce pura che li teneva distanti eppure incatenati insieme.

Il duello sembrò volersi prolungare all'infinito, mentre i volti grondavano sudore e il respiro sfuggiva loro in brevi grugniti incalzanti. Disimpegnarsi voleva dire morire. I polsi parevano forgiati nello stesso acciaio delle lame, ma poi Hal lesse negli occhi di Schreuder qualcosa che non aveva mai sognato di vedervi: la paura.

L'olandese tentò di spezzare il cerchio e incrociare le lame come aveva fatto con Vincent, ma Hal rifiutò, costringendolo a resistere. Avvertì il primo tremito di debolezza nel braccio ferreo dell'avversario, e lesse nei suoi occhi la disperazione.

Poi Schreuder cedette, e Hal fu su di lui: abbassò la punta, aprendo la guardia. Lo colpì con una botta al centro del petto e sentì la punta affondare, urtando l'osso, e l'elsa vibrare nella sua mano.

Il ruggito che si levò dagli uomini della fregata investì i duellanti come un'onda sollevata dal vento di tempesta. Nel momento stesso in cui Hal assaporava il trionfo e la sensazione viva della spada affondata nel petto dell'avversario, Schreuder arretrò, sollevando la lama intarsiata d'oro della spada Nettuno all'altezza degli occhi, in cui la luce di zaffiro cominciava a sbiadire, per un ultimo affondo.

Il movimento in avanti spinse ancor più a fondo nel suo corpo la spada di Hal, ma, nel momento in cui la punta della spada Nettuno lampeggiò contro il suo petto, lui non ebbe difesa. Lasciò la presa sull'elsa della sua arma, balzando all'indietro, tuttavia non poté sfuggire alla lama dorata o alla sua punta a succhiello.

Hal avvertì il colpo al petto, in alto a sinistra, e sentì la lama scivolare fuori delle sue carni mentre si ritraeva. Rimase in piedi con uno sforzo, e i due uomini si fronteggiarono, entrambi feriti gravemente; Hal però era disarmato, mentre Schreuder aveva ancora la spada Nettuno saldamente in pugno.

« Credo di avervi ucciso, signore », mormorò Schreuder.

« Può darsi, ma io so di aver ucciso voi, signore », ribatté Hal.

« Allora voglio averne la certezza anch'io », grugnì Schreuder, facendo un passo malfermo verso di lui; ma poi le forze lo abbandonarono e si accasciò in avanti, cadendo sul ponte.

Con uno sforzo penoso, Hal posò un ginocchio a terra accanto al suo corpo. Con la mano sinistra comprimeva la ferita al petto e con la destra dischiuse a forza le dita morte di Schreuder, strette sull'elsa della spada Nettuno; quindi, tenendola in pugno, si alzò per rivolgersi al ponte della *Golden Bough* che lo sovrastava.

Sollevò in alto la spada scintillante, mentre gli uomini lo acclamavano con urla selvagge, ma quel suono suscitò un'eco strana nelle orecchie di Hal, che sbatté le palpebre, incerto, mentre il luminoso sole africano sbiadiva e i suoi occhi si colmavano di ombre.

Le gambe gli cedettero sotto il peso del corpo, al punto che finì seduto di schianto sul ponte del *dhow*, cadendo riverso in avanti sulla spada.

Sentì, più che vedere, la fregata che urtava contro il *dhow*, guidata da Ned Tyler, e poi le mani di Aboli sulle spalle e la sua voce profonda, mentre lo sollevava fra le braccia.

« Ormai è finita, Gundwane. È tutto finito. »

Ned Tyler portò la nave all'interno della baia, gettando l'ancora nelle acque calme al largo del porto di Zula, dove ormai la croce bianca dell'Etiopia sventolava sopra le mura cannoneggiate.

Hal rimase per due settimane steso sulla cuccetta nella cabina di poppa, assistito soltanto da Aboli. Il quindicesimo giorno, Aboli e Big Daniel lo deposero su una delle sedie di quercia per trasportarlo sul ponte, e gli uomini andarono a salutarlo uno per uno, mormorando un saluto imbarazzato.

Sotto i suoi occhi, prepararono la nave a prendere il largo, I carpentieri sostituirono le assi che erano saltate via, i velai ricucirono le vele lacerate. Big Daniel si tuffò fuori bordo per nuotare sotto la chiglia in cerca di eventuali danni sotto la linea di galleggiamento. « È chiusa e dolce come la fessurina di una vergine », annunciò al ponte, riemergendo dal lato opposto.

Ci furono molti visitatori provenienti da terra: governatori, nobili e soldati che giungevano carichi di doni per ringraziare Hal e parlargli con timoroso rispetto. Quando cominciò a recuperare le forze, Hal poté salutarli stando in piedi sul cassero. Oltre che doni, recavano anche notizie.

« Il generale Nazet ha riportato l'imperatore ad Axum in trionfo. »

Poi, molti giorni dopo, annunciarono: « Sia lodato Iddio, l'imperatore è stato incoronato ad Axum. All'incoronazione hanno presenziato quarantamila persone ». Hal fissò con desiderio quei monti lontani e azzurrini, e quella notte dormì ben poco.

La mattina dopo, venne da lui Ned Tyler. « La nave è pronta a prendere il mare, comandante. »

« Grazie, Tyler. » Hal gli voltò le spalle, lasciandolo lì impalato senza ordini, ma, prima che raggiungesse il boccaporto per scendere nella cabina di poppa, si sentì un richiamo provenire dall'alto della coffa. « C'è una barca che esce dal porto! »

Hal si diresse ansioso verso la battagliola, scrutando i passeggeri, in cerca di una figurina snella con un'armatura e un'aureola scura di riccioli intorno al delizioso viso ambrato. Si sentì le membra di piombo per la delusione quando riconobbe solo la figura allampanata del vescovo Fasilides, con la barba bianca sospinta dal vento sulla spalla.

Salito sul ponte dal boccaporto, Fasilides fece il segno della croce. « Che Dio benedica questa bella nave, e tutti gli uomini valorosi che vi navigano. » I rudi marinai si scoprirono il capo, inginocchiandosi, e Fasilides, dopo averli benedetti tutti, si rivolse a Hal. « Vengo come messaggero da parte dell'imperatore. »

« Che Dio lo benedica! » rispose Hal.

« Vi porto i suoi saluti e i suoi ringraziamenti per voi e i vostri uomini. »

Volgendosi verso uno dei preti che lo seguivano, prese dalle sue mani il massiccio collare d'oro che portava. « A nome dell'imperatore, vi insignisco dell'ordine del Leone d'Oro di Etiopia. » Gli mise al collo la catena d'oro con un medaglione tempestato di gioielli. « Porto con me anche il denaro del bottino che avete conquistato con la valorosa guerra contro i pagani, insieme con la ricompensa che l'imperatore vi invia a titolo personale. »

Dal *dhow* portarono a bordo della fregata quattro cassette di legno. Erano troppo pesanti per essere issate a mano, e ci vollero quattro marinai al lavoro con bozzello e paranco per trasportarle sul ponte della *Golden Bough*.

Fasilides sollevò il coperchio di una delle cassette, scoprendo uno scintillio d'oro abbagliante alla luce del sole.

« Bene, ragazzi miei! » gridò Hal ai suoi uomini. « La prossima volta che entreremo nel porto di Plymouth, avrete di che pagarvi una caraffa di birra! »

« Quando intendete salpare? » volle sapere Fasilides.

« È tutto pronto », rispose Hal. « Ma ditemi, quali notizie ci sono sul generale Nazet? »

Fasilides gli lanciò un'occhiata penetrante. « Nessuna. Dopo l'incoronazione è scomparsa, e con lei anche il Tabernacolo di Maria. Qualcuno dice che si è rifugiata sulle montagne da cui è venuta. »

Il viso di Hal s'incupì. « Vostra eccellenza, intendo salpare con la marea di domattina. E ringrazio voi e l'imperatore per la generosità e le benedizioni. »

La mattina dopo, Hal salì in coperta due ore prima del levar del sole, quando ormai tutta la nave era già sveglia. La *Golden Bough* era in preda all'eccitazione che accompagnava sempre la partenza. Solo Hal ne era immune, oppresso com'era dal peso della perdita e del tradimento. Per quanto lei non avesse fatto promesse, aveva sperato con tutto il cuore che Judith Nazet venisse. Ora, mentre faceva il giro finale di ispezione della nave, si astenne con fermezza dal volgere di nuovo lo sguardo verso la riva.

« La marea è cambiata, comandante », venne a riferirgli Hal. « E il vento consente di doppiare l'isola di Dahlak con un solo bordo. »

Hal non poteva rimandare oltre. « Salpate l'ancora, Tyler. Alzate tutta la velatura ordinaria. Portateci a sud verso la laguna dell'Elefante. Abbiamo qualche faccenda in sospeso da quelle parti. »

Ned Tyler e Big Daniel sogghignarono all'idea di reclamare la loro parte del tesoro che sapevano nascosto laggiù.

Le vele si gonfiarono sui pennoni e la *Golden Bough* si scosse, puntando la prua al largo e filando verso il mare aperto.

Hal rimase immobile, con le mani incrociate dietro la schiena e lo sguardo fisso in avanti. Aboli gli si avvicinò con un mantello sul braccio e quando Hal si girò verso di lui lo scosse per aprirlo e sollevarlo, esponendolo al suo esame. «La *croix pattée*, la stessa che tuo padre indossava sempre all'inizio di ogni viaggio.»

«Dove l'hai preso, Aboli?»

«L'ho fatto fare per te a Zula, mentre eri convalescente. Ti sei guadagnato il diritto di portarlo.» Lo posò sulle spalle di Hal, facendo un passo indietro per valutare l'effetto. «Sembri tuo padre, com'era il giorno in cui l'ho visto per la prima volta.» Quelle parole suscitarono in Hal un piacere tale da risollevare il suo umore tetro.

«Ponte!» Il grido della vedetta risuonò dall'alto del cielo che si andava schiarendo.

«Coffa?» Hal rovesciò la testa all'indietro per guardare in alto.

«Segnale da terra!»

Hal si girò di scatto, facendo roteare il mantello. Sulle mura di Zula erano sospesi nel cielo dell'alba tre razzi rosso fuoco, che scesero fino a terra fluttuando con grazia nell'aria sotto i suoi occhi.

«Tre razzi incendiari!» esclamò Aboli. «Il segnale di richiamo.»

«Invertite la rotta, Tyler, per favore», disse Hal, dirigendosi verso la battagliola, mentre la manovra veniva eseguita.

«Barca in uscita dal porto!» fu l'annuncio di Aboli.

Aguzzando lo sguardo, Hal vide sbucare dalla penombra che precedeva l'alba la sagoma di un piccolo *dhow*; poi, quando la distanza diminuì e la luce cominciò ad aumentare, si sentì balzare il cuore in gola e accelerare il respiro.

A prua c'era una figura con un abbigliamento insolito, una donna che indossava un caffettano blu, col capo coperto da una sciarpa dello stesso colore. Quando la barca accostò alla nave e la donna si tolse il velo dalla testa, Hal vide la gloriosa aureola di capelli ricci.

L'attese in cima alla scaletta di boccaporto, ma quando Judith Nazet uscì in coperta, la salutò con goffaggine. «Buon giorno, generale Nazet.»

«Non sono più un generale. Ora sono soltanto una ragazza qualsiasi di nome Judith.»

« Sei la benvenuta, Judith. »

« Sono venuta non appena mi è stato possibile. » La sua voce era roca e incerta. « Ora finalmente Yohannis è stato incoronato, e il Tabernacolo è tornato nel suo rifugio sulle montagne. »

« Disperavo di rivederti. »

« No, El Tazar, questo non farlo mai. »

Sorpreso, Hal si accorse che il *dhow* era già ripartito verso la spiaggia, senza scaricare bagagli. « Non hai portato niente con te? » le domandò.

« Solo il mio cuore. »

« Io sono diretto al sud. »

« Dovunque tu vada, mio signore, verrò anch'io. »

Hal si rivolse a Ned Tyler. « Invertite la rotta per riprendere quella precedente. Doppiata l'isola di Dahlak, si va al sud verso Bab al-Mandab. A vele spiegate, Tyler. »

« A vele spiegate, capitano. » Ned gli rivolse un gran sorriso, strizzando l'occhio a Big Daniel.

Mentre la *Golden Bough* filava al largo incontro all'alba, Hal rimase in piedi sul cassero, con la mano sinistra posata sullo zaffiro incastonato nel pomo dell'elsa della spada Nettuno. Con l'altra, si protese per attirare a sé Judith Nazet, che lo assecondò docilmente.

NOTA DELL'AUTORE

I TERMINI « galeone » e « caravella », comunemente associati al XVI secolo, si ritrovano in questo romanzo ambientato intorno alla metà del XVII secolo. Questo per due ragioni: anzitutto perché le navi seicentesche spesso rivelano una notevole somiglianza con quelle cinquecentesche; inoltre perché credo che tali nomi, più familiari anche se anacronistici, aiutino il lettore a immaginare l'aspetto delle navi descritte. Sempre per motivi di chiarezza, ho anche semplificato la terminologia relativa alle armi da fuoco facendo talvolta ricorso al termine « cannone » nel suo significato più generico.

Finito di stampare
nel mese di febbraio 1997
per conto della Longanesi & C.
dal Nuovo Istituto d'Arti Grafiche - Bergamo
Printed in Italy

I romanzi di Wilbur Smith

Come il mare
(1980, trad. di Jimmy Boraschi)

Il destino del leone
(1981, trad. di Mario Biondi)

L'orma del Califfo
(1982, trad. di Marisa Castino)

La voce del tuono
(1983, trad. di Paola Campioli)

Gli eredi dell'Eden
(1983, trad. di Maria Giulia Castagnone)

Dove finisce l'arcobaleno
(1984, trad. di Carlo Brera)

La notte del leopardo
(1985, trad. di Carlo Brera)

Un'aquila nel cielo
(1985, trad. di Giacomo Erba)

La spiaggia infuocata
(1986, trad. di Carlo Brera)

Quando vola il falco
(1986, trad. di Mario Biondi)

Il potere della spada
(1987, trad. di Carlo Brera)

Stirpe di uomini
(1987, trad. di Attilio Veraldi)

Gli angeli piangono
(1987, trad. di Roberta Rambelli)

I fuochi dell'ira
(1988, trad. di Carlo Brera)

I romanzi di Wilbur Smith

L'ombra del sole
(1989, trad. di Carlo Brera)

L'ultima preda
(1989, trad. di Carlo Brera)

L'Uccello del Sole
(1990, trad. di Roberta Rambelli)

La Volpe dorata
(1990, trad. di Roberta Rambelli)

Cacciatori di diamanti
(1991, trad. di Attilio Veraldi)

Il canto dell'elefante
(1991, trad. di Roberta Rambelli)

La montagna dei diamanti
(1991, trad. di Carlo Brera)

Una vena d'odio
(1992, trad. di Roberta Rambelli)

Sulla rotta degli squali
(1992, trad. di Lidia Perria)

Il dio del fiume
(1993, trad. di Roberta Rambelli)

Il settimo papiro
(1995, trad. di Roberta Rambelli)

Uccelli da preda
(1997, trad. di Lidia Perria)

I MAESTRI DELL'AVVENTURA

Costa sottovento
di Patrick O'Brian

Persa la *Sophie*, Jack Aubrey e Stephen Maturin si ritrovano senza una nave, ma ben provvisti di quattrini. D'intesa, decidono quindi di ritirarsi per qualche tempo in campagna... dimenticando però che la terraferma riserva spesso brutte sorprese agli uomini di mare. E infatti la parentesi idilliaca (allietata da due deliziose fanciulle che fanno breccia sia nel cuore di Jack sia in quello di Stephen) viene bruscamente interrotta... Un'avventura travolgente sullo sfondo dell'Europa ottocentesca, della sua storia e dei suoi protagonisti, tratteggiata con vivacità e con un tocco di raffinato umorismo. La conferma (dopo il successo di *Primo comando*) di un narratore straordinario, capace di affascinare con le sue avventure l'esigentissimo pubblico dei romanzi di mare (e non solo...)

Un successo Longanesi & C.

Tra due fuochi
di Desmond Bagley

Misura più di cento metri in lunghezza, pesa 550 tonnellate e si muove a una velocità di otto chilometri l'ora. Il suo compito – e quello di Neil Mannix, dirigente della British Electric – è di trasportare un gigantesco trasformatore attraverso il Nyala, irrequieto Paese africano, fino a Bir Oassa, dove sorgerà una centrale intesa a sfruttare un enorme giacimento di petrolio. Ma, proprio durante il tormentato viaggio di trasferimento, il Nyala precipita nella guerra civile. Così Mannix, insieme con il suo colossale veicolo e con un'équipe poco disposta a obbedire ai suoi ordini, si trova *tra due fuochi*: senza possibilità di sfuggire al conflitto e senza un posto in cui nascondersi... Un altro straordinario romanzo di un autore che il *Daily Mirror* ha definito « un maestro ».

Un successo Longanesi & C.